여러분의 합격을 응원하는
해커스공무원의 특별 혜택

FREE 공무원 행정법 특강

해커스공무원(gosi.Hackers.com) 접속 후 로그인 ▶ 상단의 [무료강좌] 클릭하여 이용

해커스공무원 온라인 단과강의 20% 할인쿠폰

874783F875ELUGSK

해커스공무원(gosi.Hackers.com) 접속 후 로그인 ▶ 상단의 [나의 강의실] 클릭 ▶
좌측의 [쿠폰등록] 클릭 ▶ 위 쿠폰번호 입력 후 이용

* 등록 후 7일간 사용 가능(ID당 1회에 한해 등록 가능)

합격예측 온라인 모의고사 응시권 + 해설강의 수강권

24FA7883B53F8C38

해커스공무원(gosi.Hackers.com) 접속 후 로그인 ▶ 상단의 [나의 강의실] 클릭 ▶
좌측의 [쿠폰등록] 클릭 ▶ 위 쿠폰번호 입력 후 이용

* ID당 1회에 한해 등록 가능

쿠폰 이용 관련 문의 **1588-4055**

단기 합격을 위한 해커스공무원 커리큘럼

입문
탄탄한 기본기와 핵심 개념 완성!
누구나 이해하기 쉬운 개념 설명과 풍부한 예시로 부담없이 쌩기초 다지기
TIP 베이스가 있다면 **기본 단계**부터!

기본+심화
필수 개념 학습으로 이론 완성!
반드시 알아야 할 기본 개념과 문제풀이 전략을 학습하고
심화 개념 학습으로 고득점을 위한 응용력 다지기

기출+예상 문제풀이
문제풀이로 집중 학습하고 실력 업그레이드!
기출문제의 유형과 출제 의도를 이해하고 최신 출제 경향을 반영한
예상문제를 풀어보며 본인의 취약영역을 파악 및 보완하기

동형문제풀이
동형모의고사로 실전력 강화!
실제 시험과 같은 형태의 실전모의고사를 풀어보며 실전감각 극대화

최종 마무리
시험 직전 실전 시뮬레이션!
각 과목별 시험에 출제되는 내용들을 최종 점검하며 실전 완성

PASS

* 커리큘럼 및 세부 일정은 상이할 수 있으며, 자세한 사항은 해커스공무원 사이트에서 확인하세요.

단계별 교재 확인 및 수강신청은 여기서!
gosi.Hackers.com

해커스공무원
함수민
행정법총론

기본서 | 2권

서문

합격은 시험 날에 결정되는 것이 아니라, 매일 매일이 결정한다.

행정법은 많은 양과 낯선 개념 때문에 비교적 어려운 과목으로 알려져 있습니다.

하지만 수험 목적으로의 행정법과 학문으로서의 행정법은 엄연히 다릅니다. 즉, 우리는 '시험 합격'을 위해 정확한 방향을 잡고 중요한 부분을 효율적으로 학습하는 것이 무엇보다 중요합니다.

이에 행정법을 처음 접하는 초심자뿐만 아니라, 행정법에 대한 이해가 선행되어 있는 수험생 모두가 올바른 방향으로 행정법을 학습할 수 있도록 '효율적으로 학습효과를 극대화하는 것'에 초점을 두고 교재를 집필하였습니다.

『해커스공무원 함수민 행정법총론 기본서』는 다음과 같은 특징이 있습니다.

01 본문에 수록된 '핵심정리', '관련판례', '참고', '함께 정리하기' 등 다양한 학습장치를 통해 행정법총론의 이론, 판례, 법조문을 다각도로 꼼꼼하게 학습할 수 있습니다.

02 기본서 본문의 각 개념 옆에 수록된 '함께 정리하기'를 통해 핵심 내용을 정리하신다면, 1회독 효과를 가져오는 것은 물론이고 시험이 다가오는 시점에서는 짧은 시간에 충분한 회독 수를 확보하실 수 있습니다.

03 '관련판례'에 수록된 모든 판례에 제목을 붙여 완전히 이해한 판례들에 대해서는 제목만으로도 내용 정리를 할 수 있으며, 반복 학습에도 용이합니다. 또한 판례마다 중요도에 따라 기재한 ★ 표시를 통해 강약을 조절하여 판례를 학습할 수 있습니다.

04 교재의 마지막에 '판례색인'이 수록되어 있어 원하는 판례만을 빠르고 간단하게 찾아볼 수 있습니다.

그 밖에 자세한 책의 구성 및 특징은 '이 책의 활용법(p.8~9)'을 참고하시길 바랍니다.

행정법총론 학습은 어떻게 해야 할까요?

7·9급 행정 직렬을 비롯한 여러 직렬에서 행정법총론이 필수과목으로 지정되어 당락을 좌우하는 핵심과목으로 자리매김 되고 있는 만큼, 처음부터 제대로 확실하게 준비하여야 합니다.

이론은 지엽적인 학설이나 그 논거보다는 기본 개념이나 다수설의 입장이 주로 출제되므로, 이를 중점적으로 학습하여야 합니다.

판례의 경우, 최근 판례요지를 그대로 출제하기보다는 판례를 응용하여 만든 지문들이 늘어나고 있습니다. 따라서 판례의 결론만을 단순 암기하기보다는, 각 판례별로 주요 쟁점 및 그 이유와 근거까지 파악해 둘 필요가 있습니다.

법학의 해석은 조문에서 시작합니다. 모든 판례도 조문의 해석이라고 볼 수 있습니다. 따라서 해당 내용이 어떤 조문인지, 이와 관련된 판례는 무엇이며 기출문제는 어떻게 출제되는지 등을 유기적으로 연계하여 학습하는 것이 중요합니다.

더불어, 공무원 시험 전문 사이트 **해커스공무원(gosi.Hackers.com)**에서 교재 학습 중 궁금한 점을 나누고, 다양한 무료 학습 자료를 함께 이용하여 학습 효과를 극대화할 수 있습니다.

부디 『해커스공무원 함수민 행정법총론 기본서』와 함께 공무원 행정법총론 시험 고득점을 달성하고 합격을 향해 한 걸음 더 나아가시기를 바랍니다. 여러분의 빠른 합격과 건강을 기원합니다.

함수민

목차

1권

제1편 행정법통론

제1장 행정법의 의의
- 제1절 행정법의 개념 ... 12
- 제2절 행정법의 법원(法源) ... 32
- 제3절 행정법의 일반원칙 ... 41
- 제4절 행정법의 효력 ... 87

제2장 행정상 법률관계
- 제1절 당사자 ... 96
- 제2절 공권과 공의무 (행정상 법률관계, 공법관계의 내용) ... 103
- 제3절 행정상 법률관계의 종류 ... 115
- 제4절 행정법관계에 대한 사법규정의 적용 (행정법의 흠결의 보충) ... 123

제3장 행정법상의 법률요건과 법률사실 (행정법관계의 변동)
- 제1절 의의 및 종류 ... 126
- 제2절 행정법상 사건 ... 127
- 제3절 공법상의 행위 ... 140

제2편 행정작용법

제1장 행정입법
- 제1절 개설 ... 172
- 제2절 법규명령 ... 174
- 제3절 행정규칙 ... 199
- 제4절 형식과 내용의 불일치 ... 212

제2장 행정행위
- 제1절 행정행위의 개념 ... 226
- 제2절 행정행위의 분류 ... 230
- 제3절 기속행위와 재량행위, 불확정 개념과 판단여지 ... 239
- 제4절 제3자효 행정행위 ... 267
- 제5절 행정행위의 내용 ... 269
- 제6절 행정행위의 부관 ... 327
- 제7절 행정행위의 성립요건·적법요건·효력발생요건 ... 347
- 제8절 행정행위의 효력 ... 356
- 제9절 행정행위의 하자(흠) ... 374
- 제10절 행정행위의 취소와 철회 ... 412
- 제11절 행정행위의 실효 ... 435

제3장 그 밖의 행정의 주요 행위형식
- 제1절 확약 ... 437
- 제2절 행정계획 ... 441
- 제3절 공법상 계약 ... 463
- 제4절 행정상 사실행위 ... 478
- 제5절 행정지도 ... 485
- 제6절 그 밖의 행정작용 ... 493

제3편 행정절차와 행정정보

제1장 행정절차
제1절	행정절차제도	500
제2절	행정절차법 내용	502
제3절	처분절차	511
제4절	처분 이외의 절차	536
제5절	행정절차의 하자	540
제6절	민원 처리에 관한 법률	543

제2장 행정정보공개와 개인정보 보호
제1절	행정정보공개제도	546
제2절	개인정보 보호제도	580

목차

2권

제4편 행정의 실효성 확보수단

제1장 개설 ... 630

제2장 행정강제
제1절 행정상 강제집행 ... 632
제2절 행정상 즉시강제 ... 666

제3장 행정조사 ... 674

제4장 행정벌
제1절 개설 ... 685
제2절 행정형벌의 특수성 ... 689
제3절 행정질서벌(과태료)의 특수성 ... 697

제5장 새로운 실효성 확보수단
제1절 개설 ... 706
제2절 실효성 확보를 위한 여러 수단 ... 706

제5편 행정쟁송

제1장 행정심판 일반론
제1절 행정심판의 개설 ... 730
제2절 행정심판의 종류 및 행정심판법의 개정 내용 ... 744
제3절 고지제도 ... 750

제2장 행정심판청구
제1절 개설 ... 756
제2절 행정심판의 당사자 및 관계인 ... 757
제3절 행정심판의 대상 ... 761
제4절 행정심판기관 ... 763
제5절 행정심판청구기간 ... 771
제6절 행정심판청구의 방식과 절차 ... 774
제7절 행정심판청구의 효과 ... 777
제8절 가구제(잠정적 권리보호) ... 777

제3장 행정심판의 심리·재결
제1절 행정심판의 심리 ... 781
제2절 행정심판의 재결 ... 786

제4장 행정소송 일반론
제1절 행정소송의 관념 ... 801
제2절 행정소송의 한계 ... 803

제5장 항고소송 1(취소소송)

제1절 취소소송의 관념	808
제2절 소송요건	809
제3절 소의 변경	922
제4절 취소소송 제기의 효과	927
제5절 행정소송의 가구제	928
제6절 취소소송의 심리	940
제7절 취소소송의 판결	949
제8절 판결 이외의 취소소송의 종료	981
제9절 취소소송의 불복절차 [상소, 항고(재항고, 재심)]	982
제10절 소송비용	984

제6장 항고소송 2(무효등 확인소송)

제1절 개설	985
제2절 소의 제기	986
제3절 소송의 심리	990
제4절 판결의 효력 등	991
제5절 무효등 확인소송과 취소소송의 관계	992

제7장 항고소송 3(부작위위법확인소송)

제1절 개설	995
제2절 소의 제기	997
제3절 소송의 심리	1002
제4절 판결	1004

제8장 당사자소송 1006

제9장 객관소송 1026

제10장 헌법소원 1030

제6편 행정상 손해전보

제1장 개설 1036

제2장 행정상 손해배상(국가배상)

제1절 개관	1038
제2절 공무원의 직무상 불법행위로 인한 손해배상	1041
제3절 영조물의 설치·관리의 하자로 인한 손해배상	1080
제4절 배상책임자	1093
제5절 손해배상액	1102
제6절 국가배상청구권 행사의 제한	1103
제7절 국가배상의 청구절차	1111

제3장 행정상 손실보상

제1절 개설	1113
제2절 행정상 손실보상의 근거	1116
제3절 행정상 손실보상의 요건	1121
제4절 행정상 손실보상의 기준과 내용	1128
제5절 행정상 손실보상의 방법 및 지급원칙	1148
제6절 공용수용의 절차	1151
제7절 보상액의 결정방법 및 불복절차	1155

제4장 손해전보를 위한 그 밖의 제도

제1절 개설	1165
제2절 수용유사침해와 수용적 침해·희생보상청구권·결과제거청구권	1166

판례색인 1176

해커스공무원 학원·인강 **gosi.Hackers.com**

제 4 편

행정의 실효성 확보수단

제1장	개설
제2장	행정강제
제3장	행정조사
제4장	행정벌
제5장	새로운 실효성 확보수단

제1장 개설

 함께 정리하기

행정의 실효성 확보수단
▷ 상대방이 의무를 이행하지 않거나 위반한 경우 의무이행을 강제하거나 위반행위에 대하여 제재할 수 있는 수단

행정주체는 공익실현이라는 행정목적의 달성을 위하여 국민에게 일정한 의무를 부과하는 경우가 있는데, 의무자인 국민이 이러한 의무를 이행하지 않거나 이를 위반하게 되면 행정은 그 목적을 실현할 수 없게 된다. 따라서 행정목적의 실현을 확보하고 행정법규의 실효성을 담보하기 위하여 강제적 수단이 필요하게 된다. 이와 같이 행정의 실효성 확보를 위하여 인정되는 법적 수단을 행정의 실효성 확보수단(의무이행 확보수단)이라고 한다.

1 행정의 실효성 확보수단 유형

1. 전통적인 구분

전통적인 행정의 실효성 확보의 수단
▷ 행정강제와 행정벌

행정강제
▷ 행정상 의무이행을 강제하기 위한 수단

행정벌
▷ 행정상 의무위반에 대한 제재 수단

(1) 전통적으로 행정의 실효성 확보의 수단은 크게 행정강제와 행정벌로 나눌 수 있다. 행정강제는 현재의 의무불이행상태에 대하여 실력을 행사하여 장래의 방향으로 의무이행을 실현시키는 강제수단이고, 행정벌은 과거의 의무위반에 대하여 일정한 제재를 가함으로써 행정법규위반에 대한 처벌을 직접 목적으로 하면서도, 간접적으로 심리적 압박을 통하여 의무이행을 확보시키는 수단이다. 양자는 강제와 제재라는 점에서 차이가 있지만 의무이행을 강제적으로 확보하는 수단이라는 점에서 공통된다.

행정강제
▷ 개인의 신체 또는 재산에 실력을 가함으로써 행정권이 직접 행정상 필요한 상태를 실현하는 권력적 행위

행정강제의 종류
▷ 행정상 강제집행, 즉시강제

외국인의 출입국에 관한 사항
▷ 행정기본법상 행정강제 적용×

(2) 행정강제는 행정목적을 실현하기 위하여 개인의 신체 또는 재산에 실력을 가함으로써 행정권이 직접 행정상 필요한 상태를 실현하는 권력적 행위이다. 이러한 행정강제에는 다시 행정상 강제집행과 즉시강제로 구분된다.

(3) 행정강제는 대표적인 공권력의 행사로 국민의 자유와 재산권을 제한함에도 불구하고 우리나라에는 독일의 행정집행법과 같은 통일적인 법전이 없다. 전통적 강제집행수단 중 대집행과 강제징수에만 일반법이 있을 뿐이고, 직접강제와 이행강제금은 개별법에서 예외적으로만 인정하고, 즉시강제도 경찰관직무집행법 등 개별법에서 규정하고 있다. 그래서 행정법상 의무불이행이 있음에도 불구하고 그것을 강제로 이행시킬 직접적 수단이 없는 경우에는 학설과 판례에 의해 해결될 수 밖에 없다. 이러한 문제점이 있어 행정기본법은 제30조에서 개별법령에 따라 도입된 행정강제의 개념 및 유형을 체계화하고, 법률유보의 원칙 및 최소침해의 원칙 등 행정상 강제에 적용되는 기본원칙을 선언하고 있고, 행정기본법이 정한 사항 외의 필요한 사항은 따로 법률로 정하도록 하고 있다. 다만, 행정작용 중 형사, 행형 및 보안처분 관계 법령에 따라 행하는 사항이나 외국인의 출입국·난민인정·귀화·국적회복에 관한 사항에 관해서는 그 규율대상의 특수성을 고려하여 해당하는 개별 법률에서 규율되도록 하고 행정기본법의 적용대상에서 제외하고 있다.

「행정기본법」 제30조 【행정상 강제】 ① 행정청은 행정목적을 달성하기 위하여 필요한 경우에는 법률로 정하는 바에 따라 필요한 최소한의 범위에서 다음 각 호의 어느 하나에 해당하는 조치를 할 수 있다.

1. 행정대집행: 의무자가 행정상 의무(법령등에서 직접 부과하거나 행정청이 법령등에 따라 부과한 의무를 말한다. 이하 이 절에서 같다)로서 타인이 대신하여 행할 수 있는 의무를 이행하지 아니하는 경우 법률로 정하는 다른 수단으로는 그 이행을 확보하기 곤란하고 그 불이행을 방치하면 공익을 크게 해칠 것으로 인정될 때에 행정청이 의무자가 하여야 할 행위를 스스로 하거나 제3자에게 하게 하고 그 비용을 의무자로부터 징수하는 것
2. 이행강제금의 부과: 의무자가 행정상 의무를 이행하지 아니하는 경우 행정청이 적절한 이행기간을 부여하고, 그 기한까지 행정상 의무를 이행하지 아니하면 금전급부의무를 부과하는 것
3. 직접강제: 의무자가 행정상 의무를 이행하지 아니하는 경우 행정청이 의무자의 신체나 재산에 실력을 행사하여 그 행정상 의무의 이행이 있었던 것과 같은 상태를 실현하는 것
4. 강제징수: 의무자가 행정상 의무 중 금전급부의무를 이행하지 아니하는 경우 행정청이 의무자의 재산에 실력을 행사하여 그 행정상 의무가 실현된 것과 같은 상태를 실현하는 것
5. 즉시강제: 현재의 급박한 행정상의 장해를 제거하기 위한 경우로서 다음 각 목의 어느 하나에 해당하는 경우에 행정청이 곧바로 국민의 신체 또는 재산에 실력을 행사하여 행정목적을 달성하는 것
　가. 행정청이 미리 행정상 의무 이행을 명할 시간적 여유가 없는 경우
　나. 그 성질상 행정상 의무의 이행을 명하는 것만으로는 행정목적 달성이 곤란한 경우
② 행정상 강제 조치에 관하여 이 법에서 정한 사항 외에 필요한 사항은 따로 법률로 정한다.
③ 형사(刑事), 행형(行刑) 및 보안처분 관계 법령에 따라 행하는 사항이나 외국인의 출입국·난민인정·귀화·국적회복에 관한 사항에 관하여는 이 절을 적용하지 아니한다.

2. 오늘날의 구분

오늘날 사회가 복잡·다양해짐에 따라 전통적인 행정강제와 행정벌만으로는 의무이행을 강제하는데 한계에 부딪치면서 과징금, 가산세, 공급거부, 명단공표, 관허사업의 제한, 시정명령 등과 같은 새로운 실효성 확보수단이 법상 또는 행정실무상 등장하고 있다. 이러한 수단들을 전통적인 수단에 대응하는 개념으로 일반적으로 새로운 의무이행확보수단이라 부른다.

새로운 실효성 확보수단
▷ 명단공표, 관허사업의 제한, 공급거부, 과징금, 가산세, 시정명령 등

2 행정상 의무이행 확보수단의 체계

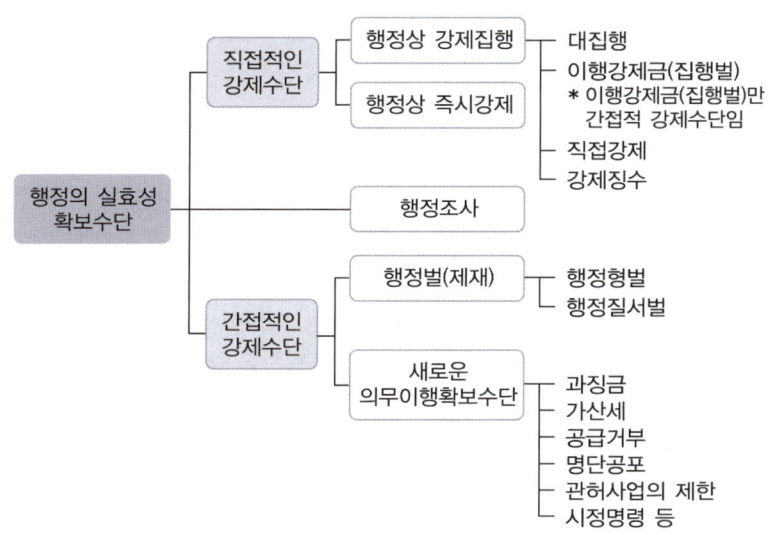

제 2 장 행정강제

 함께 정리하기

제1절 행정상 강제집행

1 개관

1. 의의

행정상 강제집행이란 행정법상의 의무불이행이 있는 경우에 행정기관이 의무자의 신체 또는 재산에 실력을 가하여 장래를 향하여 그 의무를 이행하게 하거나 이행된 것과 같은 상태를 실현하는 행정작용을 말한다.

2. 구별개념

(1) 행정상 즉시강제와의 구별

행정상 강제집행은 의무의 존재 및 그 불이행을 전제로 하는 점에서 이를 전제로 하지 않고 즉시 행해지는 행정상 즉시강제와 구별된다.

(2) 행정벌과의 구별

행정상 강제집행은 불이행한 의무를 장래를 향해 실현시키는 것을 목적으로 한다는 점에서 과거의 의무위반에 대한 제재로서 가하는 행정벌과 구별된다.

(3) 민사상 강제집행과의 구별

① 행정상 강제집행은 공법상 의무를 대상으로 하는 점에서, 사법상 의무를 대상으로 하는 사법상 강제집행과 구별된다.
② 민사상 강제집행은 사법상 의무의 불이행이 있는 경우에 권리자 스스로 집행할 수 없고 법원의 판결 및 집행기관에 의한 집행에 의해 권리를 실현하는 타력(타자)집행인 반면, 행정상 강제집행은 행정상 의무불이행에 대하여 법원의 개입 없이 행정주체가 직접 행정상 강제집행을 통하여 의무를 강제적으로 실현하는 자력집행이라는 점에서 근본적인 차이가 있다.
③ 경제적이고 신속한 행정상 강제집행수단이 법률에 규정되어 있는 경우에는 민사상 강제집행이 인정되지 않는다. 그러나 행정상 의무불이행에 대하여 행정상 강제집행을 인정하는 법률이 존재하더라도 그 행정상 강제집행이 불가능한 경우 등 권리실현에 장애가 있게 되는 특별한 사정이 있다고 볼 수 있는 경우에는 행정상 의무이행을 강제하기 위하여 예외적으로 민사상 강제집행 절차를 활용할 수 있다.

행정상 강제집행
▷ 행정법상의 의무불이행이 있는 경우에 행정기관이 의무자의 신체 또는 재산에 실력을 가하여 장래를 향하여 그 의무를 이행하게 하거나 이행된 것과 같은 상태를 실현하는 작용

행정상 즉시강제와의 구별
▷ 의무의 존재 및 그 불이행을 전제로 하는 점에서 구별됨

행정벌과의 구별
▷ 불이행한 의무를 장래를 향해 실현시키는 것을 목적으로 한다는 점에서 구별됨

사법상 강제집행과의 구별
▷ 공법상 의무를 대상으로 하는 점에서 구별됨
강제집행
▷ 사법상의 강제집행: 타력(타자)집행
▷ 행정상의 강제집행: 자력집행

행정상 강제집행이 가능한 경우
▷ 사법상 강제집행 불가(예외 有)

관련판례

1. 국유재산법에 따라 행정대집행의 방법으로 강제집행이 가능한 경우 민사소송으로 시설물 철거를 구하는 것은 허용되지 않는다. ★★★

[1] (아무런 권원 없이 국유재산에 설치한 시설물에 대하여 행정청이 행정대집행을 할 수 있음에도 민사소송의 방법으로 그 시설물의 철거를 구하는 것이 허용되는지 여부) 이 사건 토지는 잡종재산인 국유재산으로서, 국유재산법 제52조는 "정당한 사유 없이 국유재산을 점유하거나 이에 시설물을 설치한 때에는 행정대집행법을 준용하여 철거 기타 필요한 조치를 할 수 있다."고 규정하고 있으므로, 관리권자인 보령시장으로서는 행정대집행의 방법으로 이 사건 시설물을 철거할 수 있고, 이러한 행정대집행의 절차가 인정되는 경우에는 따로 민사소송의 방법으로 피고들에 대하여 이 사건 시설물의 철거를 구하는 것은 허용되지 않는다고 할 것이다.

[2] (아무런 권원 없이 국유재산에 설치한 시설물에 대하여 행정청이 행정대집행을 실시하지 않는 경우, 그 국유재산에 대한 사용청구권을 가지고 있는 자가 국가를 대위하여 민사소송으로 그 시설물의 철거를 구할 수 있는지 여부) 관리권자인 보령시장이 행정대집행을 실시하지 아니하는 경우 국가에 대하여 이 사건 토지 사용청구권을 가지는 원고로서는 위 청구권을 보전하기 위하여 국가를 대위하여 피고들을 상대로 민사소송의 방법으로 이 사건 시설물의 철거를 구하는 이외에는 이를 실현할 수 있는 다른 절차와 방법이 없어 그 보전의 필요성이 인정되므로, 원고는 국가를 대위하여 피고들을 상대로 민사소송의 방법으로 이 사건 시설물의 철거를 구할 수 있다고 보아야 할 것이다(대판 2009.6.11. 2009다1122).

2. 공유재산 및 물품 관리법에 따라 행정대집행의 방법으로 강제집행이 가능한 경우 민사소송으로 시설물 철거를 구하는 것은 허용되지 않는다. ★★

[1] 공유 일반재산의 대부료의 징수에 관하여도 지방세 체납처분의 예에 따른 간이하고 경제적인 특별한 구제절차가 마련되어 있으므로, 특별한 사정이 없는 한 민사소송으로 공유 일반재산의 대부료의 지급을 구하는 것은 허용되지 아니한다.

[2] 공유재산 및 물품 관리법 제83조 제1항은 "지방자치단체의 장은 정당한 사유 없이 공유재산을 점유하거나 공유재산에 시설물을 설치한 경우에는 원상복구 또는 시설물의 철거 등을 명하거나 이에 필요한 조치를 할 수 있다."라고 규정하고, 제2항은 "제1항에 따른 명령을 받은 자가 그 명령을 이행하지 아니할 때에는 '행정대집행법'에 따라 원상복구 또는 시설물의 철거 등을 하고 그 비용을 징수할 수 있다."라고 규정하고 있다. 이 규정에 따라 지방자치단체장은 행정대집행의 방법으로 공유재산에 설치한 시설물을 철거할 수 있고, 이러한 행정대집행의 절차가 인정되는 경우에는 민사소송의 방법으로 시설물의 철거를 구하는 것은 허용되지 아니한다(대판 2017.4.13. 2013다207941).

3. 토지수용법 위반행위에 대한 시정명령처분을 따르지 않는 경우, 민사소송의 방법이 아닌 행정대집행의 방법으로 그 의무내용을 실현해야 한다. ★★★

구 토지수용법 제18조의2 제2항에 위반하여 공작물을 축조하고 물건을 부가한 자에 대하여 관리청은 이러한 위반행위에 의하여 생긴 유형적 결과의 시정을 명하는 행정처분을 하여 이에 따르지 않는 경우에는 행정대집행의 방법으로 그 의무내용을 실현할 수 있는 것이고, 이러한 행정대집행의 절차가 인정되는 경우에는 따로 민사소송의 방법으로 공작물의 철거, 수거 등을 구할 수는 없다(대판 2000.5.12. 99다18909).

함께 정리하기

「국유재산법」에 따라 행정대집행 가능한 경우
▷ 민사소송으로 시설물의 철거 청구 불가

행정청이 대집행을 실시하지 않는 경우
▷ 국가를 대위하여 민사소송으로 철거 청구 可

「공유재산 및 물품 관리법」에 따라 강제집행 가능한 경우
▷ 민사소송으로 시설물의 철거 청구 불가

구 토지수용법 위반하여 공작물을 축조한 경우
▷ 민사소송으로 공작물의 철거 등 청구 불가

이론적 근거
▷ 의무부과의 근거 법령은 행정상 강제집행의 근거 ✕
▷ 행정상 강제집행에는 별도의 법적 근거 要

법적 근거
▷ 대집행:「행정대집행법」
▷ 강제징수:「국세징수법」
▷ 직접강제·이행강제금: 개별법

3. 행정상 강제집행의 근거

(1) 이론적 근거

과거에는 행정주체가 의무를 명하는 법규에는 명령의 내용을 실현할 수 있는 강제집행권도 포함되어 있는 것으로 보아 별도의 법적 근거가 필요 없다고 보았으나, 오늘날에는 의무를 명하는 행위와 의무의 내용을 강제적으로 실현하는 행위는 전혀 다른 행정작용이므로 행정상 강제집행을 하기 위해서는 의무를 명하는 근거 법규와는 별도로 당해 의무를 강제집행할 수 있다는 법적 근거가 필요하다는 것이 일반적인 견해이다.

(2) 실정법적 근거

행정상 강제집행의 근거법으로는 대집행에 관한 일반법으로서「행정대집행법」과 행정상 강제징수에 관한 실질적인 일반법으로서「국세징수법」외에「국세징수법」을 준용하는 많은 개별법이 있다. 이행강제금(집행벌)과 직접강제는 각 개별법에서 예외적으로 인정되고 있다.

◎ 핵심정리 행정상 강제집행의 종류

종류	적용 가능한 의무	일반법
대집행	대체적 작위의무	「행정대집행법」
이행강제금	비대체적 작위의무 · 부작위의무 · 수인의무 + 대체적 작위의무	없음
직접강제	작위의무 · 부작위의무 · 수인의무	없음
강제징수	금전납부의무	「국세징수법」

2 대집행

「행정대집행법」제2조【대집행과 그 비용징수】법률(법률의 위임에 의한 명령, 지방자치단체의 조례를 포함한다. 이하 같다)에 의하여 직접명령되었거나 또는 법률에 의거한 행정청의 명령에 의한 행위로서 타인이 대신하여 할 수 있는 행위를 의무자가 이행하지 아니하는 경우 다른 수단으로써 그 이행을 확보하기 곤란하고 또한 그 불이행을 방치함이 심히 공익을 해할 것으로 인정될 때에는 당해 행정청은 스스로 의무자가 하여야 할 행위를 하거나 또는 제삼자로 하여금 이를 하게 하여 그 비용을 의무자로부터 징수할 수 있다.

제3조【대집행의 절차】① 전조의 규정에 의한 처분(이하 '대집행'이라 한다)을 하려함에 있어서는 상당한 이행기한을 정하여 그 기한까지 이행되지 아니할 때에는 대집행을 한다는 뜻을 미리 문서로써 계고하여야 한다. 이 경우 행정청은 상당한 이행기한을 정함에 있어 의무의 성질·내용 등을 고려하여 사회통념상 해당 의무를 이행하는 데 필요한 기간이 확보되도록 하여야 한다.
② 의무자가 전항의 계고를 받고 지정기한까지 그 의무를 이행하지 아니할 때에는 당해 행정청은 대집행영장으로써 대집행을 할 시기, 대집행을 시키기 위하여 파견하는 집행책임자의 성명과 대집행에 요하는 비용의 개산에 의한 견적액을 의무자에게 통지하여야 한다.
③ 비상시 또는 위험이 절박한 경우에 있어서 당해 행위의 급속한 실시를 요하여 전2항에 규정한 수속을 취할 여유가 없을 때에는 그 수속을 거치지 아니하고 대집행을 할 수 있다.

제4조 【대집행의 실행 등】 ① 행정청(제2조에 따라 대집행을 실행하는 제3자를 포함한다. 이하 이 조에서 같다)은 해가 뜨기 전이나 해가 진 후에는 대집행을 하여서는 아니 된다. 다만, 다음 각 호의 어느 하나에 해당하는 경우에는 그러하지 아니하다.
1. 의무자가 동의한 경우
2. 해가 지기 전에 대집행을 착수한 경우
3. 해가 뜬 후부터 해가 지기 전까지 대집행을 하는 경우에는 대집행의 목적 달성이 불가능한 경우
4. 그 밖에 비상시 또는 위험이 절박한 경우
② 행정청은 대집행을 할 때 대집행 과정에서의 안전 확보를 위하여 필요하다고 인정하는 경우 현장에 긴급 의료장비나 시설을 갖추는 등 필요한 조치를 하여야 한다.
③ 대집행을 하기 위하여 현장에 파견되는 집행책임자는 그가 집행책임자라는 것을 표시한 증표를 휴대하여 대집행시에 이해관계인에게 제시하여야 한다.

제5조 【비용납부명령서】 대집행에 요한 비용의 징수에 있어서는 실제에 요한 비용액과 그 납기일을 정하여 의무자에게 문서로써 그 납부를 명하여야 한다.

제6조 【비용징수】 ① 대집행에 요한 비용은 「국세징수법」의 예에 의하여 징수할 수 있다.
② 대집행에 요한 비용에 대하여서는 행정청은 사무비의 소속에 따라 국세에 다음가는 순위의 선취득권을 가진다.
③ 대집행에 요한 비용을 징수하였을 때에는 그 징수금은 사무비의 소속에 따라 국고 또는 지방자치단체의 수입으로 한다.

「행정기본법」 제30조 【행정상 강제】 ① 행정청은 행정목적을 달성하기 위하여 필요한 경우에는 법률로 정하는 바에 따라 필요한 최소한의 범위에서 다음 각 호의 어느 하나에 해당하는 조치를 할 수 있다.
1. <u>행정대집행: 의무자가 행정상 의무(법령등에서 직접 부과하거나 행정청이 법령등에 따라 부과한 의무를 말한다. 이하 이 절에서 같다)로서 타인이 대신하여 행할 수 있는 의무를 이행하지 아니하는 경우 법률로 정하는 다른 수단으로는 그 이행을 확보하기 곤란하고 그 불이행을 방치하면 공익을 크게 해칠 것으로 인정될 때에 행정청이 의무자가 하여야 할 행위를 스스로 하거나 제3자에게 하게 하고 그 비용을 의무자로부터 징수하는 것</u>

 함께 정리하기

1. 의의

(1) 개념

① **대집행**(代執行)이란 대체적 작위의무(타인이 대신하여 이행할 수 있는 작위의무)가 이행되지 않은 경우에 해당 **행정청이 의무자가 할 일을 행정청 스스로 또는 제3자로 하여금 이를 행하게 함으로써** 의무이행이 있었던 것과 동일한 상태를 실현시킨 후, 그에 관한 비용을 의무자로부터 징수하는 강제집행수단을 의미한다[「행정대집행법」(이하 '동법'이라 함) 제2조].
② 「행정기본법」 제30조 제1항 제1호는 행정대집행을 행정상 강제집행 수단으로 규정하고 있다.

대집행의 의의
▷ 대체적 작위의무 불이행에 대하여 행정청 스스로가 또는 제3자로 하여금 의무이행 상태를 실현시킨 후 그 비용을 의무자로부터 징수하는 것
▷ 「행정기본법」상 행정상 강제수단

(2) 법적 근거

대집행에 관하여는 **일반법인 「행정대집행법」**이 있으며, 그 밖에도 「건축법」 제85조, 「도로교통법」 제35조 제6항 및 「공익사업을 위한 토지 등의 취득 및 보상에 관한 법률」 제89조 등이 있다.

법적 근거
▷ 「행정대집행법」, 「건축법」, 「도로교통법」, 「공익사업을 위한 토지 등의 취득 및 보상에 관한 법률」 등

2. 대집행의 주체와 법률관계

(1) 대집행의 주체

① **당해 행정청**: 대집행을 할 수 있는 자는 당해 행정청이다(동법 제2조). 여기서 당해 행정청이라 함은 대집행의 대상이 되는 의무를 명한 '처분청'을 말한다.

② **대집행의 위탁**: 당해 행정청은 대집행을 직접 할 수도 있고(자기집행) 다른 행정기관에 위탁하거나 공공단체 또는 사인에게 위탁할 수 있다(제3자 집행). 당해 행정청의 위임이 있으면 다른 행정청도 대집행의 주체가 될 수 있으나, 행정청의 위임을 받아 대집행을 실행하는 '제3자'는 대집행의 주체가 아니다.

(2) 대집행의 법률관계

① **자기집행(자력집행)의 경우**: 자기집행의 경우 행정청과 의무자와의 법률관계는 공법관계이다.

② **제3자 집행(타자집행)의 경우**: 제3자로 하여금 이를 대신 행하게 하는 타자집행의 경우 그 법률관계를 ㉠ 행정청과 제3자 사이의 관계, ㉡ 제3자와 의무자 사이의 관계, ㉢ 행정청과 의무자 사이의 관계로 나눌 수 있다. ㉠의 관계는 사법상의 계약관계(도급)이고, ㉡의 관계는 직접적인 법률관계가 성립되지 않지만 제3자는 단순히 행정청의 이행보조인으로서 기능하며, 의무자는 제3자의 대집행 행위에 대한 수인의무를 부담한다. ㉢의 관계는 공법관계로서의 성질을 가지고 행정청은 의무자에게 공법상 비용청구권을 가진다.

(3) 대집행권한이 법령에 의해 공법인에게 위탁된 경우

대집행권한이 법령에 의해 공법인에게 위탁된 경우, 공법인은 대집행 권한을 위탁받은 자로서 대집행 실시에 따르는 권리·의무 및 책임이 귀속되는 행정주체의 지위를 갖는다. 판례도 이 경우, 공법인은 대집행의 보조자가 아니라 대집행의 주체로서 행정주체에 해당한다고 보고 있다.

> **관련판례**
>
> **법령에 의해 대집행권한을 위탁받은 한국토지공사는 행정주체의 지위를 갖는다. ★★★**
> 한국토지공사는 구 한국토지공사법 제2조, 제4조에 의하여 정부가 자본금의 전액을 출자하여 설립한 법인이고, 같은 법 제9조 제4호에 규정된 한국토지공사의 사업에 관하여는 공익사업을 위한 토지 등의 취득 및 보상에 관한 법률 제89조 제1항, 위 한국토지공사법 제22조 제6호 및 같은 법 시행령 제40조의3 제1항의 규정에 의하여 본래 시·도지사나 시장·군수 또는 구청장의 업무에 속하는 대집행권한을 한국토지공사에게 위탁하도록 되어 있는바, 한국토지공사는 이러한 법령의 위탁에 의하여 대집행을 수권받은 자로서 공무인 대집행을 실시함에 따르는 권리·의무 및 책임이 귀속되는 행정주체의 지위에 있다고 볼 것이다(대판 2010.1.28. 2007다82950·82967).

3. 대집행의 요건

「행정대집행법」상 대집행은 ① 법령 또는 법령에 근거하여 부과된 공법상 대체적 작위의무의 불이행이 있을 것, ② 다른 수단으로써 그 이행을 확보하기가 곤란할 것(보충성), ③ 그 불이행을 방치함이 심히 공익을 해할 것으로 인정될 것을 요한다(동법 제2조).

(1) 공법상 대체적 작위의무의 불이행

① 공법상 의무

㉠ 대집행은 공법상 의무의 불이행을 대상으로 해야 한다. 따라서 사법상 의무의 불이행은 대집행의 대상이 되지 않는다. 다만, 「국유재산법」과 같이 「행정대집행법」을 준용하는 특별한 규정이 있다면 사법상 의무의 불이행도 대집행의 대상이 될 수 있다.

> **관련판례**
>
> **1** 토지보상법에 따른 토지 협의취득시 약정한 철거의무는 공법상 의무가 아니다. ★★★
> 행정대집행법상 대집행의 대상이 되는 대체적 작위의무는 공법상 의무이어야 할 것인데, 구 공공용지의 취득 및 손실보상에 관한 특례법에 따른 토지 등의 협의취득은 공공사업에 필요한 토지 등을 그 소유자와의 협의에 의하여 취득하는 것으로서 공공기관이 사경제주체로서 행하는 사법상 매매 내지 사법상 계약의 실질을 가지는 것이므로, 그 협의취득 시 건물소유자가 매매 대상 건물에 대한 철거의무를 부담하겠다는 취지의 약정을 하였다고 하더라도 이러한 철거의무는 공법상의 의무가 될 수 없고, 이 경우에도 행정대집행법을 준용하여 대집행을 허용하는 별도의 규정이 없는 한 위와 같은 철거의무는 행정대집행법에 의한 대집행의 대상이 되지 않는다(대판 2006.10.13. 2006두7096).
>
> **2** 현행 국유재산법은 모든 국유재산에 대하여 행정대집행법을 준용할 수 있도록 규정하였으므로, 행정청은 당해 재산이 행정재산 등 공용재산인지 여부나 그 철거의무가 공법상의 의무인 여부에 관계없이 대집행을 할 수 있다(대판 1992.9.8. 91누13090). ★★
>
> **3** 대부계약이 해지된 공유재산의 점유(지상물 철거)에 대해 행정대집행이 가능하다. ★★★
> 지방재정법 제85조(현 공유재산법 제83조) 제1항은, 공유재산을 정당한 이유 없이 점유하거나 그에 시설을 한 때에는 이를 강제로 철거하게 할 수 있다고 규정하고, 그 제2항은, 지방자치단체의 장이 제1항의 규정에 의한 강제철거를 하게 하고자 할 때에는 행정대집행법 제3조 내지 제6조의 규정을 준용한다고 규정하고 있는바, 공유재산 대부계약이 적법하게 해지된 이상 그 점유자의 공유재산에 대한 점유는 정당한 이유 없는 점유라 할 것이고, 따라서 지방자치단체의 장은 지방재정법 제85조에 의하여 행정대집행의 방법으로 그 지상물(묘목 및 비닐하우스 등)을 철거시킬 수 있다(대판 2001.10.12. 2001두4078).

㉡ 대집행의 대상이 되는 의무는 법률(법률의 위임에 의한 명령, 지방자치조례의 조례를 포함)에 의하여 직접 부과되었거나, 법률에 의거한 행정청의 처분에 의해 부과된 의무를 의미한다(동법 제2조). 위법한 행정처분에 의한 대체적 작위의무도 처분이 취소되지 않는 한 공정력에 의해 대집행의 대상이 된다.

② 대체적 작위의무

㉠ 의의: 대집행의 대상이 되는 의무는 타인이 대신하여 행할 수 있는 의무, 즉 대체적 작위의무(예 건물의 철거의무, 공장 등 시설의 개선의무, 불법광고물의 철거의무, 토지형질의 원상회복의무 등)이다.

따라서 타인이 대신하여 행할 수 없는 의무, 즉 비대체적인 작위의무[예 의사의 진료의무, 증인의 출석의무, 국유지로부터의 퇴거의무, 감염병 예방접종의무, 토지·건물의 인도(명도)의무 등]나 부작위의무(예 장례식장 사용중지의무, 허가 없이 영업을 하지 않을 의무 등)는 대집행의 대상이 될 수 없다.

 **함께 정리하기**

사법상 의무
▷ 대집행 불가
▷ but 준용하는 규정 있으면 可

토지보상법 협의취득 약정에 따른 철거의무
▷ 사법상 의무
▷ 대집행 불가

현행 「국유재산법」
▷ 모든 국유재산에 대하여 「행정대집행법」 준용

공유재산에 대한 대부계약의 해지
▷ 공유재산 점유자에 대하여 대집행 可

공법상 의무
▷ 법률(명령, 조례 포함)에 의하여 직접 부과 또는 행정청의 행위에 의하여 부과

위법한 처분에 의한 대체적 작위의무
▷ 대집행 대상O(∵공정력)

대집행의 대상
▷ 대체적 작위의무만(비대체적 의무×, 부작위의무×)

 **함께 정리하기**

장례식장 사용중지의무
▷ 대집행 불가(∵부작위의무)

관련판례

1 관계 법령에 위반하여 장례식장 영업을 하고 있는 자의 장례식장 사용중지의무는 대집행의 대상이 아니다. ★★★

용도 위반 부분을 장례식장으로 사용하는 것이 관계 법령에 위반한 것이라는 이유로 장례식장의 사용을 중지할 것과 이를 불이행할 경우 행정대집행법에 의하여 대집행하겠다는 내용의 계고처분은, 그 처분에 따른 '장례식장 사용중지의무'가 '타인이 대신'할 수도 없고, 타인이 대신하여 '행할 수 있는 행위'라고도 할 수 없는 비대체적 부작위의무에 대한 것이므로, 그 자체로 위법함이 명백하다(대판 2005.9.28. 2005두7464).

하천유수인용행위 중단명령
▷ 대집행 불가(∵부작위의무)

2 하천유수인용행위 중단명령은 부작위의무의 부과이므로 그 불이행은 대집행의 대상이 아니다. ★★

하천유수인용행위를 중단할 것과 이를 불이행할 경우 행정대집행법에 의하여 대집행하겠다는 내용의 계고처분은 대집행의 대상이 될 수 없는 부작위의무에 대한 것으로서 그 자체로 위법함이 명백하다(대판 1998.10.2. 96누5445).

ⓒ 부작위의무
ⓐ 부작위의무(금지의무)는 원칙적으로 대집행의 대상이 될 수 없지만, 부작위의무의 위반에 대하여는 유형적 결과의 시정을 명하는 방법(철거명령 등)을 통해 작위의무로 전환시킨 뒤 그 작위의무위반을 이유로 대집행을 할 수 있다.
ⓑ 법치행정의 원리상 부작위 의무를 작위의무로 전환을 위해서는 전환시킬 수 있는 법적 근거(전환규범)가 있어야 한다. 전환시킬 수 있는 법적 근거가 없으면 법률유보의 원칙상 대집행은 불가능하다. 즉, 부작위의무의 근거규정(금지규정)으로부터 작위의무 명령권이 도출되지도 않는다.

부작위의무로부터 작위의무 도출
▷ 전환규범 필요

관련판례

부작위의무로부터 작위의무를 도출하기 위해서는 작위의무를 부과하는 별도의 명문 규정이 필요하다. ★★★

부작위의무로부터 그 의무를 위반함으로써 생긴 결과를 시정하기 위한 작위의무를 당연히 끌어낼 수는 없으며, 또 위 금지규정(특히 허가를 유보한 상대적 금지규정)으로부터 작위의무, 즉 위반결과의 시정을 명하는 권한이 당연히 추론되는 것도 아니다. 법령의 근거(예컨대 건축법 제79조, 옥외광고물 등 관리법 제10조, 도로법 제83조, 하천법 제69조 등)에 따라 작위의무를 부과(예컨대 철거명령)하여 그 부작위의무를 작위의무로 전환한 후에 그 작위의무의 불이행에 대해 대집행을 할 수 있다(대판 1996.6.28. 96누4374).

건물·토지의 명도·퇴거의무
▷ 대집행의 대상×(직접강제의 대상○)

ⓒ 토지·건물의 인도(명도)의무: '토지·물건의 인도(명도)의무의 불이행'에 대해 대집행이 가능한지에 대해서는 학설이 대립하나, 토지·물건의 인도(명도)의무는 대체적 작위의무가 아니기 때문에 대집행의 대상이 되지 않고 직접강제에 의하여야 한다는 것이 통설·판례의 입장이다.

🔨 **관련판례**

도시공원시설의 매점점유자의 퇴거의무는 비대체적 작위의무이므로 대집행의 대상이 아니다. ★★★

도시공원시설인 매점의 관리청이 그 공동점유자 중의 1인에 대하여 소정의 기간 내에 위 매점으로부터 퇴거하고 이에 부수하여 그 판매 시설물 및 상품을 반출하지 아니할 때에는 이를 대집행하겠다는 내용의 계고처분은 그 주된 목적이 매점의 원형을 보존하기 위하여 점유자가 설치한 불법 시설물을 철거하고자 하는 것이 아니라, 매점에 대한 점유자의 점유를 배제하고 그 점유이전을 받는 데 있다고 할 것인데, 이러한 의무는 그것을 강제적으로 실현함에 있어 직접적인 실력행사가 필요한 것이지 대체적 작위의무에 해당하는 것은 아니어서 직접강제의 방법에 의하는 것은 별론으로 하고 행정대집행법에 의한 대집행의 대상이 되는 것은 아니다(대판 1998.10.23. 97누157).

> **매점점유자 퇴거의무**
> ▷ 대체적 작위의무×
> ▷ 대집행 불가
> ▷ 직접강제 가

ⓔ **수용목적물인 토지나 물건의 인도 또는 이전의무**: 「공익사업을 위한 토지 등의 취득 및 보상에 관한 법률」(약칭: 토지보상법) 제89조는 수용목적물인 토지의 이전에 관한 대집행 규정하고 있는데, 토지의 이전의무는 비대체적 작위의무임에도 불구하고 본조에 따라 대집행의 대상이 될 수 있는지가 문제된다. 이에 관하여 동 규정을 「행정대집행법」제2조의 예외로 보고 대집행할 수 있다는 견해가 있으나, 판례는 부정적인 입장이다.

> 「공익사업을 위한 토지 등의 취득 및 보상에 관한 법률」제89조에 따른 토지 인도의무에 대한 대집행
> ▷ 불가

🔨 **관련판례**

수용대상 토지의 명도의무는 비대체적 작위의무이므로 대집행의 대상이 아니다. ★★★

[1] 피수용자 등이 기업자에 대하여 부담하는 수용대상 토지의 인도의무에 관한 구 토지수용법 제63조, 제64조, 제77조 규정에서의 '인도'에는 명도도 포함되는 것으로 보아야 하고, 이러한 명도의무는 그것을 강제적으로 실현하면서 직접적인 실력행사가 필요한 것이지 대체적 작위의무라고 볼 수 없으므로 특별한 사정이 없는 한 행정대집행법에 의한 대집행의 대상이 될 수 있는 것은 아니다.

[2] 구 토지수용법(2002.2.4. 법률 제6656호 공익사업을 위한 토지 등의 취득 및 보상에 관한 법률 부칙 제 2 조로 폐지) 제63조의 규정에 따라 피수용자 등이 기업자에 대하여 부담하는 수용대상 토지의 인도 또는 그 지장물의 명도의무 등이 비록 공법상의 법률관계라고 하더라도, 그 권리를 피보전권리로 하는 명도단행가처분은 그 권리에 끼칠 현저한 손해를 피하거나 급박한 위험을 방지하기 위하여 또는 그 밖의 필요한 이유가 있을 경우에는 허용될 수 있다(대판 2005.8.19. 2004다2809).

> 「공익사업을 위한 토지 등의 취득 및 보상에 관한 법률」상의 수용대상 토지·건물의 명도의무
> ▷ 대집행의 대상×
> ▷ 강제집행에 관한 법적근거 없는 경우: 민사상 명도소송(점유 이전을 구하는 민사소송), 명도단행가처분 가

(2) 다른 수단으로는 그 이행확보가 곤란할 것

대집행이 인정되기 위해서는 불이행된 의무를 대집행 이외의 다른 수단으로는 의무이행확보가 곤란한 경우라야 한다(동법 제2조). 이는 행정상 비례의 원칙 중 필요성의 원칙(최소침해의 원칙)이 적용됨을 뜻한다. 따라서 행정지도나 사실상의 권유 등으로 이행을 확보할 수 있는 경우라면 대집행을 할 수 없다.

> **대집행 이외의 방법으로 이행확보 가능**
> ▷ 대집행 불가

함께 정리하기

대집행
▷ 다른 방법으로는 이행확보의 어려움 要(보충성)

심히 공익을 해한다는 요건의 판단
▷ 구체적 상황하에서 개별적으로 판단

심히 공익을 해한다는 요건의 판단시기
▷ 계고처분 당시

위법건축부분의 면적이 지나치게 크고 합법화될 가능성이 없는 경우
▷ 심히 공익을 해하는 것○

무허가증축으로 건물의 미관이 나아지고 철거비용이 많이 소요되는 경우
▷ 심히 공익을 해하는 것○

미관·환경·교통에 지장 없어도 더 큰 공익 해할 우려가 있는 경우
▷ 심히 공익을 해하는 것○

개발제한구역 내 위법하게 신축된 대형교회신축의 경우
▷ 심히 공익을 해하는 것○

증축된 무허가 간이건물 부분이 가건물로서 철거가 용이한 경우
▷ 심히 공익을 해하는 것○

도로관리청으로부터 도로점용허가를 받지 아니하고 광고물을 설치하였다는 점만이 입증된 경우
▷ 심히 공익을 해하는 것✕

불법증축된 부분이 합법화될 가능성이 있는 경우
▷ 심히 공익을 해하는 것✕

0.02평방미터만 이웃의 대지를 침범하는 경우
▷ 심히 공익을 해하는 것✕

🔨 관련판례

대집행을 위한 계고처분은 다른 방법으로는 그 이행의 확보가 어려운 경우에 한한다. ★★★
건축법에 위반하여 증·개축함으로써 철거의무가 있더라도 행정대집행법 제2조에 의하여 그 철거의무를 대집행하기 위한 계고처분을 하려면 다른 방법으로는 그 이행의 확보가 어렵고, 그 불이행을 방치함이 심히 공익을 해하는 것으로 인정되는 경우에 한한다(대판 1989.7.11. 88누11193).

(3) 의무불이행을 방치함이 심히 공익을 해하는 것으로 인정될 것

① 의의: 대집행은 의무의 불이행을 방치함이 심히 공익을 해하는 것으로 인정될 때에만 가능하다(비례의 원칙 중 상당성의 원칙)(동법 제2조). 여기서 '심히 공익을 해하는 것'은 요건판단의 문제이므로 그 판단은 전면적으로 사법심사의 대상이 된다. 다만, 어떠한 경우가 이에 해당하는지는 구체적 상황들을 고려하여 개별적으로 판단할 것이다.

② 판단시기: '의무불이행을 방치함이 심히 공익을 해하는 것으로 인정될 때'라는 요건은 계고처분 당시를 표준으로 하여 충족되어야 한다.

③ 구체적인 사례
㉠ 심히 공익을 해한다고 인정한 판례

🔨 관련판례

1. 위법건축부분의 면적이 지나치게 클 뿐만 아니라 무단 증축으로 2층 공장건물을 4층 일반건물로 변경한 결과 합법화될 가능성이 없는 경우(대판 1995.12.26. 95누14114) ★

2. 무허가증축부분으로 인하여 건물의 미관이 나아지고 위 증축부분을 철거하는 데 비용이 많이 소요되는 경우(대판 1992.3.10. 91누4140) ★★

3. 도시미관, 주거환경, 교통소통에 지장이 없는 경우라도 불법건축물의 방치가 더 큰 공익을 해칠 우려가 있는 경우(대판 1989.3.28. 87누930) ★★

4. 개발제한구역 및 도시공원에 속하는 임야상에 위법하게 신축된 대형 교회건물이 합법화가 불가능한 경우(대판 2000.6.23. 98두3112) ★

5. 증축된 무허가 간이건물 부분이 가건물로서 철거가 용이하고 도시미관을 해칠 우려가 없지 않으며 시정명령에 불응한 경우(대판 1993.6.25. 93누2346) ★

㉡ 심히 공익을 해하지 않는다고 본 판례

🔨 관련판례

1. 도로관리청으로부터 도로점용허가를 받지 아니하고 광고물을 설치하였다는 점만으로 곧 심히 공익을 해치는 경우에 해당한다고 할 수 없다(대판 1974.10.25. 74누122). ★★

2. 불법증축된 부분이 합법화될 가능성이 있는 경우(대판 1986.11.11. 86누173) ★

3. 건축허가면적보다 0.02평방미터만 이웃의 대지를 침범하고 주위의 미관을 해칠 우려가 없는 경우(대판 1991.3.12. 90누10070) ★

4 위법건물 부분이 도시미관 등에 영향이 없고, 철거하면 오히려 입주자들에게 많은 불편을 초래하고 많은 비용이 소요되는 경우(대판 1989.7.11. 88누11193) ★

5 노후건물에 대하여 수선허가 없이 대수선을 한 경우라도, 도시미관을 해치지 않고, 붕괴위험을 막기 위하여 부득이 했던 경우(대판 1988.2.9. 87누213) ★

(4) 기타

① **불가쟁력의 발생이 대집행의 요건인지 여부**: 불가쟁력의 발생은 고려의 대상은 되나 대집행의 요건은 아니다. 따라서 의무를 명한 행정행위에 대한 불가쟁력이 발생하기 전이라도 대집행을 할 수 있다.

② **대집행 발동이 재량행위인지 여부**: 대집행의 요건이 모두 충족된 경우, 대집행을 하여야 한다는 견해(소수설)도 있으나, 「행정대집행법」 제2조의 규정형식이 가능규정(~할 수 있다)의 형태를 취하고 있는 점을 근거로 판례와 다수설은 재량행위로 보고 있다(대판 1996.10.11. 96누8086). 다만, 의무의 불이행을 방치하는 것이 국민의 생명·신체에 중대한 침해를 야기하는 경우와 같이 예외적으로 재량이 영(0)으로 수축되는 경우에는 기속적이다.

4. 대집행의 절차

대집행의 절차는 ① 계고, ② 대집행영장에 의한 통지, ③ 대집행의 실행, ④ 비용징수의 4단계로 나누어진다.

(1) 계고

① **의의**: 계고란 상당한 이행기한을 정하여 그 기한까지 이행되지 아니할 때에는 대집행을 한다는 뜻을 미리 문서로 알리는 행위를 말한다(동법 제3조 제1항 전문).

② **계고절차의 생략**: 대집행을 하기 위해서는 미리 계고하여야 한다(동법 제3조 제1항). 다만, 비상시 또는 위험이 절박한 경우에 있어서 당해 행위의 급속한 실시를 요하여 계고를 취할 여유가 없을 때에는 그 수속을 거치지 아니하고 대집행을 할 수 있다(동법 제3조 제3항).

③ **법적 성질**
㉠ 계고는 준법률행위적 행정행위로서의 통지에 해당한다. 따라서 항고쟁송의 대상이 되는 처분이다.

> **관련판례**
>
> **대집행의 계고는 준법률행위적 행정행위인 통지로서 항고소송의 대상이 된다. ★★★**
> 대집행의 계고는 대집행을 한다는 의사를 통지하는 준법률적 행정행위라 할 것이며, 계고가 있음으로 인하여 대집행이 실행되어 상대방의 권리의무에 변동을 가져오는 것이라 할 것이므로, 상대방은 계고 절차의 단계에서 이의 취소를 소구할 법률상 이익이 있다할 것이고 계고는 행정소송법 소정처분에 포함된다고 보아 <u>계고처분 자체에 위법이 있는 경우에 한하여 항고소송의 대상이 될 수 있다</u>(대판 1966.10.31. 66누25).

㉡ 계고가 반복적으로 부과된 경우 제1차 계고가 처분이고 그 후에 같은 내용이 반복된 제2차 계고는 새로운 의무를 부과한 것이 아니어서 처분이 아니다.

함께 정리하기

철거하면 오히려 입주자들에게 많은 불편을 초래하고 많은 비용이 소요되는 경우
▷ 심히 공익을 해하는 것✕

노후건물의 대수선이 건물의 붕괴위험을 막기 위하여 부득이 했던 경우
▷ 심히 공익을 해하는 것✕

불가쟁력의 발생
▷ 대집행의 요건✕

대집행의 발동이 재량행위인지 여부
▷ 원칙적으로 재량행위이지만 예외적으로 재량이 0으로 수축되는 경우에는 기속행위

대집행의 절차
▷ 계고 → 대집행영장에 의한 통지 → 대집행의 실행 → 비용징수

계고의 의의
▷ 상당한 기간 내에 의무를 이행하지 않는다면 대집행을 한다는 뜻을 미리 문서로 알리는 행위

계고의 생략 가능성
▷ 비상시 또는 위험이 절박한 경우에 있어서 당해 행위의 급속한 실시를 요하여 계고를 취할 여유가 없을 때 可

계고의 법적 성질
▷ 준법률행위적 행정행위로서 통지
▷ 처분성○

대집행의 계고
▷ 항고소송의 대상

함께 정리하기

반복된 계고
▷ 제1차 계고만 처분성○

2차·3차 계고처분
▷ 대집행기한 연기통지에 불과하고 새로운 의무를 부과한 것×(처분성×)

계고의 내용
▷ 구체적으로 특정되어야 함
▷ 반드시 대집행계고서에 의해서만 특정되어야 하는 것은×

대집행할 의무의 내용 및 범위 특정 여부
▷ 계고 전후 사정을 종합하여 판단

관련판례

1 반복된 제2차, 제3차 계고는 대집행기한의 연기 통지에 불과하므로 항고소송의 대상인 행정처분이 아니다. ★★★

건물의 소유자에게 철거대집행 계고처분을 고지한 후 이에 불응하자 다시 제2차, 제3차 계고서를 발송하여 일정기간까지의 자진철거를 촉구하고 불이행하면 대집행을 한다는 뜻을 고지한 경우에 행정대집행법상의 건물철거의무는 제1차 철거명령 및 계고처분으로서 발생하였고 제2차, 제3차의 계고처분은 새로운 철거의무를 부과한 것이 아니고, 다만 대집행기한의 연기 통지에 불과하므로 행정처분이 아니다(대판 1994.10.28. 94누5144).

2 제1차로 창고건물의 철거 및 하천부지에 대한 원상복구명령을 하였음에도 이에 불응하므로 대집행계고를 하면서 다시 자진철거 및 토사를 반출하여 하천부지를 원상복구할 것을 명한 경우, 대집행계고서에 기재된 자진철거 및 원상복구명령은 취소소송의 대상이 되는 독립한 행정처분이라 볼 수 없다. ★★

제1차로 창고건물의 철거 및 하천부지에 대한 원상복구명령을 하였음에도 이에 불응하므로 대집행계고를 하면서 다시 자진철거 및 토사를 반출하여 하천부지를 원상복구할 것을 명한 경우, 행정대집행법상의 철거 및 원상복구의무는 제1차 철거 및 원상복구명령에 의하여 이미 발생하였다 할 것이어서, 대집행계고서에 기재된 자진철거 및 원상복구명령은 새로운 의무를 부과하는 것이라고 볼 수 없으며, 단지 종전의 철거 및 원상복구를 독촉하는 통지에 불과하므로 취소소송의 대상이 되는 독립한 행정처분이라고 할 수 없고, 대집행계고서에 기재된 철거 및 원상복구의무의 이행기한은 행정대집행법 제3조 제1항 에 따른 이행기한을 정한 것에 불과하다고 할 것이다(대판 2004.6.10. 2002두12618).

④ 계고의 요건
  ㉠ 계고의 내용: 대집행의 계고를 함에 있어서는 의무자가 이행하여야 할 행위와 그 의무불이행시 대집행할 행위의 내용과 범위가 구체적으로 특정되어야 한다. 그러나 그러한 행위의 내용과 범위는 반드시 대집행계고서에 의하여서만 특정되어야 하는 것은 아니고, 그 처분 전후에 송달된 문서나 기타 사정을 종합하여 이를 특정할 수 있으면 족하다.

관련판례

대집행할 의무의 내용 및 범위는 계고를 함에 있어서 구체적으로 특정되어야 하지만 반드시 대집행 계고서에 의해서만 특정되어야 하는 것은 아니다. ★★★

행정청이 행정대집행법 제3조 제1항에 의한 대집행계고를 함에 있어서는 의무자가 스스로 이행하지 아니하는 경우에 대집행할 행위의 내용 및 범위가 구체적으로 특정되어야 하지만, 그 행위의 내용 및 범위는 반드시 대집행계고서에 의하여서만 특정되어야 하는 것이 아니고 계고처분 전후에 송달된 문서나 기타 사정을 종합하여 행위의 내용이 특정되거나 대집행 의무자가 그 이행의무의 범위를 알 수 있으면 족하다(대판 1997.2.14. 96누15428 ; 대판 1994.10.28. 94누5144 ; 대판 1990.1.25. 89누4543 등).

  ㉡ 계고의 상대방: 계고의 상대방은 대집행의 대상이 되는 의무를 부담하는 자이므로, 예컨대, 위법한 건물이 다수의 공유인 경우에는 그 공유자 1인에 대한 계고처분은 다른 공유자에 대하여는 그 효력이 없다(대판 1994.10.28. 94누5144).

ⓒ **계고의 기간(상당한 기간)**: 계고는 상당한 이행기간을 정하여야 하고, 상당한 이행기간을 정하지 않은 계고는 위법하다. 여기서 상당한 기간이란 사회통념상 이행에 필요한 기간을 의미한다. 판례는 상당한 이행기간을 부여하지 아니한 계고는 후에 대집행 영장으로써 대집행의 시기를 늦춘 경우라도 위법하다고 보고 있다.

> **관련판례**
>
> **상당한 의무이행기간을 부여하지 않은 계고처분은 후에 대집행영장으로써 그 시기를 늦추더라도 위법하다.** ★★★
>
> 행정대집행법 제3조 제1항은 행정청이 의무자에게 대집행영장으로써 대집행할 시기 등을 통지하기 위하여는 그 전제로서 대집행계고처분을 함에 있어서 의무이행을 할 수 있는 상당한 기간을 부여할 것을 요구하고 있으므로, 행정청인 피고가 의무이행기한이 1988.5.24.까지로 된 이 사건 대집행계고서를 5.19. 원고에게 발송하여 원고가 그 이행종기인 5.24. 이를 수령하였다면, 설사 피고가 대집행영장으로써 대집행의 시기를 1988.5.27 15:00로 늦추었더라도 위 대집행계고처분은 상당한 이행기한을 정하여 한 것이 아니어서 대집행의 적법절차에 위배한 것으로 위법한 처분이라고 할 것이다(대판 1990.9.14. 90누2048).

ⓔ **계고의 방식**: 대집행의 계고는 문서에 의한 것이어야 하고(동법 제3조 제1항), 구두에 의한 계고는 무효가 된다.

ⓕ **의무부과와 계고의 동시발령 가능**: 계고를 할 때에는 이미 대집행의 요건이 충족되어 있어야 한다. 따라서 독일의 경우와 달리 명문규정이 없는 우리나라에서는 의무를 명하는 처분과 대집행의 계고는 별개로 독립하여 이루어져야 함이 원칙이다. 다만, 사정에 따라서는 예외적으로 양자가 1장의 문서로 동시에 행하여질 수도 있다.

> **관련판례**
>
> **철거명령과 계고처분을 결합하여 한 장의 문서로 할 수 있으며 철거명령에서 주어진 일정기간이 상당한 기간이라면 계고시 필요한 상당한 이행기간도 여기에 포함된다.** ★★★
>
> 계고서라는 명칭의 1장의 문서로서 일정기간 내에 위법건축물의 자진철거를 명함과 동시에 그 소정기한 내에 자진철거를 하지 아니할 때에는 대집행할 뜻을 미리 계고한 경우라도 건축법에 의한 철거명령과 행정대집행법에 의한 계고처분은 독립하여 있는 것으로서 각 그 요건이 충족되었다고 볼 것이다. 이 경우에 철거명령에서 주어진 일정기간이 자진철거에 필요한 상당한 기간이라면 그 기간 속에는 계고시에 필요한 '상당한 이행기간'도 포함되어 있다고 보아야 할 것이다(대판 1992.6.12. 91누13564).

(2) 대집행영장에 의한 통지

① **의의**: 의무자가 계고를 받고 지정기한까지 그 의무를 이행하지 않는 경우 당해 행정청이 대집행영장으로써 대집행을 할 시기, 대집행 책임자의 성명과 대집행 비용의 개산액을 의무자에게 통지하는 행위를 말한다(동법 제3조 제2항).

② **법적 성질**: 대집행영장에 의한 통지의 법적 성질은 준법률행위적 행정행위로서의 통지이다. 따라서 그 자체가 독립하여 항고소송의 대상이 되는 처분에 해당한다.

③ **통지의 생략 가능성**: 대집행영장에 의한 통지는 원칙적으로 대집행의 의무적 절차의 하나이다. 다만, 대집행영장에 의한 통지도 비상시 또는 위험이 절박하거나 기타 신속한 실시가 요구되는 경우에는 예외적으로 생략할 수 있는 것은 계고와 같다(동법 제3조 제3항).

 **함께 정리하기**

계고
▷ 상당한 이행기간 정해야 적법

상당한 이행기간 부여×
▷ 대집행영장으로 시기 늦추어도 계고처분 위법

형식
▷ 원칙: 문서
▷ 구두에 의한 계고는 무효

계고 시
▷ 기타 대집행의 요건 충족 要

작위의무의 부과와 계고
▷ 원칙: 독립하여 별개로 이루어져야 함
▷ 예외: 1장의 문서로 동시에 可

계고서 1장의 문서로
▷ 철거명령과 대집행 계고처분 可

철거명령에서 주어진 일정기간이 상당한 기간이라면
▷ 계고 시 필요한 상당한 이행기간도 포함되어 있는 것

통지
▷ 계고처분을 받은 후에도 의무를 이행하지 않는 경우 대집행영장으로써 대집행을 할 시기, 대집행 책임자의 성명과 대집행 비용의 개산액을 의무자에게 통지하는 행위

대집행영장에 의한 통지의 법적 성질
▷ 준법률행위적 행정행위
▷ 항고소송의 대상○

대집행영장에 의한 통지의 생략 가능성
▷ 비상시 또는 위험이 절박한 경우에 있어서 당해 행위의 급속한 실시를 요하여 계고를 취할 여유가 없을 때 可

함께 정리하기

실행
▷ 행정청이 스스로 또는 타인으로 하여금 대체적 작위의무를 이행시키는 물리력의 행사

법적 성질
▷ 권력적 사실행위(처분O)
▷ 항고소송의 대상O

시간상 제한(원칙)
▷ 해가 뜨기 전 or 해가 진 후, 대집행 불가

시간상 제한(예외)
▷ 의무자가 동의함
▷ 일몰 전 대집행 착수
▷ 주간 대집행으로는 목적 달성이 불가능
▷ 비상시 또는 위험절박

대집행 책임자
▷ 증표를 휴대하고 대집행 시에 제시해야 함

대집행의 실행시 의무자가 이에 저항하는 경우
▷ 이를 실력으로 배제할 수 있는가가 문제

긍정설
▷ 대집행의 내용에 포함되므로 최소한의 범위 내에서 저항을 배제할 수 있음

부정설
▷ 명문의 규정이 없으므로 대집행의 내용에 저항을 실력으로 배제하는 것이 포함된다고 볼 수는 없음

판례
▷ 대집행 과정에서 부수적으로 퇴거조치 可
▷ 경찰의 도움 받을 수 있음

건물철거의무에 퇴거의무 포함
▷ 퇴거를 위해 별도의 집행권원 불요
▷ 부수적으로 점유자들에게 퇴거조치 可

점유자들이 대집행 방해하는 경우
▷ 경찰의 도움 받을 수 있음

(3) 대집행의 실행

① **의의 및 성질**: 대집행의 실행은 당해 행정청이 스스로 또는 타인으로 하여금 대체적 작위의무를 이행시키는 물리력의 행사를 말한다. 따라서 대집행의 실행은 권력적 사실행위로서 항고소송의 대상이 되는 행정처분에 해당한다.

② **시간상의 제한**: 행정청은 해가 뜨기 전이나 해가 진 후에는 대집행을 하여서는 아니 된다. 다만, ㉠ 의무자가 동의한 경우, ㉡ 해가 지기 전에 대집행을 착수한 경우, ㉢ 해가 뜬 후부터 해가 지기 전까지 대집행을 하면 대집행의 목적 달성이 불가능한 경우, 그리고 ㉣ 그 밖에 비상시 또는 위험이 절박한 경우에는 그러하지 아니하다(동법 제4조 제1항).

③ **증표의 휴대(형식적 제한)**: 현장에 파견되는 집행책임자는 그가 집행책임자라는 것을 표시한 증표를 휴대하여 대집행 시에 이해관계인에게 제시하여야 한다(동법 제4조 제3항).

④ **실력행사의 가부**
  ㉠ **문제점**: 대집행의 실행(예 위법건축물의 철거)을 의무자가 저항하는 경우 대집행 책임자가 실력으로 이를 배제하는 것이 대집행의 일부로서 인정될 수 있는지가 문제된다. 독일 행정대집행법과는 달리 우리 「행정대집행법」은 대집행주체의 물리력 사용을 명문으로 규정하고 있지 않아 견해가 대립하고 있다.
  ㉡ **학설**
    ⓐ **긍정설**: 저항을 배제하는 것은 대집행의 내용에 포함되므로 부득이한 경우 최소한의 범위 내에서 대집행의 일부로서 인정된다는 견해이다.
    ⓑ **부정설**: 저항을 실력으로 배제하는 것은 대집행에 내재하는 당연한 권능으로 볼 수 없으므로 실력행사를 위해서는 법적 근거가 있어야 한다는 견해이다.
  ㉢ **판례**: 판례는 건물철거의무에 퇴거의무도 포함되어 있다고 보아 건물철거 대집행 과정에서 부수적으로 건물의 점유자들에 대해 퇴거조치를 할 수 있고, 점유자들이 적법한 행정대집행을 위력으로 방해하는 경우 경찰의 도움을 받을 수 있다고 본다.

> **관련판례**
>
> 건물철거의무에는 퇴거의무도 포함되어 있으므로 부수적으로 점유자들에 대한 퇴거조치를 취할 수 있으며 점유자들이 방해하는 경우에는 경찰의 도움을 받을 수 있다. ★★★
>
> [1] 관계 법령상 행정대집행의 절차가 인정되어 행정청이 행정대집행의 방법으로 건물의 철거 등 대체적 작위의무의 이행을 실현할 수 있는 경우에는 따로 민사소송의 방법으로 그 의무의 이행을 구할 수 없다. 한편 건물의 점유자가 철거의무자일 때에는 건물철거의무에 퇴거의무도 포함되어 있는 것이어서 별도로 퇴거를 명하는 집행권원이 필요하지 않다. 따라서 행정청이 행정대집행의 방법으로 건물철거의무의 이행을 실현할 수 있는 경우에는 건물철거 대집행 과정에서 부수적으로 건물의 점유자들에 대한 퇴거 조치를 할 수 있다.
>
> [2] 점유자들이 적법한 행정대집행을 위력을 행사하여 방해하는 경우 형법상 공무집행방해죄가 성립하므로 필요한 경우에는 경찰관 직무집행법에 근거한 위험발생 방지조치 또는 형법상 공무집행방해죄의 범행방지 내지 현행범체포의 차원에서 경찰의 도움을 받을 수도 있다(대판 2017.4.28. 2016다213916).

(4) 대집행 비용의 징수

① **의의**: 대집행의 비용은 의무자가 부담함이 원칙이다(동법 제2조). 대집행비용의 비용의 징수에 있어서 행정청은 그 비용과 납기일을 정하여 의무자에게 문서로써 그 납부를 명하고(동법 제5조). 납부의무자가 그 비용을 납부기일까지 납부하지 않으면 「국세징수법」의 예에 의하여 강제징수할 수 있다(동법 제6조 제1항). 대집행에 요한 비용에 대하여 행정청은 사무비의 소속에 따라 국세에 다음가는 순위의 선취득권을 가지고, 그 징수금은 사무비의 소속에 따라 국고 또는 지방자치단체의 수입으로 한다(동법 제6조 제2항·제3항).

> **관련판례**
>
> 국세징수법의 예에 의하여 강제징수 할 수 있음에도 민사소송으로 그 상환을 청구하는 것은 부적법하다. ★★★
>
> [1] 대한주택공사가 구 대한주택공사법 및 구 대한주택공사법 시행령에 의하여 대집행권한을 위탁받아 공무인 대집행을 실시하기 위하여 지출한 비용은 행정대집행법 절차에 따라 국세징수법의 예에 의하여 징수할 수 있다.
> [2] 대한주택공사가 법령에 의하여 대집행권한을 위탁받아 공무인 대집행을 실시하기 위하여 지출한 비용은 행정대집행법의 절차에 따라 국세징수법의 예에 의하여 징수할 수 있음에도 민사소송절차에 의하여 그 비용의 상환을 청구한 사안은 소의 이익이 없어 부적법하다(대판 2011.9.8. 2010다48240).

② **법적 성질**: 비용납부명령은 금전급부의무를 부과하는 행정행위로서 급부하명에 해당하므로 항고소송의 대상이 되는 처분에 해당한다.

5. 대집행에 대한 구제

(1) 행정쟁송

① **행정심판**: 「행정대집행법」은 대집행에 대하여는 행정심판을 제기할 수 있다고 규정하고 있다(동법 제7조). 그런데 대집행에 대한 행정심판은 임의적 절차에 해당하므로 행정심판 제기 여부와 관계없이 당사자는 행정소송을 제기할 수 있다(「행정소송법」 제18조).❶

② **항고소송**
  ㉠ **처분성(대상적격)**: 대집행절차에서 각 단계의 행위는 모두 행정쟁송의 대상이 된다. 즉, '계고'와 '대집행영장에 의한 통지'는 준법률행위적 행정행위인 통지로서, '대집행의 실행'은 권력적 사실행위로서, '비용납부명령'은 법률행위적 행정행위인 하명으로서 모두 처분성이 인정된다.
  ㉡ **소의 이익과 집행정지**: 처분성이 인정된다 하더라도 대집행의 실행은 대부분 단기간에 집행이 종료되는 경우가 대부분이기 때문에 소의 이익이 부정될 가능성이 크다. 따라서 의무자는 대집행에 대한 항고소송을 제기하면서 집행정지신청을 하여 대집행이 실행되는 것을 막을 필요가 있다.

함께 정리하기

대집행 비용의 징수
▷ 의무자가 부담함이 원칙
▷ 납부명령은 문서로
▷ 불납 시 「국세징수법」에 따라 강제징수 可

강제징수가 가능함에도 불구하고 민사소송으로 상환 청구
▷ 소의 이익 없어 부적법

비용납부명령의 법적 성질
▷ 행정행위(급부하명)
▷ 처분성○

대집행
▷ 행정심판 可

❶ 대집행의 각 절차(계고, 대집행영장에 의한 통지, 대집행의 실행, 비용징수) 중 계고, 대집행영장에 의한 통지, 비용납부명령은 행정행위로서 처분성이 인정되고, 대집행의 실행도 권력적 사실행위로서 처분성이 인정되므로 위와 같은 규정이 없더라도 위 행위들에 대하여 행정심판을 청구할 수 있다.

계고, 통지, 실행, 비용징수
▷ 모두 처분성○

대집행이 실행이 완료된 경우
▷ 소의 이익✕
▷ 대집행의 실행은 단기간에 완료되는 경우가 대부분이기 때문에 집행정지제도를 활용할 필요가 있음

| 대집행 요건충족 여부의 입증책임
▷ 처분 행정청(의무위반자×) |

> **관련판례**
>
> 대집행계고처분 취소소송의 변론종결 전에 대집행영장에 의한 통지절차를 거쳐 사실행위로서 대집행의 실행이 완료된 경우에는 행위가 위법한 것이라는 이유로 손해배상이나 원상회복 등을 청구하는 것은 별론으로 하고 처분의 취소를 구할 법률상 이익은 없다(대판 1993. 6. 8. 93누6164). ★★★

ⓒ **입증책임**: 대집행 요건충족의 주장 및 입증책임은 권한발생사실이므로 처분 행정청에게 있다.

> **관련판례**
>
> 대집행 요건충족에 대한 주장·입증책임은 처분 행정청에 있다. ★★★
>
> 건축법에 위반하여 건축한 것이어서 철거의무가 있는 건물이라 하더라도 그 철거의무를 대집행하기 위한 계고처분을 하려면 다른 방법으로는 이행의 확보가 어렵고 불이행을 방치함이 심히 공익을 해하는 것으로 인정될 때에 한하여 허용되고 이러한 요건의 주장·입증책임은 처분 행정청에 있다(대판 1996.10.11. 96누8086 ; 대판 1993.9.14. 92누16690).

ⓔ 하자의 승계

ⓐ 대체적 작위의무의 부과처분(예 철거명령)과 대집행 절차를 이루는 행위는 별개의 법적 효과를 가져오는 행위이므로 부과처분이 당연무효가 아닌 한, 하자의 승계가 인정되지 않는다.

대체적 작위의무 부과처분의 하자
▷ 원칙: 대집행 행위에 승계×
▷ 예외: 철거명령이 당연무효인 경우 대집행 행위도 무효

철거명령과 계고처분
▷ 하자의 승계×

> **관련판례**
>
> **1** 철거명령과 계고처분 사이에 하자의 승계는 인정되지 않는다. ★★
>
> 건물철거명령이 당연무효가 아닌 이상 행정심판이나 소송을 제기하여 그 위법함을 소구하는 절차를 거치지 아니하였다면 위 선행행위인 건물철거명령은 적법한 것으로 확정되었다고 할 것이므로 후행행위인 대집행계고처분에서는 그 건물이 무허가건물이 아닌 적법한 건축물이라는 주장이나 그러한 사실인정을 하지 못한다(대판 1998.9.8. 97누20502 ; 대판 1982.7.27. 81누293).
>
> **2** 적법한 건축물에 대한 철거명령은 그 하자가 중대하고 명백하여 당연무효라고 할 것이고, 그 후행행위인 건물철거 대집행계고처분 역시 당연무효라고 할 것이다(대판 1999. 4. 27. 97누6780). ★★★

철거명령이 당연무효인 경우
▷ 계고처분도 당연무효

ⓑ 이와 달리, 대집행의 여러 절차는 단계적인 절차로서 서로 결합하여 대집행이라는 하나의 법적 효과를 목적으로 하므로 선행행위의 하자가 후행행위에 승계된다(대판 1996.2.9. 95누12507 ; 대판 1993.11.9. 93누14271). 따라서 후행처분의 취소소송에서 선행처분의 위법성을 다툴 수 있다.

위법한 대집행
▷ 취소되지 않아도 국가배상청구 可

(2) 국가배상

위법한 대집행을 통해 손해를 입은 자는 대집행절차가 취소되지 않아도 국가 또는 지방자치단체를 상대로 「국가배상법」상 손해배상을 청구를 할 수 있다(대판 1972.4.28. 72다337).

🔨 **관련판례**

대집행 처분의 취소판결이 없더라도 국가배상청구를 할 수 있다. ★★

위법한 행정대집행이 완료되면 그 처분의 무효확인 또는 취소를 구할 소의 이익은 없다 하더라도, 미리 그 행정처분의 취소판결이 있어야만 그 행정처분의 위법임을 이유로 한 손해배상청구를 할 수 있는 것은 아니다(대판 1972.4.28. 72다337).

3 이행강제금(집행벌)

「행정기본법」 제30조【행정상 강제】① 행정청은 행정목적을 달성하기 위하여 필요한 경우에는 법률로 정하는 바에 따라 필요한 최소한의 범위에서 다음 각 호의 어느 하나에 해당하는 조치를 할 수 있다.
　2. 이행강제금의 부과: 의무자가 행정상 의무를 이행하지 아니하는 경우 행정청이 적절한 이행기간을 부여하고, 그 기한까지 행정상 의무를 이행하지 아니하면 금전급부의무를 부과하는 것

제31조【이행강제금의 부과】① 이행강제금 부과의 근거가 되는 법률에는 이행강제금에 관한 다음 각 호의 사항을 명확하게 규정하여야 한다. 다만, 제4호 또는 제5호를 규정할 경우 입법목적이나 입법취지를 훼손할 우려가 크다고 인정되는 경우로서 대통령령으로 정하는 경우는 제외한다.
　1. 부과·징수 주체
　2. 부과 요건
　3. 부과 금액
　4. 부과 금액 산정기준
　5. 연간 부과 횟수나 횟수의 상한
② 행정청은 다음 각 호의 사항을 고려하여 이행강제금의 부과 금액을 가중하거나 감경할 수 있다.
　1. 의무 불이행의 동기, 목적 및 결과
　2. 의무 불이행의 정도 및 상습성
　3. 그 밖에 행정목적을 달성하는 데 필요하다고 인정되는 사유
③ 행정청은 이행강제금을 부과하기 전에 미리 의무자에게 적절한 이행기간을 정하여 그 기한까지 행정상 의무를 이행하지 아니하면 이행강제금을 부과한다는 뜻을 문서로 계고(戒告)하여야 한다.
④ 행정청은 의무자가 제3항에 따른 계고에서 정한 기한까지 행정상 의무를 이행하지 아니한 경우 이행강제금의 부과 금액·사유·시기를 문서로 명확하게 적어 의무자에게 통지하여야 한다.
⑤ 행정청은 의무자가 행정상 의무를 이행할 때까지 이행강제금을 반복하여 부과할 수 있다. 다만, 의무자가 의무를 이행하면 새로운 이행강제금의 부과를 즉시 중지하되, 이미 부과한 이행강제금은 징수하여야 한다.
⑥ 행정청은 이행강제금을 부과받은 자가 납부기한까지 이행강제금을 내지 아니하면 국세강제징수의 예 또는 「지방행정제재·부과금의 징수 등에 관한 법률」에 따라 징수한다.

1. 의의

(1) 개념

① 이행강제금❶이란 주로 행정법상의 부작위의무 또는 비대체적 작위의무를 이행하지 않은 경우에, 그 의무자에게 금전부과를 통하여 심리적 압박을 줌으로써 장래에 그 의무를 스스로 이행하게 하는 간접적인 행정상 강제집행수단으로서 집행벌이라고도 한다.

② 「행정기본법」 제30조 제1항 제2호에서도 행정상 강제수단으로서 이행강제금을 "의무자가 행정상 의무를 이행하지 아니하는 경우 행정청이 적절한 이행기간을 부여하고, 그 기한까지 행정상 의무를 이행하지 아니하면 금전급부의무를 부과하는 것"이라고 규정하고 있다.

> **관련판례**
>
> **이행강제금은 장래를 향하여 의무의 이행을 확보하려는 간접적인 행정상 강제집행수단이다.**
> ★★★
>
> [1] 이행강제금은 행정법상의 부작위의무 또는 비대체적 작위의무를 이행하지 않은 경우에 '일정한 기한까지 의무를 이행하지 않을 때에는 일정한 금전적 부담을 과할 뜻'을 미리 '계고'함으로써 의무자에게 심리적 압박을 주어 장래를 향하여 의무의 이행을 확보하려는 간접적인 행정상 강제집행수단이고, 노동위원회가 근로기준법 제33조에 따라 이행강제금을 부과하는 경우 그 30일 전까지 하여야 하는 이행강제금 부과 예고는 이러한 '계고'에 해당한다(대판 2015.6.24. 2011두2170).
>
> [2] 구 건축법상 이행강제금은 시정명령의 불이행이라는 과거의 위반행위에 대한 제재가 아니라, 시정명령을 이행하지 않고 있는 건축주·공사시공자·현장관리인·소유자·관리자 또는 점유자에 대하여 다시 상당한 이행기한을 부여하고 기한 안에 시정명령을 이행하지 않으면 이행강제금이 부과된다는 사실을 고지함으로써 의무자에게 심리적 압박을 주어 시정명령에 따른 의무의 이행을 간접적으로 강제하는 행정상의 간접강제 수단에 해당한다(대판 2016.7.14. 2015두46598 ; 대판 2018.1.25. 2015두35116).

(2) 대집행과의 관계

전통적으로 대집행은 대체적 작위의무에 대한 강제집행수단으로, 이행강제금은 부작위의무나 비대체적 작위의무에 대한 강제집행수단으로 이해되어 왔다. 그러나 대집행에 많은 비용이 들거나 전문적인 기술이 필요한 경우, 의무자에게 금전적인 제재를 부과하여 심리적인 압박을 가함으로써 자발적으로 의무를 이행하게 하는 이행강제금 제도가 보다 효과적인 강제수단이 될 수 있다. 따라서 개별사건에 있어서 위반내용, 위반자의 시정의지 등을 감안하여 행정청은 대집행과 이행강제금을 선택적으로 활용할 수 있다고 할 것이며, 이처럼 그 합리적인 재량에 의해 선택하여 활용하는 이상 중첩적인 제재에 해당한다고 볼 수 없다. 현행 「건축법」 제80조처럼 대체적 작위의무의 불이행에 대해서도 이행강제금 제도를 두고 있는 경우에는 행정청은 구체적 사안에 따라 대집행과 이행강제금을 적절히 선택하여 목적을 달성할 수 있다.❷

---

❶ 이행강제금

과거에는 '집행벌'이라고도 하였으나, 이행강제금은 처벌이 아니라 장래를 향하여 의무이행을 간접적으로 강제하는 것이기 때문에 이행강제금이라는 용어를 사용하는 것이 더 적절하다. 실정법상으로도 '이행강제금'이라고 한다.

이행강제금
▷ 작위의무·부작위의무·수인의무의 불이행시에 장래를 향하여 의무이행을 간접적으로 강제하기 위하여 부과하는 금전부담

이행강제금
▷ 의무자에게 심리적 압박을 주어 장래 의무이행 확보 목적
▷ 간접적 강제집행수단

전통적 이해
▷ 대체적 작위의무 불이행: 대집행
▷ 부작위·비대체적 작위의무 불이행: 이행강제금

오늘날 이해
▷ 대체적 작위의무 불이행: 이행강제금과 대집행을 선택적 활용 가능
▷ 행정의 실효성 확보라는 관점에서 대체적 작위의무의 불이행에 대한 이행강제금을 허용함이 바람직

현행 「건축법」 제80조
▷ 대체적 작위의무인 시정명령의 불이행에 대한 이행강제금의 부과를 규정

❷

즉, 건물이 붕괴될 것 같은 비상시 또는 위험이 절박해 보이는 경우처럼 바로 철거가 필요한 경우에는 대집행으로 바로 들어가고, 시간적 여유가 있거나 고가의 건축물이거나 건축물의 일부만이 불법적인 상태인데 그 일부를 철거하게 되면 전체 건물의 붕괴가 우려되는 건축물 같은 경우처럼 이행강제금을 먼저 부과하여 의무자의 자발적인 시정을 유도하는 것이 더 적합해 보이는 경우에는 이행강제금을 먼저 부과하고 그럼에도 이행되지 않은 경우에 한하여 대집행을 들어가는 것이 타당할 것이다.

(3) 행정벌과의 관계

① 이행강제금은 장래를 향하여 의무이행을 확보하는 수단이라는 점에서, 과거의 의무불이행에 대한 제재인 행정벌과 구분된다. 따라서 이행강제금은 과태료나 벌금과 같은 행정벌과 병과될 수 있다.

② 이행강제금은 처벌이라는 의미보다 의무의 이행이라는 점에 중점을 두고 있으므로 일종의 처벌이라 할 행정벌과 성질을 달리한다. 따라서 이행강제금은 행정벌과는 달리 의무의 이행이 있을 때까지 반복적으로 부과될 수 있다. 그러나 경우에 따라서는 강제금의 반복부과가 상대방에게 가혹할 수 있으므로 법률에서 부과횟수에 대한 제한을 두기도 한다(예「건축법」제80조 제5항❶).

관련판례

행정벌과 이행강제금의 병과는 이중처벌에 해당하지 않는다. ★★★

[1] 건축법 제108조에 의한 무허가 건축행위에 대한 형사처벌과 건축법 제80조 제1항에 의한 시정명령 위반에 대한 이행강제금의 부과는 그 처벌 내지 제재 대상이 되는 기본적 사실관계로서의 행위를 달리하며, 또한 그 보호법익과 목적에서도 차이가 있으므로 헌법 제13조 제1항이 금지하는 이중처벌에 해당한다고 할 수 없다(헌재 2004.2.26. 2001헌바80·84·102·103·2002헌바26 ; 대결 2005.8.19. 2005마30).

[2] 이행강제금은 과거의 일정한 법률 위반행위에 대한 제재로서의 형벌이 아니라 장래의 의무이행의 확보를 위한 강제수단일 뿐이어서 범죄에 대하여 국가 형벌권을 실행한다고 하는 과벌에 해당하지 아니하므로 헌법 제13조 제1항이 금지하는 이중처벌금지의 원칙이 적용될 여지가 없을 뿐 아니라, 건축법 제108조, 제110조에 의한 형사처벌의 대상이 되는 행위와 건축법을 위반한 건축주 등이 건축허가권자로부터 위반 건축물의 철거 등 시정명령을 받고도 그 이행을 하지 않는 경우 건축법 위반자에 대하여 시정명령 이행시까지 반복적으로 이행강제금을 부과 할 수 있도록 규정한 건축법 제80조 제1항 및 제4항에 따라 이행강제금이 부과되는 행위는 기초적 사실관계가 동일한 행위가 아니라 할 것이므로 이런 점에서도 헌법 제13조 제1항의 이중처벌금지의 원칙에 위반되지 아니한다(헌재 2011.10.25. 2009헌바140).

핵심정리 이행강제금과 행정벌 비교

구분	이행강제금	행정벌
의의	장래를 향한 의무이행 확보수단	과거의 의무불이행에 대한 제재
반복부과 여부	반복부과 가능 (단, 년간 부과횟수제한은 가능)	하나의 위반행위에 대해 반복부과 못함 (이중처벌금지)
고의·과실	고의·과실 불요	고의·과실 필요
공통점	간접적 의무이행 확보수단	
병과 여부	행정형벌과 이행강제금은 규제목적을 달리하므로 병과 가능	

함께 정리하기

행정벌
▷ 과거 위반행위에 대한 제재

이행강제금
▷ 장래 의무이행 확보수단

이행강제금과 행정벌
▷ 병과 可

이행강제금
▷ 반복 부과 可

행정벌
▷ 반복 부과 不可

❶「건축법」제80조(이행강제금)
⑤ 허가권자는 최초의 시정명령이 있었던 날을 기준으로 하여 <u>1년에 2회 이내의 범위에서 해당 지방자치단체의 조례로 정하는 횟수만큼 그 시정명령이 이행될 때까지 반복하여 제1항 및 제2항에 따른 이행강제금을 부과·징수할 수 있다.</u>

형사처벌과 이행강제금
▷ 병과 可
▷ 이중처벌금지 원칙 위반×

함께 정리하기

이행강제금
▷ 급부하명(행정행위)

이행강제금 처분
▷ 침익적 처분: 「행정절차법」상 사전통지 또는 의견청취절차 거쳐야 함

이행강제금
▷ 일신전속적
▷ 상속인에게 승계 ✕

이행강제금 납부의무
▷ 일신전속적인 성질의 것이므로 상속인 등에게 승계 불가

사망자에게 부과한 이행강제금
▷ 당연무효

이행강제금
▷ 침익적 처분: 법적 근거 要
▷ 이행강제금에 관한 일반법 無
▷ 개별법 규정 有(「건축법」 제80조, 「농지법」 제63조 등)

❶ 행정기본법이 다른 행정강제와 달리 이행강제금에 대해서만은 최소한의 규율사항(제31조 제1항 등)을 정하여 입법지침을 제시하고 있어 이행강제금의 일반적 부과 근거가 될 수 있다는 견해도 있다.

❷ 「행정기본법」은 제31조에서 이행강제금의 법정주의(제1항), 부과금액의 가중·감경사유(제2항), 부과절차(제3항·제4항), 반복부과(제5항), 강제징수(제6항)에 관한 사항을 규정하고 있다.

문제점
▷ 대체적 작위의무의 경우 대집행이 가능함에도 이행강제금을 부과할 수 있는지

(4) 법적 성질

① 이행강제금의 부과행위는 금전납부의무를 명하는 행정행위(급부하명)이다. 따라서 이행강제금의 부과는 침익적 처분으로서 「행정절차법」 소정의 의견청취절차를 거쳐야 하고, 직권취소 또는 철회가 가능하다.

② 이행강제금 납부의무는 상속인 기타의 사람에게 승계될 수 없는 일신전속적인 성질을 갖는다. 따라서 이미 사망한 사람에게 이행강제금을 부과하는 내용의 처분이나 결정은 당연무효이다.

> **🔍 관련판례**
>
> **이행강제금 납부의무는 일신전속적이며 이미 사망한 사람에게 한 이행강제금 부과처분은 당연무효이다. ★★★**
>
> 구 건축법상의 이행강제금은 간접강제의 일종으로서 그 이행강제금 납부의무는 상속인 기타의 사람에게 승계될 수 없는 일신전속적인 성질의 것이므로 이미 사망한 사람에게 이행강제금을 부과하는 내용의 처분이나 결정은 당연무효이고, 이행강제금을 부과 받은 사람의 이의에 의하여 비송사건절차법에 의한 재판절차가 개시된 후에 그 이의한 사람이 사망한 때에는 사건 자체가 목적을 잃고 절차가 종료한다(대결 2006.12.8. 2006마470).

2. 이행강제금의 법적 근거

(1) 일반법

이행강제금의 부과는 침익적 행정작용에 해당하므로 법적 근거를 필요로 한다. 현재 이행강제금 부과의 근거에 관한 일반법은 없고 개별법에서 인정되고 있다. 「행정기본법」은 이행강제금의 근거규정이 아니다.❶

(2) 개별법

이행강제금은 구 「건축법」이 1991년 법개정을 통하여 제83조(현행 법 제80조)에 도입한 것을 필두로 하여, 「부동산 실권리자명의 등기에 관한 법률」 제6조, 「개발제한구역의 지정 및 관리에 관한 특별조치법」 제30조의2, 「농지법」 제63조, 「독점규제 및 공정거래에 관한 법률」(약칭: 공정거래법) 제17조의3 등에서 인정되고 있다.

(3) 근거법률에 포함될 사항

이행강제금 부과의 근거가 되는 법률에는 이행강제금에 관하여 ① 부과·징수 주체, ② 부과 요건, ③ 부과 금액, ④ 부과 금액 산정기준, ⑤ 연간 부과 횟수나 횟수의 상한에 대한 사항을 명확하게 규정하여야 한다. 다만, ④ 또는 ⑤를 규정할 경우 입법목적이나 입법취지를 훼손할 우려가 크다고 인정되는 경우로서 대통령령으로 정하는 경우는 제외한다(「행정기본법」 제31조 제1항).❷

3. 이행강제금의 부과대상

(1) 문제점

이행강제금은 비대체적 작위의무·부작위의무의 불이행시에 그 이행을 강제하기 위하여 부과하는 금전부담인데, 대체적 작위의무의 경우 대집행이라는 효과적인 강제수단이 있음에도 불구하고 그 불이행에 대하여 이행강제금을 부과할 수 있는지가 문제이다.

(2) 학설

이에 대하여 ① 대체적 작위의무의 경우 대집행이 가능하므로 이행강제금을 인정할 필요가 없다는 견해도 있으나, ② 간접적 강제수단인 이행강제금이 직접적 강제수단인 대집행보다 의무이행 확보에 보다 실효적인 수단이 될 수 있으므로 대체적 작위의무의 위반에 대해서도 이행강제금을 부과하지 못할 이유가 없다는 견해가 다수설의 입장이다.

(3) 판례

이에 관한 대법원 판례는 없으나, 헌법재판소는 대체적 작위의무의 위반이 있는 경우 행정청은 대집행과 이행강제금을 합리적인 재량에 의해 선택적으로 활용할 수 있다는 입장이다.

> **관련판례**
>
> **이행강제금은 대체적 작위의무의 위반에 대해서도 부과될 수 있으며 선택적으로 활용 가능하다. ★★★**
>
> 전통적으로 행정대집행은 대체적 작위의무에 대한 강제집행수단으로, 이행강제금은 부작위의무나 비대체적 작위의무에 대한 강제집행수단으로 이해되어왔으나, 이는 이행강제금 제도의 본질에서 오는 제약은 아니며, 이행강제금은 대체적 작위의무의 위반에 대하여도 부과될 수 있다. 현행법상 위법건축물에 대한 이행강제수단으로 대집행과 이행강제금이 인정되고 있는데, 양 제도는 각각의 장·단점이 있으므로 행정청은 개별사건에 있어서 위반내용, 위반자의 시정의지 등을 감안하여 대집행과 이행강제금을 선택적으로 활용할 수 있으며, 이처럼 그 합리적인 재량에 의해 선택하여 활용하는 이상 중첩적인 제재에 해당한다고 볼 수 없다(헌재 2004.2.26. 2001헌바80 등).

4. 이행강제금의 부과

(1) 개관

「행정기본법」제31조는 이행강제금의 부과에 관한 원칙적인 내용만을 규정하고 있으므로, 이행강제금의 부과에 관한「행정기본법」제31조의 규정의 내용과 이행강제금을 규정한 대표적인 개별법인「건축법」을 중심으로 이행강제금의 부과요건 및 절차를 살펴보기로 한다.

(2) 「행정기본법」상 이행강제금의 부과

① **법정주의**: 이행강제금 부과의 근거가 되는 법률에는 이행강제금에 관하여 ㉠ 부과·징수 주체, ㉡ 부과 요건, ㉢ 부과 금액, ㉣ 부과 금액 산정기준, ㉤ 연간 부과 횟수나 횟수의 상한을 명확하게 규정하여야 한다. 다만, ㉣ 또는 ㉤을 규정할 경우 입법목적이나 입법취지를 훼손할 우려가 크다고 인정되는 경우로서 대통령령으로 정하는 경우는 제외한다(「행정기본법」제31조 제1항).

② **가중·감경사유**: 행정청은 ㉠ 의무 불이행의 동기, 목적 및 결과, ㉡ 의무 불이행의 정도 및 상습성, ㉢ 그 밖에 행정목적을 달성하는 데 필요하다고 인정되는 사유를 고려하여 이행강제금의 부과 금액을 가중하거나 감경할 수 있다(「행정기본법」제31조 제2항).

함께 정리하기

부정설
▷ 대집행이 가능하므로 이행강제금 부정

긍정설
▷ 경우에 따라 더 실효적인 수단이 될 수 있으므로 이행강제금 긍정

헌재
▷ 대체적 작위의무에 이행강제금 可

대체적 작위의무의 불이행
▷ 행정청은 대집행과 이행강제금의 선택적 활용 可
▷ 이는 중첩적인 제재 ×

이행강제금 부과의 근거법률에 포함될 사항
▷ 부과·징수 주체
▷ 부과 요건
▷ 부과 금액
▷ 부과 금액 산정기준(제외될 수 있음)
▷ 연간 부과 횟수나 횟수의 상한(제외될 수 있음)

③ 부과절차
  ㉠ **계고처분**: 행정청은 이행강제금을 부과하기 전에 미리 의무자에게 적절한 이행기간을 정하여 그 기한까지 행정상 의무를 이행하지 아니하면 이행강제금을 부과한다는 뜻을 문서로 계고하여야 한다(「행정기본법」 제31조 제3항).
  ㉡ **부과의 통지**: 위와 같은 계고에도 불구하고 의무자가 계고에서 정한 기한까지 행정상 의무를 이행하지 아니한 경우 이행강제금의 부과 금액·사유·시기를 문서로 명확하게 적어 의무자에게 통지하여야 한다(「행정기본법」 제31조 제4항).

④ **반복부과 및 부과의 중지**: 행정청은 의무자가 행정상 의무를 이행할 때까지 이행강제금을 반복하여 부과할 수 있다. 다만, 의무자가 의무를 이행하면 새로운 이행강제금의 부과를 즉시 중지하되, 이미 부과된 이행강제금은 징수하여야 한다(「행정기본법」 제31조 제5항).

⑤ **강제징수**: 행정청은 이행강제금을 부과받은 자가 납부기한까지 이행강제금을 내지 아니하면 국세강제징수의 예 또는 「지방행정제재·부과금의 징수 등에 관한 법률」에 따라 징수한다(「행정기본법」 제31조 제6항).

(3) 「건축법」상 이행강제금의 부과

> 「건축법」 제79조【위반 건축물 등에 대한 조치 등】 ① 허가권자는 이 법 또는 이 법에 따른 명령이나 처분에 위반되는 대지나 건축물에 대하여 이 법에 따른 허가 또는 승인을 취소하거나 그 건축물의 건축주·공사시공자·현장관리인·소유자·관리자 또는 점유자(이하 "건축주등"이라 한다)에게 공사의 중지를 명하거나 상당한 기간을 정하여 그 건축물의 해체·개축·증축·수선·용도변경·사용금지·사용제한, 그 밖에 필요한 조치를 명할 수 있다.
>
> 제80조【이행강제금】 ① 허가권자는 제79조 제1항에 따라 시정명령을 받은 후 시정기간 내에 시정명령을 이행하지 아니한 건축주등에 대하여는 그 시정명령의 이행에 필요한 상당한 이행기한을 정하여 그 기한까지 시정명령을 이행하지 아니하면 다음 각 호의 이행강제금을 부과한다. (각 호 생략)
> ② 허가권자는 영리목적을 위한 위반이나 상습적 위반 등 대통령령으로 정하는 경우에 제1항에 따른 금액을 100분의 100의 범위에서 해당 지방자치단체의 조례로 정하는 바에 따라 가중하여야 한다.
> ③ 허가권자는 제1항 및 제2항에 따른 이행강제금을 부과하기 전에 제1항 및 제2항에 따른 이행강제금을 부과·징수한다는 뜻을 미리 문서로써 계고(戒告)하여야 한다.
> ④ 허가권자는 제1항 및 제2항에 따른 이행강제금을 부과하는 경우 금액, 부과 사유, 납부기한, 수납기관, 이의제기 방법 및 이의제기 기관 등을 구체적으로 밝힌 문서로 하여야 한다.
> ⑤ 허가권자는 최초의 시정명령이 있었던 날을 기준으로 하여 1년에 2회 이내의 범위에서 해당 지방자치단체의 조례로 정하는 횟수만큼 그 시정명령이 이행될 때까지 반복하여 제1항 및 제2항에 따른 이행강제금을 부과·징수할 수 있다.
> ⑥ 허가권자는 제79조 제1항에 따라 시정명령을 받은 자가 이를 이행하면 새로운 이행강제금의 부과를 즉시 중지하되, 이미 부과된 이행강제금은 징수하여야 한다.
> ⑦ 허가권자는 제4항에 따라 이행강제금 부과처분을 받은 자가 이행강제금을 납부기한까지 내지 아니하면 「지방행정제재·부과금의 징수 등에 관한 법률」에 따라 징수한다.

① 시정명령의 불이행
  ㉠ 시정명령
    ⓐ 허가권자는 「건축법」에 따른 명령이나 처분에 위반되는 건축물에 대하여 건축주 등에게 공사의 중지를 명하거나 상당한 기간을 정하여 그 건축물의 해체(철거)·개축·증축·수선·용도변경·사용금지·사용제한, 그 밖에 필요한 조치를 명할 수 있다(「건축법」 제79조 제1항).
    ⓑ 시정명령은 건물완공 후 위법건축물임을 알게 된 경우라도 부과될 수 있고, 위반 건축물이 개정 「건축법」 시행 이전에 건축되었더라도, 행정청은 현행 「건축법」에 따라 시정명령을 할 수 있다.
  ㉡ 상당한 이행기한의 통지(제2차 시정명령, 이행명령, 이행의 기회): 건축허가권자는 시정명령을 받은 후 시정기간 내에 시정명령을 이행하지 아니한 건축주 등에 대하여 그 시정명령의 이행에 필요한 상당한 이행기한을 정하여 통지하여야 한다(「건축법」 제80조 제1항).

> **관련판례**
>
> **상당한 이행기한이 주어지지 않은 경우 이행강제금을 부과할 수 없다. ★★**
> [1] 건축법 제79조 제1항 및 제80조 제1항에 의하면, 허가권자는 먼저 건축주 등에 대하여 상당한 기간을 정하여 시정명령을 하고, 건축주 등이 그 시정기간 내에 시정명령을 이행하지 아니하면, 다시 그 시정명령의 이행에 필요한 상당한 이행기한을 정하여 그 기한까지 시정명령을 이행할 수 있는 기회를 준 후가 아니면 이행강제금을 부과할 수 없다.
> [2] 적법한 2차 시정명령이 되기 위해서는 2008.6.21. 이후 발령된 것으로 그 시정명령의 이행에 필요한 상당한 이행기한이 부여된 것이어야 할 것인데, 이 사건 2차 시정명령은 위와 같은 요건도 갖추지 못하였다(대판 2010.6.24. 2010두3978).❶

② 계고: 허가권자는 이행강제금을 부과하기 전에 이행강제금을 부과·징수한다는 뜻을 미리 문서로써 계고하여야 한다(「건축법」 제80조 제3항).

> **관련판례**
>
> **1** 농지법 제62조 제1항에 따른 이행강제금을 부과할 때에는 그때마다 이행강제금을 부과·징수한다는 뜻을 미리 문서로 알려야 하고, 이와 같은 절차를 거치지 아니한 채 이행강제금을 부과하는 것은 이행강제금 제도의 취지에 반하는 것으로서 위법하다(대결 2018.11.2. 2018마5608). ★★
>
> **2** 사용자가 이행하여야 할 행정법상 의무의 내용을 초과하는 것을 '불이행 내용'으로 기재한 이행강제금 부과 예고서에 의하여 이행강제금 부과 예고를 한 다음 이행강제금을 부과한 경우, 그 이행강제금 부과 예고 및 이행강제금 부과처분은 위법하다. ★★★
> [1] 노동위원회가 근로기준법 제33조에 따라 이행강제금을 부과하는 경우 그 30일 전까지 하여야 하는 이행강제금 부과 예고는 이행강제금 부과 전 '계고'에 해당한다.
> [2] 사용자가 이행하여야 할 행정법상 의무의 내용을 초과하는 것을 '불이행 내용'으로 기재한 이행강제금 부과 예고서에 의하여 이행강제금 부과 예고를 한 다음 이를 이행하지 않았다는 이유로 이행강제금을 부과하였다면, 초과한 정도가 근소하다는 등의 특별한 사정이 없는 한 이행강제금 부과 예고는 이행강제금 제도의 취지에 반하는 것으로서 위법하고, 이에 터 잡은 이행강제금 부과처분 역시 위법하다(대판 2015.6.24. 2011두2170).

함께 정리하기

「건축법」 위반 건축물
▷ 건축물에 시정명령 可

시정명령 불이행
▷ 상당한 기한을 정하여 통지(제2차 시정명령)

상당한 이행기한 부여×
▷ 이행강제금 부과 위법○

❶ 판례는 제2차 시정명령을 이행강제금 부과처분 요건의 흠결 또는 절차상 흠으로 보고 있는 점에 비추어, 제2차 시정명령을 별도의 처분으로 보지 않은 것으로 보인다.

이행강제금 부과 전
▷ 문서로 계고 要

의무를 초과한 부과예고(계고)에 의한 이행강제금 부과
▷ 부과예고 및 이에 터 잡은 이행강제금 부과처분은 위법○

함께 정리하기

❶
「개발제한구역의 지정 및 관리에 관한 특별조치법」상 이행강제금을 부과·징수할 때마다 그에 앞서 시정명령 절차를 다시 거쳐야 할 필요는 없다(대판 2013.12. 12. 2012두20397).

반복된 이행강제금 부과
▷ 각 부과처분에 이행의 기회가 제공되어야 함

이행 기회가 제공되지 않은 이행강제금 부과
▷ 무효

❷
피고가 2006년경 원고에 대하여 건물 철거를 명하는 시정명령을 하였으나, 2008년 ~ 2010년 기간 중 그 시정명령의 이행을 요구하지 않다가, 2011년경 비로소 시정명령의 이행 기회를 제공한 후 2008년 ~ 2011년의 4년분 이행강제금을 한꺼번에 부과한 사안에서, 2011년 기준 1회분 이행강제금 외에 2008년 ~ 2010년분 이행강제금 부분은 그 하자가 중대·명백하여 무효라고 판단하여 상고를 기각한 사례이다.

기간 경과 후 이행
▷ 새로운 부과 중지
▷ 부과된 이행강제금 징수

③ **이행강제금의 부과**: 계고에도 불구하고 의무자가 시정명령을 그 기한 내에 이행하지 않은 경우, 행정청은 이행강제금을 부과한다(「건축법」 제80조 제1항).
  ㉠ **부과형식**: 허가권자는 이행강제금을 부과하는 경우 금액, 부과 사유, 납부기한, 수납기관, 이의제기 방법 및 이의제기 기관 등을 구체적으로 밝힌 문서로 하여야 한다(「건축법」 제80조 제4항).
  ㉡ **반복부과**
    ⓐ 「건축법」상 이행강제금은 최초 시정명령이 있었던 날을 기준으로 하여 1년에 2회 이내의 범위에서 해당 지방자치단체의 조례로 정하는 횟수만큼 그 시정명령이 이행될 때까지 반복하여 부과할 수 있다(「건축법」 제80조 제5항).
    ⓑ 이행강제금을 반복 부과·징수할 때 마다 시정명령 절차를 다시 거쳐야 할 필요는 없지만(대판 2013.12.12 2012두20397).❶ 각 부과처분마다 이행기한을 정하여 시정명령의 이행의 기회를 주어야 한다.

> **관련판례**
>
> **이행강제금을 반복하여 부과하기 위해서는 각 부과처분마다 이행 기회가 제공되어야 한다.**
> ★★★
> 구 건축법 제80조 제1항, 제4항에 의하면 문언상 최초의 시정명령이 있었던 날을 기준으로 1년 단위별로 2회에 한하여 이행강제금을 부과할 수 있고, 이 경우에도 매 1회 부과 시마다 구 건축법 제80조 제1항 단서에서 정한 1회분 상당액의 이행강제금을 부과한 다음 다시 시정명령의 이행에 필요한 상당한 이행기한을 정하여 그 기한까지 시정명령을 이행할 수 있는 기회를 준 후 비로소 다음 1회분 이행강제금을 부과할 수 있다. 따라서 비록 건축주 등이 장기간 시정명령을 이행하지 아니하였더라도, 그 기간 중에는 시정명령의 이행 기회가 제공되지 아니하였다가 뒤늦게 시정명령의 이행 기회가 제공된 경우라면, 시정명령의 이행 기회 제공을 전제로 한 1회분의 이행강제금만을 부과할 수 있고, 시정명령의 이행 기회가 제공되지 아니한 과거의 기간에 대한 이행강제금까지 한꺼번에 부과할 수는 없다. 그리고 이를 위반하여 이루어진 이행강제금 부과처분은 과거의 위반행위에 대한 제재가 아니라 행정상의 간접강제 수단이라는 이행강제금의 본질에 반하여 구 건축법 제80조 제1항·제4항 등 법규의 중요한 부분을 위반한 것으로서, 그러한 하자는 중대할 뿐만 아니라 객관적으로도 명백하다(대판 2016.7.14. 2015두46598).❷

  ㉢ **부과의 중지**
    ⓐ 시정명령을 받은 자가 이를 이행하면 새로운 이행강제금의 부과를 즉시 중지하되, 이미 부과된 이행강제금은 징수하여야 한다(「건축법」 제80조 제6항).
    ⓑ 다만, 판례는 공정거래법상 이행강제금의 경우 과거의 의무위반행위에 대한 제재의 성격도 가지므로 이행강제금이 부과되기 전에 의무의 이행이 있다고 하더라도 과거의 시정조치 불이행기간에 대하여 이행강제금을 부과할 수 있다고 한다.

관련판례

1 이행강제금 부과 전 시정명령에서 정한 기간 이후 의무이행을 했다면 이행기한을 지난 경우라도 이행강제금을 부과할 수 없다. ★★★

[1] 건축법상의 이행강제금은 시정명령의 불이행이라는 과거의 위반행위에 대한 제재가 아니라, 의무자에게 시정명령을 받은 의무의 이행을 명하고 그 이행기간 안에 의무를 이행하지 않으면 이행강제금이 부과된다는 사실을 고지함으로써 의무자에게 심리적 압박을 주어 의무의 이행을 간접적으로 강제하는 행정상의 간접강제수단에 해당한다. 이러한 이행강제금의 본질상 시정명령을 받은 의무자가 이행강제금이 부과되기 전에 그 의무를 이행한 경우에는 비록 시정명령에서 정한 기간을 지나서 이행한 경우라도 이행강제금을 부과할 수 없다.

[2] 나아가 시정명령을 받은 의무자가 그 시정명령의 취지에 부합하는 의무를 이행하기 위한 정당한 방법으로 행정청에 신청 또는 신고를 하였으나 행정청이 위법하게 이를 거부 또는 반려함으로써 결국 그 처분이 취소되기에 이르렀다면, 특별한 사정이 없는 한 그 시정명령의 불이행을 이유로 이행강제금을 부과할 수는 없다고 보는 것이 위와 같은 이행강제금 제도의 취지에 부합한다(대판 2018.1.25. 2015두35116).

2 장기미등기자가 등기신청의무를 이행하였다면 이행을 확보하고자 하는 목적은 이미 실현된 것이므로 이행강제금을 부과할 수 없다. ★★★

장기미등기자가 이행강제금 부과 전에 등기신청의무를 이행하였다면 이행강제금의 부과로써 이행을 확보하고자 하는 목적은 이미 실현된 것이므로 부동산실명법 제6조 제2항에 규정된 기간이 지나서 등기신청의무를 이행한 경우라 하더라도 이행강제금을 부과할 수 없다고 보아야 한다(대판 2016.6.23. 2015두36454).

3 공정거래법 제17조의3에 따른 이행강제금은 시정조치를 이행하거나 부작위 의무를 명하는 시정조치 불이행을 중단한 경우 과거의 시정조치 불이행기간에 대하여 부과할 수 있다. ★★★

공정거래법 제17조의3에 따른 이행강제금은 기업결합과 관련하여 종래의 과징금 제도를 폐지하고 과거의 의무위반행위에 대한 제재와 장래 의무 이행의 간접강제를 통합하여 시정조치 불이행기간에 비례하여 제재금을 부과하도록 하는 제도라고 보아야 한다. 따라서 이러한 이행강제금이 부과되기 전에 시정조치를 이행하거나 부작위 의무를 명하는 시정조치 불이행을 중단한 경우 과거의 시정조치 불이행기간에 대하여 이행강제금을 부과할 수 있다고 봄이 타당하다(대판 2019.12.12. 2018두63563).

ⓒ 「건축법」 제80조 제6항, 국토계획법 제124조의2 제5항의 '새로운 이행강제금'에는 반복 부과되는 이행강제금뿐만 아니라 최초의 이행강제금도 포함된다.

관련판례

국토계획법에 따라 이행명령을 받은 의무자가 그 명령을 이행한 경우, 반복 부과되는 이행강제금뿐만 아니라 최초의 이행강제금도 부과할 수 없다. ★★

국토의 계획 및 이용에 관한 법률 제124조의2 제5항이 이행명령을 받은 자가 그 명령을 이행하는 경우에 새로운 이행강제금의 부과를 즉시 중지하도록 규정한 것은 이행강제금의 본질상 이행강제금 부과로 이행을 확보하고자 한 목적이 이미 실현된 경우에는 그 이행강제금을 부과할 수 없다는 취지를 규정한 것으로서, 이에 의하여 부과가 중지되는 '새로운 이행강제금'에는 국토계획법 제124조의2 제3항의 규정에 의하여 반복 부과되는 이행강제금뿐만 아니라 이행명령 불이행에 따른 최초의 이행강제금도 포함된다. 따라서 이행명령을 받은 의무자가 그 명령을 이행한 경우에는 이행명령에서 정한 기간을 지나서 이행한 경우라도 최초의 이행강제금을 부과할 수 없다(대판 2014.12.11. 2013두15750).

함께 정리하기

시정명령의 이행기한 도과 후, 이행강제금 부과 전 의무이행
▷ 이행강제금 부과 불가

시정명령 이행에 대한 행정청의 위법한 거부
▷ 이행강제금 부과 불가

기간 경과 후 등기신청의무 이행
▷ 이행강제금 부과 불가

공정거래법상의 이행강제금
▷ 과거의 의무위반행위에 대한 제재와 장래 의무 이행의 간접강제를 통합하여 제재금을 부과하도록 하는 제도
▷ 이행강제금이 부과되기 전에 의무를 이행한 경우에도 과거의 시정조치 불이행기간에 대하여 이행강제금 부과 가

부과가 중지되는 새로운 이행강제금
▷ 반복 부과되는 이행강제금뿐만 아니라 최초의 이행강제금도 포함

이행명령 이행
▷ 최초·반복된 이행강제금 부과 불가

함께 정리하기

이행강제금 납부×
▷ 「지방행정제재·부과금의 징수 등에 관한 법률」에 따라 징수(「지방세법」×)

이행강제금 납부의 최초 독촉
▷ 처분○

④ 이행강제금의 강제징수
　㉠ 허가권자는 제4항에 따라 이행강제금 부과처분을 받은 자가 이행강제금을 납부기한까지 내지 아니하면 「지방행정제재·부과금의 징수 등에 관한 법률」에 따라 징수한다(「건축법」 제80조 제7항).
　㉡ 이때 이행강제금 납부의 최초 독촉은 징수처분으로서 항고소송의 대상이 되는 행정처분에 해당한다.

> **관련판례**
> **건축법상 이행강제금 납부의 최초 독촉은 항고소송의 대상이 되는 행정처분이다. ★★★**
> 구 건축법 제69조의2 제6항, 지방세법 제28조, 제82조, 국세징수법 제23조의 각 규정에 의하면, 이행강제금 부과처분을 받은 자가 이행강제금을 기한 내에 납부하지 아니한 때에는 그 납부를 독촉할 수 있으며, 납부독촉에도 불구하고 이행강제금을 납부하지 않으면 체납절차에 의하여 이행강제금을 징수할 수 있고, 이때 이행강제금 납부의 최초 독촉은 <u>징수처분으로서 항고소송의 대상이 되는 행정처분</u>이 될 수 있다(대판 2009.12.24. 2009두14507).

5. 이행강제금 부과에 대한 권리구제

이행강제금의 부과처분은 개별법에 특별한 불복절차가 있는지 여부에 따라 항고소송의 대상이 되는지가 달라진다.

개별법에 불복방법에 관한 규정이 있는 경우 이행강제금
▷ 처분성×(항고소송×)

(1) 개별법에 불복절차에 관한 규정이 있는 경우

이행강제금 부과처분을 받은 자가 이의를 제기한 경우에 관할 법원은 「비송사건절차법」에 따른 과태료 재판에 준하여 재판을 하도록 규정하는 경우가 있다(「농지법」 제62조 제7항). 이와 같이 개별법에서 이행강제금 부과에 대한 특별한 불복절차를 규정하고 있는 경우 이행강제금 부과처분은 항고소송의 대상이 되지 않는다.

「농지법」상 이행강제금 부과처분
▷ 항고소송의 대상×
▷ 관할청 등이 잘못 안내한 경우에도 마찬가지

> **관련판례**
> **농지법상 이행강제금 부과처분은 항고소송의 대상이 될 수 없다. 이는 관할청이나 행정심판위원회가 잘못 안내한 경우에도 마찬가지이다. ★★★**
> 농지법 제62조 제1항에 따른 이행강제금 부과처분에 불복하는 경우에는 비송사건절차법에 따른 재판절차가 적용되어야 하고, 행정소송법상 항고소송의 대상은 될 수 없다. 농지법 제62조 제6항·제7항이 위와 같이 이행강제금 부과처분에 대한 불복절차를 분명하게 규정하고 있으므로, 이와 다른 불복절차를 허용할 수는 없다. 설령 관할청이 이행강제금 부과처분을 하면서 재결청에 행정심판을 청구하거나 관할 행정법원에 행정소송을 할 수 있다고 잘못 안내하거나 관할 행정심판위원회가 각하재결이 아닌 기각재결을 하면서 관할 법원에 행정소송을 할 수 있다고 잘못 안내하였다고 하더라도, <u>그러한 잘못된 안내로 행정법원의 항고소송 재판관할이 생긴다고 볼 수도 없다</u>(대판 2019.4.11. 2018두42955).

개별법에 불복방법에 관한 규정이 없는 경우 이행강제금
▷ 처분성○(항고소송○)

(2) 개별법에 불복절차에 관한 규정이 없는 경우

개별법에 이행강제금의 불복절차에 관한 별도의 규정이 없으면 이행강제금 부과처분은 행정행위이므로 「행정심판법」과 「행정소송법」이 정하는 바에 따라 행정쟁송을 제기할 수 있다.

(3) 「건축법」상 이행강제금의 경우

① 구 「건축법」 제83조 제6항은 이행강제금 부과처분의 불복에 관하여 「농지법」처럼 「비송사건절차법」에 의한 과태료 재판에 의하도록 규정하고 있었다. 그 당시 판례는 "구 「건축법」 제83조의 규정에 의하여 부과된 이행강제금 부과처분은 행정소송의 대상이 되는 행정처분이라고 볼 수 없다."고 보았다(대판 2000.9.22. 2000두5722).

② 그러나 2005년 11월 8일 「건축법」 개정 시 구 「건축법」 제83조 제6항이 삭제됨으로써 현행 「건축법」은 이행강제금 부과처분에 대하여 별도의 불복방법을 규정하고 있지 않다. 따라서 「건축법」상 이행강제금부과는 금전급부명령(하명)으로서 항고소송의 대상되는 처분이라는 것이 통설의 입장이다. 판례 역시 「건축법」상 이행강제금부과 처분에 대한 취소소송에서 이행강제금의 대상적격을 인정하여 본안심리를 하고 있다(대판 2010.10.14. 2010두13340).

> **함께 정리하기**
>
> 현행 「건축법」상 이행강제금
> ▷ 처분성O(항고소송O)

4 직접강제

「행정기본법」 제30조 【행정상 강제】 ① 행정청은 행정목적을 달성하기 위하여 필요한 경우에는 법률로 정하는 바에 따라 필요한 최소한의 범위에서 다음 각 호의 어느 하나에 해당하는 조치를 할 수 있다.
  3. 직접강제: 의무자가 행정상 의무를 이행하지 아니하는 경우 행정청이 의무자의 신체나 재산에 실력을 행사하여 그 행정상 의무의 이행이 있었던 것과 같은 상태를 실현하는 것

제32조 【직접강제】 ① 직접강제는 행정대집행이나 이행강제금 부과의 방법으로는 행정상 의무 이행을 확보할 수 없거나 그 실현이 불가능한 경우에 실시하여야 한다.
② 직접강제를 실시하기 위하여 현장에 파견되는 집행책임자는 그가 집행책임자임을 표시하는 증표를 보여 주어야 한다.
③ 직접강제의 계고 및 통지에 관하여는 제31조 제3항 및 제4항을 준용한다.

1. 의의

(1) 개념

① 직접강제란 의무자가 행정상 의무를 이행하지 아니하는 경우 행정청이 의무자의 신체나 재산에 직접 실력을 행사하여 그 행정상 의무의 이행이 있었던 것과 같은 상태를 실현하는 가장 강력한 강제집행수단을 말한다(「행정기본법」 제30조 제1항 제3호). 직접강제는 대집행·이행강제금이 부적합하거나 아무런 성과를 기대할 수 없는 경우에 최후적으로 사용하는 강제수단이다(보충적 수단).

② 직접강제의 예로는, 영업장 또는 사업장의 폐쇄(예 「식품위생법」 제79조, 「먹는물관리법」 제46조 제1항), 외국인의 강제퇴거(예 「출입국관리법」 제46조), 실력에 의한 예방접종, 집회군중에 대한 강제해산 등이 있다.

> 직접강제
> ▷ 신체·재산에 직접 실력을 가하여 의무이행상태확보, 가장 강력한 강제집행수단
> ▷ 예 사업장폐쇄, 강제퇴거, 실력에 의한 예방접종, 집회군중에 대한 강제해산 등

(2) 구별개념

① 대집행과의 구별
  ㉠ 대집행은 대체적 작위의무의 강제수단인 반면, 직접강제는 대체적 작위의무뿐만 아니라 비대체적 작위의무·부작위의무·수인의무 등 일체의 의무불이행에 대해 가능하다.

> 대집행과의 구별
> ▷ 대집행은 대체적 작위의무만
> ▷ 의무자의 점유에 대한 실력행사 불포함
> ▷ 비용은 의무자 부담
> ▷ 타자집행 可

ⓒ 직접강제는 의무자에게 직접 물리력을 행사하는 점에서 그렇지 않은 대집행과 구별된다. 의무자의 신체에 대해 물리력을 행사하는 것은 당연히 직접강제이고 대집행이 아니다. 직접강제에서 의무자의 재산에 대한 실력행사는 의무자가 점유하는 재산에 대한 실력행사이고, 의무자의 점유에 대한 실력행사도 의무자에 대한 직접 실력행사로 볼 수 있다. 그러나 대집행은 의무자의 점유에 대한 직접적 실력행사를 포함하지 않는다. 따라서 건물인도(명도)는 직접강제에 속하고, 건물철거는 대집행에 속한다.

ⓒ 대집행의 비용은 의무자가 부담하지만, 직접강제의 경우에는 행정청이 부담한다.

ⓔ 대집행은 제3자로 하여금 이행을 맡길 수 있지만(타자집행), 직접강제의 경우에는 제3자에게 맡길 수 없다.

② **즉시강제와의 구별**: 직접강제는 선행의무의 위반이라는 요건이 존재한다는 점에서 목전의 긴급한 위해를 제거하기 위하여 인정되는 행정상 즉시강제와 구별된다.

즉시강제와의 구별
▷ 의무부과와 그 불이행이 전제되지 않음

2. 대상

직접강제는 대체적 작위의무뿐만 아니라 비대체적 의무(비대체적 작위의무, 부작위의무, 수인의무)를 대상으로도 할 수 있다. 즉, 모든 의무를 대상으로 할 수 있는 것이다.

직접강제의 대상
▷ 작위의무(대체적, 비대체적)
▷ 부작위의무
▷ 수인의무 등 모든 의무를 대상으로 可

3. 법적 근거

(1) 직접강제는 개인의 자유·권리를 침해하는 성격이 매우 강하므로 별도의 법적 근거를 요한다.

(2) 「행정기본법」은 제30조 제1항 제3호에서 직접강제를 정의하고, 제32조에서 그 요건과 절차에 관한 사항을 규정하고 있다.

(3) 그러나 직접강제의 전반을 아우르는 일반법은 없고, 일부 법률에서만 개별적으로 규정하고 있을 뿐이다(예 「출입국관리법」, 「먹는물관리법」, 「의료법」, 「공중위생관리법」, 「식품위생법」, 「학원의 설립·운영 및 과외교습에 관한 법률」 등).

직접강제
▷ 법적 근거 要(∵ 침해적 성격)
▷ 일반법○(「행정기본법」 제32조), 개별법○

4. 절차

(1) 「행정기본법」 제32조에서는 직접강제에 공통적으로 요구되는 증표제시의무, 직접강제의 계고 및 통지에 관한 사항을 규정하고 있다.

(2) 직접강제를 실시하기 위하여 현장에 파견되는 집행책임자는 그가 집행책임자임을 표시하는 증표를 보여 주어야 하고(「행정기본법」 제32조 제2항), 직접강제의 계고 및 통지에 관하여는 제31조 제3항 및 제4항(이행강제금의 부과절차)을 준용한다(「행정기본법」 제32조 제2항).

5. 한계

(1) 직접강제는 강제집행 수단 중에서 가장 강력한 강제집행 수단이므로 다른 방법으로 의무이행을 강제할 수 없을 때 최후의 수단으로 행사되어야 한다(보충성의 원칙).

(2) 그 행사는 법률에 근거하고 비례의 원칙 등 행정법의 일반원칙을 준수해야 한다.

직접강제의 한계
▷ 가장 강력한 수단이므로 최후 수단으로 행사(보충성 원칙)
▷ 법률에 근거하고 일반원칙 준수해야 함

6. 직접강제의 법적 성질 및 권리구제

직접강제는 권력적 사실행위로서 행정쟁송의 대상인 처분에 해당한다. 뿐만 아니라 위법한 직접강제로 인하여 손해를 입은 자는 「국가배상법」이 정하는 바에 따라 국가배상청구도 가능하다. 또한 위법한 직접강제에 의하여 개인이 국가, 지방자치단체, 공법인 또는 개인, 민간단체 등이 운영하는 의료시설·복지시설·수용시설·보호시설에 수용·보호 또는 감금된 경우에는 「인신보호법」에 의한 절차에 따라 구제받을 수 있다(「인신보호법」 제3조).

5 행정상 강제징수

> 「행정기본법」 제30조 【행정상 강제】 ① 행정청은 행정목적을 달성하기 위하여 필요한 경우에는 법률로 정하는 바에 따라 필요한 최소한의 범위에서 다음 각 호의 어느 하나에 해당하는 조치를 할 수 있다.
> 4. 강제징수: 의무자가 행정상 의무 중 금전급부의무를 이행하지 아니하는 경우 행정청이 의무자의 재산에 실력을 행사하여 그 행정상 의무가 실현된 것과 같은 상태를 실현하는 것

1. 의의

행정상 강제징수란 행정법상 금전급부의무의 불이행이 있는 경우에 행정청이 의무자의 재산에 실력을 행사하여 그 행정상 의무가 이행된 것과 같은 상태를 실현하는 강제집행의 수단을 말한다(「행정기본법」 제30조 제1항 제4호).

2. 법적 근거

행정상 강제징수와 관련된 대표적인 법률로는 「국세징수법」이 있다. 「국세징수법」은 국세징수에 관한 일반법이지만, 대부분의 법률들이 동법상의 금전급부의무의 강제징수는 「국세징수법」의 예에 의한다고 규정하고 있으므로 「국세징수법」(이하 '동법'이라 함)은 행정상 강제징수에 관하여 사실상 일반법적 지위를 가진다.

3. 절차

「국세징수법」상의 강제징수 절차는 독촉과 체납처분으로 구분되며, 체납처분은 다시 재산의 압류, 압류재산의 매각(환가처분), 청산(충당)의 3단계로 나누어진다.

(1) 독촉

① 독촉의 의의 및 법적 성질
  ㉠ 독촉이란 금전급부의무자에게 의무의 이행을 최고하고 최고기한까지 납부하지 않을 때에는 체납처분을 하겠다는 뜻을 알리는 통지행위로서 준법률행위적 행정행위(통지행위)에 해당한다.
  ㉡ 따라서 독촉은 항고소송의 대상이 되는 처분에 해당한다. 그러나 독촉이 수차례에 걸쳐 이루어졌다고 하더라도 최초의 독촉만 처분성을 인정한다.

함께 정리하기

독촉이 반복된 경우
▷ 후에 한 독촉은 「민법」상 단순한 최고에 불과
▷ 행정처분✕

> **관련판례**
>
> 부당이득금 또는 가산금의 납부를 독촉한 후 다시 동일한 내용의 독촉을 한 경우, 후에 한 독촉은 처분성이 없다. ★★
>
> 보험자 또는 보험자단체가 부당이득금 또는 가산금의 납부를 독촉한 후 다시 동일한 내용의 독촉을 하는 경우 <u>최초의 독촉만이 징수처분으로서 항고소송의 대상이 되는 행정처분이 되고 그 후에 한 동일한 내용의 독촉</u>은 체납처분의 전제요건인 징수처분으로서 소멸시효 중단사유가 되는 독촉이 아니라 민법상의 단순한 최고에 불과하여 국민의 권리의무나 법률상의 지위에 직접적으로 영향을 미치는 것이 아니므로 <u>항고소송의 대상이 되는 행정처분이라 할 수 없다</u>(대판 1999.7.13. 97누119).

독촉
▷ 국세징수권 소멸시효 중단효○

ⓒ 독촉은 이후에 행해지는 압류의 적법요건이 되며 최고기간 동안 국가의 국세징수권의 소멸시효를 중단시키는 법적 효과를 갖는다(「국세기본법」 제28조 제1항 제2호).

② 독촉절차

국세 미납시
▷ 납부기한 경과 후 10일내 독촉장 발급 要

㉠ 관할 세무서장은 납세자가 국세를 지정납부기한까지 완납하지 아니한 경우 지정납부기한이 지난 후 10일 이내에 체납된 국세에 대한 독촉장을 발급하여야 한다(「국세징수법」 제10조 제1항).

독촉 방법
▷ 상당한 이행기간 定 문서 必

㉡ 관할 세무서장은 제1항 본문에 따라 독촉장을 발급하는 경우 독촉을 하는 날부터 20일 이내의 범위에서 기한을 정하여 발급한다(동법 제10조 제1항).

독촉절차 없이 한 압류처분
▷ 학설: 무효사유
▷ 판례: 취소사유

㉢ 독촉절차 없이 한 압류처분에 대해 학설은 무효로 보나, 판례는 취소사유로 보고 있다.❶

❶ 독촉절차 없이 압류처분을 하였다 하더라도 이러한 사유만으로는 압류처분을 무효로 되게 하는 중대하고도 명백한 하자로는 되지 않는다(대판 1987.9.22. 87누383).

(2) 체납처분

체납처분은 재산의 압류, 압류재산의 매각, 그리고 청산의 3단계를 거쳐 행해진다.

① 재산의 압류

체납처분
▷ 압류 → 매각 → 청산

㉠ **압류의 의의 및 법적 성질**: 압류란 체납자의 재산에 대하여 사실상 및 법률상의 처분을 금지시키고, 이를 확보하는 강제보전행위이다(동법 제24조 제1항). 따라서 압류는 권력적 사실행위로서 항고소송의 대상이 되는 행정처분에 해당한다.

압류의 의의
▷ 체납자 재산의 사실상·법률상 처분 금지
▷ 강제보전행위

㉡ **압류의 요건**: 압류는 납세자가 독촉장 또는 납부최고서를 받고 지정된 기한까지 국세와 가산금을 완납하지 않은 경우에 행한다(동법 제31조).

압류의 법적 성질
▷ 권력적사실행위(처분성○)
▷ 항고소송의 대상○

㉢ 압류의 대상

ⓐ 채납자의 소유로서 금전적 가치가 있고 양도 가능한 모든 재산은 압류의 대상이 된다(동산·부동산·무체재산권 불문).

압류대상
▷ 의무자 소유의 금전적 가치가 있고 양도 가능한 모든 재산

ⓑ 다만, 「국세징수법」은 의복·침구·가구 등 최저 생활필수품 같은 일정재산에 대해서는 압류를 금지하고 있으며, 임금 및 퇴직금 같은 급여채권은 그 총액의 2분의 1에 해당하는 금액에 대해서 압류할 수 없도록 하고 있다(동법 제41조, 제42조).

압류금지
▷ 생활필수품
▷ 급여채권의 1/2

ⓒ 체납자 아닌 제3자의 재산은 압류할 수 없고, 만약 압류가 이루어진 경우 이는 당연무효이다.

체납자 아닌 자의 재산
▷ 압류 不可

체납자 아닌 자의 재산 압류시
▷ 당연무효 ○

관련판례
제3자의 재산을 대상으로 한 압류처분은 당연무효이다. ★★★
국세징수법상 압류의 대상을 납세자의 재산에 국한하고 있으므로, 납세자가 아닌 제3자의 재산을 대상으로 한 압류처분은 그 처분의 내용이 법률상 실현될 수 없는 것이어서 당연무효이다(대판 2001.2.23. 2000다68924 ; 대판 1993.4.27. 92누12117).

ⓓ 세무서장은 국세를 징수하기 위하여 필요한 재산 외의 재산을 압류할 수는 없다. 다만, 불가분물 등 부득이한 경우에는 압류할 수 있다(동법 제32조).
ⓔ 납세자의 압류된 재산의 가액이 징수할 국세액을 초과한다는 이유만으로는 압류처분이 당연무효가 되진 않는다.

관련판례
세무공무원이 국세의 징수를 위해 납세자의 재산을 압류하는 경우 그 재산의 가액이 징수할 국세액을 초과한다하여 위 압류가 당연무효의 처분이라고는 할 수 없다(대판 1986.11.11. 86누479). ★★

ⓔ **압류의 방법**: 세무공무원이 체납처분을 하기 위하여 질문·검사 또는 수색을 하거나 재산을 압류할 때에는 그 신분을 표시하는 증표를 지니고 이를 관계자에게 보여 주어야 하며(동법 제38조), 재산을 압류할 때에는 압류조서를 작성하여야 한다(동법 제34조).
ⓜ **압류의 효력**

> 「국세징수법」 제43조【처분의 제한】① 세무공무원이 재산을 압류한 경우 체납자는 압류한 재산에 관하여 양도, 제한물권의 설정, 채권의 영수, 그 밖의 처분을 할 수 없다.
> 제26조【가압류·가처분 재산에 대한 강제징수】 관할 세무서장은 재판상의 가압류 또는 가처분 재산이 강제징수 대상인 경우에도 이 법에 따른 강제징수를 한다.
> 제27조【상속 또는 합병의 경우 강제징수의 속행 등】 ① 체납자의 재산에 대하여 강제징수를 시작한 후 체납자가 사망하였거나 체납자인 법인이 합병으로 소멸된 경우에도 그 재산에 대한 강제징수는 계속 진행하여야 한다.
> ② 제1항을 적용할 때 체납자가 사망한 후 체납자 명의의 재산에 대하여 한 압류는 그 재산을 상속한 상속인에 대하여 한 것으로 본다.

ⓐ 압류로써 압류된 재산은 사실상·법률상 처분이 금지된다. 따라서 세무공무원이 재산을 압류한 경우 체납자는 압류한 재산에 관하여 양도, 제한물권의 설정, 채권의 영수, 그 밖의 처분을 할 수 없다(동법 제43조 제1항).
ⓑ 압류의 효력은 재판상의 가압류·가처분 또는 체납자의 사망이나 법인의 합병으로 인한 영향을 받지 않는다(동법 제26조). 따라서 체납자의 재산에 대하여 강제징수를 시작한 후 체납자가 사망하였거나 체납자인 법인이 합병으로 소멸된 경우에도 그 재산에 대한 강제징수는 계속 진행하여야 한다(동법 제27조 제1항). 체납자가 사망한 후 체납자 명의의 재산에 대하여 한 압류는 그 재산을 상속한 상속인에 대하여 한 것으로 본다(동법 제27조 제2항).

함께 정리하기

제3자 재산에 대한 압류처분
▷ 당연무효

국세징수에 필요한 재산외의 재산
▷ 압류 불가

압류한 재산이 징수할 세액을 초과
▷ 압류처분은 당연무효 ×

압류재산이 징수세액 초과한다는 사유만으로
▷ 당연무효 ×

질문·검사 또는 수색을 하거나 재산을 압류할 때
▷ 세무공무원은 증표를 지니고 제시 의무 有

재산을 압류할 때
▷ 압류조서 작성

압류
▷ 재산의 사실상·법률상 처분 금지효
▷ 시효중단효 O

체납자 사망한 후 체납자 명의의 압류
▷ 상속인에 대하여 한 것으로 봄

함께 정리하기

압류 후 세금 납부
▷ 당연무효 ✕
▷ 압류의 해제처분이 있어야 압류의 효력이 소멸됨

❶
「국세징수법」 제45조에 의한 압류는 압류당시의 체납액이 납부되었다 하여 당연히 실효되는 것이 아니며 그 압류가 유효하게 존속하는 한 같은 법 제47조 제2항에 의하여 압류등기 이후에 발생한 체납액에 대하여도 효력이 미친다(대판 1989.5.9. 88다카17174).

압류 해제
▷ 처분금지효 장래 향하여 상실시키는 것

압류 해제의 종류
▷ 필요적 해제, 임의적 해제

「국세징수법」 제57조 제1항의 사유 발생
▷ 압류를 필요적으로 해제하여야 함

체납처분절차의 근거규정의 위헌결정
▷ 압류의 필요적 해제사유

ⓒ 압류처분 후 고지된 세액이 납부된 경우에는 그 압류는 해제되어야 하나 그 납부의 사실이 있다 하여 곧 그 압류처분이 당연무효로 되는 것은 아니고(대판 1982.7.13. 81누360), 압류의 해제처분이 있어야 비로소 압류의 효력이 소멸된다.

ⓗ **압류의 해제**: 압류의 해제는 유효한 압류에 의하여 발생한 처분금지의 효력을 장래를 향하여 상실시키는 것을 말한다. 이에는 필요적 해제와 임의적 해제가 있다.

> 「국세징수법」 제57조 【압류 해제의 요건】 ① 관할 세무서장은 다음 각 호의 어느 하나에 해당하는 경우 압류를 즉시 해제하여야 한다.
> 1. 압류와 관계되는 체납액의 전부가 납부 또는 충당(국세환급금, 그 밖에 관할 세무서장이 세법상 납세자에게 지급할 의무가 있는 금전을 체납액과 대등액에서 소멸시키는 것을 말한다. 이하 이 조, 제60조 제1항 및 제71조 제5항에서 같다)된 경우
> 2. 국세 부과의 전부를 취소한 경우
> 3. 여러 재산을 한꺼번에 공매(公賣)하는 경우로서 일부 재산의 공매대금으로 체납액 전부를 징수한 경우
> 4. 총 재산의 추산(推算)가액이 강제징수비(압류에 관계되는 국세에 우선하는 「국세기본법」 제35조 제1항 제3호에 따른 채권 금액이 있는 경우 이를 포함한다)를 징수하면 남을 여지가 없어 강제징수를 종료할 필요가 있는 경우 (이하 생략)
> 5. 그 밖에 제1호부터 제4호까지의 규정에 준하는 사유로 압류할 필요가 없게 된 경우
> ② 관할 세무서장은 다음 각 호의 어느 하나에 해당하는 경우 압류재산의 전부 또는 일부에 대하여 압류를 해제할 수 있다.
> 1. 압류 후 재산가격이 변동하여 체납액 전액을 현저히 초과한 경우
> 2. 압류와 관계되는 체납액의 일부가 납부 또는 충당된 경우
> 3. 국세 부과의 일부를 취소한 경우
> 4. 체납자가 압류할 수 있는 다른 재산을 제공하여 그 재산을 압류한 경우

ⓐ **필요적 해제사유**: 세무서장은 압류와 관계되는 체납액의 전부가 납부 또는 충당된 경우(제1호), 국세 부과의 전부를 취소한 경우(제2호), 여러 재산을 한꺼번에 공매하는 경우로서 일부 재산의 공매대금으로 체납액 전부를 징수한 경우(제3호), 총 재산의 추산가액이 강제징수비를 징수하면 남을 여지가 없어 강제징수를 종료할 필요가 있는 경우(제4호), 그 밖에 제1호부터 제4호까지의 규정에 준하는 사유로 압류할 필요가 없게 된 경우(제4호) 등에는 압류를 즉시 해제하여야 한다(동법 제57조 제1항). 그리고 제5호의 '압류가 필요 없게 된 경우'에는 체납처분 절차의 근거법령이 위헌결정을 받은 경우도 포함된다.

> **관련판례**
>
> **근거법령의 위헌결정은 압류의 필요적 해제사유가 된다. ★★**
>
> 압류의 필요적 해제사유를 규정한 국세징수법 제53조 제1항 제1호의 규정 성격(= 예시적 규정) 및 같은 호 소정의 '기타의 사유로 압류의 필요가 없게 된 때'에 과세처분 및 그 체납처분 절차의 근거법령에 대한 위헌결정으로 후속 체납처분을 진행할 수 없어 체납세액에 충당할 가망이 없게 되는 등으로 압류의 근거를 상실하거나 압류를 지속할 필요성이 없게 된 경우가 포함된다(대판 2002.8.23. 2001두2959 ; 대판 2002.7.12. 2002두3317).

ⓑ **임의적 해제사유**: 세무서장은 압류 후 재산가격이 변동하여 체납액 전액을 현저히 초과한 경우(제1호), 압류에 관계되는 체납액의 일부가 납부되거나 충당된 경우(제2호), 부과의 일부를 취소한 경우(제3호), 체납자가 압류할 수 있는 다른 재산을 제공하여 그 재산을 압류한 경우(제4호)에는 압류재산의 전부 또는 일부에 대하여 압류를 해제할 수 있다(동법 제57조 제2항).

② **압류재산의 매각**

㉠ **매각의 의의 및 방법**: 매각이란 체납자의 압류재산을 금전으로 환가하는 것을 말한다. 매각은 공정성을 도모하기 위하여 공매를 원칙으로 하고, 수의계약을 예외로 한다. 공매는 경쟁입찰 또는 경매의 방법으로 한다(동법 제65조, 제66조 등 참조).

㉡ **공매의 법적 성질**: 공매의 법적 성질에 대하여 학설과 판례는 항고소송의 대상이 되는 처분으로 본다. 그러나 (재)공매결정은 내부적인 의사결정에 불과하다는 점에서, 공매통지는 공매사실 자체를 체납자에게 알려주는 단순한 사실행위에 불과하다는 점에서 처분성이 부정된다.

> **관련판례**
>
> **1** 공매는 우월한 공권력의 행사로서 행정소송의 대상이 되는 처분에 해당한다. ★★★
> 과세관청이 체납처분으로서 행하는 공매는 우월한 공권력의 행사로서 행정소송의 대상이 되는 공법상의 행정처분이며 공매에 의하여 재산을 매수한 자는 그 공매처분이 취소된 경우에 그 취소처분의 위법을 주장하여 행정소송을 제기할 법률상 이익이 있다(대판 1984.9.25. 84누201).
>
> **2** 체납자에 대한 공매통지는 공매의 절차적 요건에 해당할 뿐 처분에 해당하지 않는다. ★★★
> 공매통지 자체가 그 상대방인 체납자 등의 법적 지위나 권리·의무에 직접적인 영향을 주는 행정처분에 해당한다고 할 것은 아니므로 다른 특별한 사정이 없는 한 체납자 등은 공매통지의 결여나 위법을 들어 공매처분의 취소 등을 구할 수 있는 것이지 공매통지 자체를 항고소송의 대상으로 삼아 그 취소 등을 구할 수는 없다(대판 2011.3.24. 2010두25527).
>
> **3** 한국자산공사의 재공매결정과 공매통지는 행정처분이 아니다. ★★★
> 한국자산공사가 당해 부동산을 인터넷을 통하여 재공매(입찰)하기로 한 결정 자체는 내부적인 의사결정에 불과하여 항고소송의 대상이 되는 행정처분이라고 볼 수 없고, 또한 한국자산공사가 공매통지는 공매의 요건이 아니라 공매사실 자체를 체납자에게 알려주는 데 불과한 것으로서, 통지의 상대방의 법적 지위나 권리·의무에 직접 영향을 주는 것이 아니라고 할 것이므로 이것 역시 행정처분에 해당한다고 할 수 없다(대판 2007.7.27. 2006두8464).

㉢ **공매통지를 하지 않은 경우 공매의 효력**: 공매통지는 공매의 절차적 요건이므로 공매통지를 하지 않았거나 적법하지 않은 공매통지를 한 경우 그 공매처분은 위법한 처분이 된다. 그러나 공매통지의 하자는 절차상 하자에 불과하므로 공매통지를 거치지 않았다는 사유만으로 공매처분이 무효가 되는 것은 아니다.

매각
▷ 압류재산의 금전환가

매각방법
▷ 원칙: 공매(경쟁입찰 또는 경매)
▷ 예외: 수의계약 可

공매
▷ 행정행위(처분성○)

(재)공매결정이나 공매통지
▷ 처분성×

공매
▷ 우월한 공권력의 행사로서 행정소송의 대상이 되는 처분○

공매처분이 취소된 경우
▷ 매수인은 그 취소처분에 대한 취소소송을 제기할 법률상 이익○

공매통지
▷ 공매의 절차적 요건
▷ 그 자체는 행정처분×

한국자산공사 재공매결정·공매통지
▷ 행정처분×

공매통지를 않았거나 위법한 공매통지를 한 경우
▷ 공매처분 위법 but 당연무효×
▷ 다른 권리자에 대한 공매통지의 하자를 이유로 공매처분의 취소를 구하는 것은 허용×

함께 정리하기

공매통지 하지 않거나 부적법한 공매통지를 한 경우
▷ 공매처분 위법

❶ 종전의 판례는 공매통지는 공매의 요건이 아니라고 보았지만(대판 1971.2.23. 70누161 ; 대판 1996.9.6. 95누12026), 전원합의체 판결을 통하여 입장을 변경하면서 공매통지는 공매처분의 절차적 요건이므로 공매통지를 하지 않았거나 위법한 공매통지를 한 경우 그 공매처분은 절차상의 하자로 위법한 처분이 된다고 하였다.

다른 권리자에 대한 공매통지 하자
▷ 체납자 자신이 위법사유로 주장 불가

공매대행사실통지× or 공매예고통지× 는 이유만으로
▷ 매각처분 위법×

공매통지 흠결
▷ 절차적 하자
▷ 공매처분 당연무효×

공매
▷ 공고한 날부터 10일 지난 후 실시

공매공고기간(10일) 경과 전 공매처분
▷ 위법○

❷ 「국세징수법」제73조 소정 10일의 공매공고기간이 경과하지 아니한 공매처분은 위법하다(대판 1974.2.26. 73누186).

공매재산에 대한 감정평가나 매각예정가격의 결정이 잘못되어 공매재산이 부당하게 저렴한 가격으로 공매된 경우
▷ 공매처분은 취소사유(당연무효×)
▷ 매수인의 부당이득의무 성립×

부당하게 저렴한 매각
▷ 취소사유
▷ 공매 취소 전에는 매수인 부당이득×

관련판례

1 공매통지를 하지 않거나 적법하지 않은 공매통지를 한 경우, 공매처분은 위법하다. ★★★

[1] 체납자 등에 대한 공매통지는 국가의 강제력에 의하여 진행되는 공매에서 체납자 등의 권리 내지 재산상의 이익을 보호하기 위하여 법률로 규정한 절차적 요건이라고 보아야 하며, 공매처분을 하면서 체납자 등에게 공매통지를 하지 않았거나 공매통지를 하였더라도 그것이 적법하지 아니한 경우에는 절차상의 흠이 있어 그 공매처분은 위법하다.❶

[2] 다만, 공매통지의 목적이나 취지 등에 비추어 보면, 체납자 등은 자신에 대한 공매통지의 하자만을 공매처분의 위법사유로 주장할 수 있을 뿐 다른 권리자에 대한 공매통지의 하자를 들어 공매처분의 위법사유로 주장하는 것은 허용되지 않는다(대판 2008.11.20. 2007두18154 전합).

2 관할 행정청이 체납자인 부동산 소유자 또는 그 임차인에게 한국자산관리공사의 공매대행사실을 통지하지 않았다거나 공매예고통지가 없었다는 이유만으로 매각처분이 위법하게 되는 것은 아니다(대판 2013.6.28. 2011두18304). ★

3 체납자 등에 대한 공매통지는 국가의 강제력에 의하여 진행되는 공매절차에서 체납자 등의 권리 내지 재산상 이익을 보호하기 위하여 법률로 규정한 절차적 요건에 해당하지만, 그 공매통지를 하지 아니한 채 공매처분을 하였다 하여도 그 공매처분이 당연무효로 되는 것은 아니다(대판 2012.7.26. 2010다50625). ★★★

ⓔ **공매의 실시**: 공매는 공고한 날부터 10일이 지난 후에 한다.❷ 다만, 그 재산을 보관하는 데에 많은 비용이 들거나 재산의 가액이 현저히 줄어들 우려가 있으면 이를 단축할 수 있다(동법 제73조).

ⓕ **공매의 대행**: 세무서장은 압류한 재산의 공매에 전문 지식이 필요하거나 그 밖에 특수한 사정이 있어 직접 공매하기에 적당하지 아니하다고 인정할 때에는 대통령령으로 정하는 바에 따라 한국자산관리공사로 하여금 공매를 대행하게 할 수 있으며 이 경우의 공매는 세무서장이 한 것으로 본다(동법 제103조 제1항).

ⓖ **공매재산에 대한 감정평가나 매각예정가격의 결정이 잘못된 경우**: 공매절차에서 공매재산에 대한 감정평가나 매각예정가격의 결정이 잘못되어 공매재산이 부당하게 저렴한 가격으로 공매된 경우 그러한 하자는 취소사유에 불과하여 공매처분이 취소되기 전까지는 유효하므로 매수인의 부당이득이 성립하지 않는다.

관련판례

공매절차에서 공매재산에 대한 감정평가나 매각예정가격의 결정이 잘못된 경우, 매수인이 공매재산의 소유자에 대한 관계에서 공매재산의 시가와 감정평가액과의 차액을 부당이득한 것이라 볼 수 없다. ★★

과세관청이 체납처분으로서 하는 공매에 있어서 공매재산에 대한 감정평가나 매각예정가격의 결정이 잘못되었다 하더라도, 그로 인하여 공매재산이 부당하게 저렴한 가격으로 공매됨으로써 공매처분이 위법하다고 볼 수 있는 경우에 공매재산의 소유자 등이 이를 이유로 적법한 절차에 따라 공매처분의 취소를 구하거나, 공매처분이 확정된 경우에는 위법한 재산권의 침해로서 불법행위의 요건을 충족하는 경우에 국가 등을 상대로 불법행위로 인한 손해배상을 청구할 수 있음은 별론으로 하고, 매수인이 공매절차에서 취득한 공매재산의 시가와 감정평가액과의 차액 상당을 법률상의 원인 없이 부당이득한 것이라고는 볼 수 없다(대판 1997.4.8. 96다52915).

③ 청산
  ㉠ 청산의 의의 및 법적 성질
    ⓐ 청산이란 압류재산의 매각 등 체납처분에 의하여 수령한 금전을 국세·가산금과 체납처분비 기타의 채권에 배분하는 행정작용을 말한다(동법 제80조, 제81조 제1항·제2항). 금전을 배분하고 남은 금액이 있으면 체납자에게 반환하여야 한다(「국세징수법」 제96조 제3항).
    ⓑ 청산은 항고소송의 대상이 되는 처분에 해당한다.
  ㉡ 배분의 방법: 매각대금이 국세·가산금과 체납처분비, 기타의 수배자격이 있는 채권의 총액에 부족한 때에는 「민법」 기타 법령에 따라 배분할 순위와 금액을 정하여 배분한다(동법 제96조 제4항). 이때 국세 및 강제징수비는 다른 공과금이나 그 밖의 채권에 우선하여 징수하고(「국세기본법」 제35조). 국세·가산세와 강제징수비의 징수순위는 강제징수비, 국세, 가산세 순으로 한다(「국세징수법」 제3조).

(3) 압류·매각의 유예

관할 세무서장은 체납자가 ① 국세청장이 성실납세자로 인정하는 기준에 해당하는 경우, ② 재산의 압류나 압류재산의 매각을 유예함으로써 체납자가 사업을 정상적으로 운영할 수 있게 되어 체납액의 징수가 가능하게 될 것이라고 관할 세무서장이 인정하는 경우에는 체납자의 신청 또는 직권으로 그 체납액에 대하여 강제징수에 따른 재산의 압류 또는 압류재산의 매각을 유예할 수 있다(동법 제105조).

4. 행정상 강제징수에 대한 불복수단

(1) 행정쟁송

① 행정상 강제징수에 불복하는 자는 행정쟁송으로 이를 다툴 수 있다. 다만, 「국세기본법」은 행정쟁송절차 중 행정심판에 있어서는 일반법인 「행정심판법」의 적용을 배제하고, 이의신청, 심사청구(국세심사위원회) 또는 심판청구(조세심판원)를 제기하여야 하는 등의 특별한 절차를 규정하고 있다(「국세기본법」 제55조 이하).
② 여기서 이의신청은 임의적 절차에 해당하나, 심사청구 또는 심판청구는 필요적 전심절차에 해당한다. 그러므로 위법한 국세처분에 대하여 행정소송은 심사청구 또는 심판청구와 그에 대한 결정을 거치지 아니하면 제기할 수 없다(「국세기본법」 제56조 제2항).

(2) 하자의 승계문제

① 독촉과 체납처분의 각 절차는 서로 결합하여 하나의 법률효과를 발생시키는 것이므로 각 행위 간 하자의 승계가 인정된다.
② 다만, 조세부과처분과 강제징수절차는 별도의 절차이므로, 과세처분의 하자가 당연무효가 아닌 한 체납처분 절차에 하자가 승계되지 않는다.

 함께 정리하기

청산
▷ 체납처분에 의하여 수령한 금전을 국세·가산금과 체납처분비 기타의 채권에 배분하는 것

금전을 배분하고 남은 금액이 있는 경우
▷ 체납자에게 지급

청산
▷ 처분성O(항고소송 대상O)

매각대금이 국세·가산금과 체납처분비, 기타의 채권의 총액에 부족한 때
▷ 「민법」 기타 법령에 따라 배분할 순위와 금액을 정하여 배분
▷ 국세 관계채권(국세·가산세와 강제징수비): 다른 공과금 기타 채권에 우선
▷ 국세·가산세와 강제징수비의 징수순위: 강제징수비, 국세, 가산세 순

행정상 강제징수에 대해 불복이 있는 경우
▷ 행정쟁송절차에 의하여 그 취소 또는 변경을 청구 可

「국세기본법」상 심사청구 또는 심판청구와 그에 대한 결정을 거치지 아니한 경우
▷ 행정소송을 제기 不可

독촉과 체납처분 각 절차
▷ 하자의 승계 인정

과세처분과 강제징수절차
▷ 당연무효가 아닌 한 하자의 승계 부정

조세부과처분 무효
▷ 체납처분 무효

> 🔨 **관련판례**
>
> 조세부과처분의 하자는 그것이 당연무효가 아닌 한 체납처분 절차에 승계되지 않는다. ★★
> 조세의 부과처분과 압류 등의 체납처분은 별개의 행정처분으로서 독립성을 가지므로 부과처분에 하자가 있더라도 그 부과처분이 취소되지 아니하는 한 그 부과처분에 의한 체납처분은 위법이라고 할 수는 없지만, 체납처분은 부과처분의 집행을 위한 절차에 불과하므로 그 부과처분에 중대하고도 명백한 하자가 있어 무효인 경우에는 그 부과처분의 집행을 위한 체납처분도 무효라 할 것이다(대판 1987.9.22. 87누383).

제2절 행정상 즉시강제

1 개설

「**행정기본법**」 **제30조 【행정상 강제】** ① 행정청은 행정목적을 달성하기 위하여 필요한 경우에는 법률로 정하는 바에 따라 필요한 최소한의 범위에서 다음 각 호의 어느 하나에 해당하는 조치를 할 수 있다.
  5. 즉시강제: 현재의 급박한 행정상의 장해를 제거하기 위한 경우로서 다음 각 목의 어느 하나에 해당하는 경우에 행정청이 곧바로 국민의 신체 또는 재산에 실력을 행사하여 행정목적을 달성하는 것
    가. 행정청이 미리 행정상 의무 이행을 명할 시간적 여유가 없는 경우
    나. 그 성질상 행정상 의무의 이행을 명하는 것만으로는 행정목적 달성이 곤란한 경우

제33조 【즉시강제】 ① 즉시강제는 다른 수단으로는 행정목적을 달성할 수 없는 경우에만 허용되며, 이 경우에도 최소한으로만 실시하여야 한다.
② 즉시강제를 실시하기 위하여 현장에 파견되는 집행책임자는 그가 집행책임자임을 표시하는 증표를 보여 주어야 하며, 즉시강제의 이유와 내용을 고지하여야 한다.

1. 의의

(1) 개념

즉시강제란 현재의 급박한 행정상의 장해를 제거하기 위한 경우로서 '행정청이 미리 행정상 의무 이행을 명할 시간적 여유가 없는 경우' 또는 '그 성질상 행정상 의무의 이행을 명하는 것만으로는 행정목적 달성이 곤란한 경우'에 행정청이 곧바로 국민의 신체 또는 재산에 실력을 행사하여 행정목적을 달성하는 것을 말한다(「행정기본법」 제30조 제1항 제5호).

(2) 즉시강제의 예

불법게임물의 수거·폐기·삭제,「도로교통법」상의 주차위반 차량의 견인·보관조치, 도로상에 교통 방해물의 제거, 감염병환자의 강제입원·강제격리, 소방장애물의 제거,「경찰관 직무집행법」상의 보호조치·물건의 임시영치·위험방지를 위한 출입,「식품위생법」상 출입·검사행위, 동물원을 탈출한 맹수가 사람을 해할 우려가 있는 경우 이를 사살하는 행위 등이 있다.

(3) 법적 성질

행정상 즉시강제는 국민의 신체나 재산에 직접적인 실력을 행사하므로 그 법적 성질은 권력적 사실행위이므로, 항고소송의 대상이 되는 처분성이 인정된다.

2. 구별개념

(1) 행정상 강제집행과의 구별

행정상 즉시강제와 행정상 강제집행은 행정상 필요한 상태를 실현시키는 강제행위라는 점에서는 동일하나 행정상 즉시강제는 선행하는 의무부과와 그 불이행을 전제로 하지 않는 점에서 선행하는 의무부과와 그 불이행을 전제로 하는 행정상 강제집행과 구별된다.

(2) 행정조사와의 구별

행정상 즉시강제는 필요한 행정목적을 현실적으로 실현하는 것을 목적으로 하지만, 행정조사는 조사(필요한 정보 또는 자료수집 등) 그 자체가 목적이라는 점에서 구별된다.

(3) 행정벌과의 구별

행정상 즉시강제는 장래에 대하여 행정상 필요한 상태의 실현을 목적으로 하지만, 행정벌은 과거의 의무위반에 대해 가해지는 제재라는 점에서 구별된다.

3. 법적 근거

(1) 이론적 근거

과거에는 경찰긴급권이론에 의해 경찰상 긴급한 사태에 있어서는 법적 근거 없이도 즉시 강제할 수 있는 것으로 보았으나, 법치주의가 확립된 오늘날에는 행정상 즉시강제는 개인에 대한 권익침해적 요소가 매우 강한 침해행정이므로 엄격한 실정법적 근거가 필요하다고 보는 것이 일반적이다.

(2) 실정법적 근거

① 즉시강제를 일반적으로 인정하는 법은 없고, 각 개별법(예「감염병의 예방 및 관리에 관한 법률」,「소방기본법」,「경찰관 직무집행법」,「정신보건법」,「마약류 관리에 관한 법률」,「식품위생법」,「재난 및 안전관리 기본법」 등)에서 이를 인정하고 있다.
② 한편,「행정기본법」은 제30조 제1항 제5호와 제33조에서 즉시강제의 개념과 비례의 원칙, 절차 등에 관한 사항을 간략하게 규정하고 있다.
③ 경찰관의 직무집행과 관련된 즉시강제에 대해서는「경찰관 직무집행법」이 일반법으로서의 지위를 가지고 있고, 경찰분야에서 개괄조항에 의한 수권을 인정하는 견해에 의하면 구체적인 법적 근거가 없이도 개괄적 수권규정에 근거하여 경찰상 즉시강제가 행해질 수 있을 것이다.

 **함께 정리하기**

즉시강제
▷ 급박하거나 성질상 미리 의무를 명하기 어려운 경우에 직접 실력을 가하여 필요한 상태 실현
▷ 예 불법게임물 폐기, 감염병환자 강제입원, 교통방해물 제거 등

법적 성질
▷ 권력적 사실행위로서 항고소송의 대상이 되는 행정처분에 해당

행정상 직접강제
▷ 선행하는 의무부과 및 그 불이행을 전제로 함

즉시강제
▷ 선행하는 의무부과 및 그 불이행을 전제로 하지 않음

행정조사
▷ 조사 그 자체가 목적

즉시강제
▷ 행정목적의 현실적인 실현이 목적

행정벌
▷ 과거 의무위반 제재

즉시강제
▷ 장래 필요한 상태 실현

침해행정
▷ 엄격한 실정법적 근거 要

일반법 ×
▷ 개별법에 행정상 즉시강제에 해당하는 수단 규정

구「경찰관 직무집행법」제6조 제1항에 따른 경찰관의 제지 조치
▷ 범죄예방을 위한 경찰행정상 즉시강제에 해당

관련판례

구 경찰관 직무집행법 제6조 제1항 중 경찰관의 제지에 관한 부분은 범죄예방을 위한 경찰행정상 즉시강제에 관한 근거조항이다. ★

구 경찰관 직무집행법(2014.5.20. 법률 제12600호로 개정되기 전의 것) 제6조 제1항은 "경찰관은 범죄행위가 목전에 행하여지려고 하고 있다고 인정될 때에는 이를 예방하기 위하여 관계인에게 필요한 경고를 발하고, 그 행위로 인하여 인명·신체에 위해를 미치거나 재산에 중대한 손해를 끼칠 우려가 있어 긴급을 요하는 경우에는 그 행위를 제지할 수 있다."라고 정하고 있다. 위 조항 중 경찰관의 제지에 관한 부분은 범죄의 예방을 위한 경찰행정상 즉시강제, 즉 눈앞의 급박한 경찰상 장해를 제거해야 할 필요가 있고 의무를 명할 시간적 여유가 없거나 의무를 명하는 방법으로는 그 목적을 달성하기 어려운 상황에서 의무불이행을 전제로 하지 않고 경찰이 직접 실력을 행사하여 경찰상 필요한 상태를 실현하는 권력적 사실행위에 관한 근거조항이다(대판 2021.10.28. 2017다219218).

2 행정상 즉시강제의 종류

1. 대인적 강제

대인적 강제란 개인의 신체에 실력을 가하여 행정상 필요한 상태를 실현시키는 작용을 말한다.

대인적 강제
▷ 개인의 신체에 실력을 가하여 행정상 필요한 상태를 실현시키는 작용

(1)「경찰관 직무집행법」상의 대인적 강제수단

「경찰관 직무집행법」상의 대인적 강제수단으로는 ① 구호대상(예 정신착란자, 미아, 술에 취한 사람, 자살을 시도하는 사람 등)에 대한 보호조치(제4조 제1항), ② 범죄의 예방과 제지(제6조), ③ 위험발생의 방지를 위한 피난 또는 억류조치(제5조 제1항), ④ 경찰장비의 사용 등(제10조) 및 무기의 사용(제10조의2) 등이 있다.

(2) 개별법상의 대인적 강제수단

개별법상의 대인적 강제수단으로는 ①「감염병 예방 및 관리에 관한 법률」상 감염병환자에 대한 강제치료, 강제입원(제42조), 강제건강진단 또는 예방접종(제46조) ②「마약류 관리에 관한 법률」상 마약중독자의 격리 및 치료를 위한 치료보호(제40조), ③「소방기본법」상 화재현장에 있는 자에 대한 원조 강제(제24조 제1항), ④「출입국관리법」상 강제퇴거(제46조) 등이 있다.

2. 대물적 강제

대물적 강제
▷ 물건에 실력을 가하여 행정상 필요한 상태를 실현하는 작용

대물적 강제란 물건에 실력을 가하여 행정상 필요한 상태를 실현하는 작용을 말한다.

(1)「경찰관 직무집행법」상의 대물적 강제수단

「경찰관 직무집행법」상의 대물적 강제수단으로는 ① 무기, 흉기 등 위험을 야기할 수 있는 물건에 대한 임시영치(제4조 제3항), ② 위험발생의 방지(제5조 제1항) 등이 있다.

(2) 개별법상의 대물적 강제수단

개별법상의 대물적 강제수단으로는 ① 「소방기본법」상 소방활동 등에 방해가 되는 소방대상물에 대한 강제처분(제25조), ② 「재난 및 안전관리기본법」상 응급조치(제45조), ③ 「감염병의 예방 및 관리에 관한 법률」상 감염병 오염 등 장소의 일시적 폐쇄(제47조 제1호), ④ 「도로교통법」상 위법공작물에 대한 조치(제66조 제2항) 및 연도공작물에 대한 위험방지조치(제67조 제2항), ⑤ 「식품위생법」상 위해식품의 수거, 압류 및 폐기(제72조), ⑥ 「마약류 관리에 관한 법률」상 미승인 마약류의 폐기(제42조), ⑦ 「게임산업 진흥에 관한 법률」상 불법게임물의 수거·폐기(제38조) ⑧ 「약사법」상 불량의약품의 폐기(제71조), ⑨ 「청소년보호법」상 유해약물 등의 수거·폐기(제44조), ⑩ 「형의 집행 및 수용자의 처우에 관한 법률」상 물건의 영치·몰수(제93조) 등이 있다.

3. 대가택 강제

(1) 의의

대가택 강제란 소유자나 점유자 혹은 관리자의 의사와 상관없이 타인의 가택·영업소 등을 출입하여 행정상 필요한 상태를 실현하는 작용을 말한다.

(2) 대가택 강제의 예

이러한 수단으로는 「경찰관 직무집행법」상의 위험방지를 위한 출입(제7조)이 있으며 개별법상으로는 「식품위생법」상의 출입(제22조), 「총포·도검·화약류 등의 안전관리에 관한 법률」상의 출입·검사(제44조) 등이 있다. 이러한 대가택 강제를 행정조사의 한 형태로 보아야 한다는 견해도 있다.

③ 행정상 즉시강제의 한계

1. 실체법상 한계

(1) 급박성에 따른 한계

행정상 즉시강제는 공공의 안녕과 질서에 대한 위해가 현존하거나 위험발생이 거의 확실시되는 경우에 한하여 행할 수 있다. 단순히 위해발생의 가능성만으로는 부족하다.

> **관련판례**
>
> **집회·시위 참석을 위한 출발 및 이동의 제지(즉시강제)는 적법한 공무집행이 아니다. ★★**
> 구 집회 및 시위에 관한 법률에 의하여 금지되어 그 주최 또는 참가행위가 형사처벌의 대상이 되는 <u>위법한 집회·시위가 장차 특정지역에서 개최될 것이 예상된다고 하더라도, 이와 시간적·장소적으로 근접하지 않은 다른 지역에서 그 집회·시위에 참가하기 위하여 출발 또는 이동하는 행위를 함부로 제지하는 것은</u> 경찰관 직무집행법 제6조 제1항의 행정상 즉시강제인 경찰관의 제지의 범위를 명백히 넘어 허용될 수 없다. 따라서 이러한 제지 행위는 공무집행방해죄의 보호대상이 되는 공무원의 적법한 직무집행이 아니다(대판 2008.11.13. 2007도9794).

대가택 강제
▷ 소유자나 점유자 혹은 관리자의 의사와 상관없이 타인의 가택·영업소 등을 출입하여 행정상 필요한 상태를 실현하는 작용

긴급성에 따른 한계
▷ 위해가 현존하거나 위험발생이 거의 확실시 되는 경우에만 발동

시간·장소 근접하지 않은 지역에서 집회·시위참가 제지
▷ 즉시강제 범위 일탈

함께 정리하기

보충성에 따른 한계
▷ 다른 수단으로 불가능할 때 허용

비례의 원칙에 따른 한계
▷ 적합성·필요성·상당성 충족해야 함

즉시강제
▷ 예외적 수단이므로 필요 최소한에 그쳐야 함

「경찰관 직무집행법」상 경찰관의 제지
▷ 필요 최소한도 내에서만 행사

「경찰관 직무집행법」상 보호조치
▷ 필요 최소한도 내에서만 행사

목적의 소극성에 따른 한계
▷ 공공복리 달성 위해 발동 불가

(2) 보충성에 따른 한계

행정상 즉시강제는 다른 수단(예컨대 행정지도 등)으로는 목적달성이 불가능하거나 시간적인 여유가 없는 경우에 예외적으로 허용된다. 따라서 행정상 강제집행이 가능한 경우라면 행정상 즉시강제는 인정될 수 없다.

(3) 비례의 원칙에 따른 한계

행정상 즉시강제는 행정목적 달성을 위해 적합하여야 하고(적합성의 원칙), 개인에게 최소로 피해를 주는 수단이어야 하며(필요성의 원칙), 즉시강제를 통하여 추구하는 공익보다 개인의 권익에 대한 침해가 커서는 안된다(상당성의 원칙).

관련판례

1 행정상 즉시강제는 최소침해성 원칙에 기속된다. ★★

행정강제는 행정상 강제집행을 원칙으로 하며, 행정상 즉시강제는 어디까지나 예외적인 강제수단이라고 할 것이다. 이러한 행정상 즉시강제는 엄격한 실정법상의 근거를 필요로 할 뿐만 아니라, 그 발동에 있어서는 법규의 범위 안에서도 다시 행정상의 장해가 목전에 급박하고, 다른 수단으로는 행정목적을 달성할 수 없는 경우이어야 하며, 이러한 경우에도 그 행사는 필요 최소한도에 그쳐야 함을 내용으로 하는 조리상의 한계에 기속된다(헌재 2002.10.31. 2000헌가12).

2 경찰관 직무집행법에 따른 경찰관의 제지는 불가피한 최소한도 내에서만 행사되어야 한다. ★★

경찰관 직무집행법 제6조 제1항 중 경찰관의 제지에 관한 부분은 범죄의 예방을 위한 경찰 행정상 즉시강제에 관한 근거 조항이다. 행정상 즉시강제는 그 본질상 행정 목적 달성을 위하여 불가피한 한도 내에서 예외적으로 허용되는 것이므로, 위 조항에 의한 경찰관의 제지 조치 역시 그러한 조치가 불가피한 최소한도 내에서만 행사되도록 그 발동·행사 요건을 신중하고 엄격하게 해석하여야 한다(대판 2008.11.13. 2007도9794).

3 경찰관 직무집행법에 따른 술에 취한 자에 대한 보호조치는 불가피한 최소한도 내에서만 행사되어야 한다. ★★

경찰관 직무집행법 제4조 제1항 제1호에서 규정하는 술에 취한 상태로 인하여 자기 또는 타인의 생명·신체와 재산에 위해를 미칠 우려가 있는 피구호자에 대한 보호조치는 경찰행정상 즉시강제에 해당하므로, 그 조치가 불가피한 최소한도 내에서만 행사되도록 발동·행사 요건을 신중하고 엄격하게 해석하여야 한다. 따라서 이 사건 조항의 '술에 취한 상태'란 피구호자가 술에 만취 하여 정상적인 판단능력이나 의사능력을 상실할 정도에 이른 것을 말하고, 이 사건 조항에 따른 보호조치를 필요로 하는 피구호자에 해당하는지는 구체적인 상황을 고려하여 경찰관 평균인을 기준으로 판단하되, 그 판단은 보호조치의 취지와 목적에 비추어 현저하게 불합리하여서는 아니 되며, 피구호자의 가족 등에게 피구호자를 인계할 수 있다면 특별한 사정이 없는 한 경찰관서에서 피구호자를 보호하는 것은 허용되지 않는다(대판 2012.12.13. 2012도11162).

(4) 목적의 소극성에 따른 한계

즉시강제는 소극적으로 공공의 안녕과 질서를 유지하기 위하여 필요한 범위 내에서 이루어져야 하고 공공복리 달성이라는 적극적인 행정목적을 위해서 발동되어서는 안 된다.

2. 절차법상 한계

(1) 영장주의 적용 여부

① **문제점**: 행정상의 즉시강제는 사람의 신체를 구속하거나 또는 주거에 대한 침해와 소유권 기타 권리를 침해하는 경우가 많다. 그런데 헌법 제12조 제3항은 체포·구속·압수 또는 수색을 할 때에는 영장을 제시하여야 하며, 헌법 제16조 역시 주거에 대한 압수·수색에는 영장을 제시하도록 규정하고 있다. 이와 관련하여, 학설에서는 행정상 즉시강제에 대하여 헌법에서 요구하고 있는 영장주의가 적용되어야 하는지 다툼이 되고 있다.

② **학설**
- ㉠ **영장불요설**: 헌법상의 영장주의 원칙은 연혁적으로 형사사법권의 남용을 국민의 자유권을 보장함을 목적으로 하기 때문에, 행정상 즉시강제는 급박한 경우를 전제로 하는 것이어서 법관의 영장을 기다려서는 그 목적을 달성하기 어려우므로 행정상 즉시강제에는 영장주의가 적용되지 않는다는 견해이다.
- ㉡ **영장필요설**: 형사사법작용과 행정상 즉시강제는 신체 또는 재산에 대한 실력의 행사인 점에서 다르지 않으므로 헌법상의 영장주의는 형사사법권의 발동에 국한되지 않고 행정상 즉시강제에도 적용된다는 견해이다.
- ㉢ **절충설(통설)**: 헌법상 영장주의의 취지인 기본권보장을 위해서 원칙적으로 행정상 즉시강제에도 영장주의가 적용되지만, 행정목적을 달성하기 위하여 불가피하다고 인정할 만한 특별한 사유가 있는 경우에는 예외적으로 영장주의의 적용이 배제된다는 견해이다.

③ **판례**
- ㉠ **대법원**: 대법원 판례는 절충설의 입장을 취하고 있다.

> **관련판례**
>
> **1** 사전영장주의원칙은 행정상 즉시강제에서도 존중되어야 하나 예외가 인정된다. ★★★
> 사전영장주의원칙은 인신보호를 위한 헌법상의 기속원리이기 때문에 인신의 자유를 제한하는 국가의 모든 영역(예컨대, 행정상의 즉시강제)에서도 존중되어야 하고, 다만 사전영장주의를 고수하다가는 도저히 그 목적을 달성할 수 없는 지극히 예외적인 경우에만 형사절차에서와 같은 예외가 인정된다고 할 것이다(대판 1995.6.30. 93추83).
>
> **2** 구 사회안전법의 동행보호규정은 사전영장주의를 규정한 헌법규정에 반한다고 볼 수 없다. ★★
> 사전영장주의는 인신보호를 위한 헌법상의 기속원리이기 때문에 인신의 자유를 제한하는 모든 국가작용의 영역에서 존중되어야 하지만, 헌법 제12조 제3항 단서도 사전영장주의의 예외를 인정하고 있는 것처럼 사전영장주의를 고수하다가는 도저히 행정목적을 달성할 수 없는 지극히 예외적인 경우에는 형사절차에서와 같은 예외가 인정되므로, 구 사회안전법 제11조 소정의 동행보호규정은 재범의 위험성이 현저한 자를 상대로 긴급히 보호할 필요가 있는 경우에 한하여 단기간의 동행보호를 허용한 것으로서 그 요건을 엄격히 해석하는 한, 동 규정 자체가 사전영장주의를 규정한 헌법규정에 반한다고 볼 수는 없다(대판 1997.6.13. 96다56115).

- ㉡ **헌법재판소**: 헌법재판소가 어떤 입장에 있는지는 불분명하나, 급박성을 본질로 하는 행정상 즉시강제에는 원칙적으로 영장주의가 적용되지 않는다고 판시함에 따라 영장불요설에 있다고 볼 수 있다.

 **함께 정리하기**

절차법상 한계
▷ 헌법상 영장주의가 적용되는지의 문제

영장불요설
▷ 영장주의는 원래 형사사법권의 남용을 방지하기 위한 것, 행정상 즉시강제의 급박성에 비추어 영장주의 적용×

영장필요설
▷ 양자는 신체 또는 재산에 대한 실력의 행사인 점에서 다르지 않으므로 영장주의 적용○

절충설
▷ 원칙적으로 적용되나 행정목적 달성 위해 불가피한 예외적인 경우에는 적용 배제

대법원
▷ 절충설의 입장

사전영장주의
▷ 행정상의 즉시강제를 포함한 국가의 모든 영역에서 존중되어야 하나 예외가 인정됨

구 「사회안전법」상 동행보호규정
▷ 헌법상 사전영장주의 위반×

헌법재판소
▷ 즉시강제의 본질상 원칙적으로는 영장주의 적용×

함께 정리하기

영장 없는 불법게임물수거
▷ 영장주의 위배✕

> **관련판례**
>
> 행정상 즉시강제는 그 본질상 급박성을 요건으로 하고 있어 법관의 영장을 기다려서는 그 목적을 달성할 수 없다고 할 것이므로, 원칙적으로 영장주의가 적용되지 않는다. ★★
>
> [1] 영장주의가 행정상 즉시강제에도 적용되는지에 관하여는 논란이 있으나, 행정상 즉시강제는 상대방의 임의이행을 기다릴 시간적 여유가 없을 때 하명 없이 바로 실력을 행사하는 것으로서, 그 본질상 급박성을 요건으로 하고 있어 법관의 영장을 기다려서는 그 목적을 달성할 수 없다고 할 것이므로, 원칙적으로 영장주의가 적용되지 않는다고 보아야 할 것이다.
>
> [2] 관계행정청이 등급분류를 받지 아니하거나 등급분류를 받은 게임물과 다른 내용의 게임물을 발견한 경우 관계공무원으로 하여금 이를 수거·폐기하게 할 수 있도록 한 구 음반·비디오물 및 게임물에 관한 법률 제24조 제3항 제4호(현행법 제42조 제3항 제4호)는 앞에서 본바와 같이 급박한 상황에 대처하기 위한 것으로서 그 불가피성과 정당성이 충분히 인정되는 경우이므로, 이 사건 법률조항이 영장 없는 수거를 인정한다고 하더라도 이를 두고 헌법상 영장주의에 위배되는 것으로는 볼 수 없다(헌재 2002.10.31. 2000헌가12).

(2) 실정법령상의 절차법적 한계와 적법절차

「행정기본법」, 개별법
▷ 집행책임자의 증표제시 등 규정

① 행정상 즉시강제의 절차적 요건과 관련하여 「행정기본법」은 "즉시강제를 실시하기 위하여 현장에 파견되는 집행책임자는 그가 집행책임자임을 표시하는 증표를 보여주어야 하며, 즉시강제의 이유와 내용을 고지하여야 한다."고 규정하고 있다(「행정기본법」 제33조 제2항). 그 밖에도 행정상 즉시강제를 규정하는 개별법에서도 행정상 즉시강제를 함에 있어 관련 공무원의 증표제시의무, 의견청취, 수거증 교부 등 절차를 규정하고 있는 경우가 많다.

「행정절차법」
▷ 행정상 즉시강제에 대한 규정✕
▷ but 행정상 즉시강제는 처분성○
▷ 「행정절차법」을 따라야함(단, 예외에 해당할 가능성이 큼)

② 「행정절차법」에는 행정상 즉시강제를 비롯한 사실행위에 대한 규정을 두고 있지 않다. 그러나 행정상 즉시강제는 권력적 사실행위로서 처분성이 인정되기 때문에 「행정절차법」상의 처분절차에 따라야 한다. 다만, 「행정절차법」상 사전통지, 의견청취, 이유제시 등의 면제사유(처분의 긴급성)에 해당할 가능성이 크다.

4 행정상 즉시강제에 대한 구제

1. 적법한 즉시강제에 대한 구제

적법한 즉시강제로 손실
▷ 손실보상 청구 가

(1) 적법한 행정상 즉시강제로 인하여 손실을 입은 자(장애발생자 또는 제3자)는 그 손실이 특별한 희생에 해당되는 경우에는 행정상 손실보상을 청구할 수 있다.

개별법에서 손실보상에 관한 규정하고 있는 예
▷ 「경찰관 직무집행법」 제11조의2 등

(2) 이와 관련하여 개별법에서 손실보상에 관한 규정하고 있는 예는 「경찰관 직무집행법」 제11조의2, 「소방기본법」 제49조의2 제1항 제4호, 「재난 및 안전관리기본법」 제64조, 「방조제관리법」 제11조 등이 있다.

> 「경찰관 직무집행법」 제11조의2【손실보상】 ① 국가는 경찰관의 적법한 직무집행으로 인하여 다음 각 호의 어느 하나에 해당하는 손실을 입은 자에 대하여 정당한 보상을 하여야 한다.

1. 손실발생의 원인에 대하여 책임이 없는 자가 재산상의 손실을 입은 경우(손실발생의 원인에 대하여 책임이 없는 자가 경찰관의 직무집행에 자발적으로 협조하거나 물건을 제공하여 재산상의 손실을 입은 경우를 포함한다)
2. 손실발생의 원인에 대하여 책임이 있는 자가 자신의 책임에 상응하는 정도를 초과하는 재산상의 손실을 입은 경우

2. 위법한 즉시강제에 대한 구제

(1) 행정쟁송

① 행정상 즉시강제는 권력적 사실행위로서 행정쟁송(행정심판 또는 행정소송)의 대상이 되는 처분에 해당한다. 그러나 처분성이 인정된다 하더라도 대부분의 즉시강제는 단기간에 종료되기 때문에 협의의 소의 이익(권리보호의 필요)이 인정되지 않아 행정쟁송을 제기할 수 없는 경우가 대부분일 것이다.

② 다만, 감염병환자의 강제입원, 물건의 영치 등과 같이 행정상 즉시강제가 계속적 성질을 가지는 경우에는 협의의 소의 이익이 인정되어 행정쟁송으로 다툴 수 있다.

(2) 국가배상

① 위법한 즉시강제가 「국가배상법」상 공무원의 직무상 불법행위를 구성하는 경우(헌법 제29조, 「국가배상법」 제2조) 그로 인해 손해를 받은 자는 국가 또는 지방자치단체에 대하여 손해배상을 청구할 수 있다.

② 즉시강제에 대한 행정쟁송은 협의의 소의 이익의 결여로 각하될 확률이 높으므로 행정상 손해배상이 즉시강제가 위법한 경우에 가장 효과적인 구제수단이라 할 수 있다.

(3) 「인신보호법」에 의한 구제

위법한 즉시강제에 의하여 수용시설(의료시설·복지시설·수용시설·보호시설)에 수용되어 인신의 자유가 제한되었을 경우, 「인신보호법」에 따라 법원에 구제를 청구할 수 있다(「인신보호법」 제3조).

(4) 기타

공무원의 즉시강제가 위법하게 행해지는 경우 자력구제가 인정된다. 따라서 판례는 위법한 즉시강제에 대한 항거는 공무집행방해죄를 구성하지 않는다고 본다(대판 1992.2.11. 91도2797).

> **관련판례**
>
> **위법한 즉시강제에 대한 항거는 공무집행방해죄를 구성하지 않는다. ★**
> 피고인이 교통단속 경찰관의 면허증 제시 요구에 응하지 않고 교통경찰관을 폭행한 사안에 대하여 경찰관의 면허증 제시 요구에 순순히 응하지 않은 것은 잘못이라고 하겠으나, 피고인이 위 경찰관에게 먼저 폭행 또는 협박을 가한 것이 아니라면, 경찰관의 오만한 단속태도에 항의한다고 하여 피고인을 그 의사에 반하여 교통초소로 연행해 갈 권한은 경찰관에게 없는 것이므로, 이러한 강제연행에 항거하는 와중에서 경찰관의 멱살을 잡는 등 폭행을 가하였다고 하여도 공무집행방해죄가 성립되지 않는다(대판 1992.2.11. 91도2797).

함께 정리하기

위법한 즉시강제
▷ 처분성 O
▷ but 소의 이익 부정될 가능성 높음

계속적 성질 갖는 즉시강제
▷ 소의 이익 有

위법한 즉시강제
▷ 국가배상청구 可
▷ 행정상 손해배상이 가장 실효적 구제수단

위법한 수용
▷ 「인신보호법」상 법원에 구제청구 可

위법한 즉시강제에 대한 저항
▷ 정당방위
▷ 공무집행방해죄 ✕

제3장 행정조사

함께 정리하기

1 행정조사의 의의

> 「행정조사기본법」 제2조 【정의】 이 법에서 사용하는 용어의 정의는 다음과 같다.
> 1. "행정조사"란 행정기관이 정책을 결정하거나 직무를 수행하는 데 필요한 정보나 자료를 수집하기 위하여 현장조사·문서열람·시료채취 등을 하거나 조사대상자에게 보고요구·자료제출요구 및 출석·진술요구를 행하는 활동을 말한다.
>
> 제5조 【행정조사의 근거】 행정기관은 법령등에서 행정조사를 규정하고 있는 경우에 한하여 행정조사를 실시할 수 있다. 다만, 조사대상자의 자발적인 협조를 얻어 실시하는 행정조사의 경우에는 그러하지 아니하다.

1. 개념

행정조사
▷ 행정기관이 행정작용을 위하여 자료나 정보를 수집하기 위하여 행하는 일체의 활동

(1) 행정조사라 함은 행정기관이 사인으로부터 행정상 필요한 자료나 정보를 수집하기 위하여 행하는 일체의 행정작용을 말한다. 「행정조사기본법」은 행정조사를 "행정기관이 정책을 결정하거나 직무를 수행하는 데 필요한 정보나 자료를 수집하기 위하여 현장조사·문서열람·시료채취 등을 하거나 조사대상자에게 보고요구·자료제출요구 및 출석·진술요구를 행하는 활동"이라고 정의하고 있다[「행정조사기본법」(이하 '동법'이라 함) 제2조 제1호].

행정조사의 종류
▷ 조사개시가 자발적 협조에 의하는지 여부: 일방적 조사 vs. 협조적 조사
▷ 조사과정에서 실력행사가 수반될 수 있는지 여부: 권력적 조사 vs. 비권력적 조사

(2) 행정조사는 조사개시가 자발적 협조에 의하는지 여부에 따라 일방적 조사와 협조적 조사로 나눌 수 있으며, 또한 조사과정에서 실력행사가 수반될 수 있는지 여부에 따라 권력적 조사와 비권력적 조사로 나눌 수 있다.

2. 즉시강제와의 구별

즉시강제
▷ 필요한 상태 실현

행정조사
▷ 준비·보조수단

행정조사는 그 자체가 행정상 필요한 구체적 결과를 실현시키는 것이 아니고 행정에 필요한 자료나 정보를 수집을 위하여 행해지는 준비적·보조적 수단이다. 따라서 직접 개인의 신체나 재산에 실력을 가하여 행정상 필요한 상태의 실현을 목적으로 하는 행정상 즉시강제와 구별된다.

2 행정조사의 법적 성질 및 법적 근거

1. 법적 성질

법적 성질
▷ 일반적으로 사실행위이나 법적 효과를 발생시키는 경우도 있음

행정조사는 일반적으로 그 자체로서는 직접적인 법적 효과를 발생시키지 않는 사실행위(예 질문, 출입검사, 실시조사, 진찰, 검진, 앙케트 조사 등)에 해당한다. 다만, 경우에 따라서는 행정조사의 방법으로 출석·진술이나 자료제출을 요구하는 경우에는 행정행위 형식(예 보고서요구명령, 장부서류제출명령, 출두명령 등)으로 행해질 수 있다.

2. 법적 근거

(1) 이론적 근거

① 행정조사 가운데 권력적 행정조사는 국민의 신체나 재산에 침해를 가져오므로 반드시 법적 근거가 요구된다. 그러나 비권력적 행정조사는 반드시 법적 근거를 요하는 것은 아니다. 「행정조사기본법」도 이와 같은 취지에서 "행정기관은 법령 등에서 행정조사를 규정하고 있는 경우에 한하여 행정조사를 실시할 수 있다. 다만, 조사대상자의 자발적인 협조를 얻어 실시하는 행정조사의 경우에는 그러하지 아니하다." 라고 규정하고 있다(동법 제5조).

② 한편, 개별 법령 등에서 행정조사를 규정하고 있는 경우에도 행정기관이 「행정조사기본법」 제5조 단서에서 정한 '조사대상자의 자발적인 협조를 얻어 실시하는 행정조사'를 실시할 수 있다(대판 2016.10.27. 2016두41811).

(2) 실정법상 근거

행정조사의 실정법상 근거로는 행정조사에 관한 일반법으로 「행정조사기본법」이 있다. 개별법상 근거로는 「국세기본법」 제81조의4 이하의 세무조사, 「경찰관 직무집행법」 제3조 제1항의 불심검문, 공정거래법 제81조의 위반행위의 조사, 「국세징수법」 제27조의 질문·검사, 「소방기본법」 제29조 이하의 화재조사, 「감염병의 예방 및 관리에 관한 법률」 제42조의 조사 등을 들 수 있다.

3. 「행정조사기본법」의 적용범위

(1) 행정조사에 관하여 다른 법률에 특별한 규정이 있는 경우를 제외하고는 이 법으로 정하는 바에 따른다(「행정조사기본법」 제3조 제1항). 다만, 행정조사를 한다는 사실이나 조사내용이 공개될 경우 국가의 존립을 위태롭게 하거나 국가의 중대한 이익을 현저히 해칠 우려가 있는 국가안전보장·통일 및 외교에 관한 사항 및 조세·형사·행형 및 보안처분에 관한 사항 등 「행정조사기본법」 제3조 제2항이 정하는 일정한 사항에 대해서는 이 법을 적용하지 아니한다(동법 제3조 제2항).

(2) 제2항에도 불구하고 제4조(행정조사의 기본원칙), 제5조(행정조사의 근거) 및 제28조(정보통신수단을 통한 행정조사)는 제2항 각 호의 사항에 대하여 적용한다(동법 제3조 제3항).

3 행정조사의 종류

행정조사는 조사의 성질에 따라 **권력적 행정조사**(예 세무조사, 「도로교통법」상의 운전자에 대한 음주측정, 「소방기본법」상의 화재조사 등)와 **비권력적 행정조사**(예 여론조사, 통계조사, 호구조사 등)로, 조사의 목적에 따라 **개별적 조사**(예 「식품위생법」상의 식품영업실태파악을 위한 조사 등)와 **일반적 조사**(예 「통계법」에 의한 통계조사 등)로, 조사의 대상에 따라 **대인적 조사**(예 신체수색, 질문 등), **대물적 조사**(예 장부·서류의 열람, 시설검사, 물품검사·수거 등), **대가택 조사**(예 주거·창고·영업소에 대한 출입·검사 등)로 구분된다.

 함께 정리하기

행정조사에 관한 일반법
▷ 「행정조사기본법」

행정조사의 개별법상 근거
▷ 「국세기본법」, 「경찰관 직무집행법」, 공정거래법, 「국세징수법」, 「소방기본법」 등에서 규정

성질에 따른 분류
▷ 강제조사(권력적 행정조사): 신체·재산에 대하여 침해적, 불응 시 불이익 有
▷ 임의조사(비권력적 행정조사): 상대방의 협력에 의해 행해지는 조사

조사대상에 따른 분류
▷ 대인적 조사: 사람이 대상
▷ 대물적 조사: 물건이 대상
▷ 대가택 조사: 가택이 대상

4 행정조사의 방법 및 조사계획의 수립, 절차

1. 행정조사의 방법, 조사대상의 선정, 조사의 주기

(1) 조사의 방법

「행정조사기본법」(이하 '동법'이라 함)은 행정조사의 방법으로 출석·진술 요구(동법 제9조), 보고요구와 자료제출의 요구(동법 제10조), 현장조사(동법 제11조), 시료채취(동법 제12조), 자료 등의 영치(동법 제13조), 공동조사(동법 제14조), 중복조사의 제한(동법 제15조) 등을 규정하고 있다. 정보통신수단을 통한 행정조사(동법 제28조)도 가능하다.

① 출석·진술 요구
  ㉠ 행정기관의 장이 조사대상자의 출석·진술을 요구하는 때에는 출석요구의 취지 등 일정한 사항이 기재된 출석요구서를 발송하여야 한다(동법 제9조 제1항).
  ㉡ 출석한 조사대상자가 제1항에 따른 출석요구서에 기재된 내용을 이행하지 아니하여 행정조사의 목적을 달성할 수 없는 경우를 제외하고는 조사원은 조사대상자의 1회 출석으로 당해 조사를 종결하여야 한다(동법 제9조 제3항).

② 보고요구와 자료제출의 요구
  ㉠ 행정기관의 장은 조사대상자에게 조사사항에 대하여 보고를 요구하는 때에는 일시와 장소, 보고거부에 대한 제재(근거법령 및 조항 포함) 등 일정한 사항이 포함된 보고요구서를 발송하여야 한다(동법 제10조 제1항).
  ㉡ 행정기관의 장은 조사대상자에게 장부·서류나 그 밖의 자료를 제출하도록 요구하는 때에는 제출서류의 반환 여부 등 일정한 사항이 기재된 자료제출요구서를 발송하여야 한다(동법 제10조 제2항).

③ 현장조사
  ㉠ 현장조사는 해가 뜨기 전이나 해가 진 뒤에는 할 수 없는 것이 원칙이다. 다만, 조사대상자(대리인 및 관리책임이 있는 자를 포함한다)가 동의한 경우, 사무실 또는 사업장 등의 업무시간에 행정조사를 실시하는 경우 등에는 그러하지 아니하다(동법 제2항).
  ㉡ 현장조사를 하는 조사원은 그 권한을 나타내는 증표를 지니고 이를 조사대상자에게 내보여야 한다(동법 제3항).

④ 시료채취
  ㉠ 조사원이 조사목적의 달성을 위하여 시료채취를 하는 경우에는 그 시료의 소유자 및 관리자의 정상적인 경제활동을 방해하지 아니하는 범위 안에서 최소한도로 하여야 한다(동법 제11조 제1항).
  ㉡ 행정기관의 장은 제1항에 따른 시료채취로 조사대상자에게 손실을 입힌 때에는 대통령령으로 정하는 절차와 방법에 따라 그 손실을 보상하여야 한다(동법 제11조 제2항).

⑤ 자료 등의 영치
  ㉠ 조사원이 현장조사 중에 자료·서류·물건 등(이하 이 조에서 "자료 등"이라 한다)을 영치하는 때에는 조사대상자 또는 그 대리인을 입회시켜야 한다(동법 제13조 제1항).

조사의 방법
▷ 출석·진술 요구
▷ 보고요구와 자료제출의 요구
▷ 현장조사
▷ 시료채취
▷ 정보통신수단을 통한 행정조사

출석·진술 요구
▷ 출석요구서를 발송하여야 함

행정기관의 장이 보고 요구 시
▷ 보고요구서를 발송하여야 함

행정기관의 장이 자료 제출 요구 시
▷ 자료제출요구서를 발송하여야 함

현장조사
▷ 원칙: 해가 뜨기 전이나 진 뒤에는 할 수 없음
▷ 예외: 조사대상자의 동의, 사업장 등의 업무시간에 실시하는 경우 등에는 할 수 있음

증표의 제시
▷ 현장조사를 하는 조사원은 조사대상자에게 증표를 제시하여야 함

시료채취
▷ 정상적인 경제활동을 방해하지 아니하는 범위 안에서 최소한도로 하여야 함

시료채취로 조사대상자에게 손실을 입힌 경우
▷ 손실을 보상하여야 함

ⓒ 조사원이 자료 등을 영치하는 경우에 조사대상자의 생활이나 영업이 사실상 불가능하게 될 우려가 있는 때에는 조사원은 자료 등을 사진으로 촬영하거나 사본을 작성하는 등의 방법으로 영치에 갈음할 수 있다. 다만, 증거인멸의 우려가 있는 자료 등을 영치하는 경우에는 그러하지 아니하다(동법 제13조 제2항).

⑥ **공동조사**: 행정기관의 장은 ㉠ 당해 행정기관 내의 2 이상의 부서가 동일하거나 유사한 업무분야에 대하여 동일한 조사대상자에게 행정조사를 실시하는 경우, ㉡ 서로 다른 행정기관이 대통령령으로 정하는 분야에 대하여 동일한 조사대상자에게 행정조사를 실시하는 경우에는 공동조사를 하여야 한다(동법 제14조 제1항).

⑦ **중복조사의 제한**
㉠ 정기조사 또는 수시조사를 실시한 행정기관의 장은 동일한 사안에 대하여 동일한 조사대상자를 재조사 하여서는 아니 된다. 다만, 당해 행정기관이 이미 조사를 받은 조사대상자에 대하여 위법행위가 의심되는 새로운 증거를 확보한 경우에는 그러하지 아니하다(동법 제15조 제1항).
㉡ 행정조사를 실시할 행정기관의 장은 행정조사를 실시하기 전에 다른 행정기관에서 동일한 조사대상자에게 동일하거나 유사한 사안에 대하여 행정조사를 실시하였는지 여부를 확인할 수 있다(동법 제15조 제2항).

⑧ **정보통신수단을 통한 행정조사**: 행정기관의 장은 인터넷 등 정보통신망을 통하여 조사대상자로 하여금 자료의 제출 등을 하게 할 수 있다(동법 제28조 제1항). 행정기관의 장은 정보통신망을 통하여 자료의 제출 등을 받은 경우에는 조사대상자의 신상이나 사업비밀 등이 유출되지 아니하도록 제도적·기술적 보안조치를 강구하여야 한다(동법 제28조 제2항).

(2) 조사대상의 선정과 선정기준에 대한 열람 신청

① 행정기관은 조사목적에 적합하도록 조사대상자를 선정하여 행정조사를 실시하여야 한다(동법 제4조 제2항).
② 행정기관의 장은 행정조사의 목적, 법령준수의 실적, 자율적인 준수를 위한 노력, 규모와 업종 등을 고려하여 명백하고 객관적인 기준에 따라 행정조사의 대상을 선정하여야 한다(동법 제8조 제1항). 조사대상자는 조사대상 선정기준에 대한 열람을 행정기관의 장에게 신청할 수 있다(동법 제8조 제2항).
③ 행정기관의 장이 열람신청을 받은 때에는 행정기관이 당해 행정조사업무를 수행할 수 없을 정도로 조사활동에 지장을 초래하는 경우 또는 내부고발자 등 제3자에 대한 보호가 필요한 경우를 제외하고 신청인이 조사대상 선정기준을 열람할 수 있도록 하여야 한다(동법 제8조 제3항).

(3) 조사의 주기

행정조사는 법령 등 또는 행정조사운영계획으로 정하는 바에 따라 정기적으로 실시함을 원칙으로 한다. 다만, 다른 행정기관으로부터 법령 등의 위반에 관한 혐의를 통보 또는 이첩 받은 경우 등 일정한 사유가 있는 경우에는 수시조사를 할 수 있다(동법 제7조 제1항).

함께 정리하기

인터넷 등 정보통신망을 통한 행정조사
▷ 조사대상자로 하여금 자료의 제출 등을 하게 할 수 있음

조사대상자의 선정
▷ 자율적인 준수를 위한 노력 등을 고려하여 명백·객관적 기준에 따라 선정
▷ 조사대상자는 행정기관의 장에게 선정기준에 대한 열람 청구 가

조사대상자의 선정기준 열람신청
▷ 조사활동에 지장을 초래하거나 내부고발자 등의 보호를 위해 필요한 경우 외에는 열람할 수 있도록 하여야 함

조사의 주기
▷ 정기조사가 원칙
▷ 다른 행정기관으로부터 법령 위반에 관한 혐의를 통보받는 등에는 수시조사 가

2. 행정조사계획의 수립

(1) 개별조사계획의 수립

① 행정조사를 실시하고자 하는 행정기관의 장은 사전통지를 하기 전에 개별조사계획을 수립하여야 한다. 다만, 행정조사의 시급성으로 행정조사계획을 수립할 수 없는 경우에는 행정조사에 대한 결과보고서로 개별조사계획을 갈음할 수 있다(동법 제16조 제1항).

② 개별조사계획에는 조사의 목적·종류·대상·방법 및 기간 등이 포함되어야 한다(동법 제16조 제2항).

(2) 연도별 행정조사운영계획의 수립

행정기관의 장은 매년 12월 말까지 다음 연도의 행정조사운영계획을 수립하여 국무조정실장에게 제출하여야 한다. 다만, 행정조사운영계획을 제출해야 하는 행정기관의 구체적인 범위는 대통령령으로 정한다(동법 제6조 제1항).

조사계획의 수립
▷ 행정기관의 장이 매년 12월 말까지 수립
▷ 국무조정실장에게 제출

3. 행정조사의 절차

(1) 조사의 사전통지

① 행정조사를 실시하고자 하는 행정기관의 장은 제9조에 따른 출석요구서, 제10조에 따른 보고요구서·자료제출요구서 및 제11조에 따른 현장출입조사서를 조사개시 7일 전까지 조사대상자에게 서면으로 통지하여야 한다(동법 제17조 제1항 본문).

② 다만, ㉠ 행정조사를 실시하기 전에 관련 사항을 미리 통지하는 때에는 증거인멸 등으로 행정조사의 목적을 달성할 수 없다고 판단되는 경우, ㉡ 「통계법」에 따른 지정통계의 작성을 위하여 조사하는 경우, ㉢ 조사대상자의 자발적인 협조를 얻어 실시하는 행정조사의 경우에는 행정조사의 개시와 동시에 출석요구서 등을 조사대상자에게 제시하거나 행정조사의 목적 등을 조사대상자에게 구두로 통지할 수 있다(동법 제17조 제1항 단서).

사전통지 원칙
▷ 조사개시 7일 전까지 조사대상자에게 서면으로 통지하여야 함

사전통지 원칙의 예외
▷ 증거인멸 등으로 행정조사의 목적을 달성할 수 없다고 판단되는 경우
▷ 조사대상자의 자발적인 협조를 얻어 실시하는 행정조사의 경우 등

(2) 조사의 연기신청

출석요구서등을 통지받은 자가 천재지변이나 그 밖에 대통령령으로 정하는 사유로 인하여 행정조사를 받을 수 없는 때에는 당해 행정조사를 연기하여 줄 것을 행정기관의 장에게 요청할 수 있다(동법 제18조 제1항).

(3) 제3자에 대한 보충조사

행정기관의 장은 조사대상자에 대한 조사만으로는 당해 행정조사의 목적을 달성할 수 없거나 조사대상이 되는 행위에 대한 사실 여부 등을 입증하는데 과도한 비용 등이 소요되는 경우로서 ① 다른 법률에서 제3자에 대한 조사를 허용하고 있는 경우, ② 제3자의 동의가 있는 경우에는 제3자에 대하여 보충조사를 할 수 있다(동법 제19조 제1항).

(4) 자발적인 협조에 따라 실시하는 행정조사

① 행정기관의 장이 조사대상자의 자발적인 협조를 얻어 행정조사를 실시하고자 하는 경우 조사대상자는 문서·전화·구두 등의 방법으로 당해 행정조사를 거부할 수 있다(동법 제20조 제1항).

자발적인 협조에 따른 행정조사의 거부
▷ 문서·전화·구두 등의 방법으로 거부할 수 있음

② 이러한 행정조사에 대하여 조사대상자가 조사에 응할 것인지에 대한 응답을 하지 아니하는 경우에는 법령 등에 특별한 규정이 없는 한 그 조사를 거부한 것으로 본다(동법 제20조 제2항).

(5) 의견제출

조사대상자는 제17조에 따른 사전통지의 내용에 대하여 행정기관의 장에게 의견을 제출할 수 있다(동법 제21조 제1항).

(6) 조사원 교체신청

조사대상자는 조사원에게 공정한 행정조사를 기대하기 어려운 사정이 있다고 판단되는 경우에는 행정기관의 장에게 당해 조사원의 교체를 신청할 수 있다(동법 제22조 제1항). 교체신청은 그 이유를 명시한 서면으로 행정기관의 장에게 하여야 한다(동법 제22조 제2항).

(7) 조사권행사의 제한

① 조사원은 제9조부터 제11조까지에 따라 사전에 발송된 사항에 한하여 조사대상자를 조사하되, 사전통지한 사항과 관련된 추가적인 행정조사가 필요할 경우에는 조사대상자에게 추가조사의 필요성과 조사내용 등에 관한 사항을 서면이나 구두로 통보한 후 추가조사를 실시할 수 있다(동법 제23조 제1항).

② 조사대상자는 법률·회계 등에 대하여 전문지식이 있는 관계 전문가로 하여금 행정조사를 받는 과정에 입회하게 하거나 의견을 진술하게 할 수 있다(동법 제23조 제2항).

③ 조사대상자와 조사원은 조사과정을 방해하지 아니하는 범위 안에서 행정조사의 과정을 녹음하거나 녹화할 수 있다. 이 경우 녹음·녹화의 범위 등은 상호 협의하여 정하여야 한다(동법 제23조 제3항). 조사대상자와 조사원이 녹음이나 녹화를 하는 경우에는 사전에 이를 당해 행정기관의 장에게 통지하여야 한다(동법 제23조 제4항).

(8) 조사결과의 통지

행정기관의 장은 법령 등에 특별한 규정이 있는 경우를 제외하고는 행정조사의 결과를 확정한 날부터 7일 이내에 그 결과를 조사대상자에게 통지하여야 한다(동법 제24조).

(9) 자율신고제도

① 자율신고제도의 운영
  ㉠ 행정기관의 장은 법령 등에서 규정하고 있는 조사사항을 조사대상자로 하여금 스스로 신고하도록 하는 제도를 운영할 수 있다(동법 제25조 제1항).
  ㉡ 행정기관의 장은 제1항에 따라 조사대상자가 신고한 내용이 거짓의 신고라고 인정할 만한 근거가 있거나 신고내용을 신뢰할 수 없는 경우를 제외하고는 그 신고내용을 행정조사에 갈음할 수 있다.

② **자율관리에 대한 혜택의 부여**: 행정기관의 장은 제25조에 따라 자율신고를 하는 자와 제26조에 따라 자율관리체제를 구축하고 자율관리체제의 기준을 준수한 자에 대하여는 법령 등으로 규정한 바에 따라 행정조사의 감면 또는 행정·세제상의 지원을 하는 등 필요한 혜택을 부여할 수 있다(동법 제27조).

5 행정조사의 한계

1. 내용적 한계

(1) 행정조사도 행정작용이기 때문에 법치행정의 원리와 비례의 원칙이나 평등의 원칙과 같은 행정법의 일반원칙을 준수하여야 한다.

(2) 「행정조사기본법」 제4조에서는 행정조사의 기본원칙으로 비례의 원칙(동법 제4조 제1·2항), 중복조사금지의 원칙(동법 제4조 제3항), 예방 목적의 원칙(동법 제4조 제4항), 비밀누설금지(동법 제4조 제5항) 및 목적 외 사용금지의 원칙(동법 제4조 제6항)을 규정하고 있다.

「행정조사기본법」 제4조 【행정조사의 기본원칙】 ① 행정조사는 조사목적을 달성하는데 필요한 최소한의 범위 안에서 실시하여야 하며, 다른 목적 등을 위하여 조사권을 남용하여서는 아니 된다.
② 행정기관은 조사목적에 적합하도록 조사대상자를 선정하여 행정조사를 실시해야 한다.
③ 행정기관은 유사하거나 동일한 사안에 대하여는 공동조사 등을 실시함으로써 행정조사가 중복되지 아니하도록 하여야 한다.
④ 행정조사는 법령 등의 위반에 대한 처벌보다는 법령 등을 준수하도록 유도하는 데 중점을 두어야 한다.
⑤ 다른 법률에 따르지 아니하고는 행정조사의 대상자 또는 행정조사의 내용을 공표하거나 직무상 알게 된 비밀을 누설하여서는 아니 된다.
⑥ 행정기관은 행정조사를 통하여 알게 된 정보를 다른 법률에 따라 내부에서 이용하거나 다른 기관에 제공하는 경우를 제외하고는 원래의 조사목적 이외의 용도로 이용하거나 타인에게 제공하여서는 아니 된다.

관련판례

1 후속 세무조사가 같은 과세요건사실에 관한 것이라면 금지되는 재조사에 해당한다. ★★
세무조사의 성질과 효과, 중복세무조사를 원칙적으로 금지하는 취지, 증여세의 과세대상 등을 고려하면, 증여세에 대한 후속 세무조사가 조사의 목적과 실시 경위, 질문조사의 대상과 방법 및 내용, 조사를 통하여 획득한 자료 등에 비추어 종전 세무조사와 실질적으로 같은 과세요건사실에 대한 것에 불과할 경우에는, 구 국세기본법 제81조의4 제2항에 따라 금지되는 재조사에 해당하는 것으로 보아야 한다(대판 2018.6.19. 2016두1240).

2 세무조사를 한 항목을 제외한 다른 항목에 대하여 다시 세무조사하는 것은 금지되는 재조사에 해당하나, 당초 세무조사 당시 모든 항목에 대한 세무조사가 무리였다는 등의 특별한 사정이 있다면 허용될 수 있다. ★★
세무공무원이 어느 세목의 특정 과세기간에 대하여 모든 항목에 걸쳐 세무조사를 한 경우는 물론 그 과세기간의 특정 항목에 대하여만 세무조사를 한 경우에도 다시 그 세목의 같은 과세기간에 대하여 세무조사를 하는 것은 구 국세기본법 제81조의4 제2항에서 금지하는 재조사에 해당하고, 세무공무원이 당초 세무조사를 한 특정 항목을 제외한 다른 항목에 대하여만 다시 세무조사를 함으로써 세무조사의 내용이 중첩되지 아니하였다고 하여 달리 볼 것은 아니다. 다만, 당초의 세무조사가 다른 세목이나 다른 과세기간에 대한 세무조사 도중에 해당 세목이나 과세기간에도 동일한 잘못이나 세금 탈루 혐의가 있다고 인정되어 관련 항목에 대하여 세무조사 범위가 확대됨에 따라 부분적으로만 이루어진 경우와 같이 당초 세무조사 당시 모든 항목에 걸쳐 세무조사를 하는 것이 무리였다는 등의 특별한 사정이 있는 경우에는 당초 세무조사를 한 항목을 제외한 나머지 항목에 대하여 향후 다시 세무조사를 하는 것은 구 국세기본법 제81조의4 제2항에서 금지하는 재조사에 해당하지 아니한다(대판 2015.2.26. 2014두12062).

3 조사행위가 실질적으로 납세자 등으로 하여금 질문에 대답하고 검사를 수인하도록 한다면 현지 확인 절차에 의한 것이라도 금지되는 재조사에 해당한다. ★★

[1] 세무공무원의 조사행위가 실질적으로 납세자 등으로 하여금 질문에 대답하고 검사를 수인하도록 함으로써 납세자의 영업의 자유 등에 영향을 미치는 경우, '현지확인'의 절차에 따른 것이더라도 구 국세기본법 제81조의4 제2항에 따라 재조사가 금지되는 '세무조사'에 해당하지만 납세자 등이 대답하거나 수인할 의무가 없고 납세자의 영업의 자유 등을 침해하거나 세무조사권이 남용될 염려가 없는 조사행위까지 재조사가 금지되는 '세무조사'에 해당하는 것은 아니다.

[2] 조사행위가 실질적으로 과세표준과 세액을 결정 또는 경정하기 위한 것으로서 납세자 등의 사무실 등에서 납세자 등을 직접 접촉하여 상당한 시일에 걸쳐 질문하거나 일정한 기간 동안의 장부 등을 검사·조사하는 경우, 특별한 사정이 없는 한 재조사가 금지되는 '세무조사'로 보아야 할 것이다(대판 2017.3.16. 2014두8360).

 **함께 정리하기**

현장조사 후 2차 조사
▷ 금지되는 재조사

2. 절차법적 한계

(1) 적법절차의 원칙

행정조사를 실시할 때에도 헌법상 기본원칙인 적법절차의 원칙이 준수되어야 한다. 행정조사를 규정하는 법에서는 행정조사를 함에 있어서 증표를 휴대하고 제시하도록 규정하고 있는 경우가 많다.

> **관련판례**
>
> **적법절차원칙은 행정조사에서도 준수되어야 한다.** ★★
>
> 헌법 제12조 제1항에서 규정하고 있는 적법절차의 원칙은 형사소송절차에 국한되지 아니하고 모든 국가작용 전반에 대하여 적용된다. 세무조사는 국가의 과세권을 실현하기 위한 행정조사의 일종으로서 과세자료의 수집 또는 신고내용의 정확성 검증 등을 위하여 필요불가결하며, 종국적으로는 조세의 탈루를 막고 납세자의 성실한 신고를 담보하는 중요한 기능을 수행한다. 이러한 세무공무원의 세무조사권의 행사에서도 적법절차의 원칙은 마땅히 준수되어야 한다(대판 2014.6.26. 2012두911).

(2) 행정조사와 영장주의

① **비권력적 행정조사의 경우**: 비권력적 행정조사는 피조사자 측의 임의적인 협력을 전제로 하는 것이므로 개념상 영장주의가 적용되지 않는다.

② **권력적 행정조사의 경우**

㉠ 행정조사를 실시할 때 압수·수색을 수반하는 권력적 행정조사의 경우 영장주의가 적용될 것인가 하는 것이 문제인데, 이와 관련하여 행정상 즉시강제의 경우처럼 영장필요설·영장불요설·절충설이 있는데 절충설이 지배적인 견해이다.

㉡ 절충설은 대체로 행정조사가 형사소추절차로 이행되는 경우에는 당연히 영장이 필요하고, 그 밖에 권력적인 행정조사의 경우에는 원칙적으로 영장주의가 적용되지만, 긴급을 요하거나 성질상 영장주의를 요구하기 어려운 사정이 있는 경우에는 그 예외가 인정된다고 한다. 판례의 입장도 같다.

비권력적 행정조사
▷ 피조사자 측의 임의적인 협력을 전제로 하는 것이므로 영장주의 적용×

절충설
▷ 행정조사가 형사소추절차로 이행되는 경우
▷ 영장주의 적용○

그 밖에 권력적인 행정조사
▷ 원칙: 영장주의 적용○
▷ 예외: 긴급을 요하거나 성질상 적용하기 어려운 경우 영장주의 적용×

 함께 정리하기

우편물 통관검사절차
▷ 수사기관의 강제처분×(행정조사의 성격)
▷ 영장주의 적용×

> **관련판례**
>
> **1** 행정조사의 성질을 가지는 우편물 통관검사절차에서 압수·수색영장 없이 검사가 진행되었더라도 위법하다고 볼 수 없다. ★★★
> 우편물 통관검사절차에서 이루어지는 우편물의 개봉, 시료채취, 성분분석 등의 검사는 수출입물품에 대한 적정한 통관 등을 목적으로 한 행정조사의 성격을 가지는 것으로서 수사기관의 강제처분이라고 할 수 없으므로, 압수·수색영장 없이 우편물의 개봉, 시료채취, 성분분석 등 검사가 진행되었다 하더라도 특별한 사정이 없는 한 위법하다고 볼 수 없다(대판 2013.9.26. 2013도7718).
>
> **2** 범죄수사인 압수·수색에 해당하는 경우에는 사전·사후 영장이 필요하다. ★★
> 수출입물품 통관검사절차에서 이루어지는 물품의 개봉, 시료채취, 성분분석 등의 검사는 수출입물품에 대한 적정한 통관 등을 목적으로 조사를 하는 것으로서 이를 수사기관의 강제처분이라고 할 수 없으므로, 세관공무원은 압수·수색영장 없이 이러한 검사를 진행할 수 있다. 세관공무원이 통관검사를 위하여 직무상 소지하거나 보관하는 물품을 수사기관에 임의로 제출한 경우에는 비록 소유자의 동의를 받지 않았더라도 수사기관이 강제로 점유를 취득하지 않은 이상 해당 물품을 압수하였다고 할 수 없다. 그러나 마약류 불법거래 방지에 관한 특례법 제4조 제1항에 따른 조치의 일환으로 특정한 수출입물품을 개봉하여 검사하고 그 내용물의 점유를 취득한 행위는 위에서 본 수출입물품에 대한 적정한 통관 등을 목적으로 조사를 하는 경우와는 달리, 범죄수사인 압수 또는 수색에 해당하여 사전 또는 사후에 영장을 받아야 한다(대판 2017.7.18. 2014도8719).

「마약류 불법거래 방지에 관한 특례법」에 따른 조치의 일환으로 수출입물품을 개봉·검사·점유취득하는 것
▷ 범죄수사인 압수·수색에 해당
▷ 사전·사후 영장 필요

3. 행정조사와 실력행사

행정조사의 상대방이 조사를 거부하거나 방해하는 경우에 행정조사를 행하는 공무원은 이에 관한 「행정조사기본법」에 명시적인 규정이 없음에도 실력행사를 하여 강제로 조사할 수 있는가에 관하여 학설의 대립이 있다. 이러한 강제력 행사에는 법률에 명시적인 근거가 있어야 할 것이므로 가능하지 않다고 보는 부정설이 다수설의 입장이다.❶

행정조사의 상대방이 거부·방해할 경우
▷ 실력을 행사하여 필요한 조사를 할 수 있는가에 관하여 학설의 대립 有

❶ 부정설은 명문의 규정이 없는 한 실력으로 상대방의 저항을 배제하고 필요한 조사를 할 수 없다는 입장이다. 긍정설은 강제조사에는 조사방해를 배제하는 것도 포함되므로 비례원칙의 한계 내에서 실력행사를 할 수 있다고 본다.

6 위법한 행정조사에 기초한 행정행위의 효력

1. 문제의 소재

행정조사를 통하여 획득한 정보가 내용상으로는 정확하지만 행정조사가 그 내용적 또는 절차법적 한계를 넘어 위법한 경우에 이에 근거한 행정행위(행정결정)도 위법한 것으로 되는가에 관한 문제이다.

행정조사가 그 내용적 또는 절차법적 한계를 넘어 위법한 경우
▷ 이를 기초로 한 행정행위의 효력이 문제됨

2. 학설

적극설	행정조사와 행정행위는 하나의 과정을 구성하고 있으므로 적정절차의 관점에서 행정조사에 위법사유가 있는 때에는 이를 기초로 한 행정행위도 위법하게 된다는 견해이다.
소극설	행정조사와 행정행위는 서로 별개의 제도이므로 조사의 위법이 곧 행정행위를 위법하게 하는 것은 아니라는 견해이다.

적극설
▷ 행정조사와 행정행위는 하나의 과정을 구성하고 있으므로 행정조사가 위법하면 행정행위도 위법○

소극설
▷ 행정조사와 행정행위는 서로 별개의 제도이므로 행정조사가 위법하더라도 행정행위는 위법×

3. 판례

판례는 적극설과 같은 입장이다. 다만, 행정조사의 절차상 하자가 경미한 경우에는 위법사유가 되지 않는다고 판시한 사례도 있다.

> **관련판례**
>
> 1. 세무조사가 과세자료의 수집 또는 신고내용의 정확성 검증이라는 본연의 목적이 아니라 부정한 목적을 위하여 행하여진 것이라면 이는 세무조사에 중대한 위법사유가 있는 경우에 해당하고 이러한 세무조사에 의하여 수집된 과세자료를 기초로 한 과세처분 역시 위법하다(대판 2016.12.15. 2016두47659). ★★★
>
> 2. 납세자에 대한 부가가치세부과처분이 종전의 부가가치세 경정조사와 같은 세목 및 같은 과세기간에 대하여 중복하여 실시된 위법한 세무조사에 기초하여 이루어진 것이어서 위법하다(대판 2006.6.2. 2004두12070). ★★★
>
> 3. 중복 세무조사(재조사)에 기초한 과세처분은 위법하며 이는 중복조사로 얻은 과세자료를 처분의 근거로 삼지 않은 경우 등에도 동일하다. ★★
>
>   구 국세기본법 제81조의4 제2항에 따라 금지되는 재조사에 기하여 과세처분을 하는 것은 단순히 당초 과세처분의 오류를 경정하는 경우에 불과하다는 등의 특별한 사정이 없는 한 그 자체로 위법하고, 이는 과세관청이 그러한 재조사로 얻은 과세자료를 과세처분의 근거로 삼지 않았다거나 이를 배제하고서도 동일한 과세처분이 가능한 경우라고 하여 달리 볼 것은 아니다(대판 2017.12.13. 2016두55421).
>
> 4. 음주운전 여부에 대한 조사 과정에서 운전자 본인의 동의를 받지 아니하고 또한 법원의 영장도 없이 채혈조사를 한 결과를 근거로 한 운전면허 정지·취소처분은 도로교통법 제44조 제3항을 위반한 것으로서 특별한 사정이 없는 한 위법한 처분으로 볼 수밖에 없다(대판 2016.12.27. 2014두46850). ★
>
> 5. 구 국세기본법 제81조의5가 정한 세무조사대상 선정사유가 없음에도 세무조사대상으로 선정하여 과세자료를 수집하고 그에 기하여 과세처분을 하는 것은 적법절차의 원칙을 어기고 구 국세기본법 제81조의5와 제81조의3 제1항을 위반한 것으로서 특별한 사정이 없는 한 과세처분은 위법하다(대판 2014.6.26. 2012두911). ★
>
> 6. (시료채취에 기초하여 내려진 토양정밀조사명령이 위법한지가 문제된 사안에서) 토양오염공정시험방법은 행정기관 내부의 사무처리준칙을 정한 행정규칙에 해당하고, 채취된 시료의 대상지역 토양에 대한 대표성을 전혀 인정할 수 없을 정도로 그 위반의 정도가 중대한 경우가 아니라면, 토양오염공정시험방법에 규정된 내용에 위반되는 방식으로 시료를 채취하였다는 사정만으로는 그에 기초하여 내려진 토양정밀조사명령이 위법하다고 할 수 없다(대판 2009.1.30. 2006두9498).

함께 정리하기

부정한 목적인 세무조사 기초한 과세처분
▷ 위법

위법한 중복세무조사 기초한 과세처분
▷ 위법

금지되는 재조사 의한 과세처분
▷ 동일한 과세처분 가능해도 위법

동의·영장 결여한 채혈조사에 근거한 면허정지·취소
▷ 위법

선정사유 없이 세무조사대상으로 선정하여 행한 과세처분
▷ 위법

함께 정리하기

적법한 행정조사로 특별희생
▷ 손실보상청구 可

7 행정조사에 대한 권리구제

1. 적법한 행정조사에 대한 구제

적법한 행정조사로 인해 특별한 희생을 당한 자는 법률이 정하는 바에 따라 손실보상을 청구할 수 있다.

2. 위법한 행정조사에 대한 구제

(1) 행정쟁송

① 권력적 행정조사는 권력적 사실행위로서 행정쟁송법상 처분성이 인정되므로 행정소송의 대상이 될 수 있다. 다만, 단기간에 집행이 종료되는 행정조사의 특성상 일반적으로 소의 이익이 부정될 가능성이 높다.

② 한편, 세무조사가 공권력의 행사의 일환으로 이루어지는 경우에는 권력적 행정조사로 볼 수 있을 것인데, 이와 관련하여 판례는 세무조사결정의 처분성을 인정한다.

세무조사결정
▷ 항고소송 대상O

> **관련판례**
>
> **세무조사결정은 항고소송의 대상이다. ★★★**
> 부과처분을 위한 과세관청의 질문조사권이 행해지는 세무조사결정이 있는 경우 납세의무자는 세무공무원의 과세자료 수집을 위한 질문에 대답하고 검사를 수인하여야 할 법적 의무를 부담하게 되는 점 … 등을 종합하면, 세무조사결정은 납세의무자의 권리·의무에 직접 영향을 미치는 공권력의 행사에 따른 행정작용으로서 항고소송의 대상이 된다(대판 2011.3.10. 2009두23617·23624).

위법한 행정조사
▷「국가배상법」에 따른 손해배상청구 可

(2) 손해배상

위법한 행정조사로 인하여 손해를 입은 자는「국가배상법」이 정하는 바에 따라 국가나 지방자치단체를 상대로 손해배상을 청구할 수 있다.

제4장 행정벌

제1절 개설

1 의의

1. 개념
행정벌이란 행정법상의 의무위반에 대한 제재로서 국가의 일반통치권에 의하여 과하는 처벌을 말한다. 행정벌은 직접적으로는 과거의 의무위반에 대한 제재로서의 의미를 가지는 것이나, 간접적으로는 의무자에게 심리적인 위압을 가함으로써 의무이행을 촉진시키는 수단으로서의 의미도 갖는다.

2. 종류
행정벌에는 행정형벌과 행정질서벌(과태료)이 있다. 행정형벌이란 「형법」상의 형벌❶을 과하는 행정벌을 말하고, 행정질서벌은 과태료가 과하여지는 행정벌이다. 일반적으로 행정형벌은 행정목적을 직접적으로 침해하는 행위에 대하여 과하여지고, 행정질서벌은 신고의무위반과 같이 행정목적을 간접적으로 침해하는 행위에 대하여 과하여진다.

3. 범칙금
한편, 형벌을 과하여야 하는 행정법규 위반행위에 대하여 범칙금이 과하여지는 경우가 있다. 범칙금은 형벌이 아니며 행정형벌과 행정질서벌의 중간적 성격의 행정벌이다. 예를 들면, 「도로교통법」 위반에 대하여 범칙금이 부과되는데 그 부과는 행정기관인 경찰서장이 통고처분에 의해 과하고 상대방이 이에 따르지 않는 경우에는 즉결심판에 회부하여 형사절차의 예에 따라 형벌을 과하도록 하고 있다.

2 구별개념

1. 징계벌과의 구별
징계벌은 특별행정법관계(특별권력관계)의 질서를 유지하기 위하여 **특별권력**에 근거하여 내부질서 위반자에 대하여 과하는 제재인 반면, 행정벌은 **일반행정법관계(일반권력관계)**에서 일반통치권에 근거하여 의무위반자에게 과하는 제재이다. 따라서 양자는 목적·대상·권력의 기초에 있어서 차이가 있기 때문에 **병과가 가능**하다.

행정벌
▷ 행정법상의 의무위반행위에 대하여 일반통치권에 의거하여 과하는 제재로서의 벌
▷ 과거의 의무위반에 대한 제재
▷ 간접적 의무이행 확보수단

종류
▷ 행정형벌, 행정질서벌(과태료)
▷ 행정형벌: 「형법」상의 형벌을 과하는 행정벌
▷ 행정질서벌: 과태료가 과하여지는 행정벌

❶ 「형법」 제41조에서 규정된 형벌의 종류
① 사형, ② 징역, ③ 금고, ④ 자격상실, ⑤ 자격정지, ⑥ 벌금, ⑦ 구류, ⑧ 과료, ⑨ 몰수

범칙금
▷ 행정형벌과 행정질서벌의 중간적 성격의 행정벌(형벌×)

징계벌 vs. 행정벌
▷ 징계벌: 특별권력관계 제재
▷ 행정벌: 일반권력관계 제재, 병과 可

함께 정리하기

집행벌(이행강제금) vs. 행정벌
▷ 간접적으로 의무이행을 확보
▷ 집행벌(이행강제금): 장래 의무이행 강제
▷ 행정벌: 과거의무위반 제재, 병과 가

형사범 vs. 행정범
▷ 「형법」상 형벌부과
▷ 형사범: 자연범
▷ 행정범: 실정법에서 금지(법정범)

2. 이행강제금(집행벌)과의 구별

행정벌과 이행강제금은 심리적 압박을 가함으로써 간접적으로 의무이행을 확보한다는 측면에서는 공통점이 있다. 그러나 행정벌은 과거의 의무위반에 대하여 가하는 제재인 반면, 이행강제금은 의무불이행이 있는 경우 장래를 향하여 이행을 강제하기 위한 강제집행 수단이라는 점이 다르다. 따라서 양자는 목적이 다르므로 병과가 가능하다.

3. 형사범과의 구별

행정범이란 행정법규에 규정된 벌칙을 위반하여 성립하는 범죄이고, 형사범이란 법률규범에 의하지 아니하고도 반사회적이고 반도덕적인 행위 자체로 성립하는 범죄이다. 양자 모두 「형법」상의 형벌을 부과받는다는 공통점이 있고, 통설은 피침해규범의 성질을 기준으로 하여 형사범과 행정범을 구별하고 있다. 이에 따르면, 형사범은 살인행위 등과 같이 그 행위의 반도덕성·반사회성이 당해 행위를 범죄로 규정하는 실정법을 기다릴 것 없이 일반적으로 인식되고 있는 자연범(예 살인범 등)이지만, 행정범은 그 행위의 반도덕·반사회성이 당해 행위를 범죄로 규정하는 법률의 제정 이전에는 당연히 인정되는 것은 아니며 당해 행위를 범죄로 규정하는 법률의 제정에 의해 비로소 인정되는 법정범이라는 점에서 차이가 있다(통설). 그렇지만, 사회관·윤리관의 변화나 발달로 인하여 행정범의 반사회성·반도덕성에 대한 인식이 시간의 경과에 따라 일반인의 의식에 형성되면 형사범으로 전환될 수도 있어서 양자의 구별은 상대적이라 할 수 있다.

3 법적 근거

1. 죄형법정주의의 원칙

행정벌의 법적 근거
▷ 처벌이라는 점에서 법적 근거 要

행정형벌
▷ 죄형법정주의 규율대상 ○

행정질서벌(예 과태료)
▷ 죄형법정주의 규율대상 ✕

❶ 「질서위반행위규제법」은 법률(지방자치단체의 조례 포함)에 따르지 아니하고는 질서위반행위로 인한 과태료(행정질서벌)를 부과할 수 없도록 규정하여 질서위반행위규제 법정주의를 선언하고 있다.

(1) 행정벌은 그것이 행정형벌이든 행정질서벌이든 처벌이라는 점에서 행정벌을 부과하기 위해서는 법적 근거가 있어야 한다. 그런데 헌법재판소는 죄형법정주의의 적용여부와 관련하여 행정형벌에는 죄형법정주의가 적용되나, 과태료는 행정질서벌에 해당할 뿐 형벌이 아니므로 죄형법정주의의 규율대상에 해당하지 아니한다는 입장이다(헌재 1998.5.28. 96헌바83 ; 헌재 2016.7.28. 2015헌마236 등). 이에 따르면 헌법재판소는 죄형법정주의와 질서위반행위 법정주의를 구별하는 것으로 보인다.❶

> 🏃 **관련판례**
>
> **행정질서벌은 죄형법정주의의 규율대상에 해당하지 않는다.** ★★
>
> 죄형법정주의는 무엇이 범죄이며 그에 대한 형벌이 어떠한 것인가는 국민의 대표로 구성된 입법부가 제정한 법률로써 정하여야 한다는 원칙인데, 과태료는 행정상의 질서유지를 위한 행정질서벌에 해당할 뿐 형벌이라고 할 수 없어 죄형법정주의의 규율대상에 해당하지 아니한다(헌재 1998.5.28. 96헌바83).

(2) 행정벌에 관한 일반법은 없고 대부분의 개별 행정법률들이 마지막 부분인 '벌칙'의 장에서 행정형벌과 행정질서벌의 처벌규정을 두고 있다. 그런데 행정질서벌인 과태료의 경우에는 2007년 12월 21일에 행정질서벌의 일반법인 「질서위반행위규제법」이 제정되어 2008년 6월 22일부터 시행되고 있다. 동법은 "과태료의 부과·징수, 재판 및 집행 등의 절차에 관한 다른 규정 중 이 법의 규정에 저촉되는 것은 이 법으로 정하는 바에 따른다."고 하고 있으므로(「질서위반행위규제법」 제5조), ㉠ 각 개별법률에서 과태료에 관한 규정을 두고 있는 경우에도 동법 규정의 내용이 우선 적용되며, ㉡ 동법에서 정하지 않은 사항에 한해서만 각 개별법률의 규정이 적용된다.

2. 법규명령

법률이 벌칙규정을 법규명령에 위임하는 것은 허용되는지가 죄형법정주의와 관련하여 문제되고 있는바, 죄형법정주의의 원칙상 행위의 구성요건과 처벌은 반드시 법률로 정해야 하지만, 법률(모법)이 범죄구성요건의 구체적인 기준과 처벌의 최고의 한도를 정하여 위임하는 것은 허용된다는 것이 통설과 판례의 입장이다(헌재 1996.2.29. 94헌마213 ; 대판 2013.3.28. 2012도16383). 따라서 법규명령도 행정벌의 근거가 될 수 있다.

3. 조례

법률의 개별적·구체적 위임이 있으면 지방자치단체도 조례로 일정한 한도 내에서 행정벌, 특히 행정질서벌을 규정할 수 있다. 이에 관하여 「지방자치법」은 지방자치단체로 하여금 조례를 위반한 행위, 또는 사기나 그 밖의 부정한 방법으로 사용료·수수료 또는 분담금의 징수를 면한 자 등에 대하여 과태료를 부과하는 규정을 조례로 정할 수 있도록 하고 있다(「지방자치법」 제34조 제1항, 제156조 제2항).

> 「지방자치법」 제34조【조례 위반에 대한 과태료】① 지방자치단체는 조례를 위반한 행위에 대하여 조례로써 1천만원 이하의 과태료를 정할 수 있다.
>
> 제156조【사용료의 징수조례 등】② 사기나 그 밖의 부정한 방법으로 사용료·수수료 또는 분담금의 징수를 면한 자에게는 그 징수를 면한 금액의 5배 이내의 과태료를, 공공시설을 부정사용한 자에게는 50만원 이하의 과태료를 부과하는 규정을 조례로 정할 수 있다.

4 행정벌의 종류

행정벌은 여러 기준에 따라 다양하게 분류할 수 있으나, 처벌의 내용에 따라 행정형벌과 행정질서벌로 구분된다.

1. 행정형벌

(1) 의의

행정형벌이란 행정법상 의무를 위반한 자에게 「형법」에 정해진 형벌(사형·징역·금고·자격상실·자격정지·벌금·구류·과료 및 몰수)을 과하는 행정벌을 말한다.

함께 정리하기

적용법률
▷ 원칙적으로 형법총칙, 「형사소송법」이 적용

대상인 행위
▷ 행정법상 의무위반에 의하여 직접 행정목적과 사회공익에 침해되는 경우

행정질서벌
▷ 행정법상의 의무위반에 대하여 「형법」상의 형벌이 아닌 과태료가 과하여지는 행정벌

적용법률
▷ 「질서위반규제법」
▷ 형벌이 아니므로 형법총칙이 적용 ×

대상인 행위
▷ 간접적으로 행정상 질서에 장애를 줄 위험성이 있는 경미한 범법행위

행정형벌을 과할지 행정질서벌을 과할지의 문제
▷ 입법권자의 입법재량

(2) 적용법률

행정형벌은 「형법」상 형벌이 과하는 것이므로 원칙적으로 형법총칙이 적용되며, 과벌절차도 「형사소송법」에 의한 것이 원칙이다. 다만, 예외적으로 즉결심판이나 통고처분절차에 의하는 경우도 있다.

(3) 대상인 행위

행정형벌은 행정법상 의무위반에 의하여 직접 행정목적과 사회공익에 침해되는 경우에 과하여지며, 법률에서 규정하고 있는 대부분의 행정벌이 행정형벌에 속한다.

> **참고** 행정형벌의 질서벌화
> 행정형벌로 인하여 많은 수의 국민들이 전과자가 되는 문제가 발생하여 비교적 경미한 의무위반행위에 대하여는 단기의 징역형이나 벌금형보다는 가급적 과태료를 부과하는 것으로 전환하자는 행정형벌의 행정질서벌화가 이루어지고 있다.

2. 행정질서벌

(1) 의의

행정질서벌이란 행정법상의 의무위반에 대하여 「형법」상의 형벌이 아닌 과태료가 과하여지는 행정벌을 말한다.

(2) 적용법률

행정질서벌은 형벌이 아니므로 형법총칙이 적용되지 않으며, 과태료의 부과절차인 「질서위반규제법」에 의한다.

(3) 대상인 행위

① 행정질서벌인 과태료는 신고·등록·서류비치 등의 의무를 태만히 하는 것과 같이 간접적으로 행정상 질서에 장애를 줄 위험성이 있는 경미한 범법행위에 대한 제재로서 과하여지는 것이 보통이다.
② 헌법재판소는 행정법상의 의무위반행위에 대하여 행정형벌을 과할 것인지, 행정질서벌을 과할 것인지는 입법권자의 입법재량에 속한다고 보고 있다.

> **관련판례**
> **행정법규 위반행위에 대하여 행정질서벌을 과할 것인지 행정형벌을 과할 것인지는 입법재량에 속한다. ★★★**
> 어떤 행정법규위반의 행위에 대하여 이를 단지 간접적으로 행정상의 질서에 장애를 줄 위험성이 있음에 불과한 경우로 보아 행정질서벌인 과태료를 과할 것인지 아니면 직접적으로 행정목적과 공익을 침해한 행위로 보아 행정형벌을 과할 것인지는 기본적으로 입법권자가 제반사정을 고려하여 결정할 입법재량에 속하는 문제이다(헌재 1998.5.28. 96헌바83).

제2절 행정형벌의 특수성

1 행정형벌과 형법총칙

「형법」 제8조는 "본법 총칙은 타법령에 정한 죄에 적용된다. 단, 그 법령에 특별한 규정이 있는 때에는 예외로 한다."고 규정하고 있으므로, 다른 법령이 특별한 규정을 두고 있지 않다면 행정형벌에도 원칙적으로 형법총칙이 적용된다.

행정형벌
▷ 원칙적으로 형법총칙 적용

2 행정형벌에 관한 특별규정

1. 고의 또는 과실

(1) 고의

「형법」 제13조는 "죄의 성립요소인 사실을 인식하지 못한 행위는 벌하지 아니한다."고 하여 죄의 성립에 원칙적으로 고의가 있음을 요건으로 하고 있다. 이러한 「형법」의 규정은 행정범에도 적용되므로 행정범의 경우에도 범죄성립을 위해서는 원칙적으로 고의가 있어야 한다.

> **관련판례**
>
> **행정범도 원칙적으로 고의가 있어야 벌할 수 있다.** ★★
> 행정상의 단속을 주안으로 하는 법규라 하더라도 명문규정이 있거나 해석상 과실범도 벌할 뜻이 명확한 경우를 제외하고는 형법의 원칙에 따라 고의가 있어야 벌할 수 있다(대판 1986.7.22. 85도108).

행정범의 처벌
▷ 명문규정 有 or 해석상 벌할 뜻이 명확한 경우를 제외하고는 고의가 있어야 벌할 수 있음

(2) 과실

① 「형법」 제14조는 "과실행위는 법률에 특별한 규정이 있는 경우에 한하여 처벌한다."라고 규정하고 있다. 따라서 행정범의 경우에도 명문의 규정이 있으면 이에 따라 처벌할 수 있다(예 「도로교통법」 제151조, 「부정수표 단속법」 제2조 제3항).
② 문제는 명문규정이 없는 경우에도 과실행위을 처벌할 수 있는가에 있다. 이와 관련하여 판례는 과실행위를 처벌한다는 명문규정이 있는 경우뿐만 아니라 명문의 규정이 없더라도 규정 해석상 과실범의 가벌성이 인정되는 경우에는 과실범도 처벌할 수 있다는 입장이다.

명문의 규정이 있는 경우
▷ 처벌 可

명문의 규정이 없는 경우
▷ 규정 해석상 과실범의 가벌성이 인정되는 경우 처벌 可(판례)

> **관련판례**
>
> **허용기준을 초과하는 배출가스를 배출하는 자동차 운행행위를 처벌하는 구 대기환경보전법 규정은 고의범의 경우는 물론 과실범의 경우도 함께 처벌하는 규정이다.** ★★
> 구 대기환경보전법의 입법목적이나 제반 관계규정의 취지 등을 고려하면, 법정의 배출허용기준을 초과하는 배출가스를 배출하면서 자동차를 운행하는 행위를 처벌하는 위 법 제57조 제6호의 규정은 고의범의 경우는 물론 과실로 인하여 그러한 내용을 인식하지 못한 과실범의 경우도 함께 처벌하는 규정이다(대판 1993.9.10. 92도1136).

배출기준초과 자동차운행
▷ 과실범의 경우도 처벌○

함께 정리하기

위법성 인식하지 못하고 그 오인에 정당한 이유가 있는 경우
▷ 처벌 불가

초등학교장의 꽃 양귀비 심은 행위
▷ 처벌 불가

10년 이상 종묘상을 경영한 자의 꽃 양귀비 종자 매수·판매 행위
▷ 처벌 可

행정범
▷ 책임무능력 배제 규정 有

양벌규정
▷ 행위자 외 법인 등도 처벌하는 규정

❶ 형법학에서 법인의 범죄능력을 부인하는 이유는 형사책임은 행위자의 도의적 죄악성에 대한 문책인데, 법인은 그 자체로서 윤리적 자기결정을 할 인격성이 결여되어 있기 때문이다.

❷ 물론 이 경우 처벌수단은 법인의 성질상 벌금·과료·몰수 등의 금전벌이다.

❸ 법인도 처벌한다는 특별규정이 없는 「수출진흥법」하에서는 법인에게 위법을 적용하지 못한다(대판 1968.2.20. 67도1683). 죄형법정주의의 원칙상 행위자 이외의 자의 처벌은 법적 근거가 있어야 하기 때문이다.

2. 위법성의 인식

(1) 「형법」 제16조는 "죄가 되지 아니하는 것으로 오인한 행위는 그 오인에 정당한 이유가 있는 때에 한하여 벌하지 아니한다."라고 하여 금지의 착오를 규정하고 있다. 이 「형법」의 규정은 원칙적으로 행정범에 대해서도 적용된다.

(2) 그러나 행정범은 행위자가 구체적으로 행정법규를 알지 못하고 범하여 그 위법성을 인식하지 못 하는 경우가 빈번히 발생할 수 있다. 이에 따라 「형법」 제16조는 행정범에 대하여 항상 타당하다고 볼 수 없으며, 개별법 가운데 행정형벌의 특수성을 고려하여 명문으로 이의 적용을 배제시키는 규정을 두고 있는 경우도 있다(「담배사업법」 제31조).

> **⚖️ 관련판례**
>
> **1** 초등학교 교장이 교과식물로 꽃 양귀비를 심은 행위는 그 오인에 정당한 이유가 있으므로 처벌할 수 없다. ★
>
> 국민학교 교장이 도 교육위원회의 지시에 따라 교과내용으로 되어 있는 꽃 양귀비를 교과식물로 비치하기 위하여 양귀비 종자를 사서 교무실 앞 화단에 심은 것이라면 이는 죄가 되지 아니하는 것으로 오인한 행위로서 그 오인에 정당한 이유가 있는 경우에 해당한다고 할 것이다(대판 1972.3.31. 72도64).
>
> **2** 10년 이상 종묘상을 경영한 자의 꽃 양귀비 종자 매수·판매 행위는 그 오인에 정당한 이유가 없으므로 처벌할 수 있다. ★
>
> 10년 이상을 소채 및 종묘상 등을 경영하여 식물의 종자에 대하여 지식경험을 가진 자는 특별한 사정이 없는 이상 양귀비종자에 마약성분이 함유되어 있는 사실을 쉽게 알고 있었다고 봄이 경험법칙상 당연하다(대판 1972.3.31. 72도64).

3. 책임능력

형사범에 있어서는 심신장애자 및 농아자의 행위는 벌하지 않거나 그 벌을 감경하고(「형법」 제10조), 14세 미만인 자의 행위는 벌하지 않는다(「형법」 제9조). 그러나 행정범의 경우 이러한 규정의 적용을 배제 또는 제한하는 규정을 두는 경우가 있다(예 「담배사업법」 제31조).

4. 법인의 책임(양벌규정)

(1) 의의

법인은 「형법」상 범죄능력이 부인되므로, 형사처벌의 대상이 될 수 없다.❶ 그러나 행정법규 중에는 법인의 대표자 또는 대리인·사용인 기타의 종업원이 법인 등의 사무에 관하여 행정법상 의무에 위반된 행위를 한 경우에 행위자뿐만 아니라 법인에 대해서도 처벌하는 양벌규정을 두는 경우가 많다(예 「도로법」 제116조, 「건축사법」 제40조, 「소방기본법」 제55조, 「문화재보호법」 제102조). 이와 같이 명문의 규정이 있는 경우에는 형사범의 경우와 달리 법인에 대한 처벌이 가능하다.❷ 그러나 명문의 규정이 없는 경우에는 죄형법정주의에 따라 법인에 대한 처벌은 허용되지 아니한다.❸

(2) 양벌규정의 대상인 법인

① **국가**: 국가형벌권의 행사를 국가에 대하여 행사할 수는 없을 것이므로 국가는 양벌규정의 대상이 되는 법인에 포함되지 않는다.

② **지방자치단체**: 판례는 지방자치단체 소속공무원이 지방자치단체 고유의 자치사무를 처리하면서 위반행위를 한 경우에는 양벌규정에 따라 처벌되는 법인에 해당하나, 지방자치단체 소속 공무원이 기관위임사무 수행 중 위반행위를 한 경우에는 양벌규정에 따라 처벌되는 법인에 해당하지 않는다고 한다.

> **관련판례**
>
> **1** 지방자치단체 소속 공무원이 지방자치단체 고유의 자치사무를 수행하던 중 도로법 위반행위를 한 경우 지방자치단체는 양벌규정에 따라 처벌대상이 되는 법인에 해당한다. ★★★
>
> 기관위임사무의 경우에는 지방자치단체는 국가기관의 일부로 볼 수 있는 것이지만, 지방자치단체가 그 고유의 자치사무를 처리하는 경우에는 지방자치단체는 국가기관의 일부가 아니라 국가기관과는 별도의 독립한 공법인이므로, 지방자치단체 소속 공무원이 지방자치단체 고유의 자치사무를 수행하던 중 도로법 제81조 내지 제85조의 규정에 의한 위반행위를 한 경우에는 지방자치단체는 도로법 제86조의 양벌규정에 따라 처벌대상이 되는 법인에 해당한다(대판 2005.11.10. 2004도2657).
>
> **2** 지방자치단체가 국가로부터 위임받은 기관위임사무를 처리하는 경우, 지방자치단체는 양벌규정에 의한 처벌 대상이 되는 법인에 해당되지 않는다. ★★★
>
> 지방자치단체 소속 공무원이 지정항만순찰 등의 업무를 위해 관할관청의 승인 없이 개조한 승합차를 운행함으로써 구 자동차관리법을 위반한 사안에서, 지방자치법, 구 항만법, 구 항만법 시행령 등에 비추어 위 항만순찰 등의 업무가 지방자치단체의 장이 국가로부터 위임받은 기관위임사무에 해당하여, 해당 지방자치단체가 구 자동차관리법 제83조의 양벌규정에 따른 처벌대상이 될 수 없다(대판 2009.6.11. 2008도6530).

(3) 법인의 책임의 성질

법인의 대표자의 범죄행위에 대한 법인의 책임은 법인의 직접책임이고, 종업원의 범죄행위에 대한 법인의 책임은 주의·감독의무를 태만히 한 법인의 자기책임이자 과실책임이라고 하는 것이 통설과 판례의 입장이다.

> **관련판례**
>
> **1** 종업원 등의 위반행위와 관련하여 법인의 책임 유무를 묻지 않고 형벌을 부과하는 양벌규정은 형사법상의 책임주의에 반한다. ★★
>
> 이 사건 법률조항에 의할 경우 법인이 종업원 등의 위반행위와 관련하여 선임·감독상의 주의의무를 다하여 아무런 잘못이 없는 경우까지도 법인에게 형벌을 부과될 수밖에 없게 되어 법치국가의 원리 및 죄형법정주의로부터 도출되는 책임주의원칙에 반하므로 헌법에 위반된다(헌재 2009.7.30. 2008헌가14).
>
> **2** 종업원의 무면허의료행위가 있으면 영업주의 책임 유무를 묻지 않고 형벌을 부과하는 양벌규정은 형사법상의 책임주의에 반한다. ★★
>
> 이 사건 법률조항이 종업원의 업무 관련 무면허의료행위가 있으면 이에 대해 영업주가 비난받을 만한 행위가 있었는지 여부와는 관계없이 자동적으로 영업주도 처벌하도록 규정하고 있고, 형사법의 기본원리인 '책임 없는 자에게 형벌을 부과할 수 없다'는 책임주의에 반한다(헌재 2007.11.29. 2005헌가10).

함께 정리하기

자치사무를 처리하면서 위반행위를 한 경우
▷ 양벌규정 따라 지방자치단체 처벌 가

기관위임사무를 처리하면서 위반행위를 한 경우
▷ 양벌규정 따라 지방자치단체 처벌 불가

자치사무 수행 중 「도로법」 위반
▷ 양벌규정 따라 지방자치단체 처벌 가

기관위임사무 수행 중 「자동차관리법」 위반
▷ 양벌규정 따라 지방자치단체 처벌 불가

종업원의 행위
▷ 법인 등의 자기책임·과실책임

종업원의 위반행위 시 법인의 책임을 불문하고 형벌부과
▷ 책임주의원칙에 반함

종업원의 무면허의료행위 시 영업주의 책임을 불문하고 형벌부과
▷ 책임주의원칙에 반함

5. 타인의 행위에 대한 책임(양벌규정)

(1) 의의

형사범의 경우 행위자 이외의 자를 처벌하는 경우는 없으나, 행정범의 경우는 행위자 이외에도 행정법상의 의무를 지는 자를 처벌하는 양벌규정을 두는 경우가 있다. 예를 들어, 종업원의 위반행위에 대하여 사업주를 처벌하거나 미성년자나 금치산자의 위반행위에 대하여 그 법정대리인을 처벌하는 경우 등이 그것이다(예「근로기준법」제115조, 「관세법」제279조).

(2) 타인의 행위에 대한 책임의 성질

사업주나 법정대리인이 지는 책임의 성질에 대하여, 타인에 갈음하여 지는 대위책임 또는 무과실책임이라는 견해도 있었으나, 오늘날은 타인에 대한 업무상 감독에 상당한 주의와 감독을 태만히 한 자기책임 또는 과실책임이라고 보는 것이 통설과 판례의 입장이다.

> **관련판례**
>
> **양벌규정에 의한 영업주 처벌은 금지위반행위자인 종업원에 대한 선임·감독상의 과실로 인하여 처벌되는 것이다. ★★★**
>
> 양벌규정에 의한 영업주 처벌은 금지위반행위자인 종업원의 처벌에 종속하는 것이 아니라 독립하여 그 자신의 종업원에 대한 선임·감독상의 과실로 인하여 처벌되는 것이므로 종업원의 범죄성립이나 처벌이 영업주 처벌의 전제조건이 될 필요는 없다(영업주의 위 과실책임을 묻는 경우 금지위반행위자인 종업원에게 구성요건상의 자격이 없다고 하더라도 영업주의 범죄성립에는 아무런 지장이 없다)(대판 1987.11.10. 87도1213 ; 대판 2006.2.24. 2005도7673).

영업주의 처벌
▷ 종업원의 처벌에 종속✕
▷ 전제조건✕

6. 기타

(1) 공범

행정범의 경우 행정법상의 의무의 다양성 때문에 「형법」의 규정 중 공동정범(「형법」제30조), 교사범(「형법」제31조), 종범(「형법」제32조) 등에 관한 규정의 적용을 배제하는 경우도 있고(예「선박법」제39조), 종범 감경규정(「형법」제32조 제2항)을 배제하는 경우도 있다(예「담배사업법」제31조).

(2) 경합범·작량감경

행정범에서는 「형법」상의 경합범(「형법」제38조)·작량감경(「형법」제53조)에 관한 규정을 배제하는 특별규정을 두는 경우가 적지 않다(예「담배사업법」제31조, 「조세범처벌법」제20조).

3 행정형벌의 과벌절차

1. 일반과벌절차

행정형벌은 원칙적으로 「형사소송법」이 정하는 절차에 따라 법원이 과벌하는 것이 원칙이나, 예외적으로 통고처분, 즉결심판절차가 활용되기도 한다.

2. 특별과벌절차

(1) 통고처분

① 의의 및 취지
  ㉠ 통고처분은 일반형사소송절차에 앞선 절차로서 경미한 범법행위에 대하여 형벌(예 벌금 또는 과료) 대신 금전적 제재인 범칙금의 납부를 통보하고 범법자가 이를 납부하면 당해 범법행위에 대한 형사소추를 면해주는 과벌절차를 말한다.
  ㉡ 통고처분은 빈번히 발생하는 경미한 법위반행위를 전문적인 행정 공무원에 의해 신속하게 제재함으로써 검찰 및 법원의 과중한 업무 부담을 경감시켜주는 제도이다.

> **관련판례**
>
> 통고처분은 경미한 법위반행위를 범칙금 납부로써 신속·간편하게 종결할 수 있게 해주어 검찰·법원의 과중한 업무 부담을 덜어주고 형벌의 비범죄화 정신에 부합하는 제도이다. ★★
> 통고처분 제도는 경미한 교통법규 위반자로 하여금 형사처벌절차에 수반되는 심리적 불안, 시간과 비용의 소모, 명예와 신용의 훼손 등의 여러 불이익을 당하지 않고 범칙금 납부로써 위반행위에 대한 제재를 신속·간편하게 종결할 수 있게 하여주며, 교통법규 위반행위가 홍수를 이루고 있는 현실에서 행정공무원에 의한 전문적이고 신속한 사건처리를 가능하게 하고, 검찰 및 법원의 과중한 업무 부담을 덜어 준다. 또한 통고처분제도는 형벌의 비범죄화 정신에 접근하는 제도이다(헌재 2003.10.30. 2002헌마275).

② 적용대상
  ㉠ 통고처분은 모든 범죄에 인정되는 것이 아니라 조세범(「조세범처벌절차법」), 관세범(「관세법」), 출입국사범(「출입국관리법」), 교통사범(「도로교통법」), 경범죄사범(「경범죄처벌법」) 등 개별법에서 규정하고 있는 경우에 한하여 인정되고 있다.
  ㉡ 통고처분은 벌금·과료에 해당하는 행정형벌을 대상으로 한다. 따라서 행정질서벌에 인정되지 않는다.

③ **통고처분권자**: 통고처분권자는 검사나 법원이 아니라 세무서장, 국세청장, 관세청장, 세관장, 경찰서장 등의 행정청이다.

④ 법적 성질
  ㉠ 통고처분은 상대방의 임의의 승복을 그 발효요건으로 하기 때문에 그 자체만으로는 통고이행을 강제하거나 상대방에게 아무런 권리·의무를 형성하지 않으므로 행정쟁송의 대상으로서의 처분성이 부정된다. 따라서 통고처분에 대한 위법·부당 여부는 형사소송의 절차에서 다투어야 한다.

함께 정리하기

일반과벌절차
▷ 「형사소송법」에 따라 법원이 과벌함이 원칙

의의
▷ 형벌을 대신하여 범칙금을 부과하고 납부시에는 형사절차 종료, 미납 시에는 형사소송절차에 따라 형벌을 과하도록 하는 절차

통고처분의 기능
▷ 행정공무원에 의한 전문적이고 신속한 사건처리
▷ 검찰·법원의 부담 경감
▷ 형벌의 비범죄화

적용대상
▷ 조세범, 관세범, 출입국사범, 교통사범, 경범죄사범 등

❶ 전매사범은 담배·인삼·홍삼에 대한 전매제도의 폐지로 인해 현재는 통고처분의 대상이 아니다.

통고처분권자
▷ 행정청

임의승복이 발효요건
▷ 처분성 無

경찰서장의 통고처분
▷ 행정처분 ✕

관련판례

1 도로교통법상 경찰서장의 통고처분은 행정처분이 아니다. ★★★

도로교통법 제118조에서 규정하는 경찰서장의 통고처분은 행정소송의 대상이 되는 행정처분이 아니므로 그 처분의 취소를 구하는 소송은 부적법하고, 도로교통법상의 통고처분을 받은 자가 그 처분에 대하여 이의가 있는 경우에는 통고처분에 따른 범칙금의 납부를 이행하지 아니함으로써 경찰서장의 즉결심판청구에 의하여 법원의 심판을 받을 수 있게 될 뿐이다(대판 1995.6.29. 95누4674).

통고처분
▷ 재판받을 권리 침해 ✕
▷ 적법절차 위배 ✕
▷ 합헌

2 통고처분을 행정심판이나 행정소송의 대상에서 제외하고 있는 관세법의 규정이 재판청구권을 침해했다고 할 수 없다. ★★

통고처분에 대하여 이의가 있으면 통고내용을 이행하지 않음으로써 고발되어(관세법 제232조) 형사재판절차에서 통고처분의 위법·부당함을 얼마든지 다툴 수 있다. 범죄자측에서 먼저 적극적·능동적으로 이의제기할 수는 없지만 통고불이행이라는 묵시적·소극적 이의제기에 의하여 형사재판절차로 이행되는 것이다. 통고처분은 이와 같이 법관이 아닌 행정공무원에 의한 것이지만 처분을 받은 당사자의 임의의 승복을 발효요건으로 하고 불응시 정식재판의 절차가 보장되어 있으므로 통고처분에 대하여 행정쟁송을 배제하고 있는 이 사건 법률조항이 법관에 의한 재판받을 권리를 침해한다든가 적법절차의 원칙에 저촉된다고 볼 수 없다(헌재 1998.5.28. 96헌바4).

Ⓛ 통고처분은 재량행위이다. 따라서 통고처분을 할 것인지 여부는 권한 행정청의 재량에 속한다.

통고처분 여부
▷ 행정기관의 재량

관련판례

통고처분을 할 것인지의 여부는 권한 행정청의 재량에 속한다. ★★★

관세법상 통고처분을 할 것인지의 여부는 관세청장 또는 세관장의 재량에 맡겨져 있고, 따라서 관세청장 또는 세관장이 관세범에 대하여 통고처분을 하지 아니한 채 고발하였다는 것만으로는 그 고발 및 이에 기한 공소의 제기가 부적법하게 되는 것은 아니다(대판 2007.5.11. 2006도1993).

⑤ 효과

통고처분의 불이행의 경우
▷ 공소제기를 하려면 권한 행정청의 고발이 있어야 함
▷ 검찰은 통고처분권자의 고발 없이는 기소 ✕

㉠ 행정청(예 세무서장, 국세청장 등)은 범칙자가 통고를 받은 날부터 15일 이내에 통고대로 이행하지 아니한 경우에는 고발하여야 한다. 그러나 통고처분의 이행기간이 경과하더라도 고발 전에 이행하면 고발할 수 없다(「조세범처벌절차법」 제17조 제2항). 한편 검찰은 통고처분권자의 고발 없이는 기소할 수 없다.

통고처분시
▷ 공소시효 진행 중단

㉡ 통고처분이 행해지면 공소시효의 진행은 중단된다(「조세범처벌절차법」 제16조).

함께 정리하기

통고처분
▷ 납부기간까지 즉결심판청구, 공소제기 불가

관련판례

1 경찰서장이 범칙행위에 대하여 통고처분을 하였는데 통고처분에서 정한 범칙금 납부기간이 경과하지 아니한 경우, 원칙적으로 즉결심판을 청구할 수 없고, 검사도 동일한 범칙행위에 대하여 공소를 제기할 수 없다. ★★★

경범죄 처벌법상 범칙금제도는 범칙행위에 대하여 형사절차에 앞서 경찰서장의 통고처분에 따라 범칙금을 납부할 경우 이를 납부하는 사람에 대하여는 기소를 하지 않는 처벌의 특례를 마련해 둔 것으로 법원의 재판절차와는 제도적 취지와 법적 성질에서 차이가 있다. 또한 범칙자가 통고처분을 불이행하였더라도 기소독점주의의 예외를 인정하여 경찰서장의 즉결심판 청구를 통하여 공판절차를 거치지 않고 사건을 간이하고 신속·적정하게 처리함으로써 소송경제를 도모하되, 즉결심판 선고 전까지 범칙금을 납부하면 형사처벌을 면할 수 있도록 함으로써 범칙자에 대하여 형사소추와 형사처벌을 면제받을 기회를 부여하고 있다. 따라서 경찰서장이 범칙행위에 대하여 통고처분을 한 이상, 범칙자의 위와 같은 절차적 지위를 보장하기 위하여 통고처분에서 정한 범칙금 납부기간까지는 원칙적으로 경찰서장은 즉결심판을 청구할 수 없고, 범칙행위에 대한 형사소추를 위하여 이미 한 통고처분을 임의로 취소할 수 없으며, 검사도 동일한 범칙행위에 대하여 공소를 제기할 수 없다고 보아야 한다. 이때 공소를 제기할 수 없는 범칙행위는 통고처분 시까지의 행위 중 범칙금 통고의 이유에 기재된 당해 범칙행위 자체 및 그 범칙행위와 동일성이 인정되는 범칙행위에 한정된다(대판 2020.4.29. 2017도13409 ; 대판 2023.3.16. 2023도751 등).

2 세무공무원의 고발 없이 조세범칙사건의 공소가 제기된 후에 세무공무원이 그 고발을 하였다 하여도 그 공소절차의 무효가 치유된다고는 볼 수 없다(대판 1970.7.28. 70도942). ★

공소제기 후 고발
▷ 무효
▷ 하자치유 ×

⑥ 통고처분에 의한 과벌절차

㉠ 통고처분을 이행한 경우

ⓐ 통고처분을 받은 자가 법정기간 내에 통고된 내용을 이행한 경우 불가변력이 발생하게 되어 일사부재리의 원칙의 적용을 받아 동일사건에 대하여 다시 소추받지 않으며, 과벌절차는 종료된다(확정판결과 동일한 효과).

통고처분 이행
▷ 과벌절차 종료
▷ 일사부재리 적용

관련판례

통고처분을 이행한 경우에 일사부재리 효력이 미치는 범위 ★★

범칙금의 통고 및 납부 등에 관한 규정들의 내용과 취지 등에 비추어 볼 때, 범칙자가 경찰서장으로부터 범칙행위를 하였음을 이유로 범칙금의 통고를 받고 납부기간 내에 그 범칙금을 납부한 경우 범칙금의 납부에 확정판결에 준하는 효력이 인정됨에 따라 다시 벌 받지 아니하게 되는 행위사실은 범칙금 통고의 이유에 기재된 당해 범칙행위 자체 및 그 범칙행위와 동일성이 인정되는 범칙행위에 한정된다고 해석함이 상당하다. 범칙행위와 같은 일시, 장소에서 이루어진 행위라 하더라도 범칙행위의 동일성을 벗어난 형사범죄행위에 대하여는 범칙금의 납부에 따라 확정판결의 효력에 준하는 효력이 미치지 아니한다(대판 2002.11.22. 2001도849).

일사부재리 효력의 발생 범위
▷ 범칙금 납부의 원인이 된 범칙행위와 동일성이 인정되는 행위사실에 한하여

ⓑ 근거법률에서 통고처분과 즉시고발을 선택적으로 할 수 있다고 규정된 경우, 행정청이 통고처분을 거치지 아니하고 즉시 고발하였다면 이로써 처분절차는 종료되고, 형사사건 절차로 이행되므로 더 이상 통고처분을 할 권한이 없다. 따라서 행정청이 이미 즉시 고발한 다음 동일사건에 대하여 통고처분을 하였다면, 그 통고처분은 권한이 소멸된 후에 이루어진 것으로 효력은 없고, 통고처분을 받은 자가 통고처분을 이행하였다고 하더라도 일사부재리원칙이 적용되지 않는다.

즉시고발하면 절차종료
▷ 그 후에 통고처분은 무효

고발 후 이루어진 통고처분을 이행
▷ 일사부재리원칙 적용×

> 🔨 **관련판례**
>
> **지방국세청장 또는 세무서장이 조세범칙행위에 대하여 고발을 한 후에 동일한 조세범칙행위에 대하여 한 통고처분은 효력이 없고, 조세범칙행위자가 이러한 통고처분을 이행하였더라도 일사부재리원칙이 적용될 수 없다. ★★★**
>
> 조세범처벌절차법 제15조 제1항에 따른 지방국세청장 또는 세무서장의 조세범칙사건에 대한 통고처분은 형사절차의 사전절차로서의 성격을 가진다. 그리고 조세범처벌절차법에 따른 조세범칙사건에 대한 지방국세청장 또는 세무서장의 고발은 수사 및 공소제기의 권한을 가진 수사기관에 대하여 조세범칙사실을 신고함으로써 형사사건으로 처리할 것을 요구하는 의사표시로서, 조세범칙사건에 대하여 고발한 경우에는 지방국세청장 또는 세무서장에 의한 조세범칙사건의 조사 및 처분 절차는 원칙적으로 모두 종료된다. … 지방국세청장 또는 세무서장이 조세범처벌절차법 제17조 제1항에 따라 통고처분을 거치지 아니하고 즉시 고발하였다면 이로써 조세범칙사건에 대한 조사 및 처분 절차는 종료되고 형사사건 절차로 이행되어 지방국세청장 또는 세무서장으로서는 동일한 조세범칙행위에 대하여 더 이상 통고처분을 할 권한이 없다. 따라서 지방국세청장 또는 세무서장이 조세범칙행위에 대하여 고발을 한 후에 동일한 조세범칙행위에 대하여 통고처분을 하였더라도, 이는 법적권한 소멸후에 이루어진 것으로서 특별한 사정이 없는 한 효력이 없고, 조세범칙행위자가 이러한 통고처분을 이행하였더라도 조세범처벌절차법 제15조 제3항에서 정한 일사부재리의 원칙이 적용될 수 없다(대판 2016.9.28. 2014도10748).

법정기간 내 불이행
▷ 통고처분 효력상실
▷ 고발 또는 즉결심판청구를 하여야 함

ⓒ **통고처분을 이행하지 않은 경우:** 통고처분을 받은 자가 법정기간 내에 통고된 내용을 이행하지 않는 경우에는 통고처분은 효력이 상실하고 행정청의 즉결심판 청구 또는 고발에 의하여 일반적 과벌절차인 형사소송의 절차로 이행하게 된다.

(2) 즉결심판절차

즉결심판
▷ 경미한 위반행위에 대해 20만원 이하 벌금·구류·과료를 과하는 간이절차
▷ 불복: 7일 내 정식재판 청구 可
▷ 형사범에도 적용
▷ 행정형벌 특별 절차×

20만원 이하의 벌금·구류 또는 과료에 해당하는 형정형벌은 즉결심판에 관한 절차법(「즉결심판법」)에 따라 과벌되는데, 경찰서장의 청구에 의하여 판사가 벌금 등을 과한다. 즉결심판에 대하여 불복이 있는 자는 고지를 받은 날부터 7일 이내에 정식재판을 청구할 수 있다(「법원조직법」 제34조, 제35조). 이러한 즉결심판절차는 일반형사범에 대하여도 적용되는 절차이므로 행정형벌에만 적용되는 특별한 과벌절차는 아니다.

제3절 행정질서벌(과태료)의 특수성

함께 정리하기

1 「질서위반행위규제법」의 적용

행정질서벌인인 과태료는 형벌이 아니므로 행정질서벌에는 형법총칙이 적용되지 않고, 과태료에 대한 일반법인 「질서위반행위규제법」(이하 '동법'이라 함)이 적용된다.

2 「질서위반행위규제법」상의 '질서위반행위'

「질서위반행위규제법」(2007.12.21. 제정, 2008.6.22. 시행)은 '질서위반행위'를 법률(지방자치단체의 조례를 포함)상의 의무를 위반하여 과태료를 부과하는 행위(① 대통령령으로 정하는 사법(私法)상·소송법상 의무를 위반하여 과태료를 부과하는 행위, ② 대통령령으로 정하는 법률에 따른 징계사유에 해당하여 과태료를 부과하는 행위는 제외)라고 규정하고 있다(동법 제2조 제1호).

질서위반행위
▷ 법률(조례를 포함)상의 의무를 위반하여 과태료를 부과하는 행위질서위반행위에서 제외되는 행위
▷ 사법(私法)상·소송법상 의무를 위반하여 과태료를 부과하는 행위
▷ 징계사유에 해당하여 과태료를 부과하는 행위

3 행정질서벌의 부과

1. 부과의 근거

(1) 「질서위반행위규제법」 제6조는 "법률에 따르지 아니하고는 어떤 행위도 질서위반행위로 과태료를 부과하지 아니한다."고 규정하여 '질서위반행위 법정주의'를 선언하고 있다. 따라서 행정질서벌의 부과는 법률에 근거가 있어야 하며, 이에는 국가의 법령에 근거한 것과 지방자치단체의 조례에 근거한 것(「지방자치법」 제34조)이 있다.

「질서위반행위규제법」
▷ 질서위반행위 법정주의를 선언하고 있음

(2) 「질서위반행위규제법」은 과태료 부과의 근거법률은 아니며 질서위반행위를 한 자(동법 제2조 제1호)에 대한 과태료 부과의 요건, 절차, 징수 등을 정하는 법률이다. 과태료의 부과·징수, 재판 및 집행 등의 절차에 관한 다른 법률의 규정 중 「질서위반행위규제법」의 규정에 저촉되는 것은 「질서위반행위규제법」으로 정하는 바에 따른다(동법 제5조).

「질서위반행위규제법」
▷ 과태료 부과의 근거법률×
▷ 과태료 부과의 요건·절차·징수 등을 정하는 법률○

법률의 규정 중 「질서위반행위규제법」의 규정에 저촉되는 것
▷ 「질서위반행위규제법」으로 정하는 바에 따름

2. 부과요건

「질서위반행위규제법」은 제2장에서 형법총칙과 유사하게 규정하고 있다.

(1) 적용범위

① 시간적 적용범위
㉠ 질서위반행위의 성립과 과태료 처분은 행위 시의 법률에 따른다(동법 제3조 제1항).
㉡ 질서위반행위 후 법률이 변경되어 그 행위가 질서위반행위에 해당하지 아니하게 되거나 과태료가 변경되기 전의 법률보다 가볍게 된 때에는 법률에 특별한 규정이 없는 한 변경된 법률을 적용한다(동법 제3조 제2항).

질서위반행위의 성립과 과태료 처분
▷ 행위 시의 법률에 따라

질서위반행위 후 법률의 변경
▷ 질서위반행위에 해당하지 않는 것으로 변경, 과태료가 전보다 가볍게 변경
▷ 변경된 법률을 적용

관련판례

질서위반행위의 과태료 부과의 근거법률이 개정되어 행위시법에 의하면 과태료 부과 대상이었지만 재판시법에 의하면 과태료 부과대상이 아니게 된 때에는 특별한 규정이 없는 한 재판시법을 적용하여 과태료를 부과할 수 없다. ★★

과태료 부과에 관한 일반법인 질서위반행위규제법에 의하면, 질서위반행위의 성립과 과태료 처분은 원칙적으로 행위 시의 법률에 따르지만(제3조 제1항), 질서위반행위 후 법률이 변경되어 그 행위가 질서위반행위에 해당하지 아니하게 되거나 과태료가 변경되기 전의 법률보다 가볍게 된 때에는 법률에 특별한 규정이 없는 한 변경된 법률을 적용하여야 한다(제3조 제2항). 따라서 질서위반행위에 대하여 과태료 부과의 근거 법률이 개정되어 행위 시의 법률에 의하면 과태료 부과대상이었지만 재판 시의 법률에 의하면 과태료 부과대상이 아니게 된 때에는, 개정 법률의 부칙에서 종전 법률 시행 당시에 행해진 질서위반행위에 대해서는 행위 시의 법률을 적용하도록 특별한 규정을 두지 않은 이상 재판 시의 법률을 적용하여야 하므로 과태료를 부과할 수 없다(대결 2020.12.18. 2020마6912).

ⓒ 행정청의 과태료 처분이나 법원의 과태료 재판이 확정된 후 법률이 변경되어 그 행위가 질서위반행위에 해당하지 아니하게 된 때에는 변경된 법률에 특별한 규정이 없는 한 과태료의 징수 또는 집행을 면제한다(동법 제3조 제3항).

② 장소적 적용범위

㉠ 「질서위반행위규제법」은 내·외국인 불문, 대한민국 영역 안에서 질서위반행위를 한 자에게 적용(속지주의)되며(동법 제4조 제1항) 영역 밖에서 질서위반행위를 한 대한민국의 국민에게도 적용(속인주의)된다(동법 제4조 제2항).

㉡ 대한민국 영역 밖에 있는 대한민국의 선박 또는 항공기 안에서 질서위반행위를 한 외국인에게도 적용된다(동법 제4조 제3항).

(2) 의무위반자의 고의 또는 과실

① 「질서위반행위규제법」은 고의 또는 과실이 없는 질서위반행위는 과태료를 부과하지 아니한다고 규정하고 있다(동법 제7조).

② 종래에는 과태료와 같은 행정질서벌은 질서위반에 대한 제재라는 점에서 행위자의 고의·과실과 같은 주관적 요소를 문제 삼지 않고 객관적인 법규위반이 있으면 부과할 수 있는 것으로 보았으나(대판 1994.8.26. 94누6949), 이제는 「질서위반행위규제법」 제7조에서 행정질서벌의 성립에 고의 또는 과실을 요구하고 있으므로 질서위반행위가 성립하기 위해서는 행위자에게 고의 또는 과실이 있어야 한다.

관련판례

현행 질서위반행위규제법상 과태료 부과시에는 고의·과실여부를 살펴야 한다. ★★★

질서위반행위규제법은 과태료의 부과대상인 질서위반행위에 대하여도 책임주의 원칙을 채택하여 제7조에서 "고의 또는 과실이 없는 질서위반행위는 과태료를 부과하지 아니한다."고 규정하고 있으므로, 질서위반행위를 한 자가 자신의 책임 없는 사유로 위반행위에 이르렀다고 주장하는 경우 법원으로서는 그 내용을 살펴 행위자에게 고의나 과실이 있는지를 따져보아야 한다(대결 2011.7.14. 2011마364).

(3) 위법성의 인식

자신의 행위가 위법하지 아니한 것으로 오인하고 행한 질서위반행위는 그 오인에 정당한 이유가 있는 때에 한하여 과태료를 부과하지 아니한다(동법 제8조).

(4) 책임연령과 심신장애

① **책임연령**: 14세가 되지 아니한 자의 질서위반행위는 과태료를 부과하지 아니한다. 다만, 다른 법률에 특별한 규정이 있는 경우에는 그러하지 아니하다(동법 제9조).
② **심신장애**: 심신장애자나 심신미약자의 질서위반행위는 과태료를 부과하지 않거나 감경한다(동법 제10조 제1항·제2항). 그러나 스스로 심신장애 상태를 일으켜 질서위반행위를 한 자에 대하여는 그러하지 아니한다(동법 제10조 제3항).

(5) 과태료의 소멸시효

과태료는 행정청의 과태료 부과처분이나 법원의 과태료 재판이 확정된 후 5년간 징수하지 아니하거나 집행하지 아니하면 시효로 인하여 소멸한다(동법 제15조 제1항).

3. 부과대상자 및 과태료액의 산정

(1) 질서위반행위자, 법인 등

과태료의 부과대상자는 원칙적으로 질서위반행위를 한 자이다. 다만, 법인의 대표자, 법인 또는 개인의 대리인·사용인 및 그 밖의 종업원이 업무에 관하여 법인 또는 그 개인에게 부과된 법률상의 의무를 위반한 때에는 법인 또는 그 개인에게 과태료를 부과한다(동법 제11조 제1항).

> **관련판례**
> **과태료는 현실적 행위자가 아닌 법령상 책임자에게 부과될 수도 있다. ★★★**
> 과태료와 같은 행정질서벌은 행정질서유지를 위한 의무의 위반이라는 객관적 사실에 대하여 과하는 제재이므로 반드시 현실적인 행위자가 아니라도 법령상 책임자로 규정된 자에게 부과된다(대판 2000.5.26. 98두5972).

(2) 다수인의 질서위반행위

① 2인 이상이 질서위반행위에 가담한 때에는 각자가 질서위반행위를 한 것으로 본다(동법 제12조 제1항).
② 신분에 의하여 성립하는 질서위반행위에 신분이 없는 자가 가담한 때에는 신분이 없는 자에 대하여도 질서위반행위가 성립한다(동법 제12조 제2항).
③ 신분에 의하여 과태료를 감경 또는 가중하거나 과태료를 부과하지 아니하는 때에는 그 신분의 효과는 신분이 없는 자에게는 미치지 아니한다(동법 제12조 제3항).

(3) 수개의 질서위반행위의 처리

① 하나의 행위가 둘 이상의 질서위반행위에 해당하는 경우에는 각 질서위반행위에 대하여 정한 과태료 중 가장 중한 과태료를 부과한다(동법 제13조 제1항).
② 위 ①의 경우를 제외하고, 다른 법령이나 지방자치단체의 조례에 특별한 규정이 없는 한, 둘 이상의 질서위반행위가 경합하는 경우에는 각 질서위반행위에 대하여 정한 과태료를 각각 부과한다(동법 제13조 제2항).

 **함께 정리하기**

오인에 정당한 이유가 있는 때
▷ 과태료 부과×

14세 미만인 자의 질서위반행위
▷ 다른 법률에 특별한 규정이 없는 한 과태료 부과×

심신장애자나 심신미약자의 질서위반행위
▷ 과태료를 부과하지 않거나 감경

스스로 심신장애 상태를 일으킨 자의 질서위반행위
▷ 심신장애로 인한 면제, 감경규정 적용×

과태료재판 확정 후 5년간 징수×
▷ 시효로 소멸

과태료 책임의 주체
▷ 개인, 법인 등

2인 이상 질서위반행위에 가담
▷ 각자가 책임

신분에 의한 질서위반행위의 성립
▷ 신분의 연대원칙 적용

신분에 의한 과태료의 감경·가중·미부과
▷ 독립원칙 적용

하나의 행위가 둘 이상의 질서위반행위에 해당
▷ '가장 중한 과태료'를 부과

(4) 과태료액의 산정

행정청 및 법원은 과태료를 정함에 있어서 질서위반행위의 동기·목적·방법·결과, 질서위반행위 이후의 당사자의 태도와 정황, 질서위반행위자의 연령·재산상태·환경 등을 고려하여야 한다(동법 제14조).

4 행정질서벌의 부과·징수절차

1. 사전통지·의견제출

행정청이 질서위반행위에 대하여 과태료를 부과하고자 하는 때에는 미리 당사자(고용주 등을 포함)에게 대통령령으로 정하는 사항❶을 통지하고, 10일 이상의 기간을 정하여 의견을 제출할 기회를 주어야 한다. 이 경우 지정된 기일까지 의견 제출이 없는 경우에는 의견이 없는 것으로 본다(동법 제16조 제1항).

2. 과태료의 부과의 방식

행정청은 제16조의 의견제출 절차를 마친 후에 서면(당사자가 동의하는 경우에는 전자문서를 포함)으로 과태료를 부과하여야 한다(동법 제17조).

3. 과태료 부과의 제척기간

행정청은 질서위반행위가 종료된 날(다수인이 질서위반행위에 가담한 경우에는 최종행위가 종료된 날)부터 5년이 경과한 경우에는 해당 질서위반행위에 대하여 과태료를 부과할 수 없다(동법 제19조 제1항).

4. 이의제기 및 법원에의 통보

(1) 이의제기

① 행정청의 과태료 부과에 불복하는 당사자는 과태료 부과 통지를 받은 날부터 60일 이내에 해당 행정청에 서면으로 이의제기를 할 수 있다(동법 제20조 제1항).
② 이의제기가 있는 경우 행정청의 과태료 부과처분은 그 효력을 상실한다(동법 제20조 제2항).

(2) 법원에의 통보

이의제기를 받은 행정청은 이의제기를 받은 날부터 14일 이내에 이에 대한 의견 및 증빙서류를 첨부하여 관할 법원에 통보하여야 하고, 그 사실을 즉시 당사자에게 통지하여야 한다(동법 제21조).

5. 질서위반행위의 조사 및 과태료의 집행 등

(1) 질서위반행위의 조사

① 행정청은 질서위반행위가 발생하였다는 합리적 의심이 있어 그에 대한 조사가 필요하다고 인정할 때에는 대통령령으로 정하는 바에 따라 다음의 조치를 할 수 있다(동법 제22조 제1항).

㉠ 당사자 또는 참고인의 출석 요구 및 진술의 청취
㉡ 당사자에 대한 보고 명령 또는 자료 제출의 명령
② 행정청은 질서위반행위가 발생하였다는 합리적 의심이 있어 그에 대한 조사가 필요하다고 인정할 때에는 그 소속 직원으로 하여금 당사자의 사무소 또는 영업소에 출입하여 장부·서류 또는 그 밖의 물건을 검사하게 할 수 있다(동법 제22조 제2항). 검사를 거부·방해 또는 기피한 자에게는 500만원 이하의 과태료를 부과한다(동법 제57조 제1항).

(2) 자료제공의 요청

행정청은 과태료의 부과·징수를 위하여 필요한 때에는 관계 행정기관, 지방자치단체, 그 밖에 대통령령으로 정하는 공공기관의 장에게 그 필요성을 소명하여 자료 또는 정보의 제공을 요청할 수 있으며, 그 요청을 받은 공공기관등의 장은 특별한 사정이 없는 한 이에 응하여야 한다(동법 제23조).

(3) 가산금 징수 및 체납처분 등

① 행정청은 당사자가 납부기한까지 과태료를 납부하지 아니한 때에는 납부기한을 경과한 날부터 체납된 과태료에 대하여 100분의 3에 상당하는 가산금을 징수한다(동법 제24조 제1항).
② 체납된 과태료를 납부하지 아니한 때에는 납부기한이 경과한 날부터 매 1개월이 경과할 때마다 체납된 과태료의 1천분의 12에 상당하는 가산금(이하 이 조에서 "중가산금"이라 한다)을 제1항에 따른 가산금에 가산하여 징수한다. 이 경우 중가산금을 가산하여 징수하는 기간은 60개월을 초과하지 못한다(동법 제24조 제2항).

(4) 상속재산 등에 대한 집행

① 과태료는 당사자가 과태료 부과처분에 대하여 이의를 제기하지 아니한 채 제20조 제1항에 따른 기한이 종료한 후 사망한 경우에는 그 상속재산에 대하여 집행할 수 있다(동법 제24조의2 제1항).
② 법인에 대한 과태료는 법인이 과태료 부과처분에 대하여 이의를 제기하지 아니한 채 제20조 제1항에 따른 기한이 종료한 후 합병에 의하여 소멸한 경우에는 합병 후 존속한 법인 또는 합병에 의하여 설립된 법인에 대하여 집행할 수 있다(동법 제24조의2 제2항).

(5) 과태료의 징수유예 등

① 행정청은 당사자가 다음의 어느 하나에 해당하여 과태료(체납된 과태료와 가산금, 중가산금 및 체납처분비를 포함한다. 이하 이 조에서 같다)를 납부하기가 곤란하다고 인정되면 1년의 범위에서 대통령령으로 정하는 바에 따라 과태료의 분할납부나 납부기일의 연기(이하 "징수유예등"이라 한다)를 결정할 수 있다(동법 제24조의3 제1항).
㉠ 「국민기초생활 보장법」에 따른 수급권자
㉡ 「국민기초생활 보장법」에 따른 차상위계층 중 다음 각 목의 대상자
ⓐ 「의료급여법」에 따른 수급권자
ⓑ 「한부모가족지원법」에 따른 지원대상자
ⓒ 자활사업 참여자
㉢ 「장애인복지법」 제2조 제2항에 따른 장애인
㉣ 본인 외에는 가족을 부양할 사람이 없는 사람

ⓜ 불의의 재난으로 피해를 당한 사람
ⓗ 납부의무자 또는 그 동거 가족이 질병이나 중상해로 1개월 이상의 장기 치료를 받아야 하는 경우
ⓧ 「채무자 회생 및 파산에 관한 법률」에 따른 개인회생절차개시결정자
ⓞ 「고용보험법」에 따른 실업급여수급자
ⓩ 그 밖에 ㉠부터 ⓞ까지에 준하는 것으로서 대통령령으로 정하는 부득이한 사유가 있는 경우

② 행정청은 ①에 따른 징수유예등의 기간 중에는 그 유예한 과태료 징수금에 대하여 가산금, 중가산금의 징수 또는 체납처분(교부청구는 제외한다)을 할 수 없다(동법 제24조의3 제4항).

5 구제방법 등

1. 과태료 부과처분에 대한 항고소송

과태료 부과처분에 대한 항고소송
▷ 행정소송의 대상이 되는 행정처분이 아니므로 불가

과태료부과에 대해서는 일반적으로 「질서위반행위규제법」이 적용되므로 그 부과처분에 대해 불복(이의제기)이 있을 때에는 법원이 「비송사건절차법」에 따라 재판을 한다. 따라서 과태료부과처분은 행정소송의 대상이 되는 행정처분이 아니다.

> **🔍 관련판례**
>
> 수도조례 및 하수도사용조례에 기한 과태료 부과처분은 행정소송의 대상이 되는 행정처분으로 볼 수 없다. ★★
>
> 수도조례 및 하수도사용조례에 기한 과태료의 부과 여부 및 그 당부는 최종적으로 질서위반행위규제법에 의한 절차에 의하여 판단되어야 한다고 할 것이므로, 그 과태료 부과처분은 행정청을 피고로 하는 행정소송의 대상이 되는 행정처분이라고 볼 수 없다(대판 2012.10.11. 2011두19369).

2. 과태료 재판과 집행

(1) 과태료 재판

관할법원
▷ 당사자 주소지의 지방법원 또는 그 지원

① **관할법원**: 과태료 사건은 다른 법령에 특별한 규정이 있는 경우를 제외하고는 당사자의 주소지의 지방법원 또는 그 지원의 관할로 한다(동법 제25조).
② **심문 등**: 법원은 행정청으로부터 이의제기 사실을 통보받은 경우 이를 즉시 검사에게 통지하고(동법 제30조), 심문기일을 열어 당사자의 진술 및 검사의 구두 및 서면의견을 구해야 하며(동법 제31조 제1항). 행정청의 참여가 필요하다고 인정하는 때에는 행정청으로 하여금 심문기일에 출석하여 의견을 진술하게 할 수 있다(동법 제32조 제1항).
③ **약식재판**
  ㉠ 법원은 상당하다고 인정하는 때에는 심문 없이 과태료 재판을 할 수 있는데(동법 제44조), 이를 '약식재판'이라 한다.
  ㉡ 당사자와 검사는 약식재판의 고지를 받은 날부터 7일 이내에 이의신청을 할 수 있고(동법 제45조 제1항), 법원이 이의신청이 적법하다고 인정하는 때에는 약식재판은 그 효력을 잃게 되며, 이 경우 법원은 제31조 제1항에 따른 심문을 거쳐 다시 재판하여야 한다(동법 제50조).

④ 재판 및 항고
  ㉠ 재판
    ⓐ 과태료 재판에서 법원은 직권으로 증거조사를 할 수 있고 행정청이 과태료를 부과한 처분 사유와 기본적 사실관계에서 동일성이 인정되는 한도 내에서 과태료 부과의 재량권을 가진다.

> **관련판례**
>
> **1** 과태료 재판에서 법원은 직권으로 증거조사 할 수 있지만 기본적 사실관계의 동일성 인정 한도 내에서만 과태료 부과 가능하다. ★★
> 과태료 재판의 경우, 법원으로서는 기록상 현출되어 있는 사항에 관하여 직권으로 증거조사를 하고 이를 기초로 하여 판단할 수 있는 것이나, 그 경우 행정청의 과태료부과 처분사유와 기본적 사실관계에서 동일성이 인정되는 한도 내에서만 과태료를 부과할 수 있다(대결 2012.10.19. 2012마1163).
>
> **2** 법원은 과태료 재판에 있어서 그 액수를 정할 재량권을 가진다. ★
> 법원이 과태료 재판을 함에 있어서는 관계 법령에서 규정하는 과태료 상한의 범위 내에서 그 동기, 위반의 정도, 결과 등 여러 인자를 고려하여 재량으로 그 액수를 정할 수 있고, 원심이 정한 과태료 액수가 법령이 정한 범위 내에서 이루어진 이상 그것이 현저히 부당하여 재량권 남용에 해당되지 않는 한 그 액수가 많다고 다투는 것은 적법한 재항고이유가 될 수 없다. 원심은 재항고인의 규모, 거래의 규모, 내용, 횟수 등을 고려하여 제1심이 공정거래위원회가 정한 과태료의 50%를 감액하여 부과한 과태료 액수가 부당하지 않다고 판단하였는바, 이 사건 각 과태료 액수는 현저히 부당하거나 재량권을 남용한 것으로는 보이지 아니하므로, 재항고이유의 주장은 받아들일 수 없다(대결 2008.1.11. 2007마810).

    ⓑ 과태료 재판은 이유를 붙인 결정으로써 하며, 그 결정은 당사자와 검사에게 고지함으로써 효력이 생긴다(동법 제36조, 제37조).
  ㉡ 항고: 당사자와 검사는 과태료 재판에 대하여 즉시항고를 할 수 있다. 이 경우 즉시항고는 집행정지의 효력이 있다(동법 제38조 제1항).

(2) 재판의 집행
 ① 과태료 재판의 집행
  ㉠ 과태료 재판은 검사의 명령으로써 집행한다. 이 경우 그 명령은 집행력있는 집행권원과 동일한 효력이 있다(동법 제42조 제1항).
  ㉡ 과태료 재판의 집행절차는 「민사집행법」에 따르거나 국세 또는 지방세 체납처분의 예에 따른다(동법 제42조 제2항).
 ② 과태료 재판 집행의 위탁
  ㉠ 검사는 과태료를 최초 부과한 행정청에 대하여 과태료 재판의 집행을 위탁할 수 있고, 위탁을 받은 행정청은 국세 또는 지방세 체납처분의 예에 따라 집행한다(동법 제43조 제1항).
  ㉡ 지방자치단체의 장이 제1항에 따라 집행을 위탁받은 경우에는 그 집행한 금원(金員)은 당해 지방자치단체의 수입으로 한다(동법 제43조 제2항).

함께 정리하기

법원의 권한과 한계
▷ 직권조사 可
▷ 과태료 액수의 결정 재량 有
▷ but 기본적 사실관계가 동일한 한도 내에서 재량권 행사 要

법원
▷ 직권증거조사 可
▷ 기본적 사실관계 동일성 내에서 과태료 부과

법원이 과태료 50% 감액
▷ 재량권 남용×

과태료 재판의 효력발생 시기
▷ 당사자와 검사에게 고지한 때

과태료 재판에 대한 항고
▷ 집행정지 효력 有

과태료 재판의 집행
▷ 검사의 명령으로

과태료 재판 집행의 위탁
▷ 최초 부과한 행정청에게

지방자치단체장이 위탁받아 집행한 금원
▷ 지방자치단체의 수입

6 과태료의 실효성 확보수단

1. 자진납부자에 대한 과태료 감경

(1) 행정청은 당사자가 의견 제출 기한 이내에 과태료를 자진하여 납부하고자 하는 경우에는 대통령령으로 정하는 바에 따라 과태료를 감경할 수 있다(동법 제18조 제1항).

(2) 당사자가 감경된 과태료를 납부한 경우에는 해당 질서위반행위에 대한 과태료 부과 및 징수절차는 종료한다(동법 제18조 제2항).

2. 과태료 체납자에 대한 제재

과태료를 체납하는 경우에는 ① 가산금을 징수하고(동법 제24조), ② 관허사업을 제한할 수 있으며(동법 제52조), ③ 신용정보기관에 관련정보를 제공할 수 있고(동법 제53조), ④ 고액·상습체납자에 대해서는 법원의 재판을 통해 30일의 범위 내에서 감치할 수 있고(동법 제54조), ⑤ 자동차 관련 과태료 체납자에 대해서는 자동차 등록번호판을 영치(동법 제55조)할 수 있다.

> 「질서위반행위규제법」 제24조【가산금 징수 및 체납처분 등】① 행정청은 당사자가 납부기한까지 과태료를 납부하지 아니한 때에는 납부기한을 경과한 날부터 체납된 과태료에 대하여 100분의 3에 상당하는 가산금을 징수한다.
>
> 제54조【고액·상습체납자에 대한 제재】① 법원은 검사의 청구에 따라 결정으로 30일의 범위 이내에서 과태료의 납부가 있을 때까지 다음 각 호의 사유에 모두 해당하는 경우 체납자(법인인 경우에는 대표자를 말한다)를 감치에 처할 수 있다.
> 1. 과태료를 3회 이상 체납하고 있고, 체납발생일부터 각 1년이 경과하였으며, 체납금액의 합계가 1천만원 이상인 체납자 중 대통령령으로 정하는 횟수와 금액 이상을 체납한 경우
> 2. 과태료 납부능력이 있음에도 불구하고 정당한 사유 없이 체납한 경우

납부기한까지 과태료를 납부하지 않는 경우
▷ 납부기한을 경과한 날부터 체납된 과태료에 대하여 100분의 3에 상당하는 가산금을 징수

7 행정형벌과 행정질서벌의 병과가능성

1. 학설

(1) 긍정설

행정형벌과 행정질서벌은 그 보호법익과 목적이나 성질이 다르므로 과태료 부과처분 후에 행정형벌을 부과하여도 일사부재리의 원칙에 반하지 않는다는 견해이다.

(2) 부정설

행정형벌과 행정질서벌은 과벌절차는 다르지만 모두 동일한 의무위반행위에 대한 행정벌이라는 점에서 일사부재리의 원칙에 따라 양자를 병과할 수 없다는 견해이다.

긍정설
▷ 양자는 보호법익, 목적, 성질이 다르므로 병과 가

부정설
▷ 양자는 모두 동일한 의무위반행위에 대한 행정벌이므로 병과 불가

2. 판례

이에 대하여 대법원은 긍정설의 입장을, 헌법재판소는 부정설의 입장을 취하고 있다.

병과 가능성
▷ 대법원: 긍정설
▷ 헌법재판소: 부정설

관련판례

1 거주지 이전시 전입신고 불이행으로 과태료 부과 후 형사처벌을 하는 경우는 일사부재리 원칙에 위배되지 않는다. ★★★

일사부재리의 효력은 확정재판이 있을 때에 발생하는 것이고 과태료는 질서벌에 불과하므로 과태료 처분을 받고 이를 납부한 일이 있더라도 그 후에 형사처벌을 한다고 해서 일사부재리의 원칙에 어긋난다고 할 수 없다(대판 1989.6.13. 88도1983).

2 임시운행허가기간을 넘어 무등록 차량을 운행한 자는 과태료와 별도로 형사처벌이 가능하다. ★★★

행정법상의 질서벌인 과태료의 부과처분과 형사처벌은 그 성질이나 목적을 달리하는 별개의 것이므로 행정법상의 질서벌인 과태료를 납부한 후에 형사처벌을 한다고 하여 이를 일사부재리의 원칙에 반하는 것이라고 할 수는 없다. 자동차의 임시운행허가를 받은 자가 임시운행허가기간을 넘어 운행한 자가 등록된 차량에 관하여 그러한 행위를 한 경우라면 과태료의 제재만을 받게 되겠지만, 무등록 차량에 관하여 그러한 행위를 한 경우라면 과태료와 별도로 형사처벌의 대상이 된다(대판 1996.4.12. 96도158).

3 동일 법규위반행위에 대하여 형벌을 부과하면서 아울러 행정질서벌로서의 과태료까지 부과하는 것은 이중처벌금지의 기본정신에 배치되어 국가입법권의 남용으로 인정될 여지가 있다. ★★

행정질서벌로서의 과태료는 행정상 의무의 위반에 대하여 국가가 일반통치권에 기하여 과하는 제재로서 형벌(특히 행정형벌)과 목적·기능이 중복되는 면이 없지 않으므로, 동일한 행위를 대상으로 하여 형벌을 부과하면서 아울러 행정질서벌로서의 과태료까지 부과한다면 그것은 이중처벌금지의 기본정신에 배치되어 국가 입법권의 남용으로 인정될 여지가 있음을 부정할 수 없다(헌재 1994.6.30. 92헌바38).

함께 정리하기

전입신고 불이행으로 과태료 부과 후 형사처벌
▷ 일사부재리 위배 ×

임시운행허가기간 도과 후 무등록 차량운행
▷ 과태료와 별도로 형사처벌 可

동일 법규위반행위에 대하여 형벌을 부과하면서 행정질서벌인 과태료의 부과
▷ 이중처벌 ○

제5장 새로운 실효성 확보수단

함께 정리하기

전형적 수단들만으로는 적절하게 의무이행을 확보하기 어려운 경우가 적지 않음
▷ 이를 보완하고자 다양한 새로운 수단들이 등장

제1절 개설

오늘날 행정현실이 다양해지고 복잡해짐에 따라 행정상의 강제집행의 수단이나 행정벌과 같은 전통적인 실효성 확보수단만으로는 의무를 이행하기 어려운 경우가 적지 않다. 이에 따라 전통적인 실효성 확보수단의 문제점을 보완하기 위하여 과징금·공급거부·명단의 공표·관허사업의 제한 등과 같은 새로운 실효성 확보수단이 등장하게 되었다.

제2절 실효성 확보를 위한 여러 수단

1 금전상의 제재

금전상의 제재란 행정법상의 의무위반자에게 금전급부의무라는 불이익을 과함으로써 간접적으로 의무이행을 확보하는 것을 말한다. 이러한 금전상의 제재수단으로는 과징금·가산금·가산세 등이 있다.

1. 과징금

> 「행정기본법」 제28조 【과징금의 기준】 ① 행정청은 법령 등에 따른 의무를 위반한 자에 대하여 <u>법률로 정하는 바에 따라 그 위반행위에 대한 제재로서 과징금을 부과할 수 있다.</u>
> ② 과징금의 근거가 되는 법률에는 과징금에 관한 다음 각 호의 사항을 명확하게 규정하여야 한다.
> 1. 부과·징수 주체
> 2. 부과 사유
> 3. 상한액
> 4. 가산금을 징수하려는 경우 그 사항
> 5. 과징금 또는 가산금 체납 시 강제징수를 하려는 경우 그 사항
>
> 제29조 【과징금의 납부기한 연기 및 분할 납부】 과징금은 한꺼번에 납부하는 것을 원칙으로 한다. 다만, 행정청은 과징금을 부과 받은 자가 <u>다음 각 호의 어느 하나에 해당하는 사유로 과징금 전액을 한꺼번에 내기 어렵다고 인정될 때에는 그 납부기한을 연기하거나 분할 납부하게 할 수 있으며,</u> 이 경우 필요하다고 인정하면 담보를 제공하게 할 수 있다.
> 1. 재해 등으로 재산에 현저한 손실을 입은 경우
> 2. 사업 여건의 악화로 사업이 중대한 위기에 처한 경우

3. 과징금을 한꺼번에 내면 자금 사정에 현저한 어려움이 예상되는 경우
4. 그 밖에 제1호부터 제3호까지에 준하는 경우로서 대통령령으로 정하는 사유가 있는 경우

「행정기본법 시행령」 제7조 【과징금의 납부기한 연기 및 분할 납부】 ① 과징금 납부 의무자는 법 제29조 각 호 외의 부분 단서에 따라 과징금 납부기한을 연기하거나 과징금을 분할 납부하려는 경우에는 납부기한 10일 전까지 과징금 납부기한의 연기나 과징금의 분할 납부를 신청하는 문서에 같은 조 각 호의 사유를 증명하는 서류를 첨부하여 행정청에 신청해야 한다.

(1) 의의

① 개념
  ㉠ 과징금이란 법령등 위반이나 행정법상 의무위반에 대한 제재로서 부과하는 금전부과금을 말하며 간접적으로 의무이행을 확보하기 위한 수단이다.
  ㉡ 과징금에는 경제적 이익환수 과징금, 영업정지에 갈음하는 과징금이 있다. 경제적 이익환수 과징금을 '본래적 과징금'이라 하고, 그 이외의 과징금을 '변형된 과징금'이라 한다. 과징금 중에는 경제적 이익환수와 제재의 성격을 함께 갖는 경우(예 「독점규제 및 공정거래에 관한 법률」상 과징금)도 있다.
  ㉢ 「행정기본법」 제28조와 제29조는 과징금을 규정하고 있는데, 「행정기본법」이 규정하는 과징금은 본래적 과징금뿐만 아니라 변형된 과징금도 포함한다.

② 유사 개념(부과금): 법령에서 과징금이라는 용어를 사용하고 있지 않더라도 그 제도적 취지·성격 등에 비추어 과징금과 유사한 부과금이 있다. 부과금은 주로 일정한 환경기준을 초과하여 오염물질을 배출하는 업소에 대하여 부과하는 금전적 제재이다. 현행법상 이를 규정하고 있는 법률로는 「물환경보전법」 제41조(배출부과금), 「대기환경보전법」 제35조(배출부과금) 등이 있다.

(2) 법적 근거

① 과징금 부과행위는 재산권의 직접적 침해를 가져오는 부담적 행정행위이기 때문에 법률유보의 원칙에 따라 법률의 근거를 요한다.

관련판례

1 법령으로 정한 '과징금을 부과하는 위반행위와 과징금의 금액'에 열거되지 않은 위반행위에 대해 사업정지처분을 갈음하여 과징금을 부과할 수 없다. ★★

화물자동차 운송사업자가 화물자동차 운수사업법(이하 '화물자동차법'이라 한다) 제19조 제1항 각호에서 정한 사업정지처분사유에 해당하는 위반행위를 한 경우에는 화물자동차법 제19조 제1항에 따라 사업정지처분을 하는 것이 원칙이다. 다만 입법자는 화물자동차 운송사업자에 대하여 사업정지처분을 하는 것이 운송사업의 이용자에게 불편을 주거나 그 밖에 공익을 해칠 우려가 있으면 대통령령으로 정하는 바에 따라 사업정지처분을 갈음하여 과징금을 부과할 수 있도록 허용하고 있다.
이처럼 입법자는 대통령령에 단순히 '과징금의 산정기준'을 구체화하는 임무만을 위임한 것이 아니라, 사업정지처분을 갈음하여 과징금을 부과할 수 있는 '위반행위의 종류'를 구체화하는 임무까지 위임한 것이라고 보아야 한다. 따라서 구 화물자동차 운수사업법 시행령 제7조 제1항 [별표 2] '과징금을 부과하는 위반행위의 종류와 과징금의 금액'에 열거되지 않은 위반행위의 종류에 대해서 사업정지처분을 갈음하여 과징금을 부과하는 것은 허용되지 않는다고 보아야 한다(대판 2020.5.28. 2017두73693).

과징금
▷ 법령등 위반이나 행정법상 의무위반에 대한 제재로서 부과하는 금전부과금으로서 간접적으로 의무이행을 확보하기 위한 수단

❶ 「행정기본법」 제28조 제1항은 법령에 따른 의무를 위반한 자에 대하여 그 위반행위에 대한 제재로서 부과하는 것을 과징금이라고 정의하여, 이익환수의 측면보다는 제재의 측면을 강조하고 있다.

과징금 부과행위
▷ 부담적 행정행위이므로 법률근거 要

법령으로 정한 '과징금을 부과하는 위반행위와 과징금의 금액'에 열거되지 않은 위반행위
▷ 변형된 과징금 부과 不可

함께 정리하기

부과관청이 과징금을 부과하면서 추후에 변경될 수 있다고 유보
▷ 법령에 규정이 없는 한 추후에 새로운 자료가 나왔다고 하여 새로이 부과처분을 할 수 없음

2 부과관청이 과징금을 부과하면서 추후에 변경될 수 있다고 유보하였더라도 법령에 규정이 없는 한 새로이 부과처분을 할 수 없다. ★★

> 구 독점규제 및 공정거래에 관한 법률 제23조 제1항의 규정에 위반하여 불공정거래행위를 한 사업자에 대하여 부과되는 과징금은 행정법상의 의무를 위반한 자에 대하여 당해 위반행위로 얻게 된 경제적 이익을 박탈하기 위한 목적으로 부과하는 금전적인 제재로서, 법이 규정한 범위 내에서 그 부과처분 당시까지 부과관청이 확인한 사실을 기초로 일의적으로 확정되어야 할 것이고, 그렇지 아니하고 부과관청이 과징금을 부과하면서 추후에 부과금 산정 기준이 되는 새로운 자료가 나올 경우에는 과징금액이 변경될 수도 있다고 유보한다든지, 실제로 추후에 새로운 자료가 나왔다고 하여 새로운 부과처분을 할 수는 없다(대판 2002.5.28. 2000두6121).

② 행정청은 법령등에 따른 의무를 위반한 자에 대하여 법률로 정하는 바에 따라 그 위반행위에 대한 제재로서 과징금을 부과할 수 있다(「행정기본법」 제28조 제1항). 「행정기본법」 제28조 제1항은 과징금 부과의 법적 근거가 될 수 없다. 과징금을 부과하기 위해서는 개별법률의 근거가 있어야 한다. 「행정기본법」 제28조 제1항의 과징금은 본래의 과징금과 영업정지에 갈음하여 부과되는 변형된 과징금을 모두 포함한다.

③ 과징금에 대해서는 현재 「독점규제 및 공정거래에 관한 법률」(약칭: 공정거래법) 제6조, 제17조, 「석유 및 석유대체연료 사업법」 제14조, 「식품위생법」 제82조, 제83조, 「여객자동차 운수사업법」 제88조, 「대기환경보전법」 제37조 등의 여러 개별법에서 규정하고 있다.

④ 과징금의 근거가 되는 법률에는 과징금에 관한 다음 사항을 명확하게 규정하여야 한다. ㉠ 부과징수주체, ㉡ 부과사유, ㉢ 상한액, ㉣ 가산금을 징수하려는 경우 그 사항, ㉤ 과징금 또는 가산금 체납 시 강제징수를 하려는 경우 그 사항(「행정기본법」 제28조 제2항).

(3) 종류

① **본래적 의미의 과징금(전형적 과징금, 경제적 이익환수 과징금)**

㉠ 본래적 의미의 과징금은 행정법상의 의무위반으로 인하여 얻은 경제적 이익을 박탈하는 금전적 제재를 말한다.

㉡ 이 유형의 과징금은 「독점규제 및 공정거래에 관한 법률」에서 최초로 도입되었는데, 불법적 이득을 환수·박탈하는 측면과 위반행위자에 대하여 제재를 가하는 측면을 함께 가지고 있다.

전형적 과징금
▷ 경제적 이익 박탈 목적, 부당한 경제적 이익의 규모와 균형 要
▷ but 취득한 이익 없는 경우에도 부과할 수 있는 경우 有(공정거래법 제8조 단서)

㉢ 전형적 과징금의 경우 실정법에서 통상 '위반행위의 내용, 정도, 위반행위의 기간·횟수 이외의 위반행위로 인해 취득한 이익의 규모 등'을 고려요소로 하여 부과하나 법령위반으로 취득한 이익이 없는 경우에도 부과한다. 한편, 공정거래법 제8조 단서는 매출액이 없거나 매출액의 산정이 곤란한 경우에도 일정 금액의 범위 안에서 과징금을 부과할 수 있다고 규정하고 있다.

② **변형된 과징금[영업정지(사업정지)에 갈음하는 과징금]**

변형된 과징금
▷ 공공에 중대한 영향을 미치는 사업을 존속시키되 사업정지 등에 갈음하여 부과되는 과징금
▷ 예 「여객자동차 운수사업법」 제88조, 「대기환경보전법」 제37조, 「수질 및 수생태계 보전에 관한 법률」 제43조 등

㉠ 의의: 변형된 과징금이란 인·허가사업에 관한 법률상의 의무위반이 있음에도 불구하고 공익상 필요하여 그 인·허가사업을 취소·정지시키지 않고 사업을 계속하기로 하되, 이에 갈음하여 사업을 계속함으로써 얻은 이익을 박탈하는 금전적 제재를 말한다(예 「여객자동차 운수사업법」 제88조, 「대기환경보전법」 제37조, 「수질 및 수생태계 보전에 관한 법률」 제43조 등).

ⓒ **재량행위**: 변형된 과징금은 영업정지 등에 갈음하여 부과하는 것이다. 따라서 동일한 위반사유에 대하여 과징금과 영업정지를 병과 할 수는 없다. 다만, 과징금을 부과할 것인지 영업정지처분을 할 것인지는 통상 행정청의 재량에 속한다(대판 1993.7.27. 93누1077 ; 대판 1998.4.10. 98두2270).

(4) 법적 성질

① 과징금은 단순한 금전부담으로서 벌금이나 과태료와 같은 행정벌과 다른 것으로서, 그 부과행위는 침익적 행정행위로서 급부하명의 성질을 갖는다.
② 과징금부과처분은 제재적 처분으로서 통상 재량행위로 규정되어 있으나, 기속행위로 규정된 경우도 있다.

> **관련판례**
>
> **1 과징금 부과처분은 재량행위이다. ★★**
> 공정거래위원회의 법 위반행위자에 대한 과징금 부과처분은 재량행위라 할 것이고, 다만 이러한 재량을 행사함에 있어 과징금 부과의 기초가 되는 사실을 오인하였거나, 비례·평등의 원칙에 위배하는 등의 사유가 있다면 이는 재량권의 일탈·남용으로서 위법하다고 할 것이다(대판 2008.4.10. 2007두22054).
>
> > **동지**
> > 가맹사업거래의 공정화에 관한 법률(이하 '가맹사업법'이라 한다) 제35조 제1항에 따르면, 공정거래위원회는 가맹사업법 위반행위에 대하여 과징금을 부과할 것인지와 만일 과징금을 부과할 경우 가맹사업법과 가맹사업거래의 공정화에 관한 법률 시행령이 정하고 있는 일정한 범위 안에서 과징금의 액수를 구체적으로 얼마로 정할 것인지를 재량으로 판단할 수 있으므로, 공정거래위원회의 법 위반행위자에 대한 과징금 부과처분은 재량행위이다. 다만 이러한 재량을 행사하면서 과징금 부과의 기초가 되는 사실을 오인하였거나, 비례·평등원칙에 반하는 사유가 있다면 이는 재량권의 일탈·남용으로서 위법하다.
>
> **2 부동산 실권리자명의 등기에 관한 법률에 따른 과징금부과처분은 기속행위이다. ★★**
> 부동산 실권리자명의 등기에 관한 법률(약칭: 부동산실명법) 제3조 제1항❶, 제5조 제1항❷, 같은 법 시행령 제3조 제1항의 규정을 종합하면, 명의신탁자에 대하여 과징금을 부과할 것인지 여부는 기속행위에 해당하므로, 명의신탁이 조세를 포탈하거나 법령에 의한 제한을 회피할 목적이 아닌 경우에 한하여 그 과징금을 일정한 범위 내에서 감경할 수 있을 뿐이지 그에 대하여 과징금 부과처분을 하지 않거나 과징금을 전액 감면할 수 있는 것은 아니다(대판 2007.7.12. 2005두17287).

(5) 고의·과실의 요부

과징금 부과처분은 행정법규 위반이라는 객관적 사실에 착안하여 가하는 제재이므로 법령상 책임자로 규정된 자에게 부과되고, 원칙적으로 고의·과실을 요하지 않으나, 제재의 본질상 의무 해태를 탓할 수 없는 정당한 사유가 있는 경우 이를 부과할 수 없다.

함께 정리하기

과징금을 부과할지 영업정지처분 내릴 것인지 여부
▷ 재량행위

과징금의 법적 성질
▷ 침익적 행정행위로서 급부하명

과징금
▷ 통상 재량행위로 규정되어 있지만 예외적으로 기속행위로 규정된 경우도 있음

공정거래위원회 과징금 부과처분
▷ 재량행위

부동산실명법상 과징금 부과처분
▷ 기속행위

❶ **부동산실명법 제3조(실권리자명의 등기의무 등)**
① 누구든지 부동산에 관한 물권을 명의신탁약정에 따라 명의수탁자의 명의로 등기하여서는 아니 된다.

❷ **부동산실명법 제5조(과징금)**
① 다음 각 호의 어느 하나에 해당하는 자에게는 해당 부동산 가액(價額)의 100분의 30에 해당하는 금액의 범위에서 과징금을 부과한다.
1. 제3조 제1항을 위반한 명의신탁자

과징금 부과처분
▷ 반드시 현실적인 행위자가 아니라도 법령상 책임자로 규정된 자에게 부과
▷ 원칙적으로 위반자의 고의·과실 不要
▷ 위반자의 의무해태를 탓할 수 없는 정당한 사유가 있는 경우 부과 不可

과징금 부과처분
▷ 고의·과실 不要
▷ 정당한 사유 있는 경우 부과 不可

> **관련판례**
>
> **1** 과징금은 법령상 책임자로 규정된 자에게 부과하며 고의·과실을 요하지 않으나, 의무 해태에 정당한 사유가 있는 경우 이를 부과할 수 없다. ★★★
>
> 구 여객자동차 운수사업법 제88조 제1항의 과징금부과처분은 제재적 행정처분으로서 행정목적의 달성을 위하여 행정법규 위반이라는 객관적 사실에 착안하여 가하는 제재이므로 반드시 현실적인 행위자가 아니라도 법령상 책임자로 규정된 자에게 부과되고 원칙적으로 위반자의 고의·과실을 요하지 아니하나, 위반자의 의무 해태를 탓할 수 없는 정당한 사유가 있는 등의 특별한 사정이 있는 경우에는 이를 부과할 수 없다(대판 2014.10.15. 2013두5005).
>
> **2** 행정법규 위반에 대한 제재조치(과징금, 영업정지처분, 건설업등록 말소처분 등)는 법령상 책임자로 규정된 자에게 부과하며 고의·과실을 요하지 않으나 의무 해태에 정당한 사유가 있는 경우 이를 부과할 수 없다. ★★★
>
> 행정법규 위반에 대하여 가하는 제재조치는 행정목적의 달성을 위하여 행정법규 위반이라는 객관적 사실에 착안하여 가하는 제재이므로 반드시 현실적인 행위자가 아니라도 법령상 책임자로 규정된 자에게 부과되고, 위반자의 의무 해태를 탓할 수 없는 정당한 사유가 있는 등의 특별한 사정이 없는 한 위반자에게 고의나 과실이 없다고 하더라도 부과될 수 있다(대판 2003.9.2. 2002두5177 ; 대판 2012.5.10. 2012두1297 ; 대판 2017.5.11. 2014두8773).

(6) 과징금과 행정형벌의 병과 가능성

과징금은 행정상 제재금이고, 국가형벌권 행사로서 처벌이 아니다. 따라서 형사처벌과 과징금을 병과하더라도 이중처벌금지원칙에 위반되지 않는다.

공정거래법상 부당내부거래에 대한 과징금
▷ 행정상의 제재금으로서의 기본적 성격에 부당이득환수적 요소도 부가되어 있는 것
▷ 형사처벌과 병과 可

> **관련판례**
>
> 부당내부거래에 대한 과징금은 형사처벌과 아울러 병과가 가능하며 이는 이중처벌금지원칙에 위반되지 않는다. ★★★
>
> 독점규제 및 공정거래에 관한 법률 제24조의2에 의한 부당내부거래에 대한 과징금은 부당내부거래 억지라는 행정목적을 실현하기 위하여 그 위반행위에 대하여 제재를 가하는 행정상의 제재금으로서의 기본적 성격에 부당이득환수적 요소도 부가되어 있는 것이라 할 것이고, 이를 두고 헌법 제13조 제1항에서 금지하는 국가형벌권 행사로서의 처벌에 해당한다고는 할 수 없으므로, 독점규제 및 공정거래에 관한 법률에서 형사처벌과 아울러 과징금의 병과를 예정하고 있더라도 이중처벌금지원칙에 위반된다고 볼 수 없다(헌재 2003.7.24. 2001헌가25 ; 대판 2004.4.9. 2001두6197).

(7) 과징금의 납부기한 연기 및 분할납부

과징금은 한꺼번에 납부하는 것을 원칙으로 한다. 다만, 행정청은 과징금을 부과받은 자가 ① 재해 등으로 재산에 현저한 손실을 입은 경우, ② 사업 여건의 악화로 사업이 중대한 위기에 처한 경우, ③ 과징금을 한꺼번에 내면 자금 사정에 현저한 어려움이 예상되는 경우, ④ 그 밖에 대통령령으로 정하는 사유가 있는 경우에는 그 납부기한을 연기하거나 분할 납부하게 할 수 있다. 이처럼 납부기한을 연기하거나 분할 납부를 허용할 때, 필요하다고 인정하면 담보를 제공하게 할 수 있다(「행정기본법」제29조). 과징금 납부 의무자가 과징금 납부기한을 연기하거나 과징금을 분할 납부하려는 경우, 납부기한 10일 전까지 과징금 납부기한을 연기하거나 과징금의 분할 납부를 신청하는 문서에 해당 사유를 증명하는 서류를 첨부하여 행정청에 신청해야 한다(「행정기본법 시행령」제7조 제1항).

(8) 과징금 액수 산정 방법

① 법령위반에 대한 제재처분은 관할 행정청이 여러 가지 위반행위를 인지하였다면 명문의 규정이 없더라도 그 위반행위 전부에 대하여 일괄하여 하나의 제재처분을 하는 것이 원칙이다(대판 2022.9.16. 2020두47021).

② 그리고 어떤 과징금 부과처분을 한 후, 그 과징금 부과처분 이전에 있었던 다른 과징금 부과 사유를 인지한 경우, 별개의 처분으로 과징금을 부과하더라도 일괄하여 하나의 처분으로 하는 경우의 액수를 총 한도로 하여 과징금 부과처분을 하라는 것이 판례의 입장이다. 즉, 행정청이 전체 위반행위에 대하여 하나의 과징금 부과처분을 할 경우에 산정되었을 정당한 과징금액에서 이미 부과된 과징금액을 뺀 나머지 금액을 한도로 하여서만 추가 과징금 부과처분을 할 수 있다고 한다. 이는 언제 행정청이 과징금 부과 사유를 인지하였느냐는 사정에 따라 과징금 부과금액이 달라지는 것을 막기 위함이다(대판 2021.2.4. 2020두48390).

관련판례

수 회의 위반행위에 대한 과징금 부과 방식 ★★

[1] 위반행위가 여러 가지인 경우에 행정처분의 방식과 한계를 정한 관련 규정들의 내용과 취지에다가, 여객자동차운수사업자가 범한 여러 가지 위반행위에 대하여 관할 행정청이 구 여객자동차 운수사업법(2020.3.24. 법률 제17091호로 개정되기 전의 것) 제85조 제1항 제12호에 근거하여 사업정지처분을 하기로 선택한 이상 각 위반행위의 종류와 위반 정도를 불문하고 사업정지처분의 기간은 6개월을 초과할 수 없는 점을 종합하면, 관할 행정청이 사업정지처분을 갈음하는 과징금 부과처분을 하기로 선택하는 경우에도 사업정지처분의 경우와 마찬가지로 여러 가지 위반행위에 대하여 1회에 부과할 수 있는 과징금 총액의 최고한도액은 5,000만원이라고 보는 것이 타당하다. 관할 행정청이 여객자동차운송사업자의 여러 가지 위반행위를 인지하였다면 전부에 대하여 일괄하여 5,000만원의 최고한도 내에서 하나의 과징금 부과처분을 하는 것이 원칙이고, 인지한 여러 가지 위반행위 중 일부에 대해서만 우선 과징금 부과처분을 하고 나머지에 대해서는 차후에 별도의 과징금부과처분을 하는 것은 다른 특별한 사정이 없는 한 허용되지 않는다. 만약 행정청이 여러 가지 위반행위를 인지하여 그 전부에 대하여 일괄하여 하나의 과징금 부과처분을 하는 것이 가능하였음에도 임의로 몇 가지로 구분하여 각각 별도의 과징금 부과처분을 할 수 있다고 보게 되면, 행정청이 여러 가지 위반행위에 대하여 부과할 수 있는 과징금의 최고한도액을 정한 구 여객자동차 운수사업법 시행령(2018.4.10. 대통령령 제28793호로 개정되기 전의 것) 제46조 제2항의 적용을 회피하는 수단으로 악용될 수 있기 때문이다.

[2] 관할 행정청이 여객자동차운송사업자가 범한 여러 가지 위반행위 중 일부만 인지하여 과징금 부과처분을 하였는데 그 후 과징금 부과처분 시점 이전에 이루어진 다른 위반행위를 인지하여 이에 대하여 별도의 과징금 부과처분을 하게 되는 경우에도 종전 과징금 부과처분의 대상이 된 위반행위와 추가 과징금 부과처분의 대상이 된 위반행위에 대하여 일괄하여 하나의 과징금 부과처분을 하는 경우와의 형평을 고려하여 추가 과징금 부과처분의 처분양정이 이루어져야 한다. 다시 말해, 행정청이 전체 위반행위에 대하여 하나의 과징금 부과처분을 할 경우에 산정되었을 정당한 과징금액에서 이미 부과된 과징금액을 뺀 나머지 금액을 한도로 하여서만 추가 과징금 부과처분을 할 수 있다. 행정청이 여러 가지 위반행위를 언제 인지하였느냐는 우연한 사정에 따라 처분상대방에게 부과되는 과징금의 총액이 달라지는 것은 그 자체로 불합리하기 때문이다(대판 2021.2.4. 2020두48390).

수 회의 위반행위에 대한 과징금 부과 방식

▷ 과징금 부과처분을 한 후, 그 이전에 있었던 다른 과징금 부과 사유를 인지한 경우, 별개의 처분으로 과징금을 부과하더라도 일괄하여 하나의 처분으로 하는 경우의 액수를 총 한도로 하여 과징금 부과처분을 하여야 함

함께 정리하기

부과
▷ 행정청의 납입고지

불이행
▷ 「국세징수법」, 「지방세법」 따라 강제징수 可

과징금납부의무
▷ 일신전속적 의무가 아니므로 상속인에 승계O

부동산실명법상 부과된 과징금
▷ 상속인에 승계 可

과징금 부과
▷ 행정처분(행정쟁송 제기 可)

구제방법
▷ 위법한 부과: 국가배상청구 可
▷ 무효인 부과: 부당이득반환청구 可

❶ 가산금
「국세기본법」 제2조 제5호['가산금'(加算金)이란 국세를 납부기한까지 납부하지 아니한 경우에 「국세징수법」에 따라 고지세액(告知稅額)에 가산하여 징수하는 금액과 납부기한이 지난 후 일정 기한까지 납부하지 아니한 경우에 그 금액에 다시 가산하여 징수하는 금액을 말한다]는 2018.12.31. 개정으로 삭제되었다.

---

(9) 과징금의 부과 및 징수절차

과징금의 부과는 행정청의 납입고지에 의해 이루어진다. 과징금 부과처분을 받은 자가 납부의무를 불이행한 경우에는 「국세징수법」 또는 지방세 체납처분의 예에 따라 강제징수할 수 있다.

(10) 과징금 납부의무의 이전 가능성

과징금납부의무는 일신전속적 의무가 아니므로 과징금을 부과받은 자가 사망한 경우 상속인에게 승계된다.

> **관련판례**
> 부동산 실권리자명의 등기에 관한 법률상 부과된 과징금은 상속인에게 승계가 가능하다. ★★
> 부동산 실권리자명의 등기에 관한 법률 제5조에 의하여 부과된 과징금은 대체적 급부가 가능한 의무이므로 위 과징금을 부과받은 자가 사망한 경우 그 상속인에게 포괄승계된다(대판 1999.5.14. 99두35).

(11) 과징금에 대한 구제

① **행정쟁송**: 과징금 부과행위는 침익적 행정행위(급부하명)로서 행정쟁송법상의 처분에 해당하므로 행정심판이나 행정소송을 제기하여 그 취소 등을 구할 수 있다.
② **국가배상 등**: 위법한 과징금부과처분으로 인해 손해를 입은 자는 국가를 상대로 손해배상청구를 할 수 있으며, 과징금이 법률상 원인 없이 징수된 경우 공법상의 부당이득반환청구권을 행사할 수 있다.

2. 가산금❶ · 가산세

> 「국세기본법」 제2조【정의】이 법에서 사용하는 용어의 뜻은 다음과 같다.
> 4. "가산세"(加算稅)란 이 법 및 세법에서 규정하는 의무의 성실한 이행을 확보하기 위하여 세법에 따라 산출한 세액에 가산하여 징수하는 금액을 말한다.
>
> **제47조의4【납부지연가산세】** ① 납세의무자(연대납세의무자, 납세자를 갈음하여 납부할 의무가 생긴 제2차 납세의무자 및 보증인을 포함한다)가 법정납부기한까지 국세(「인지세법」 제8조 제1항에 따른 인지세는 제외한다)의 납부(중간예납 · 예정신고납부 · 중간신고납부를 포함한다)를 하지 아니하거나 납부하여야 할 세액보다 적게 납부(이하 "과소납부"라 한다)하거나 환급받아야 할 세액보다 많이 환급(이하 "초과환급"이라 한다)받은 경우에는 다음 각 호의 금액을 합한 금액을 가산세로 한다.
> 1. 납부하지 아니한 세액 또는 과소납부분 세액(세법에 따라 가산하여 납부하여야 할 이자 상당 가산액이 있는 경우에는 그 금액을 더한다) × 법정납부기한의 다음 날부터 납부일까지의 기간(납부고지일부터 납부고지서에 따른 납부기한까지의 기간은 제외한다) × 금융회사 등이 연체대출금에 대하여 적용하는 이자율 등을 고려하여 대통령령으로 정하는 이자율
>
> 「국세기본법 시행령」 제27조의4【납부지연가산세 및 원천징수 등 납부지연가산세의 이자율】법 제47조의4 제1항 제1호 · 제2호 및 제47조의5 제1항 제2호에서 "대통령령으로 정하는 이자율"이란 1일 10만분의 22의 율을 말한다.

(1) 가산금

① 가산금이란 행정법상 급부의무 불이행에 대해여 과해지는 금전상의 제재로서, 세금을 납부기한까지 납부하지 아니한 경우에 세법에 따라 고지세액(告知稅額)에 가산하여 징수하는 금액과 납부기한이 지난 후 일정 기한까지 납부하지 아니한 경우에 그 금액에 다시 가산하여 징수하는 금액을 말한다.

② 그런데 2018년 개정 「국세기본법」은 2020년부터 구 「국세징수법」상의 가산금과 구 「국세기본법」상의 납부불성실가산세를 납세지연가산세(신설, 「국세기본법」 제47조의4)로 통합하고 국세의 가산금 제도를 폐지하였다.

③ 구 「국세징수법」상 가산금 또는 중가산금은 국세를 납부기한까지 납부하지 아니하면 법률규정에 의하여 당연히 발생하므로 그 고지는 처분성이 없다.

> **관련판례**
> 구 국세징수법상 가산금 또는 중가산금 고지는 행정처분이 아니다. ★
> 국세징수법 제21조, 제22조가 규정하는 가산금 또는 중가산금은 국세를 납부기한까지 납부하지 아니하면 과세청의 확정절차 없이도 법률 규정에 의하여 당연히 발생하는 것이므로 가산금 또는 중가산금의 고지가 항고소송의 대상이 되는 처분이라고 볼 수 없다(대판 1990.5.8. 90누1168 ; 대판 2005.6.10. 2005다15482).

가산금·중가산금 고지
▷ 처분×

(2) 가산세

① 의의

㉠ 가산세란 세법상의 의무의 성실한 이행을 확보하기 위해 세법에 의하여 산출된 세액에 가산하여 징수하는 금액으로서 본래의 조세채무와는 별개로 부과되는 세금을 말한다(「국세기본법」 제2조 제4호). 따라서 과세관청이 이를 부과 시에는 본세와는 별개로 그 근거를 제시하여야 한다.

가산세
▷ 세법상 의무 확보 위해 별개로 부과되는 세금

> **관련판례**
> **1** 하나의 납세고지서에 의하여 본세와 가산세를 함께 부과할 때에는 납세고지서에 본세와 가산세 각각의 세액과 산출근거 등을 구분하여 기재해야 한다. ★★★
> 가산세 부과처분에 관해서는 국세기본법이나 개별 세법 어디에도 그 납세고지의 방식 등에 관하여 따로 정한 규정이 없다. 그러나 가산세는 비록 본세의 세목으로 부과되기는 하지만(국세기본법 제47조 제2항 본문), 그 본질은 과세권의 행사와 조세채권의 실현을 용이하게 하기 위하여 세법에 규정된 의무를 정당한 이유 없이 위반한 납세의무자 등에게 부과하는 일종의 행정상 제재라는 점에서 적법절차의 원칙은 더 강하게 관철되어야 한다. … 한편, 본세의 부과처분과 가산세의 부과처분은 각 별개의 과세처분인 것처럼, 같은 세목에 관하여 여러 종류의 가산세가 부과되면 그 각 가산세 부과처분도 종류별로 각각 별개의 과세처분이라고 보아야 한다. 따라서 하나의 납세고지서에 의하여 본세와 가산세를 함께 부과할 때에는 납세고지서에 본세와 가산세 각각의 세액과 산출근거 등을 구분하여 기재해야 하는 것이고, 또 여러 종류의 가산세를 함께 부과하는 경우에는 그 가산세 상호 간에도 종류별로 세액과 산출근거 등을 구분하여 기재함으로써 납세의무자가 납세고지서 자체로 각 과세처분의 내용을 알 수 있도록 하는 것이 당연한 원칙이다(대판 2012.10.18. 2010두12347).

하나의 납세고지서로 본세와 가산세를 함께 부과하는 경우
▷ 본세와 가산세 각각의 세액과 산출근거 등을 구분하여 기재 要(합계액만 기재×)

함께 정리하기

본세에 감면사유
▷ 가산세 당연 감면 ✕

가산세의 종류
▷ 무신고가산세
▷ 과소신고·초과환급신고 가산세
▷ 납부지연가산세
▷ 납부불성실가산세

가산세 부과
▷ 법적 근거 要
▷ 「국세기본법」, 「국세징수법」, 「소득세법」 따라 징수

가산세 부과·징수
▷ 행정처분○

특징
▷ 고의·과실 없어도 부과 可

가산세
▷ 고의·과실, 책임능력, 책임조건 고려✕

정당한 사유 有
▷ 가산세 부과 불가

법령의 부지·착오
▷ 정당한 사유✕

② 가산세는 본세액에 가산하여 징수하는 독립된 조세로서, 본세에 감면사유가 인정된다고 하여 가산세도 감면대상에 포함되는 것은 아니다.

가산세는 세법에서 규정하는 의무의 성실한 이행을 확보하기 위하여 세법에 따라 산출한 본세액에 가산하여 징수하는 독립된 조세로서, 본세에 감면사유가 인정된다고 하여 가산세도 감면대상에 포함되는 것이 아니고, 반면에 그 의무를 이행하지 아니한 데 대한 정당한 사유가 있는 경우에는 본세 납세의무가 있더라도 가산세는 부과하지 않는다 (대판 2019.2.14. 2015두52616).

ⓒ 「국세기본법」상 가산세에는 무신고가산세(「국세기본법」 제47조의2, 「지방세기본법」 제53조), 과소신고·초과환급신고 가산세(「국세기본법」 제47조의3, 「지방세기본법」 제54조), 납부지연가산세(「국세기본법」 제47조의4, 「지방세기본법」 제55조), 원천징수납부 등 불성실가산세(「국세기본법」 제47조의5, 「지방세기본법」 제56조)가 있다.

② 행정벌과 구별: 가산세는 행정법상 의무 위반에 대하여 가하여지는 금전상의 제재인 점에 있어서 벌금(행정형벌)과 비슷하나(대판 1992.4.28. 91누9848), 납세의무의 성실한 이행을 담보하기 위한 제도라는 점에서 과거의 반사회적인 행위에 대한 제재인 벌금(행정형벌)과 구별된다. 따라서 동일한 행위에 대하여 벌금과 가산세는 병과가 가능하다.

③ 근거: 가산세 부과에는 법적 근거가 필요하다. 「국세기본법」, 「국세징수법」, 「소득세법」 등에 가산세에 관한 규정이 있다.

④ 법적 성질: 가산세의 부과·징수는 행정쟁송의 대상이 되는 처분에 해당한다. 따라서 위법한 가산세부과에 대해서는 당연히 다툴 수 있다.

⑤ 특징

㉠ 고의·과실 불문: 가산세를 부과함에 있어서 납세자의 의무불이행에 대한 고의·과실 등은 고려되지 않는다. 즉, 납세자의 고의·과실이 없더라도 부과할 수 있다.

> **관련판례**
>
> **가산세 부과시 행위자의 고의·과실, 책임능력, 책임조건 등을 고려하지 않는다.** ★★
>
> 가산세는 그 본질상 세법상 의무불이행에 대한 행정상의 제재로서의 성격을 지님과 동시에 조세의 형식으로 과징되는 부가세적 성격을 지니기 때문에 형법총칙의 규정이 적용될 수 없고, 따라서 행위자의 고의 또는 과실, 책임능력, 책임조건 등을 고려하지 아니하고 가산세 과세요건의 충족 여부만을 확인하여 조세의 부과절차에 따라 과징하게 된다(헌재 2015.2.26. 2012헌바355).

㉡ 의무해태에 정당한 사유가 있는 경우: 가산세는 세금의 형태로 가하는 행정벌의 성질을 가진 제재이므로 그 의무해태에 정당한 사유가 있는 경우에는 부과할 수 없다. 일반적으로 법령의 부지(不知)·착오 등은 그 의무위반을 탓할 수 없는 정당한 사유에 해당하지 않는다.

🔍 **관련판례**

세법상 가산세를 부과할 때 납세자에게 조세납부를 거부 또는 지연하는데 고의 또는 과실이 있었는지는 원칙적으로 고려하지 않지만, 납세의무자의 의무해태를 탓할 수 없는 정당한 사유가 있는 경우에는 가산세를 부과할 수 없다. ★★★

세법상 가산세는 과세권의 행사 및 조세채권의 실현을 용이하게 하기 위하여 납세자가 정당한 이유 없이 법에 규정된 신고, 납세 등 각종 의무를 위반한 경우에 개별세법이 정하는 바에 따라 부과되는 행정상의 제재로서 납세자의 고의, 과실은 고려되지 않는 반면, 이와 같은 제재는 납세의무자가 그 의무를 알지 못한 것이 무리가 아니었다고 할 수 있어서 그를 정당시할 수 있는 사정이 있거나 그 의무의 이행을 당사자에게 기대하는 것이 무리라고 하는 사정이 있을 때 등 그 의무해태를 탓할 수 없는 정당한 사유가 있는 경우에는 이를 과할 수 없다(대판 2005.1.27. 2003두13632). 그러나 납세의무자가 세무공무원의 잘못된 설명을 믿고 그 신고납부의무를 이행하지 아니하였다 하더라도 그것이 관계 법령에 어긋나는 것임이 명백한 때에는 그러한 사유만으로 정당한 사유가 있다고 볼 수 없다(대판 1997.8.22. 96누15404). 또한 법령의 부지·착오 등은 그 의무위반을 탓할 수 없는 정당한 사유에 해당하지 아니한다(대판 2004.6.24. 2002두10780).

 함께 정리하기

가산세 부과 시
▷ 고의·과실 고려✕
▷ 정당한 사유 고려○

의무해태 비난할 수 없는 경우
▷ 가산세 부과 불가

잘못된 설명을 믿었다 하더라도 법령에 반함이 명백
▷ 정당한 사유✕

법령의 부지·착오
▷ 정당한 사유✕

2 비금전상의 제재

1. 공급거부

(1) 의의

① 공급거부란 행정법상의 의무를 위반하거나 불이행한 자에 대하여 행정상의 서비스 또는 재화의 공급을 거부하여 생활에 불편함을 줌으로써 의무의 이행을 간접적으로 강제하는 수단을 말한다.

② 행정에 의하여 공급되는 각종의 역무나 재화(예 수도, 전기, 전화, 가스 등)는 오늘날 국민생활에 필수불가결하다는 점에서 공급거부는 매우 강력한 행정상 실효성 확보 수단으로 기능을 한다.

(2) 법적 근거

① 공급거부는 침익적·부담적 행정작용이므로 당연히 법률에 근거가 있어야 한다.

② 이와 관련하여 과거「건축법」제69조 제2항, 「대기환경보전법」제21조 제2항, 「수질환경보전법」제21조 제2항 등에서 공급거부에 대하여 규정하고 있었으나, 부당결부금지의 원칙에 위배된다는 논란이 있어 현재 모두 삭제되었다.

(3) 처분성 여부

① **공급거부의 요청행위**: 판례는 행정청이 전기·전화의 공급자에게 전기·전화공급을 하지 말아 줄 것을 요청하는 경우 이 '요청행위'는 단순한 권고적 행위에 불과하여 항고소송의 대상이 되는 처분이 아니라고 하였다.

공급거부
▷ 행정법상의 의무를 위반하거나 불이행한 자에 대하여 행정상의 서비스나 재화의 공급을 거부하는 행정조치
▷ 강력한 의무이행확보수단

침익적·부담적 행정작용
▷ 법률근거 要

구「건축법」상 등 공급거부규정
▷ 현행법 삭제

공급거부 요청
▷ 권고적 성격의 행위(처분성✕)

함께 정리하기

위법건축물 단전·전화통화 단절 요청
▷ 행정처분 ✕

한국전력공사가 전기공급의 적법 여부를 조회한 데 대한 관할 구청장의 회신
▷ 행정처분 ✕

공급거부행위
▷ 권력적 사실행위로서 처분성 ○

단수조치
▷ 처분성 ○

한계
▷ 법률유보원칙·일반원칙 준수해야 함
▷ 특히 부당결부금지원칙(실질적 관련성) 중요

관련판례

1 건축물에 대한 단전 및 전화통화 단절조치 요청행위는 행정처분이 아니다. ★★★
구 건축법 제69조 제2항·제3항의 규정에 비추어 보면, 행정청이 위법 건축물에 대한 시정명령을 하고 나서 위반자가 이를 이행하지 아니하여 전기·전화의 공급자에게 그 위법 건축물에 대한 전기·전화공급을 하지 말아 줄 것을 요청한 행위는 권고적 성격의 행위에 불과한 것으로서 전기·전화공급자나 특정인의 법률상 지위에 직접적인 변동을 가져오는 것은 아니므로 이를 항고소송의 대상이 되는 행정처분이라고 볼 수 없다(대판 1996.3.22. 96누433).

2 무단용도변경을 이유로 단전 조치된 건물의 소유자로부터 전기공급신청을 받은 한국전력공사가 전기공급의 적법 여부를 조회한 데 대한 관할 구청장의 회신은 권고적 성격의 행위에 불과한 것으로서 항고소송의 대상이 되는 행정처분이라고 볼 수 없다(대판 1995.11.21. 95누9099).

② **공급거부**: 판례는 지방자치단체장에 의한 수도의 공급거부(단수조치)는 권력적 사실행위로서 처분이므로 항고소송의 대상이 된다고 하였다(대판 1979.12.28. 79누218).

(4) 공급거부의 한계

① 공급거부도 행정작용이므로 법률의 근거가 있어야 할 뿐만 아니라 비례의 원칙 등 행정법의 일반원칙을 준수하여야 한다.
② 특히 행정법상의 의무와 공급거부될 급부 간에 실질적 관련성이 있어야 한다는 부당결부 금지원칙의 준수가 중요하다.

2. 관허사업의 제한

「건축법」 제79조 【위반 건축물 등에 대한 조치 등】 ② 허가권자는 제1항에 따라 허가나 승인이 취소된 건축물 또는 제1항에 따른 시정명령을 받고 이행하지 아니한 건축물에 대하여는 다른 법령에 따른 영업이나 그 밖의 행위를 허가·면허·인가·등록·지정 등을 하지 아니하도록 요청할 수 있다. 다만, 허가권자가 기간을 정하여 그 사용 또는 영업, 그 밖의 행위를 허용한 주택과 대통령령으로 정하는 경우에는 그러하지 아니하다.
③ 제2항에 따른 요청을 받은 자는 특별한 이유가 없으면 요청에 따라야 한다.

「국세징수법」 제112조 【사업에 관한 허가등의 제한】 ① 관할 세무서장은 납세자가 허가·인가·면허 및 등록 등(이하 이 조에서 "허가등"이라 한다)을 받은 사업과 관련된 소득세, 법인세 및 부가가치세를 체납한 경우 해당 사업의 주무관청에 그 납세자에 대하여 허가등의 갱신과 그 허가등의 근거 법률에 따른 신규 허가등을 하지 아니할 것을 요구할 수 있다. 다만, 재난, 질병 또는 사업의 현저한 손실, 그 밖에 대통령령으로 정하는 사유가 있는 경우에는 그러하지 아니하다.
② 관할 세무서장은 허가등을 받아 사업을 경영하는 자가 해당 사업과 관련된 소득세, 법인세 및 부가가치세를 3회 이상 체납하고 그 체납된 금액의 합계액이 500만원 이상인 경우 해당 주무관청에 사업의 정지 또는 허가등의 취소를 요구할 수 있다. 다만, 재난, 질병 또는 사업의 현저한 손실, 그 밖에 대통령령으로 정하는 사유가 있는 경우에는 그러하지 아니하다.
③ 관할 세무서장은 제1항 또는 제2항의 요구를 한 후 해당 국세를 징수한 경우 즉시 그 요구를 철회하여야 한다.
④ 해당 주무관청은 제1항 또는 제2항에 따른 관할 세무서장의 요구가 있는 경우 정당한 사유가 없으면 요구에 따라야 하며, 그 조치 결과를 즉시 관할 세무서장에게 알려야 한다.

「병역법」제76조【병역의무 불이행자에 대한 제재】② 국가기관 또는 지방자치단체의 장은 제1항 각 호의 어느 하나에 해당하는 사람에 대하여는 <u>각종 관허업(官許業)의 특허·허가·인가·면허·등록 또는 지정 등</u>(이하 이 조에서 "특허등"이라 한다)을 하여서는 아니 되며, 이미 이를 받은 사람에 대하여는 취소하여야 한다.

(1) 의의

관허사업의 제한이란 행정법상 의무를 위반하거나 불이행한 자에 대하여 각종 인가·허가를 거부·정지·철회할 수 있도록 함으로써 행정법상 의무의 준수 또는 이행을 확보하는 간접적 강제수단을 말한다. 관허사업의 제한은 ① 인·허가 등을 받은 자가 그 사업을 수행하는 과정에서 행정법상의 의무를 위반한 경우에 이미 발급한 인·허가를 취소 또는 정지하는 것뿐만 아니라, ② 특정한 행정법상의 의무와 직접적인 관련성이 없는 사업의 인·허가를 거부하는 것을 포함한다.

(2) 성질

관허사업의 제한은 의무불이행에 대한 제재적 처분의 성격을 갖기도 하지만, 기본적으로는 의무이행을 확보하기 위한 수단이다.

(3) 법적 근거

관허사업의 제한은 권익 침해의 효과를 초래하는 권력적 행위이므로 반드시 법률에 근거가 있어야 한다.

(4) 종류

관허사업의 제한에는 ① 의무 위반사항과 관련이 있는 사업에 대한 것, 즉 관련 관허사업제한(예「건축법」제79조 제2항의 위법건축물을 이용한 영업허가의 제한,「국세징수법」제112조 제1항·제2항의 국세체납자에 대한 관허사업의 제한)과, ② 의무 위반사항과 직접 관련이 없는 사업 일반에 대한 것(예「병역법」제76조의 병역의무 불이행자에 대한 관허사업의 제한), 즉 일반적 관허사업제한이 있다.

① 관련 관허사업의 제한
  ㉠「건축법」상 관허사업의 제한: 위반건축물을 사업장으로 하는 관허사업의 제한
    ⓐ「건축법」제79조는 위법건축물을 사업장으로 하는 사업에 대하여 관련되는 인허가 등을 제한하고 있다. 이는 위법건축물의 발생을 예방함과 동시에 위법건축물을 사실상 사용할 수 없도록 함으로써 간접적으로 의무이행을 강제하려는 것이다.
    ⓑ 예컨대, 위법한 대형건축물의 경우 대집행에 의하여 철거하는 데 사실상의 어려움이 있다는 점을 고려하여, 대집행이라는 강제수단의 난점을 보완하는 의미에서,「건축법」을 위반한 건축물에 대하여는 영업허가 등을 발급해 주지 않음으로써 간접적으로 의무를 이행하도록 강제하려는 것이다.
  ㉡「국세징수법」상 관허사업의 제한 – 조세체납자에 대한 관허사업의 제한
    ⓐ 현행「국세징수법」은 국세 체납자에 대한 관허사업의 제한을 체납된 국세의 부과 원인과 관련된 관허사업에 국한시키고 있다. 이와 같은「국세징수법」상의 관허사업의 제한은 국세체납자의 다른 사업자체를 제한함으로써 납세의무를 이행하도록 강제하는 것이다. 관허사업의 제한도 행정상 강제징수라는 전형적인 강제수단을 보완하기 위한 제도라고 할 수 있다.

함께 정리하기

❶
이와 관련하여 과거 「국세징수법」 규정에 대하여 국가재정의 안정을 위하여 입법정책상 불가피한 최소한을 규정하고 있는 것으로 보아야 할 것이므로 합헌으로 보아야 한다는 견해도 있었다.

병역의무불이행자에 대한 관허사업의 제한
▷ 일반적 관허사업의 제한

한계
▷ 비례의 원칙 등 행정법의 일반원칙을 준수해야 함

의무불이행과 관련 없는 관허사업의 제한이 부당결부금지의 원칙에 반하는지 여부
▷ 명시적인 판례 없음(학설 대립)

관허사업제한 요청의 처분성
▷ 부정(∵ 행정내부적 행위)

ⓑ 「국세징수법」이 2020.12.29. 전부 개정되기 전에는 조세체납자로 하여금 스스로 체납된 조세를 납부토록 강제하는 수단으로서 관허사업을 제한하기 위해서는 체납자와 사업자가 동일인이기만 하면 되고, 체납된 국세와 직접 관련이 없는 모든 사업에 대한 인·허가라 할지라도 이를 거부하거나 철회·정지할 수 있도록 하고 있었는데, 이는 부당결부금지의 원칙과 관련하여 문제가 있었다.❶ 그러나 법 개정으로 이 문제는 상당부분 개선되었다고 평가된다.

② 일반적 관허사업의 제한 - 「병역법」상 관허사업의 제한(병역의무불이행자에 대한 관허사업의 제한): 국가기관 또는 지방자치단체의 장은 병역의무 불이행자에 대하여는 각종 관허업(官許業)의 특허·허가·인가·면허·등록 또는 지정 등을 하여서는 아니 되며, 이미 이를 받은 사람에 대하여는 취소하여야 한다(「병역법」 제76조 제2항).

(5) 한계

① 관허사업의 제한은 국민의 권익을 침해하는 행정작용이므로 비례의 원칙 등 행정법의 일반원칙을 위반해서는 안 된다.

② 관허사업제한조치가 부당결부금지의 원칙에 반하는 경우라 함은 관허사업제한조치와 의무 위반 또는 의무불이행(달리 말하면 의무의 준수 또는 의무의 이행)이 실질적 관련이 없는 경우를 말한다. 의무불이행과 관련이 있는 관허사업의 제한(「건축법」 제79조의 관허사업의 제한)은 부당결부금지의 원칙에 반하지 않는다고 보는 것이 일반적 견해이다. 이에 반하여, 의무불이행과 관련이 없는 관허사업의 제한이 부당결부금지의 원칙에 반하는지에 관하여는 견해의 대립이 있다.

③ 의무불이행과 관련이 없는 관허사업의 제한(인·허가의 거부 또는 인·허가 등의 취소 또는 정지)은 상호 별개의 행정목적을 갖는 것으로 보며 실질적 관련성을 부정하는 견해와 인·허가는 의무불이행을 용인하는 결과를 가져온다는 점 및 행정기관은 행정목적의 달성을 위하여 상호 협력하여야 한다는 점에 근거하여 실질적 관련성을 인정하는 견해가 있다.

④ 한편, 관허사업의 제한이 부당결부금지원칙에 위반되는지에 관한 명시적인 판례는 없다.

(6) 관허사업제한 요청의 처분성 여부

관허사업제한의 요청을 받은 행정청은 특별한 이유가 없는 한 관계행정청의 요청행위에 구속되어 그대로 집행할 뿐이므로, 관계행정청의 요청행위가 국민의 권리·의무에 직접 영향을 미치는 행위로서 처분성이 인정된다고 보는 견해가 있으나, 관계행정청의 요청행위는 행정내부적 행위에 불과하며, 국민의 권리·의무에 직접 영향을 미치는 행위는 대외적으로 표시된 주무관청의 처분이지 관계행정청의 요청행위라고 볼 수 없으므로 요청행위의 처분성은 부정된다고 보는 견해가 타당하다.

3. 법위반사실의 공표(명단공표)

「행정절차법」 제40조의3 【위반사실 등의 공표】 ① 행정청은 법령에 따른 의무를 위반한 자의 성명·법인명, 위반사실, 의무 위반을 이유로 한 처분사실 등(이하 "위반사실등"이라 한다)을 법률로 정하는 바에 따라 일반에게 공표할 수 있다.
② 행정청은 위반사실등의 공표를 하기 전에 사실과 다른 공표로 인하여 당사자의 명예·신용 등이 훼손되지 아니하도록 객관적이고 타당한 증거와 근거가 있는지를 확인하여야 한다.
③ 행정청은 위반사실등의 공표를 할 때에는 미리 당사자에게 그 사실을 통지하고 의견제출의 기회를 주어야 한다. 다만, 다음 각 호의 어느 하나에 해당하는 경우에는 그러하지 아니하다.
1. 공공의 안전 또는 복리를 위하여 긴급히 공표를 할 필요가 있는 경우
2. 해당 공표의 성질상 의견청취가 현저히 곤란하거나 명백히 불필요하다고 인정될 만한 타당한 이유가 있는 경우
3. 당사자가 의견진술의 기회를 포기한다는 뜻을 명백히 밝힌 경우
④ 제3항에 따라 의견제출의 기회를 받은 당사자는 공표 전에 관할 행정청에 서면이나 말 또는 정보통신망을 이용하여 의견을 제출할 수 있다.
⑤ 제4항에 따른 의견제출의 방법과 제출 의견의 반영 등에 관하여는 제27조 및 제27조의2를 준용한다. 이 경우 "처분"은 "위반사실등의 공표"로 본다.
⑥ 위반사실등의 공표는 관보, 공보 또는 인터넷 홈페이지 등을 통하여 한다.
⑦ 행정청은 위반사실등의 공표를 하기 전에 당사자가 공표와 관련된 의무의 이행, 원상회복, 손해배상 등의 조치를 마친 경우에는 위반사실등의 공표를 하지 아니할 수 있다.
⑧ 행정청은 공표된 내용이 사실과 다른 것으로 밝혀지거나 공표에 포함된 처분이 취소된 경우에는 그 내용을 정정하여, 정정한 내용을 지체 없이 해당 공표와 같은 방법으로 공표된 기간 이상 공표하여야 한다. 다만, 당사자가 원하지 아니하면 공표하지 아니할 수 있다.

(1) 의의

법위반사실의 공표란 행정법상의 의무위반 또는 의무의 불이행이 있는 경우 **그 위반자의 성명, 위반사실 등을 일반에게 공개하여 명예 또는 신용에 침해를 가함으로써 심리적 압박을 가하여 행정법상의 의무이행을 간접적으로 강제하는 수단**을 말한다. 예를 들어, 고액·상습체납자의 명단공개, 불공정거래를 한 사업자의 명단공개, 환경오염배출업소의 명단공개, 미성년자에 대한 성범죄자의 등록정보 공개 등이 이에 해당한다.

명단공표
▷ 위반자 명단 공개하여 간접적(심리적 압박)으로 의무이행확보
▷ 예 고액·상습체납자, 불공정거래를 한 사업자, 환경오염배출업소의 명단공개, 미성년자에 대한 성범죄자의 등록정보 공개 등

(2) 법적 성질

① **학설**: 공표 그 자체는 아무런 법적 효과가 발생하지 않는 **비권력적 사실행위로서 단순한 통지**(일정한 사실을 국민에게 단순히 알리는 행위)라고 보는 견해가 다수설이다. 이에 대하여 공표는 행정기관에 의해 행해지며 그로 인해 명예·신용·프라이버시권이 훼손되므로 권력적 사실행위로 보는 반대 견해도 존재한다.

② **판례**: 판례는 최근 병역의무 기피자 명단공개(결정)와 관련하여, **병역의무 기피자의 인적사항 등의 공개결정은 항고소송의 대상인 행정처분에 해당한다**고 판시하였는데, 판례는 명단공표를 공권력 행사로 보면서도 공개라는 사실행위는 행정결정의 집행행위로 보고 있는 점에서 명단공표를 사실행위로 보지 않고 행정행위(일반처분)으로 보고 있는 것으로 보인다.

성질
▷ 비권력적 사실행위로서 단순한 통지(통설)

병무청장의 병역의무 기피자 명단 공개결정
▷ 항고소송의 대상이 되는 행정처분 ○

> 🔍 **관련판례**
>
> **병무청장의 병역의무 기피자 명단공개결정은 항고소송의 대상이 되는 행정처분이다. ★★★**
> 병무청장이 병역법 제81조의2 제1항에 따라 병역의무 기피자의 인적사항 등을 인터넷 홈페이지에 게시하는 등의 방법으로 공개한 경우 병무청장의 공개결정을 항고소송의 대상이 되는 행정처분으로 보아야 한다. 그 구체적인 이유는 다음과 같다.
> ① 병무청장이 하는 병역의무 기피자의 인적사항 등 공개는, 특정인을 병역의무 기피자로 판단하여 그 사실을 일반 대중에게 공표함으로써 그의 명예를 훼손하고 그에게 수치심을 느끼게 하여 병역의무 이행을 간접적으로 강제하려는 조치로서 병역법에 근거하여 이루어지는 공권력의 행사에 해당한다. ② 병무청장이 하는 병역의무 기피자의 인적사항 등 공개조치에는 특정인을 병역의무 기피자로 판단하여 그에게 불이익을 가한다는 행정결정이 전제되어 있고, 공개라는 사실행위는 행정결정의 집행행위라고 보아야 한다. 병무청장이 그러한 행정결정을 공개 대상자에게 미리 통보하지 않은 것이 적절한지는 본안에서 해당 처분이 적법한가를 판단하는 단계에서 고려할 요소이며, 병무청장이 그러한 행정결정을 공개 대상자에게 미리 통보하지 않았다거나 처분서를 작성·교부하지 않았다는 점만으로 항고소송의 대상적격을 부정하여서는 아니 된다(대판 2019.6.27. 2018두49130).

(3) 법적 근거

침해적 행정작용
▷ 법적 근거 要

① **법적 근거의 요부**: 공표는 그 성질이 비권력적 사실행위이지만, 실제로 상대방의 명예나 신용, 사생활의 비밀을 침해할 수 있는 침해적 작용에 해당하기 때문에 법적 근거를 요한다고 보는 것이 일반적인 견해이다.

② **실정법상 근거**

실정법상 근거
▷ 「행정절차법」 제40조의3, 「독점규제 및 공정거래에 관한 법률」, 「공직자윤리법」, 「식품위생법」, 「국세기본법」, 「아동·청소년의 성보호에 관한 법률」 등

㉠ **「행정절차법」**: 「행정절차법」 제40조의3 제1항에서는 "행정청은 법령에 따른 의무를 위반한 자의 성명·법인명, 위반사실, 의무 위반을 이유로 한 처분사실 등을 법률로 정하는 바에 따라 일반에게 공표할 수 있다."고 규정하여 행정청이 위반사실을 공표하기 위해서는 법률에 근거하도록 법률유보의 원칙을 명시하고 있다.

㉡ **개별법**: 여러 개별법에서 공표에 관한 규정을 두고 있는데, 그 예로는 「독점규제 및 공정거래에 관한 법률」 제24조(시정조치를 받은사실을 공표하는 경우), 「공직자윤리법」 제8조의2 제1항(허위로 재산을 등록한 공직자에 대해 공표하는 경우), 「식품위생법」 제84조(위반사실을 공표하는 경우), 「국세징수법」 제114조(고액·상습체납자의 명단을 공표하는 경우), 「아동·청소년의 성보호에 관한 법률」 제49조(청소년의 성을 매수한 자에 대한 일정사실을 공개하는 경우) 등을 들 수 있다.

(4) 공표의 절차 및 방법

① **행정청의 사전확인의무**: 행정청은 위반사실 등의 공표를 하기 전에 사실과 다른 공표로 인하여 당사자의 명예·신용 등이 훼손되지 아니하도록 객관적이고 타당한 증거와 근거가 있는지를 확인하여야 한다(「행정절차법」 제40조의3 제2항).

행정청이 위반사실 등의 공표를 할 때
▷ 미리 당사자에게 그 사실을 통지하고 의견제출의 기회를 주어야 함

② **사전통지와 의견제출**: 행정청은 위반사실 등의 공표를 할 때에는 미리 당사자에게 그 사실을 통지하고 의견제출의 기회를 주어야 한다. 다만, ㉠ 공공의 안전 또는 복리를 위하여 긴급히 공표를 할 필요가 있는 경우, ㉡ 해당 공표의 성질상 의견청취가 현저히 곤란하거나 명백히 불필요하다고 인정될 만한 타당한 이유가 있는 경우, ㉢ 당사자가 의견진술의 기회를 포기한다는 뜻을 명백히 밝힌 경우에는 사전통지와 의견제출을 생략할 수 있다(「행정절차법」 제40조의3 제3항).
한편, 의견제출의 기회를 받은 당사자는 공표 전에 관할 행정청에 서면이나 말 또는 정보통신망을 이용하여 의견을 제출할 수 있다(「행정절차법」 제40조의3 제4항).

③ **공표를 하지 않을 수 있는 경우**: 행정청은 위반사실 등의 공표를 하기 전에 당사자가 공표와 관련된 의무의 이행, 원상회복, 손해배상 등의 조치를 마친 경우에는 위반사실 등의 공표를 하지 아니할 수 있다(「행정절차법」 제40조의3 제7항).

④ **공표의 방법과 정정 공표**: 공표는 관보, 공보 또는 인터넷 홈페이지 등을 통하여 한다(「행정절차법」 제40조의3 제6항). 한편, 행정청은 공표된 내용이 사실과 다른 것으로 밝혀지거나 공표에 포함된 처분이 취소된 경우에는 그 내용을 정정하여, 정정한 내용을 지체 없이 해당 공표와 같은 방법으로 공표된 기간 이상 공표하여야 한다. 다만, 당사자가 원하지 아니하면 공표하지 아니할 수 있다(「행정절차법」 제40조의3 제8항). ❶

(5) 한계

① 위반사실의 공표는 법률에 근거하여 행해져야 하고, 비례원칙과 부당결부금지의 원칙 등 행정법의 일반원칙을 준수하여야 한다.

② 공표제도는 프라이버시권을 침해할 가능성이 높은 제도이므로 프라이버시권과 국민의 알 권리가 충돌하는 경우 이익형량에 의한 적절한 조화가 이루어져야 한다.

> **관련판례**
>
> **명단공표를 할 때에는 인격권과 표현의 자유를 이익형량하여 그 규제의 폭과 방법을 정해야 한다.** ★
>
> 인격권으로서의 개인의 명예의 보호와 표현의 자유의 보장이라는 두 법익이 충돌하였을 때 그 조정을 어떻게 할 것인지는 구체적인 경우에 사회적인 여러 가지 이익을 비교하여 표현의 자유로 얻어지는 이익, 가치와 인격권의 보호에 의하여 달성되는 가치를 형량하여 그 규제의 폭과 방법을 정하여야 한다(대판 1998.7.14. 96다17257).

③ 행정법상 의무위반자에 대한 공포제도는 아니지만, 청소년 성매수자에 대한 신상공개를 규정한 구 「청소년의 성보호에 관한 법률」 제20조 제2항에 대하여 헌법재판소는 합헌결정을 내린 바 있다.

> **관련판례**
>
> **청소년 성매수자의 신상공개제도는 합헌이다.** ★
>
> 청소년 성매수자에 대한 신상공개를 규정한 청소년의 성보호에 관한 법률 제20조 제2항 제1호는 이중처벌금지원칙, 과잉금지원칙, 평등원칙, 적법절차원칙 등에 위반되지 않는다(헌재 2003.6.26. 2002헌가14).

(6) 위법한 공표에 대한 구제수단

① **행정쟁송**

㉠ 공표는 비권력적 사실행위이므로 처분성이 부정된다. 따라서 공표는 행정쟁송의 대상이 될 수 없다.

㉡ 공표의 처분성이 인정되더라도 공표가 이미 이루어진 경우 이를 다툴 소의 이익이 있는지 문제되는데, 판례는 취소판결의 기속력에 따라 공표결정을 한 처분청에게는 위법한 결과를 제거하는 조치를 취할 의무(이른바 결과제거의무)가 인정되므로 공개 대상자의 실효적 권리구제를 위해 공표의 취소를 구할 소의 이익을 인정하고 있다.

 함께 정리하기

공표
▷ 관보, 공보 또는 인터넷 홈페이지 등을 통하여 함

❶ 그런데 이렇게 정정 공표를 해도 손해배상의 문제는 여전히 남아 있을 수 있다.

한계
▷ 법률에 근거하고(법률유보원칙 준수), 행정법 일반원칙을 준수해야 함

프라이버시권 vs. 알 권리
▷ 이익형량

명단공표
▷ 인격권·표현의 자유 이익형량

청소년 성매수자 신상공개
▷ 합헌(이중처벌금지원칙, 과잉금지원칙, 평등원칙, 적법절차원칙 등에 위반×)

위법한 공표에 대한 구제수단
▷ 통설: 처분성 부정
▷ 판례: 처분성 인정, 소의 이익 인정

한편, 「행정소송법」이 개정되어 예방적 금지소송이 도입된다면 공표를 다툴 가장 효과적인 구제수단이 될 것이다.

관련판례

병무청장은 취소판결의 기속력에 따라 위법한 결과를 제거하는 조치를 할 의무가 있으므로 공개 대상자의 실효적 권리구제를 위해 병무청장의 공개결정을 행정처분으로 인정할 필요성이 있다. ★★

병무청 인터넷 홈페이지에 공개 대상자의 인적사항 등이 게시되는 경우 그의 명예가 훼손되므로, 공개 대상자는 자신에 대한 공개결정이 병역법령에서 정한 요건과 절차를 준수한 것인지를 다툴 법률상 이익이 있다. 병무청장이 인터넷 홈페이지 등에 게시하는 사실행위를 함으로써 공개 대상자의 인적사항 등이 이미 공개되었더라도, 재판에서 병무청장의 공개결정이 위법함이 확인되어 취소판결이 선고되는 경우, 병무청장은 취소판결의 기속력에 따라 위법한 결과를 제거하는 조치를 할 의무가 있으므로 공개 대상자의 실효적 권리구제를 위해 병무청장의 공개결정을 행정처분으로 인정할 필요성이 있다. 만약 병무청장의 공개결정을 항고소송의 대상이 되는 처분으로 보지 않는다면 국가배상청구 외에는 침해된 권리 또는 법률상 이익을 구제받을 적절한 방법이 없다(대판 2019.6.27. 2018두49130).

② **국가배상**
㉠ 공표가 비권력적 사실행위라 해도 「국가배상법」상 직무행위에 해당한다. 따라서 위법한 공표행위로 명예나 신용을 침해당하여 재산상·신체상·정신상 손해를 받은 자는 국가나 지방자치단체에 대하여 손해배상을 청구할 수 있다.
㉡ 다만, 판례는 명단공표로 개인의 명예가 훼손된 경우, 적시된 사실의 내용이 진실이라는 증명이 없더라도 공표 당시 진실이라고 믿었고 또 그렇게 믿을 만한 상당한 이유가 있으면 위법성이 부정된다고 보았다. 이때 상당한 이유 유무의 판단에 있어 행정상 공표의 경우에는 사인에 의한 경우보다 훨씬 더 엄격한 기준이 요구된다고 본다.

관련판례

위법한 명단공표 당시 그것이 진실이라고 믿었고 그렇게 믿을만한 상당한 이유가 있다면 위법성이 조각되나, 국가기관의 경우에는 상당한 이유의 판단에 있어서 사인의 경우보다 훨씬 더 엄격한 기준이 요구된다. ★

국가기관이 행정목적달성을 위하여 언론에 보도자료를 제공하는 등 이른바 행정상 공표의 방법으로 실명을 공개함으로써 타인의 명예를 훼손한 경우, 그 공표된 사람에 관하여 적시된 사실의 내용이 진실이라는 증명이 없더라도 국가기관이 공표 당시 이를 진실이라고 믿었고 또 그렇게 믿을 만한 상당한 이유가 있다면 위법성이 없는 것이고, 이 점은 언론을 포함한 사인에 의한 명예훼손의 경우에서와 마찬가지이다. 위의 경우 상당한 이유의 존부의 판단에 있어서는, 사인의 행위에 의한 경우보다는 훨씬 더 엄격한 기준이 요구된다 할 것이므로, 그 사실이 의심의 여지없이 확실히 진실이라고 믿을 만한 객관적이고도 타당한 확증과 근거가 있는 경우가 아니라면 그러한 상당한 이유가 있다고 할 수 없다(대판 1993.11.26. 93다18389).

③ **결과제거청구권**: 위반사실의 공표가 위법한 경우 상대방은 결과제거청구권을 행사하여 공표된 내용의 철회나 정정을 요구할 수 있다. 이 경우에 상대방은 민사소송의 방법으로 「민법」 제764조에 근거하여 명예회복에 적당한 처분(예 정정공고 등)을 청구할 수 있다.

공개 대상자의 인적사항 등이 이미 공개된 경우
▷ 취소판결의 기속력에 따라 병무청장에게 결과제거의무가 인정되므로 소의 이익 인정

위법한 공표에 대한 구제수단
▷ 국가배상청구 可

진실로 믿었고 + 상당한 이유 有
▷ 위법성 조각

행정상 공표의 경우
▷ 상당한 이유 엄격히 판단

피해자
▷ 결과제거청구 可(철회나 정정 요구)

4. 시정명령

(1) 의의
시정명령이란 행정법규 위반에 의해 초래된 위법상태를 제거 내지 시정을 명하는 행정행위를 말한다.

(2) 법적 성질
시정명령은 작위(예 「건축법」 제79조 제1항의 건축물의 철거)·부작위(예 「건축법」 제79조 제1항의 건축물의 사용금지)·급부(예 「가맹사업거래의 공정화에 관한 법률」 제33조 제1항의 가맹금의 반환) 등을 내용으로 하는 강학상 하명에 해당한다.

(3) 법적 근거
① 시정명령은 상대방에게 작위·부작위·급부 등의 의무를 발생시키므로 법적 근거를 필요로 한다.❶
② 시정명령에 관한 일반법은 없고, 각 개별 법령에서 이를 규정하고 있다(예 「건축법」 제79조 제1항, 「가맹사업거래의 공정화에 관한 법률」 제33조 제1항, 「가축감염병 예방법」 제42조 제6항 등).

(4) 시정명령의 대상
① 시정명령의 대상은 원칙적으로 과거의 위반행위로 야기되어 현재에도 존재하는 위법상태이다(대판 2010.11.11. 2008두20093). 따라서 위법행위가 있었더라도 그 위법행위의 결과가 더 이상 존재하지 않는다면 시정의 대상이 없어진 것이므로 시정명령을 할 수 없다(대판 2015.12.10. 2013두35013).
② 판례는 예외적으로 가까운 장래에 반복될 우려가 있는 동일한 유형의 위반행위도 시정명령의 대상이 된다고 한다.

> **관련판례**
> 시정명령으로 장래에 반복될 우려가 있는 동일한 유형의 행위의 반복금지까지도 명할 수 있다. ★★
> 시정명령 제도를 둔 취지에 비추어 시정명령의 내용은 <u>과거의 위반행위에 대한 중지는 물론 가까운 장래에 반복될 우려가 있는 동일한 유형의 행위의 반복금지까지 명할 수는 있는 것</u>으로 해석함이 상당하다(대판 2003.2.20. 2001두5347 전합).

③ 시정명령은 건축 관련 법령 등을 위반한 객관적 사실이 있으면 할 수 있고, 원칙적으로 시정명령의 상대방에게 고의·과실을 요하지 아니하며 대지 또는 건축물의 위법상태를 직접 초래하거나 또는 그에 관여한 바 없다고 하더라도 부과할 수 있다(대판 2022.10.14. 2021두45008).

(5) 시정명령의 상대방
시정명령의 상대방은 시정명령을 이행할 수 있는 법적 권한이 있는 자이다. 판례는 시정명령의 이행을 기대할 수 없는 자, 즉 대지 또는 건축물의 위법상태를 시정할 수 있는 법률상 또는 사실상의 지위에 있지 않은 자는 불가능을 요구할 수는 없으므로 시정명령의 상대방이 될 수 없다고 판시한 바 있다.

 함께 정리하기

시정명령의 의의
▷ 행정법규 위반에 의해 초래된 위법상태를 제거하는 것을 명하는 행정행위

성질
▷ 강학상 하명

법적 근거
▷ 의무를 발생시키므로 법적 근거 要
▷ 일반법 ×

❶ 금지규정으로부터 작위의무, 즉 위반결과의 시정을 명하는 권한이 당연히 추론되는 것이 아니다(대판 1996.6.28. 96누4374).

대상
▷ 현재에도 존재하는 위법상태, 위법행위의 결과가 더 이상 존재하지 않으면 시정명령 불가

가까운 장래에 반복될 우려가 있는 동일한 유형의 위반행위
▷ 시정명령의 대상 ○

시정명령
▷ 고의·과실 不要
▷ 법령 등을 위반한 객관적 사실이 있으면 可

상대방
▷ 시정명령을 이행할 수 있는 법적 권한이 있는 자

시정명령의 이행을 기대할 수 없는 자에 대한 시정명령은 위법상태의 시정이라는 행정목적 달성을 위한 적절한 수단이 될 수 없고, 상대방에게 불가능한 일을 명령하는 결과밖에 되지 않기 때문이다(대판 2022.10.14. 2021두45008).

(6) 적용법령

행정법규위반 여부는 행위시법에 따라야 하지만, 시정명령은 장래에 향하여 행해지는 적극적 행정행위이므로 원칙상 처분(시정명령)시법을 적용하여야 한다.

적용법령
▷ 행정법규위반 여부: 행위시법
▷ 시정명령: 처분(시정명령)시법

(7) 불이행에 대한 제재

시정명령을 따르지 않는 경우에는 행정상 강제집행(대집행, 이행강제금, 직접강제)의 대상이 될 수 있고, 행정형벌이 부과되기도 한다.

불이행시
▷ 강제집행(대집행, 이행강제금, 직접강제)의 대상
▷ 행정형벌 부과

(8) 시정명령에 대한 구제수단

시정명령을 받은 사람은 시정명령의 근거법령에서 불복방법에 대하여 특별히 규정하고 있지 않다면,「행정심판법」과「행정소송법」이 정하는 바에 따라 시정명령의 취소 등을 구할 수 있다.

시정명령에 대한 구제 수단
▷ 항고쟁송 可

5. 행정법규 위반에 대한 제재처분

>「행정기본법」제22조【제재처분의 기준】① 제재처분의 근거가 되는 법률에는 제재처분의 주체, 사유, 유형 및 상한을 명확하게 규정하여야 한다. 이 경우 제재처분의 유형 및 상한을 정할 때에는 해당 위반행위의 특수성 및 유사한 위반행위와의 형평성 등을 종합적으로 고려하여야 한다.
> ② 행정청은 재량이 있는 제재처분을 할 때에는 다음 각 호의 사항을 고려하여야 한다.
> 1. 위반행위의 동기, 목적 및 방법
> 2. 위반행위의 결과
> 3. 위반행위의 횟수
> 4. 그 밖에 제1호부터 제3호까지에 준하는 사항으로서 대통령령으로 정하는 사항

(1) 행정상 제재의 의의

① 행정상 제재는 행정법령 또는 행정법상의 의무 위반에 대해 가해지는 제재로서 간접적인 의무이행 확보수단이다. 이러한 의미의 행정상 제재에는 행정벌, 영업허가 취소(철회) 또는 영업정지, 영업정지에 갈음하는 과징금, 본래의 과징금 중 징계적 성격의 과징금, 징계처분 등이 있다. 시정명령은 기본적으로 위법상태의 제거를 주된 목적으로 하는 것이지만, 제재적 성격도 갖는 것으로 볼 수 있다.

② 일반적으로 제재처분이라 함은 행정상 제재 중 처분의 성격을 갖는 것을 말한다. 법 위반을 이유로 한 영업허가 취소(철회) 또는 영업정지, 과징금, 입찰참가제한처분, 징계처분이 가장 대표적인 예이다. 그러나 통고처분, 과태료는 실정법령상 별도의 불복절차가 규정되어 있으므로 행정쟁송법상 처분이 아니고 따라서,「행정기본법」상 처분도 아니다. 행정형벌은 형사사법작용이므로 재재처분이 아니다.

행정상 제재
▷ 행정법령 또는 행정법상의 의무 위반에 대해 가해지는 제재(간접적인 의무이행 확보수단)

제재처분
▷ 행정상 제재 중 처분의 성격을 갖는 것
▷ 처분○: 영업허가 취소(철회) 또는 영업정지, 과징금, 시정명령, 입찰참가제한처분 등
▷ 처분×: 통고처분, 과태료, 행정형벌

(2) 「행정기본법」상 제재처분의 개념

① 「행정기본법」에서 "제재처분"이란 법령등에 따른 의무를 위반하거나 이행하지 아니하였음을 이유로 당사자에게 의무를 부과하거나 권익을 제한하는 처분을 말한다. 다만, 제30조 제1항 각 호에 따른 행정상 강제는 제외한다(「행정기본법 제2조 제5호」).

② 「행정기본법」에서의 제재처분에 해당하기 위해서는 다음의 요건을 충족하여야 한다.
　㉠ 법령 등에 따른 의무를 위반하거나 이행하지 아니하였어야 한다. 행정의 상대방에게는 법령등을 준수할 의무가 있다고 볼 수도 있으므로 '법령등에 따른 의무 위반'에는 법령등 위반도 포함된다고 보아야 한다.
　㉡ 법령등에 따른 의무의 위반 또는 불이행을 이유로 당사자에게 의무를 부과하거나 권익을 제한하는 처분이어야 한다.
　㉢ '제재'의 성격을 갖는 것이어야 한다. 제재는 과거의 위반행위에 대한 것으로 과거 회기적인 조치이다. 제재적 성격이 없는 처분은 「행정기본법」에서의 제재처분에 해당하지 않는다고 보아야 한다.
　㉣ 제30조 제1항 각 호에 따른 행정상 강제는 제외한다. 행정상 강제는 성질상 장래에 향하여 행정목적을 달성하는 것에 중점이 있는 행정의 실효성 확보수단이므로 성질상 행정상 제재가 아닌 것으로 볼 수도 있다.

(3) 법적 근거

① 제재처분은 침익적 처분이므로 반드시 법적 근거가 있어야 한다. 제재처분의 근거가 되는 법률에는 제재처분의 주체, 사유, 유형 및 상한을 명확하게 규정하여야 한다. 이 경우 제재처분의 유형 및 상한을 정할 때에는 해당 위반행위의 특수성 및 유사한 위반행위와의 형평성 등을 종합적으로 고려하여야 한다(「행정기본법」 제22조 제1항).

② 반복하여 같은 법규위반행위를 한 경우에는 가중된 제재처분을 하도록 규정하고 있는 경우가 많다(예 「식품위생법 시행규칙」 제89조 [별표 23]).

> **관련판례**
>
> '위반행위의 횟수에 따른 가중처분기준'이 적용되기 위해서는 선행 위반행위와 그에 대한 유효한 제재처분이 이루어졌음에도 그 제재처분일로부터 1년 이내에 다시 같은 내용의 위반행위가 적발된 경우이면 족하다. ★★
> 구 화물자동차 운수사업법 시행령 제5조 제1항 [별표 1]의 '위반행위의 횟수에 따른 가중처분기준'이 적용되려면 실제 선행 위반행위가 있고 그에 대하여 유효한 제재처분이 이루어졌음에도 그 제재처분일로부터 1년 이내에 다시 같은 내용의 위반행위가 적발된 경우이면 족하다고 보아야 한다. 선행 위반행위에 대한 선행 제재처분이 반드시 구 시행령 [별표 1] 제재처분기준 제2호에 명시된 처분내용대로 이루어진 경우이어야 할 필요는 없으며, 선행 제재처분에 처분의 종류를 잘못 선택하거나 처분양정(량정)에서 재량권을 일탈·남용한 하자가 있었던 경우라고 해서 달리 볼 것은 아니다(대판 2020.5.28. 2017두73693).

함께 정리하기

「행정기본법」상 제재처분
▷ 법령 등에 따른 의무를 위반하거나 이행하지 아니하였음을 이유로 당사자에게 의무를 부과하거나 권익을 제한하는 처분(단, 행정상 강제는 제외)

제재처분
▷ 법적 근거 要
▷ 제재처분의 주체, 사유, 유형 및 상한을 명확하게 규정하여야 함

위반행위의 횟수에 따른 가중처분 기준 적용
▷ 선행제재처분이 위법하더라도 유효하게 이루어지면 족함

함께 정리하기

제재처분 · 형벌
▷ 병과 可

요건
▷ 제재처분사유 존재
▷ 재량행위라면 재량권의 일탈 · 남용 없어야 함

처분사유의 일부가 위법
▷ 일부 정당한 처분사유로도 제재처분이 비례원칙에 위반하지 않으면 해당 제재처분은 적법

여러 개의 위반행위에 대하여 하나의 제재처분을 하였으나, 위반행위별로 제재처분의 내용을 구분하는 것이 가능하고, 여러 개의 위반행위 중 일부의 위반행위에 대한 제재처분 부분만이 위법
▷ 법원은 제재처분 중 위법성이 인정되는 부분만 일부취소 하여야 함 (전부취소×)

동일한 사유로 다시 제재처분
▷ 이중처분○

제재처분을 변경하는 처분
▷ 이중처분×
▷ 단, 제재처분의 효력이 유지되는 동안 可

당초 제재처분이 유효함을 전제로 집행시기만을 변경하는 후속 변경처분
▷ 당초 제재처분의 효력이 유지되는 동안에만 인정됨

(4) 제재처분과 형벌의 병과

행정처분과 형벌은 각각 그 권력적 기초, 대상, 목적이 다르다. 일정한 법규 위반 사실이 행정처분의 전제사실이자 형사법규의 위반 사실이 되는 경우에 동일한 행위에 관하여 독립적으로 행정처분이나 형벌을 부과하거나 이를 병과할 수 있다. 판례도 법규가 예외적으로 형사소추 선행 원칙을 규정하고 있지 않은 이상 형사판결 확정에 앞서 일정한 위반사실을 들어 행정처분을 하였다고 하여 절차적 위반이 있다고 할 수 없다고 판시한 바 있다(대판 2017.6.19. 2015두59808).

(5) 제재처분의 요건

① 제재처분이 적법하기 위해서는 제재처분사유가 존재하여야 하고, 제재처분이 재량행위인 경우에 재량권의 일탈 · 남용이 없어야 한다.

㉠ 여러 처분사유에 관하여 하나의 제재처분을 하였을 때 그 중 일부가 인정되지 않는다고 하더라도 나머지 처분사유들만으로도 그 처분의 정당성이 인정되는 경우에는 그 처분을 위법하다고 보아 취소하여서는 아니 된다(대판 2017.6.15. 2015두2826 등 참조). 따라서 처분사유의 일부가 위법한 경우(처분사유가 일부 정당한 경우) 일부 정당한 처분사유로도 제재처분이 비례원칙에 위반하지 않으면 해당 제재처분은 적법하다고 보는 것이 판례의 입장이다.

㉡ 또한 행정청이 여러 개의 위반행위에 대하여 하나의 제재처분을 하였으나, 위반행위별로 제재처분의 내용을 구분하는 것이 가능하고, 여러 개의 위반행위 중 일부의 위반행위에 대한 제재처분 부분만이 위법하다면, 법원은 제재처분 중 위법성이 인정되는 부분만 취소하여야 하고, 제재처분 전부를 취소하여서는 아니 된다(대판 2020.5.14. 2019두63515).

㉢ 한편, 동일한 사유로 다시 제재적 행정처분을 하는 것은 위법한 이중처분에 해당한다. 그러나, 제재처분을 변경하는 처분은 이중처분이 아니며 특별한 사정이 없는 한 제재처분의 효력이 유지되는 동안에는 가능하다.

> **관련판례**
>
> 당초의 제재적 행정처분이 유효함을 전제로 그 구체적인 집행시기만을 변경하는 후속 변경처분(일부 변경처분) 특별한 사정이 없는 한 당초의 제재적 행정처분의 효력이 유지되는 동안에만 인정된다. ★★
>
> 효력기간이 정해져 있는 제재적 행정처분의 효력이 발생한 이후에도 행정청은 특별한 사정이 없는 한 상대방에 대한 별도의 처분으로써 효력기간의 시기와 종기를 다시 정할 수 있다. 이는 당초의 제재적 행정처분이 유효함을 전제로 그 구체적인 집행시기만을 변경하는 후속 변경처분(일부 변경처분)이다. 이러한 후속 변경처분도 특별한 규정이 없는 한 의사표시에 관한 일반법리에 따라 상대방에게 고지되어야 효력이 발생한다. 위와 같은 후속 변경처분서에 효력기간의 시기와 종기를 다시 특정하는 대신 당초 제재적 행정처분의 집행을 특정 소송사건의 판결 시까지 유예한다고 기재되어 있다면, 처분의 효력기간은 원칙적으로 그 사건의 판결 선고 시까지 진행이 정지되었다가 판결이 선고되면 다시 진행된다. 다만, 이러한 후속 변경처분 권한은 특별한 사정이 없는 한 당초의 제재적 행정처분의 효력이 유지되는 동안에만 인정된다. 당초의 제재적 행정처분에서 정한 효력기간이 경과하면 그로써 처분의 집행은 종료되어 처분의 효력이 소멸하는 것이므로(행정소송법 제12조 후문 참조), 그 후 동일한 사유로 다시 제재적 행정처분을 하는 것은 위법한 이중처분에 해당한다(대판 2022.2.11. 2021두40720).

② 행정법규 위반에 대하여 가하는 제재조치(영업정지 등)는 행정목적의 달성을 위하여 행정법규 위반이라는 객관적 사실에 착안하여 가하는 제재이므로, 반드시 현실적인 행위자가 아니라도 법령상 책임자로 규정된 자에게 부과되고, 위반자의 의무 해태를 탓할 수 없는 정당한 사유가 있는 등의 특별한 사정이 없는 한 위반자에게 고의나 과실이 없다고 하더라도 부과될 수 있다(대판 2003.9.2. 2002두5177 ; 대판 2017.5.11. 2014두8773).

> **관련판례**
>
> 침익적 행정처분 근거 규정 엄격해석의 원칙은 문언의 가능한 범위를 벗어나 처분 상대방에게 불리한 방향으로 확장해석하거나 유추해석해서는 안 된다는 것이지, 문언의 가능한 범위 내라면 체계적 해석과 목적론적 해석은 허용된다. ★★
>
> '침익적 행정처분 근거 규정 엄격해석의 원칙'이란 단순히 행정실무상의 필요나 입법정책적 필요만을 이유로 문언의 가능한 범위를 벗어나 처분상대방에게 불리한 방향으로 확장해석하거나 유추해석해서는 안 된다는 것이지, 처분상대방에게 불리한 내용의 법령해석은 일체 허용되지 않는다는 취지가 아니다. 문언의 가능한 범위 내라면 체계적 해석과 목적론적 해석은 허용된다. 또한 행정법규 위반에 대한 제재처분은 행정 목적의 달성을 위하여 행정법규 위반이라는 객관적 사실에 착안하여 가하는 제재이므로, 반드시 현실적인 행위자가 아니라도 법령상 책임자로 규정된 자에게 부과되고, 특별한 사정이 없는 한 위반자에게 고의나 과실이 없더라도 부과할 수 있다(대판 2021.2.25. 2020두51587).

③ 한편, 제재의 성격 및 비례의 원칙상 위반자의 의무 해태를 탓할 수 없는 정당한 사유가 있는 경우 제재처분을 할 수 없다(대판 2014.12.24. 2010두6700). 여기에서 '의무 위반을 탓할 수 없는 정당한 사유'가 있는지를 판단할 때에는 본인이나 그 대표자의 주관적인 인식을 기준으로 하는 것이 아니라, 그의 가족, 대리인, 피용인 등과 같이 본인에게 책임을 객관적으로 귀속시킬 수 있는 관계자 모두를 기준으로 판단하여야 한다(대판 2021.2.25. 2020두51587).

> **관련판례**
>
> '의무위반을 탓할 수 없는 정당한 사유'가 있는지를 판단할 때에는 본인이나 그 대표자의 주관적인 인식을 기준으로 하는 것이 아니라, 그의 가족, 대리인, 피용인 등과 같이 본인에게 책임을 객관적으로 귀속시킬 수 있는 관계자 모두를 기준으로 판단하여야 한다. ★★
>
> 폐기물처리업자가 폐기물관리법령이 정한 재활용 기준을 위반하였더라도 자신이 생산한 부숙토를 제3자에게 제공하면서 그가 그 부숙토를 폐기물관리법령이 허용하지 않는 방식으로 사용하리라는 점을 예견하거나 결과 발생을 회피하기 어렵다고 인정할 만한 특별한 사정이 있어 폐기물처리업자의 의무위반을 탓할 수 없는 정당한 사유가 있는 경우에는 폐기물처리업자에 대하여 제재처분을 할 수 없다고 보아야 한다. 여기에서 '의무위반을 탓할 수 없는 정당한 사유'가 있는지를 판단할 때에는 폐기물처리업자 본인이나 그 대표자의 주관적인 인식을 기준으로 하는 것이 아니라, 그의 가족, 대리인, 피용인 등과 같이 본인에게 책임을 객관적으로 귀속시킬 수 있는 관계자 모두를 기준으로 판단하여야 한다(대판 2020.5.14. 2019두63515).

(6) 제재처분시 고려사항

행정청은 재량이 있는 제재처분을 할 때에는 ① 위반행위의 동기, 목적 및 방법, ② 위반행위의 결과, ③ 위반행위의 횟수, ④ 그 밖에 ①부터 ③까지에 준하는 사항으로서 대통령령으로 정하는 사항을 고려하여야 한다(「행정기본법」 제22조 제2항).

해커스공무원 학원·인강 **gosi.Hackers.com**

제 5 편

행정쟁송

제1장	행정심판 일반론
제2장	행정심판청구
제3장	행정심판의 심리·재결
제4장	행정소송 일반론
제5장	항고소송 1(취소소송)
제6장	항고소송 2(무효등 확인소송)
제7장	항고소송 3(부작위위법확인소송)
제8장	당사자소송
제9장	객관소송
제10장	헌법소원

제1장 행정심판 일반론

 함께 정리하기

제1절 행정심판의 개설

「**행정심판법**」 **제1조 【목적】** 이 법은 행정심판 절차를 통하여 행정청의 <u>위법</u> 또는 <u>부당한 처분</u>(處分)이나 <u>부작위</u>(不作爲)로 침해된 국민의 권리 또는 이익을 구제하고, 아울러 행정의 적정한 운영을 꾀함을 목적으로 한다.

1 행정심판의 의의

1. 개념

(1) 행정심판이란 행정청의 위법·부당❶한 처분 또는 부작위로 침해된 국민의 권리 또는 이익을 구제하고 아울러 행정의 적정한 운영을 도모하기 위한 행정기관에 의한 심판절차로서, 사법절차가 준용되는 불복절차를 말한다(「행정심판법」 제1조).

> **참고** **부당의 의미**
> 부당이란 재량권의 일탈·남용으로서 위법한 것은 아니지만 재량권의 한계를 넘지 않는 한도 내에서 재량권의 행사를 그르친 행위(예 공익 또는 합목적성 판단 잘못)를 말한다. 즉, 위법은 아니지만, 제도의 목적이나 취지에서 보아 타당하다고도 말할 수 없는 행위를 부당한 행위라고 한다.
> 예컨대, 여객자동차운수사업면허를 받을 수 있는 법적 요건을 모두 갖춘 복수의 신청인 甲과 乙 중에서 시설이나 사업능력 등을 고려할 때 甲이 더 적합한 자임에도 불구하고 乙에게 면허가 부여된 경우, 乙에게 면허처분을 한 것 자체가 재량권의 일탈·남용으로서 위법한 처분까지는 아니라 하더라도 부당하다고는 할 수 있다. 이 처분을 위법하다고 할 수 없는 이유는 乙도 법정 요건을 갖춘 자이기 때문이다. 이처럼 개념상으로는 위법과 부당을 구별할 수 있지만, 실제로 하자 있는 처분이 위법인지 부당인지 가려내기는 매우 어렵다. 그럼에도 불구하고 부당의 개념은 행정심판 실무에서 자주 이용된다.
> 예를 들어, 영업정지나 그에 갈음한 과징금부과처분과 같은 제재적 행정처분에서 의무위반의 정도에 비하여 처분이 과하기는 하지만 그렇다고 재량권의 남용으로까지는 보기 어려운 경우(예컨대, A 라는 위반행위에 대하여 300만원의 과징금을 부과하는 관행이 있었는데 甲에게 305만원의 과징금을 부과한 경우)에, 부당을 이유로 영업정지의 기간이나 과징금의 액수를 감경, 즉 일부취소를 하는 일이 자주 있다. 이는 행정심판은 행정소송과 달리 권력분립적 제한을 받지 않고 재량행위의 경우에도 일부취소 내지 적극적 변경처분이 가능하기 때문이며, 이 점이 행정심판의 장점 중 하나이다.

(2) 행정심판을 규율하는 법으로는 일반법인 「행정심판법」이 있고, 각 개별법률에서 「행정심판법」에 대한 특칙을 규정하고 있다. 각 개별법률에서는 행정심판에 대하여 이의신청(예 토지보상법상 이의신청), 심사청구 또는 심판청구(예 「국세기본법」 등), 재심의 판정(예 「감사원법」) 또는 재심요구 등의 용어를 사용하고 있다.

행정심판
▷ 위법 또는 부당한 처분이나 부작위로 인하여 권리나 이익을 침해당한 자가 행정기관에 대하여 그 시정을 구하는 절차

부당
▷ 행정기관이 재량권의 한계를 넘지 않는 한도 내에서 재량권의 행사를 그르친 행위

❶ 판례는 "객관적으로 명백히 부당하다고 인정되는 경우"를 재량을 남용한 위법한 처분이라고 본다(대판 2008.2.1. 2007두20997).

(3) 행정기관이 심판기관이 되는 행정불복절차 모두가 엄밀한 의미의 행정심판(행정심판법의 규율대상이 되는 행정심판)이 아니며 준사법적 절차가 보장되는 행정불복절차만이 행정심판이라고 보아야 할 것이다. 왜냐하면, 현행 헌법 제107조 제3항은 행정심판은 준사법적 절차가 되어야 한다고 규정하고 있고, 「행정심판법」은 행정심판을 규율하는 준사법적 절차를 규정하고 있기 때문이다.

> **헌법 제107조** ③ 재판의 전심절차로서 행정심판을 할 수 있다. 행정심판의 절차는 법률로 정하되, 사법절차가 준용되어야 한다.

관련판례

행정심판에 관한 헌법 제107조 제3항의 의미 ★★

헌법 제107조 제3항은 "재판의 전심절차로서 행정심판을 할 수 있다. 행정심판의 절차는 법률로 정하되, 사법절차가 준용되어야 한다."고 규정하고 있으므로, 입법자가 행정심판을 전심절차가 아니라 종심절차로 규정함으로써 정식재판의 기회를 배제하거나, 어떤 행정심판을 필요적 전심절차로 규정하면서도 그 절차에 사법절차가 준용되지 않는다면 이는 위 헌법조항, 나아가 재판청구권을 보장하고 있는 헌법 제27조에도 위반된다(헌재 2001.6.28. 2000헌바30).

(4) 따라서 행정심판은 실질적으로는 사법작용에 속하나, 형식적으로는 행정작용에 속한다. 즉, 행정상 법률관계에 대한 분쟁이라는 점에서는 사법작용으로 볼 수 있으나, 행정기관에 시정을 구하는 절차라는 점에서는 행정작용으로 볼 수 있다.

2. 행정심판의 기능(존재이유)

(1) 신속·경제적인 권익구제

행정심판은 행정소송과 달리 약식쟁송에 해당하므로 법률관계에 대한 분쟁을 신속하게 해결할 수 있고, 소송대리인의 선임이나 인지대의 비용 없이 행정심판청구서의 제출만(서면심리)으로 심판이 이루어진다는 경제적인 장점이 있다.

(2) 자율적인 통제

법원에서 행정처분의 하자에 대한 위법성 심사를 하기 전에 행정청에 스스로 반성할 기회를 주어 자율적으로 시정할 수 있다.

(3) 행정부의 전문성 활용

행정청은 법원보다 해당 분야에 대한 전문적인 지식이 풍부하므로 이를 이용할 수 있는 장점이 있다.

(4) 법원의 부담경감

행정소송의 제기 없이 행정심판 과정에서 법률관계가 확정된다면 법원의 부담이 경감되는 장점이 있다.

함께 정리하기

행정심판절차의 헌법적 근거
▷ 헌법 제107조 제3항

실질
▷ 사법작용(행정상 법률관계에 대한 분쟁)

형식
▷ 행정작용(행정기관에 시정을 구하는 절차라는 점)

신속·경제적 권익구제
▷ 약식쟁송(∴서면심리 可)

자율적 통제
▷ 법원심사 전 자율적 시정

행정부 전문성 활용
▷ 전문지식풍부

행정소송 제기×
▷ 법원의 부담경감

 함께 정리하기

2 행정심판과 행정소송

1. 공통점

(1) 행정상 법률적 분쟁을 전제로 하는 실질적 쟁송으로서 행정청의 처분을 시정하는 절차이다.

(2) 당사자의 쟁송제기에 의해서만 절차가 개시된다(불고불리의 원칙).

(3) 당사자는 대등한 입장에 선다(대심주의).

(4) 법률상 이익이 있는 자만이 제기할 수 있다(원고적격, 청구인적격).

(5) 쟁송사항에 대해 개괄주의를 취한다.

(6) 일정한 기간 내에 제기하여야 한다(제소기간, 심판청구기간).

(7) 보충적 직권심리주의가 적용된다.

(8) 집행부정지원칙을 채택하고 있다.

(9) 불이익변경금지의 원칙이 적용된다.

(10) 소송참가제도, 청구의 변경이 인정된다.

(11) 사정판결·사정재결 제도가 채택되고 있다.

(12) 사후적 구제수단이다.

2. 차이점

구분	행정심판	행정소송
제도의 본질	행정통제적 성격이 강함	권리구제적 성격이 강함
심판기관	행정기관	법원
성질	• 약식쟁송 • 준사법 작용 • 형식적 의미의 행정	• 정식쟁송 • 사법 작용 • 형식적 의미의 사법
쟁송대상	• 위법 또는 부당행위(합목적성 심사○) • 대통령의 처분 또는 부작위×	• 위법행위만(합목적성 심사×) • 대통령의 처분 또는 부작위○
적극적 변경여부	가능(예 영업취소처분을 영업정지처분으로 변경가능)	불가(소극적 변경으로 일부취소는 가능)
실효성 확보수단	시정명령과 직접처분권, 간접강제	간접강제
제기기간	• 취소심판: 안 날 90일, 있은 날 180일 • 무효등확인심판: 제한× • 부작위에 대한 의무이행심판: 제한× • 거부처분에 대한 의무이행심판: 안 날 90일, 있은 날 180일	• 취소소송: 안 날 90일, 있은 날 1년 • 무효등 확인소송: 제한× • 부작위위법확인소송: (행정심판을 거친 경우) 제한○
심리방식	• 서면심리주의와 구술심리주의가 병행적용 • 비공개의 원칙(명문의 규정×)	• 구술심리주의가 원칙 • 공개의 원칙
오·불고지 규정	○(청구기간, 제출기관)	×

3 다른 행정상 불복제도와의 구별

1. 이의신청

「행정기본법」은 처분에 대한 이의신청을 일반적으로 규정하고 있다. 다른 법률에서 이의신청과 이에 준하는 절차에 대하여 정하고 있는 경우에도 그 법률에서 규정하지 아니한 사항에 관하여는 이 조에서 정하는 바에 따른다(「행정기본법」 제36조 제5항).

> 「행정기본법」 제36조 【처분에 대한 이의신청】 ① 행정청의 처분(「행정심판법」 제3조에 따라 같은 법에 따른 행정심판의 대상이 되는 처분을 말한다. 이하 이 조에서 같다)에 이의가 있는 당사자는 처분을 받은 날부터 30일 이내에 해당 행정청에 이의신청을 할 수 있다.
> ② 행정청은 제1항에 따른 이의신청을 받으면 그 신청을 받은 날부터 14일 이내에 그 이의신청에 대한 결과를 신청인에게 통지하여야 한다. 다만, 부득이한 사유로 14일 이내에 통지할 수 없는 경우에는 그 기간을 만료일 다음 날부터 기산하여 10일의 범위에서 한 차례 연장할 수 있으며, 연장 사유를 신청인에게 통지하여야 한다.
> ③ 제1항에 따라 이의신청을 한 경우에도 그 이의신청과 관계없이 「행정심판법」에 따른 행정심판 또는 「행정소송법」에 따른 행정소송을 제기할 수 있다.
> ④ 이의신청에 대한 결과를 통지받은 후 행정심판 또는 행정소송을 제기하려는 자는 그 결과를 통지받은 날(제2항에 따른 통지기간 내에 결과를 통지받지 못한 경우에는 같은 항에 따른 통지기간이 만료되는 날의 다음 날을 말한다)부터 90일 이내에 행정심판 또는 행정소송을 제기할 수 있다.
> ⑤ 다른 법률에서 이의신청과 이에 준하는 절차에 대하여 정하고 있는 경우에도 그 법률에서 규정하지 아니한 사항에 관하여는 이 조에서 정하는 바에 따른다.
> ⑥ 제1항부터 제5항까지에서 규정한 사항 외에 이의신청의 방법 및 절차 등에 관한 사항은 대통령령으로 정한다.
> ⑦ 다음 각 호의 어느 하나에 해당하는 사항에 관하여는 이 조를 적용하지 아니한다.
> 1. 공무원 인사 관계 법령에 따른 징계 등 처분에 관한 사항
> 2. 「국가인권위원회법」 제30조에 따른 진정에 대한 국가인권위원회의 결정
> 3. 「노동위원회법」 제2조의2에 따라 노동위원회의 의결을 거쳐 행하는 사항
> 4. 형사, 행형 및 보안처분 관계 법령에 따라 행하는 사항
> 5. 외국인의 출입국·난민인정·귀화·국적회복에 관한 사항
> 6. 과태료 부과 및 징수에 관한 사항

(1) 의의

① 이의신청이란 위법·부당한 행정작용으로 인해 권리가 침해된 자가 처분청에 대하여 그러한 행위의 시정을 구하는 절차를 말한다. 실무상 '진정(陳情)'으로 표현되기도 한다.

② 학문상(판례상) 이의신청은 행정불복❶ 중 행정심판이 아닌 것 달리 말하면 준사법적 절차가 아닌 행정불복을 말한다. 「행정기본법」은 이의신청에 대한 정의규정을 두고 있지 않으나, 「행정기본법」 제36조 및 「행정기본법」의 일반법으로서의 성격을 고려할 때 「행정기본법」의 규율대상이 되는 이의신청도 학문상 이의신청, 즉 행정심판(준사법적 절차)이 아닌 행정불복 일체를 의미하는 것으로 보는 것이 타당하다.

이의신청
▷ 위법·부당한 행정작용으로 인해 권리가 침해된 자가 처분청에 대하여 시정을 구하는 절차

❶ 행정불복
행정결정에 대한 불복으로서 불복심사기관이 행정기관인 것을 말한다. 행정불복에는 이의신청과 행정심판이 있다.

「행정기본법」의 규율대상인 이의신청
▷ 학문상 이의신청, 행정심판(준사법적 절차)이 아닌 행정불복

함께 정리하기

실정법상 이의신청
▷ 이의신청 이외에 심사청구, 재결신청 등 여러 가지 용어로 표현됨

③ 개별법령상(예「국민기초생활보장법」제40조) 또는 실무상 처분청이 아닌 기관(예 상급기관)에 대한 불복절차를 이의신청으로 부르는 경우도 있고, 해당 행정청에 불복하는 경우에도 이의신청이 아니라 심사청구(예「국민연금법」제108조)라는 용어를 사용하는 경우도 있다. 이처럼 실정법상 용어로는 이의신청 이외에 심사청구(예「산업재해보상보험법」제103조), 재결신청(예「수산업법」제84조, 제85조) 등 여러 가지 용어로 표현되기도 한다.

처분청에 표제를 '행정심판청구서'로 한 서류를 제출하였지만 서류의 내용과 실질이 이의신청인 경우
▷ 이의신청에 해당 ○

> **🔨 관련판례**
>
> 법률상 이의신청을 제기해야 할 사람이 처분청에 표제를 '행정심판청구서'로 한 서류를 제출한 경우, 서류의 내용에 이의신청 요건에 맞는 불복취지와 사유가 충분히 기재되어 있다면 처분에 대한 이의신청으로 볼 수 있다. ★★
>
> 지방자치법 제140조 제3항에서 정한 이의신청은 행정청의 위법·부당한 처분에 대하여 행정기관이 심판하는 행정심판과는 구별되는 별개의 제도이나, 이의신청과 행정심판은 모두 본질에 있어 행정처분으로 인하여 권리나 이익을 침해당한 상대방의 권리구제에 목적이 있고, 행정소송에 앞서 먼저 행정기관의 판단을 받는 데에 목적을 둔 엄격한 형식을 요하지 않는 서면행위이므로, 이의신청을 제기해야 할 사람이 처분청에 표제를 '행정심판청구서'로 한 서류를 제출한 경우라 할지라도 서류의 내용에 이의신청 요건에 맞는 불복취지와 사유가 충분히 기재되어 있다면 표제에도 불구하고 이를 처분에 대한 이의신청으로 볼 수 있다 (대판 2012.3.29. 2011두26886).

「행정기본법」상 이의신청
▷ 일반이의신청, 특별이의신청

④「행정기본법」상 이의신청에는「행정기본법」만에 의해 규율되는 이의신청(일반이의신청)과「행정기본법」과 달리 특별한 규율의 대상이 되는 이의신청[특별이의신청(예「민원 처리에 관한 법률」상 이의신청,「국세기본법」상 이의신청)]이 있다.

(2) 이의신청권자

이의신청권자
▷ 처분 상대방(제3자 ×)

「행정기본법」제36조 제1항에 따른 신청권자는 처분에 이의가 있는 당사자이다. 즉, 처분의 상대방만이 신청권자에 해당하고, 이해관계 있는 제3자는「행정기본법」에 따른 이의신청을 할 수 없다.

(3) 이의신청의 대상

대상
▷ 행정심판이 적용되는 처분에 한정

「행정기본법」제36조 제1항에 따라 이의신청의 대상이 되는 것은「행정심판법」제3조에 따라 행정심판의 대상이 되는 처분에 한정된다. 특별행정심판의 대상이 되는 처분이나「행정기본법」제36조 제7항 각 호에 해당하는 사항, 부작위는 이의신청의 대상이 되지 않는다.

> **「행정심판법」제3조【행정심판의 대상】** ① 행정청의 처분 또는 부작위에 대하여는 다른 법률에 특별한 규정이 있는 경우 외에는 이 법에 따라 행정심판을 청구할 수 있다.
> ② 대통령의 처분 또는 부작위에 대하여는 다른 법률에서 행정심판을 청구할 수 있도록 정한 경우 외에는 행정심판을 청구할 수 없다.

(4) 이의신청의 제기기간

제기기간
▷ 처분을 받은 날부터 30일 內

행정청의 처분에 이의가 있는 당사자는 처분을 받은 날부터 30일 이내에 해당 행정청에 이의신청을 할 수 있다(「행정기본법」제36조 제1항). '처분을 받은 날'이라 함은 처분이 도달한 날, 즉 처분이 효력을 발생한 날을 말한다.

(5) 이의신청에 대한 처리기간

행정청은 제1항에 따른 이의신청을 받으면 그 신청을 받은 날부터 14일 이내에 그 이의신청에 대한 결과를 신청인에게 통지하여야 한다. 다만, 부득이한 사유로 14일 이내에 통지할 수 없는 경우에는 그 기간을 만료일 다음날부터 기산하여 10일의 범위에서 한 차례 연장할 수 있으며, 연장사유를 신청인에게 통지하여야 한다(「행정기본법」 제36조 제2항).

(6) 「행정기본법」상 이의신청과 행정심판 또는 행정소송의 관계

① 이의신청은 임의적 절차이다. 따라서 이의신청을 한 경우에도 그 이의신청과 관계없이 「행정심판법」에 따른 행정심판 또는 「행정소송법」에 따른 행정소송을 제기할 수 있다(「행정기본법」 제36조 제3항).

② 이의신청을 하면 행정심판이나 행정소송의 제기기간이 이의신청 결과 통지일부터 기산된다. 즉, 이의신청의 결과에 대해 불복하고자 하는 자는 그 결과를 통지받은 날(통지기간 내에 결과를 통지받지 못한 경우에는 통지기간이 만료되는 날의 다음 날)부터 90일 이내에 행정심판 또는 행정소송을 제기할 수 있다(「행정기본법」 제36조 제4항). 이는 이의신청에 대한 결정을 기다리는 중에 행정심판이나 행정소송의 제기기간이 도과하여 권리구제가 제한받지 않도록 하기 위한 것이다.

> **관련판례**
>
> 청구인이 공공기관의 비공개 결정 또는 부분 공개 결정에 대한 이의신청을 하여 공공기관으로부터 이의신청에 대한 결과를 통지받은 후 취소소송을 제기하는 경우, 제소기간의 기산점은 이의신청에 대한 결과를 통지받은 날이다. ★★
>
> 공공기관의 정보공개에 관한 법률 제18조 제1항, 제3항, 제4항, 제20조 제1항, 행정소송법 제20조 제1항의 규정 내용과 그 취지 등을 종합하여 보면, 청구인이 공공기관의 비공개 결정 또는 부분 공개 결정에 대한 이의신청을 하여 공공기관으로부터 이의신청에 대한 결과를 통지받은 후 취소소송을 제기하는 경우 그 제소기간은 이의신청에 대한 결과를 통지받은 날부터 기산한다고 봄이 타당하다(대판 2023.7.27. 2022두52980).

(7) 행정기본법 제36조의 적용범위

① 다른 법률에서 '이의신청과 이에 준하는 절차'에 대하여 정하고 있는 경우에도 그 법률에서 규정하지 아니한 사항에 관하여는 이 조에서 정하는 바에 따른다(「행정기본법」 제36조 제5항). 이 조항은 「행정기본법」 제36조가 이의신청에 관한 일반법임을 선언한 규정이다. 따라서 행정심판(준사법적 절차)이 아닌 이의신청 등 행정불복(개별법상 인정되는 이의신청 포함)에 대해서는 특별한 규정이 없는 한 「행정기본법」 제36조 제5항이 적용된다.

② 다만, 「행정기본법」 제36조 제7항 각 호(㉠ 공무원 인사 관계 법령에 따른 징계 등 처분에 관한 사항, ㉡ 「국가인권위원회법」 제30조에 따른 진정에 대한 국가인권위원회의 결정, ㉢ 「노동위원회법」 제2조의2에 따라 노동위원회의 의결을 거쳐 행하는 사항, ㉣ 형사, 행형 및 보안처분 관계 법령에 따라 행하는 사항, ㉤ 외국인의 출입국·난민인정·귀화·국적회복에 관한 사항, ㉥ 과태료 부과 및 징수에 관한 사항)에 관하여는 「행정기본법」 제36조가 적용되지 않는다.

함께 정리하기

처리기간
▷ 14일
▷ 단, 부득이한 사유 有: 기간만료일 다음날부터 기산하여 10일의 범위에서 한 차례 연장 可

이의신청은 임의적 절차
▷ 이의신청과 관계없이 행정심판·행정소송 제기 可

이의신청시 행정심판이나 행정소송의 제기기간
▷ 이의신청결과 통지받은 날부터 90일 內

이의신청을 거쳐 제기된 비공개·부분공개결정에 대한 취소소송의 제소기간 기산점
▷ 이의신청에 대한 결과를 통지받은 날

「행정기본법」 제36조
▷ 이의신청에 관한 일반법

「행정기본법」 제36조 제7항 각 호
▷ 「행정기본법」 제36조 적용×

(8) 행정심판인 이의신청과 행정심판이 아닌 이의신청의 구별

이의신청이라는 명칭을 사용하는 행정불복 중에는 행정심판의 성질을 갖는 것도 있고, 행정심판이 아닌 것도 있다. 각 개별법에서 규정하고 있는 이의신청이 단순 이의신청 불과한지 아니면 그 명칭에도 불구하고 실질적으로 행정심판인 이의신청에 해당하는지 문제된다.

① 구별실익

㉠ 이의신청을 거친 후 다시 행정심판을 제기할 수 있는지 여부: 개별법상 이의신청 중에는 행정심판의 재결의 성질을 가지는 경우가 있는 바, 만약 당해 이의신청이 이와 같이 실질적으로 행정심판이라고 한다면 이의신청을 거친 후에는 다시 행정심판을 제기할 수 없다(「행정심판법」 제51조). 이에 반해 이의신청이 행정심판이 아니라면 이의신청을 거친 후에도 다시 행정심판을 제기할 수 있다.

「행정심판법」 제51조 【행정심판 재청구의 금지】 심판청구에 대한 재결이 있으면 그 재결 및 같은 처분 또는 부작위에 대하여 다시 행정심판을 청구할 수 없다.

행정심판인 이의신청
▷ 불가

행정심판이 아닌 이의신청
▷ 가능

㉡ 이의신청에 대한 결정이 항고소송의 대상이 되는지 여부

ⓐ 행정심판인 이의신청인 경우: 행정심판의 실질을 가진 이의신청에 대한 결정은 행정심판의 재결의 성질을 갖기 때문에 재결자체의 고유한 위법이 있는 경우 항고소송의 대상이 된다.

ⓑ 행정심판이 아닌 이의신청인 경우: 행정심판이 아닌 이의신청에 대해 ㉮ 원처분을 취소하는 결정은 직권취소로서 그리고 변경하는 결정은 종전의 처분을 대체하는 새로운 처분으로서 항고소송의 대상이 된다. 그러나, ㉯ 이의신청의 대상이 된 기존의 처분을 그대로 유지하는 결정(기각결정)은 종전의 처분을 단순히 확인하는 사실행위로서 독립된 처분의 성질을 갖지 않아 원결정과 별개로 항고소송의 대상이 되지 않는다. 다만, ㉰ 이의신청에 따른 기각결정이 별도의 의사결정 과정과 절차를 거쳐 이루어진 독립된 행정처분의 성질을 갖는 경우에는 항고소송의 대상이 될 수 있다.

행정심판인 이의신청
▷ 항고소송의 대상 O

행정심판이 아닌 이의신청
▷ 원처분을 취소·변경하는 결정: 항고소송의 대상 O
▷ 기존 처분을 그대로 유지하는 기각결정: 항고소송의 대상 X
▷ 기각결정이 별도의 의사결정 과정과 절차를 거쳐 이루어진 독립된 행정처분의 성질을 갖는 경우: 항고소송의 대상 O

🔨 관련판례

1 민원사무처리법상 이의신청에 대한 기각결정은 항고소송의 대상이 되지 않는다. ★

민원사무처리에 관한 법률(이하 '민원사무처리법'이라 한다) 제18조 제1항에서 정한 거부처분에 대한 이의신청(이하 '민원 이의신청'이라 한다)은 행정청의 위법 또는 부당한 처분이나 부작위로 침해된 국민의 권리 또는 이익을 구제함을 목적으로 하여 행정청과 별도의 행정심판기관에 대하여 불복할 수 있도록 한 절차인 행정심판과는 달리, 민원사무처리법에 의하여 민원사무처리를 거부한 처분청이 민원인의 신청 사항을 다시 심사하여 잘못이 있는 경우 스스로 시정하도록 한 절차이다. 이에 따라, 민원 이의신청을 받아들이는 경우에는 이의신청 대상인 거부처분을 취소하지 않고 바로 최초의 신청을 받아들이는 새로운 처분을 하여야 하지만, 이의신청을 받아들이지 않는 경우에는 다시 거부처분을 하지 않고 그 결과를 통지함에 그칠 뿐이다. 따라서 이의신청을 받아들이지 않는 취지의 기각 결정 내지는 그 취지의 통지는, 종전의 거부처분을 유지함을 전제로 한 것에 불과하고 또한 거부처분에 대한 행정심판이나 행정소송의 제기에도 영향을 주지 못하므로, 결국 민원 이의신청인의 권리·의무에 새로운 변동을 가져오는 공권력의 행사나 이에 준하는 행정작용이라고 할 수 없어, 독자적인 항고소송의 대상이 된다고 볼 수 없다(대판 2012.11.15. 2010두8676).

민원사무처리법상 이의신청에 대한 기각결정
▷ 항고소송의 대상 X

2 **국가유공자 등 예우 및 지원에 관한 법률상 이의신청을 받아들이지 아니하는 결정은 항고소송의 대상이 되지 않는다.** ★★

이의신청을 받아들이는 것을 내용으로 하는 결정은 당초 국가유공자 등록신청을 받아들이는 새로운 처분(직권취소)으로 볼 수 있으나, 이의신청을 받아들이지 아니하는 결정은 종전의 결정 내용을 그대로 유지하는 것에 불과한 것으로서 이의신청인의 권리·의무에 새로운 변동을 가져오는 공권력의 행사나 이에 준하는 행정작용이라고 할 수 없으므로 원결정과 별개로 항고소송의 대상이 되지는 않는다(처분이 아니다)고 봄이 타당하다(대판 2016.7.27. 2015두45953).

3 **생활대책대상자에 해당하지 않는다는 결정에 대해 이의신청을 하고 이의신청에 대한 재심사 결과 생활대책대상자로 선정되지 않았다는 통보를 받은 경우 이 통보도 행정처분에 해당한다.** ★★

한국토지주택공사가 택지개발사업의 시행자로서 택지개발예정지구 공람공고일 이전부터 영업 등을 행한 자 등 일정 기준을 충족하는 손실보상대상자들에 대하여 생활대책을 수립·시행하였는데, 직권으로 甲 등이 생활대책대상자에 해당하지 않는다는 결정(이하 '부적격통보'라고 한다)을 하고, 甲 등의 이의신청에 대하여 재심사 결과로도 생활대책대상자로 선정되지 않았다는 통보(이하 '재심사통보'라고 한다)를 한 사안에서, 부적격통보가 심사대상자에 대하여 한국토지주택공사가 생활대책대상자 선정 신청을 받지 아니한 상태에서 자체적으로 가지고 있던 자료를 기초로 일정 기준을 적용한 결과를 일괄 통보한 것이고, 각 당사자의 개별·구체적 사정은 이의신청을 통하여 추가로 심사하여 고려하겠다는 취지를 포함하고 있다면, 甲 등은 이의신청을 통하여 비로소 생활대책대상자 선정에 관한 의견서 제출 등의 기회를 부여받게 되었고 한국토지주택공사도 그에 따른 재심사과정에서 당사자들이 제출한 자료 등을 함께 고려하여 생활대책대상자 선정기준의 충족 여부를 심사하여 재심사통보를 한 것이라고 볼 수 있는 점 등을 종합하면, 비록 재심사통보가 부적격통보와 결론이 같더라도, 단순히 한국토지주택공사의 업무처리의 적정 및 甲 등의 편의를 위한 조치에 불과한 것이 아니라 별도의 의사결정 과정과 절차를 거쳐 이루어진 독립한 행정처분으로서 항고소송의 대상이 된다(대판 2016.7.14. 2015두58645).

ⓒ **제소기간의 특례규정 적용 여부**: 만약 당해 이의신청이 실질적으로 행정심판이라고 한다면 제소기간의 특례규정(행정소송법 제20조 제1항 단서)이 적용되어 이의신청에 대한 결정서 정본을 송달받을 날부터 취소소송의 제기가 가능하지만, 단순 이의신청에 불과하다면 제소기간의 특례규정은 적용되지 않기 때문에 당초 처분이 있음을 안 날부터 제소기간을 기산하여야 한다(대판 2014.4.24. 2013두10809).

ⓔ **처분사유의 추가·변경의 허용기준**: 만약 당해 이의신청이 실질적으로 행정심판이라고 한다면 당초의 처분사유와 기본적 사실관계의 동일성이 인정되는 경우에만 처분사유의 추가 또는 변경이 허용된다(대판 2014.5.15. 2013두26118). 그에 반해 단순 이의신청인 경우에는 당초의 처분사유와 기본적 사실관계의 동일성이 없는 사유라 할지라도 처분의 적법성의 뒷받침하는 처분사유로 추가하거나 변경할 수 있다(대판 2012.9.13. 2012두3859).

ⓜ **결정시법과 처분시법(적용기준)**: 이의신청에 따른 결정은 처분청의 결정이므로 결정시의 법령 및 사실상태를 기준으로 한다. 그러나, 행정심판의 재결은 처분청의 결정이 아니고 준사법적 행위이므로 취소사유인 처분의 위법 또는 부당은 처분시의 법령 및 사실상태를 기준으로 판단한다.

함께 정리하기

국가유공자법상 이의신청을 받아들이는 결정
▷ 항고소송의 대상 ○

국가유공자법상 이의신청을 받아들이지 아니하는 결정
▷ 항고소송의 대상 ✕

생활대책대상자에 해당하지 않는다는 결정에 대한 이의신청 결과, 생활대책대상자로 선정되지 않았다는 재심사통보를 받은 경우
▷ 재심사 통보는 항고소송의 대상 ○

행정심판인 이의신청
▷ 제소기간 특례 적용 ○: 이의신청에 대한 결정서 정본을 송달받을 날부터 제소기간 기산

행정심판이 아닌 이의신청
▷ 제소기간 특례 적용 ✕: 당초 처분이 있음을 안 날부터 제소기간 기산

행정심판인 이의신청
▷ 당초 처분사유와 기본적 사실관계의 동일성이 인정되는 경우에만 허용

행정심판이 아닌 이의신청
▷ 당초 처분사유와 기본적 사실관계의 동일성이 없는 사유라 할지라도 허용

행정심판인 이의신청
▷ 처분시의 법령 및 사실상태 기준

행정심판이 아닌 이의신청
▷ 결정시의 법령 및 사실상태 기준

함께 정리하기

이의신청
▷ 처분청에 대해 시정을 구하는 절차

행정심판
▷ 사법절차 준용되는 행정심판위원회에 대한 불복절차

❶ 다만, 행정심판도 예외적으로 처분청 스스로가 심판기관이 되는 경우도 있으므로 이러한 심판기관의 차이는 절대적 기준은 되지 못한다.

이의신청
▷ 사법절차 준용×

행정심판
▷ 사법절차 준용○

이의신청 이후에 다시 행정심판을 제기할 수 있는 것으로 규정하고 있는 경우
▷ 이의신청

토지보상법상의 이의신청
▷ 특별법상의 행정심판

토지수용위원회의 수용재결에 대한 이의절차
▷ 행정심판의 성질

「민원 처리에 관한 법률」상 이의신청
▷ 행정심판이 아닌 이의신청

「민원 처리에 관한 법률」상 이의신청
▷ 단순 진정(행정심판×)
▷ 제소기간 특례 적용×(단순이의신청)

② 구별기준
  ㉠ **대상**: 행정심판은 원칙적으로 모든 위법·부당한 처분에 대해 인정되지만, 이의신청은 각 개별법에서 정하고 있는 일정한 처분에 대하여만 인정된다.
  ㉡ **심판기관의 차이**: 행정심판은 처분청의 직근 상급행정청 등에 소속된 행정심판위원회에 불복을 청구하는 것인데 반하여, 이의신청은 처분청에 제기한다는 점에서 차이가 있다.❶
  ㉢ **사법절차의 준용여부**: 행정심판은 ⓐ 판단기관의 독립성과 공정성, ⓑ 대심적 심리구조, ⓒ 당사자의 절차적 권리보장이라는 사법(司法)절차가 준용되는데 반해(헌법 제107조 제3항), 행정심판이 아닌 이의신청은 사법절차가 준용되지 않는다.
  ㉣ **이의신청 이후에 다시 행정심판을 제기할 수 있는지 여부**: 이의신청에 불복하는 경우 다시 행정심판을 제기할 수 있는 것으로 규정하고 있는 경우에는, 당해 이의신청은 행정심판이 아닌 이의신청으로 보아야 한다.

③ 개별적 검토
  ㉠ 「**공익사업을 위한 토지 등의 취득 및 보상에 관한 법률**」(약칭: 토지보상법)상의 이의신청: 이의신청에 대한 재결이 확정된 때에는 「민사소송법」상의 확정판결이 있는 것으로 보는 규정을 고려할 때 「공익사업을 위한 토지 등의 취득 및 보상에 관한 법률」상의 이의신청은 특별법상의 행정심판으로 보는 것이 일반적인 견해이다. 판례도 이와 같은 입장이다.

> **관련판례**
> 토지수용위원회의 수용재결에 대한 이의절차는 실질적으로 행정심판의 성질을 갖는 것이므로 토지수용법에 특별한 규정이 있는 것을 제외하고는 행정심판법의 규정이 적용된다고 할 것이다(대판 1992.6.9. 92누565).

  ㉡ 「**민원 처리에 관한 법률**」상 이의신청: 「민원 처리에 관한 법률」 제35조 제1항은 법정민원에 대한 행정기관의 장의 거부처분에 불복하는 민원인은 그 거부처분을 받은 날부터 60일 이내에 그 행정기관의 장에게 문서로 이의신청을 할 수 있다고 규정하고, 동조 제3항은 민원인은 제1항에 따른 이의신청 여부와 관계없이 「행정심판법」에 따른 행정심판 또는 「행정소송법」에 따른 행정소송을 제기할 수 있다고 규정하고 있다. 따라서 「민원 처리에 관한 법률」상 이의신청은 행정심판이 아닌 이의신청으로 보는 것이 타당하다. 판례도 이와 같은 입장이다.

> **관련판례**
> **민원 처리에 관한 법률상 이의신청은 단순 진정의 성격을 갖는다.** ★★
> 민원사무처리법에서 정한 민원 이의신청의 대상인 거부처분에 대하여는 민원 이의신청과 상관없이 행정심판 또는 행정소송을 제기할 수 있으며, 또한 민원 이의신청은 민원사무처리에 관하여 인정된 기본사항의 하나로 처분청으로 하여금 다시 거부처분에 대하여 심사하도록 한 절차로서 행정심판법에서 정한 행정심판과는 성질을 달리하고 또한 사안의 전문성과 특수성을 살리기 위하여 특별한 필요에 따라 둔 행정심판에 대한 특별 또는 특례 절차라 할 수도 없어 행정소송법에서 정한 행정심판을 거친 경우의 제소기간의 특례가 적용된다고 할 수도 없으므로, 민원 이의신청에 대한 결과를 통지받은 날부터 취소소송의 제소기간이 기산된다고 할 수 없다(대판 2012.11.15. 2010두8676).

ⓒ **개별공시지가에 대한 이의신청**: 종래 개별공시지가에 대한 이의신청이 특별법상 행정심판인지 여부에 대하여 논란이 있었으나, 판례는 「부동산 가격공시 및 감정평가에 관한 법률」(약칭: 부동산공시법)에 행정심판의 제기를 배제하는 명시적인 규정이 없고 부동산공시법에 따른 이의신청과 행정심판은 그 절차 및 담당 기관에 차이가 있는 점을 고려하여, 행정심판이 아닌 이의신청으로 보는 판시를 한 바 있다.

> **관련판례**
>
> **개별공시지가에 대한 이의신청은 행정심판이 아닌 이의신청이다. ★★**
> (부동산 가격공시 및 감정평가에 관한 법률 제12조, 행정소송법 제20조 제1항, 행정심판법 제3조 제1항의 규정 내용 및 취지와 아울러 부동산 가격공시 및 감정평가에 관한 법률에 행정심판의 제기를 배제하는 명시적인 규정이 없고 부동산 가격공시 및 감정평가에 관한 법률에 따른 이의신청과 행정심판은 그 절차 및 담당 기관에 차이가 있는 점을 종합하면) 부동산 가격공시 및 감정평가에 관한 법률이 이의신청에 관하여 규정하고 있다고 하여 이를 행정심판법 제3조 제1항에서 행정심판의 제기를 배제하는 '다른 법률에 특별한 규정이 있는 경우'에 해당한다고 볼 수 없으므로, 개별공시지가에 대하여 이의가 있는 자는 곧바로 행정소송을 제기하거나 부동산 가격공시 및 감정평가에 관한 법률에 따른 이의신청과 행정심판법에 따른 행정심판청구 중 어느 하나만을 거쳐 행정소송을 제기할 수 있을 뿐 아니라, 이의신청을 하여 그 결과 통지를 받은 후 다시 행정심판을 거쳐 행정소송을 제기할 수도 있다고 보아야 하고, 이 경우 행정소송의 제소기간은 그 행정심판 재결서 정본을 송달받은 날부터 기산한다(대판 2010.1.28. 2008두19987).

ⓔ 「산업재해보상보험법」(약칭: 산재보험법)상의 심사청구
  ⓐ 근로복지공단의 산재보험급여에 관한 결정에 대하여 불복이 있는 자는 결정이 있음을 안 날부터 90일 이내에 공단에 심사청구를 할 수 있고(산재보험법 제103조), 공단의 심사청구에 대한 결정에 불복하는 자는 결정이 있음을 안 날부터 90일 이내에 재해보상보험재심사위원회에 재심사청구를 할 수 있다(산재보험법 제106조).
  ⓑ 이와 같이 산재보험법상의 심사청구는 최초 결정을 내린 공단에 청구하는 것으로서 준사법적 절차가 보장되어 있지 않고, 동법은 심사청구와 별도로 특별법상 행정심판에 해당하는 재심사청구를 제기할 수 있는 것으로 규정하고 있으므로 행정심판이 아닌 '이의신청'으로 보는 것이 타당하다(대판 2012.9.13. 2012두3859). 반면, 처분청과 독립된 기관인 재심사위원회에 의해 진행되는 재심사청구는 기속력에 관한 규정(산재보험법 제109조 제2항) 및 「행정심판법」의 준용에 관한 규정(산재보험법 제111조 제2항)을 고려할 때, '행정심판'으로 보아야 할 것이다.

ⓜ 「공무원연금법」상의 심사청구
  ⓐ 「공무원연금법」 제87조상 급여에 관한 결정 등에 관하여 이의가 있는 자는 급여에 관한 결정 등이 있었던 날부터 180일, 그 사실을 안 날부터 90일 이내에 '공무원재해보상연금위원회'에 심사를 청구할 수 있을 뿐이고(제1항·제2항), 「행정심판법」에 따른 행정심판을 청구할 수는 없다(제3항).

함께 정리하기

부동산공시법상 개별공시지가에 대한 이의신청
▷ 행정심판이 아닌 이의신청

개별공시지가에 대한 이의신청
▷ 행정심판이 아닌 이의신청

산재보험법상의 심사청구
▷ 행정심판이 아닌 이의신청

함께 정리하기

「공무원연금법」상의 심사청구
▷ 특별법상의 행정심판

❶
「공무원연금법」이 2018.3.20. 법률 제15523호로 전부개정(시행 2018.9.21.)됨에 따라 '공무원연금급여 재심위원회(구「공무원연금법」제80조 제1항)'가 '공무원재해보상연금위원회(「공무원연금법」제87조 제1항, 「공무원 재해보상법」제52조)'로 그 명칭이 변경되었다. 대판 2019.8.9. 2019두38656에서 공무원재해보상연금위원회의 전신인 공무원연금급여 재심위원회의 심사청구를 특별행정심판으로 인정하였다.

ⓑ 이와 같은 공무원재해보상연금위원회에 대한 심사청구 제도의 입법 취지와 심사청구기간, 행정심판법에 따른 일반행정심판의 적용 배제, 공무원재해보상연금위원회의 조직, 운영, 심사절차에 관한 사항 등을 종합하면, 「공무원연금법」상 공무원재해보상연금위원회에 대한 심사청구제도는 사안의 전문성과 특수성을 살리기 위하여 특히 필요하여 행정심판법에 따른 일반행정심판을 갈음하는 특별한 행정불복절차(「행정심판법」제4조 제1항), 즉 특별행정심판에 해당한다(대판 2019.8.9. 2019두38656).❶

핵심정리 | 행정심판인 이의신청과 행정심판이 아닌 이의신청으로 본 경우

행정심판인 이의신청	행정심판이 아닌 이의신청
• 「공익사업을 위한 토지 등의 취득 및 보상에 관한 법률」상의 이의신청(92누565) • 「산업재해보상보험법」상 재해보상보험재심사위원회에 대한 재심사청구(제109조 제2항, 제111조 제2항) • 국민고충처리위원회에 접수된 신청서가 행정기관의 처분에 대하여 시정을 구하는 취지임이 내용상 분명한 것으로서 국민고충처리위원회가 이를 당해 처분청 또는 그 재결청에 송부한 경우(95누5332) • 구 「공무원연금법」상 공무원연금급여 재심위원회에 대한 심사청구(2019두38656)	• 「국세기본법」상 이의신청(제66조 제1항, 제56조 제2항) • 「민원사무처리에 관한 법률」상 이의신청(2010두8676) • 개별공시지가에 대한 이의신청(2008두19987) • 「공공감사에 관한 법률」상 재심의신청(2013두10809) • 「지방자치법」상 이의신청(제157조 제3항) • 「지방세기본법」상 이의신청(제90조) • 「공공기관의 정보공개에 관한 법률」상 이의신청 • 「도로교통법」상 이의신청 • 「산업재해보상보험법」상 산업재해보상심사위원회에 대한 심사청구(제103조)

2. 처분의 재심사

「행정기본법」제37조【처분의 재심사】① 당사자는 처분(제재처분 및 행정상 강제는 제외한다. 이하 이 조에서 같다)이 행정심판, 행정소송 및 그 밖의 쟁송을 통하여 다툴 수 없게 된 경우(법원의 확정판결이 있는 경우는 제외한다)라도 다음 각 호의 어느 하나에 해당하는 경우에는 해당 처분을 한 행정청에 처분을 취소·철회하거나 변경하여 줄 것을 신청할 수 있다.
1. 처분의 근거가 된 사실관계 또는 법률관계가 추후에 당사자에게 유리하게 바뀐 경우
2. 당사자에게 유리한 결정을 가져다주었을 새로운 증거가 있는 경우
3. 「민사소송법」제451조에 따른 재심사유에 준하는 사유가 발생한 경우 등 대통령령으로 정하는 경우
② 제1항에 따른 신청은 해당 처분의 절차, 행정심판, 행정소송 및 그 밖의 쟁송에서 당사자가 중대한 과실 없이 제1항 각 호의 사유를 주장하지 못한 경우에만 할 수 있다.
③ 제1항에 따른 신청은 당사자가 제1항 각 호의 사유를 안 날부터 60일 이내에 하여야 한다. 다만, 처분이 있은 날부터 5년이 지나면 신청할 수 없다.
④ 제1항에 따른 신청을 받은 행정청은 특별한 사정이 없으면 신청을 받은 날부터 90일(합의제행정기관은 180일) 이내에 처분의 재심사 결과(재심사 여부와 처분의 유지·취소·철회·변경 등에 대한 결정을 포함한다)를 신청인에게 통지하여야 한다. 다만, 부득이한 사유로 90일(합의제행정기관은 180일) 이내에 통지할 수 없는 경우에는 그 기간을 만료일 다음 날부터 기산하여 90일(합의제행정기관은 180일)의 범위에서 한 차례 연장할 수 있으며, 연장 사유를 신청인에게 통지하여야 한다.
⑤ 제4항에 따른 처분의 재심사 결과 중 처분을 유지하는 결과에 대해서는 행정심판, 행정소송 및 그 밖의 쟁송수단을 통하여 불복할 수 없다.

⑥ 행정청의 제18조에 따른 취소와 제19조에 따른 철회는 처분의 재심사에 의하여 영향을 받지 아니한다.
⑦ 제1항부터 제6항까지에서 규정한 사항 외에 처분의 재심사의 방법 및 절차 등에 관한 사항은 대통령령으로 정한다.
⑧ 다음 각 호의 어느 하나에 해당하는 사항에 관하여는 이 조를 적용하지 아니한다.
1. 공무원 인사 관계 법령에 따른 징계 등 처분에 관한 사항
2. 「노동위원회법」 제2조의2에 따라 노동위원회의 의결을 거쳐 행하는 사항
3. 형사, 행형 및 보안처분 관계 법령에 따라 행하는 사항
4. 외국인의 출입국·난민인정·귀화·국적회복에 관한 사항
5. 과태료 부과 및 징수에 관한 사항
6. 개별 법률에서 그 적용을 배제하고 있는 경우

(1) 의의

① 처분의 재심사는 불복기간의 경과 등으로 처분을 행정심판이나 행정소송 및 그 밖의 쟁송을 통하여 더 이상 다툴 수 없는 경우에, 신청(처분의 취소·철회 또는 변경의 신청)에 의해 처분청이 해당 처분을 재심사하는 것(처분의 취소·철회 또는 변경 여부를 결정)을 말한다. 처분의 재심사제도는 민·형사 재판절차상 재심제도와 유사하다. 불가쟁력이 발생한 처분이더라도 일정한 경우에는 행정목적의 신속한 실현뿐만 아니라 개인의 권리구제를 위하여 인정할 필요가 있다.

② 처분의 재심사는 처분 행정청에서 심사를 한다는 점에서 이의신청과 같으나 법원이 심사를 하는 재심청구와 다르며, 쟁송으로 다툴 수 없는 경우에 할 수 있고 그 대상에서 제재처분 및 행정강제는 제외된다는 점에서 이의신청과 구별된다.

처분의 재심사
▷ 처분을 불복기간의 경과 등으로 쟁송을 통하여 더 이상 다툴 수 없는 경우 신청에 의해 처분청이 해당 처분을 재심사하는 것
▷ 처분 행정청에서 심사, 제재처분 및 행정강제는 제외

(2) 재심사 신청사유

처분의 재심사에 관한 일반적 근거규정인 「행정기본법」 제37조의 내용을 보면 아래와 같다.

① 「행정기본법」상 처분의 재심사를 신청하기 위해서는 처분(제재처분 및 행정상 강제는 제외)이 행정심판, 행정소송 및 그 밖의 쟁송을 통하여 다툴 수 없게 된 경우(법원의 확정판결이 있는 경우는 제외), 즉 처분에 대해 불가쟁력이 발생한 경우로서 다음 각 호의 어느 하나에 해당하는 경우에 해당하여야 한다(제1항).
  ㉠ 처분의 근거가 된 사실관계 또는 법률관계가 추후에 당사자에게 유리하게 바뀐 경우(제1호)
  ㉡ 당사자에게 유리한 결정을 가져다주었을 새로운 증거가 있는 경우(제2호)
  ㉢ 「민사소송법」 제451조에 따른 재심사유에 준하는 사유가 발생한 경우 등 대통령령으로 정하는 경우(제3호)

② 제1호에서 '사실관계의 변경'은 처분의 결정에 객관적으로 중요하였던 사실이 없어지거나 새로운 사실(과학적 지식 포함)이 추후에 발견되어 관계인에게 유리한 결정을 이끌어 낼 수 있는 경우를 의미하고, '법률관계의 변경'은 처분의 근거법령이 처분 이후에 폐지되었거나 변경된 경우 등을 의미한다. 제2호에서 '새로운 증거'는 처분의 절차나 쟁송과정에서 사용할 수 없었던 증거로서 당사자등의 과실 없이 절차진행 당시 제때 습득하지 못하거나 마련할 수 없었던 증거, 당사자등이 과실 없이 인지하지 못하고 있었던 증거, 처분 당시 제출되어 있었으나 행정청의 무지, 오판, 불충분한 고려가 있었던 경우 등을 의미한다.

함께 정리하기

❶
제1호에 따른 재심사는 제1호에 따른 재심사 신청사유가 있는 경우에 당사자에게 철회신청권을 인정하는 의미도 있다.

재심사 신청사유
▷ 처분의 근거가 된 사실관계 또는 법률관계가 추후에 당사자에게 유리하게 바뀐 경우
▷ 당사자에게 유리한 결정을 가져다주었을 새로운 증거가 있는 경우
▷ 「민사소송법」 제451조에 따른 재심사유에 준하는 사유가 발생한 경우
▷ 기타 대통령령으로 정하는 경우로서 당사자가 중대한 과실 없이 각 호 사유를 주장하지 못한 경우

재심사신청권자
▷ 처분 상대방(제3자×)

신청기간
▷ 신청사유를 안 날부터 60일, 처분이 있은 날부터 5년 內

처리기간
▷ 신청을 받은 날부터 90일(합의제행정기관은 180일)
▷ 단, 부득이한 사유 有: 90일(합의제행정기관은 180일)의 범위에서 한 차례 연장 可

재심사신청에 대한 결정(유지·철회·취소·변경결정)
▷ 행정행위의 성질
but 재심사 결과 중 처분을 유지하는 결정
▷ 행정심판 행정소송 및 그 밖의 쟁송수단을 통해 불복 不可(제5항)

❷
처분을 유지하는 재심사는 불가쟁력이 발생한 원처분으로 되돌아 가는 것이므로 불복할 수 없으나, 재심사로 취소·철회 또는 변경된 처분은 새로운 별개의 처분이므로 원처분의 불가쟁력과 관련 없이 불복이 가능하다. 이렇게 불복할 수 없게 하는 것에 대하여 국민의 재판받을 권리를 침해하는 것으로 위헌의 소지가 있다는 견해도 있다.

---

③ 제3호에서 "「민사소송법」 제451조에 따른 재심사유에 준하는 사유가 발생한 경우 등 대통령령으로 정하는 경우"란 다음 각 호의 어느 하나에 해당하는 경우를 말한다(동법 시행령 제12조). 제1호의 사유는 철회(변경포함)사유이고, 제2호와 제3호는 취소(변경포함)사유이다.
  ㉠ 처분 업무를 직접 또는 간접적으로 처리한 공무원이 그 처분에 관한 직무상 죄를 범한 경우(제1호)
  ㉡ 처분의 근거가 된 문서나 그 밖의 자료가 위조되거나 변조된 것인 경우(제2호)
  ㉢ 제3자의 거짓 진술이 처분의 근거가 된 경우(제3호)
  ㉣ 처분에 영향을 미칠 중요한 사항에 관하여 판단이 누락된 경우(제4호)
④ 제1항에 따른 신청은 해당 처분의 절차, 행정심판, 행정소송 및 그 밖의 쟁송에서 당사자가 중대한 과실 없이 제1항 각 호의 사유를 주장하지 못한 경우에만 할 수 있다(제2항). 이는 재심사의 남용을 막기 위하여 당사자 등에게 중대한 과실이 있는 경우 재심사의 신청을 제한하려는 것이다.

(3) 재심사 신청권자
재심사를 신청할 수 있는 자는 처분의 당사자이다. 처분의 당사자란 처분의 상대방을 말하며, 처분의 상대방이 아닌 이해관계 있는 제3자는 재심사를 신청할 수 없다.

(4) 재심사 신청기간
재심사 신청은 당사자가 제1항 각 호의 재심사 신청사유를 안 날부터 60일 이내에 하여야 한다. 다만, 처분이 있은 날부터 5년이 지나면 신청할 수 없다(제3항).

(5) 재심사 신청에 대한 처리기간
신청을 받은 행정청은 특별한 사정이 없으면 신청을 받은 날부터 90일(합의제행정기관은 180일) 이내에 처분의 재심사 결과(재심사 여부와 처분의 유지·취소·철회·변경 등에 대한 결정을 포함한다)를 신청인에게 통지하여야 한다. 다만, 부득이한 사유로 90일(합의제행정기관은 180일)의 범위에서 한 차례 연장할 수 있으며, 연장 사유를 신청인에게 통지하여야 한다(제4항).

(6) 재심사 결과에 대한 불복
① 재심사신청에 대한 결정은 행정행위의 성질을 갖는다. 재심사신청에 대해 처분을 유지하는 결정은 철회·취소 또는 변경신청에 대한 거부처분의 성질을 갖고, 재심사 신청에 대해 처분을 철회·취소 또는 변경하는 결정은 철회·직권취소 또는 직권변경처분의 성질을 갖는다. 따라서 재심사신청에 대한 결정은 행위의 성질상 행정쟁송의 대상이 되는 처분으로서의 성질을 갖는다.
  그런데, 「행정기본법」은 재심사의 결과 중 처분을 유지하는 결과에 대해서는 행정심판 행정소송 및 그 밖의 쟁송수단을 통하여 불복할 수 없다고 규정하고 있다(제5항).❷
② 재심사 신청에 대한 철회·취소 또는 변경은 처분이므로 이를 다툴 법률상 이익이 있는 자는 행정쟁송을 제기할 수 있다.

(7) 직권취소·철회와의 관계

① 행정청의 제18조에 따른 직권취소와 제19조에 따른 철회는 처분의 재심사에 의하여 영향을 받지 아니한다(제6항). 따라서 행정청은 처분의 재심사와 별도로 취소 또는 철회를 할 수 있고, 민원인은 처분의 재심사와 별도로 취소 또는 철회의 신청을 할 수 있다. 취소 또는 철회의 신청을 받은 행정청은 법령상 또는 조리상 신청권에 따른 신청인 경우에는 그 신청에 응답할 의무를 진다.

② 「행정기본법」 제37조 재심사 요건(신청권자, 신청기간 등) 결여, 재심사사유 없음 등의 이유로 재심사를 거부하는 결정을 하는 경우에도 행정청은 직권으로 「행정기본법」 제18조에 따른 취소 또는 동법 제19조에 따른 철회를 할 수 있다.

(8) 재심사 적용의 제외사항

다음 각 호의 어느 하나에 해당하는 사항에 관하여는 제37조를 적용하지 아니한다(제8항).
① 공무원 인사 관계 법령에 따른 징계 등 처분에 관한 사항(제1호)
② 「노동위원회법」 제2조의2에 따라 노동위원회의 의결을 거쳐 행하는 사항(제2호)
③ 형사, 행형 및 보안처분 관계 법령에 따라 행하는 사항(제3호)
④ 외국인의 출입국·난민인정·귀화·국적회복에 관한 사항(제4호)
⑤ 과태료 부과 및 징수에 관한 사항(제5호)
⑥ 개별 법률에서 그 적용을 배제하고 있는 경우(제6호)

3. 청원

청원이란 국가기관 등에 대하여 일정한 사항에 관한 의견이나 희망을 진술할 수 있는 권리이자 일정한 권한행사의 요망을 의미한다. 국가기관은 청원에 대하여 수리·심사하여 통지할 의무가 있다. 청원은 쟁송수단이 아니며, 원칙적으로 누구든지 어떠한 사항에 대해서든 할 수 있다는 점에서 행정심판과 구별된다.

4. 국민고충처리

(1) 국민고충처리제도는 행정심판과 제기권자·제기기간 및 법적 효과가 다르다. 따라서 고충민원의 신청은 행정소송의 전치절차로서 요구되는 행정심판청구로 보지 아니한다.

(2) 다만, 신청서의 내용이 행정청의 처분에 대하여 시정을 구하는 취지임이 분명하고 신청서가 행정심판과 관련된 행정청(처분청 또는 재결기관)에 송부된 경우에는 예외적으로 행정심판청구가 제기된 것으로 볼 수 있다.

함께 정리하기

국민고충처리위원회에 대한 고충민원의 신청
▷ 행정심판청구×
▷ but 국민고충처리위원회가 이를 당해 처분청 또는 그 재결청에 송부한 경우에는 행정심판청구가 제기된 것으로 볼 수 있음

> **관련판례**
>
> 국민고충처리위원회에 대한 고충민원의 신청을 행정심판청구로 볼 수 없고, 예외적으로 국민고충처리위원회에 대한 고충민원신청서의 제출을 행정심판청구로 볼 수 있는 경우가 있다. ★
>
> [1] 국민고충처리제도는 국무총리 소속하에 설치된 국민고충처리위원회로 하여금 행정과 관련된 국민의 고충민원을 상담·조사하여 행정기관의 처분 등이 위법·부당하다고 인정할 만한 상당한 이유가 있는 경우에 관계 행정기관의 장에게 적절한 시정조치를 권고하도록 함으로써 국민의 불편과 부담을 시정하기 위한 제도로서 행정심판법에 의한 행정심판 내지 다른 특별법에 따른 이의신청, 심사청구, 재결의 신청 등의 불복구제절차와는 제도의 취지나 성격을 달리하고 있으므로 국민고충처리위원회에 대한 고충민원의 신청이 행정소송의 전치절차로서 요구되는 행정심판청구에 해당하는 것으로 볼 수는 없다.
>
> [2] 다만, 국민고충처리위원회에 접수된 신청서가 행정기관의 처분에 대하여 시정을 구하는 취지임이 내용상 분명한 것으로서 국민고충처리위원회가 이를 당해 처분청 또는 그 재결청에 송부한 경우에 한하여 행정심판법 제17조 제2항·제7항의 규정에 의하여 그 신청서가 국민고충처리위원회에 접수된 때에 행정심판청구가 제기된 것으로 볼 수 있다(대판 1995.9.29. 95누5332).

제2절 행정심판의 종류 및 행정심판법의 개정 내용

1 일반행정심판

1. 의의

(1) 일반행정심판이란 「행정심판법」에 의한 행정심판을 말한다. 그러나 「행정심판법」은 모든 종류의 행정심판을 규정하지는 않고, 항고심판만을 규정하고 있다.

(2) 「행정심판법」 제4조 제2항은 "다른 법률에서 특별행정심판이나 이 법에 따른 행정심판 절차에 대한 특례를 정한 경우에도 그 법률에서 규정하지 아니한 사항에 관하여는 이 법에 따른다."고 하여, 「행정심판법」이 일반법임을 명시하고 있다.

일반행정심판
▷ 「행정심판법」에 의한 행정심판
▷ 「행정심판법」은 항고심판만 규율(모든 종류의 행정심판 규율×)

「행정심판법」
▷ 행정심판에 관한 일반법

> **관련판례**
>
> 징계 기타 불이익처분을 받은 지방공무원의 불복절차에 관하여 지방공무원법에서 규정하지 아니한 사항에 관하여는 행정심판법이 정하는 바에 의하여야 한다(대판 1989.9.12. 89누909). ★

징계 기타 불이익처분을 받은 지방공무원의 불복절차에 관하여 「지방공무원법」에서 규정하지 아니한 사항
▷ 「행정심판법」에 의함

2. 행정심판의 종류

「행정심판법」 제5조【행정심판의 종류】행정심판의 종류는 다음 각 호와 같다.
1. 취소심판: 행정청의 위법 또는 부당한 처분을 취소하거나 변경하는 행정심판
2. 무효등확인심판: 행정청의 처분의 효력 유무 또는 존재 여부를 확인하는 행정심판
3. 의무이행심판: 당사자의 신청에 대한 행정청의 위법 또는 부당한 거부처분이나 부작위에 대하여 일정한 처분을 하도록 하는 행정심판

핵심정리 행정작용의 성질에 따른 행정심판의 종류 및 가구제

구분	본안심판	가구제
적극적 처분	취소심판, 무효등확인심판	집행정지
소극적 처분 (거부처분) 또는 부작위	취소심판, 무효등확인심판(거부처분), 의무이행심판(거부처분 또는 부작위)	임시처분

(1) 개설
① 「행정심판법」 제5조는 행정심판의 종류로서 취소심판, 무효등확인심판, 의무이행심판을 규정하고 있다. 모두 행정청의 처분 또는 부작위를 대상으로 하는 항고심판이다.
② 한편, 우리 「행정심판법」은 당사자심판에 관해서는 규정을 두고 있지 않다. 따라서, 공법상의 법률관계에 대한 법적 분쟁이라 할지라도 행정청의 처분 또는 부작위에 해당하지 않는 것들에 대해서는 행정심판을 제기할 수 없고 공법상의 법률관계에 대한 법적 분쟁은 당사자소송을 제기한다.
③ 행정소송에서는 당사자의 신청에 대한 행정청의 위법한 부작위에 대하여 행정청의 부작위가 위법하다는 것을 확인하는 부작위위법확인소송이 인정되나, 행정심판에서는 부작위위법확인심판이 인정되지 않고, 그 대신 행정청의 위법 또는 부당한 부작위에 대하여 적극적인 처분을 구하는 의무이행심판 제기가 가능하다.

(2) 취소심판
① 의의
  ㉠ 취소심판이란 행정청의 위법 또는 부당한 처분을 취소하거나 변경하는 행정심판을 말한다(동법 제5조 제1호). 취소심판은 행정심판의 가장 대표적인 유형으로서, 행정심판법은 취소심판을 중심으로 관련 규정을 두고 있다.
  ㉡ 여기서의 '취소'는 적극적 처분의 취소뿐만 아니라 소극적 처분인 거부처분의 취소도 포함된다. '변경'은 취소소송과는 달리 적극적 변경(예 허가취소처분을 영업정지처분으로 변경, 영업정지처분을 영업정지에 갈음하는 과징금처분으로 변경)도 포함한다.
② 성질: 취소심판의 성질에 관하여는 취소심판이 처분의 위법성 또는 부당성을 확인하는 성질의 것이라고 보는 확인적 쟁송설도 있으나, 취소심판은 처분의 취소 또는 변경을 통해 당해 법률관계를 변경 또는 소멸을 가져온다는 점에서 형성적 성질을 가지는 것이라고 보는 형성적 쟁송설이 통설이다.

일반행정심판의 종류
▷ 취소심판○, 무효등확인심판○, 의무이행심판○
▷ 당사자심판×, 부작위위법확인심판×

취소심판
▷ 위법·부당한 처분 취소·변경 구하는 심판

취소
▷ 적극적 처분의 취소뿐만 아니라 소극적 처분인 거부처분의 취소도 포함

변경
▷ 소극적 변경뿐만 아니라 적극적 변경(예 허가취소처분을 영업정지처분으로 변경)도 포함

취소심판의 성질
▷ 형성적 쟁송(통설)

함께 정리하기

취소심판의 특징
▷ 심판청구기간의 제한이 있고(동법 제27조)
▷ 집행부정지가 원칙(동법 제30조)
▷ 사정재결(동법 44조) 등이 적용

취소심판 인용재결
▷ 취소재결·변경재결·변경명령재결
▷ 취소명령재결 삭제됨

❶ 종래 행정심판법에 같이 규정되었던 취소명령재결은 행정심판위원회의 재결이 있음에도 처분청이 처분을 취소하지 않은 경우가 많아 실효성이 떨어진다는 이유로 2010.1.25. 법 개정을 통해 삭제되었다(동법 제43조 제3항 참조).

무효등확인심판
▷ 처분효력·존재 확인하는 심판

❷ 부존재 또는 무효인 처분은 처음부터 효력을 갖지 않아 확인의 실익이 없다고 생각할 수 있으나, 이 경우에도 처분의 외관은 존재하므로 행정청이 이를 유효한 것으로 판단하여 집행할 경우 당사자가 불이익을 받을 우려가 있다. 반대로 유효한 행정처분을 행정청이 무효 또는 부존재라 하여 부인하는 경우도 있을 수 있다. 따라서 처분의 유·무효 또는 그 존재 여부에 대해 확인을 받을 실익이 있다.

성질
▷ 실질적 확인적 쟁송 + 형식적 형성적 쟁송(처분의 효력 유무 등을 직접 심판의 대상)

무효등확인심판의 특징
▷ 청구기간 제한×
▷ 사정재결 불가

무효등확인심판의 인용재결
▷ 무효확인재결
▷ 유효확인재결
▷ 존재확인재결
▷ 부존재확인재결
▷ 실효확인재결

의무이행심판
▷ 위법·부당한 거부처분·부작위에 대해 처분하도록 심판

의무이행심판의 실익
▷ 거부처분이나 부작위 같은 소극적인 행위로 인한 권익침해에 대한 권리구제수단

의무이행심판의 성질
▷ 이행쟁송

③ **특징**: 취소심판은 ㉠ 심판청구기간의 제한이 있고(동법 제27조), ㉡ 집행부정지가 원칙이며(동법 제30조 제1항), ㉢ 사정재결(동법 44조) 등이 적용된다.

④ **재결**: 행정심판위원회는 취소심판의 청구가 부적법한 경우에는 각하재결, 이유가 없는 경우에는 기각재결을 한다. 취소심판의 청구가 이유가 있으면 인용재결을 하는데, 구체적으로는 직접 원처분을 취소·변경할 수도 있으며(취소·변경재결), 원처분청에 대하여 처분을 다른 처분으로 변경할 것을 명할 수도 있다(변경명령재결)(동법 제43조 제3항). 그러나 취소명령재결은 할 수 없다.❶

(3) 무효등확인심판

① **의의**: 무효등확인심판은 행정청의 처분의 효력 유무 또는 존재 여부를 확인하는 행정심판을 말한다(동법 제5조 제2호). 무효등확인심판에는 무효확인심판, 유효확인심판, 실효확인심판, 존재확인심판, 부존재확인심판이 있다.❷

② **성질**: 무효등확인심판의 성질에 관하여 확인적 쟁송설, 형성적 쟁송설 및 준형성적 쟁송설이 대립하나, 형식적으로는 처분의 무효 등을 확인하는 확인적 쟁송이나 실질적으로는 처분의 효력 유무 등을 직접 심판의 대상으로 한다는 점에서 형성적 쟁송으로서의 성질을 아울러 가지는 것으로 보는 준형성적 쟁송설이 통설이다.

③ **특징**: 무효등확인심판에는 취소심판과는 달리 ① 심판청구기간의 제한이 없고(동법 제27조 제7항), ② 사정재결에 관한 규정이 적용되지 않는다(동법 제44조 제3항).

④ **재결**: 행정심판위원회는 심판의 청구가 이유 있다고 인정되면 ㉠ 처분무효확인재결, ㉡ 처분유효확인재결, ㉢ 처분존재확인재결, ㉣ 처분부존재확인재결, ㉤ 처분실효확인재결을 한다(동법 제43조 제4항).

(4) 의무이행심판

① **의의**
   ㉠ 의무이행심판이란 당사자의 신청에 대한 행정청의 위법 또는 부당한 거부처분이나 부작위에 대하여 일정한 처분을 하도록 하는 행정심판을 말한다(동법 제5조 제3호). 행정소송에서는 이러한 의무이행소송이 인정되지 않지만, 행정심판에 있어서는 의무이행심판이 인정되고 있다.
   ㉡ 의무이행심판은 행정청의 거부처분이나 부작위 같은 소극적인 행위로 인한 권익침해에 대한 권리구제수단이라는 점에서 중요한 의미를 가진다.❸

② **성질**: 의무이행심판은 행정청에 대하여 일정한 처분을 할 것을 명하는 재결을 구하는 행정심판이므로 이행쟁송의 성질을 가진다고 보는 것이 통설이다.❹

③ **특징**
   ㉠ 거부처분에 대한 의무이행심판에는 이미 처분이 존재하므로 청구기간의 제한이 있지만(안 날 90일, 있은 날 180일), 부작위에 대한 의무이행심판에는 청구기간의 제한이 없다(동법 제27조 제7항).
   ㉡ 의무이행심판에도 취소심판과 같이 사정재결에 관한 규정이 적용된다(동법 제44조).
   ㉢ 의무이행심판에는 성질상 집행정지에 관한 규정이 적용되지 않고, 임시처분이 가능하다(동법 제31조).

④ 재결: 의무이행심판의 청구가 이유가 있으면 행정심판위원회는 지체 없이 ① 신청에 따른 처분을 하거나(처분재결), ② 처분을 할 것을 피청구인에게 명하는 재결을 한다(처분명령재결)(동법 제43조 제5항). 처분재결은 형성재결이고 처분명령재결은 이행재결이다.

2 특별행정심판

> 「행정심판법」 제4조 【특별행정심판 등】 ① 사안(事案)의 전문성과 특수성을 살리기 위하여 특히 필요한 경우 외에는 이 법에 따른 행정심판을 갈음하는 특별한 행정불복절차(이하 "특별행정심판"이라 한다)나 이 법에 따른 행정심판 절차에 대한 특례를 다른 법률로 정할 수 없다.
> ② 다른 법률에서 특별행정심판이나 이 법에 따른 행정심판 절차에 대한 특례를 정한 경우에도 그 법률에서 규정하지 아니한 사항에 관하여는 이 법에서 정하는 바에 따른다.
> ③ 관계 행정기관의 장이 특별행정심판 또는 이 법에 따른 행정심판 절차에 대한 특례를 신설하거나 변경하는 법령을 제정·개정할 때에는 미리 중앙행정심판위원회와 협의하여야 한다.

1. 의의

특별행정심판이란 사안의 전문성·특수성을 살리기 위하여 특히 필요한 경우,「행정심판법」에 의한 일반적인 행정심판에 갈음하여 각 개별법에서 따로 정한 특례 절차에 따라 하는 행정심판을 말한다. 특별행정심판은 행정기관이 심판기관이 되는 행정쟁송절차라는 점에서는 행정심판법에서 정하고 있는 행정심판과 성질을 같이 하나, 특별법에 의한 심판이 행해진다는 점에서 일반적인 행정심판과 구별된다.

2. 특별행정심판의 예

「행정심판법」이 아닌 다른 법률에서 나타나는 특별한 규정의 예로는 ① 국세부과처분에 대한 심사청구·심판청구(「국세기본법」 제62조, 제69조), ② 지방세부과처분에 대한 심사청구·심판청구(「지방세기본법」 제89조), ③ 특허처분에 대한 특허심판 및 재심(「특허법」 제132조의17, 제178조), ④ 중앙노동위원회의 재심(「노동위원회법」 제26조), ⑤ 토지수용재결에 대한 이의신청(「공익사업을 위한 토지 등의 취득 및 보상에 관한 법률」 제83조), ⑥ 감사원에 대한 심사청구(「감사원법」 제3장), ⑦ 국가·지방공무원의 징계 등에 대한 소청심사(「국가공무원법」 제76조,「지방공무원법」 제67조), ⑧ 공무원재해보상연금위원회의 심사청구(「공무원연금법」 제87조), ⑨ 해양수산부장관 등의 검사·확인·검정처분에 대한 행정심판(「해양사고심판법」 제3조, 제87조) 등을 들 수 있다.

3. 적용법률

「행정심판법」 제3조 제1항은 "행정청의 처분 또는 부작위에 대하여 다른 법률에 특별한 규정이 있는 경우를 제외하고는 이 법에 의하여 행정심판을 제기할 수 있다."라고 규정하여 다른 법률에서 특별행정심판 등의 행정심판에 관한 특례를 둘 수 있도록 하고, 다른 법률에서 행정심판에 관한 특례규정을 정하는 경우에는 당해 특별행정심판이 우선 적용됨을 명시하고 있다.❶

함께 정리하기

❸ 행정청이 소극적 자세를 취해 국민의 권익을 침해하는 경우에 행정청에 적극적 행위를 요구할 수 있다는 점에서 의무이행심판의 실익이 있다.

❹ 이에 대하여 의무이행심판의 재결에는 처분명령재결뿐만 아니라 처분재결이 있고, 처분재결은 행정심판기관인 위원회가 스스로 처분을 하는 형성재결이므로 의무이행심판은 이행적 쟁송의 성질과 함께 형성적 쟁송의 성격을 아울러 갖는 것으로 보는 견해도 있다.

거부처분에 대한 의무이행심판
▷ 청구기간의 제한 ○
▷ 안 날 90일, 있은 날 180일

부작위에 대한 의무이행심판
▷ 청구기간의 제한 ✕

의무이행심판
▷ 사정재결 可, 집행정지 ✕

의무이행심판의 인용재결
▷ 처분재결(형성재결)
▷ 처분명령재결(이행재결)

특별행정심판
▷ 개별법에서 따로 정한 특례 절차에 따라 하는 행정심판

특별행정심판의 예
▷ 특허심판
▷ 조세심판
▷ 해양안전심판
▷ 공무원징계에 대한 소청심사
▷ 교원소청심사 등

---

❶ 개별법에서 행정심판청구기간에 대한 특칙을 규정하고 있으면 일반법인 「행정심판법」이 아니라 그 개별법이 우선 적용된다(대판 1992.6.9. 92누565).

행정심판 특례의 제한
▷ 특히 필요한 경우 외에는 특별행정심판을 다른 법률로 정할 수 없음
▷ 관계 행정기관의 장이 특별행정심판에 관한 법령을 제정하거나 개정할 때는 미리 중앙행정심판위원장과 협의를 해야 함

4. 행정심판 특례의 제한

「행정심판법」은 특별행정심판의 남발을 억제하고 사안의 전문성과 특수성을 살리기 위하여 특히 필요한 경우 이외에는 행정심판에 갈음하는 특별행정심판을 정할 수 없도록 규정하고 있고(동법 제4조 제1항), 관계 행정기관의 장이 특별행정심판 또는 「행정심판법」상의 심판절차에 대한 특례를 신설하거나 변경하는 법령을 제정하거나 개정할 때에는 미리 중앙행정심판위원회와 협의하도록 규정하고 있다(동법 제4조 제3항).

5. 특별행정심판의 전치

(1) 특별행정심판의 경우에도 개별법에 필요적 전치로 규정되어 있을 수도 있고 임의적 전치로 규정되어 있을 수도 있으므로 그 해석이 중요하다. 조세소송에서의 전치절차, 공무원 징계처분에 대한 행정심판, 노동위원회 결정에 대한 행정심판, 해양수산부장관 등의 검사·확인·검정처분에 관한 행정심판 등이 특히 문제된다(후술하는 행정심판의 전치 참조).

(2) 개별법이 필요적 전치주의를 취하면서 특별행정심판절차를 규정한 경우 그 특별전치절차를 거쳐야 하는 것이지 「행정심판법」상의 전치절차만 거치게 되면 전치절차를 거쳤다고 할 수 없게 된다(대판 1994.6.24. 94누2497). 이때 불필요한 전치절차를 거치다가 제소기간이 도과될 수 있음에 특히 유의하여야 한다.

3 「행정심판법」의 개정 내용

1. 2010년 7월 26일 「행정심판법」 전부개정

주요 개정 내용
① 국무총리행정심판위원회의 명칭을 "국무총리행정심판위원회"에서 "중앙행정심판위원회"로 변경함(제4조 제3항 등).
② 특별행정심판 신설 등을 위한 협의 의무화(제4조)
③ 행정심판위원회의 회의 정원 및 위촉위원 비중 확대(제7조 제5항)
④ 중앙행정심판위원회는 위원장 1명을 포함한 50명의 위원으로 구성하되, 위원 중 상임위원은 4명 이내로 함(제8조 제1항)
⑤ 행정심판의 공정성과 독립성을 담보하기 위하여 행정심판위원회 위원의 결격사유를 신설함(제9조 제4항)
⑥ 절차적 사항에 대한 행정심판위원회의 결정에 대해 이의신청제도 도입(제16조 제8항, 제17조 제6항, 제20조 제6항 및 제29조 제7항)
⑦ 심판참가인의 절차적 권리 강화(제20조부터 제22조까지)
⑧ 임시처분제도의 도입(제31조)

2. 2017년 10월 19일 「행정심판법」 일부개정

종전 「행정심판법」[시행 2016.3.29.]	개정 「행정심판법」[시행 2017.10.19.]
제49조(재결의 기속력 등) ① (생략)	제49조(재결의 기속력 등) ① (현행과 같음)
<신설>	② 재결에 의하여 취소되거나 무효 또는 부존재로 확인되는 처분이 당사자의 신청을 거부하는 것을 내용으로 하는 경우에는 그 처분을 한 행정청은 재결의 취지에 따라 다시 이전의 신청에 대한 처분을 하여야 한다.
제50조(위원회의 직접 처분) ① 위원회는 피청구인이 제49조 제2항에도 불구하고 처분을 하지 아니하는 경우에는 당사자가 신청하면 기간을 정하여 서면으로 시정을 명하고 그 기간에 이행하지 아니하면 직접 처분을 할 수 있다. 다만, 그 처분의 성질이나 그 밖의 불가피한 사유로 위원회가 직접 처분을 할 수 없는 경우에는 그러하지 아니하다.	제50조(위원회의 직접 처분) ① 위원회는 피청구인이 제49조 제3항에도 불구하고 처분을 하지 아니하는 경우에는 당사자가 신청하면 기간을 정하여 서면으로 시정을 명하고 그 기간에 이행하지 아니하면 직접 처분을 할 수 있다. 다만, 그 처분의 성질이나 그 밖의 불가피한 사유로 위원회가 직접 처분을 할 수 없는 경우에는 그러하지 아니하다.
<신설>	제50조의2(위원회의 간접강제) ① 위원회는 피청구인이 제49조 제2항(제49조 제4항에서 준용하는 경우를 포함한다) 또는 제3항에 따른 처분을 하지 아니하면 청구인의 신청에 의하여 결정으로 상당한 기간을 정하고 피청구인이 그 기간 내에 이행하지 아니하는 경우에는 그 지연기간에 따라 일정한 배상을 하도록 명하거나 즉시 배상을 할 것을 명할 수 있다. ② 위원회는 사정의 변경이 있는 경우에는 당사자의 신청에 의하여 제1항에 따른 결정의 내용을 변경할 수 있다. ③ 위원회는 제1항 또는 제2항에 따른 결정을 하기 전에 신청 상대방의 의견을 들어야 한다. ④ 청구인은 제1항 또는 제2항에 따른 결정에 불복하는 경우 그 결정에 대하여 행정소송을 제기할 수 있다.

제3절 고지제도

「행정심판법」 제58조 【행정심판의 고지】 ① 행정청이 처분을 할 때에는 처분의 상대방에게 다음 각 호의 사항을 알려야 한다.
　1. 해당 처분에 대하여 행정심판을 청구할 수 있는지
　2. 행정심판을 청구하는 경우의 심판청구 절차 및 심판청구 기간
② 행정청은 이해관계인이 요구하면 다음 각 호의 사항을 지체 없이 알려 주어야 한다. 이 경우 서면으로 알려 줄 것을 요구받으면 서면으로 알려 주어야 한다.
　1. 해당 처분이 행정심판의 대상이 되는 처분인지
　2. 행정심판의 대상이 되는 경우 소관 위원회 및 심판청구 기간

제23조 【심판청구서의 제출】 ① 행정심판을 청구하려는 자는 제28조에 따라 심판청구서를 작성하여 피청구인이나 위원회에 제출하여야 한다. 이 경우 피청구인의 수만큼 심판청구서 부본을 함께 제출하여야 한다.
② 행정청이 제58조에 따른 고지를 하지 아니하거나 잘못 고지하여 청구인이 심판청구서를 다른 행정기관에 제출한 경우에는 그 행정기관은 그 심판청구서를 지체 없이 정당한 권한이 있는 피청구인에게 보내야 한다.
④ 제27조에 따른 심판청구 기간을 계산할 때에는 제1항에 따른 피청구인이나 위원회 또는 제2항에 따른 행정기관에 심판청구서가 제출되었을 때에 행정심판이 청구된 것으로 본다.

제27조 【심판청구의 기간】 ① 행정심판은 처분이 있음을 알게 된 날부터 90일 이내에 청구하여야 한다.
③ 행정심판은 처분이 있었던 날부터 180일이 지나면 청구하지 못한다. 다만, 정당한 사유가 있는 경우에는 그러하지 아니하다.
⑤ 행정청이 심판청구 기간을 제1항에 규정된 기간보다 긴 기간으로 잘못 알린 경우 그 잘못 알린 기간에 심판청구가 있으면 그 행정심판은 제1항에 규정된 기간에 청구된 것으로 본다.
⑥ 행정청이 심판청구 기간을 알리지 아니한 경우에는 제3항에 규정된 기간에 심판청구를 할 수 있다.

1 고지제도의 개설

1. 의의 및 기능

고지제도
▷ 행정심판 제기 가능성, 청구절차, 청구기간 등을 미리 알려주도록 의무를 지우는 제도

(1) 행정심판의 고지제도란 행정청이 처분을 할 때에 상대방 등에게 해당 처분에 대하여 행정심판을 제기할 수 있는지 여부, 심판청구절차 및 심판청구기간 등 행정심판의 제기에 대한 필요한 사항을 미리 알려주도록 의무를 지우는 제도를 말한다.

(2) 고지제도는 국민에게 행정심판제기와 관련된 정보와 지식을 제공하여 행정심판제도의 이용기회를 보장하려는데 그 취지가 있고, 행정청이 처분을 함에 있어 신중을 기하게 되어 행정의 적정성·합리화에도 기여한다.

2. 법적 성질

고지제도의 법적 성질
▷ 비권력적 사실행위(처분×)

(1) 고지는 행정심판에 관한 사항을 알리는데 불과하므로 비권력적 사실행위이다. 따라서 고지는 그 자체로서는 아무런 법적 효과를 발생시키지 않아 행정쟁송의 대상이 되지 않는다. 다만, 오고지 또는 불고지로 인해 손해가 발생한 경우 국가배상을 청구할 수는 있다.

(2) 「행정심판법」상 고지에 관한 규정이 훈시규정인지 또는 강행규정인지에 관하여 견해대립이 있으나, 고지를 하지 않거나 잘못 고지한 경우 행정청에게 일정한 절차상의 제재적 효과가 가해지는 점을 이유로 강행규정으로 보는 견해가 다수설이다.

함께 정리하기

「행정심판법」상 고지
▷ 강행규정

3. 법적 근거

(1) 고지제도는 「행정심판법」 제58조 외에도 「행정절차법」 제26조❶, 「공공기관의 정보공개에 관한 법률」 제13조 제5항에 규정되어 있다.

(2) 「행정심판법」에서는 ① 고지 대상이 행정심판에 관한 사항에 한정된다는 점, ② 고지의무 불이행(오고지·불고지)에 대한 제재규정을 둔 점, ③ 직권고지 외에 신청에 의한 고지도 인정하고 있는 점 등에서 「행정절차법」상 고지와 다르다.

고지제도의 법적 근거
▷ 「행정심판법」, 「행정절차법」

❶ 「행정절차법」 제26조(고지)
행정청이 처분을 할 때에는 당사자에게 그 처분에 관하여 행정심판 및 행정소송을 제기할 수 있는지 여부, 그 밖에 불복을 할 수 있는지 여부, 청구절차 및 청구기간, 그 밖에 필요한 사항을 알려야 한다.

◎ 핵심정리 「행정절차법」상 고지와 「행정심판법」상의 고지제도의 비교

구분	「행정절차법」	「행정심판법」
직권고지	○	○
신청에 의한 고지	×	○
행정심판의 청구 여부, 기간	○	○
행정소송의 제기 여부	○	×
고지위반에 대한 제재규정	×	○

2 고지의 종류

고지는 직권에 의한 고지와 신청에 의한 고지로 나누어진다.

1. 직권에 의한 고지

행정청이 처분을 할 때에는 처분의 상대방에게 ① 해당 처분에 대하여 행정심판을 청구할 수 있는지, ② 행정심판을 청구하는 경우의 심판청구 절차 및 심판청구 기간을 알려야 한다(동법 제58조 제1항).

(1) 고지의 주체와 상대방

① 고지의 주체는 국가나 지방자치단체의 행정청이다. 여기의 행정청에는 법령 또는 자치법규에 따라 행정권한을 가지고 있거나 위탁을 받은 공공단체나 기관 또는 사인이 포함된다(동법 제2조 제4호).

② 직권고지의 상대방은 처분의 상대방이다. 따라서 행정청은 처분의 상대방이 아닌 이해관계인에 대해서는 고지할 의무가 없다.

고지의 주체
▷ 행정청(수탁 공공단체·사인 포함)

고지의 상대방
▷ 처분의 상대방

함께 정리하기

고지의 대상이 되는 처분
▷ 서면에 의한 처분뿐만 아니라 구두에 의한 처분도 포함

타법상 행정심판의 대상이 되는 처분
▷ 고지 대상 ○

수용재결에 대한 이의절차
▷ 「행정심판법」상 고지규정 적용 ○

고지의 내용
▷ 행정심판을 청구할 수 있는지의 여부
▷ 심판청구절차
▷ 심판청구 기간 등

고지방법
▷ 명문규정 ×

고지의 시기
▷ 원칙적으로 처분과 동시에 하여야 함

고지의 청구권자
▷ 당해 처분의 이해관계인

이해관계인
▷ 복효적 행정행위 제3자
▷ 처분시에 고지 받지 못한 상대방

(2) 고지의 대상

① 고지의 대상이 되는 처분에는 서면에 의한 처분뿐만 아니라 구두에 의한 처분도 포함된다.
② 고지제도에서 말하는 처분에는 「행정심판법」상 행정심판의 대상이 되는 처분뿐만 아니라 「행정심판법」 이외의 다른 법령에 의한 행정심판(예 「국세기본법」상 심사청구·이의신청·심판청구)의 대상이 되는 처분도 포함된다는 것이 통설이다.

> **관련판례**
>
> **수용재결에 대한 이의절차에 행정심판법의 고지규정이 적용된다. ★★**
> 토지수용위원회의 수용재결에 대한 이의절차는 실질적으로 행정심판의 성질을 갖는 것이므로 토지수용법에 특별한 규정이 있는 것을 제외하고는 행정심판법의 규정이 적용된다고 할 것이다. 토지수용법 제73조 및 제74조의 각 규정을 보면 수용재결에 대한 이의신청기간을 재결서정본송달일로부터 1월로 규정한 것 외에는 행정심판법 제42조 제1항 및 같은 법 제18조 제6항과 다른 내용의 특례를 규정하고 있지 않으므로, 재결서정본을 송달함에 있어서 상대방에게 이의신청기간을 알리지 않았다면 행정심판법 제18조(현 제27조) 제6항의 규정에 의하여 같은 조 제3항의 기간 내에 이의신청을 할 수 있다고 보아야 할 것이다(대판 1992.6.9. 92누565).

(3) 고지의 내용

고지의 내용은 ① 해당 처분에 대하여 **행정심판을 청구할 수 있는지의 여부**, ② 청구하는 경우의 **심판청구절차**(행정심판위원회, 경유절차), **심판청구 기간** 등이다.

(4) 고지의 방법 및 시기

① 고지의 방법에는 명문의 규정이 없다. 구술에 의한 고지가 가능한지에 대해 견해가 대립하나, 「행정심판법」 제58조 제2항의 단서의 규정에 비추어 볼 때, 구술에 의한 고지도 가능하다고 본다.
② 고지는 **원칙적으로 처분과 동시에** 하여야 할 것이다. 처분시에 고지하지 않은 경우라 하더라도 처분 후 상당한 기간 내에 고지한 때에는 불고지의 하자가 치유된다고 보는 것이 일반적 견해이다.

2. 신청(청구)에 의한 고지

행정청은 이해관계인이 요구하면 ① 해당 처분이 행정심판의 대상이 되는 처분인지, ② 행정심판의 대상이 되는 경우 소관 위원회 및 심판청구 기간을 지체 없이 알려 주어야 한다. 이 경우 서면으로 알려 줄 것을 요구받으면 서면으로 알려 주어야 한다(동법 제58조 제2항).

(1) 고지의 청구권자

고지를 신청할 수 있는 자는 **당해 처분의 이해관계인**이다. 이해관계인은 일반적으로 당해 처분으로 인하여 자신의 권리나 법률상 이익이 침해되었다고 주장하는 **복효적 행정행위에 있어서의 제3자**를 의미하지만, 처분시에 고지를 받지 못한 처분의 상대방도 포함된다.

(2) 고지의 대상

앞서 설명한 직권에 의한 고지와 같다.

(3) 고지의 내용

고지할 내용은 ① 해당 처분이 행정심판의 대상이 되는 처분인지 여부, ② 행정심판의 대상이 되는 경우 소관 위원회, 청구기간 등이다.

(4) 고지의 방법 및 시기

① 고지의 방법에 대해서 특별한 규정이 없으므로 적절한 방법(서면이나 구두)으로 고지하면 된다. 다만, 서면으로 알려줄 것을 요구받으면 서면으로 알려주어야 한다.

② 고지를 요구받은 행정청은 '지체 없이' 알려주어야 한다. 여기서 '지체 없이'란, 행정심판을 제기하는 데 지장을 주지 않을 합리적인 기간 내를 의미한다.

핵심정리 「행정심판법」 제58조상 직권고지와 신청고지의 비교

구분	직권고지(제1항)	신청고지(제2항)
신청요부	×	이해관계인의 신청
상대방 (청구권자)	처분의 직접 상대방	이해관계인 (제3자효 행정행위의 제3자 등)
대상	처분	처분
내용	심판청구 가능 여부 · 청구절차 · 청구기간	행정심판 대상 여부 · 소관 위원회 · 청구기간
방법	제한× (서면으로 하는 것이 바람직)	서면이나 구두 (서면으로 신청 받은 경우 서면으로)
시기	규정×(처분시에 하는 것이 바람직)	신청 받고 지체 없이

고지의 내용
▷ 해당 처분이 행정심판의 대상이 되는 처분인지 여부, 행정심판의 대상이 되는 경우 소관 위원회, 청구기간 등

고지의 방법
▷ 명문규정×
▷ 서면으로 알려줄 것을 요구받으면 서면으로 알려주어야 함

고지의 시기
▷ 지체 없이 고지하여야 함

3 고지의무 위반의 효과

1. 고지의 하자와 처분의 위법 여부

고지제도의 취지는 행정심판을 제기함에 있어 편의를 제공하는데 있을 뿐, 행정처분의 성립 과정을 규제하는 절차제도라거나 처분의 형식을 규제하는 제도가 아니다. 따라서 행정청이 고지의무를 이행하지 않거나(불고지), 잘못된 고지(오고지)를 하였다 하더라도 당해 처분이 위법하게 되는 것은 아니다(대판 1987.11.24. 87누529).

2. 불고지 · 오고지(잘못된 고지)의 효과

다만, 「행정심판법」은 고지제도의 실효성을 확보를 위해 불고지 · 오고지의 경우 일정한 절차상 제재를 규정하고 있다.

불고지 · 오고지
▷ 당해 처분 위법×

함께 정리하기

심판청구서 제출기관을 불고지하거나 오고지하여 청구인이 심판청구서를 다른 행정기관에 제출한 경우
▷ 그 심판청구서를 지체 없이 정당한 권한이 있는 피청구인에게 보내야 함

길게 오고지
▷ 오고지 받은 기간 내 심판청구하면 적법

짧게 오고지
▷ 원래 법정기간 내 심판청구하면 적법

「행정심판법」상 오고지 규정
▷ 행정소송에 적용 ✕

(1) 심판청구서 제출기관의 불고지·오고지

① 행정청이 심판청구 제출기관에 관하여 제58조에 따른 고지를 하지 아니하거나(불고지) 잘못 고지하여(오고지) 청구인이 심판청구서를 다른 행정기관에 제출한 경우에는 그 행정기관은 그 심판청구서를 지체 없이 정당한 권한이 있는 피청구인에게 보내야 하고(동법 제23조 제2항), 심판청구서를 보낸 행정기관은 지체 없이 그 사실을 청구인에게 알려야 한다(동법 제23조 제3항).

② 이 경우에 「행정심판법」 제27조에 따른 심판청구 기간을 계산할 때에는 피청구인이나 위원회 또는 다른 행정기관에 심판청구서가 제출되었을 때에 행정심판이 청구된 것으로 본다(동법 제23조 제4항). 이 규정의 취지는 심판청구인이 심판제기기간 도과의 불이익을 받지 않도록 하는 데에 있다.

(2) 심판청구 기간의 불고지·오고지

① 오고지

㉠ 행정청이 심판청구 기간을 '처분이 있음을 알게 된 날부터 90일 이내'보다 긴 기간으로 잘못 알린 경우 그 잘못 알린 기간 내에 심판청구가 있으면 그 행정심판은 규정된 기간에 청구된 것으로 본다(동법 제27조 제5항). 이에 반하여 짧게 고지한 경우에는 원래의 법정기간 안에 심판청구를 하면 된다.

㉡ 한편, 판례는 「행정심판법」 제27조 제5항(구법 제18조 제5항)의 규정은 행정소송 제기에는 적용되지 않는다고 보아, 당사자가 행정청으로부터 행정심판제기기간을 법정심판청구기간보다 긴 기간으로 잘못 통지받아 「행정소송법」상 법정 제소기간을 도과하였다고 하더라도 그것이 당사자가 책임질 수 없는 사유로 인한 것이라고 할 수는 없다는 입장을 취하고 있다.

> **관련판례**
>
> 오고지의 효과에 관한 행정심판법 제18조 제5항(현 제27조 제5항)은 행정소송에는 적용되지 않는다. ★★
>
> [1] 행정청이 법정 심판청구기간보다 긴 기간으로 잘못 알린 경우에 그 잘못 알린 기간 내에 심판청구가 있으면 그 심판청구는 법정 심판청구기간 내에 제기된 것으로 본다는 취지의 행정심판법 제18조 제5항의 규정은 행정심판 제기에 관하여 적용되는 규정이지, 행정소송 제기에도 당연히 적용되는 규정이라고 할 수는 없다.
>
> [2] 행정심판과 행정소송은 그 성질, 불복사유, 제기기간, 판단기관 등에서 본질적인 차이점이 있고, 임의적 전치주의는 당사자가 행정심판과 행정소송의 유·불리를 스스로 판단하여 행정심판을 거칠지 여부를 선택할 수 있도록 한 취지에 불과하므로 어느 쟁송 형태를 취한 이상 그 쟁송에는 그에 관련된 법률 규정만이 적용될 것이지 두 쟁송 형태에 관련된 규정을 통틀어 당사자에게 유리한 규정만이 적용된다고 할 수는 없으며, 행정처분시나 그 이후 행정청으로부터 행정심판 제기기간에 관하여 법정 심판청구기간보다 긴 기간으로 잘못 통지받은 경우에 보호할 신뢰 이익은 그 통지받은 기간 내에 행정심판을 제기한 경우에 한하는 것이지 행정소송을 제기한 경우에까지 확대된다고 할 수 없으므로, 당사자가 행정처분시나 그 이후 행정청으로부터 행정심판 제기기간에 관하여 법정 심판청구기간보다 긴 기간으로 잘못 통지받아 행정소송법상 법정 제소기간을 도과하였다고 하더라도, 그것이 당사자가 책임질 수 없는 사유로 인한 것이라고 할 수는 없다(대판 2001.5.8. 2000두6916).

② 불고지
  ㉠ 행정청이 심판청구기간을 알리지 아니한 경우에는 심판청구기간은 처분이 있었던 날부터 180일이 된다(동법 제27조 제6항·제3항). 이 경우 심판청구인이 처분이 있은 사실을 알았는지 여부와 심판청구기간을 알고 있었는지 여부를 불문한다.
  ㉡ 판례는 개별법이 정한 심판청구기간이「행정심판법」이 정한 기간보다 짧은 경우에도 행정청이 그 개별법상의 심판청구기간을 고지하지 아니하였다면「행정심판법」이 정한 청구기간 내에 심판청구를 할 수 있다는 입장이다(대판 1990.7.10. 29누6839).

> **관련판례**
>
> 개별법률에서 정한 심판청구 기간이 행정심판법이 정한 심판청구 기간보다 짧은 경우에도 행정청이 그 개별법률상 심판청구기간을 알려주지 아니하였다면 행정심판법이 정한 심판청구 기간 내에 심판청구가 가능하다. ★★
>
> 도로점용료 상당 부당이득금의 징수 및 이의절차를 규정한 지방자치법에서 이의제출기간을 행정심판법 제18조(현 제27조) 제3항 소정기간 보다 짧게 정하였다고 하여도 같은 법 제42조(제58조) 제1항 소정의 고지의무에 관하여 달리 정하고 있지 아니한 이상 도로관리청인 피고가 이 사건 도로점용료 상당 부당이득금의 징수고지서를 발부함에 있어서 원고들에게 이의제출기간 등을 알려주지 아니하였다면 원고들은 지방자치법상의 이의제출기간에 구애됨이 없이 행정심판법 제18조 제6항·제3항의 규정에 의하여 징수고지처분이 있은 날로부터 180일 이내에 이의를 제출할 수 있다고 보아야 할 것이다(대판 1990.7.10. 89누6839).

4 고지의 배제

판례는 개별법이「행정심판법」의 적용을 배제하는 규정을 둔 경우(예「국세기본법」)「행정심판법」상의 고지규정의 적용도 배제되고(대판 1992.3.31. 91누6016)❶, 불고지의 효과에 관한 규정도 적용되지 않는다고 한다(대판 2001.11.13. 2000두536).❷

 함께 정리하기

불고지의 효과
▷ 처분이 있었던 날부터 180일 이내 심판청구 가능
▷ 처분을 안 날로부터 90일 적용×

개별 법률에서 정한 심판청구기간이「행정심판법」이 정한 심판청구 기간보다 짧은 경우, 행정청이 그 개별법상의 심판청구기간을 고지하지 아니한 경우
▷「행정심판법」이 정한 청구기간 내에 심판청구 可

❶ 「국세기본법」제56조 제1항은 "제55조에 규정하는 처분에 대하여는「행정심판법」의 규정을 적용 하지 아니한다."고 규정하고 있으므로,「행정심판법」제42조 제1항에 따라 그 상대방에게 행정불복의 방법을 고지할 의무는 없다(대판 1992.3.31. 91누6016).

❷ 과세관청이 조세처분을 하면서 행정심판 청구기간을 고지하지 않았다 하더라도 구「국세기본법」(제56조 제1항)이 조세처분에 대하여는「행정심판법」의 규정을 적용하지 아니한다고 규정하고 있으므로, 그 심판청구기간을 처분이 있은 날로부터 180일 내라고 볼 수는 없다(대판 2001.11.13. 2000두536).

제2장 행정심판청구

제1절 개설

1 내용

(1) 행정심판은 ① 청구인적격이 있는 자가 관계행정청을 피청구인으로 하고(행정심판의 당사자), ② 행정청의 처분이나 부작위에 대하여(행정심판의 대상), ③ 행정심판위원회(행정심판기관)나 처분청에, ④ 청구기간 내에 행정심판을 청구함으로써 그 절차가 개시된다.

(2) 위의 요건을 충족하지 않은 심판청구는 부적법한 심판청구로서 각하재결을 받을 것이다(동법 제43조 제1항). 다만, 그 요건불비가 보정될 수 있는 때에는 행정심판위원회는 상당한 기간을 정하여 그 보정을 명하거나 경미한 것은 직권으로 보정할 수 있다(동법 제32조 제1항). 심판청구의 보정이 있는 경우에는 처음부터 적법한 심판청구가 제기된 것으로 본다(동법 제32조 제4항).

2 직권조사사항

행정심판 청구요건은 직권조사사항이다. 따라서 당사자의 주장이 없다 하더라도 위원회는 직권으로 조사할 수 있다.

3 판단기준시

행정심판 청구요건의 존부는 변론종결시를 기준으로 판단한다. 따라서 행정심판청구 당시 그 요건의 흠결이 있는 경우에도 위원회에서 사실확정이 되기 전까지 이를 갖추면 적법한 심판청구가 된다.

행정심판 청구요건
▷ 청구인적격이 있는 자
▷ 처분이나 부작위를 대상으로
▷ 심판청구기간 내에
▷ 피청구인을 상대로
▷ 서면으로
▷ 피청구인이나 위원회에 제기

부적법한 심판청구
▷ 각하재결

보정될 수 있는 요건의 불비
▷ 보정명령, 경미한 사항은 직권보정 가

행정심판 청구요건
▷ 위원회의 직권조사사항

행정심판 청구요건 존부의 판단기준시
▷ 변론종결시

제2절 행정심판의 당사자 및 관계인

행정심판은 청구인과 피청구인이 대립당사자가 되고 여기에 관계인으로서 참가인과 대리인이 관여할 수 있도록 하고 있다.

1 행정심판의 당사자

1. 청구인

(1) 의의

청구인이란 행정심판을 청구하는 자를 말한다. 처분의 상대방뿐만 아니라 제3자도 행정심판의 청구인이 될 수 있다.

(2) 청구인능력

청구인능력이란 일반적으로 청구인이 될 수 있는 능력을 말한다. 청구인은 원칙적으로 자연인 또는 법인이지만, 법인 아닌 사단·재단도 대표자나 관리인이 있는 경우에는 그 사단이나 재단의 이름으로 심판청구를 할 수 있다(동법 14조).

(3) 청구인적격

> 「행정심판법」 제13조 【청구인 적격】 ① 취소심판은 처분의 취소 또는 변경을 구할 법률상 이익이 있는 자가 청구할 수 있다. 처분의 효과가 기간의 경과, 처분의 집행, 그 밖의 사유로 소멸된 뒤에도 그 처분의 취소로 회복되는 법률상 이익이 있는 자의 경우에도 또한 같다.
> ② 무효등확인심판은 처분의 효력 유무 또는 존재 여부의 확인을 구할 법률상 이익이 있는 자가 청구할 수 있다.
> ③ 의무이행심판은 처분을 신청한 자로서 행정청의 거부처분 또는 부작위에 대하여 일정한 처분을 구할 법률상 이익이 있는 자가 청구할 수 있다.

청구인적격이란 행정심판을 청구할 자격이 있는 자를 말하고, 이는 항고소송의 원고적격에 대응되는 개념이다. 행정심판은 항고소송과 마찬가지로 법률상 이익이 있는 자가 제기할 수 있다. 청구인적격은 행정심판의 종류에 따라 다르므로 이를 나누어 설명하기로 한다.

① 취소심판의 청구인적격

㉠ **법률상 이익의 존재**: 취소심판은 처분의 취소 또는 변경을 구할 법률상 이익이 있는 자가 청구할 수 있다(동법 제13조 제1항 전단). 이때 '법률상 이익'이 무엇을 의미하는지에 대하여 ⓐ 권리구제설, ⓑ 법률상 이익구제설, ⓒ 보호가치 있는 이익구제설, ⓓ 적법성보장설로 대립되고 있으나, 학설의 일반적 경향은 이때의 법률상 이익을 문자 그대로 "법률상 보호되는 이익"으로 파악하고 있다. 이러한 법률상 이익구제설에 따르면 법률상 이익이란 처분의 근거법규 등에 의하여 보호되는 개별적·직접적·구체적 이익을 의미한다.

㉡ **처분의 효력이 소멸된 때**: 처분의 효과가 기간의 경과, 처분의 집행, 그 밖의 사유로 소멸된 뒤에도 그 처분의 취소로 회복되는 법률상 이익이 있는 경우에는 행정심판을 청구할 수 있다(동법 제13조 제1항 후단).

함께 정리하기

청구인
▷ 행정심판을 청구하는 자
▷ 처분의 상대방뿐만 아니라 제3자도 可

청구인능력
▷ 일반적으로 청구인 될 능력
▷ 자연인·법인, 비법인 사단·재단(대표자나 관리인이 있을 경우) 포함

청구인적격
▷ 행정심판을 청구할 자격이 있는 자(원고적격에 대응)

취소심판의 청구인적격
▷ 처분의 취소 또는 변경을 구할 법률상 이익이 있는 자

법률상 이익의 의미
▷ 처분의 근거법규 등에 의하여 보호되는 개별적·직접적·구체적 이익

처분의 효력이 소멸된 때
▷ 처분의 취소로 회복되는 법률상 이익이 있는 경우에는 행정심판을 청구 可

함께 정리하기

무효등확인심판의 청구인적격
▷ 처분의 효력 유무 또는 존재 여부의 확인을 구할 법률상 이익이 있는 자

의무이행심판의 청구인적격
▷ 처분을 신청한 자로서 행정청의 거부처분 또는 부작위에 대하여 일정한 처분을 구할 법률상 이익이 있는 자

❶ **입법과오설 vs. 비과오설(다수설)**
① 입법과오설: 부당한 행위로는 법률상 이익이 침해되지 않으므로「행정심판법」이 청구인적격을 행정소송의 원고적격과 동일하게 규정한 것은 입법상의 과오가 있다는 견해이다.
② 입법비과오설: 부당한 행위에 의해서도 권리가 침해될 수 있으며, 위법과 부당의 문제는 본안심리의 대상이라는 이유로 입법상의 과오가 아니라는 견해로 다수설의 입장이다.

여러 명의 청구인이 공동으로 심판청구를 할 때
▷ 청구인들 중에서 3명 이하의 선정대표자를 선정 可

선정대표자를 선정하지 아니한 경우
▷ 위원회는 청구인들에게 선정대표자를 선정할 것을 권고 可

❷
이는 민사소송의 선정당사자제도(「민사소송법」제53조)와 유사한 것으로서 행정심판절차의 원활화를 위한 것이다.

선정대표자
▷ 반드시 청구인들 중에서 선정해야 함
▷ 당사자 아닌 자를 선정대표자 선정한 행위: 무효
▷ 다른 청구인 위해 모든 행위 可
▷ 심판청구 취하: 다른 청구인 동의 要

당연승계
▷ 청구인 사망·합병시

허가 승계
▷ 행정심판 제기 후 심판청구의 대상과 관계되는 권리나 이익을 양수한 자는 위원회의 허가 얻어 승계 可

② **무효등확인심판의 청구인적격**: 무효등확인심판은 처분의 효력 유무 또는 존재 여부의 확인을 구할 법률상 이익이 있는 자가 청구할 수 있다(동법 제13조 제2항).

③ **의무이행심판의 청구인적격**: 의무이행심판은 처분을 신청한 자로서 행정청의 거부처분 또는 부작위에 대하여 일정한 처분을 구할 법률상 이익이 있는 자가 청구할 수 있다(동법 제13조 제3항).

④ **「행정심판법」상 청구인적격에 대한 입법상 과오 여부**
  ㉠ 행정심판은 행정소송과 달리 위법한 처분뿐만 아니라 부당한 처분도 심판의 대상으로 하고 있다(동법 제1조, 제5조). 그런데「행정심판법」제13조는 청구인적격과 관련하여「행정소송법」제12조의 원고적격과 동일하게 '법률상 이익 있는 자'로 규정하고 있다. 이에 따라 부당한 처분도 심판대상으로 하고 있는「행정심판법」의 제도적 취지에 반하는 입법상의 과오가 아닌가 하는 것이 논란이 되고 있다.
  ㉡ 이에 대하여「행정심판법」이 청구인적격을 행정소송의 원고적격과 동일하게 규정한 것은 문제가 있다는 입법과오설과 문제되지 않는다는 입법비과오설의 견해가 대립한다. 입법비과오설이 다수설의 입장이다. ❶

(4) 선정대표자

① 여러 명의 청구인이 공동으로 심판청구를 할 때에는 청구인들 중에서 3명 이하의 선정대표자를 선정할 수 있다(동법 제15조 제1항). ❷ 선정대표자를 선정하지 아니한 경우에 위원회는 필요하다고 인정하면 청구인들에게 선정대표자를 선정할 것을 권고할 수 있다(동법 제15조 제2항).

> **관련판례**
> 행정심판절차에서 청구인들이 당사자가 아닌 자를 선정대표자로 선정하였다면 행정심판법 제15조에 위반되어 그 선정행위는 그 효력이 없다(대판 1991.1.25. 90누7791).

② 선정대표자는 다른 청구인들을 위하여 그 사건에 관한 모든 행위를 할 수 있다. 다만, 심판청구를 취하하려면 다른 청구인들의 동의를 받아야 하며, 이 경우 동의 받은 사실을 서면으로 소명하여야 한다(동법 제15조 제3항).

③ 선정대표자가 선정되면 다른 청구인들은 그 선정대표자를 통해서만 그 사건에 관한 행위를 할 수 있다(동법 제15조 제4항).

(5) 청구인의 지위 승계

① **당연승계**: 행정심판을 제기한 뒤에 자연인인 청구인이 사망한 경우에는 상속인이나 그 밖에 법령에 따라 심판청구의 대상에 관계되는 권리나 이익을 승계한 자가 청구인의 지위를 승계한다(동법 제16조 제1항). 법인인 청구인이 합병에 따라 소멸하였을 때에는 합병 후 존속하는 법인이나 합병에 따라 설립된 법인이 청구인의 지위를 승계한다(동법 제16조 제2항).

② **허가승계**: 행정심판을 제기한 뒤에 당해 심판청구의 대상과 관계되는 권리나 이익을 양수한 자는 위원회의 허가를 받아 청구인의 지위를 승계할 수 있다(동법 제16조 제5항). 신청인은 위원회가 지위 승계를 허가하지 아니하면 결정서 정본을 받은 날부터 7일 이내에 위원회에 이의신청을 할 수 있다(동법 제16조 제8항).

2. 피청구인

(1) 의의

피청구인이란 심판청구를 제기 받은 상대방인 당사자를 말하고, 이는 행정소송의 피고에 대응되는 개념이다.

(2) 피청구인적격

> 「행정심판법」 제17조 【피청구인의 적격 및 경정】 ① 행정심판은 처분을 한 행정청(의무이행심판의 경우에는 청구인의 신청을 받은 행정청)을 피청구인으로 하여 청구하여야 한다. 다만, 심판청구의 대상과 관계되는 권한이 다른 행정청에 승계된 경우에는 권한을 승계한 행정청을 피청구인으로 하여야 한다.
> ② 청구인이 피청구인을 잘못 지정한 경우에는 위원회는 직권으로 또는 당사자의 신청에 의하여 결정으로써 피청구인을 경정(更正)할 수 있다.
> ③ 위원회는 제2항에 따라 피청구인을 경정하는 결정을 하면 결정서 정본을 당사자(종전의 피청구인과 새로운 피청구인을 포함한다. 이하 제6항에서 같다)에게 송달하여야 한다.
> ④ 제2항에 따른 결정이 있으면 종전의 피청구인에 대한 심판청구는 취하되고 종전의 피청구인에 대한 행정심판이 청구된 때에 새로운 피청구인에 대한 행정심판이 청구된 것으로 본다.
> ⑤ 위원회는 행정심판이 청구된 후에 제1항 단서의 사유가 발생하면 직권으로 또는 당사자의 신청에 의하여 결정으로써 피청구인을 경정한다. 이 경우에는 제3항과 제4항을 준용한다.

행정심판은 처분을 한 행정청❶(의무이행심판의 경우에는 청구인의 신청을 받은 행정청)을 피청구인으로 하여 청구하여야 한다. 다만, 심판청구의 대상과 관계되는 권한이 다른 행정청에 승계된 경우에는 새로이 그 권한을 승계한 행정청을 피청구인으로 하여야 한다(동법 제17조 제1항). 또한 법령에 의하여 행정권한이 다른 행정기관, 공공단체 및 그 기관 또는 사인에게 위임 또는 위탁된 경우에는, 위임 또는 위탁받은 자가 피청구인이 된다(동법 제2조 제4호).

(3) 피청구인의 경정

① 청구인이 피청구인을 잘못 지정한 경우에는 위원회는 직권으로 또는 당사자의 신청에 의하여 결정으로써 피청구인을 경정할 수 있다(동법 제17조 제2항). 위원회는 피청구인을 경정하는 결정을 하면 결정서 정본을 당사자(종전의 피청구인과 새로운 피청구인을 포함한다)에게 송달하여야 한다(동법 제17조 제3항).

② 피청구인의 경정결정이 있으면 종전의 피청구인에 대한 심판청구는 취하되고, 새로운 피청구인에 대한 심판청구가 처음에 심판청구를 한 때에 소급하여 제기된 것으로 본다(동법 제17조 제4항).

③ 행정심판이 제기된 뒤에 처분이나 부작위에 대한 권한이 다른 행정청에 승계된 경우, 위원회는 당사자의 신청이나 직권에 의한 결정으로 피청구인을 경정한다(동법 제17조 제5항).

피청구인적격
▷ 처분청·승계행정청·위임 또는 위탁받은 자

❶ 여기서 행정청이란 행정에 관한 의사를 결정하여 표시하는 국가 또는 지방자치단체의 기관, 그 밖에 법령 또는 자치법규에 따라 행정권한을 가지고 있거나 위탁을 받은 공공단체나 그 기관 또는 사인을 말한다(동법 제2조 제4호).

피청구인 경정
▷ 위원회의 직권 또는 당사자의 신청에 의해 경정

피청구인 경정결정서 정본
▷ 당사자 쌍방과 새로운 피청구인에게 송달

2 행정심판의 관계인

1. 참가인

(1) 참가인의 의의

심판청구의 결과에 대하여 이해관계 있는 제3자나 행정청이 그 사건에 참가하는 것을 심판참가라 하고, 그 참가하는 자를 참가인이라고 한다. 여기서 이해관계는 사실상, 경제상 또는 감정상의 이해관계가 아닌 법률상의 이해관계를 뜻한다.

(2) 심판참가의 종류

심판참가에는 ① 심판을 참가하려는 자가 위원회에 참가신청을 하고 이에 대하여 위원회가 허가함에 따라 참가하는 참가인의 신청에 의한 참가(동법 제20조 제2항·제5항)와 ② 위원회가 필요하다고 인정하여 그 행정심판 결과에 이해관계가 있는 제3자나 행정청에 그 사건 심판에 참가할 것을 요구함에 따라 참가하는 위원회의 요구에 의한 참가(동법 제21조)가 있다.

① 참가인의 신청에 의한 참가
  ㉠ 행정심판의 결과에 이해관계가 있는 제3자나 행정청은 해당 심판청구에 대한 위원회나 소위원회의 의결이 있기 전까지 그 사건에 대하여 심판참가를 할 수 있다(동법 제20조 제1항).
  ㉡ 심판참가를 하려는 자는 참가의 취지와 이유를 적은 참가신청서를 위원회에 제출하여야 한다. 이 경우 당사자의 수만큼 참가신청서 부본을 함께 제출하여야 한다(동법 제20조 제2항).
  ㉢ 위원회는 참가신청서를 받으면 참가신청서 부본을 당사자에게 송달하여야 한다(동법 제20조 제3항). 이때 위원회는 기간을 정하여 당사자와 다른 참가인에게 제3자의 참가신청에 대한 의견을 제출하도록 할 수 있으며, 당사자와 다른 참가인이 그 기간에 의견을 제출하지 아니하면 의견이 없는 것으로 본다(동법 제20조 제4항).
  ㉣ 위원회는 참가신청을 받으면 허가 여부를 결정하고, 지체 없이 신청인에게는 결정서 정본을, 당사자와 다른 참가인에게는 결정서 등본을 송달하여야 한다(동법 제20조 제5항). 위원회의 결정에 이의가 있는 경우 신청인은 송달을 받은 날부터 7일 이내에 위원회에 이의신청을 할 수 있다(동법 제20조 제6항).

② **위원회의 요구에 의한 참가**: 위원회는 필요하다고 인정하면 그 행정심판 결과에 이해관계가 있는 제3자나 행정청에 그 사건 심판에 참가할 것을 요구할 수 있다(동법 제21조 제1항). 이러한 요구를 받은 제3자나 행정청은 지체 없이 그 사건 심판에 참가할 것인지 여부를 위원회에 통지하여야 한다(동법 제21조 제2항).

(3) 참가인의 지위

참가인은 행정심판 절차에서 당사자가 할 수 있는 심판절차상의 행위를 할 수 있다(동법 제22조 제1항).

참가인의 참가
▷ 심판청구의 결과에 대하여 이해관계 있는 제3자나 행정청은 해당 심판청구에 대한 위원회나 소위원회의 의결이 있기 전까지 그 사건에 대하여 심판참가 可

제3자나 행정청
▷ 의결이 있기 전까지 심판참가 可

참가신청서 부본
▷ 당사자에게 송달
▷ 기간 내 당사자와 다른 참가인에게 제3자 참가신청 의견 제출 요구, 제출 없을 시 의견 없는 것 간주

위원회
▷ 허가 여부를 결정
▷ 신청인에게 결정서 정본 송달
▷ 당사자와 다른 참가인에게 결정서 등본 송달

행정심판위원회
▷ 제3자나 행정청에 참가 요구 可

참가인
▷ 당사자가 할 수 있는 행위 可

2. 대리인

(1) 대리인 선정

① 심판청구의 당사자인 청구인이나 피청구인은 대리인을 선임하여 당해 심판청구에 관한 행위를 할 수 있다(동법 제18조 제1항). 대리인이란 청구인 또는 피청구인을 대신하여 자신의 의사결정에 따라 그의 명의로 심판청구에 관한 행위를 하는 자를 말한다. 대리인이 그 권한의 범위 안에서 한 행위는 본인이 한 것과 같은 효과를 발생하고, 그 효과는 본인에게 발생한다.

② 청구인은 법정대리인 외에 ⑤ 청구인의 배우자, 청구인 또는 배우자의 사촌 이내의 혈족, ⑥ 청구인이 법인이거나 제14조에 따른 청구인 능력이 있는 법인이 아닌 사단 또는 재단인 경우 그 소속 임직원, ⑥ 변호사, ② 다른 법률에 따라 심판청구를 대리할 수 있는 자, ⑥ 그 밖에 위원회의 허가를 받은 자 중 어느 하나에 해당하는 자를 대리인으로 선임할 수 있다(동법 제18조 제1항).

피청구인은 그 소속 직원 또는 위 ⑥부터 ⑥까지의 어느 하나에 해당하는 자를 대리인으로 선임할 수 있다(동법 제18조 제2항).

(2) 국선대리인 선임

① 2017년 개정 「행정심판법」은 경제적 사유로 대리인 선임이 곤란한 청구인 등 사회적 약자에게 행정심판위원회가 대리인을 선임하여 지원할 수 있도록 국선대리인 제도를 신설하였다(동법 제18조의2).

② 청구인이 경제적 능력으로 인해 대리인을 선임할 수 없는 경우에는 위원회에 국선대리인을 선임하여줄 것을 신청할 수 있다(동법 제18조의2 제1항). 위원회는 국선대리인 선정 여부에 대한 결정을 하고 지체 없이 그 결과를 통지하여야 한다. 이 경우 위원회는 청구인의 심판청구가 명백히 부적법하거나 이유 없는 경우 또는 권리남용이라고 인정되는 경우에는 국선대리인을 선정하지 아니할 수 있다(동법 제18조의2 제2항).

청구인
▷ 대리인(법정대리인, 배우자, 변호사) 선임 可

경제적 이유로
▷ 국선대리인 선임 신청 可

제3절 행정심판의 대상

「행정심판법」제2조【정의】이 법에서 사용하는 용어의 뜻은 다음과 같다.
1. "처분"이란 행정청이 행하는 구체적 사실에 관한 법집행으로서의 공권력의 행사 또는 그 거부, 그 밖에 이에 준하는 행정작용을 말한다.
2. "부작위"란 행정청이 당사자의 신청에 대하여 상당한 기간 내에 일정한 처분을 하여야 할 법률상 의무가 있는데도 처분을 하지 아니하는 것을 말한다.

제3조【행정심판의 대상】① 행정청의 처분 또는 부작위에 대하여는 다른 법률에 특별한 규정이 있는 경우 외에는 이 법에 따라 행정심판을 청구할 수 있다.
② 대통령의 처분 또는 부작위에 대하여는 다른 법률에서 행정심판을 청구할 수 있도록 정한 경우 외에는 행정심판을 청구할 수 없다.

함께 정리하기

심판대상
▷ 모든 처분·부작위(개괄주의)

취소심판·무효등확인심판의 대상
▷ 위법·부당한 처분(거부처분 포함)

의무이행심판의 대상
▷ 위법·부당한 거부처분 또는 부작위

대통령의 처분·부작위
▷ 행정심판 불가
▷ 법률에 특별한 규정이 있어야 행정심판 가

행정심판재결
▷ 재심판청구금지

재결 자체에 고유한 위법이 있는 경우 재결 자체의 취소를 구하는 행정소송을 제기할 수 있는 것이지, 행정심판을 제기하는 것이 아니다.

다른 구제절차○
▷ 행정심판 제기 불가

특별행정심판대상
▷ 「행정심판법」상 심판대상✕

---

1 개설

「행정심판법」제3조 제1항은 "행정청의 처분 또는 부작위에 대하여는 다른 법률에 특별한 규정이 있는 경우 외에는 이 법에 따라 행정심판을 청구할 수 있다."라고 규정하고 있다. 이는 심판청구대상을 제한적으로 열거하지 않고 모든 처분에 대해 심판청구를 할 수 있도록 하여 개괄주의를 채택한 것이다.

2 행정청의 처분 또는 부작위

1. 개설

행정심판의 대상인 '처분' 또는 '부작위'는 기본적으로 행정소송의 대상인 처분 또는 부작위와 동일하다. 다만, 행정심판은 행정소송과 달리 처분의 적법·위법문제에 국한하지 않고 부당한 처분도 심판의 대상이 된다는 점에서 행정소송과 차이가 있다.

2. 심판유형별 대상

취소심판·무효등확인심판은 위법 또는 부당한 처분(거부처분 포함)을 대상으로 하고(동법 제5조 제1호·제2호), 의무이행심판은 위법 또는 부당한 거부처분이나 부작위를 대상으로 한다(동법 제5조 제3호).

3 제외사항

1. 「행정심판법」의 규정

행정심판이 행정청의 처분이나 부작위를 대상으로 한다고 하더라도 ① 대통령의 처분 또는 부작위에 대하여는 다른 법률에 특별한 규정(예 「국가공무원법」상의 소청 등)이 있는 경우를 제외하고는 행정심판을 청구할 수 없다(동법 제3조 제2항). 또한 ② 행정심판은 재심청구를 인정하지 않으므로 심판청구에 대한 재결이 있으면 그 재결 및 같은 처분 또는 부작위에 대하여 다시 행정심판을 청구할 수 없다(동법 제51조).❶

2. 기타

(1) 다른 법률에 별도의 구제절차가 따로 마련되어 있는 경우(예 통고처분이나 검사의 불기소처분 등)에는 행정심판의 대상이 되지 않는다.

(2) 특별행정심판의 대상(예 특허심판·조세심판·소청심사 등)은 「행정심판법」상의 행정심판의 대상이 아니다.

제4절 행정심판기관

1 개설

행정심판기관이란 행정심판청구를 심리·재결하는 권한을 가진 행정기관을 말한다. 개정 전의 구「행정심판법」은 심판청구사건에 대하여 심리·의결하는 권한을 가지는 행정심판위원회와 위원회의 의결에 따라 재결만 행하는 재결청으로 행정심판기관을 이원화 하였으나, 2008년 개정「행정심판법」은 창구의 일원화 및 절차의 신속화를 위하여 재결청을 없애고, 행정심판위원회가 심리·의결과 재결 모두 행하도록 일원화하였다.

행정심판위원회
▷ 심리·재결 모두 행함
▷ 재결청 폐지됨

2 행정심판위원회

1. 법적 지위

행정심판위원회는 행정청의 처분 또는 부작위에 대한 행정심판의 청구를 심리·의결하고 그 판단에 따라 재결하는 합의제 행정청이다.

행정심판위원회
▷ 합의제 행정청

2. 종류

행정심판위원회는 행정심판법에 의해 설치되는 일반행정심판위원회와 개별법에 의해 설치되는 특별행정심판위원회가 있다.

(1) 일반행정심판위원회

일반행정심판위원회에는 독립기관 등 처분청 소속 행정심판위원회(제6조 제1항), 중앙행정심판위원회(제6조 제2항), 시·도행정심판위원회(제6조 제3항), 직근 상급행정기관 소속 행정심판위원회(제6조 제4항)가 있다.

① **(독립기관 등) 처분청 소속 행정심판위원회**: 다음 각 호의 행정청 또는 그 소속 행정청(행정기관의 계층구조와 관계없이 그 감독을 받거나 위탁을 받은 모든 행정청을 말하되, 위탁을 받은 행정청은 그 위탁받은 사무에 관하여는 위탁한 행정청의 소속 행정청으로 본다)의 처분 또는 부작위에 대한 행정심판의 청구에 대하여는 다음 각 호의 행정청에 두는 행정심판위원회에서 심리·재결한다(동법 제6조 제1항).
   ㉠ 감사원, 국가정보원장, 그 밖에 대통령령으로 정하는 대통령 소속기관의 장(제1호)

> 「행정심판법 시행령」제2조【행정심판위원회의 소관 등】① 「행정심판법」제6조 제1항 제1호에서 "대통령령으로 정하는 대통령 소속기관의 장"이란 대통령비서실장, 국가안보실장, 대통령경호처장 및 방송통신위원회를 말한다.

   ㉡ 국회사무총장·법원행정처장·헌법재판소사무처장 및 중앙선거관리위원회사무총장(제2호)
   ㉢ 국가인권위원회, 그 밖에 지위·성격의 독립성과 특수성 등이 인정되어 대통령령으로 정하는 행정청(제3호)

「행정심판법 시행령」 제2조 【행정심판위원회의 소관 등】 ② 법 제6조 제1항 제3호에서 "대통령령으로 정하는 행정청"이란 고위공직자범죄수사처장을 말한다.

② **중앙행정심판위원회❶**: 다음 각 호의 행정청의 처분 또는 부작위에 대한 심판청구에 대하여는 「부패방지 및 국민권익위원회의 설치와 운영에 관한 법률」에 따른 국민권익위원회에 두는 중앙행정심판위원회에서 심리·재결한다(동법 제6조 제2항).
  ㉠ 제6조 제1항에 따른 행정청 외의 국가행정기관의 장 또는 그 소속 행정청(제1호)
  ㉡ 특별시장·광역시장·특별자치시장·도지사·특별자치도지사(특별시·광역시·특별자치시·도 또는 특별자치도의 교육감을 포함한다) 또는 특별시·광역시·특별자치시·도·특별자치도의 의회(의장, 위원회의 위원장, 사무처장 등 의회 소속 모든 행정청을 포함한다)(제2호)
  ㉢ 「지방자치법」에 따른 지방자치단체조합 등 관계 법률에 따라 국가·지방자치단체·공공법인 등이 공동으로 설립한 행정청. 다만, 제6조 제3항 제3호에 해당하는 행정청은 제외한다(제3호).

③ **시·도행정심판위원회**: 다음 각 호의 행정청의 처분 또는 부작위에 대한 심판청구에 대하여는 시·도지사(특별시·광역시·도·특별자치도) 소속으로 두는 행정심판위원회에서 심리·재결한다(동법 제6조 제3항).
  ㉠ 시·도(특별시·광역시·도·특별자치도) 소속 행정청(제1호)
  ㉡ 시·도(특별시·광역시·도·특별자치도)의 관할구역에 있는 시·군·자치구의 장, 소속 행정청 또는 시·군·자치구의 의회(의장, 위원회의 위원장, 사무국장, 사무과장 등 의회 소속 모든 행정청을 포함한다)(제2호)
  ㉢ 시·도(특별시·광역시·도·특별자치도)의 관할구역에 있는 둘 이상의 지방자치단체(시·군·자치구를 말한다)·공공법인 등이 공동으로 설립한 행정청(제3호)

④ **직근 상급행정기관 소속 행정심판위원회**: 제6조 제2항 제1호에도 불구하고 대통령령으로 정하는 국가행정기관 소속 특별지방행정기관의 장의 처분 또는 부작위에 대한 심판청구에 대하여는 해당 행정청의 직근 상급행정기관에 두는 행정심판위원회에서 심리·재결한다(동법 제6조 제4항). "대통령령으로 정하는 국가행정기관 소속 특별지방행정기관"이란 법무부 및 대검찰청 소속 특별지방행정기관(직근 상급행정기관이나 소관 감독행정기관이 중앙행정기관인 경우는 제외한다)을 말한다(동법 시행령 제3조).

❶ 종래 '국무총리행정심판위원회'라고 하였으나, 개정법에서는 '중앙행정심판위원회'로 그 명칭을 변경하였다.

핵심정리 「행정심판법」상 행정심판위원회

관할 행정심판위원회	행정청 또는 그 소속행정청	대상(예)
해당 행정청 소속 행정심판위원회 (제1항)	1. 감사원, 국가정보원장, 대통령비서실장, 국가안보실장, 대통령경호처장 및 방송통신위원회 2. 국회사무총장·법원행정처장·헌법재판소사무처장 및 중앙선거관리위원회사무총장 3. 국가인권위원회, 고위공직자범죄수사처장	• 법원행정처장의 처분: 법원행정처장 소속 법원행정처 행정심판위원회 • 국회사무총장의 처분: 국회사무총장 소속 국회사무처 행정심판위원회 • 국가정보원장의 처분: 국가정보원장 소속 국가정보원 행정심판위원회

중앙행정심판 위원회 (제2항)	1. 제1항 외 국가기관 2. 특별시장·광역시장·도지사(교육감을 포함, 이하 시·도지사) 또는 시·도의 의회(의장, 위원회의 위원장, 사무처장 등 의회 소속 모든 행정청을 포함) 3. 「지방자치법」에 따른 지방자치단체조합 등 관계 법률에 따라 국가·지방자치단체·공공법인 등이 공동으로 설립한 행정청(제3항 제3호에 해당하는 행정청 제외)	• 경찰청장의 처분 • 서울특별시장의 처분 • 서울특별시의회의 처분 • 대구광역시 교육감의 처분 • 국무총리나 행안부장관의 처분 • 병무청장의 징집처분
시·도행정심판 위원회 (제3항)	1. 시·도 소속 행정청 2. 시·군·자치구의 장, 소속 행정청 또는 시·군·자치구의 의회(의장, 위원회의 위원장, 사무국장, 사무과장 등 의회 소속 모든 행정청을 포함) 3. 둘 이상의 지방자치단체·공공법인 등이 공동으로 설립한 행정청	• 종로구청장의 처분: 서울특별시장 소속 행정심판위원회 • 광명시장의 처분: 경기도지사 소속 행정심판위원회
직근 상급행정기관 소속 행정심판위원회 (제4항)	법무부 및 대검찰청 소속 특별지방행정기관(직근 상급행정기관이나 소관 감독행정기관이 중앙행정기관인 경우는 제외)의 장의 처분 또는 부작위에 대한 심판청구	직근 상급행정기관이란 여러 개의 상급기관이 있는 경우 처분청 또는 부작위청으로부터 가장 가까운 상급행정기관을 의미한다.

(2) 특별행정심판위원회

개별법에 따라서는 특별히 제3의 행정기관을 행정심판기관으로 규정하고 있는 경우가 있다. 특별행정심판을 담당하는 특별행정심판위원회로는 「국가공무원법」 또는 「지방공무원법」상 소청심사위원회, 「국세기본법」상의 조세심판원, 「특허법」상의 특허심판원, 토지보상법상 중앙토지수용위원회 등이 있다.

핵심정리 개별법상 특별행정심판위원회

심판기관	근거법령	대상
소청심사 위원회	「국가공무원법」 제9조, 「지방공무원법」 제13조	국가·지방공무원의 징계 등에 대한 소청
	「교원의 지위 향상 및 교육 활동 보호를 위한 특별법」 제7조	교원의 징계 등에 대한 소청
국세청장 및 조세심판원장	「국세기본법」 제67조, 제69조	국세부과처분에 대한 심사청구/심판청구
조세심판원장	「지방세기본법」 제89조, 제91조, 제98조	지방세부과처분에 대한 심판청구
특허심판원	「특허법」 제132조의3, 제178조	특허처분에 대한 특허심판 및 재심
중앙토지수용 위원회	「공익사업을 위한 토지 등의 취득 및 보상에 관한 법률」 제83조	토지수용재결에 대한 이의신청
감사원	「감사원법」 제43조	감사원에 대한 심사청구
지방심판원 및 중앙심판원	「해양사고의 조사 및 심판에 관한 법률」 제5장, 제6장	해양사고심판

3. 구성 및 회의

(1) 중앙행정심판위원회

① 구성

㉠ 중앙행정심판위원회는 위원장 1명을 포함하여 70명 이내의 위원으로 구성하되, 위원 중 상임위원은 4명 이내로 한다(동법 제8조 제1항).

㉡ 중앙행정심판위원회의 위원장은 국민권익위원회의 부위원장 중 1명이 되며, 위원장이 없거나 부득이한 사유로 직무를 수행할 수 없거나 위원장이 필요하다고 인정하는 경우에는 상임위원(상임으로 재직한 기간이 긴 위원 순서로, 재직기간이 같은 경우에는 연장자 순서로 한다)이 위원장의 직무를 대행한다(동법 제8조 제2항).

㉢ 중앙행정심판위원회의 상임위원은 일반직공무원으로서 「국가공무원법」 제26조의5에 따른 임기제공무원으로 임명하되, 3급 이상 공무원 또는 고위공무원단에 속하는 일반직공무원으로 3년 이상 근무한 사람이나 그 밖에 행정심판에 관한 지식과 경험이 풍부한 사람 중에서 중앙행정심판위원회 위원장의 제청으로 국무총리를 거쳐 대통령이 임명한다(동법 제8조 제3항). 상임위원의 임기는 3년으로 하며, 1차에 한하여 연임할 수 있다(동법 제9조 제2항).

㉣ 중앙행정심판위원회의 비상임위원은 제7조 제4항 각 호의 어느 하나에 해당하는 사람(행정심판위원회 위원이 될 수 있는 사람) 중에서 중앙행정심판위원회 위원장의 제청으로 국무총리가 성별을 고려하여 위촉한다(동법 제8조 제4항). 위촉된 위원의 임기는 2년으로 하되, 2차에 한하여 연임할 수 있다(동법 제9조 제3항).

> 「행정심판법」 제7조 【행정심판위원회의 구성】 ④ 행정심판위원회의 위원은 해당 행정심판위원회가 소속된 행정청이 다음 각 호의 어느 하나에 해당하는 사람 중에서 성별을 고려하여 위촉하거나 그 소속 공무원 중에서 지명한다.
> 1. 변호사 자격을 취득한 후 5년 이상의 실무 경험이 있는 사람
> 2. 「고등교육법」 제2조 제1호부터 제6호까지의 규정에 따른 학교에서 조교수 이상으로 재직하거나 재직하였던 사람
> 3. 행정기관의 4급 이상 공무원이었거나 고위공무원단에 속하는 공무원이었던 사람
> 4. 박사학위를 취득한 후 해당 분야에서 5년 이상 근무한 경험이 있는 사람
> 5. 그 밖에 행정심판과 관련된 분야의 지식과 경험이 풍부한 사람

② 회의

㉠ 중앙행정심판위원회의 회의(제6항에 따른 소위원회 회의는 제외한다)는 위원장, 상임위원 및 위원장이 회의마다 지정하는 비상임위원을 포함하여 총 9명으로 구성한다(동법 제8조 제5항).

㉡ 중앙행정심판위원회는 심판청구사건 중 「도로교통법」에 따른 자동차운전면허 행정처분에 관한 사건(소위원회가 중앙행정심판위원회에서 심리·의결하도록 결정한 사건은 제외한다)을 심리·의결하게 하기 위하여 4명의 위원으로 구성하는 소위원회를 둘 수 있다(동법 제8조 제6항).

㉢ 중앙행정심판위원회 및 소위원회는 각각 구성원 과반수의 출석과 출석위원 과반수의 찬성으로 의결한다(동법 제8조 제7항).

(2) 중앙행정심판위원회 이외의 (일반) 행정심판위원회

① 구성

㉠ 행정심판위원회(중앙행정심판위원회는 제외)는 위원장 1명을 포함하여 50명 이내의 위원으로 구성한다(동법 제7조 제1항).

㉡ 행정심판위원회의 위원장은 그 행정심판위원회가 소속된 행정청이 되며, 위원장이 없거나 부득이한 사유로 직무를 수행할 수 없거나 위원장이 필요하다고 인정하는 경우에는 ⓐ 위원장이 사전에 지명한 위원, ⓑ 제4항에 따라 지명된 공무원인 위원(2명 이상인 경우에는 직급 또는 고위공무원단에 속하는 공무원의 직무등급이 높은 위원 순서로, 직급 또는 직무등급도 같은 경우에는 위원 재직기간이 긴 위원 순서로, 재직기간도 같은 경우에는 연장자 순서로 한다)의 순서에 따라 위원장의 직무를 대행한다(동법 제7조 제2항).

㉢ 제2항에도 불구하고 제6조 제3항에 따라 시·도지사 소속으로 두는 행정심판위원회의 경우에는 해당 지방자치단체의 조례로 정하는 바에 따라 공무원이 아닌 위원을 위원장으로 정할 수 있다. 이 경우 위원장은 비상임으로 한다(동법 제7조 제3항).

㉣ 행정심판위원회의 위원은 해당 행정심판위원회가 소속된 행정청이 ⓐ 변호사 자격을 취득한 후 5년 이상의 실무 경험이 있는 사람, ⓑ 학교에서 조교수 이상으로 재직하거나 재직하였던 사람, ⓒ 행정기관의 4급 이상 공무원이었거나 고위공무원단에 속하는 공무원이었던 사람, ⓓ 박사학위를 취득한 후 해당 분야에서 5년 이상 근무한 경험이 있는 사람, ⓔ 그 밖에 행정심판과 관련된 분야의 지식과 경험이 풍부한 사람 중 어느 하나에 해당하는 사람 중에서 성별을 고려하여 위촉하거나 그 소속 공무원 중에서 지명한다(동법 제7조 제4항). 이에 따라 위촉된 위원의 임기는 2년으로 하되, 2차에 한하여 연임할 수 있고(동법 제9조 제3항), 지명된 위원은 그 직에 재직하는 동안 재임한다(동법 제9조 제1항).

② 회의

㉠ 행정심판위원회의 회의는 위원장과 위원장이 회의마다 지정하는 8명의 위원(그중 제4항에 따른 위촉위원은 6명 이상으로 하되, 제3항에 따라 위원장이 공무원이 아닌 경우에는 5명 이상으로 한다)으로 구성한다. 다만, 국회규칙, 대법원규칙, 헌법재판소규칙, 중앙선거관리위원회규칙 또는 대통령령(제6조 제3항에 따라 시·도지사 소속으로 두는 행정심판위원회의 경우에는 해당 지방자치단체의 조례)으로 정하는 바에 따라 위원장과 위원장이 회의마다 지정하는 6명의 위원(그중 제4항에 따른 위촉위원은 5명 이상으로 하되, 제3항에 따라 공무원이 아닌 위원이 위원장인 경우에는 4명 이상으로 한다)으로 구성할 수 있다(동법 제7조 제5항).

㉡ 행정심판위원회는 구성원 과반수의 출석과 출석위원 과반수의 찬성으로 의결한다(동법 제7조 제6항).

> **핵심정리** 중앙행정심판위원회와 일반행정심판위원회 비교

구분	중앙행정심판위원회	중앙행정심판위원회 이외의 일반행정심판위원회
구성	위원장 1명을 포함하여 70명 이내의 위원(위원 중 상임위원은 4명 이내)	위원장 1명을 포함하여 50명 이내의 위원
위원장	국민권익위원회의 부위원장 중 1명	• 해당 행정심판위원회가 소속된 행정청 • 시·도지사 소속으로 두는 행정심판위원회의 경우에는 조례로 정하는 바에 따라 공무원이 아닌 위원을 위원장(비상임)으로 정할 수 있다.
위원장 직무대행	상임위원 (재직기간이 긴 위원 > 연장자 순)	• 위원장이 사전에 지명한 위원 • 지명된 공무원인 위원(직무등급이 높은 위원 > 재직기간이 긴 위원 > 연장자 순)
위원의 위촉·지명·임명	• 상임위원: 일반직 공무원으로서 위원장의 제청으로 국무총리를 거쳐 대통령이 임명 • 비상임위원: 위원장의 제청으로 국무총리가 성별을 고려하여 위촉	해당 행정심판위원회가 소속된 행정청이 성별을 고려하여 위촉하거나 그 소속 공무원 중에서 지명
임기	• 상임위원: 3년, 1차 연임 가능 • 비상임위원: 2년, 2차 연임 가능	• 위촉된 위원: 2년, 2차에 한해 연임 가능 • 지명된 위원: 재직하는 동안
회의	• 위원장, 상임위원, 비상임위원을 포함하여 총 9명으로 구성 • 4명의 위원으로 구성하는 소위원회를 둘 수 있음(자동차운전면허 행정처분에 관한 사건을 심의·의결) • 구성원 과반수의 출석과 출석위원 과반수의 찬성으로 의결	• 위원장과 위원장이 회의마다 지정하는 8명의 위원(그 중 위촉위원은 6명 이상으로 하되, 시·도지사 소속으로 두는 행정심판위원회로서 위원장이 공무원이 아닌 경우에는 5명 이상으로 한다)으로 구성 • 예외적으로 6명의 위원으로 구성 가능 • 구성원 과반수의 출석과 출석위원 과반수의 찬성으로 의결

4. 위원 등의 제척·기피·회피

「행정심판법」 제10조는 심판청구사건에 대한 심리·재결의 공정과 이에 대한 국민의 신뢰를 확보하기 위하여 위원에 대한 제척·기피·회피제도를 두고 있다.

(1) 제척·기피

① 의의

제척결정
▷ 위원장이 직권 또는 당사자의 신청으로 함

㉠ **제척**이란 법이 정하는 일정한 사유가 있는 경우 '**당연히**' 그 사건에 관한 심리·의결에서 **배제**되는 것을 말한다. 제척의 효과는 법률상 당연히 발생하는 것이지 당해 결정에 의하여 발생하는 것이 아니기 때문에, 당사자의 제척사유의 인지·주장 여부와 무관하게 발생한다. 이에 따라 **제척결정**은 **확인적 성질**을 갖는다.

㉡ **기피**란 기피사유가 있는 경우 '**당사자의 신청**'을 기다려 위원장의 결정으로 위원을 심리·의결에서 **배제**시키는 것을 말한다. 이는 제척제도를 보충하여 심리·의결의 공정을 보다 철저히 보장하기 위한 것이다. **기피결정**은 제척과 달리 **형성적**이다.

② 사유
- ㉠ 제척사유: 위원회의 위원이 ⓐ 위원 또는 그 배우자나 배우자이었던 사람이 사건의 당사자이거나 사건에 관하여 공동 권리자 또는 의무자인 경우, ⓑ 위원이 사건의 당사자와 친족이거나 친족이었던 경우, ⓒ 위원이 사건에 관하여 증언이나 감정을 한 경우, ⓓ 위원이 당사자의 대리인으로서 사건에 관여하거나 관여하였던 경우, ⓔ 위원이 사건의 대상이 된 처분 또는 부작위에 관여한 경우 중 어느 하나에 해당하는 경우에는 그 사건의 심리·의결에서 제척된다. 이 경우 제척결정은 위원회의 위원장이 직권으로 또는 당사자의 신청에 의하여 한다(동법 제10조 제1항). 제척사유 있는 위원이 심리·의결에 관여한 것은 주체상의 하자에 해당되어 당해 심리·의결은 무효이다.
- ㉡ 기피사유: 당사자는 위원에게 법률상 정해진 제척사유 이외의 심리·의결의 공정을 기대하기 어려운 사정이 있으면 위원장에게 기피신청을 할 수 있다(동법 제10조 제2항).

③ 신청
- ㉠ 위원에 대한 제척신청이나 기피신청은 그 사유를 소명한 문서로 하여야 한다. 다만, 불가피한 경우에는 신청한 날부터 3일 이내에 신청 사유를 소명할 수 있는 자료를 제출하여야 한다(동법 제10조 제3항).
- ㉡ 제척신청이나 기피신청이 동법 제3항을 위반하였을 때에는 위원장은 결정으로 이를 각하한다(동법 제10조 제4항). 위원장은 제척신청이나 기피신청의 대상이 된 위원에게서 그에 대한 의견을 받을 수 있다(동법 제10조 제5항).
- ㉢ 위원장은 제척신청이나 기피신청을 받으면 제척 또는 기피 여부에 대한 결정을 하고(즉, 제척결정이나 기피결정은 위원회의 의결을 거치지 않고 위원장이 직권으로 행한다), 지체 없이 신청인에게 결정서 정본을 송달하여야 한다(동법 제10조 제6항).

(2) 회피

회피란 제척 또는 기피 사유가 있는 경우 위원이 스스로 심리·의결을 피하는 것을 말한다. 위원회의 회의에 참석하는 위원이 제척사유 또는 기피사유에 해당되는 것을 알게 되었을 때에는 스스로 그 사건의 심리·의결에서 회피할 수 있다. 이 경우 회피하고자 하는 위원은 위원장에게 그 사유를 소명하고 위원장의 허가를 받아야 한다(동법 제10조 제7항).

(3) 직원에 대한 준용

사건의 심리·의결에 관한 사무에 관여하는 위원 아닌 직원에게도 위원의 제척·기피·회피에 관한 규정을 준용한다(동법 제10조 제8항).

함께 정리하기

제척 사유
▷ 배우자, 친족, 증언·감정인, 대리인, 처분 또는 부작위에 관여한 경우

기피사유
▷ 공정한 심리·의결을 기대하기 어려운 사정

제척·기피신청
▷ 사유 소명한 문서로

제척·기피 여부
▷ 위원장 직권으로 결정

회피
▷ 위원 스스로 가능

제척·기피·회피 규정
▷ 직원에게도 규정 준용

5. 권한

(1) 행정심판위원회의 권한

행정심판위원회는 심판 청구된 사건을 심리하여 재결하는 권한을 가진다.

① 심리권
- ㉠ 행정심판위원회는 심판 청구된 사건을 심리하는 권한을 가진다. 여기서 행정심판의 심리란 재결의 기초인 사실관계 및 법률관계를 명확하게 하기 위하여 당사자 및 관계인의 주장을 듣고 그 주장을 뒷받침하는 증거 기타의 자료 등을 수집·조사하는 것을 말한다.❶
- ㉡ 행정심판의 심리와 관련하여 행정심판위원회는 증거조사권(동법 제36조), 선정대표자 선정권고권(동법 제15조 제2항), 청구인의 지위승계허가권(동법 제15조 제5항), 대리인 선임허가권(동법 제18조 제1항 제5호), 피청구인 경정결정권(동법 제17조 제2항), 이해관계 있는 제3자나 행정청에 대한 행정심판 참가요구권(동법 제21조 제1항), 청구의 변경허가권(동법 제29조 제6항) 등의 여러 종류의 부수적인 권한도 가진다.

② 재결권
- ㉠ 행정심판위원회는 심리를 마치고 난 후 심판청구에 대한 법적 판단을 할 수 있는 권한, 즉 재결할 권한을 가진다(동법 제6조 제1항).❷
- ㉡ 행정심판위원회는 처분에 대한 집행정지결정 및 집행정지취소결정❸, 임시처분결정❹, 그리고 사정재결을 할 수 있다.

③ **불합리한 법령 등의 시정조치요청권**: 중앙행정심판위원회는 심판청구를 심리·재결할 때에 처분 또는 부작위의 근거가 되는 명령 등(대통령령·총리령·부령·훈령·예규·고시·조례·규칙 등을 말한다)이 법령에 근거가 없거나 상위 법령에 위배되거나 국민에게 과도한 부담을 주는 등 크게 불합리하면 관계 행정기관에 그 명령 등의 개정·폐지 등 적절한 시정조치를 요청할 수 있다. 이 경우 중앙행정심판위원회는 시정조치를 요청한 사실을 법제처장에게 통보하여야 한다(동법 제59조 제1항). 시정조치 요청을 받은 관계 행정기관은 정당한 사유가 없으면 이에 따라야 한다(동법 제59조 제2항).

(2) 권한의 승계

당사자의 심판청구 후 위원회가 법령의 개정·폐지 또는 피청구인의 경정 결정에 따라 그 심판청구에 대하여 재결할 권한을 잃게 된 경우에는 해당 위원회는 심판청구서와 관계 서류, 그 밖의 자료를 새로 재결할 권한을 갖게 된 위원회에 보내야 한다(동법 제12조 제1항). 이 경우 송부를 받은 위원회는 지체 없이 그 사실을 청구인, 피청구인, 참가인에게 알려야 한다(동법 제12조 제2항).

(3) 권한의 위임

행정심판위원회의 권한 중 일부를 국회규칙, 대법원규칙, 헌법재판소규칙, 중앙선거관리위원회규칙 또는 대통령령으로 정하는 바에 따라 위원장에게 위임할 수 있다(동법 제61조).

---

❶ 심리는 각 심판청구사건을 단위로 하는 것이 원칙이나, 필요하다고 인정할 때에는 서로 관련되는 내용의 심판청구를 병합하여 심리하거나, 병합된 심판청구를 다시 분리하여 심리할 수 있다(동법 제37조).

행정심판위원회
▷ 심판 청구된 사건 심리 권한

행정심판위원회
▷ 재결권(심판청구에 대한 법적 판단을 할 수 있는 권한)

❷ 종전에는 행정심판위원회가 심리·의결하고 재결청이 재결권을 행사하였으나, 이러한 재결권은 형식적인 권한에 불과하였다.

❸ 집행정지결정 및 집행정지취소결정권
종래 재결청의 권한에 속하였으나 2008년 개정법에 따라 행정심판위원회의 권한으로 되었다.

❹ 임시처분제도
의무이행심판의 가구제 수단으로서 2010년 개정 「행정심판법」에 신설된 제도이다.

중앙행정심판위원회
▷ 불합리한 법령등의 시정조치요구권

위원회가 재결할 권한을 잃게 된 경우
▷ 새로 권한을 갖게 된 위원회에 권한 승계

행정심판위원회의 권한 중 일부
▷ 위원장에게 위임 가능

제5절 행정심판청구기간

1 개설

1. 의의

행정심판은 법정 청구기간 내에 제기하여야 한다.「행정심판법」이 행정심판청구기간을 법정화 하는 것은 행정법관계를 조속하게 확정하여 법률관계의 안전성을 확보하기 위한 것이다.

2. 적용 범위

심판청구기간은 행정심판 가운데 취소심판과 거부처분에 대한 의무이행심판에만 적용되고, 무효등확인심판이나 부작위에 대한 의무이행심판에는 적용되지 않는다(동법 제27조 제7항).

무효등확인심판·부작위에 대한 의무이행심판
▷ 청구기간 제한×

취소심판·거부처분에 대한 의무이행심판
▷ 청구기간 제한○

2 「행정심판법」상 심판청구기간

>「행정심판법」제27조【심판청구의 기간】① 행정심판은 처분이 있음을 알게 된 날부터 90일 이내에 청구하여야 한다.
> ② 청구인이 천재지변, 전쟁, 사변(事變), 그 밖의 불가항력으로 인하여 제1항에서 정한 기간에 심판청구를 할 수 없었을 때에는 그 사유가 소멸한 날부터 14일 이내에 행정심판을 청구할 수 있다. 다만, 국외에서 행정심판을 청구하는 경우에는 그 기간을 30일로 한다.
> ③ 행정심판은 처분이 있었던 날부터 180일이 지나면 청구하지 못한다. 다만, 정당한 사유가 있는 경우에는 그러하지 아니하다.
> ④ 제1항과 제2항의 기간은 불변기간(不變期間)으로 한다.
> ⑤ 행정청이 심판청구 기간을 제1항에 규정된 기간보다 긴 기간으로 잘못 알린 경우 그 잘못 알린 기간에 심판청구가 있으면 그 행정심판은 제1항에 규정된 기간에 청구된 것으로 본다.
> ⑥ 행정청이 심판청구 기간을 알리지 아니한 경우에는 제3항에 규정된 기간에 심판청구를 할 수 있다.
> ⑦ 제1항부터 제6항까지의 규정은 무효등확인심판청구와 부작위에 대한 의무이행심판청구에는 적용하지 아니한다.

1. 원칙적인 심판청구기간

(1) 처분이 있음을 알게 된 날부터 90일

행정심판은 처분이 있음을 알게 된 날부터 90일 이내에 청구하여야 한다(동법 제27조 제1항). 이 기간은 불변기간이고(동법 제27조 제4항), 기간의 준수 여부는 위원회의 직권조사사항이다. 여기에서 "처분이 있음을 알게 된 날"이란 당사자가 통지·공고 기타의 방법에 의하여 당해 처분이 있었다는 사실을 현실적으로 안 날을 의미하고, 추상적으로 알 수 있었던 날을 의미하는 것은 아니다(대판 2002.8.27. 2002두3850).

안 날
▷ 처분 있음을 현실적으로 안 날

(2) 처분이 있었던 날부터 180일

행정심판은 처분이 있었던 날부터 180일이 지나면 청구하지 못한다(동법 제27조 제3항). 여기에서 "처분이 있었던 날"이란 처분이 통지에 의해 대외적으로 표시되어 효력이 발생한 날을 의미한다(대판 1988.11.22. 77누195).

(3) 기간의 경과

"처분이 있음을 알게 된 날(안 날)"(동법 제27조 제1항·제2항)은 불변기간❶에 해당하나, "처분이 있었던 날(있은 날)"(동법 제27조 제3항)은 불변기간에 해당하지 않는다. 두 기간 중 어느 하나라도 경과하면 행정심판을 청구할 수 없다.

2. 예외적인 심판청구기간

(1) 90일에 대한 예외

청구인이 천재지변, 전쟁, 사변, 그 밖의 불가항력으로 인하여 처분이 있음을 알게 된 날부터 90일 이내에 심판청구를 할 수 없었을 때에는 그 사유가 소멸한 날부터 14일 이내에 행정심판을 청구할 수 있다. 다만, 국외에서 행정심판을 청구하는 경우에는 그 기간을 30일로 한다(동법 제27조 제2항). 이 기간은 불변기간이다.

(2) 180일에 대한 예외

행정심판은 처분이 있었던 날부터 180일 이내에 제기하여야 하지만, 정당한 사유가 있는 경우에는 180일이 넘어서도 제기할 수 있다(동법 제27조 제3항 단서). 이때 '정당한 사유'란 천재지변, 전쟁, 사변, 그 밖의 불가항력보다는 넓은 개념으로 보는 것이 일반적인 견해이다.

(3) 제3자효 행정행위의 심판청구기간

① 「행정심판법」상의 심판청구 기간은 제3자효 행정행위의 제3자에게도 적용된다. 따라서 처분의 제3자도 원칙적으로 처분이 있음을 안 날로부터 90일, 처분이 있었던 날로부터 180일 이내에 행정심판을 청구해야 한다.

② 그런데, 대다수의 현행법은 처분의 직접 상대방이 아닌 제3자에 대한 고지규정을 따로 두지 않아 처분의 제3자로서는 처분의 존재를 인지하지 못하는 경우가 많다. 이러한 사정은 특별한 사정이 없는 한 「행정심판법」 제27조 제3항 단서 소정의 '정당한 사유'에 해당하여 제척기간의 적용을 배제할 수 있다는 것이 판례의 입장이다(대판 1989.5.9. 88누5150). 그 결과 처분의 제3자는 특별한 사정이 없는 한 처분이 있었던 날로부터 180일이 경과한 뒤에도 행정심판을 청구할 수 있다(대판 2002.5.24. 2000두3641).

---

❶ 불변기간
법원이 줄이거나 늘릴 수 없도록 법률에서 정하고 있는 기간이다.

90일 예외
▷ 천재지변 등 소멸 후 14일
▷ 단, 국외 30일

180일 예외
▷ 정당한 사유O

제3자
▷ 안 날 90일, 있은 날 180일

제3자가 처분 인지하지 못한 경우
▷ 정당한 사유 인정되어 청구기간 적용 배제 가능

관련판례

처분의 상대방이 아닌 제3자는 처분이 있었던 날로부터 180일이 경과하더라도 특별한 사정이 없는 한 정당한 사유가 있는 경우에 해당하여 심판청구를 제기할 수 있다. ★★

행정심판법 제27조 제3항에 의하면 행정처분의 상대방이 아닌 제3자라도 처분이 있은 날로부터 180일을 경과하면 행정심판청구를 제기하지 못하는 것이 원칙이지만, 다만 정당한 사유가 있는 경우에는 그러하지 아니하도록 규정되어 있는바, 행정처분의 직접 상대방이 아닌 제3자는 일반적으로 처분이 있는 것을 바로 알 수 없는 처지에 있으므로, 위와 같은 심판청구기간 내에 심판청구를 제기하지 아니하였다고 하더라도, 그 기간 내에 처분이 있은 것을 알았거나 쉽게 알 수 있었기 때문에 심판청구를 제기할 수 있었다고 볼 만한 특별한 사정이 없는 한, 위 법조항 본문의 적용을 배제할 "정당한 사유"가 있는 경우에 해당한다고 보아 위와 같은 심판청구기간이 경과한 뒤에도 심판청구를 제기할 수 있다(대판 1992.7.28. 91누12844).

③ 다만, 제3자가 어떠한 경위로든 처분이 있음을 알았다면, 안 날로부터 90일 이내에 행정심판을 청구하여야 한다.

관련판례

제3자가 어떤 경위로든 행정처분이 있음을 알았거나 쉽게 알 수 있는 등 구 행정심판법 제18조 제1항 소정의 심판청구기간 내에 심판청구가 가능하였다는 사정이 있는 경우에는 그때로부터 90일 이내에 행정심판을 청구하여야 한다(대판 1996.9.6. 95누16233). ★

(4) 불고지·오고지의 경우

「행정심판법」은 행정심판기간의 불고지 또는 오고지의 경우에 행정청에게 위험부담을 지우고 있다.

① **불고지의 경우**: 행정청이 심판청구 기간을 알리지 아니한 경우에는 당사자가 처분이 있음을 알았다고 하더라도 처분이 있었던 날부터 180일 이내에 취소심판이나 의무이행심판을 청구를 할 수 있다(동법 제27조 제6항).
② **오고지의 경우**: 행정청이 착오로 심판청구기간을 규정된 기간보다 긴 기간으로 잘못 알린 경우 그 잘못 알린 기간에 심판청구가 있으면 규정된 기간에 청구된 것으로 본다(동법 제27조 제5항).

3 특별법상의 심판청구기간

개별법에 따라서는 심판청구기간을 「행정심판법」과 달리 규정하고 있는 경우가 있다. 예컨대, 토지수용재결에 대한 이의신청기간은 재결서의 정본을 받은 날로부터 30일 이내로 규정되어 있고(토지보상법 제83조 제3항), 「국가공무원법」상의 소청심사기간은 처분이 있은 것을 안 날로부터 30일 이내로 규정되어 있다(「국가공무원법」 제76조 제1항).

함께 정리하기

제3자가 처분 인지한 경우
▷ 안 날로부터 90일 이내 심판청구

불고지
▷ 처분이 있었던 날부터 180일 이내에 청구

오고지 기간 중 심판청구 시
▷ 적법한 청구

제6절 행정심판청구의 방식과 절차

1 행정심판청구의 방식

> 「행정심판법」제28조 【심판청구의 방식】 ① 심판청구는 서면으로 하여야 한다.
> 제32조 【보정】 ① 위원회는 심판청구가 적법하지 아니하나 보정(補正)할 수 있다고 인정하면 기간을 정하여 청구인에게 보정할 것을 요구할 수 있다. 다만, 경미한 사항은 직권으로 보정할 수 있다.
> ④ 제1항에 따른 보정을 한 경우에는 처음부터 적법하게 행정심판이 청구된 것으로 본다.
> ⑤ 제1항에 따른 보정기간은 제45조에 따른 재결 기간에 산입하지 아니한다.
> ⑥ 위원회는 청구인이 제1항에 따른 보정기간 내에 그 흠을 보정하지 아니한 경우에는 그 심판청구를 각하할 수 있다.

행정심판청구의 방식
▷ 서면으로 청구(구술×)

1. 서면주의

행정심판의 청구는 일정한 사항을 기재하여 서면으로 하여야 한다(동법 제28조 제1항). 행정심판청구서의 필요적 기재사항에 대하여는 「행정심판법」 제28조 제2항 내지 제5항에서 규정하고 있다. 심판청구를 서면에 의하도록 한 것은 심판청구의 내용을 명확히 하고 청구방식의 정형화를 통해 절차의 지연과 번잡을 피하기 위함이다.

2. 엄격한 형식을 요하지 않는 서면주의

필요적 기재사항
▷ 「행정심판법」에 규정
▷ 흠결 시 보정 가능(보정요구 · 직권보정)

(1) 행정심판의 청구는 서면주의이기는 하나 서면주의가 엄격하게 요구되는 것은 아니다. 따라서 위원회는 심판청구가 적법하지 아니하나 보정(補正)할 수 있다고 인정하면 기간을 정하여 청구인에게 보정할 것을 요구할 수 있고, 경미한 사항은 직권으로 보정할 수 있다(동법 제32조 제1항).

행정심판청구
▷ 엄격한 형식을 요하지 않은 서면주의
▷ 내용이 기준

(2) 판례도 행정심판의 청구는 엄격한 형식을 요하지 않는 서면행위로 해석하고 있다(대판 2007.6.1. 2005두11500). 따라서 서면의 표제가 행정심판의 청구가 아니더라도 피청구인인 처분청과 청구인의 이름 및 주소가 기재되어 있고, 문서의 기재내용에 의하여 심판청구의 취지 및 이유 등을 알 수 있는 경우와 같이 그 내용이 행정심판을 청구하는 것이면, 그 표제와 제출기관의 여하를 불문하고 이를 행정심판청구로 본다.

> **관련판례**
>
> 제목이 '진정서'로 되어 있어도 심판청구의 주요사항이 기재되어 있다면 행정심판청구로 보는 것이 옳다. ★★
>
> [1] 행정심판법 제19조, 제23조의 규정 취지와 행정심판제도의 목적에 비추어 보면 행정소송의 전치요건인 행정심판청구는 엄격한 형식을 요하지 아니하는 서면행위로 해석되므로, 위법 부당한 행정처분으로 인하여 권리나 이익을 침해당한 자로부터 그 처분의 취소나 변경을 구하는 서면이 제출되었을 때에는 그 표제와 제출기관의 여하를 불문하고 이를 행정소송법 제18조 소정의 행정심판청구로 본다.

제목이 '진정서'로 되어 있어도 심판청구의 주요사항이 기재되어 있는 경우
▷ 행정심판청구

[2] 비록 제목이 '진정서'로 되어 있고, 재결청의 표시, 심판청구의 취지 및 이유, 처분을 한 행정청의 고지의 유무 및 그 내용 등 행정심판법 제19조 제2항 소정의 사항들을 구분하여 기재하고 있지 아니하여 행정심판청구서로서의 형식을 다 갖추고 있다고 볼 수는 없으나, 피청구인인 처분청과 청구인의 이름과 주소가 기재되어 있고, 청구인의 기명이 되어 있으며, 문서의 기재 내용에 의하여 심판청구의 대상이 되는 행정처분의 내용과 심판청구의 취지 및 이유, 처분이 있은 것을 안 날을 알 수 있는 경우, 위 문서에 기재되어 있지 않은 재결청, 처분을 한 행정청의 고지의 유무 등의 내용과 날인 등의 불비한 점은 보정이 가능하므로 위 문서를 행정처분에 대한 행정심판청구로 보는 것이 옳다(대판 2000.6.9. 98두2621).

2 행정심판청구서의 제출과 처리

「행정심판법」 제23조 【심판청구서의 제출】 ① 행정심판을 청구하려는 자는 제28조에 따라 심판청구서를 작성하여 피청구인이나 위원회에 제출하여야 한다. 이 경우 피청구인의 수만큼 심판청구서 부본을 함께 제출하여야 한다.

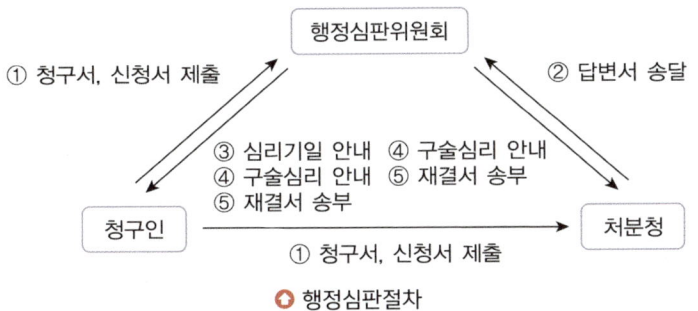

1. 피청구인인 처분청 또는 행정심판위원회에 제출(심판청구의 선택주의)

(1) 행정심판을 청구하려는 자는 심판청구서를 작성하여 피청구인이나 위원회에 제출하여야 한다. 이 경우 피청구인의 수만큼 심판청구서 부본을 함께 제출하여야 한다(동법 제23조 제1항). 또한 행정심판 절차를 밟는 자는 심판청구서와 그 밖의 서류를 전자문서화하고 이를 정보통신망을 이용하여 위원회에서 지정·운영하는 전자정보처리조직(행정심판 절차에 필요한 전자문서를 작성·제출·송달할 수 있도록 하는 하드웨어, 소프트웨어, 데이터베이스, 네트워크, 보안요소 등을 결합하여 구축한 정보처리능력을 갖춘 전자적 장치를 말한다)을 통하여 제출할 수도 있다(동법 제52조 제1항, 온라인 행정심판).

(2) 종래에는 반드시 피청구인인 처분청을 거쳐서 심판청구서를 제출하도록 하였으나(처분청 경유주의), 처분청이 청구인에게 심판청구의 취하를 종용하거나 부당하게 수리조차 하지 않는 폐단이 있어, 1995년 개정 「행정심판법」은 이를 폐지하였다.
따라서 행정심판을 청구하려는 자는 피청구인인 행정청(처분 행정청, 의무이행심판의 경우에는 청구인의 신청을 받은 행정청)이나 위원회에 심판청구서를 선택적으로 제출할 수 있다(선택주의).

심판청구
▷ 심판청구서를 작성하여 피청구인 수만큼 부본과 함께 피청구인 또는 위원회에 제출

처분청 경유하지 않고
▷ 바로 위원회 청구 가능

함께 정리하기

피청구인이 심판청구서 접수 또는 송부 받을시
▷ 10일 내 심판청구서와 답변서 위원회에 송부

심판청구가 불특정 되는 등 명백히 부적법
▷ 답변서 불송부 可(10일 내 위원회에 사유 통보)

위원장이 답변서 제출요구 시
▷ 피청구인은 10일 내 답변서 제출

제3자의 심판청구 시
▷ 지체 없이 처분상대방에게 심판청구 사실통지, 심판청구서 사본 송달

중앙행정심판위원회 심리재결사건
▷ 소관 중앙행정기관의 장에게 통지

❶ 이는 행정청이 심판청구서를 받아 이를 재검토한 결과 심판청구가 이유 있다고 인정할 때 더 이상 행정심판으로 진행하지 않고 심판청구의 취지에 따른 처분을 할 수 있게 하여 절차와 시간의 낭비를 방지하고자 한 취지이다. 피청구인이 심판청구를 인용하여 직권취소 등을 하는 경우에는 행정심판절차는 종료된다. 이 경우 피청구인이 직권취소 등을 하는 것은 원처분을 단순히 변경하는 것일 뿐, 행정심판으로서의 재결과는 아무런 관련이 없다.

심판청구서를 받은 피청구인
▷ 처분을 취소·변경·확인·신청에 따른 처분 可

위원회가 심판청구서 수령 시
▷ 피청구인에게 부본 송달

위원회가 답변서 수령 시
▷ 청구인에게 부본 송달

2. 피청구인(처분청)에게 제출된 경우의 처리

(1) 행정심판위원회에의 송부 등

① 피청구인이 제23조(심판청구서의 제출) 제1항·제2항 또는 제26조(위원회의 심판청구서 등의 접수·처리) 제1항에 따라 심판청구서를 접수하거나 송부 받으면 10일 이내에 심판청구서(제23조 제1항·제2항의 경우만 해당)와 답변서를 위원회에 보내야 한다. 다만, 청구인이 심판청구를 취하한 경우에는 그러하지 아니하다(동법 제24조 제1항).

② 제1항에도 불구하고 심판청구가 그 내용이 특정되지 아니하는 등 명백히 부적법하다고 판단되는 경우에 피청구인은 답변서를 위원회에 보내지 아니할 수 있다. 이 경우 심판청구서를 접수하거나 송부받은 날부터 10일 이내에 그 사유를 위원회에 문서로 통보하여야 한다(동법 제24조 제2항).

③ 제2항에도 불구하고 위원장이 심판청구에 대하여 답변서 제출을 요구하면 피청구인은 위원장으로부터 답변서 제출을 요구받은 날부터 10일 이내에 위원회에 답변서를 제출하여야 한다(동법 제24조 제3항).

④ 피청구인은 처분의 상대방이 아닌 제3자가 심판청구를 한 경우에는 지체 없이 처분의 상대방에게 그 사실을 알려야 한다. 이 경우 심판청구서 사본을 함께 송달하여야 한다(동법 제24조 제4항).

⑤ 중앙행정심판위원회에서 심리·재결하는 경우, 피청구인은 위원회에 심판청구서 또는 답변서를 보낼 때에는 소관 중앙행정기관의 장에게도 그 심판청구·답변의 내용을 알려야 한다(동법 제24조 제8항).

(2) 피청구인의 직권취소 등

① 심판청구서를 받은 피청구인은 그 심판청구가 이유 있다고 인정하면 심판청구의 취지에 따라 직권으로 처분을 취소·변경하거나 확인을 하거나 신청에 따른 처분을 할 수 있다.❶ 이 경우 서면으로 청구인에게 알려야 한다(동법 제25조 제1항).

② 피청구인이 위 ①과 같이 직권취소 등을 하였을 때에는 청구인이 심판청구를 취하한 경우가 아니면 행정심판위원회에 제24조 제1항 본문에 따라 심판청구서·답변서를 보내거나 같은 조 제3항에 따라 답변서를 보낼 때 직권취소 등의 사실을 증명하는 서류를 함께 제출하여야 한다(동법 제25조 제2항).

3. 행정심판위원회에 제출된 경우의 처리

위원회가 청구인으로부터 심판청구서를 직접 받은 때에는 지체 없이 피청구인에게 심판청구서 부본을 보내야 한다(동법 제26조 제1항). 피청구인은 심판청구서 부본을 송달받은 날 또는 위원장으로부터 답변서 제출을 요구받은 날부터 10일 이내에 답변서를 위원회에 보내야 한다(동법 제24조 제1항·제3항). 위원회는 제24조 제1항 본문 또는 제3항에 따라 피청구인으로부터 답변서가 제출되면 답변서 부본을 청구인에게 송달하여야 한다(동법 제26조 제2항).

제7절 행정심판청구의 효과

1 행정심판위원회 등에 대한 효과

「행정심판법」이 요구하는 요건을 갖춘 심판청구가 제기되면 행정심판위원회는 심판을 심리·재결할 의무를 부담하고(동법 제6조, 제43조 이하), 청구인은 심판을 받을 권리, 그 밖에 「행정심판법」상 인정되는 절차상의 권리를 가지게 된다.

행정심판위원회 등에 대한 효과
▷ 위원회: 심리·재결할 의무 부담
▷ 청구인: 절차상 권리 가지게 됨

2 원처분에 대한 효과 – 계쟁처분의 집행부정지 또는 집행정지·임시처분

심판청구가 있어도 처분의 효력이나 그 집행 또는 절차의 속행에 영향을 주지 아니하는 것이 원칙이나(집행부정지의 원칙), 예외적으로 일정한 요건을 갖춘 상황에서 당사자 신청 또는 위원회 직권으로 집행정지나 임시처분을 할 수 있다. 이에 관해서는 아래 가구제에서 설명하기로 한다.

원처분에 대한 효과
▷ 집행부정지원칙
▷ 예외적으로 집행정지나 임시처분 可

제8절 가구제(잠정적 권리보호)

1 개설

행정심판의 가구제 제도에는 적극적 처분에 대한 소극적 가구제수단인 집행정지제도(동법 제30조)와 소극적 처분(거부처분과 부작위)에 대한 적극적 가구제수단인 임시처분제도(동법 제31조)가 있다. 이에 반해 「행정소송법」에서는 소극적 가구제수단인 집행정지제도 이외에 임시처분과 같은 적극적 형태의 가구제 제도는 없다.

핵심정리 「행정심판법」상 가구제와 「행정소송법」상 가구제의 비교

구분	「행정심판법」	「행정소송법」
적극적 처분에 대한 소극적 가구제 수단 (→ 집행정지)	○ (중대한 손해)	○ (회복하기 어려운 손해)
소극적 처분(거부처분) 또는 부작위에 대한 적극적 가구제 수단 (→ 임시처분)	○	×
	권력분립을 고려하여 소극적인 처분에 대한 실효적인 권리구제인 임시처분은 「행정심판법」에서만 인정	

2 집행정지

> 「행정심판법」제30조【집행정지】① 심판청구는 처분의 효력이나 그 집행 또는 절차의 속행(續行)에 영향을 주지 아니한다.
> ② 위원회는 처분, 처분의 집행 또는 절차의 속행 때문에 중대한 손해가 생기는 것을 예방할 필요성이 긴급하다고 인정할 때에는 직권으로 또는 당사자의 신청에 의하여 처분의 효력, 처분의 집행 또는 절차의 속행의 전부 또는 일부의 정지(이하 "집행정지"라 한다)를 결정할 수 있다. 다만, 처분의 효력정지는 처분의 집행 또는 절차의 속행을 정지함으로써 그 목적을 달성할 수 있을 때에는 허용되지 아니한다.
> ③ 집행정지는 공공복리에 중대한 영향을 미칠 우려가 있을 때에는 허용되지 아니한다.
> ④ 위원회는 집행정지를 결정한 후에 집행정지가 공공복리에 중대한 영향을 미치거나 그 정지사유가 없어진 경우에는 직권으로 또는 당사자의 신청에 의하여 집행정지 결정을 취소할 수 있다.
> ⑥ 제2항과 제4항에도 불구하고 위원회의 심리·결정을 기다릴 경우 중대한 손해가 생길 우려가 있다고 인정되면 위원장은 직권으로 위원회의 심리·결정을 갈음하는 결정을 할 수 있다. 이 경우 위원장은 지체 없이 위원회에 그 사실을 보고하고 추인(追認)을 받아야 하며, 위원회의 추인을 받지 못하면 위원장은 집행정지 또는 집행정지 취소에 관한 결정을 취소하여야 한다.

1. 집행부정지의 원칙

「행정심판법」은 행정심판청구가 처분의 효력이나 그 집행 또는 절차의 속행에 영향을 주지 아니한다고 규정하여 집행부정지를 원칙으로 하고 있다(동법 제30조 제1항).

2. 집행정지

(1) 의의

① 집행정지란 위원회가 다툼의 대상이 된 처분의 효력이나 그 집행 또는 절차의 속행을 정지시키는 것을 말한다. 「행정심판법」은 집행부정지를 원칙으로 하면서도, 처분의 집행으로 중대한 손해가 생기는 것을 예방하기 위하여 일정한 경우 예외적으로 집행정지를 인정하고 있다.

② 「행정심판법」은 "위원회는 처분, 처분의 집행 또는 절차의 속행 때문에 중대한 손해가 생기는 것을 예방할 필요성이 긴급하다고 인정할 때에는 직권으로 또는 당사자의 신청에 의하여 처분의 효력, 처분의 집행 또는 절차의 속행의 전부 또는 일부의 정지를 결정할 수 있다(동법 제30조 제2항)."라고 규정하고 있다. 집행정지는 종전의 상태를 유지시키는 소극적인 것이므로 종전의 상태를 변경시키는 적극적인 조치로 활용될 수 없다.

(2) 요건

① 적극적 요건으로는 ㉠ 심판청구의 계속, ㉡ 집행정지 대상인 처분의 존재, ㉢ 중대한 손해가 생기는 것을 예방, ㉣ 긴급한 필요가 존재하여야 한다.

② 소극적 요건으로는 집행정지가 ㉠ 공공복리에 중대한 영향을 미칠 우려가 없어야 하고(동법 제30조 제3항), ㉡ 본안청구가 이유 없음이 명백하지 않아야 한다.

함께 정리하기

집행부정지 원칙
▷ 행정심판청구가 처분의 효력이나, 그 집행·절차의 속행에 영향을 미치지 ×

예외적 집행정지
▷ 처분의 집행으로 중대한 손해가 생기는 것을 예방하기 위해 처분 효력이나 집행 또는 절차의 속행을 정지시키는 것

적극적 요건
▷ 심판청구의 계속
▷ 처분의 존재
▷ 중대한 손해 예방
▷ 긴급한 필요

❶ 구법에서는 「행정소송법」제23조 제2항과 같이 집행정지의 적극적 요건의 하나로서 '회복하기 어려운 손해의 예방'으로 규정하고 있었으나, 개정 「행정심판법」은 '중대한 손해가 생기는 것을 예방'으로 그 요건을 완화하였다.

소극적 요건
▷ 공공복리에 중대한 영향을 미칠 우려가 없을 것
▷ 본안청구가 이유 없음이 명백하지 않을 것

❷ 집행정지 요건에 대한 내용은 행정소송에서의 집행정지에 대한 설명과 동일하다(행정소송 부분 참조).

(3) 대상

집행정지결정의 대상은 처분의 효력, 처분의 집행 또는 절차의 속행의 전부 또는 일부이다. 다만, 처분의 효력정지는 처분의 집행 또는 절차의 속행을 정지함으로써 그 목적을 달성할 수 있을 때에는 허용되지 아니한다(동법 제30제 제2항 단서).

(4) 집행정지결정의 절차

① 행정심판위원회는 당사자의 신청 또는 직권에 의하여 집행정지결정을 할 수 있다(동법 제30조 제2항).
② 그러나 위원회의 심리·결정을 기다릴 경우 중대한 손해가 생길 우려가 있다고 인정되면 행정심판위원회의 위원장은 직권으로 위원회의 심리·결정을 갈음하는 결정을 할 수 있다. 이 경우 위원장은 지체 없이 위원회에 그 사실을 보고하고 추인을 받아야 하며, 위원회의 추인을 받지 못하면 위원장은 집행정지 또는 집행정지 취소에 관한 결정을 취소하여야 한다(동법 제30조 제6항). 이는 집행정지결정의 취소의 경우에도 동일하게 적용된다.

(5) 집행정지결정의 취소

위원회는 집행정지를 결정한 후에 집행정지가 공공복리에 중대한 영향을 미치거나 그 정지사유가 없어진 경우에는 직권으로 또는 당사자의 신청에 의하여 집행정지 결정을 취소할 수 있다(동법 제30조 제4항). 공공복리에 미칠 중대한 영향의 존부는 사익과의 비교형량을 통하여 개별적·구체적으로 판단하여야 한다.

3 임시처분

> 「행정심판법」 제31조 【임시처분】 ① 위원회는 처분 또는 부작위가 위법·부당하다고 상당히 의심되는 경우로서 처분 또는 부작위 때문에 당사자가 받을 우려가 있는 중대한 불이익이나 당사자에게 생길 급박한 위험을 막기 위하여 임시지위를 정하여야 할 필요가 있는 경우에는 직권으로 또는 당사자의 신청에 의하여 임시처분을 결정할 수 있다.
> ② 제1항에 따른 임시처분에 관하여는 제30조 제3항부터 제7항까지를 준용한다. 이 경우 같은 조 제6항 전단 중 "중대한 손해가 생길 우려"는 "중대한 불이익이나 급박한 위험이 생길 우려"로 본다.
> ③ 제1항에 따른 임시처분은 제30조 제2항에 따른 집행정지로 목적을 달성할 수 있는 경우에는 허용되지 아니한다.

1. 의의

(1) 임시처분이란 행정청의 처분이나 부작위 때문에 발생할 수 있는 당사자의 불이익이나 급박한 위험을 막기 위해 당사자에게 임시지위를 부여하는 행정심판위원회의 결정을 말한다. 행정소송과는 달리 행정심판에서 임시처분이 인정될 수 있는 이유는 의무이행심판이 인정되기 때문이다.

함께 정리하기

집행정지결정의 대상
▷ 처분의 효력
▷ 처분의 집행
▷ 절차의 속행의 전부 또는 일부

집행정지결정의 절차
▷ 위원회의 직권 또는 당사자의 신청+중대한 손해 발생 우려○ → 위원장의 직권 집행정지 可
▷ 직권 결정 후 위원장 위원회에 보고후 추인받아야함, 추인 못 받을 시 그 결정 취소해야 함

집행정지결정의 취소
▷ 공공복리에 중대한 영향 미치거나
▷ 정지사유가 없어진 경우
▷ 직권 또는 당사자의 신청

임시처분
▷ 처분이나 부작위로 발생할 수 있는 당사자의 불이익이나 급박한 위험을 막기 위해 임시지위를 부여하는 위원회의 결정

(2) 「행정심판법」은 "행정심판위원회는 처분 또는 부작위가 위법·부당하다고 상당히 의심되는 경우로서 처분 또는 부작위 때문에 당사자가 받을 우려가 있는 중대한 불이익이나 당사자에게 생길 급박한 위험을 막기 위하여 임시지위를 정하여야 할 필요가 있는 경우에는 직권으로 또는 당사자의 신청에 의하여 임시처분을 결정할 수 있다."라고 규정하고 있다(동법 제31조 제1항).

> **참고** 「행정심판법」상 임시처분
> 1. 임시처분 제도의 도입 취지
> 종래 「행정심판법」은 행정청의 부작위나 거부처분으로 인해 침해될 우려가 있는 청구인의 권익보호에 한계가 있었다. 가구제 수단으로서 소극적인 집행정지만 허용되었기 때문이다.
> 2010년에 「행정심판법」이 개정되면서 임시처분제도가 도입되어 거부처분이나 부작위에 대한 잠정적 권리구제의 제도적인 공백상태를 입법적으로 해소하고 청구인의 권리를 두텁게 보호할 수 있게 되었다.
> 2. 소극적 쟁송수단에서도 임시처분을 허용할 것인지에 대한 견해 대립
> 임시처분은 적극적인 가구제 수단이므로 적극적 쟁송수단인 의무이행심판에서 적용되는 것은 당연하다. 문제는 소극적 쟁송수단인 거부처분취소심판(또는 무효확인심판)의 경우에도 임시처분이 허용되는지 여부인데, 이에 대해서는 논란이 있다. 가구제는 본안쟁송을 통한 권리구제의 범위를 초과할 수 없으므로 거부처분취소심판(또는 무효확인심판)의 경우에는 임시처분이 허용되지 않는다는 견해와 「행정심판법」에 임시처분의 본안청구에 대하여 별도의 규정을 두고 있지 않다는 점을 고려할 때, 거부처분취소심판(또는 무효확인심판)의 경우에도 임시처분이 허용된다고 보는 견해가 있다.

2. 요건

(1) 적극적 요건

위원회가 임시처분을 하기 위해서는 ① 심판청구가 계속 중일 것, ❶ ② 처분 또는 부작위가 위법·부당하다고 상당히 의심되는 경우일 것, ③ 처분 또는 부작위 때문에 당사자가 받을 우려가 있는 중대한 불이익이나 당사자에게 생길 급박한 위험을 막기 위한 것일 것, ④ 이를 막기 위하여 임시지위를 정해야 할 필요가 있어야 한다.

(2) 소극적 요건

「행정심판법」 제31조 제2항이 동법 제30조 제3항을 준용하는 결과 임시처분은 공공복리에 중대한 영향을 미칠 우려가 있을 때에는 허용되지 아니한다.

3. 임시처분의 보충성(집행정지와의 관계)

임시처분은 집행정지와의 관계에서 보충적 구제제도이므로, 임시처분은 동법 제30조 제2항에 따른 집행정지로 목적을 달성할 수 있는 경우에는 허용되지 않는다(동법 제31조 제3항). ❷

4. 임시처분의 결정 및 취소

위원회는 직권으로 또는 당사자의 신청에 의하여 임시처분을 결정할 수 있다(동법 제31조 제1항). 위원회는 임시처분을 결정한 후에 임시처분이 공공복리에 중대한 영향을 미치거나 그 처분 사유가 없어진 경우에는 직권 또는 신청에 의하여 임시처분 결정을 취소할 수 있다(동법 제31조 제2항, 제30조 제4항).

적극적 요건
▷ 심판청구의 계속
▷ 처분 또는 부작위가 위법·부당하다고 상당히 의심될 것
▷ 당사자가 받을 우려가 있는 중대한 불이익이나 급박한 위험을 막기 위한 것일 것
▷ 임시지위를 정할 필요가 있을 것

❶ 명시적 규정은 없지만, 본래 가구제는 본안쟁송이 제기된 것을 전제로 허용되는 것이므로 집행정지제도와 마찬가지로 임시처분도 심판청구의 계속을 당연한 요건으로 한다.

소극적 요건
▷ 공공복리에 중대한 영향을 미칠 우려가 없을 것

집행정지와의 관계(보충성)
▷ 집행정지로 목적달성 가능하면 불허

❷ 실무상 거부처분이나 부작위에 대한 집행정지를 인정하고 있지 않으므로 임시처분은 거부처분이나 부작위에 대한 유일한 「행정심판법」상의 가구제 수단이다.

임시처분 결정
▷ 당사자 신청 또는 위원회 직권으로 결정

임시처분 결정의 취소
▷ 공공복리에 중대한 영향을 미칠 것
▷ 처분 사유 소멸 시 직권 또는 신청으로 可

제3장 행정심판의 심리·재결

제1절 행정심판의 심리

1 의의

(1) 행정심판의 심리란 재결의 기초가 되는 사실관계 및 법률관계를 명확히 하기 위해 행정심판위원회가 당사자나 관계인의 주장과 반대주장을 듣고 각종의 증거·자료를 수집·조사하는 일련의 절차를 말한다.

(2) 행정심판의 절차는 크게 ① 청구인의 심판청구, ② 행정심판위원회의 심리, ③ 행정심판위원회의 재결로 구성된다. 심판청구에 대해서는 제2장에서 살펴보았고, 이하에서는 행정심판위원회의 심리와 재결에 대해서 설명하기로 한다.

2 심리의 내용

1. 요건심리(형식적 심리)

요건심리란 행정심판의 제기요건(청구인 적격, 피청구인 적격, 처분이나 부작위의 존재, 심판청구기간, 심판청구서 기재사항의 구비 등)을 구비하였는가에 관한 심리를 말한다. 본안심리의 결과 요건의 불비가 있어서 부적법한 경우, 보정 가능한 것이라면 보정을 명하거나 직권으로 보정하고(동법 제32조 제1항), 그렇지 않은 경우에는 각하재결을 행한다(동법 제43조 제1항).

2. 본안심리(실질적 심리)

본안심리란 요건심리의 결과 심판청구요건을 구비한 것으로 인정되는 경우에 심판청구의 당부, 즉 행정처분의 위법·부당 여부를 심리하는 것을 말한다. 본안심리의 결과 청구인의 청구가 이유 있는 경우에는 인용하는 재결을 하고, 이유가 없는 경우에는 기각하는 재결을 한다.

 함께 정리하기

심리의 의의
▷ 심판청구에 대한 재결을 하기 위하여 관계인의 주장 및 증거·자료를 수집·조사하는 일련의 절차

요건심리
▷ 행정심판 제기요건 심리 → 불비 시 각하재결

❶ 행정심판의 제기요건으로는 행정심판의 대상인 처분 또는 부작위의 존재, 권한 있는 행정심판위원회에의 제기, 당사자 능력 및 청구인 적격의 존재, 심판청구기간의 준수, 심판청구서 기재사항의 구비 등이 있다.

본안심리
▷ 요건심리의 결과 행정심판제기가 적법한 경우에 심판청구의 당부를 심리하는 것

함께 정리하기

불고불리의 원칙
▷ 심판청구범위 내에서 심리·판단

불이익변경금지의 원칙
▷ 심판청구의 대상이 되는 처분보다 청구인에게 불리한 재결 주지

행정심판위원회
▷ 재량권 행사의 당·부당 판단 O

심리의 범위
▷ 불고불리의 원칙 및 불이익변경금지의 원칙
▷ 법률문제·사실문제·재량행사의 당·부당의 문제

❶ 재량의 당·부당의 문제
행정심판은 행정소송과 달리 위법한 처분이나 부작위뿐만 아니라 부당한 처분이나 부작위도 행정심판의 대상이다(동법 제5조 제1호·제3호). 따라서 행정심판위원회는 재량권행사의 일탈·남용과 같은 위법 여부뿐만 아니라 재량권행사의 당·부당에 대해서도 판단할 수 있다.

당사자주의
▷ 서로 대등한 입장에서 공격·방어를 하고 이를 바탕으로 심리를 진행하는 원칙

처분권주의
▷ 심판의 개시, 심판대상의 결정, 심판의 종료를 당사자의 의사에 따름
▷ 심판청구기간의 제한, 청구인낙의 부인 등 여러 가지 제한 可(공익적 차원)

❷ 처분권주의
행정심판의 개시, 진행(대상과 범위), 종료에 대하여 당사자가 주도권을 가지고 이들에 대하여 자유로이 결정할 수 있는 원칙을 말한다.

대심주의, 처분권주의, 변론주의
▷ 보충적으로 직권심리 인정

❸ 직권심리주의
당사자주의에 반대되는 것으로서, 심리의 진행을 심판기관의 직권으로 함과 동시에 심리에 필요한 자료(사실자료·증거자료)를 당사자가 제출한 것에만 의존하지 않고 심판기관이 직권으로 수집·조사할 수 있는 제도를 말한다.

3 심리의 범위

1. 불고불리의 원칙 및 불이익변경금지의 원칙

(1) 행정심판위원회는 심판청구의 대상이 되는 처분 또는 부작위 외의 사항에 대하여는 재결하지 못하며(동법 제47조 제1항), 심판청구의 대상이 되는 처분보다 청구인에게 불리한 재결을 하지 못한다(동법 제47조 제2항).

(2) 「행정심판법」은 행정심판의 권리구제기능을 중시하여 심리와 재결의 범위를 심판청구의 취지에 의해 제한시키는 불고불리의 원칙과 심리의 결과 본래의 처분보다 불리한 처분을 하여서는 아니된다는 불이익변경금지의 원칙을 명문화하고 있다.

2. 법률문제·사실문제와 재량문제

행정심판의 심리에서는 심판청구의 대상인 처분이나 부작위에 대한 적법·위법의 판단인 법률문제와 사실문제를 심리할 수 있을 뿐만 아니라, 행정소송과 다르게 재량행사의 당·부당의 문제❶에 대하여도 심리할 수 있다.

4 심리의 방식 및 절차

1. 심리의 기본원칙

(1) **대심주의(당사자주의)**

「행정심판법」은 행정심판절차에 사법절차가 준용되어야 한다는 헌법의 취지에 따라 심판청구인과 피청구인이 당사자임을 명시하고, 서로 대등한 입장에서 공격과 방어 방법을 제출하게 하고, 원칙적으로 이와 같이 제출된 공격·방어방법을 심리의 기초로 하여, 행정심판위원회가 중립적 지위에서 심리를 행하는 '대심주의(당사자주의)'를 취하고 있다.

(2) **처분권주의❷**

「행정심판법」은 심판의 개시, 심판대상의 결정(불고불리의 원칙), 심판의 종료를 당사자의 의사에 맡기는 '처분권주의'를 취하고 있다. 「행정심판법」에 따르면 행정심판은 청구인의 심판청구에 의하여 개시되고, 청구인이 심판대상과 범위를 결정하며(불고불리의 원칙), 청구인이 심판청구를 취하함으로써 심판절차를 종료시킬 수 있다. 다만, 심판청구 제기기간의 제한, 청구인낙의 부인 등 공익적 견지에서 처분권주의가 많은 제한을 받고 있다.

(3) **보충적 직권심리주의❸**

행정심판은 당사자주의, 처분권주의를 원칙으로 하면서도 실체적 진실을 밝히고, 심리의 간이·신속을 도모하기 위하여 보충적으로 직권심리주의를 인정하고 있다. 즉, 「행정심판법」은 위원회가 필요하다고 인정할 때에는 당사자가 주장하지 아니한 사실에 대하여도 심리할 수 있고(동법 제39조), 사건을 심리하기 위하여 필요하면 직권으로 증거조사를 할 수 있다고 규정하고 있다(동법 제36조 제1항). 그러나 위원회가 직권심리를 하더라도 불고불리의 원칙상 직권심리의 범위가 무한정한 것은 아니다.

또한 「행정심판법」은 직권심리주의의 자의성을 억제하고, 행정심판절차에 있어서 당사자주의를 가미하기 위하여 당사자의 절차적 권리❶로서 증거서류 등의 제출(동법 제34조 제1항) 및 증거조사 신청권(동법 제36조 제1항)등을 인정하고 있다.

(4) 구술심리주의와 서면심리주의

「행정심판법」은 "행정심판의 심리는 구술심리나 서면심리로 한다(동법 제40조 제1항 전단)."라고 규정하여 어느 방식을 취할 것인지는 행정심판위원회의 판단에 맡기고 있다. 다만, 당사자가 구술심리를 신청한 경우에는 서면심리만으로 결정할 수 있다고 인정되는 경우 외에는 구술심리를 하여야 한다(동법 제40조 제1항 단서).❷

(5) 비공개주의

비공개주의란 행정심판위원회의 심리와 재결과정을 일반에게 공개하지 않는 것으로서 「행정심판법」에는 이에 관하여 명문의 규정이 없다. 그러나 「행정심판법」이 서면심리와 직권심리를 인정하고 있다는 점과 발언 내용 등의 비공개에 관한 동법 제41조 등을 고려하면 비공개주의를 채택하고 있다고 볼 수 있다.

핵심정리 | 행정심판과 행정소송의 심리절차의 비교

구분	행정심판	행정소송
당사자주의 원칙	○	○
보충적 직권심리주의	○	○
서면·구술심리주의	서면심리 또는 구술심리	구술심리 원칙
공개·비공개여부	비공개주의	공개주의

2. 처분사유의 추가·변경

항고소송에서의 처분사유의 추가·변경의 법리는 행정심판단계에서도 적용된다. 한편, 이의신청 절차에서 처분사유의 추가·변경의 경우에는 기본적 사실관계의 동일성이 요구되지 않는다.

관련판례

1 행정심판 단계에서도 기본적 사실관계의 동일성이 인정되는 한도 내에서 처분사유의 추가·변경이 가능하다. ★★

행정처분의 취소를 구하는 항고소송에서 처분청은 당초 처분의 근거로 삼은 사유와 기본적 사실관계가 동일성이 있다고 인정되는 한도 내에서만 다른 사유를 추가 또는 변경할 수 있고, 이러한 기본적 사실관계의 동일성 유무는 처분사유를 법률적으로 평가하기 이전의 구체적 사실에 착안하여 그 기초인 사회적 사실관계가 기본적인 점에서 동일한지에 따라 결정되므로, 추가 또는 변경된 사유가 처분 당시에 이미 존재하고 있었다거나 당사자가 그 사실을 알고 있었다고 하여 당초의 처분사유와 동일성이 있다고 할 수 없다. 그리고 이러한 법리는 행정심판 단계에서도 그대로 적용된다(대판 2014.5.16. 2013두26118).

함께 정리하기

❶ 당사자의 절차적 권리
당사자는 ① 위원에 대한 기피신청권(동법 제10조 제2항), ② 보충서면제출권(동법 제33조), ③ 구술심리신청권(동법 제40조 제1항), ④ 증거제출권(동법 제34조 제1항) 등의 절차적 권리를 행사할 수 있다.

구술심리주의 원칙 ✕
▷ 위원회 재량으로 구술, 서면심리 여부 정함

❷
이는 심판청구인이 자신의 주장을 행할 기회를 충분히 부여하기 위해서이다.

비공개주의 채택
▷ 명문규정 無
▷ 서면심리, 직권심리, 발언 내용 등 비공개 규정 고려

기본적 사실관계의 동일성의 범위 내
▷ 처분사유의 추가·변경 가능

처분사유 추가·변경의 법리
▷ 행정심판단계에서도 적용

함께 정리하기

이의신청 절차에서 처분사유의 추가·변경
▷ 기본적 사실관계의 동일성 요구 ×

2 이의신청절차에서는 기본적 사실관계의 동일성이 인정되지 않는 사유라고 하더라도 이를 처분사유로 추가·변경할 수 있다. ★★

산업재해보상보험법상 심사청구에 관한 절차는 보험급여 등에 관한 처분을 한 근로복지공단으로 하여금 스스로의 심사를 통하여 당해 처분의 적법성과 합목적성을 확보하도록 하는 근로복지공단 내부의 시정절차에 해당한다고 보아야 한다. 따라서 처분청이 스스로 당해 처분의 적법성과 합목적성을 확보하고자 행하는 자신의 내부 시정절차에서는 당초처분의 근거로 삼은 사유와 기본적 사실관계의 동일성이 인정되지 않는 사유라고 하더라도 이를 처분의 적법성과 합목적성을 뒷받침하는 처분사유로 추가·변경할 수 있다고 보는 것이 타당하다(대판 2012.9.13. 2012두3859).

3. 심리의 병합과 분리

심판청구
▷ 병합, 분리 가

수개의 심판청구사건이 동일한 또는 서로 관련된 사안에 대하여 제기된 경우 또는 동일한 행정청이 행한 유사한 내용의 처분에 관련된 경우에는 심리의 경제적이고 신속한 진행을 위하여 이들을 병합하여 심리할 필요가 있다. 이에 「행정심판법」은 행정심판위원회가 필요하다고 인정할 때에는 관련되는 심판청구를 병합하여 심리할 수 있도록 하고 있다. 또한 행정심판위원회는 이미 병합된 심판청구사건을 필요에 따라 직권으로 분리하여 심리할 수도 있다(동법 제37조).

4. 심판청구의 변경 및 취하

(1) 심판청구의 변경

심판청구의 변경
▷ 심판청구의 계속 중에 청구인이 당초에 청구한 청구의 취지나 이유를 변경하는 것
▷ 청구인의 편의와 심판절차의 촉진 도모
▷ 심판청구기간 도과 문제 피할 수 있음

심판청구의 변경이란 심판청구의 계속 중에 청구인이 당초에 청구한 청구의 취지나 이유를 변경하는 것을 말한다. 이는 심판청구 후에 새로운 심판청구를 할 필요가 발생한 경우에 새로운 심판청구를 제기하는 대신 기존의 청구를 변경할 수 있도록 함으로써 청구인의 편의와 심판절차의 촉진을 도모하기 위함이다. 또한, 이러한 청구의 변경결정이 있으면 처음 행정심판이 청구되었을 때부터 변경된 청구의 취지나 이유로 행정심판이 청구된 것으로 보기 때문에(동법 제29조 제8항), 청구를 취하하고 새로운 청구를 다시 제기하는 경우 발생할 수 있는 심판청구기간 도과의 문제를 피할 수 있게 된다.

청구의 변경
▷ 청구의 기초에 변경이 없는 범위에서 가

① **청구의 변경**: 청구인은 청구의 기초에 변경이 없는 범위(사건의 동일성을 깨뜨리지 않는 범위)에서 **청구의 취지**(예 거부처분취소심판청구를 의무이행심판청구로 변경)나 **청구의 이유**(예 처분의 위법을 부당으로 변경)를 변경할 수 있다(동법 제29조 제1항).

행정심판 청구 후 피청구인이 새로운 처분 또는 처분 변경 시
▷ 새로운 처분 또는 변경된 처분 맞춰 청구취지나 이유 변경 가

② **처분변경으로 인한 청구의 변경**: 행정심판이 청구된 후에 **피청구인이 새로운 처분을 하거나 심판청구의 대상인 처분을 변경한 경우**(예 허가취소처분을 허가정지처분으로 변경한 때)에는 청구인은 새로운 처분이나 변경된 처분에 맞추어 **청구의 취지나 이유를 변경**할 수 있다(동법 제29조 제2항).

③ 변경절차

청구의 변경 신청
▷ 서면 신청

　㉠ **청구의 변경 신청**: 청구의 변경은 **서면으로 신청**하여야 하며, 이 경우 **피청구인과 참가인의 수만큼 청구변경신청서 부본**을 함께 제출하여야 한다(동법 제29조 제3항). 위원회는 청구변경신청서 부본을 피청구인과 참가인에게 송달하여야 한다(동법 제29조 제4항).

- ⓒ **행정심판위원회의 허가여부 결정**: 위원회는 청구변경 신청에 대하여 허가할 것인지 여부를 결정하고, 지체 없이 신청인에게는 결정서 정본을, 당사자 및 참가인에게는 결정서 등본을 송달하여야 한다(동법 제29조 제6항).
- ⓓ **이의신청**: 결정에 이의가 있는 신청인은 결정서 정본을 송달을 받은 날부터 7일 이내에 위원회에 이의신청을 할 수 있다(동법 제29조 제7항).
④ **청구변경의 효과**: 청구의 변경결정이 있으면 처음 행정심판이 청구되었을 때부터 변경된 청구의 취지나 이유로 행정심판이 청구된 것으로 본다(동법 제29조 제8항).

(2) 심판청구의 취하

청구인은 심판청구에 대한 의결이 있을 때까지 언제든지 서면으로 심판청구를 취하할 수 있고(동법 제42조 제1항). 심판청구의 취하는 위원회에 대하여 심판청구를 철회하는 청구인의 일방적인 의사표시이다. 심판청구를 취하하면 심판청구의 계속이 처음부터 없었던 것으로 본다.

5 행정심판의 조정

> 「**행정심판법**」 **제43조의2【조정】** ① 위원회는 당사자의 권리 및 권한의 범위에서 당사자의 동의를 받아 심판청구의 신속하고 공정한 해결을 위하여 조정을 할 수 있다. 다만, 그 조정이 공공복리에 적합하지 아니하거나 해당 처분의 성질에 반하는 경우에는 그러하지 아니하다.
> ② 위원회는 제1항의 조정을 함에 있어서 심판청구된 사건의 법적·사실적 상태와 당사자 및 이해관계자의 이익 등 모든 사정을 참작하고, 조정의 이유와 취지를 설명하여야 한다.
> ③ 조정은 당사자가 합의한 사항을 조정서에 기재한 후 당사자가 서명 또는 날인하고 위원회가 이를 확인함으로써 성립한다.
> ④ 제3항에 따른 조정에 대하여는 제48조부터 제50조까지, 제50조의2, 제51조의 규정을 준용한다.

1. 의의

조정은 양 당사자 간의 합의가 가능한 사건인 경우, 행정심판위원회가 개입·조정하는 절차를 통하여 갈등을 조기에 해결하는 제도로서 2017년 개정 「행정심판법」(2018.5.11. 시행)에 도입되었다.

2. 조정절차

(1) 행정심판위원회는 당사자의 권리 및 권한의 범위에서 당사자의 동의를 받아 심판청구의 신속하고 공정한 해결을 위하여 조정을 할 수 있다. 다만, 그 조정이 공공복리에 적합하지 아니하거나 해당 처분의 성질에 반하는 경우에는 그러하지 아니하다(동법 제43조의2 제1항).

(2) 위원회는 제1항의 조정을 함에 있어서 심판 청구된 사건의 법적·사실적 상태와 당사자 및 이해관계자의 이익 등 모든 사정을 참작하고, 조정의 이유와 취지를 설명하여야 한다(동법 제43조의2 제2항).

함께 정리하기

위원회의 청구변경신청의 허가여부 결정 후
▷ 지체 없이 신청인에게 결정서 정본, 당사자 및 참가인에게 결정서 등본 송달

신청인
▷ 송달을 받은 날부터 7일 이내에 위원회에 이의신청 可

청구변경의 효과
▷ 처음 행정심판이 청구된 때부터 변경된 청구취지나 이유로 행정심판이 청구된 것으로 봄(소급효)

심판청구의 취하
▷ 의결이 있을 때까지 언제든지 서면으로 可

취하의 효과
▷ 심판청구의 계속이 처음부터 없었던 것으로 봄(소급효)

조정
▷ 양당사자 합의 가능한 사건을 행정심판위원회가 개입·조정하는 절차 통해 갈등을 조기 해결하는 제도

공공복리에 적합하지 아니하거나 해당 처분의 성질에 반하는 경우 아니면
▷ 당사자의 동의를 받아 조정

위원회
▷ 모든 사정을 참작
▷ 조정의 이유와 취지를 설명

함께 정리하기

조정의 성립
▷ 합의한 사항을 조정서에 기재, 당사자가 서명 또는 날인하고 위원회가 이를 확인

(3) 조정은 당사자가 합의한 사항을 조정서에 기재한 후 당사자가 서명 또는 날인하고 위원회가 이를 확인함으로써 성립한다(동법 제43조의2 제3항).

(4) 조정에 대하여는 「행정심판법」 제48조(재결의 송달과 효력 발생)부터 제50조(위원회의 직접처분)까지, 제50조의2(위원회의 간접강제), 제51조(행정심판 재청구의 금지)의 규정을 준용한다(동법 제43조의2 제4항).

제2절 행정심판의 재결

1 재결의 개념

재결
▷ 심판청구에 대한 행정심판위원회의 법적 판단

법적 성질
▷ 확인행위, 준사법적 행정작용(불가변력 발생)

재결이란 행정심판청구에 대하여 행정심판위원회가 행하는 법적 판단을 말한다(동법 제2조 제3호). 재결은 다툼이 있는 행정법상의 사실관계 또는 법률관계를 일정한 절차를 거쳐 판단·확정하는 행위이므로 준법률행위적 행정행위인 확인행위에 해당한다. 또한, 재결은 분쟁을 해결하는 결정이라는 점에서 법원의 판결과 유사한 성질을 갖지만, 절차의 엄격성이 재판절차에 비해 덜하고 재결기관이 법원이 아닌 행정기관이라는 점에서 준사법적 행정작용에 해당한다. 재결에는 불가변력이 발생한다.

2 재결의 절차 등

1. 재결 기간

재결기간
▷ 심판청구서를 받은 날부터 60일 이내
▷ 부득이한 경우 위원장 직권 30일 연장 가(훈시규정)

(1) 재결은 「행정심판법」 제23조에 따라 피청구인 또는 위원회가 심판청구서를 받은 날부터 60일 이내에 하여야 한다. 다만, 부득이한 사정이 있는 경우에는 위원장이 직권으로 30일을 연장할 수 있다(동법 제45조 제1항). 재결기간은 훈시규정이다.

(2) 위원장은 제1항 단서에 따라 재결 기간을 연장할 경우에는 재결 기간이 끝나기 7일 전까지 당사자에게 알려야 한다(동법 제45조 제2항).

2. 재결의 방식

재결방식
▷ 서면(구두에 의한 재결은 무효)
▷ 주문 내용이 정당하다는 것을 인정할 수 있는 정도의 판단을 표시

재결범위
▷ 불고불리원칙, 불이익변경금지원칙 적용

재결은 서면(재결서)으로 한다(동법 제46조 제1항). 재결서에는 ① 사건번호와 사건명, ② 당사자·대표자 또는 대리인의 이름과 주소, ③ 주문, ④ 청구의 취지, ⑤ 이유, ⑥ 재결한 날짜가 포함되어야 한다(동법 제46조 제2항). 재결서에 적는 이유에는 주문 내용이 정당하다는 것을 인정할 수 있는 정도의 판단을 표시하여야 한다(동법 제46조 제3항).

3. 재결의 범위

재결의 범위도 심리의 범위와 마찬가지로 불고불리의 원칙과 불이익변경금지의 원칙이 적용된다. 즉, 행정심판위원회는 심판청구의 대상이 되는 처분 또는 부작위 외의 사항에 대하여는 재결하지 못하며(동법 제47조 제1항), 심판청구의 대상이 되는 처분보다 불리한 재결을 하지 못한다(동법 제47조 제2항).

4. 재결의 송달과 효력발생

(1) 재결의 송달

① 위원회는 지체 없이 당사자에게 재결서의 정본을 송달하여야 한다. 이 경우 중앙행정심판위원회는 재결 결과를 소관 중앙행정기관의 장에게도 알려야 한다(동법 제48조 제1항). 위원회는 재결서의 등본을 지체 없이 참가인에게 송달하여야 한다(동법 제48조 제3항).

② 처분의 상대방이 아닌 제3자가 심판청구를 한 경우 위원회는 재결서의 등본을 지체 없이 피청구인을 거쳐 처분의 상대방에게 송달하여야 한다(동법 제48조 제4항).

③ 한편, 피청구인 또는 행정심판위원회는 전자정보처리조직을 통하여 행정심판을 청구하거나 심판참가를 한 자에게는 전자정보처리조직과 그와 연계된 정보통신망을 이용하여 재결서나 행정심판법에 따른 각종 서류를 송달할 수 있다. 다만, 청구인이나 참가인이 동의하지 아니하는 경우에는 그러하지 아니하다(동법 제54조 제1항).

(2) 재결의 효력발생

재결은 재결서 정본이 청구인에게 송달되었을 때에 그 효력이 생긴다(동법 제48조 제2항).

3 재결의 종류

행정심판위원회의 재결에는 각하재결, 기각재결, 사정재결, 그리고 인용재결이 있다.

> 「행정심판법」 제43조【재결의 구분】 ① 위원회는 심판청구가 적법하지 아니하면 그 심판청구를 각하(却下)한다.
> ② 위원회는 심판청구가 이유가 없다고 인정하면 그 심판청구를 기각(棄却)한다.
> ③ 위원회는 취소심판의 청구가 이유가 있다고 인정하면 처분을 취소 또는 다른 처분으로 변경하거나 처분을 다른 처분으로 변경할 것을 피청구인에게 명한다.
> ④ 위원회는 무효등확인심판의 청구가 이유가 있다고 인정하면 처분의 효력 유무 또는 처분의 존재 여부를 확인한다.
> ⑤ 위원회는 의무이행심판의 청구가 이유가 있다고 인정하면 지체 없이 신청에 따른 처분을 하거나 처분을 할 것을 피청구인에게 명한다.
>
> 제44조【사정재결】 ① 위원회는 심판청구가 이유가 있다고 인정하는 경우에도 이를 인용(認容)하는 것이 공공복리에 크게 위배된다고 인정하면 그 심판청구를 기각하는 재결을 할 수 있다. 이 경우 위원회는 재결의 주문(主文)에서 그 처분 또는 부작위가 위법하거나 부당하다는 것을 구체적으로 밝혀야 한다.

함께 정리하기

❶ 심판청구에 대한 결정의 한 유형으로 실무상 행해지고 있는 재조사결정은 처분청의 후속 처분에 따라 내용이 보완됨으로써 결정으로서 효력이 발생하므로, 재조사결정의 취지에 따른 후속 처분이 심판청구를 한 당초 처분보다 청구인에게 불리하면 국세기본법 제79조 제2항의 불이익변경금지원칙에 위배되어 후속 처분 중 당초 처분의 세액을 초과하는 부분은 위법하게 된다(대판 2016.9.28, 2016두39382).

재결의 송달
▷ 위원회는 당사자에게는 재결서의 정본을 송달하고, 참가인에게는 등본을 송달하여야 함
▷ 처분의 상대방이 아닌 제3자가 심판청구를 한 경우 위원회는 재결서의 등본을 피청구인을 거쳐 처분의 상대방에게 송달하여야 함

❷ 재결서를 송달하는 자는 피청구인이 아니라 심판을 한 위원회이며, 송달받는 자는 청구인, 피청구인, 참가인, 처분의 상대방이다.

재결의 효력발생시기
▷ 재결서 정본이 청구인에게 송달되었을 때

각하재결
▷ 심판청구의 제기요건에 흠결이 있어 본안심리 자체 거부하는 위원회의 판단

기각재결
▷ 본안심리를 한 결과 심판청구가 이유 없다고 인정하여 원처분을 지지하는 재결
▷ 기각재결이 있는 후에도 처분청은 당해 처분을 직권으로 취소·변경

인용재결
▷ 본안심리를 한 결과 심판청구가 이유 있다고 인정하여 청구인의 청구취지를 받아들이는 재결

종류
▷ 취소재결, 무효등확인재결, 의무이행재결

취소심판
▷ 취소재결·변경재결: 형성재결
▷ 변경명령재결: 이행재결

❶ 처분취소명령재결은 2010년 「행정심판법」 개정으로 삭제되었다.

취소
▷ 전부취소·일부취소 포함

변경
▷ 원처분의 적극적 변경(다른 처분으로 변경하는 것까지 포함)

❷ 행정소송의 경우에는 권력분립의 원칙상 법원은 원처분에 갈음하는 새로운 처분을 할 수 없기 때문에 취소소송에서의 처분의 변경은 소극적인 일부취소만을 의미한다고 보는 것이 일반적이다. 그러나 행정심판은 이와 같이 권력분립상의 문제는 야기하지 않기 때문에 적극적인 변경도 가능하다는 것이다.

무효등확인심판
▷ 유·무효확인재결
▷ 존재·부존재확인재결
▷ 실효확인재결

1. 각하재결

각하재결은 청구인의 심판청구가 제기요건에 흠결이 있는 부적법한 심판청구인 경우 본안심리 자체를 거절하는 재결을 말한다(동법 제43조 제1항).

2. (보통의) 기각재결

(1) 기각재결은 본안심리를 한 결과, 청구가 이유 없다고 인정하여 청구를 배척하고 원처분을 지지하는 재결을 말한다(동법 제43조 제2항).

(2) 기각재결은 청구인의 심판청구를 배척하고 원처분을 지지할 뿐, 처분청에 대하여 원처분을 유지하여야 할 의무를 지우는 등 원처분의 효력을 확정하는 것이 아니므로, 기각재결이 있는 후에도 처분청은 당해 처분을 직권으로 취소·변경할 수 있다.

3. 인용재결

인용재결이란 본안심리를 한 결과, 청구가 이유 있다고 인정하여 청구인의 청구취지를 받아들이는 재결을 말한다. 인용재결은 청구의 내용에 따라 다음과 같이 구분된다.

(1) 취소·변경재결

① 취소·변경재결이란 취소심판의 청구가 이유가 있다고 인정할 때에 위원회가 스스로 처분을 취소 또는 다른 처분으로 변경하거나 처분청에 대하여 당해 처분을 다른 처분으로 변경할 것을 명하는 재결이다(동법 제43조 제3항). 이러한 취소·변경재결로는 ㉠ 처분취소재결, ㉡ 처분변경재결, ㉢ 처분변경명령재결이 있다. 이 중 처분취소재결·처분변경재결은 행정심판위원회가 스스로 처분을 취소 또는 변경하는 것이므로 형성재결의 성질을 갖고, 처분변경명령재결은 위원회가 처분청에게 처분의 변경을 명령하는 것이므로 이행재결의 성격을 갖는다. ❶

② 취소재결에는 처분을 전부 취소하는 경우뿐만 아니라 일부 취소(예 6개월 영업정지처분의 기간을 6개월에서 3개월로 단축)하는 재결도 포함된다.

③ 변경재결에서 '변경'의 의미에 대하여 다툼이 있으나, 행정심판이 '취소'와 '변경'을 따로 인정한 점과 행정소송과 달리 재결은 행정기관인 행정심판기관이 한다는 점에 비추어 볼 때 '변경'은 소극적인 일부취소뿐만 아니라 원처분에 갈음하여 새로운 처분으로 대체하는 적극적인 변경(예 영업허가 취소처분을 영업정지처분으로 변경, 영업정지처분을 영업정지에 갈음하는 과징금으로 변경)을 의미한다는 것이 다수의 견해이다.

(2) 무효등확인재결

무효등확인재결이란 위원회가 무효등확인심판의 청구가 이유가 있다고 인정할 때에 처분의 효력 유무 또는 처분의 존재 여부를 확인하는 재결을 말한다(동법 제43조 제4항). 이러한 무효등확인재결에는 처분무효확인재결·처분유효확인재결·처분부존재확인재결·처분존재확인재결이 있다. 통설은 명문의 규정은 없지만 처분실효확인재결을 인정한다.

(3) 의무이행재결

① **의의 및 성질**: 의무이행재결이란 위원회가 의무이행심판의 청구가 이유가 있다고 인정할 때에 지체 없이 신청에 따른 처분을 하거나 처분청에게 그 신청에 따른 처분을 할 것을 명하는 재결을 말한다(동법 제43조 제5항). 전자의 재결을 '처분재결'❶이라고 하고, 후자의 재결을 '처분명령재결'❷이라고 한다. 이 중 처분재결은 행정청의 이행을 요구하지 않으므로 형성재결의 성격을, 처분명령재결은 행정청의 이행을 요구하므로 이행재결의 성격을 가진다.

② **위법 · 부당판단의 기준시**
 ㉠ **문제점**: 부작위에 대한 의무이행심판의 위법 · 부당 판단의 기준시는 재결시라는 점에 대해서는 이견이 없다. 다만, 거부처분에 대한 의무이행심판의 위법 · 부당 판단의 기준시가 처분시인지 아니면 재결시인지에 대해서 견해의 대립이 있다.
 ㉡ **학설**: 의무이행심판의 청구취지가 거부처분의 취소가 아니라 일정한 처분의 발급이라는 점을 고려할 때, 재결시를 기준으로 거부처분 상태를 계속 유지하는 것이 위법 · 부당한지, 즉 종전의 거부처분을 유지할 것인지 아니면 새로운 처분을 발급하는 것이 타당할 것인지를 결정해야 한다는 견해(재결시설)와 의무이행심판을 포함한 항고심판을 처분청의 위법 · 부당한 처분에 대한 사후적 통제를 목적으로 하는 심판으로 보기 때문에 처분시점을 기준으로 해야 한다는 견해(처분시설)가 대립하고 있다.

③ **인용재결의 내용**
 ㉠ **처분재결과 처분명령재결의 선택**: 현행법상 위원회가 처분재결과 처분명령재결을 선택할 수 있도록 규정되어 있다(동법 제43조 제5항). 이러한 양자의 관계에 대해서, 문언 그대로 위원회가 처분재결과 처분명령재결의 선택에 있어 전적으로 재량권을 갖는다는 견해(재량설)와 처분청의 처분권을 존중하는 차원에서 처분명령재결을 원칙으로, 처분재결을 예외로 보는 입장(처분명령재결 우선설)이 대립하고 있다.
 실무상 대부분 처분명령재결을 하고 있고, 처분재결을 하는 예는 극히 드물다.

> **참고** 재결청 제도의 폐지에 따른 실무상 한계
> 2008년 개정 이후 재결청 제도가 폐지되어 행정심판위원회가 재결청의 기능을 같이 수행하고 있으나 행정심판위원회는 처분청의 상급행정기관이 아니라는 점에서 처분청의 역할을 대신하여 처분을 하기에 곤란한 경우가 대부분이다. 즉, 행정심판위원회는 처분을 하기 위한 자료를 가지고 있지 못한 경우가 대부분이며, 자치사무와 관련된 처분의 발급이 지방자치단체장에 의해 거부되거나 이에 대한 지방자치단체장의 응답이 없는 경우 행정심판위원회가 처분재결을 한다면 지방자치단체의 자치권을 침해할 소지가 높다.

 ㉡ **처분명령재결의 내용**: 의무이행심판청구의 대상인 행정청의 행위가 기속행위인 경우에는 원칙적으로 청구인의 청구 내용대로 처분을 할 것을 명하는 재결(특정처분명령재결)을 하여야 한다. 다만, 피청구인이 관계 법령에서 정하고 있는 일정한 절차를 거치지 않은 경우에는 적법한 절차를 거쳐서 처분을 할 것을 명하는 재결(일정처분명령재결)도 가능하다. 한편, 심판청구의 대상인 행정청의 행위가 재량행위인 경우에는 재결시를 기준으로 특정처분을 해야 할 것이 명백한 경우에는 신청에 따른 처분을 하도록 하고, 특정처분을 해야 할 것이 명백하지 않다면 처분청의 재량권을 존중하여 하자 없는 재량행사를 명하는 재결(적법재량행사명령재결)을 하여야 한다.

함께 정리하기

의무이행심판
▷ 처분재결: 형성재결
▷ 처분명령재결: 이행재결

❶ **처분재결의 종류**
처분재결에는 청구인의 청구내용대로 특정한 처분을 하는 전부인용 처분재결과 일부만을 인용하는 특정내용의 처분재결이 있다.

❷ **처분명령재결의 종류**
처분명령재결에는 특정한 처분을 하도록 명하는 특정처분명령재결과 재결의 취지에 따라 일정한 처분을 할 것을 명하는 일정처분명령재결이 있다.

위법 · 부당 판단의 기준 시점
▷ 부작위에 대한 의무이행심판의: 재결시
▷ 거부처분에 대한 의무이행심판: 처분시 vs. 재결시

처분재결과 처분명령재결의 선택
▷ 재량설 vs. 처분명령재결우선설

실무
▷ 대부분 처분명령재결

처분명령재결의 내용
▷ 기속행위: 특정처분명령재결
▷ 절차위반: 일정처분명령재결
▷ 재량행위: 적법재량행사명령재결

함께 정리하기

사정재결
▷ 청구가 이유 있으나 인용하는 것이 공공복리에 크게 위배되는 경우, 예외적으로 청구를 기각하는 재결

> ❶ **사정재결 인정 이유**
> 심판청구 이유 있다고 인정되는 경우에는 청구인의 권익보호를 위하여 인용재결을 하는 것이 원칙이지만, 청구인용으로 인하여 공공복리가 현저히 침해되는 경우가 있을 수 있기 때문에 공익과 사익을 합리적으로 조절하기 위하여 예외적으로 인정되는 것이 사정재결이다.

위법·부당 재결서 주문에 명시
▷ 당사자 권리구제 보장

구제방법
▷ 위원회는 사정재결을 할 때 청구인에 대하여 상당한 구제방법(직접 구제처분)을 취하거나 상당한 구제방법을 취할 것을 피청구인에게 명할 수 있다(구제명령).
▷ 「행정소송법」상 사정판결에서는 손해배상, 제해시설의 설치 등 구제방법을 구체적인으로 규정하고 있으나(「행정소송법」 제28조 제3항), 「행정심판법」상 사정재결에는 '상당한 구제방법'이라고만 규정하고 있을 뿐 구제방법을 사항별로 구체적으로 규정하고 있지 않다.

불복
▷ 청구인은 불복하여 행정쟁송 제기 可

사정재결 적용범위
▷ 취소심판·의무이행심판: 사정재결○
▷ 무효등확인심판: 사정재결✕

4. 사정재결

> 「**행정심판법**」 **제44조 【사정재결】** ① 위원회는 심판청구가 이유가 있다고 인정하는 경우에도 이를 인용(認容)하는 것이 공공복리에 크게 위배된다고 인정하면 그 심판청구를 기각하는 재결을 할 수 있다. 이 경우 위원회는 재결의 주문(主文)에서 그 처분 또는 부작위가 위법하거나 부당하다는 것을 구체적으로 밝혀야 한다.
> ② 위원회는 제1항에 따른 재결을 할 때에는 청구인에 대하여 상당한 구제방법을 취하거나 상당한 구제방법을 취할 것을 피청구인에게 명할 수 있다.
> ③ 제1항과 제2항은 무효등확인심판에는 적용하지 아니한다.

(1) 의의

위원회는 심판청구가 이유가 있다고 인정하는 경우에도 이를 인용하는 것이 공공복리에 크게 위배된다고 인정하면 그 심판청구를 기각하는 재결을 할 수 있는데(동법 제44조 제1항 전단), 이를 사정재결❶이라 한다. 따라서 사정재결도 기각재결의 일종이다.

(2) 위법·부당함을 주문에 명시

사정재결을 하는 경우 위원회는 재결의 주문에서 그 처분 또는 부작위가 위법하거나 부당하다는 것을 명시하여야 한다(동법 제44조 제1항 후단).

(3) 구제방법·불복

① 사정재결은 공익을 위해 사익을 희생시키는 제도이므로, 위원회는 사정재결을 할 때 청구인에 대하여 상당한 구제방법(직접 구제처분)을 취하거나 상당한 구제방법을 취할 것을 피청구인에게 명할 수 있다(구제명령)(동법 제44조 제2항).
② 사정재결을 받은 청구인은 이에 불복하여 행정소송을 제기할 수 있다.

🎯 **핵심정리** 사정재결과 사정판결의 적용범위 및 구제방법 비교

구분	사정재결	사정판결
적용범위	① 취소심판과 의무이행심판에서 인정 ② 무효등확인심판에서는 적용되지 않음	① 취소소송에서만 인정됨 ② 무효등 확인소송과 부작위위법확인소송에서는 적용되지 않음
구제방법	위원회는 제1항에 따른 재결을 할 때에는 청구인에 대하여 상당한 구제방법을 취하거나 상당한 구제방법을 취할 것을 피청구인에게 명할 수 있다(「행정심판법」 제44조 제2항). → 「행정심판법」상 사정재결에는 구체적인 구제방법에 대한 규정이 없음	원고는 피고인 행정청이 속하는 국가 또는 공공단체를 상대로 손해배상, 제해시설의 설치 그 밖에 적당한 구제방법의 청구를 당해 취소소송 등이 계속된 법원에 병합하여 제기할 수 있다(「행정소송법」 제28조 제3항). → 「행정소송법」상 사정판결에서는 손해배상, 제해시설의 설치 등 구체적인 구제방법에 대한 규정이 있음

(4) 사정재결의 적용제한

사정재결은 취소심판과 의무이행심판에만 인정되고, 무효등확인심판에는 적용되지 않는다(동법 제44조 제3항).

> **핵심정리** 심판유형별 인용재결의 종류와 특징

심판유형	인용재결의 종류	특징
취소심판 (제43조 제3항)	• 처분취소재결 • 처분변경재결 • 처분변경명령재결	• 취소에는 전부취소뿐만 아니라 일부취소도 포함 • 변경은 적극적 변경을 포함 • 거부처분: 취소재결 → 재처분의무(제49조 제2항) → 직접처분(×), 간접강제(제50조의2)
무효등확인심판 (제43조 제4항)	• 처분무효·유효확인재결 • 처분존재·부존재확인재결 • 실효확인재결	거부처분: 무효등확인재결 → 재처분의무(제49조 제2항) → 직접처분(×), 간접강제(제50조의2)
의무이행심판 (제43조 제5항)	• 처분재결 • 처분명령재결	• 처분청의 처분권 존중 차원에서 원칙적으로 처분명령재결 • 처분명령재결 → 처분의무(제49조 제3항) → 직접처분(제50조 제1항), 간접강제(제50조의2)

4 재결의 효력

1. 개설

「행정심판법」은 재결의 효력에 관하여 기속력과 기속력의 실효성을 담보하기 위한 직접처분에 관한 규정만을 두고 있다. 그러나 재결도 행정행위이므로 행정행위가 가지는 효력인 구속력, 공정력, 구성요건적 효력, 불가쟁력, 불가변력, 집행력 등이 있고, 재결은 쟁송판단행위이므로 형성력, 기속력을 갖는다. 다만, 기판력은 판결에 관한 효력이기에 재결에는 인정되지 않는다.

> **관련판례**
>
> 재결이 확정되었다 하더라도 처분의 기초가 된 사실관계나 법률적 판단이 확정되는 것은 아니므로 당사자들이나 법원이 이에 기속되어 그와 모순되는 주장이나 판단을 할 수 없게 되는 것은 아니다. ★★
>
> 행정심판의 재결은 피청구인인 행정청을 기속하는 효력을 가지므로 재결청이 취소심판의 청구가 이유 있다고 인정하여 처분청에 처분을 취소할 것을 명하면 처분청으로서는 재결의 취지에 따라 처분을 취소하여야 하지만, 나아가 재결에 판결에서와 같은 기판력이 인정되는 것은 아니어서 재결이 확정된 경우에도 처분의 기초가 된 사실관계나 법률적 판단이 확정되고 당사자들이나 법원이 이에 기속되어 모순되는 주장이나 판단을 할 수 없게 되는 것은 아니다(대판 2015.11.27. 2013다6759).

2. 불가쟁력(심판당사자에 대한 구속력)

재결에 대하여는 다시 심판청구를 제기하지 못하고(동법 제51조), 재결 자체에 고유한 위법이 있는 경우에 한하여 행정소송을 제기할 수 있다(「행정소송법」제19조 단서). 다만, 이 경우에도 제소기간이 경과하면 더 이상 재결의 효력을 다툴 수 없는데(「행정소송법」제20조 제1항 단서), 이를 재결의 불가쟁력이라고 한다.

행정행위로서 재결의 효력
▷ 구속력, 공정력, 구성요건적 효력, 불가쟁력, 불가변력 등의 효력○

쟁송판단행위로서 재결의 효력
▷ 형성력, 기속력○
▷ 기판력×

재결확정
▷ 기판력×
▷ 재결과 모순되는 주장 可

불가쟁력
▷ 재결에 대해 다시 행정심판청구 불가
▷ 재결에 고유한 위법 있을시 행정소송제기 可
▷ but 제소기간 경과하면 다툴 수 ×

함께 정리하기

행정심판 재결이 불복기간 경과로 확정
▷ 기판력 無

불가변력
▷ 재결 후 위원회 스스로 취소·변경 불가

형성력
▷ 재결 내용에 따라 법률관계 발생·변경·소멸

형성력이 인정되는 재결
▷ 형성재결(취소재결, 변경재결, 처분재결)에서만 발생
▷ 이행재결(변경명령재결, 처분명령재결)에는 인정 ✕

처분취소재결
▷ 재결의 형성력에 의해 처분은 별도의 행정처분 없이 당연히 취소·소멸

취소재결확정 후 처분청이 다시 원처분을 취소한 경우
▷ 당해 취소처분은 사실 또는 관념의 통지로서 별도의 행정처분 ✕

> **관련판례**
>
> 행정심판의 재결이 불복기간의 경과로 인하여 확정될 경우 판결에 있어서와 같은 기판력이 인정되는 것은 아니다. ★★★
>
> 일반적으로 행정처분이나 행정심판 재결이 불복기간의 경과로 인하여 확정될 경우 확정력은 처분으로 인하여 법률상 이익을 침해받은 자가 처분이나 재결의 효력을 더 이상 다툴 수 없다는 의미일 뿐 판결에 있어서와 같은 기판력이 인정되는 것은 아니어서 처분의 기초가 된 사실관계나 법률적 판단이 확정되고 당사자들이나 법원이 이에 기속되어 모순되는 주장이나 판단을 할 수 없게 되는 것은 아니다(대판 1993.4.13. 92누17181).

3. 불가변력(심판기관에 대한 구속력)

재결은 다른 일반 행정행위와는 달리 쟁송절차에 의해 이루어진 심판행위이므로, 일단 재결이 행해지면 당해 재결은 분쟁을 종결시키는 효력을 가지고, 비록 그것이 위법 또는 부당하다 하더라도 행정심판위원회가 스스로 그 재결을 취소·변경할 수 없는데, 이를 재결의 불가변력(자박력)이라고 한다.

4. 형성력

(1) 재결의 형성력이란 재결의 내용에 따라 새로운 법률관계의 발생이나 기존의 법률관계에 변경·소멸을 가져오는 효력을 말한다. 이러한 형성력에는 대세적 효력(제3자효)이 인정된다.

(2) 형성력은 위원회가 스스로 처분을 취소·변경하는 형성재결(취소재결, 변경재결, 처분재결)에서만 발생한다. 즉, 처분청에게 처분을 명령하는 이행재결(변경명령재결, 처분명령재결)에서는 발생하지 않는다.

(3) 처분취소재결에 의하여 원처분의 전부 또는 일부가 취소된 때에는 원처분의 당해 부분의 효력은 소급하여 효력을 상실한다. 처분변경재결에 의하여 원처분이 취소되고 그에 갈음하는 별도의 처분이 행하여진 경우에도 새로운 처분은 소급하여 효력을 발생한다. 처분재결이 있는 경우에는 당해 재결은 장래에 향하여 즉시 효력이 발생한다.

> **관련판례**
>
> **1** 재결의 내용이 행정심판위원회가 처분청의 처분을 스스로 취소하는 것일 때에는 당해 처분은 형성력에 의해 별도의 행정처분을 기다릴 것 없이 당연히 취소되어 소멸되는 것이므로, 그 결과통보는 항고소송의 대상이 되는 처분이라고 할 수 없다. ★★
>
> [1] 행정심판법 제32조 제3항에 의하면 재결청은 취소심판의 청구가 이유 있다고 인정할 때에는 처분을 취소·변경하거나 처분청에게 취소·변경할 것을 명한다고 규정하고 있으므로, 행정심판 재결의 내용이 처분청에게 처분의 취소를 명하는 것이 아니라 재결청이 스스로 처분을 취소하는 것일 때에는 그 재결의 형성력에 의하여 당해 처분은 별도의 행정처분을 기다릴 것 없이 당연히 취소되어 소멸되는 것이다.
>
> [2] 당해 취소재결은 보건복지부장관이 재결청의 지위에서 스스로 제약회사에 대한 위 의약품제조품목허가처분을 취소한 이른바 형성재결임이 명백하므로, 위 회사에 대한 의약품제조품목허가처분은 당해 취소재결에 의하여 당연히 취소·소멸되었고,

그 이후에 다시 위 허가처분을 취소한 당해 처분은 당해 취소재결의 당사자가 아니어서 그 재결이 있었음을 모르고 있는 위 회사에게 위 허가처분이 취소·소멸되었음을 확인하여 알려주는 의미의 사실 또는 관념의 통지에 불과할 뿐 위 허가처분을 취소·소멸시키는 새로운 형성적 행위가 아니므로 항고소송의 대상이 되는 처분이라고 할 수 없다(대판 1998.4.24. 97누17131).

5. 기속력

「행정심판법」제49조【재결의 기속력 등】① 심판청구를 인용하는 재결은 피청구인과 그 밖의 관계 행정청을 기속(羈束)한다.
② 재결에 의하여 취소되거나 무효 또는 부존재로 확인되는 처분이 당사자의 신청을 거부하는 것을 내용으로 하는 경우에는 그 처분을 한 행정청은 재결의 취지에 따라 다시 이전의 신청에 대한 처분을 하여야 한다.
③ 당사자의 신청을 거부하거나 부작위로 방치한 처분의 이행을 명하는 재결이 있으면 행정청은 지체 없이 이전의 신청에 대하여 재결의 취지에 따라 처분을 하여야 한다.
④ 신청에 따른 처분이 절차의 위법 또는 부당을 이유로 재결로써 취소된 경우에는 제2항을 준용한다.
⑤ 법령의 규정에 따라 공고하거나 고시한 처분이 재결로써 취소되거나 변경되면 처분을 한 행정청은 지체 없이 그 처분이 취소 또는 변경되었다는 것을 공고하거나 고시하여야 한다.
⑥ 법령의 규정에 따라 처분의 상대방 외의 이해관계인에게 통지된 처분이 재결로써 취소되거나 변경되면 처분을 한 행정청은 지체 없이 그 이해관계인에게 그 처분이 취소 또는 변경되었다는 것을 알려야 한다.

(1) 의의

① 재결의 기속력이란 피청구인인 행정청이나 관계행정청이 인용재결의 취지에 따르도록 구속하는 효력을 말한다. 심판청구가 인용되더라도 피청구인인 행정청이나 관계행정기관이 재결의 취지에 반하는 입장을 취한다면 청구인의 권리구제를 달성할 수 없다. 따라서 「행정심판법」은 "심판청구를 인용하는 재결은 피청구인인 행정청과 그 밖의 관계행정청을 기속한다."라고 하여 재결의 기속력을 규정하고 있다(동법 제49조 제1항).

② 재결의 기속력은 인용재결에만 인정되고, 각하·기각재결에는 인정되지 않는다. 각하·기각재결은 청구인의 심판청구를 배척하는데 그칠 뿐, 피청구인인 행정청과 그 밖에 관계행정청에게 원처분을 유지하여야 할 의무를 지우지 않으므로, 처분청은 각하·기각재결을 받은 후에도 정당한 사유가 있으면 직권으로 원처분을 취소·변경·철회할 수 있다.

③ 재결의 기속력은 행정청에 대한 것이므로, 피청구인 이외에 처분의 상대방이나 제3자를 기속하는 효력은 없다. 따라서 재결의 취지에 따르는 처분이 위법하면 그 처분의 상대방이나 제3자는 항고소송으로 다툴 수 있다(대판 1993.9.28. 92누15093).

기속력
▷ 행정청·관계행정청이 인용재결 취지에 따라야 하는 구속력

기속력(=형성력)
▷ 인용재결에만 인정

함께 정리하기

반복금지의무
▷ 동일한 사정 하에, 동일한 사유로, 동일인에게, 동일 내용 처분 불가

불복심사청구에 의해 취소된 동일 사실에 다시 한 과세부과처분
▷ 위법

종전 처분시와는 다른 사유를 들어서 처분을 하는 것
▷ 기속력(반복금지의무)에 저촉×

(재)처분의무(제49조)
▷ 거부처분취소재결(또는 거부처분무효등확인재결)에 따른 재처분의무(제2항)
▷ 처분명령재결에 따른 처분의무(제3항)
▷ 제3자효 행정행위가 절차하자로 취소된 경우 처분의무(제4항)

(2) 기속력의 내용

① **반복금지의무(소극적 의무)**: 인용재결이 있으면 행정청은 동일한 사정 아래에서 같은 사유로 동일인에게 (재결의 내용에 저촉되는) 같은 내용의 처분을 반복할 수 없는 의무가 발생하는데, 이를 반복금지의무라 한다. 「행정심판법」은 이에 대하여 명문으로 규정하고 있지 않지만, 인용재결은 처분청을 기속한다는 「행정심판법」 제49조 제1항에 따라 당연히 인정된다.

> **관련판례**
>
> 1 양도소득세 및 방위세부과처분이 국세청장에 대한 불복심사청구에 의하여 그 불복사유가 이유 있다고 인정되어 취소되었음에도 처분청이 동일한 사실에 관하여 부과처분을 되풀이 한 것이라면 설령 그 부과처분이 감사원의 시정요구에 의한 것이라 하더라도 위법하다(대판 1986.5.27. 86누127). ★
>
> 2 종전 처분이 재결에 의하여 취소되었다 하더라도 종전 처분시와는 다른 사유를 들어서 처분을 하는 것은 기속력에 저촉되지 않는다. ★★
> 재결의 기속력은 재결의 주문 및 그 전제가 된 요건사실의 인정과 판단, 즉 처분 등의 구체적 위법사유에 관한 판단에만 미친다고 할 것이고, 종전 처분이 재결에 의하여 취소되었다 하더라도 종전 처분시와는 다른 사유를 들어서 처분을 하는 것은 기속력에 저촉되지 않는다. 따라서 새로운 처분의 처분사유와 종전 처분에 관하여 위법한 것으로 재결에서 판단된 사유가 기본적 사실관계에 있어 동일성이 없는 경우에는 새로운 처분이 종전 처분에 대한 재결의 기속력에 저촉되지 않는다(대판 2005.12.9. 2003두7705).

② **(재)처분의무(적극적 의무)**

㉠ **거부처분취소재결(또는 거부처분무효등확인재결)에 따른 재처분의무**: 재결에 의하여 취소되거나 무효 또는 부존재로 확인되는 처분이 당사자의 신청을 거부하는 것을 내용으로 하는 경우에는 그 처분을 한 행정청은 재결의 취지에 따라 다시 이전의 신청에 대한 처분을 하여야 한다(동법 제49조 제2항). 종래에는 「행정심판법」이 의무이행재결에 대해서만 (재)처분의무에 관한 규정을 두고, 거부처분취소심판 등에서 거부처분취소재결(또는 거부처분무효등확인재결)이 나온 경우 재처분의무에 관한 규정이 없어서 이를 인정할 것인지에 대하여 논란이 있었다. 그런데 이 문제는 2017년 「행정심판법」 개정을 통하여 거부처분에 대한 취소재결·무효·부존재확인재결에 따른 재처분의무 규정이 신설(동법 제49조 제2항)되어 입법적으로 해결되었다.

> **참고** 처분변경명령재결에 따른 변경의무
> 취소심판에 있어서 처분의 변경을 명하는 재결이 있는 때에는 처분청은 당해 처분을 변경하여야 한다. 이에 대해서는 행정심판법에 명문의 규정이 없으나 인용재결은 피청구인을 기속한다는 행정심판법 제49조 제1항에 따라 당연히 인정된다. 다만, 행정심판법은 다른 처분의무와 달리 변경명령재결에 따른 피청구인의 변경의무 불이행에 대해서는 별도의 실효성 확보수단을 마련하고 있지 않고 있다.

㉡ **처분명령재결에 따른 처분의무**: 의무이행심판에서 당사자의 신청을 거부하거나 부작위로 방치한 처분의 이행을 명하는 재결이 있는 경우에는 처분청은 지체 없이 그 재결의 취지에 따라 이전의 신청에 대한 처분을 하여야 한다(동법 제49조 제3항).

ⓒ **제3자효 행정행위가 절차하자로 취소된 경우 처분의무**: 신청에 따른 처분이 절차의 위법 또는 부당을 이유로 재결로서 취소가 된 경우에는 행정청은 재결에 취지에 따른 적법한 절차에 의하여 신청에 대한 처분을 하여야 한다(동법 제49조 제4항).

③ **결과제거(원상회복)의무(적극적 의무)**: 재결에 의하여 처분이 취소되거나 무효로 확인된 경우 행정청은 위법·부당한 처분에 의해 야기된 위법상태(예 당해 처분과 관련하여 행하여진 후속처분이나 사실상의 조치 등에 의한 법률관계 또는 사실관계)를 제거해야 할 의무를 진다. 이러한 결과제거의무 또는 원상회복의무는 「행정심판법」에서 명문으로 규정하고 있지는 않지만, 「행정심판법」 제49조 제1항에 근거하여 인정된다.

(3) 기속력의 범위

① **주관적 범위**: 기속력은 피청구인인 행정청뿐만 아니라 그 밖의 모든 관계행정청에 미친다(동법 제49조 제1항).

② **객관적 범위**: 기속력은 재결의 주문 및 그 전제가 된 요건사실의 인정과 판단에만 미치고, 재결의 결론과 직접 관계가 없는 방론이나 간접사실에 대한 판단에는 미치지 않는다.

> **관련판례**
>
> **1** 재결의 기속력은 재결의 주문 및 그 전제가 된 요건사실의 인정과 판단, 즉 처분 등의 구체적 위법사유에 관한 판단에만 미친다(대판 2005.12.9. 2003두7705). ★★
>
> > **동지**
> > 교원소청심사위원회(이하 '위원회'라 한다)의 결정은 처분청에 대하여 기속력을 가지고 이는 그 결정의 주문에 포함된 사항뿐 아니라 그 전제가 된 요건사실의 인정과 판단, 즉 처분 등의 구체적 위법사유에 관한 판단에까지 미친다. 따라서 위원회가 사립학교 교원의 소청심사청구를 인용하여 징계처분을 취소한 데 대하여 행정소송이 제기되지 아니하거나 그에 대하여 학교법인 등이 제기한 행정소송에서 법원이 위원회 결정의 취소를 구하는 청구를 기각하여 위원회 결정이 그대로 확정되면, 위원회결정의 주문과 그 전제가 되는 이유에 관한 판단만이 학교법인 등 처분청을 기속하게 되고, 설령 판결 이유에서 위원회의 결정과 달리 판단된 부분이 있더라도 이는 기속력을 가질 수 없다. 그러므로 사립학교 교원이 어떠한 징계처분을 받아 위원회에 소청심사청구를 하였고, 이에 대하여 위원회가 그 징계사유 자체가 인정되지 않는다는 이유로 징계양정의 당부에 대해서는 나아가 판단하지 않은 채 징계처분을 취소하는 결정을 한 경우, 그에 대하여 학교법인 등이 제기한 행정소송 절차에서 심리한 결과 징계사유 중 일부 사유는 인정된다고 판단이 되면 법원으로서는 위원회의 결정을 취소하여야 한다(대판 2013.7.25. 2012두12297).
>
> **2** 처분청이 재조사 결정의 주문 및 그 전제가 된 요건사실의 인정과 판단, 즉 처분의 구체적 위법사유에 관한 판단에 반하여 당초 처분을 그대로 유지하는 것은 재조사 결정의 기속력에 저촉된다(대판 2017.5.11. 2015두37549). ★★

③ **시간적 범위**: 기속력은 원칙적으로 처분시를 기준으로 그 당시까지 존재하였던 처분사유에만 미치고 그 이후에 생긴 사유에는 미치지 않는다. 따라서 처분시 이후에 생긴 새로운 처분사유, 예컨대 새로운 사실관계나 개정된 법령 등을 들어 동일한 내용의 처분을 하는 것은 기속력에 저촉되지 않는다. 다만, 의무이행재결에서는 재결시가 기준이 된다.

함께 정리하기

결과제거의무
▷ 위법·부당한 처분에 의해 야기된 위법상태 제거 의무

기속력의 주관적 범위
▷ 피청구인인 행정청·관계행정청

기속력의 객관적 범위
▷ 주문 및 전제되는 요건사실의 인정과 효력의 판단

기속력의 객관적 범위
▷ 주문 및 전제되는 요건사실의 인정과 효력의 판단

교원소청심사위원회 결정의 기속력
▷ 주문 및 구체적 위법사유에 관한 판단에까지 미침

재조사결정의 위법사유 판단에 반하여 당초 처분을 그대로 유지 시
▷ 기속력에 저촉

시간적 범위
▷ 원칙: 처분시 기준
▷ 의무이행재결: 재결시 기준

함께 정리하기

재결의 취지에 따라 이전의 신청에 대하여 다시 어떠한 처분을 하여야 할지
▷ 처분을 할 때의 법령과 사실을 기준으로 판단

> **관련판례**
>
> 당사자의 신청을 받아들이지 않은 거부처분이 재결에서 취소된 경우에 행정청은 종전 거부처분 또는 재결 후에 발생한 새로운 사유를 내세워 다시 거부처분을 할 수 있다. ★★★
>
> 당사자의 신청을 받아들이지 않은 거부처분이 재결에서 취소된 경우에 행정청은 종전 거부처분 또는 재결 후에 발생한 새로운 사유를 내세워 다시 거부처분을 할 수 있다. 그 재결의 취지에 따라 이전의 신청에 대하여 다시 어떠한 처분을 하여야 할지는 처분을 할 때의 법령과 사실을 기준으로 판단하여야 하기 때문이다. 또한 행정청이 재결에 따라 이전의 신청을 받아들이는 후속처분을 하였더라도 후속처분이 위법한 경우에는 재결에 대한 취소소송을 제기하지 않고도 곧바로 후속처분에 대한 항고소송을 제기하여 다툴 수 있다(대판 2017.10.31. 2015두45045).

반복금지의무에 위반하여 동일한 내용의 처분을 다시 반복한 경우
▷ 무효

(4) 기속력 위반의 효과

반복금지의무에 위반하여 동일한 내용의 처분을 다시 한 경우 그 처분은 하자가 중대하고 명백하여 무효이다. 재처분의무를 위반한 경우 기속력의 실효성 확보수단으로 직접처분과 간접강제를 할 수 있다.

6. 재처분의무 불이행시 실효성 확보수단으로서의 직접처분과 간접강제

재처분의무 불이행시 실효성 확보수단
▷ 직접처분, 간접강제

처분명령재결
▷ 직접처분, 간접강제 모두 가능

거부처분취소재결(또는 거부처분무효확인재결), 제3자효 행정행위를 절차하자로 취소하는 재결
▷ 간접강제만 가능

행정심판법은 처분명령재결과 거부처분취소재결(또는 거부처분무효확인재결)에 따른 피청구인의 재처분의무 불이행에 대비하여 인용재결의 실효성 확보수단으로서의 직접처분과 간접강제에 관하여 규정하고 있다. 구체적으로 처분명령재결의 경우에는 직접처분과 간접강제 모두 가능하며, 거부처분취소재결(또는 거부처분무효등확인재결), 제3자효 행정행위를 절차하자로 취소하는 재결의 경우에는 간접강제만 가능하다.

(1) 직접처분(이행재결의 취지에 따른 처분을 하지 않은 경우)

> 「행정심판법」 제50조【위원회의 직접 처분】① 위원회는 피청구인이 제49조 제3항에도 불구하고 처분을 하지 아니하는 경우에는 당사자가 신청하면 기간을 정하여 서면으로 시정을 명하고 그 기간에 이행하지 아니하면 직접 처분을 할 수 있다. 다만, 그 처분의 성질이나 그 밖의 불가피한 사유로 위원회가 직접 처분을 할 수 없는 경우에는 그러하지 아니하다.
> ② 위원회는 제1항 본문에 따라 직접 처분을 하였을 때에는 그 사실을 해당 행정청에 통보하여야 하며, 그 통보를 받은 행정청은 위원회가 한 처분을 자기가 한 처분으로 보아 관계 법령에 따라 관리·감독 등 필요한 조치를 하여야 한다.

직접처분
▷ 처분명령재결에도 불구하고 피청구인이 재처분의무 불이행, 청구인의 신청을 받은 위원회는 일정기간 서면으로 시정명령하고 기간 지나도 불이행시 위원회가 직접 처분 할 수 있도록 하는 제도

① 의의: 직접처분이란 당사자의 신청을 거부하거나 부작위로 방치한 처분의 이행을 명하는 재결(처분명령재결)에도 불구하고 피청구인이 재결의 취지에 따른 처분을 하지 아니하는 때, 청구인의 신청을 받은 위원회가 피청구인에게 일정기간 서면으로 시정명령을 내리고 피청구인이 그 기간 내에도 이행하지 않는 경우 위원회가 직접 처분을 할 수 있도록 하는 제도이다(동법 제50조). 이는 처분명령재결에 따른 (재)처분의무 불이행시 재결의 실효성을 확보하기 위한 수단이다.

② **요건**: 직접처분은 ㉠ 위원회의 처분명령재결에도 불구하고 처분청이 처분을 하지 아니하였을 것(제49조 제3항에 의한 재처분의무의 불이행), ㉡ 위원회가 청구인의 신청에 따라 기간을 정하여 서면으로 시정을 명하였을 것, ㉢ 피청구인이 그 기간 내에 시정명령을 이행하지 아니하였을 것을 요건으로 한다. 따라서 재결청이 직접처분을 하기 위하여는 처분의 이행을 명하는 재결이 있었음에도 당해 행정청이 아무런 처분을 하지 아니하였어야 하므로, 해당 행정청이 어떠한 처분을 하였다면, 그 처분이 재결의 내용에 따르지 아니하였다고 하더라도 위원회가 직접처분을 할 수 없다(대판 2002.7.23. 2000두9151).

③ **한계**
㉠ 「행정심판법」 제50조 제1항은 위원회의 직접처분권을 규정하면서도, 단서에서 "처분의 성질이나 그 밖의 불가피한 사유로 위원회가 직접처분을 할 수 없는 경우에 해당하지 않아야 한다."라고 규정하고 있다.
㉡ 직접처분을 할 수 없는 이 단서조항은 2010년 「행정심판법」 개정을 통해서 추가되었다. 여기에서 처분의 성질상 직접처분이 불가능한 경우로는 재량권행사, 자치사무, 정보비공개결정 등을 들 수 있고, 그 밖의 불가피한 사유로 직접처분이 불가능한 경우로는 의무이행재결 이후의 사정변경(법적 또는 사실적 상황의 변경) 등을 들 수 있다.

④ **사후조치**: 행정심판위원회가 직접처분을 한 때에는 그 사실을 해당 행정청에 통보하여야 하며, 그 통보를 받은 행정청은 위원회가 한 처분을 자기가 한 처분으로 보아 관계 법령에 따라 관리·감독 등 필요한 조치를 하여야 한다(제50조 제2항).

(2) 간접강제(배상명령을 통한 강제)

> 「행정심판법」 제50조의2【위원회의 간접강제】① 위원회는 피청구인이 <u>제49조 제2항(제49조 제4항에서 준용하는 경우를 포함한다) 또는 제3항에 따른 처분을 하지 아니하면 청구인의 신청에 의하여 결정으로 상당한 기간을 정하고 피청구인이 그 기간 내에 이행하지 아니하는 경우에는 그 지연기간에 따라 일정한 배상을 하도록 명하거나 즉시 배상을 할 것을 명할 수 있다.</u>
> ② 위원회는 사정의 변경이 있는 경우에는 당사자의 신청에 의하여 제1항에 따른 결정의 내용을 변경할 수 있다.
> ③ 위원회는 제1항 또는 제2항에 따른 결정을 하기 전에 신청 상대방의 의견을 들어야 한다.
> ④ 청구인은 제1항 또는 제2항에 따른 결정에 불복하는 경우 그 결정에 대하여 행정소송을 제기할 수 있다.
> ⑤ 제1항 또는 제2항에 따른 결정의 효력은 피청구인인 행정청이 소속된 국가·지방자치단체 또는 공공단체에 미치며, 결정서 정본은 제4항에 따른 소송제기와 관계없이 「민사집행법」에 따른 강제집행에 관하여는 집행권원과 같은 효력을 가진다. 이 경우 집행문은 위원장의 명에 따라 위원회가 소속된 행정청 소속 공무원이 부여한다.
> ⑥ 간접강제 결정에 기초한 강제집행에 관하여 이 법에 특별한 규정이 없는 사항에 대하여는 「민사집행법」의 규정을 준용한다. 다만, 「민사집행법」 제33조(집행문부여의 소), 제34조(집행문부여 등에 관한 이의신청), 제44조(청구에 관한 이의의 소) 및 제45조(집행문부여에 대한 이의의 소)에서 관할 법원은 피청구인의 소재지를 관할하는 행정법원으로 한다.

 **함께 정리하기**

요건
▷ 처분명령재결
▷ 그에 대한 부작위
▷ 청구인의 신청에 따른 시정명령
▷ 시정명령에 대한 부작위

한계
▷ 처분의 성질이나 그 밖의 불가피한 사유로 위원회가 직접처분을 할 수 없는 경우에 해당하지 않을 것

❶ 정보공개를 명령하는 재결의 경우에는 위원회는 정보를 보유한 행정청이 아니어서 처분의 성질상 직접처분이 제한된다.

사후조치
▷ 위원회가 직접처분시 그 사실을 해당 행정청에 통보, 통보를 받은 행정청은 위원회가 한 처분을 자기가 한 처분으로 보아 관리·감독 등 필요한 조치의무 有

함께 정리하기

간접강제
▷ 거부처분취소재결(또는 거부처분무효확인재결), 제3자효 행정행위를 절차하자로 취소하는 재결이나 처분명령재결에도 피청구인이 재처분의무 불이행, 위원회는 당사자의 신청에 의해 기간 정하여 시정명령하고, 기간 지나도 불이행시 지연기간에 따라 일정한 배상을 하도록 명하거나 즉시 배상을 할 것을 명할 수 있는 제도

간접강제제도는 「민사집행법」의 간접강제(제261조)와 유사한 제도로서 「행정소송법」(제34조)에서만 인정되었으나, 위원회의 인용재결의 실효성을 높이기 위하여 2017.4.18. 개정 「행정심판법」에 도입(2017.10.19. 시행)된 제도이다.

간접강제결정의 대상
▷ 거부처분취소재결(또는 거부처분무효확인재결), 제3자효 행정행위를 절차하자로 취소하는 재결이나 처분명령재결

간접강제결정의 내용
▷ 위원회는 피청구인에게 지연기간에 따라 일정한 배상을 하도록 명하거나 즉시 배상을 할 것을 명령

간접강제결정의 효력
▷ 피청구인이 소속된 행정주체에 미침, 소송제기와 관계없이 「민사집행법」에 따른 집행권원과 같은 효력

간접강제결정에 불복
▷ 행정소송 제기 가

중앙행정심판위원회
▷ 불합리한 법령 등의 개선 요구 가

① **의의**: 간접강제란 행정심판위원회의 거부처분취소재결(또는 거부처분무효등확인재결), 제3자효 행정행위를 절차하자로 취소하는 재결이나 처분명령재결에도 불구하고 피청구인이 처분을 하지 아니하는 때, 청구인의 신청을 받은 위원회가 결정으로 상당한 기간을 정하고 피청구인이 그 기간 내에 이행하지 아니하는 경우 위원회가 피청구인에게 그 지연기간에 따라 일정한 배상을 하도록 명하거나 즉시 배상을 할 것을 명하는 제도이다(동법 50조의2). 이는 거부처분취소재결(또는 거부처분무효확인재결) 또는 제3자효 행정행위를 절차하자로 취소하는 재결, 처분명령재결에 따른 (재)처분의무 불이행시 재결의 실효성을 확보하기 위한 수단이다.❶

② **간접강제의 대상이 되는 재결**: 간접강제는 ㉠ 재결에 의하여 취소되거나 무효 또는 부존재로 확인되는 처분이 당사자의 신청을 거부하는 것을 내용으로 하는 경우(동법 제49조 제2항), ㉡ 당사자의 신청을 거부하거나 부작위로 방치한 처분의 이행을 명하는 재결이 있는 경우(동법 제49조 제3항), ㉢ 신청에 따른 처분이 절차의 위법 또는 부당을 이유로 재결로써 취소되는 경우(동법 제49조 제4항)에 적용된다.

③ **간접강제결정의 내용과 변경**: 간접강제의 요건이 구비되면, 위원회는 그 지연기간에 따라 일정한 배상을 하도록 명하거나 즉시 배상을 할 것을 명할 수 있다(동법 제50조의2 제1항). 위원회는 결정을 하기 전에 신청 상대방의 의견을 들어야 한다(동법 제50조의2 제3항). 위원회는 사정의 변경이 있는 경우에는 당사자의 신청에 의하여 간접강제결정의 내용을 변경할 수 있다(동법 제50조의2 제2항).

④ **간접강제결정의 효력**: 간접강제결정 또는 간접강제변경결정의 효력은 피청구인인 행정청이 소속된 국가·지방자치단체 또는 공공단체에 미치며, 결정서 정본은 소송제기와 관계없이 「민사집행법」에 따른 강제집행에 관하여는 집행권원과 같은 효력을 가진다(동법 제50조의2 제5항).

⑤ **간접강제결정에 대한 불복**: 청구인은 간접강제결정 또는 간접강제변경결정에 불복하는 경우 그 결정에 대하여 행정소송을 제기할 수 있다(동법 제50조의2 제3항).

◎ 핵심정리 | 「행정심판법」상 직접처분과 간접강제가 인정되는 재결

직접처분(제50조)	의무이행심판에서 처분명령재결(제49조 제3항)
간접강제(제50조의2)	• 거부처분에 대한 취소재결, 무효 또는 부존재 확인재결(제49조 제2항) • 의무이행심판에서 처분명령재결(제49조 제3항) • 취소심판에서 절차하자로 인한 인용재결(제49조 제4항)

7. 관련문제

(1) 불합리한 법령 등의 개선 요구

① 중앙행정심판위원회는 심판청구를 심리·재결할 때에 처분 또는 부작위의 근거가 되는 명령 등(대통령령·총리령·부령·훈령·예규·고시·조례·규칙 등)이 법령에 근거가 없거나 상위 법령에 위배되거나 국민에게 과도한 부담을 주는 등 크게 불합리하면 관계 행정기관에 그 명령 등의 개정·폐지 등 적절한 시정조치를 요청할 수 있다. 이 경우 중앙행정심판위원회는 시정조치를 요청한 사실을 법제처장에게 통보하여야 한다(동법 제59조 제1항).

② 시정조치의 요청을 받은 관계 행정기관은 정당한 사유가 없으면 이에 따라야 한다(동법 제59조 제2항).

(2) 취소·변경된 처분의 공고

법령의 규정에 따라 공고하거나 고시한 처분이 재결로써 취소되거나 변경되면 처분을 한 행정청은 지체 없이 그 처분이 취소 또는 변경되었다는 것을 공고하거나 고시하여야 한다(동법 제49조 제5항).

(3) 이해관계인에 통지

법령의 규정에 따라 처분의 상대방 외의 이해관계인에게 통지된 처분이 재결로써 취소되거나 변경되면 처분을 한 행정청은 지체 없이 그 이해관계인에게 그 처분이 취소 또는 변경되었다는 것을 알려야 한다(동법 제49조 제6항).

(4) 증거서류 등의 반환

위원회는 재결을 한 후 증거서류 등의 반환 신청을 받으면 신청인이 제출한 문서·장부·물건이나 그 밖의 증거자료의 원본을 지체 없이 제출자에게 반환하여야 한다(동법 제55조).

(5) 서류의 송달

「행정심판법」에 따른 서류의 송달에 관하여는 「민사소송법」 중 송달에 관한 규정을 준용한다(동법 제57조).

5 재결에 대한 불복

1. 재심판청구의 금지

(1) 「행정심판법」은 행정심판청구에 대한 재결이 있으면 그 재결 및 같은 처분 또는 부작위에 대하여 다시 행정심판을 청구할 수 없도록 함으로써(재심판청구금지, 동법 제51조) 행정심판 단계를 단일화하였다. 따라서 재결에 불복이 있는 자는 원처분 또는 재결(재결 자체에 고유한 위법이 있는 경우)을 대상으로 행정소송을 제기할 수 있다.

> **참고** 「행정소송법」상 원처분주의
> 「행정소송법」은 원처분주의를 취하고 있다. 따라서 행정청의 처분에 불복하여 행정심판을 거친 후 재결에 다시 불복하여 소송을 제기하는 경우 소의 대상은 재결이 아니라 당초 행정청의 처분이다. 다만, 재결 자체에 고유한 위법이 있는 경우에는 재결을 대상으로 하는 행정소송을 제기할 수 있다(「행정소송법」 제19조).

(2) 한편, 최근 판례는 「행정심판법」 제49조 제2항이나 제3항에 따른 처분의무를 피청구인이 이행하지 않고 있을 때 이러한 부작위를 대상으로 의무이행심판이나 부작위위법확인소송을 제기할 수 있다고 판시한 바 있다.

처분명령재결에 따른 재처분의무 부작위
▷ 부작위위법확인소송을 제기 可

> **관련판례**
>
> **처분명령재결에 따른 재처분의무 부작위에 대해서도 부작위위법확인소송을 제기할 수 있다.** ★
> 원심은, ① 원고는 피고(한국산업은행)에 대하여 2012.1.5. 정보공개신청을 하였으나 피고는 법령이 정한 기간 내에 공개 여부를 결정하지 않아 비공개결정이 있는 것으로 간주된 점, ② 이에 원고는 2013.1.15. 중앙행정심판위원회로부터 위 정보공개신청의 대상 정보를 공개하라는 이 사건 재결을 받았으나, 피고는 원고의 주장을 적극적으로 다투면서 2012.1.5. 정보공개신청에 대하여 이 사건 재결의 취지에 따른 정보공개를 전혀 하지 않고 있는 점, ③ 행정심판법 제49조 제1항·제2항(현 제3항)이 규정하고 있는 바와 같이, 피고는 이 사건 재결의 기속력에 의하여 원고의 이전 신청에 따라 원고가 구하는 정보를 공개할 의무가 있는 점, ④ 원고의 부작위위법확인 청구가 인용될 경우, 행정소송법 제38조 제2항, 제34조 제1항의 간접강제 등에 의한 권리구제가 가능한 점 등을 이유로, 피고는 이 사건 재결의 취지에 따라 2012.1.5. 정보공개신청에 대하여 그 해당 정보를 공개하여야 할 의무가 있고, 원고의 부작위위법확인 청구가 사실상 작위의무확인 청구에 해당한다고 볼 수 없으며, 그 확인을 구할 이익도 있다고 보아, 원고의 부작위위법확인 청구가 별도의 신청 없이 사실상 작위의무의 확인을 구하는 것으로 부적법하다는 피고의 주장을 배척하였다. 원심판결 이유를 관련 법리와 기록에 비추어 살펴보면, 원심의 위와 같은 판단은 정당하고, 거기에 상고이유 주장과 같이 부작위위법확인의 소의 적법요건에 관한 법리를 오해한 잘못이 없다(대판 2019.1.17. 2014두41114).

2. 재결에 대한 행정소송

(1) 행정심판의 청구인

행정심판의 청구인
▷ 재결 불복시 항고소송 제기 可

행정심판의 청구인은 각하재결, 기각재결, 일부인용재결(일부취소재결·변경재결·변경명령재결)에 불복하는 경우 항고소송을 제기할 수 있다.

(2) 행정심판의 제3자

제3자
▷ 인용재결 불복시 항고소송 제기 可

제3자효 행정행위에서 처분의 상대방인 제3자는 인용재결에 불복하는 경우 재결을 대상으로 항고소송을 제기할 수 있다.❶

> ❶ 예를 들어, 甲이 공장신축허가를 받았으나 인근 주민 乙이 이에 대해 취소심판을 제기하여 인용재결을 받은 경우, 甲의 공장신축허가는 효력이 상실된다. 이는 甲에게 불이익하기에 甲은 취소심판의 제3자에 해당하지만 「행정소송법」 제19조 단서에 의하여 인용재결을 대상으로 행정소송을 제기할 수 있다.

(3) 행정심판의 피청구인

피청구인인 행정청
▷ 항고소송 제기 不可(∵ 기속력)

처분행정청인 지방자치단체장의 재결에 불복
▷ 不可

인용재결이 있으면 동법 제49조 제1항에 의하여 피청구인인 처분청은 이에 기속된다. 따라서 처분청은 재결의 취지에 따른 처분의무를 부담하므로 이에 불복하여 항고소송을 제기할 수는 없다.

> **관련판례**
>
> **처분행정청인 지방자치단체장은 재결에 불복하여 행정소송을 제기할 수 없다.** ★
> 행정심판법 제49조 제1항은 "재결은 피청구인인 행정청과 그 밖의 관계행정청을 기속한다."라고 규정하였고, 이에 따라 처분행정청은 재결에 기속되어 재결의 취지에 따른 처분의무를 부담하게 되므로 이에 불복하여 행정소송을 제기할 수 없다 할 것이며 그렇다고 하더라도 위 법령의 규정이 지방자치의 내재적 제약의 범위를 일탈하여 헌법상의 지방자치의 제도적 보장을 침해하는 것으로 볼 수는 없다고 할 것이다(대판 1998.5.8. 97누15432).

제4장 행정소송 일반론

제1절 행정소송의 관념

  함께 정리하기

1 행정소송의 의의

> 「**행정소송법**」제1조【목적】이 법은 행정소송절차를 통하여 행정청의 <u>위법한</u> 처분 그 밖에 공권력의 행사·불행사등으로 인한 국민의 권리 또는 이익의 침해를 구제하고, 공법상의 권리관계 또는 법적용에 관한 다툼을 적정하게 해결함을 목적으로 한다.

1. 행정소송의 개념

행정소송이란 행정청의 위법한 행정작용으로 인한 국민의 권익침해를 구제하고, 공법상 법률관계에 관한 다툼을 해결하기 위하여 법원이 행정사건에 대하여 정식(正式)의 소송절차에 따라 행하는 재판을 말한다.

의의
▷ 법원이 행정사건에 대하여 정식(正式)의 소송절차에 따라 행하는 재판

2. 유사제도와 구별

(1) 행정심판과의 구별

행정소송과 행정심판은 행정쟁송제도이지만, 행정소송은 당사자로부터 독립된 지위에 있는 제3자기관인 법원이 정식의 소송절차를 거쳐 행하는 행정쟁송절차라는 점에서 약식 쟁송절차인 행정심판과 구별된다.

행정소송 vs. 행정심판
▷ 행정소송: 법원에 의한 판단, 정식 소송절차
▷ 행정심판: 행정기관에 의한 판단, 정식소송절차

(2) 민사소송과의 구별

행정소송은 행정법상의 법률관계에 관한 분쟁해결절차라는 점에서 사법상의 법률관계에 관한 분쟁해결절차인 민사소송과 구별된다.

행정소송 vs. 민사소송
▷ 행정소송: 행정법상 법률관계에 대한 분쟁해결절차
▷ 행정심판: 사법상 법률관계에 대한 분쟁해결절차

(3) 헌법소송과의 구별

행정소송과 헌법소송은 공법상의 분쟁에 관한 소송이라는 점에서 공통되나, 헌법소송은 헌법적 분쟁을 대상으로 하고(헌법 제111조 제1항), 행정소송은 공법상 분쟁 중에서 헌법소송사항을 제외한 분쟁을 대상으로 한다는 점에서 구별된다.

행정소송 vs. 헌법소송
▷ 공통점: 공법상 분쟁에 관한 소송
▷ 차이점: ① 헌법소송 → 헌법적 분쟁을 대상, ② 행정소송 → 공법상 분쟁 중에서 헌법소송사항을 제외한 분쟁을 대상

3. 행정소송의 기능(목적)

「행정소송법」(이하 '동법'이라 함) 제1조에서는 "이 법은 행정소송절차를 통하여 행정청의 위법한 처분과 그 밖에 공권력의 행사·불행사 등으로 인한 국민의 권리 또는 이익의 침해를 구제하고, 공법상의 권리관계 또는 법적용에 관한 다툼을 적정하게 해결함을 목적으로 한다."라고 규정하여 행정소송의 목적 또는 기능을 밝히고 있다.

함께 정리하기

행정소송 제도의 기능
▷ 국민의 권리 또는 이익의 침해를 구제하고 공법상 권리관계 또는 법률 적용에 관한 다툼을 적정하게 해결함

> **관련판례**
> 행정소송 제도는 행정청의 위법한 처분, 그 밖에 공권력의 행사·불행사 등으로 인한 국민의 권리 또는 이익의 침해를 구제하고 공법상 권리관계 또는 법률 적용에 관한 다툼을 적정하게 해결함을 목적으로 하는 것이므로, 항고소송의 대상이 되는 행정처분에 해당하는지는 행위의 성질·효과 이외에 행정소송 제도의 목적이나 사법권에 의한 국민의 권익보호 기능도 충분히 고려하여 합목적적으로 판단해야 한다(대판 2012.6.14. 2010두19720).

(1) 권리구제기능
행정소송은 위법한 행정작용으로 침해된 국민의 권리를 구제해 주는 기능을 우선적으로 수행한다. 일반적으로 권리구제기능을 행정소송의 중심적인 기능으로 본다.

(2) 행정통제기능
행정소송은 법원이 행정사건에서 행정작용의 위법여부를 심사함으로써 행정통제기능(적법성보장기능)을 수행한다. ❶

❶ 오늘날 행정의 적법성을 보장하기 위하여 행정에 대한 여러 가지의 제도적 수단(예 행정감독·행정절차 등)이 있으나, 행정소송을 통한 통제가 가장 효과적인 방법이라 할 것이다.

2 행정소송의 종류

「행정소송법」 제3조 【행정소송의 종류】 행정소송은 다음의 네가지로 구분한다.
1. 항고소송: 행정청의 처분등이나 부작위에 대하여 제기하는 소송
2. 당사자소송: 행정청의 처분등을 원인으로 하는 법률관계에 관한 소송 그 밖에 공법상의 법률관계에 관한 소송으로서 그 법률관계의 한쪽 당사자를 피고로 하는 소송
3. 민중소송: 국가 또는 공공단체의 기관이 법률에 위반되는 행위를 한 때에 직접 자기의 법률상 이익과 관계없이 그 시정을 구하기 위하여 제기하는 소송
4. 기관소송: 국가 또는 공공단체의 기관상호간에 있어서의 권한의 존부 또는 그 행사에 관한 다툼이 있을 때에 이에 대하여 제기하는 소송. 다만, 헌법재판소법 제2조의 규정에 의하여 헌법재판소의 관장사항으로 되는 소송은 제외한다.

제4조 【항고소송】 항고소송은 다음과 같이 구분한다.
1. 취소소송: 행정청의 위법한 처분등을 취소 또는 변경하는 소송
2. 무효등 확인소송: 행정청의 처분등의 효력 유무 또는 존재여부를 확인하는 소송
3. 부작위위법확인소송: 행정청의 부작위가 위법하다는 것을 확인하는 소송

1. 내용에 따른 구분

「행정소송법」은 행정소송을 그 내용에 따라 항고소송, 당사자소송, 민중소송, 기관소송으로 구분하고 있다(동법 제3조). 행정소송은 크게 개인의 권리구제를 주된 목적으로 하는 주관소송과 개인의 권익구제가 아닌 행정작용의 적법성 또는 공익실현을 직접 목적으로 하는 객관소송으로 나눌 수 있다. 항고소송과 당사자소송은 주관소송이고, 민중소송과 기관소송은 객관소송이다. 항고소송에는 취소소송, 무효등 확인소송, 부작위위법확인소송이 있다(동법 제4조).

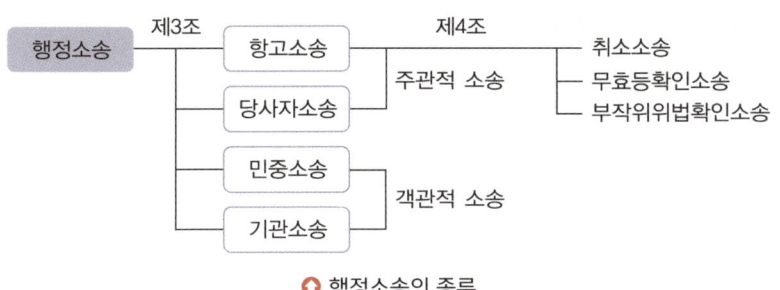

○ 행정소송의 종류

2. 성질에 따른 구분

(1) 형성의 소

형성의 소는 행정법상의 법률관계의 발생·변경·소멸을 가져오는 판결을 구하는 소송을 말한다. 항고소송 중 취소소송은 행정청의 위법한 처분 등의 취소·변경을 구하는 소송이므로 전형적인 형성의 소이다.

형성의 소
▷ 법률관계를 발생, 변경, 소멸시키는 판결을 구하는 소송

(2) 이행의 소

이행의 소란 피고에 대한 특정한 이행청구권의 존재를 주장하여 그것의 확정과 이에 기한 이행을 명하는 판결을 구하는 소송을 말한다. 이행의 소는 직접 법률관계에 변동을 가져오는 것이 아니라 피고에게 일정한 이행의무를 부과하는 것에 불과하므로 이행명령의 집행의 문제를 남긴다는 점에서 형성의 소와 구별된다.

(3) 확인의 소

① 확인의 소는 특정한 권리 또는 법률관계의 존재·부존재의 확인을 구하는 소송을 말한다.
② 항고소송 중에서 무효등 확인소송, 부작위위법확인소송이나 당사자소송 중에서 공법상 법률관계의 존부의 확인을 구하는 소송은 확인의 소에 해당한다.

확인의 소
▷ 특정한 권리 또는 법률관계의 존재, 부존재의 확인

제2절 행정소송의 한계

1 개설

「행정소송법」은 국민의 권익구제와 효과적인 행정통제를 위해 열기주의가 아닌 개괄주의를 채택하고 있다. 그러나 행정소송에 개괄주의가 적용된다고 하여 모든 행정사건이 행정소송의 대상이 되는 것은 아니다(예 비권력적 사실행위, 행정입법 등). 행정소송도 사법작용의 일부라는 점에서 사법의 본질에서 오는 한계와 행정에 관한 소송이라는 점에서 권력분립에서 오는 한계가 있다.

함께 정리하기

사법(司法)의 본질에서 오는 한계
▷ '구체적인 사건성' 있는 '법률상 쟁송'만이 법원의 심판대상

일반적·추상적 법령이나 규칙
▷ 행정소송의 대상 ✕

단순한 사실관계의 존부 등의 문제 (비권력적 사실행위)
▷ 행정소송의 대상 ✕
권력적 사실행위
▷ 행정소송의 대상 ○

2 사법(司法)의 본질에서 오는 한계

행정소송은 '구체적인 법률상의 분쟁이 있는 것을 전제로 당사자의 소송 제기에 의해 법원이 법을 적용하여 법적분쟁을 해결하는 판단작용'이라는 점에서 다른 소송유형과 마찬가지로 사법작용으로서의 성질을 갖는다. 이에 따라 행정소송도 ① 권리주체 간의 법률상 이익에 관한 구체적인 권리·의무에 관한 법적 분쟁일 것(구체적 사건성), ② 행정법령의 적용을 통하여 해결할 수 있는 분쟁일 것(법적 해결가능성)이라는 사법 본질에서 오는 한계가 있다.

1. 구체적인 사건상의 한계

(1) 추상적인 법령의 효력과 해석에 관한 분쟁

① 구체적인 법적 분쟁을 전제로 함이 없이 추상적 법령의 효력과 해석에 관한 분쟁은 당사자 간의 구체적인 권리의무에 관한 분쟁이 아니기 때문에 구체적 사건성이 결여되어 행정소송의 대상이 되지 않는다.

> **관련판례**
>
> **1** 일반적, 추상적인 법령이나 규칙 등은 그 자체로서 취소소송의 대상이 될 수 없다. ★★
> 행정청의 위법한 처분 등의 취소 또는 변경을 구하는 취소소송의 대상이 될 수 있는 것은 구체적인 권리의무에 관한 분쟁이어야 하고 일반적, 추상적인 법령이나 규칙 등은 그 자체로서 국민의 구체적인 권리의무에 직접적 변동을 초래케 하는 것이 아니므로 그 대상이 될 수 없다(대판 1992.3.10. 91누12639).
>
> **2** 재무부령 자체의 무효확인을 구하는 청구는 부적법하다. ★★
> 행정소송의 대상이 될 수 있는 것은 구체적인 권리의무에 관한 분쟁이어야 하고 일반적 추상적인 법령 그 자체로서 국민의 구체적인 권리의무에 직접적인 변동을 초래하는 것이 아닌 것은 그 대상이 될 수 없으므로 구체적인 권리의무에 관한 분쟁을 떠나서 재무부령 자체의 무효확인을 구하는 청구는 행정소송의 대상이 아닌 사항에 대한 것으로서 부적법하다(대판 1987.3.24. 86누656).

② 다만, 법령이라도 그 자체가 직접 국민의 권리·의무에 직접 영향을 미치는 경우(이른바 처분적 법규명령, 처분적 조례)에는 구체적 사건성이 인정되어 행정소송의 대상이 된다(대판 1996.9.20. 95누8003).

(2) 사실행위

행정소송은 법률적 쟁송의 문제, 즉, 공법상의 권리·의무에 관한 소송이므로 단순한 사실관계의 존부 등의 문제는 행정소송의 대상이 되지 아니한다. 다만, 권력적 사실행위가 당사자 간의 권리·의무관계에 영향을 주는 경우에는 행정소송의 대상이 된다.

🔍 **관련판례**

공법상 법률관계의 다툼이 아닌, 단순한 사실관계의 존부 등의 문제는 원칙적으로 행정소송의 대상이 되지 아니한다. ★★

[1] 국가보훈처장 등이 발행한 책자 등에서 독립운동가 등의 활동상을 잘못 기술하였다는 등의 이유로 그 사실관계의 확인을 구하거나, 국가보훈처장의 서훈추천서의 행사, 불행사가 당연무효 또는 위법임의 확인을 구하는 청구는 과거의 역사적 사실관계의 존부나 공법상의 구체적인 법률관계가 아닌 사실관계에 관한 것들을 확인의 대상으로 하는 것이거나 행정청의 단순한 부작위를 대상으로 하는 것으로서 항고소송의 대상이 되지 아니하는 것이다.

[2] 국가보훈처장 등에게, 독립운동가들에 대한 서훈추천권의 행사가 적정하지 아니하였으니 이를 바로잡아 다시 추천하고, 잘못 기술된 독립운동가의 활동상을 고쳐 독립운동사 등의 책자를 다시 편찬, 보급하고, 독립기념관 전시관의 해설문, 전시물 중 잘못된 부분을 고쳐 다시 전시 및 배치할 의무가 있음의 확인을 구하는 청구는 <u>작위의무확인소송으로서 항고소송의 대상이 되지 아니한다</u>(대판 1990.11.23. 90누3553).

(3) 반사적 이익

행정소송은 당사자 간의 구체적인 권리 · 의무에 관한 분쟁의 해결을 목적으로 하므로 법률상 이익의 침해가 아닌 반사적 이익의 침해는 행정소송의 대상이 되지 아니한다. 「행정소송법」 제12조도 법률상 이익이 있는 자만이 항고소송을 제기할 수 있다고 규정하고 있다.

(4) 객관소송

「행정소송법」은 구체적인 법률관계에서 권리가 침해된 자를 구제해 주는 주관소송을 원칙으로 하므로, 행정의 적법성 보장을 목적으로 하는 객관소송은 법률에 의하여 특별히 인정된 경우를 제외하고는 행정소송의 대상이 되지 않는다(동법 제45조).❶

2. 법적용상의 한계(법적 해결가능성)

(1) 통치행위

통치행위는 고도의 정치적 성격을 갖는 행위로서 법을 적용하여 해결하기 곤란하므로 사법심사의 대상에서 제외되는 행위이다. 다만, 헌법재판소는 기본권 침해와 직접 관련되는 경우에는 헌법소원의 대상이 된다고 판시한 바 있고(헌재 1996.2.29. 93헌마186), 대법원도 기본권을 침해하는 유신헌법에 근거한 긴급조치에 대해 사법심사의 대상성을 인정한 바 있다(대판 2010.12.16. 2010도5986).

(2) 재량행위

① 과거 재량행위에는 공권이 인정되지 않는다고 보아 재량행위는 사법심사의 대상이 되지 않는다고 보았으나, 오늘날에는 재량하자이론의 발전과 더불어 재량행위라도 그 한계를 넘어 행사되는 경우에는 사법심사의 대상이 된다는 것이 통설과 판례의 입장이다.❷

② 「행정소송법」 제27조❸도 재량권의 일탈 · 남용이 있는 때에는 재량행위에 대한 사법심사를 인정하고 있다.

함께 정리하기

과거 사실관계 확인 · 단순 부작위
▷ 항고소송의 대상 ×

반사적 이익의 침해
▷ 행정소송의 대상 ×

❶ 「행정소송법」 제45조(소의 제기)
민중소송 및 기관소송은 법률이 정한 경우에 법률에 정한 자에 한하여 제기할 수 있다.

통치행위 원칙
▷ 행정소송 대상 ×

통치행위 예외
▷ 헌법재판소: 기본권 침해와 직접 관련되는 경우 헌법소원의 대상 ○
▷ 대법원: 기본권을 침해하는 유신헌법에 근거한 긴급조치의 사법심사의 대상성 인정 ○

❷ 재량행위의 경우 행정청의 재량에 기한 공익판단의 여지를 감안하여 법원은 독자의 결론을 도출함이 없이 당해 행위에 재량권의 일탈 · 남용이 있는지 여부만을 심사하게 된다(대판 2007.5.31. 2005두1329).

재량의 일탈 · 남용
▷ 취소 可

❸ 「행정소송법」 제27조(재량처분의 취소)
행정청의 재량에 속하는 처분이라도 재량권의 한계를 넘거나 그 남용이 있는 때에는 법원은 이를 취소할 수 있다.

함께 정리하기

오늘날
▷ 특별권력관계 내에서의 행위도 사법심사 대상○

의무이행소송
▷ 행정청에 대하여 신청에 따른 행정처분을 하도록 명하는 것을 청구하는 소송

명문규정×
▷ 의무이행소송, 적극적 형성소송 인정 여부 문제

긍정설
▷ 이행판결의 권력분립 위반 여부: 위반×
▷ 「행정소송법」제4조의 종류: 예시적 규정
▷ 「행정소송법」제4조 변경의 의미: 소극적 변경○, 적극적 변경○

부정설
▷ 이행판결의 권력분립 위반 여부: 위반○
▷ 행정소송법 제4조의 종류: 한정적 열거
▷ 행정소송법 제4조 변경의 의미: 소극적 변경○, 적극적 변경×

판례
▷ 부정설

❶ 총포·화약안전기술협회가 매년 구체적인 회비를 산정·고지하는 처분을 하기 전에 甲 회사가 협회를 상대로 구체적으로 정해진 바도 없는 회비납부의무의 부존재확인을 곧바로 구하는 것은 현존하는 권리·법률관계의 확인이 아닌 장래의 권리·법률관계의 확인을 구하는 것일 뿐만 아니라, 甲 회사의 회비납부의무 부존재 확인청구는 협회가 장래에 甲 회사의 구체적인 회비를 산정·고지할 때 총포화약법 제58조 제2항과 같은 법 시행령 제78조 제1항 제3호에 근거한 '수입원가 기준 회비' 부분을 제외해야 한다는 것으로서 실질적으로 협회로 하여금 특정한 내용으로 회비를 산정·고지할 의무가 있음의 확인을 구하는 것과 같으므로 현행 행정소송법상 허용되지 않는 의무확인소송 또는 예방적 금지소송과 마찬가지로 허용되지 않는다고 한 사례

의무이행소송, 의무확인소송, 예방적 금지소송
▷ 허용×

(3) 특별권력관계

과거에는 특별권력관계의 내부적 행위는 행정행위가 아니라고 보아 사법심사가 불가능한 영역으로 보았으나, 오늘날에는 특별권력관계에도 법치주의가 전면적으로 적용되므로 특별권력관계 내에서의 행위인가의 여부와 관계없이 사법심사가 가능하다고 본다.

3 권력분립에서 나오는 한계

행정소송은 사법부에 의한 사법작용이기 때문에 권력분립의 원칙상 재판작용으로 인하여 행정부의 고유한 권한을 침해할 수 없다는 한계가 있다. 이와 관련하여 「행정소송법」에서 규정된 소송형태 외에 다른 항고소송을 인정할 수 있는지가 문제된다.

1. 의무이행소송 인정 여부

(1) 의무이행소송의 의의

의무이행소송이란 당사자의 특정한 행정처분의 신청에 대하여 행정청이 그 처분을 거부하거나 부작위로 대응하는 경우에 적극적으로 법원의 판결에 의해 행정청으로 하여금 신청에 따른 행정처분을 하도록 명하는 것을 청구하는 소송을 말한다. 「행정소송법」에는 의무이행소송이 규정되어 있지 않다.

(2) 문제의 소재

행정청이 처분의무가 있음에도 처분을 이행하지 않은 경우 법원이 판결로써 행정청에 일정한 처분을 할 것을 명하거나(이행판결), 법원이 행정청을 대신하여 판결로써 직접 어떤 처분을 행할 수 있는지(적극적 형성판결)가 문제된다.

(3) 허용여부

① 학설

긍정설	⑤ 국민의 권리구제의 실효성을 확보, ⓒ 기능적 권력분립주의를 인정해야 한다는 점, ⓒ 「행정소송법」제4조상의 항고소송의 종류는 예시적 규정으로 볼 수 있고, 동조의 '변경(취소소송: 위법한 처분을 취소 또는 변경하는 소송)'은 '적극적 변경'도 포함된다는 점, ⓔ 의무이행소송의 이행판결은 권력분립주의의 위반이 아니라는 점 등을 들어 의무이행소송을 긍정한다.
부정설 (다수설)	⑤ 소송유형은 법적 안정성확보를 위해 명시적인 규정이 있어야 하는 점, ⓒ 권력분립원칙에 반할 수 있는 점, ⓒ 「행정소송법」제4조에서는 항고소송의 종류를 한정적으로 열거하고 있으며, ⓔ 동조의 '변경'은 '소극적 변경'만을 의미한다는 점 등을 들어 의무이행소송을 인정할 수 없다고 한다.

② 판례: 판례는 부정설의 입장이다.

> **관련판례**
>
> **1** 현행 행정소송법에서는 장래에 행정청이 일정한 내용의 처분을 할 것 또는 하지 못하도록 할 것을 구하는 소송(의무이행소송, 의무확인소송 또는 예방적 금지소송)은 허용되지 않는다(대판 2021.12.30. 2018다241458). ★★ ❶

2 의무이행소송이나 적극적 형성판결을 구하는 행정소송은 허용되지 않는다. ★★

현행 행정소송법상 행정청으로 하여금 일정한 행정처분을 하도록 명하는 이행판결을 구하는 소송이나 법원으로 하여금 행정청이 일정한 행정처분을 행한 것과 같은 효과가 있는 행정처분을 직접 행하도록 하는 형성판결을 구하는 소송은 허용되지 아니한다(대판 1997.9.30. 97누3200).

3 행정청의 부작위에 대한 의무이행소송은 현행법상 허용되지 않는다. ★★

행정심판법 제3조에 의하면 행정청의 위법 또는 부당한 거부처분이나 부작위에 대하여 의무이행심판청구를 할 수 있으나 행정소송법 제4조에서는 행정심판법상의 의무이행심판청구에 대응하여 부작위위법확인소송만을 규정하고 있으므로 행정청의 부작위에 대한 의무이행소송은 현행법상 허용되지 않는다(대판 1989.9.12. 87누868).

2. 예방적 부작위소송(예방적 금지소송) 인정 여부

(1) 예방적 부작위소송의 의의

예방적 부작위소송이란 행정청의 공권력 행사에 의해 국민의 권익이 침해될 것이 예상되는 경우에 미리 그 예상되는 침익적 처분을 저지하는 것을 목적으로 제기하는 소송을 말한다.

(2) 문제의 소재

이러한 예방적 금지소송은 의무이행소송과 마찬가지로 사법(司法)의 적극적인 개입을 인정하는 것으로서 권력분립의 원칙에 반할 수 있기 때문에 현행「행정소송법」상 규정되어 있지 않은바, 이를 인정할 수 있는지에 대해서 논란이 있다.

(3) 허용여부

예방적 부작위소송에 대해서도 의무이행소송과 같이 동일한 학설의 대립이 있으나, 판례는 의무이행소송의 경우와 마찬가지로 예방적 금지소송을 부인하는 입장이다.

관련판례

1 예방적 금지소송은 허용되지 않는다. ★★★

행정소송법상 행정청이 일정한 처분을 하지 못하도록 그 부작위를 구하는 청구는 허용되지 않는 부적법한 소송이라 할 것이므로, 피고 국민건강보험공단은 이 사건 고시(보건복지부 고시)를 적용하여 요양급여비용을 결정하여서는 아니 된다는 내용의 원고들의 위 피고에 대한 이 사건 청구는 부적법하다(대판 2006.5.25. 2003두11988).

2 "신축건물의 준공처분을 하여서는 아니 된다."는 내용의 부작위를 구하는 청구는 행정소송에서 허용되지 아니하는 것이므로 부적법하다(대판 1987.3.24. 86누182). ★★

3. 작위의무확인소송 인정 여부

행정청에 대해 일정한 작위의무가 있음을 확인해줄 것을 청구하는 소송인 작위의무확인소송 역시 인정되지 않는다. 국가보훈처장 등에게, 독립운동가들에 대한 서훈추천을 다시 하고, 독립운동에 관한 책자 등을 고쳐서 편찬, 보급할 의무가 있음의 확인을 구하는 청구는 작위의무확인소송으로서 항고소송의 대상이 되지 아니한다(대판 1990.11.23. 90누3553).

제5장 항고소송 1(취소소송)

 함께 정리하기

제1절 취소소송의 관념

1 취소소송의 의의

「행정소송법」(이하 '동법'이라 함) 제4조 제1항에 의하면 취소소송이란 행정청의 위법한 처분 등을 취소 또는 변경하는 소송을 말한다. 취소소송은 행정소송의 중심적 지위를 차지하고 있다.

취소소송
▷ 위법한 처분 등 취소·변경

2 취소소송의 종류

취소소송의 대상인 처분등은 처분과 재결을 의미하므로(동법 제2조 제1항 제1호), 취소소송의 종류에는 처분취소소송(거부처분취소소송 포함), 처분변경소송, 재결취소소송, 재결변경소송, 그리고 판례상 인정되는 무효선언을 구하는 의미의 취소소송이 있다.

3 취소소송의 성질

취소소송 성질
▷ 형성소송

취소소송의 성질에 관하여 ① 유효한 처분 등의 효력을 소멸시키는 소송이라는 형성소송설, ② 처분의 위법성을 확인하는 소송이라는 확인소송설이 대립되나, 취소판결을 통하여 직접 처분 등의 취소·변경이라는 법률관계의 형성을 가져온다는 점에서 형성소송설이 타당하며 형성소송설이 통설과 판례의 입장이다.❶

❶ 위법한 행정처분의 취소를 구하는 소는 위법한 처분에 의하여 발생한 위법상태를 배제하여 원상으로 회복시키고 그 처분으로 침해되거나 방해받은 권리와 이익을 보호 구제하고자 하는 소송이므로 비록 그 위법한 처분을 취소한다 하더라도 원상회복이 불가능한 경우에는 그 취소를 구할 이익이 없다(대판 1992.4.24. 91누11131).

4 취소소송의 소송물

1. 소송물의 의의

소송물이란 심판의 대상이 되는 기본단위로서 소송의 객체를 말하는데, 법원은 원고가 소로써 청구한 것이 이유 있는지를 심판하게 되므로 소송물은 원고의 소송상의 청구를 말한다.

소송물
▷ 심판의 대상이 되는 기본단위
▷ 소송의 객체
▷ 원고의 소송상의 청구

소송물 범위
▷ 처분의 위법성 일반(통설·판례)

2. 취소소송에 있어서 소송물의 개념

「행정소송법」에는 취소소송의 소송물 개념에 대해 규정하고 있지 않은 바, 취소소송에 있어서 소송물이 무엇인지에 대해서 다음과 같이 견해가 대립한다.

취소소송의 소송물에 대하여 ① 처분의 위법성 일반으로 보는 견해(다수설), ② 처분 개개의 위법사유가 별개의 소송물이 된다고 보는 견해, ③ 처분의 위법성 및 처분의 취소를 구하는 원고의 법적 주장으로 보는 견해 등이 있다. 판례는 ①설의 입장이다(대판 2019.10.17. 2018두104).

> **관련판례**
>
> **처분 취소소송의 소송물은 그 취소원인이 되는 위법성 일반이다.** ★★
>
> 원래 과세처분이란 법률에 규정된 과세요건이 충족됨으로써 객관적, 추상적으로 성립한 조세채권의 내용을 구체적으로 확인하여 확정하는 절차로서, 과세처분취소소송의 소송물은 그 취소원인이 되는 위법성 일반이고 그 심판의 대상은 과세처분에 의하여 확인된 조세채무인 과세표준 및 세액의 객관적 존부이다(대판 1990.3.23. 89누5386).

과세처분 취소소송 소송물(판례)
▷ 처분의 위법성 일반

제2절 소송요건

1 개설

소송요건이란 본안심리를 하기 위하여 갖추어야 하는 요건, 즉 적법요건을 말하며, 취소소송의 소송요건으로는 ① 대상적격, ② 원고적격, ③ 협의의 소의 이익, ④ 피고적격, ⑤ 관할법원, ⑥ 제소기간, ⑦ 전심절차 등이 있다.

소송요건
▷ 본안심리를 하기 위하여 갖추어야 하는 요건(적법요건)

2 대상적격(처분 등의 존재)

취소소송은 처분 등(처분 및 행정심판의 재결)을 대상으로 한다(동법 제19조 전단). 여기서 '처분 등'이란 행정청이 행하는 구체적 사실에 관한 법집행으로서의 공권력의 행사 또는 그 거부와 그 밖에 이에 준하는 행정작용(이하 '처분'이라 한다) 및 행정심판의 재결을 말한다(동법 제2조). 따라서 취소소송의 대상은 처분과 재결이 된다. 이하에서는 양자를 나누어 논의하기로 한다.

> 「행정소송법」 제19조【취소소송의 대상】 취소소송은 처분 등을 대상으로 한다. 다만, 재결취소소송의 경우에는 재결 자체에 고유한 위법이 있음을 이유로 하는 경우에 한한다.
>
> 「행정소송법」 제2조【정의】 ① 이 법에서 사용하는 용어의 정의는 다음과 같다.
>   1. "처분 등"이라 함은 행정청이 행하는 구체적 사실에 관한 법집행으로서의 공권력의 행사 또는 그 거부와 그 밖에 이에 준하는 행정작용 및 행정심판에 대한 재결을 말한다.

1. 처분

(1) 처분의 의의

① 행정청의 어떤 행위가 항고소송의 대상이 되는 처분이 되기 위해서는 행정청이 공권력의 주체로서 행하는 구체적인 사실에 대한 법집행으로서 국민의 권리의무에 영향을 미치는 행위이어야 한다.

함께 정리하기

처분
▷ 행정청의 공법상 행위, 권리·의무에 직접적 변동을 초래하는 행위

행정처분인지 여부
▷ 개별적으로 결정

처분 여부
▷ 불이익 등 실질적 관련성 참작하여 개별적으로 판단

처분 여부
▷ 불이익 등 실질적 관련성 참작하여 개별적으로 판단
어떠한 처분에 법령상 근거가 있는지, 「행정절차법」에서 정한 처분 절차를 준수하였는지
▷ 본안단계에서 고려

관련판례

항고소송의 대상이 되는 행정처분의 의미 ★★

취소소송의 대상이 되는 행정처분은 행정청의 공법상의 행위로서 특정사항에 대하여 법규에 의한 권리의 설정 또는 의무의 부담을 명하거나 기타 법률상 효과를 발생하게 하는 등 국민의 구체적인 권리·의무에 직접적 변동을 초래하는 행위를 말한다(대판 2008.9.11. 2006두18362 ; 대판 2007.10.11. 2007두1316).

② 행정청의 어떤 행위가 처분에 해당하는지의 문제는 추상적·일반적으로 결정할 수 없고, 구체적인 경우에 개별적으로 결정하여야 한다.

관련판례

행정처분의 판단은 불이익과의 실질적 관련성 등을 참작하여 개별적으로 결정하여야 한다. ★★

행정청의 어떤 행위가 항고소송의 대상이 될 수 있는지의 문제는 추상적·일반적으로 결정할 수 없고, 구체적인 경우 행정처분은 행정청이 공권력의 주체로서 행하는 구체적 사실에 관한 법집행으로서 국민의 권리의무에 직접적으로 영향을 미치는 행위라는 점을 염두에 두고, 관련 법령의 내용과 취지, 그 행위의 주체·내용·형식·절차, 그 행위와 상대방 등 이해관계인이 입는 불이익과의 실질적 관련성, 그리고 법치행정의 원리와 당해 행위에 관련한 행정청 및 이해관계인의 태도 등을 참작하여 개별적으로 결정하여야 한다(대판 2010.11.18. 2008두167).

③ 어떠한 처분에 법령상 근거가 있는지, 「행정절차법」에서 정한 처분절차를 준수하였는지는 본안에서 당해 처분이 적법한가를 판단하는 단계에서 고려할 요소이지, 소송요건 심사단계에서 고려할 요소가 아니다.

관련판례

처분에의 법적 근거 유무, 처분절차 준수 여부는 본안에서 당해 처분이 적법한가를 판단하는 단계에서 고려할 요소이다. ★★

항고소송의 대상인 '처분'이란 "행정청이 행하는 구체적 사실에 관한 법집행으로서의 공권력의 행사 또는 그 거부와 그 밖에 이에 준하는 행정작용"(행정소송법 제2조 제1항 제1호)을 말한다. 행정청의 행위가 항고소송의 대상이 될 수 있는지는 추상적·일반적으로 결정할 수 없고, 구체적인 경우에 관련 법령의 내용과 취지, 그 행위의 주체·내용·형식·절차, 그 행위와 상대방 등 이해관계인이 입는 불이익 사이의 실질적 견련성, 법치행정의 원리와 그 행위에 관련된 행정청이나 이해관계인의 태도 등을 고려하여 개별적으로 결정하여야 한다. 또한 어떠한 처분에 법령상 근거가 있는지, 행정절차법에서 정한 처분절차를 준수하였는지는 본안에서 당해 처분이 적법한가를 판단하는 단계에서 고려할 요소이지, 소송요건 심사단계에서 고려할 요소가 아니다(대판 2020.1.16. 2019다264700).

④ 처분인지가 불분명한 경우에는 그에 대한 불복방법 선택에 중대한 이해관계를 가지는 상대방의 인식가능성과 예측가능성을 중요하게 고려하여야 한다.

관련판례

처분인지가 불분명한 경우에는 상대방의 인식가능성과 예측가능성을 중요하게 고려하여야 한다. ★★

행정청의 행위가 '처분'에 해당하는지가 불분명한 경우에는 그에 대한 불복방법 선택에 중대한 이해관계를 가지는 상대방의 인식가능성과 예측가능성을 중요하게 고려하여 규범적으로 판단하여야 한다(대판 2020.4.9. 2019두61137 ; 대판 2022.9.7. 2022두42365).

(2) 행정행위와 처분과의 관계에 관한 학설과 판례의 태도

「행정소송법」상의 처분개념이 실체법상의 처분의 개념인 강학상 행정행위의 개념과 동일한지에 관하여 논란이 있다.

① 학설
  ㉠ **실체법적 처분개념설(일원설)**: 실체법적 처분개념설은 「행정소송법」과 「행정심판법」의 '처분'의 개념은 실체법적 개념인 강학상의 '행정행위'의 개념과 동일하다고 본다. 이에 따르면 사실행위와 같은 여타의 행정작용은 취소소송의 대상이 되지 않는다.
  ㉡ **쟁송법적 처분개념설(이원설)**
    ⓐ 「행정소송법」과 「행정심판법」의 '처분'의 개념은 강학상 '행정행위'와 동일하지 않으며 쟁송법상의 '처분' 개념이 더 넓다고 본다(통설).
    ⓑ 이에 따르면 '그 밖에 이에 준하는 행정작용'에는 권력적 사실행위, 처분적 조례 등이 포함되며, 비권력적 사실행위라 할지라도 국민의 권익에 사실상의 지배력을 미치는 행위 등도 포함된다.

② 판례: 행정행위뿐 아니라 단수조치(대판 1972.12.28. 79누218)와 같은 권력적 사실행위 및 국가인권위원회의 성희롱결정 및 시정조치권고(대판 2005.7.8. 2005두487)와 같은 비권력적 사실행위를 처분으로 보았다는 점을 고려할 때, 쟁송법적 처분개념설을 취하고 있다고 보아야 한다.

(3) 처분의 개념요소

① **'행정청'의 행위일 것**: 「행정소송법」상 처분은 행정청이 행한다. 일반적으로 행정청이라 함은 행정주체의 의사를 결정하여 표시하는 국가 또는 지방자치단체의 기관을 의미하나, 「행정소송법」상 행정청의 개념은 실질적·기능적 의미로 사용되므로, 본래의 행정청으로부터 '법령에 의하여 행정권한의 위임 또는 위탁을 받은 행정기관·공공단체 및 그 기관 또는 사인'이 포함된다(동법 제2조 제2항).

관련판례

1 1-1. 한국수력원자력 주식회사는 공공기관운영법에 따른 '공기업'으로 지정됨으로써 공공기관운영법 제39조 제2항에 따라 입찰참가자격제한처분을 할 수 있는 권한을 부여받았으므로 '법령에 따라 행정처분권한을 위임받은 공공기관'으로서 행정청에 해당한다(대판 2020.5.28. 2017두66541). ★

1-2. 한국수력원자력 주식회사가 자신의 '공급자관리지침'에 근거하여 등록된 공급업체에 대하여 하는 '등록취소 및 그에 따른 일정 기간의 거래제한조치'는 행정청이 행하는 구체적 사실에 관한 법집행으로서의 공권력의 행사인 '처분'에 해당한다(대판 2020.5.28. 2017두66541). ★★

함께 정리하기

법률상 부여받은 행정작용권한 행사인 대한주택공사의 택지개발사업·이주대책에 관한 처분
▷ 행정처분 O

상대방의 권리를 제한하는 행위이지만 행정청 또는 그 소속기관이나 권한을 위임받은 공공단체 등의 행위가 아닌 경우
▷ 행정처분 ×

한국마사회 조교사·기수면허 부여·취소
▷ 행정처분 ×(∵위탁받은 행정권한행사×)

지방의회의 의원징계의결
▷ 행정처분 O

지방의회 의장선거
▷ 행정처분 O

지방의회의 불신임결의
▷ 행정처분 O

구체적 사실에 관한 행위
▷ 개별적·구체적으로 대외적 효력을 갖는 법적 행위

---

② 대한주택공사가 관계법령에 따른 사업을 시행하는 경우 법률상 부여받은 행정작용권한을 행사하는 것으로 보아야 할 것이므로 같은 공사가 시행한 택지개발사업 및 이에 따른 이주대책에 관한 처분은 항고소송의 대상이 된다(대판 1992.11.27. 92누3618). ★

③ 상대방의 권리를 제한하는 행위라 하더라도 행정청 또는 그 소속기관이나 권한을 위임받은 공공기관의 행위가 아닌 한 이를 행정처분이라고 할 수 없다. ★★
(한국마사회의 조교사 및 기수 면허 부여 또는 취소가 행정처분인지 여부) 한국마사회가 조교사 또는 기수의 면허를 부여하거나 취소하는 것은 경마를 독점적으로 개최할 수 있는 지위에서 우수한 능력을 갖추었다고 인정되는 사람에게 경마에서의 일정한 기능과 역할을 수행할 수 있는 자격을 부여하거나 이를 박탈하는 것에 지나지 아니하므로, 이는 국가 기타 행정기관으로부터 위탁받은 행정권한의 행사가 아니라 일반 사법상의 법률관계에서 이루어지는 단체 내부에서의 징계 내지 제재처분이다(대판 2008.1.31. 2005두8269).

㉠ 행정청에는 단독기관뿐 아니라 합의제 행정기관(예 토지수용위원회, 공정거래위원회, 중앙노동위원회 등)도 포함된다.
㉡ 법원이나 국회도 소속공무원에 대한 임면과 징계 등 행정에 관한 의사를 외부적으로 표시할 수 있는 한도 내에서는 행정청이 될 수 있다.
㉢ 지방의회도 지방의회의원을 징계할 때에는 행정청에 해당할 수 있다.

> **관련판례**
>
> ① 지방의회의 의원징계의결은 행정처분으로서 항고소송의 대상이 된다. ★★
> 지방의회의 의원징계의결은 그로 인해 의원의 권리에 직접 법률효과를 미치는 행정처분의 일종으로서 행정소송의 대상이 된다(대판 1993.11.26. 93누7341).
>
> ② 지방의회의 의장선거는 행정처분으로서 항고소송의 대상이 된다. ★★
> 지방의회의 의사를 결정·공표하여 그 당선자에게 이와 같은 의장으로서의 직무권한을 부여하는 지방의회의 의장선거는 행정처분의 일종으로서 항고소송의 대상이 된다(대판 1995.1.12. 94누2602).
>
> ③ 지방의회 의장에 대한 불신임의결은 행정처분으로서 항고소송의 대상이 된다. ★★★
> 지방의회를 대표하고 의사를 정리하며 회의장 내의 질서를 유지하고 의회의 사무를 감독하며 위원회에 출석하여 발언할 수 있는 등의 직무권한을 가지는 지방의회 의장에 대한 불신임의결은 의장으로서의 권한을 박탈하는 행정처분의 일종으로서 항고소송의 대상이 된다(대결 1994.10.11. 94두23).

② 구체적 사실에 대한 법집행으로서 공권력의 행사
㉠ '구체적 사실'에 관한 행위일 것
ⓐ '구체적 사실'에 관한 행위란 개별적·구체적으로 대외적 효력을 갖는 법적 행위를 말한다. 따라서 국민의 권리·의무에 직접적인 변동을 초래하지 않는 일반적·추상적 규율로서 법정립작용인 행정입법(법규명령, 행정규칙)은 원칙적으로 처분이 아니다. 다만, 행정입법도 구체적 성질을 갖는다면 처분성이 인정될 수 있다.

관련판례

1 구 산업집적활성화 및 공장설립에 관한 법률에 따른 산업단지 입주변경계약의 취소는 행정처분에 해당한다. ★★

피고 공단(성남산업단지관리공단)의 지위, 입주계약 및 변경계약의 효과, 입주계약 및 변경계약 체결 의무와 그 의무를 불이행한 경우의 형사적 내지 행정적 제재, 입주계약 해지의 절차, 해지통보에 수반되는 법적 의무 및 그 의무를 불이행한 경우의 형사적 내지 행정적 제재 등을 종합적으로 고려하면, 이 사건 입주변경계약 취소(산업단지입주변경계약의 취소)는 행정청인 관리권자로부터 관리 업무를 위탁받은 피고 공단이 우월적 지위에서 원고들에게 일정한 법률상 효과를 발생하게 하는 것으로서 항고소송의 대상이 되는 행정처분에 해당한다(대판 2017.6.15. 2014두46843).

2 구 산업집적활성화 및 공장설립에 관한 법률에 따른 산업단지 입주계약의 해지통보는 행정처분에 해당한다(대판 2011.6.30. 2010두23859).

3 조달청이 계약상대자에 대하여 나라장터 종합쇼핑몰에서의 거래를 일정기간 정지하는 조치는 행정처분에 해당한다. ★★

(甲 주식회사가 조달청과 물품구매계약을 체결하고 국가종합전자조달시스템인 나라장터 종합쇼핑몰 인터넷 홈페이지를 통해 요구받은 제품을 수요기관에 납품하였는데, 조달청이 계약이행내역 점검 결과 일부 제품이 계약 규격과 다르다는 이유로 물품구매계약 추가특수조건 규정에 따라 甲 회사에 대하여 6개월의 나라장터 종합쇼핑몰 거래정지 조치를 한 사안에서) 조달청이 계약상대자에 대하여 나라장터 종합쇼핑몰에서의 거래를 일정기간 정지하는 조치는 비록 추가특수조건이라는 사법상 계약에 근거한 것이지만 행정청인 조달청이 행하는 구체적 사실에 관한 법집행으로서의 공권력의 행사로서 그 상대방인 甲 회사의 권리·의무에 직접 영향을 미치므로 항고소송의 대상이 되는 행정처분에 해당한다(대판 2018.11.29. 2015두52395 ; 대판 2018.11.29. 2017두34940).

4 중소기업자 간 경쟁입찰 참여대상 대상기업에 해당하는 경우 물량 배정을 중지하겠다는 내용의 통보는 항고소송의 대상이 되는 처분이다. ★

조달청장이 '중소기업제품 구매촉진 및 판로지원에 관한 법률 제8조의2 제1항에 해당하는 자는 입찰 참여를 제한하고, 계약체결 후 해당 기업으로 확인될 경우 계약해지 및 기 배정한 물량을 회수한다'는 내용의 레미콘 연간 단가계약을 위한 입찰공고를 하고 입찰에 참가하여 낙찰받은 甲 주식회사 등과 레미콘 연간 단가계약을 각 체결하였는데, 甲 회사 등으로부터 중소기업청장이 발행한 참여제한 문구가 기재된 중소기업 확인서를 제출받고 甲 회사 등에 '중소기업자 간 경쟁입찰 참여제한 대상기업에 해당하는 경우 물량 배정을 중지하겠다'는 내용의 통보를 한 사안에서, 중소기업제품 구매촉진 및 판로지원에 관한 법률 제6조 제1항, 제7조 제1항, 구 중소기업제품 구매촉진 및 판로지원에 관한 법률(2014.3.18. 법률 제12499호로 개정되기 전의 것, 이하 '구 판로지원법'이라 한다) 제8조의2 제1항 제2호, 중소기업제품 구매촉진 및 판로지원에 관한 법률 시행령 제9조의3 제2호 다목의 규정 체계 및 내용, 입찰공고 및 '물품구매계약 추가 특수조건'의 내용과 구판로지원법 제8조의2 제1항은 조달청장과 같은 '공공기관의 장'이 경쟁입찰 참여제한 처분의 주체임을 명시하고 있고, 조달청장은 甲 회사 등이 대기업과 지배 또는 종속의 관계에 있다고 최종적으로 판단하여, 위 법률 조항에 의한 집행행위로서 통보를 한 점, 甲 회사 등은 위 통보로 구 판로지원법 제8조의2 제1항, 같은 법 시행령 제9조의3에 따라 중소기업자 간 경쟁입찰에 참여할 수 있는 자격을 획득할 때까지 물량 배정을 받을 수 없게 되고 이는 甲 회사 등의 권리·의무에 직접적인 영향을 미치는 법적 불이익에 해당하는 점 등을 종합하면, 위 통보가 중소기업청장의 확인처분과 구 판로지원법 제8조의2 제1항 등에 근거한 후속 집행행위로서 상대방인 甲 회사 등의 권리·의무에도 직접 영향을 미치므로, 행정청인 조달청장이 행하는 구체적 사실에 관한 법 집행으로서의 공권력의 행사이고 따라서 항고소송의 대상이 된다고 한 사례(대판 2019.5.10. 2015두46987)

함께 정리하기

산업단지관리공단이 구「산업집적활성화 및 공장설립에 관한 법률」제38조 제2항에 따른 입주변경계약의 취소
▷ 행정처분○

나라장터 종합쇼핑몰 거래정지처분
▷ 행정처분○

중소기업자 간 경쟁입찰 참여대상 대상기업에 해당하는 경우 물량 배정을 중지하겠다는 내용의 통보
▷ 행정처분○

 **함께 정리하기**

항공노선에 대한 운수권배분처분
▷ 행정처분 O

5 항공노선에 대한 운수권배분처분은 행정처분에 해당한다. ★★★

[1] 어떠한 처분의 근거가 행정규칙에 규정되어 있다고 하더라도, 그 처분이 상대방에게 권리의 설정 또는 의무의 부담을 명하거나 기타 법적인 효과를 발생하게 하는 등으로 그 상대방의 권리의무에 직접 영향을 미치는 행위라면, 이 경우에도 항고소송의 대상이 되는 행정처분에 해당한다.

[2] 정부 간 항공노선의 개설에 관한 잠정협정 및 비밀양해각서와 건설교통부 내부지침에 의한 항공노선에 대한 운수권배분처분이 항고소송의 대상이 되는 행정처분에 해당한다(대판 2004.11.26. 2003두10251 · 10268).

검찰총장이 대검찰청 자체감사규정 등에 근거하여 검사에 대하여 하는 경고조치
▷ 행정처분 O

6 대검찰청 내부규정에 근거한 검찰총장의 검사에 대한 '경고조치'는 항고소송의 대상이 되는 처분이다. ★★★

검사에 대한 경고조치 관련 규정을 위 법리에 비추어 살펴보면, 검찰총장이 사무검사 및 사건평정을 기초로 대검찰청 자체감사규정 제23조 제3항, 검찰공무원의 범죄 및 비위 처리지침 제4조 제2항 제2호 등에 근거하여 검사에 대하여 하는 '경고조치'는 일정한 서식에 따라 검사에게 개별 통지를 하고 이의신청을 할 수 있으며, 검사가 검찰총장의 경고를 받으면 1년 이상 감찰관리 대상자로 선정되어 특별관리를 받을 수 있고, 경고를 받은 사실이 인사자료로 활용되어 복무평정, 직무성과금 지급, 승진·전보인사에서도 불이익을 받게 될 가능성이 높아지며, 향후 다른 징계사유로 징계처분을 받게 될 경우에 징계양정에서 불이익을 받게 될 가능성이 높아지므로, 검사의 권리 의무에 영향을 미치는 행위로서 항고소송의 대상이 되는 처분이라고 보아야 한다(대판 2021.2.10. 2020두47564).

의료기관의 명칭표시판에 진료과목을 함께 표시하는 경우 글자 크기를 제한하고 있는 구 「의료법 시행규칙」
▷ 행정처분 X

7 의료기관의 명칭표시판에 진료과목을 함께 표시하는 경우 글자 크기를 제한하고 있는 구 의료법 시행규칙은 행정처분이 아니다. ★★

의료기관의 명칭표시판에 진료과목을 함께 표시하는 경우 글자 크기를 제한하고 있는 구 의료법 시행규칙 제31조가 그 자체로서 국민의 구체적인 권리의무나 법률관계에 직접적인 변동을 초래하지 아니하므로 항고소송의 대상이 되는 행정처분이라고 할 수 없다(대판 2007.4.12. 2005두15168).

일반처분
▷ 특정사건 규율 시 행정처분 O

ⓑ 일반처분은 불특정 다수인을 그 대상으로 하지만 구체적인 법적 효과를 발생시키므로 행정처분에 해당한다.

🔨 **관련판례**

청소년유해매체물 결정·고시처분
▷ 일반 불특정다수인을 상대방으로 한 행정처분(일반처분)

❶ 「청소년보호법」제21조 (청소년유해매체물 결정 등의 통보·고시)
② 여성가족부장관은 청소년보호위원회와 각 심의기관이 결정, 확인 또는 결정 취소한 청소년유해매체물의 목록과 그 사유 및 효력발생시기를 구체적으로 밝힌 목록표를 고시하여야 한다.

1 청소년유해매체물 결정 및 고시처분은 일반 불특정 다수인을 상대방으로 하여 일률적으로 각종 의무를 발생시키는 행정처분이다. ★★★

구 청소년보호법에 따른 청소년보호위원회의 청소년유해매체물의 결정 및 고시처분❶은 당해 유해매체물의 소유자 등 특정인만을 대상으로 한 행정처분이 아니라 일반 불특정 다수인을 상대방으로 하여 일률적으로 표시의무, 포장의무, 청소년에 대한 판매·대여 금지의무 등 각종 의무를 발생시키는 행정처분이다(대판 2007.6.14. 2004두619).

코로나19 예방을 위한 영업시간 제한·거리두기에 관한 서울특별시고시
▷ 행정처분 O

2 코로나19 예방을 위한 영업시간 제한·거리두기에 관한 서울특별시고시는 항고소송의 대상인 행정처분에 해당한다. ★★

[1] 코로나바이러스감염증-19(이하 '코로나19'라고 한다)의 예방을 위하여 음식점 및 PC방 운영자 등에게 영업시간을 제한하거나 이용자 간 거리를 둘 의무를 부여하는 서울특별시고시들(이하 '심판대상고시'라고 한다)에 대한 심판청구가 보충성 요건을 충족하지 않는다.

[2] 심판대상고시는 관내 음식점 및 PC방의 관리자·운영자들에게 일정한 방역수칙을 준수할 의무를 부과하는 것으로서, 피청구인 서울특별시장은 구 감염병예방법 제49조 제1항 제2호에 근거하여 행정처분을 발하려는 의도에서 심판대상고시를 발령한 것이다. 그러므로 심판대상고시는 항고소송의 대상인 행정처분에 해당한다. 심판대상고시의 효력기간이 경과하여 그 효력이 소멸하였으므로, 이를 취소하더라도 그 원상회복은 불가능하다. 그러나 피청구인은 심판대상고시의 효력이 소멸한 이후에도 2022.4.경 코로나19 방역조치가 종료될 때까지 심판대상고시와 동일·유사한 방역조치를 시행하여 왔고, 향후 다른 종류의 감염병이 발생할 경우 피청구인은 그 감염병의 확산을 방지하기 위하여 심판대상고시와 동일·유사한 방역조치를 취할 가능성도 있다. 그렇다면 심판대상고시와 동일·유사한 방역조치가 앞으로도 반복될 가능성이 있고 이에 대한 법률적 해명이 필요한 경우에 해당하므로 예외적으로 그 처분의 취소를 구할 소의 이익이 인정되는 경우에 해당한다. 그렇다면 심판대상고시는 항고소송의 대상이 되는 행정처분에 해당하고 그 취소를 구할 소의 이익이 인정된다. 따라서 이에 대한 다툼은 우선 행정심판이나 행정소송이라는 구제절차를 거쳤어야 함에도, 이 사건 심판청구는 이러한 구제절차를 거치지 아니하고 제기된것이므로 보충성 요건을 충족하지 못하였다(헌재 2023.5.25. 2021헌마21).

ⓒ '법집행' 행위일 것

ⓐ 법집행 행위란 국민의 구체적인 권리·의무에 외부적·직접적인 변동을 가져오는 행위이므로 행정기관의 내부적 행위(예 직무명령, 다른 행정청의 동의 등)나 법적 행위가 아닌 알선, 권고, 지도와 같은 사실행위는 원칙적으로 처분에 해당하지 않는다.

관련판례

1 행정청 내부에서의 행위나 알선, 권유, 사실상의 통지 등과 같이 상대방 또는 기타 관계자들의 법률상 지위에 직접적인 법률적 변동을 일으키지 아니하는 행위는 항고소송의 대상이 될 수 없다. ★★

국민건강보험공단이 甲 등에게 '직장가입자 자격상실 및 자격변동 안내' 통보 및 '사업장 직권탈퇴에 따른 가입자 자격상실 안내' 통보를 한 사안에서, 국민건강보험 직장가입자 또는 지역가입자 자격 변동은 법령이 정하는 사유가 생기면 별도 처분 등의 개입 없이 사유가 발생한 날부터 변동의 효력이 당연히 발생하므로, 국민건강보험공단이 甲 등에 대하여 가입자 자격이 변동되었다는 취지의 '직장가입자 자격상실 및 자격변동 안내' 통보를 하였거나, 그로 인하여 사업장이 국민건강보험법상의 적용대상사업장에서 제외되었다는 취지의 '사업장 직권탈퇴에 따른 가입자 자격상실 안내' 통보를 하였더라도, 이는 甲 등의 가입자 자격의 변동 여부 및 시기를 확인하는 의미에서 한 사실상 통지행위에 불과할 뿐, 위 각 통보에 의하여 가입자 자격이 변동되는 효력이 발생한다고 볼 수 없고, 또한 위 각 통보로 甲 등에게 지역가입자로서의 건강보험료를 납부하여야 하는 의무가 발생함으로써 甲 등의 권리의무에 직접적 변동을 초래하는 것도 아니라는 이유로, 위 각 통보의 처분성이 인정되지 않는다고 보아 그 취소를 구하는 甲 등의 소를 모두 각하한 원심판단이 정당하다고 한 사례(대판 2019.2.14. 2016두41729)

2 상급행정기관의 하급행정기관에 대한 승인·동의·지시 등은 행정기관 상호간의 내부행위로서 국민의 권리·의무에 직접 영향을 미치는 것이 아니므로 항고소송의 대상이 되는 행정처분에 해당한다고 볼 수 없다(대판 2008.5.15. 2008두2583). ★★

법집행 행위
▷ 행정기관 내부행위✕ (예 직무명령, 다른 행정청의 동의 등)
▷ 사실행위(알선, 권고, 지도)는 행정처분✕

행정청 내부에서의 행위나 알선, 권유, 사실상의 통지 등
▷ 행정처분✕

행정기관 내부 지시·통보, 권한의 위임·위탁
▷ 행정처분✕

 **함께 정리하기**

병역의무 기피를 이유로 한 인적사항 공개대상자에 관한 할 지방병무청장의 1차 공개결정 ▷ 항고소송의 대상 ×	

3 관할 지방병무청장이 병역의무 기피를 이유로 그 인적사항 등을 공개할 대상자를 1차로 결정하고 그에 이어 병무청장의 최종 공개결정이 있는 경우, 지방병무청장의 1차 공개결정은 행정기관 내부의 중간적 결정에 불과하므로 병무청장의 최종 공개결정과는 별도로 항고소송의 대상이 되지 않는다(대판 2019.6.27. 2018두49130). (→ 그러나 병무청장이 병역법 제81조의2 제1항에 따라 병역의무 기피자의 인적사항 등을 인터넷 홈페이지에 게시하는 등의 방법으로 공개한 경우 병무청장의 공개결정은 항고소송의 대상이 되는 행정처분으로 보아야 한다) ★★★

감사원의 징계 요구와 그에 대한 재심의결정
▷ 행정처분 ×

4 감사원의 징계 요구와 그에 대한 재심의결정은 행정처분에 해당하지 아니한다. ★★★

(甲 시장이 감사원으로부터 감사원법 제32조에 따라 소속 공무원 乙에 대하여 징계의 종류를 정직으로 정한 징계 요구를 받게 되자 감사원법 제36조 제2항에 따라 감사원에 징계 요구에 대한 재심의를 청구하였고, 감사원이 재심의청구를 기각하자 乙이 감사원의 징계 요구와 그에 대한 재심의결정의 취소를 구하고 甲 시장이 감사원의 재심의결정 취소를 구하는 소를 제기한 사안에서) 징계 요구는 징계 요구를 받은 기관의 장이 요구받은 내용대로 처분하지 않더라도 불이익을 받는 규정도 없고, 징계 요구 내용대로 효과가 발생하는 것도 아니며, 징계 요구에 의하여 행정청이 일정한 행정처분을 하였을 때 비로소 이해관계인의 권리관계에 영향을 미칠 뿐, 징계 요구 자체만으로는 징계 요구 대상 공무원의 권리·의무에 직접적인 변동을 초래하지도 아니하므로, 행정청 사이의 내부적인 의사결정의 경로로서 '징계 요구, 징계 절차 회부, 징계'로 이어지는 과정에서의 중간처분에 불과하여, 감사원의 징계 요구와 재심의결정이 항고소송의 대상이 되는 행정처분이라고 할 수 없다(대판 2016.12.27. 2014두5637).

시험승진후보자명부의 성명삭제
▷ 행정처분 ×

5 시험승진후보자명부에서의 등재자 성명 삭제행위는 행정처분이 아니다. ★★

(경찰공무원시험승진후보자명부에 등재된 자가 승진임용되기 전에 감봉 이상의 징계처분을 받은 경우, 임용권자가 당해인을 시험승진후보자명부에서 삭제한 행위는 행정처분이 되는지 여부) 시험승진후보자명부에서의 삭제행위는 결국 그 명부에 등재된 자에 대한 승진 여부를 결정하기 위한 행정청 내부의 준비과정에 불과하고, 그 자체가 어떠한 권리나 의무를 설정하거나 법률상 이익에 직접적인 변동을 초래하는 별도의 행정처분이 된다고 할 수 없다(대판 1997.11.14. 97누7325).

각 군 참모총장의 명예전역수당대상자 추천
▷ 행정처분 ×

6 각 군 참모총장이 '군인 명예전역수당 지급대상자 결정절차'에서 국방부장관에게 수당 지급대상자를 추천하거나 신청자 중 일부를 추천하지 않는 행위는 항고소송의 대상이 되는 처분이 아니다(대판 2009.12.10. 2009두14231). ★★

금융감독위원회의 부실금융기관 파산신청
▷ 행정처분 ×

7 부실금융기관에 대한 금융감독위원회의 파산신청은 행정처분이 아니다. ★★

금융감독위원회는 부실금융기관에 대하여 파산을 신청할 수 있는 권한을 보유하고 있는바 위 파산신청은 그 성격이 법원에 대한 재판상 청구로서 그 자체가 국민의 권리·의무에 어떤 영향을 미치는 것이 아닐뿐만 아니라, 파산법원이 관할하는 파산절차 내에서 그 신청의 적법 여부 등을 다투어야 할 것이므로, 위와 같은 금융감독위원회의 파산신청은 행정소송법상 취소소송의 대상이 되는 행정처분이라 할 수 없다(대판 2006.7.28. 2004두13219).

정부투자기관에 대한 기재부장관의 예산편성지침통보
▷ 행정처분 ×

8 기재부장관의 정부투자기관에 대한 예산편성지침 통보는 처분이 아니다. ★

정부투자기관관리기본법 제21조의 규정에 따른 기획재정부장관의 정부투자기관에 대한 예산편성지침통보는 정부투자기관의 경영합리화와 정부투자의 효율적 관리를 도모하기 위한 것으로서 그에 대한 감독작용에 해당할 뿐 이를 행정소송의 대상이 되는 행정처분이라고 할 수 없다(대판 1993.9.14. 93누9163).

9 공정거래위원회의 고발조치·의결은 행정처분이 아니다. ★★★

공정거래위원회의 고발조치는 사직 당국에 대하여 형벌권 행사를 요구하는 행정기관 상호간의 행위에 불과하여 항고소송의 대상이 되는 행정처분이라 할 수 없으며, 더욱이 공정거래위원회의 고발 의결은 행정청 내부의 의사결정에 불과할 뿐 최종적인 처분은 아닌 것이므로 이 역시 항고소송의 대상이 되는 행정처분이 되지 못한다(대판 1995.5.12. 94누13794).

10 국세기본법에 따른 세무서장의 국세환급금결정이나 환급거부결정은 처분이 아니다. ★★★

국세환급금결정이나 이 결정을 구하는 신청에 대한 환급거부결정은 납세의무자가 갖는 환급 청구권의 존부나 범위에 구체적이고 직접적인 영향을 미치는 처분이 아니어서 항고소송의 대상이 되는 처분이라고 볼 수 없다(대판 1989.6.15. 88누6436 ; 대판 2009.11.26. 2007두4018 ; 대판 2010.2.25. 2007두18284).

11 법인세 과세표준결정·손금불산입처분은 항고소송의 대상이 아니다(↔과세처분은 행정처분). ★★

세무서장의 법인세 과세표준결정이나 손금불산입처분은 법인세 과세처분에 앞선 결정으로서 그로 인하여 바로 과세처분의 효력이 발생하는 것이 아니고 또 후일에 이에 의한 법인세 과세처분이 있을 때에 그 부과처분을 다툴 수 있는 방법이 없는 것도 아니므로, 법인세 과세표준결정이나 손금불산입처분은 항고소송의 대상이 되는 행정처분이라고는 할 수 없다(대판 1996.9.24. 95누12842).

12 병역법상 군의관이 하는 신체등위판정은 행정처분이 아니다. ★★★

병역법상 신체등위판정은 행정청이라고 볼 수 없는 군의관이 하도록 되어 있으며, 그 자체만으로 바로 병역법상의 권리의무가 정하여지는 것이 아니라 그에 따라 지방병무청장이 병역처분을 함으로써 비로소 병역의무의 종류가 정하여지는 것이므로 항고소송의 대상이 되는 행정처분이라 보기 어렵다(대판 1993.8.27. 93누3356).

> **비교** 산업재해보상보험법상 장해보상금결정의 기준이 되는 장해등급결정은 행정처분이다. ★★
> (장해등급결정처분의 처분성을 인정하여 본안판단을 한 사례) 산업재해보상보험법상 장해급여는 근로자가 업무상의 사유로 부상을 당하거나 질병에 걸려 치료를 종결한 후 신체 등에 장해가 있는 경우 그 지급 사유가 발생하고, 그때 근로자는 장해급여 지급청구권을 취득하므로, 장해급여 지급을 위한 장해등급 결정 역시 장해급여 지급청구권을 취득할 당시, 즉 그 지급 사유 발생 당시의 법령에 따르는 것이 원칙이다(대판 2007.2.22. 2004두12957).

13 운전면허 행정처분처리대장상 '벌점'의 배점은 처분이 아니다. ★★

운전면허 행정처분처리대장상 벌점의 배점은 자동차운전면허의 취소, 정지처분의 기초자료로 제공하기 위한 것이고 그 배점 자체만으로는 아직 국민에 대하여 구체적으로 어떤 권리를 제한하거나 의무를 명하는 등 법률적 규제를 하는 효과를 발생하는 요건을 갖춘 것이 아니어서 그 무효확인 또는 취소를 구하는 소송의 대상이 되는 행정처분이라고 할 수 없다(대판 1994.8.12. 94누2190).

14 교육부장관이 시·도 교육감에게 통보한 대학입시기본계획 내의 내신성적 산정지침은 항고소송의 대상이 되는 행정처분이 아니다. ★★★

교육부장관이 내신성적 산정기준의 통일을 기하기 위해 대학입시기본계획의 내용에서 내신성적 산정기준에 관한 시행지침을 마련하여 시·도 교육감에서 통보한 것은 행정조직 내부에서 내신성적 평가에 관한 내부적 심사기준을 시달한 것에 불과하며, 그것만으로는 현실적으로 특정인의 구체적인 권리의무에 직접적으로 변동을 초래케 하는 것은 아니라 할 것이어서 내신성적 산정지침을 항고소송의 대상이 되는 행정처분으로 볼 수 없다(대판 1994.9.10. 94두33).

함께 정리하기

공정거래위원회의 고발조치·의결
▷ 행정처분 ✕

세무서장의 국세환급금결정·환급거부결정
▷ 행정처분 ✕

법인세 과세표준결정·손금불산입처분
▷ 행정처분 ✕

군의관의 신체등위판정
▷ 행정처분 ✕

지방병무청장의 병역처분
▷ 행정처분 ○

「산업재해보상보험법」상 장해보상금 결정의 기준이 되는 장애등급결정
▷ 행정처분 ○

운전면허 벌점의 배점
▷ 행정처분 ✕

대학입시기본계획 내의 내신성적 산정지침
▷ 행정처분 ✕

함께 정리하기

권한 없는 국가보훈처장의 훈격재심사계획에 관한 회신
▷ 행정처분×

15 상훈대상자를 결정할 권한이 없는 국가보훈처장이 기포상자에게 훈격재심사계획이 없다고 한 회신은 단순한 사실행위에 불과하다(대판 1989.1.24. 88누3116). ★★

ⓑ 그러나 내부행위라도 그로써 실질적으로 국민의 권리가 제한되거나 의무가 부과되면 항고소송의 대상이 되는 처분성이 인정된다.

관련판례

1 교육공무원법상 승진후보자 명부에 의한 승진심사 방식으로 행해지는 승진임용에서 승진후보자 명부에 포함되어 있던 후보자를 승진임용인사발령에서 제외하는 행위는 불이익처분으로 항고소송의 대상인 처분에 해당한다(대판 2018.3.27. 2015두47492). ★★★

승진임용인사발령에서 제외하는 행위
▷ 항고소송의 대상인 처분○

2 교육부장관이 대학에서 추천한 복수의 총장 후보자들 전부 또는 일부를 임용제청에서 제외하는 행위는 행정처분에 해당한다. ★★★
대학의 추천을 받은 총장 후보자는 교육부장관으로부터 정당한 심사를 받을 것이라는 기대를 하게 된다. 만일 교육부장관이 자의적으로 대학에서 추천한 복수의 총장 후보자들 전부 또는 일부를 임용제청하지 않는다면 대통령으로부터 임용을 받을 기회를 박탈하는 효과가 있다. 이를 항고소송의 대상이 되는 처분으로 보지 않는다면, 침해된 권리 또는 법률상 이익을 구제받을 방법이 없다. 따라서 교육부장관이 대학에서 추천한 복수의 총장 후보자들 전부 또는 일부를 임용제청에서 제외하는 행위는 제외된 후보자들에 대한 불이익처분으로서 항고소송의 대상이 되는 처분에 해당한다고 보아야 한다. 다만, 교육부장관이 특정 후보자를 임용제청에서 제외하고 다른 후보자를 임용제청함으로써 대통령이 임용제청된 다른 후보자를 총장으로 임용한 경우에는, 임용제청에서 제외된 후보자는 대통령이 자신에 대하여 총장 임용 제외처분을 한 것으로 보아 이를 다투어야 한다.❶ 이러한 경우에는 교육부장관의 임용제청 제외처분을 별도로 다툴 소의 이익이 없어진다(대판 2018.6.15. 2016두57564).

교육부장관이 대학에서 추천한 복수의 총장 후보자들 전부 또는 일부를 임용제청에서 제외하는 행위
▷ 행정처분○

교육부장관이 특정 후보자를 임용제청에서 제외하고 다른 후보자를 임용제청함으로써 대통령이 임용제청된 다른 후보자를 총장으로 임용한 경우, 임용제청에서 제외된 후보자가 행정소송으로 다툴 처분
▷ 교육부장관의 임용제청 제외처분×
▷ 대통령의 임용 제외처분○

❶ 대통령의 처분의 경우 소속 장관이 행정소송의 피고가 된다(「국가공무원법」 제16조 제2항).

3 노동조합법에 따른 노동조합규약의 변경보완시정명령은 행정처분에 해당한다. ★
노동조합규약의 변경보완시정명령은 조합규약의 내용이 구 노동조합법에 위반된다고 보아 구체적 사실에 관한 법집행으로서 같은 법 제16조 소정의 명령권을 발동하여 조합규약의 해당 조항을 지적된 법률조항에 위반되지 않도록 적절히 변경·보완할 것을 명하는 노동행정에 관한 행정관청의 의사를 조합에게 직접 표시한 것이므로 행정소송법 제2조 제1항에서 규정하고 있는 행정처분에 해당된다(대판 1993.5.11. 91누10787).

행정관청의 노동조합규약의 변경·보완시정명령
▷ 행정처분○

ⓒ '공권력'의 행사일 것
ⓐ '공권력 행사'란 행정청이 우월한 공권력의 주체로서 국민에 대하여 일방적으로 명령하고 강제하는 행위, 즉 권력적 행위를 말한다.
ⓑ 따라서 공권력의 행사가 아닌 의사표시의 합치에 의하여 성립하는 공법상 계약이나 행정청이 행하는 사법상 행위는 처분성이 인정되지 않는다.

공권력 행사
▷ 권력적 행위

공법상 계약·행정청의 사법상 행위
▷ 처분성 부정

관련판례

국유재산법상 국유재산 무단점유자에 대한 변상금부과처분은 행정처분이다. ★★★
국유재산의 관리청이 그 무단점유자에 대하여 하는 변상금부과처분은 순전히 사경제주체로서 행하는 사법상의 법률행위라 할 수 없고, 이는 관리청이 공권력을 가진 우월적 지위에서 행한 것으로서 행정소송의 대상이 되는 행정처분이라고 보아야 한다(대판 1988.2.23. 87누1046).

국유재산 무단점유자에 대한 변상금부과처분
▷ 행정처분○

③ 공권력 행사의 거부
  ㉠ 거부처분의 의의: '공권력 행사의 거부'는 곧 거부처분을 의미한다. 거부처분은 처분을 구하는 당사자의 신청에 대하여 처분의 발령을 거부하는 행정청의 행정작용을 말한다.
  ㉡ 부작위와 구별
    ⓐ 거부처분은 처분의 신청에 대한 거절의 의사표시라는 점에서 처음부터 아무런 의사를 표시하지 않는 부작위와 구별된다.
    ⓑ 다만, 법령에서 일정기간의 경과에 따라 거부가 있는 것으로 간주하는 간주거부와 묵시적 거부는 거부처분에 포함된다. 따라서 판례는 검사임용판례에서 거부의 의사표시를 하지 않았더라도 신청인이 거부된 사실을 알았거나 알 수 있었을 때에는 거부처분이 있는 것으로 볼 수 있다고 판시하였다(대판 1991.2.12. 90누5825).
  ㉢ 거부행위가 처분이 되기 위한 요건: 신청인의 신청에 대한 거부행위가 처분이 되기 위하여는 ⓐ 신청한 행위가 공권력의 행사 또는 이에 준하는 행정작용이어야 하고, ⓑ 거부행위가 신청인의 법률관계에 어떠한 변동을 일으키는 것이어야 하며, ⓒ 국민에게 행위발동을 요구할 법규상 또는 조리상의 신청권이 있어야 한다(대판 2017.6.15. 2013두2945 ; 대판 2009.9.10. 2007두20638).
    ⓐ 신청한 행위가 공권력의 행사 또는 이에 준하는 행정작용일 것: 신청한 행위가 '공권력의 행사 또는 이에 준하는 행정작용'이라는 것은 신청의 대상이 된 행위가 행정처분이어야 한다는 것이다. 따라서 사법행위에 해당하는 지방자치단체장이 국유 잡종재산(일반재산)을 대부하여 달라는 신청을 거부한 행위는 행정처분이 아니다(대판 1998.9.22. 98두7602).
    ⓑ 거부행위가 신청인의 법률관계에 어떤 변동을 일으킬 것: '신청인의 법률관계에 어떤 변동을 일으키는 것'의 의미는 신청인의 실체상의 권리관계에 직접적인 변동을 일으키는 것은 물론, 그렇지 않다 하더라도 신청인이 실체상의 권리자로서 권리를 행사함에 중대한 지장을 초래하는 것도 포함한다(대판 2007.10.11. 2007두1316).
    ⓒ 법규상 또는 조리상의 신청권이 있을 것
      ㉮ 행정청의 거부행위가 처분이 되기 위해서는 국민이 행정청에 대하여 그 신청에 따른 행정행위를 해 줄 것을 요구할 수 있는 법규상 또는 조리상의 신청권이 있어야 한다(대판 2007.10.11. 2007두1316 등).
      ㉯ 판례는 신청권의 존부에 대하여 구체적 사건에서 신청인이 누구인가를 고려하지 않고 관계 법규의 해석에 의하여 일반국민에게 그러한 권리가 인정되는지를 살펴 추상적으로 결정하고 있으며, 이러한 신청권은 단순한 응답을 받을 권리인 경우도 포함하나 반드시 신청의 인용이라는 만족적 결과를 의미하는 것은 아니라고 보고 있다.

함께 정리하기

거부처분
▷ 처음부터 아무런 의사를 표시하지 않는 부작위와 구별됨

간주거부와 묵시적 거부
▷ 거부처분

❶ 검사 지원자 중 한정된 수의 임용대상자에 대한 임용 결정은 한편으로는 그 임용대상에서 제외한 자에 대한 임용거부결정이라는 양면성을 지니는 것이므로 임용대상자에 대한 임용의 의사표시는 동시에 임용대상에서 제외한 자에 대한 임용거부의 의사표시를 포함한 것으로 볼 수 있다(대판 1991.2.12. 90누5825).

거부행위가 처분이 되기 위한 요건
▷ 공권력행사·법률관계변동·신청권 존재

신청한 행위
▷ 공권력행사·이에 준하는 행정작용

❷ 산림청장이 국유림을 대부하거나 매각 또는 양여하는 행위는 사경제 주체로서 하는 사법상의 법률행위이고, 공익법인인 산림계가 제출한 국유림 무상양여신청서를 반려한 거부처분도 단순한 사법상의 행위일 뿐 행정처분은 아니다(대판 1983.9.13. 83누240).

거부행위
▷ 권리관계에 직접적인 변동을 일으키거나 권리행사에 중대한 지장 초래해야 함

처분을 신청하는 자
▷ 법규상·조리상 신청권 있어야 함

신청권 존부 판단 기준
▷ 신청인×
▷ 일반 국민○

신청권
▷ 신청의 인용이라는 만족적 결과 얻을 권리×
▷ 행정청의 응답을 구하는 권리○

함께 정리하기

신청의 인용 가부
▷ 본안판단사항

관련판례

거부처분의 처분성을 인정하기 위한 전제요건이 되는 신청권의 존부의 의미 ★★★

[1] 거부처분의 처분성을 인정하기 위한 전제요건이 되는 신청권의 존부는 구체적 사건에서 신청인이 누구인가를 고려하지 않고 관계 법규의 해석에 의하여 일반 국민에게 그러한 신청권을 인정하고 있는가를 살펴 추상적으로 결정되는 것이고, 신청인이 그 신청에 따른 단순한 응답을 받을 권리를 넘어서 신청의 인용이라는 만족적 결과를 얻을 권리를 의미하는 것은 아니다.

[2] 따라서 국민이 어떤 신청을 한 경우에 그 신청의 근거가 된 조항의 해석상 행정발동에 대한 개인의 신청권을 인정하고 있다고 보여지면 그 거부행위는 항고소송의 대상이 되는 처분으로 보아야 할 것이고, 구체적으로 그 신청이 인용될 수 있는가 하는 점은 본안에서 판단하여야 할 사항인 것이다(대판 1996.6.11. 95누12460 ; 대판 2009.9.10. 2007두20638).

ⓓ 구체적인 검토
㉮ 거부의 처분성이 인정되는 경우

관련판례

1 주민등록번호 변경신청 거부 ★★★

(甲 등이 인터넷 포털사이트 등의 개인정보 유출사고로 자신들의 주민등록번호 등 개인정보가 불법 유출되자 이를 이유로 관할 구청장에게 주민등록번호를 변경해 줄 것을 신청하였으나 구청장이 '주민등록번호가 불법 유출된 경우 주민등록법상 변경이 허용되지 않는다'는 이유로 주민등록번호 변경을 거부하는 취지의 통지를 한 사안에서) 피해자의 의사와 무관하게 주민등록번호가 유출된 경우에는 조리상 주민등록번호의 변경을 요구할 신청권을 인정함이 타당하고, 구청장의 주민등록번호 변경신청 거부행위는 항고소송의 대상이 되는 행정처분에 해당한다(대판 2017.6.15. 2013두2945).

주민등록번호 불법 유출된 자
▷ 주민등록번호 변경신청권○
주민등록번호 변경신청 거부
▷ 행정처분○

2 공사중지명령의 해제신청에 대한 거부 ★★

국민의 신청에 대하여 한 행정청의 거부행위가 취소소송의 대상이 되기 위하여는 국민이 그 신청에 따른 행정행위를 하여 줄 것을 요구할 수 있는 법규상 또는 조리상의 권리가 있어야 하는 것인데, 지방자치단체장이 건축회사에 대하여 당해 신축공사와 관련하여 인근 주택에 공사로 인한 피해를 주지 않는 공법을 선정하고 이에 대하여 안전하다는 전문가의 검토의견서를 제출할 때까지 신축공사를 중지하라는 당해 공사중지명령에 있어서는 그 명령의 내용 자체로 또는 그 성질상으로 명령 이후에 그 원인사유가 해소되는 경우에는 잠정적으로 내린 당해 공사중지명령의 해제를 요구할 수 있는 권리를 위 명령의 상대방에게 인정하고 있다고 할 것이므로, 위 회사에게는 조리상으로 그 해제를 요구할 수 있는 권리가 인정된다(대판 1997.12.26. 96누17745).

공사중지명령에 있어서 이후에 그 원인사유가 해소된 경우
▷ 조리상 공사중지명령 해제요구권○
공사중지명령 해제신청거부
▷ 행정처분○

비교
행정청이 행한 공사중지명령의 상대방은 그 명령 이후에 그 원인사유가 소멸하였음을 들어 행정청에게 공사중지명령의 철회를 요구할 수 있는 조리상의 신청권이 있다(대판 2005.4.14. 2003두7590).

공사중지명령의 원인사유 소멸
▷ 조리상 공사중지명령 철회요구권○

3 건축허가 철회신청의 거부 ★★★

건축주가 토지 소유자로부터 토지사용승낙서를 받아 그 토지 위에 건축물을 건축하는 대물적 성질의 건축허가를 받았다가 착공에 앞서 건축주의 귀책사유로 해당 토지를 사용할 권리를 상실한 경우, 건축허가의 존재로 말미암아 토지에 대한 소유권 행사에 지장을 받을 수 있는 토지 소유자로서는 건축허가의 철회를 신청할 수 있다고 보아야 한다. 따라서 토지 소유자의 위와 같은 신청을 거부한 행위는 항고소송의 대상이 된다(대판 2017.3.15. 2014두41190).

건축허가로 토지에 대한 소유권 행사에 지장 받을 자
▷ 건축허가 철회 신청권○
건축허가 철회신청의 거부
▷ 행정처분○

4 산업단지개발계획 변경신청에 대한 거부 ★★★

산업단지개발계획상 산업단지 안의 토지 소유자로서 산업단지개발계획에 적합한 시설을 설치하여 입주하려는 자는 산업단지지정권자 또는 그로부터 권한을 위임받은 기관에 대하여 산업단지개발계획의 변경을 요청할 수 있는 법규상 또는 조리상 신청권이 있고, 이러한 신청에 대한 거부행위는 항고소송의 대상이 되는 행정처분에 해당한다(대판 2017.8.29. 2016두44186).

5 검사임용신청거부 ★★

검사의 임용에 있어서 임용권자가 임용여부에 관하여 어떠한 내용의 응답을 할 것인지는 임용권자의 자유재량에 속하므로 일단 임용거부라는 응답을 한 이상 설사 그 응답 내용이 부당하다고 하여도 사법심사의 대상으로 삼을 수 없는 것이 원칙이나, 적어도 재량권의 한계 일탈이나 남용이 없는 위법하지 않은 응답을 할 의무가 임용권자에게 있고 이에 대응하여 임용신청자로서도 재량권의 한계 일탈이나 남용이 없는 적법한 응답을 요구할 권리가 있다고 할 것이며, 이러한 응답신청권에 기하여 재량권 남용의 위법한 거부처분에 대하여는 항고소송으로서 그 취소를 구할 수 있다고 보아야 한다(대판 1991.2.12. 90누5825).

6 대학교원의 임용권자가 임용기간이 만료된 국·공립대학의 조교수에 대하여 재임용을 거부하는 취지로 한 임용기간만료 통지 ★★★

기간제로 임용되어 임용기간이 만료된 국·공립대학의 조교수는 교원으로서의 능력과 자질에 관하여 합리적인 기준에 의한 공정한 심사를 받아 위 기준에 부합되면 특별한 사정이 없는 한 재임용되리라는 기대를 가지고 재임용 여부에 관하여 합리적인 기준에 의한 공정한 심사를 요구할 법규상 또는 조리상 신청권을 가진다고 할 것이니, 임용권자가 임용기간이 만료된 조교수에 대하여 재임용을 거부하는 취지로 한 임용기간만료의 통지는 위와 같은 대학교원의 법률관계에 영향을 주는 것으로서 행정소송의 대상이 되는 처분에 해당한다(대판 2004.4.22. 2000두7735).

> **유사** 기간제로 임용된 대구경북과학기술원 교원에 대하여 직급정년 규정에 따라 재임용을 거부하는 취지로 한 면직처분은 재임용심사신청권을 침해하여 위법하다. ★★
> 대학교원 기간임용제에 의하여 임용되어 임용기간이 만료된 사립대학 교원으로서는 교원으로서의 능력과 자질에 관하여 합리적인 기준에 의한 공정한 심사를 받아 위 기준에 부합되면 특별한 사정이 없는 한 재임용되리라는 기대를 가지고 재임용 여부에 관하여 합리적인 기준에 의한 공정한 심사를 요구할 권리를 가진다. … 기간제로 임용된 대구경북과학기술원 교원에 대하여도 구 사립학교법 제53조의2 제4항 내지 제8항을 유추적용하여 사립대학 교원과 동일하게 재임용 여부에 관하여 합리적인 기준에 의한 공정한 심사를 요구할 권리를 인정하여야 한다. … 직급정년에 관한 대구경북과학기술원의 교원인사관리요령 제16조 제1항은 대학교원인 조교수가 동일 직급으로 근무할 수 있는 최대기간을 5년으로 설정해 두고 그 기간이 만료되기 전까지 상위 직급으로 승진하지 못한 채 임용기간이 만료되면 별도의 재임용심사 없이 당연퇴직하게 하는 내용으로서 이는 대학교원에게 인정되는 재임용심사신청권을 침해하므로 무효라고 보는 것이 타당하다(기간제 교원의 재임용 심사에 관한 사건, 대판 2023.10.26. 2018두55272).

 함께 정리하기

산업단지에 입주하려는 자
▷ 산업단지개발계획 변경신청권○

산업단지개발계획 변경신청에 대한 거부
▷ 행정처분○

검사임용신청자
▷ 적법한 응답 요구할 신청권○

검사임용신청거부
▷ 행정처분○

기간제로 임용되어 임용기간 만료된 국·공립대학의 조교수
▷ 재임용에 관하여 공정한 심사 요구할 법규상·조리상 신청권○

대학교원의 임용권자가 임용기간이 만료된 국·공립대학의 조교수에 대하여 재임용을 거부하는 취지로 한 임용기간만료 통지
▷ 행정처분○

기간제로 임용되어 임용기간 만료된 사립대학 교원
▷ 재임용에 관하여 공정한 심사 요구할 법규상·조리상 신청권○

직급정년 규정에 따라 재임용을 거부하는 면직처분
▷ 재임용심사신청권을 침해하여 위법, 무효

❶ 직급정년 규정은 조교수 직급의 재직기간 5년이 만료하기까지 상위 직급으로 승진하지 못하는 경우 별도의 재임용심사 없이 당연퇴직하게 함으로써 대학교원의 재임용심사신청권을 실질적으로 제약하는 것이어서 재임용 여부에 관하여 합리적이고 공정한 심사를 하여 줄 것을 요구할 법률상의 신청권을 규정한 구 사립학교법 제53조의2 제4항 내지 제8항의 취지(헌법상 교원지위법정주의 요청에 의한 강행규정)에 어긋난다고 한 사례

함께 정리하기

임용지원자가 심사단계 중 중요한 대부분의 단계를 통과하여 대학교원으로 임용될 것을 상당한 정도로 기대할 수 있는 지위에 이른 경우
▷ 임용을 신청할 조리상 신청권○

대학교원의 신규채용에 있어서 유일한 면접심사 대상자로 선정된 임용지원자에 대한 교원신규채용 중단조치
▷ 행정처분○

❶ 판례는 원칙적으로 국·공립 대학교원 임용지원자에게 임용 여부에 대한 응답신청권을 인정하지 않지만(대판 2003.10.23. 2002두12489), 임용지원자가 심사단계 중 중요한 대부분의 단계를 통과하여 대학교원으로 임용될 것을 상당한 정도로 기대할 수 있는 지위에 이르렀다면 임용을 신청할 조리상의 권리가 있다고 본다 (대판 2004.6.11. 2001두7053).

국·공립 대학 교원 임용지원자
▷ 임용여부에 대한 응답신청권×

국·공립대학 교원 임용지원자에 대한 교원임용거부통보
▷ 행정처분×

대내외에 공표된 3급 승진대상자의 승진임용신청
▷ 조리상 신청권○

대내외에 공표된 3급 승진대상자에 대한 승진임용신청거부
▷ 행정처분○

문화재보호구역 내 토지소유자
▷ 보호구역의 지정해제를 요구할 수 있는 신청권○

문화재보호구역 내 토지소유자의 문화재보호구역 지정해제 신청에 대한 행정청의 거부
▷ 행정처분○

사업시행 위해 토지 등을 제공한 자
▷ 특별공급신청권이 인정

사업시행 위해 토지 등을 제공한 자에 대한 특별공급신청 거부행위
▷ 행정처분○

---

7 대학교원의 신규채용에 있어서 유일한 면접심사 대상자로 선정된 임용지원자에 대한 교원신규채용 중단조치 ★★

임용지원자가 당해 대학의 교원임용규정 등에 정한 심사단계 중 중요한 대부분의 단계를 통과하여 다수의 임용지원자 중 유일한 면접심사 대상자로 선정되는 등으로 장차 나머지 일부의 심사단계를 거쳐 대학교원으로 임용될 것을 상당한 정도로 기대할 수 있는 지위에 이르렀다면, 그러한 임용지원자는 임용에 관한 법률상 이익을 가진 자로서 임용권자에 대하여 나머지 심사를 공정하게 진행하여 그 심사에서 통과되면 대학교원으로 임용해 줄 것을 신청할 조리상의 권리가 있다고 보아야 할 것이고, 그에 대한 교원신규채용업무를 중단조치는 유일한 면접심사 대상자로서 임용에 관한 법률상 이익을 가지는 임용지원자에 대한 신규임용을 사실상 거부하는 종국적인 조치에 해당하는 것이므로, 이는 항고소송의 대상이 되는 처분 등에 해당한다(대판 2004.6.11. 2001두7053).❶

> **비교** 국·공립대학 교원 임용지원자에 대한 교원임용거부통보 ★★
> 국·공립 대학교원에 대한 임용권자가 임용지원자를 대학교원으로 임용할 것인지 여부는 임용권자의 판단에 따른 자유재량에 속하는 것이어서, 임용지원자로서는 임용권자에게 자신의 임용을 요구할 권리가 없을 뿐 아니라, 임용에 관한 법률상 이익을 가진다고 볼 만한 특별한 사정이 없는 한, 임용 여부에 대한 응답을 신청할 법규상 또는 조리상 권리가 있다고도 할 수 없다 할 것이므로 교원임용거부통보는 항고소송의 대상이 되는 행정처분에 해당하지 아니한다(대판 2003.10.23. 2002두12489).

8 대내외에 공표된 3급 승진대상자에 대한 승진임용신청거부 ★

4급 공무원이 당해 지방자치단체 인사위원회의 심의를 거쳐 3급 승진대상자로 결정되고 임용권자가 그 사실을 대내외에 공표까지 하였다면, 그 공무원은 승진임용에 관한 법률상 이익을 가진 자로서 임용권자에 대하여 3급 승진임용 신청을 할 조리상의 권리가 있다(대판 2008.4.10. 2007두18611).

9 문화재보호구역 내 토지소유자의 문화재보호구역 지정해제 신청에 대한 행정청의 거부 ★★★

(문화재보호법 제8조 제3항의 위임에 의한 같은법시행규칙 제3조의2 제1항은 그 문화재보호구역지정 적정성 여부의 검토에 있어서 당해 문화재의 보존 가치 외에도 보호구역의 지정이 재산권 행사에 미치는 영향 등을 고려하도록 규정하고 있는 점 등과 헌법상 개인의 재산권 보장의 취지에 비추어 보면) 문화재보호구역 내에 있는 토지소유자 등으로서는 위 보호구역의 지정해제를 요구할 수 있는 법규상 또는 조리상의 신청권이 있다고 할 것이고, 이러한 신청에 대한 거부행위는 항고소송의 대상이 되는 행정처분에 해당한다(대판 2004.4.27. 2003두8821).

10 사업시행 위해 토지 등을 제공한 자에 대한 특별공급신청 거부행위 ★

(공공용지의 취득 및 손실보상에 관한 특례법 제8조 제1항이 사업시행자로 하여금 공공사업의 시행에 필요한 토지 등을 제공함으로 인하여 생활근거를 상실하게 되는 자에게 이주대책을 수립 실시하도록 하고 있는바) 택지개발촉진법 따른 사업시행을 위하여 토지 등을 제공한 자에 대한 이주대책을 세우는 경우 위 이주대책은 공공사업에 협력한 자에게 특별공급의 기회를 요구할 수 있는 법적인 이익을 부여하고 있는 것이라고 할 것이므로 그들에게는 특별공급신청권이 인정되며, 따라서 사업시행자가 위 조항에 해당함을 이유로 특별분양을 요구하는 자에게 이를 거부하는 행위는 비록 이를 민원회신이라는 형식을 통하여 하였더라도, 항고소송의 대상이 되는 거부처분이라고 할 것이다(대판 1999.8.20. 98두17043).

11 도시계획구역 내 토지 등을 소유하고 있는 주민의 도시시설계획의 입안 내지 변경의 신청에 대한 거부행위 ★★★

국토의 계획 및 이용에 관한 법률상 도시계획구역 내 토지 등을 소유하고 있는 사람과 같이 당해 도시계획시설결정에 이해관계가 있는 주민으로서는 도시시설계획의 입안권자 내지 결정권자에게 도시시설계획의 입안 내지 변경을 요구할 수 있는 법규상 또는 조리상의 신청권이 있고, 이러한 신청에 대한 거부행위는 항고소송의 대상이 되는 행정처분에 해당한다(대판 2004.4.28. 2003두1806 ; 대판 2015.3.26. 2014두42742).

> **비교**
> 도시계획시설인 공원조성계획 취소신청을 거부한 행위는 항고소송의 대상이 되는 행정처분이라고 볼 수 없다(대판 1989.10.24. 89누725).

12 도시관리계획 구역 내 토지 등을 소유하고 있는 주민의 납골시설에 관한 도시관리계획의 입안제안을 반려한 군수의 처분 ★

도시관리계획 구역 내 토지 등을 소유하고 있는 주민의 납골시설에 관한 도시관리계획의 입안제안을 반려한 군수의 처분은 항고소송의 대상이 되는 행정처분에 해당한다(대판 2010.7.22. 2010두5745).

13 학교용지부담금 환급신청의 거부행위 ★★

개발부담금을 부과할 때는 가능한 한 개발부담금 부과처분 후에 지출한 개발비용도 공제함이 마땅하므로 개발사업시행자가 이미 납부한 개발부담금 중 부과처분 후에 납부한 학교용지부담금에 해당하는 금액에 대하여는 조리상 개발부담금 부과처분의 취소나 변경 등 개발부담금의 환급에 필요한 처분을 신청할 권리를 인정함이 타당하다(대판 2016.1.28. 2013두2938).

14 건축주명의변경신고에 대한 수리거부행위 ★★

건축주명의변경신고 수리거부행위는 양수인이 건축공사를 계속하기 위하여 또는 건축공사를 완료한 후 자신의 명의로 소유권보존등기를 하기 위하여 가지는 구체적인 법적 이익을 침해하는 결과가 되었다고 할 것이므로, 양수인의 권리의무에 직접 영향을 미치는 것으로서 취소소송의 대상이 되는 처분이다(대판 1992.3.31. 91누4911).

15 토지면적등록 정정신청 반려처분 ★★

(평택~시흥 간 고속도로 건설공사 사업시행자인 한국도로공사가 고속도로 건설공사에 편입되는 토지들의 지적공부에 등록된 면적과 실제 측량 면적이 일치하지 않는 것을 발견하고 구 지적법 제24조 제1항, 제28조 제1호에 따라 토지소유자들을 대위하여 토지면적등록 정정신청을 하였으나 화성시장이 이를 반려한 사안에서) 반려처분은 공공사업의 원활한 수행을 위하여 부여된 사업시행자의 관계 법령상 권리 또는 이익에 영향을 미치는 공권력의 행사 또는 그 거부에 해당하는 것으로서 항고소송 대상이 되는 행정처분에 해당한다(대판 2011.8.25. 2011두3371).

16 국방전력발전업무훈령에 의한 연구개발확인서 발급의 거부 ★★

국방전력발전업무훈령 제113조의5 제1항에 의한 연구개발확인서 발급은 개발업체가 '업체투자연구개발' 방식 또는 '정부·업체공동투자연구개발' 방식으로 전력지원체계 연구개발사업을 성공적으로 수행하여 군사용 적합판정을 받고 국방규격이 제·개정된 경우에 사업관리기관이 개발업체에게 해당 품목의 양산과 관련하여 경쟁입찰에 부치지 않고 수의계약의 방식으로 국방조달계약을 체결할 수 있는 지위(경쟁입찰의 예외사유)가 있음을 인정해 주는 '확인적 행정행위'로서 공권력의 행사인 '처분'에 해당하고, 연구개발확인서 발급 거부는 신청에 따른 처분 발급을 거부하는 '거부처분'에 해당한다(대판 2020.1.16. 2019다264700).

함께 정리하기

도시계획시설결정에 이해관계가 있는 주민
▷ 도시계획 입안을 입안권자에게 요구할 수 있는 신청권○

도시계획구역 내 토지 등을 소유하고 있는 주민의 도시시설계획의 입안 내지 변경의 신청에 대한 거부행위
▷ 행정처분○

도시관리계획 구역 내 토지 등을 소유하고 있는 주민의 납골시설에 관한 도시관리계획의 입안제안을 반려한 군수의 처분
▷ 행정처분○

개발사업시행자가 납부한 개발부담금 중 부과처분 후에 납부한 학교용지부담금
▷ 조리상 환급에 필요한 처분을 신청할 권리○

학교용지부담금 환급신청의 거부
▷ 행정처분○

건축주명의변경신고 수리거부
▷ 행정처분○

구 지적법상 토지면적등록 정정신청에 대한 반려처분
▷ 행정처분○

국방전력발전업무훈령에 따른 연구개발확인서 발급
▷ 확인적 행정행위

국방전력발전업무훈령에 의한 연구개발확인서 발급의 거부
▷ 행정처분○

함께 정리하기

동순위 또는 차순위 유족의 유족연금수급권 이전 청구에 대한 국방부장관의 결정
▷ 확인적 행정행위

동순위 또는 차순위 유족의 유족연금수급권 이전 청구에 대한 국방부장관의 거부결정
▷ 행정처분○

17 동순위 또는 차순위 유족의 유족연금수급권 이전 청구에 대한 국방부장관의 거부결정 ★

선순위 유족이 유족연금수급권을 상실함에 따라 동순위 또는 차순위 유족이 상실 시점에서 유족연금수급권을 법률상 이전받더라도 동순위 또는 차순위 유족은 구 군인연금법 시행령(2010.11.2. 대통령령 제22467호로 개정되기 전의 것) 제56조에서 정한 바에 따라 국방부장관에게 '유족연금수급권 이전 청구서'를 제출하여 심사·판단받는 절차를 거쳐야 비로소 유족연금을 수령할 수 있게 된다. 이에 관한 국방부장관의 결정은 선순위 유족의 수급권 상실로 청구인에게 유족연금수급권 이전이라는 법률효과가 발생하였는지를 '확인'하는 행정행위에 해당하고, 이는 월별 유족연금액 지급이라는 후속 집행행위의 기초가 되므로, '행정청이 행하는 구체적 사실에 관한 법 집행으로서의 공권력의 행사 또는 그 거부'(행정소송법 제2조 제1항 제1호)로서 항고소송의 대상인 처분에 해당한다고 보아야 한다. 그러므로 만약 국방부장관이 거부결정을 하는 경우 그 거부결정을 대상으로 항고소송을 제기하는 방식으로 불복하여야 하고, 청구인이 정당한 유족연금수급권자라는 국방부장관의 심사·확인 결정 없이 곧바로 국가를 상대로 한 당사자소송으로 그 권리의 확인이나 유족연금의 지급을 소구할 수는 없다(대판 2019.12.27. 2018두46780).

행정재산의 사용·수익허가 신청의 거부행위
▷ 행정처분○

18 행정재산의 사용·수익허가 신청의 거부행위 ★★

공유재산의 관리청이 행정재산의 사용·수익에 대한 허가는 강학상 특허에 해당하고, 이러한 행정재산의 사용·수익허가처분의 성질에 비추어 국민에게는 행정재산의 사용·수익허가를 신청할 법규상 또는 조리상의 권리가 있다고 할 것이므로 공유재산의 관리청이 행정재산의 사용·수익에 대한 허가 신청을 거부한 행위 역시 행정처분에 해당한다(대판 1998.2.27. 97누1105).

④ **거부의 처분성이 부정되는 경우**

관련판례

당연퇴직된 공무원의 복직 또는 재임용신청에 대한 거부행위
▷ 행정처분✕

1 당연퇴직된 공무원의 복직 또는 재임용신청에 대한 거부행위 ★★★

과거에 법률에 의하여 당연퇴직된 공무원이 자신을 복직 또는 재임용시켜 줄 것을 요구하는 신청에 대하여 그와 같은 조치가 불가능하다는 행정청의 거부행위는 당연퇴직의 효과가 계속하여 존재한다는 것을 알려주는 일종의 안내에 불과하므로 항고소송의 대상이 되는 행정처분에 해당한다고 할 수 없다(대판 2006.3.10. 2005두562 ; 대판 2005.11.25. 2004두12421).

토지 대장상의 소유자명의변경신청 거부행위
▷ 행정처분✕

2 토지 대장상의 소유자명의변경신청 거부행위 ★★★

토지대장에 기재된 일정한 사항을 변경하는 행위는, 그것이 지목의 변경이나 정정 등과 같이 토지소유권 행사의 전제요건으로서 토지소유자의 실체적 권리관계에 영향을 미치는 사항에 관한 것이 아닌 한, 행정사무집행의 편의와 사실증명의 자료로 삼기 위한 것일 뿐이어서, 그 소유자 명의가 변경된다고 하여도 이로 인하여 당해 토지에 대한 실체상의 권리관계에 변동을 가져올 수 없고 토지 소유권이 지적공부의 기재만에 의하여 증명되는 것도 아니다. 따라서 소관청이 토지대장상의 소유자명의변경신청을 거부한 행위는 이를 항고소송의 대상이 되는 행정처분이라고 할 수 없다(대판 2012.1.12. 2010두12354).

서울특별시의 '철거민에 대한 시영아파트 특별분양개선지침'의 법적 성질
▷ 행정규칙(분양신청권✕)

서울특별시의 철거민에 대한 시영아파트에 대한 분양불허의 의사표시
▷ 행정처분✕

3 서울특별시의 철거민에 대한 시영아파트 분양불허의 의사표시 ★

서울특별시의 '철거민에 대한 시영아파트 특별분양개선지침'은 서울특별시 내부에 있어서의 행정지침에 불과하고 지침 소정의 사람에게 공법상의 분양신청권이 부여되는 것이 아니라 할 것이므로 서울특별시의 시영아파트에 대한 분양불허의 의사표시는 항고소송의 대상이 되는 행정처분으로 볼 수 없다(대판 1993.5.11. 93누2247).

4 중요무형문화인 경기민요 보유자 추가인정 신청에 대한 거부 ★★

중요무형문화재 보유자의 추가인정 여부는 문화재청장의 재량에 속하고, 특정 개인이 자신을 보유자로 인정해 달라고 신청할 수 있다는 근거 규정을 별도로 두고 있지 아니하므로 법규상으로 개인에게 신청권이 있다고 할 수 없어, 중요무형문화인 경기민요 보유자 추가인정 신청에 대한 거부는 항고소송의 대상이 되지 않는다.(대판 2015.12.10. 2013두20585).

5 산재보험 적용사업장 변경신청 거부 ★★

(업무상 재해를 당한 甲의 요양급여 신청에 대하여 근로복지공단이 요양승인 처분을 하면서 사업주를 乙 주식회사로 보아 요양승인 사실을 통지하자, 乙 회사가 甲이 자신의 근로자가 아니라고 주장하면서 사업주 변경신청을 하였으나 근로복지공단이 거부통지를 한 사안에서) 산업재해보상보험법, 고용보험 및 산업재해보상보험의 보험료징수 등에 관한 법률 등 관련 법령은 사업주가 이미 발생한 업무상 재해와 관련하여 당시 재해근로자의 사용자가 자신이 아니라 제3자임을 근거로 사업주 변경신청을 할 수 있도록 하는 규정을 두고 있지 않으므로 법규상으로 신청권이 인정된다고 볼 수 없고, 산업재해보상보험에서 보험가입자인 사업주와 보험급여를 받을 근로자에 해당하는지는 해당 사실의 실질에 의하여 결정되는 것일 뿐이고 근로복지공단의 결정에 따라 보험가입자(당연가입자) 지위가 발생하는 것은 아닌 점 등을 종합하면, 사업주 변경신청과 같은 내용의 조리상 신청권이 인정된다고 볼 수도 없으므로, 근로복지공단이 신청을 거부하였더라도 乙 회사의 권리나 법적 이익에 어떤 영향을 미치는 것은 아니어서, 위 통지는 항고소송의 대상이 되는 행정처분이 되지 않는다(대판 2016.7.14. 2014두47426).

6 국세기본법에 정한 경정청구기간 도과 후 제기된 경정청구에 대한 경정 거절 ★★

구 국세기본법 제45조의2 제2항은 '국세의 과세표준 및 세액의 결정을 받은 자는 각호의 어느 하나에 해당하는 사유가 발생하였을 때에는 그 사유가 발생한 것을 안 날부터 2개월 이내에 경정을 청구할 수 있다'고 규정하고 있는바 경정청구기간이 도과한 후에 제기된 경정청구는 부적법하여 과세관청이 과세표준 및 세액을 결정 또는 경정하거나 거부처분을 할 의무가 없으므로, 과세관청이 경정을 거절하였다고 하더라도 이를 항고소송의 대상이 되는 거부처분으로 볼 수 없다(대판 2017.8.23. 2017두38812).

전수교육 조교(경기민요보유자)
▷ 중요무형문화재 보유자 추가인정에 관한 법규상 또는 조리상 신청권×

중요무형문화인 경기민요 보유자 추가인정 신청에 대한 거부
▷ 행정처분×

이미 발생한 산재 사고와 관련하여
▷ 사업주 변경 신청을 구할 법규상 또는 조리상 신청권×

산재보험 적용사업주 변경신청 거부
▷ 행정처분×

국세기본법에 정한 경정 청구기간 도과 후 제기된 경정청구에 대한 경정거절
▷ 거부처분×

함께 정리하기

핵심정리 거부의 처분성 인정 여부에 관한 판례

처분성 인정	처분성 부정
• 주민등록번호 변경신청 거부(2013두2945) • 주민등록번호 전입신고 미수리처분(2002두1748)❶ • 건축허가 철회신청의 거부(2014두41190) • 산업단지개발계획 변경신청에 대한 거부(2016두44186) • 검사임용거부처분(90누5825) • 대학교원의 임용권자가 임용기간이 만료된 국·공립대학의 조교수에 대하여 재임용을 거부하는 취지로 한 임용기간만료 통지(2000두7735) • 대학교원의 신규채용에 있어서 유일한 면접심사 대상자로 선정된 임용지원자에 대한 교원신규채용 중단조치(2001두7053) • 대내외에 공표된 3급 승진대상자에 대한 승진임용신청거부(2007두18611) • 사업시행 위해 토지 등을 제공한 자에 대한 특별공급신청 거부행위(98두17043) • 도시계획구역 내 토지 등을 소유하고 있는 주민의 도시시설계획의 입안 내지 변경의 신청에 대한 거부행위(2014두42742) • 학교용지부담금 환급신청의 거부(2013두2938) • 학력인정 학교형태의 평생교육시설의 설치자 명의변경 신청에 대한 행정청의 거부(2001두9929) • 토지분할신청 거부행위(92누7542) • 건축주명의변경신고에 대한 수리거부행위(91누4911) • 건축계획심의신청에 대한 반려처분(2007두1316) • 폐기물사업 적정통보를 받은 자의 국토이용계획 변경신청에 대한 거부행위(2001두10936) • 토지면적등록 정정신청 반려처분(2011두3371) • 지목변경신청 반려행위(2003두9015) • 건축물대장 작성신청 반려행위(2007두17359) • 건축물대장의 용도변경신청 거부행위(2007두7277) • 토지분할신청의 거부(92누7542 ; 91누8968) • 도시계획입안제안의 거부(2003두1806) • 말소된 상표권에 대한 회복등록신청의 거부(2014두2362) • 건축신고 반려행위 및 수리거부행위(2008두167) • 착공신고 반려행위(2010두732) • 평생교육시설 신고반려행위(2005두11784)	• 당연퇴직된 공무원의 복직 또는 재임용신청에 대한 거부행위(2005두562 ; 2004두12421) • 토지 대장상의 소유자명의변경신청 거부행위(2010두12354) • 서울특별시의 철거민에 대한 시영아파트에 대한 분양불허의 의사표시(93누2247) • 국·공립대학 교원 임용지원자에 대한 교원임용 거부통보(2002두12489) • 도시계획시설인 공원조성계획 취소신청을 거부한 행위(89누725) • 교사임용지원자 특별채용신청 거부 행위(2004두11626) • 임야의 국토이용계획상의 용도지역변경 허가신청을 거부·반려한 행위(95누627) • 문화재구역 내 토지소유자의 재결신청 청구에 대한 문화재청장의 거부회신(2012두22966) • 재개발사업지구 내 토지 등의 소유자의 사업 분할 시행을 요구하는 재개발사업계획 변경신청에 대한 불허통지(97누7004) • 중요무형문화인 경기민요 보유자 추가인정 신청에 대한 거부(2013두20585) • 산재보험 적용사업장 변경신청 거부(2014두47426) • 「국세기본법」에 정한 경정청구기간 도과 후 제기된 경정청구에 대한 경정 거절(2017두38812) • 국·공유 잡종재산의 매각·대부·임대기간연장 요청 등에 대한 거부(98두7602 ; 83누240) • 지방자치단체장이 국유 일반재산 대부신청을 거부한 행위(98두7602)❷ • 제3자에 대한 건축허가 및 준공검사취소 등에 대한 거부(97누17568) • 전통사찰의 등록말소신청을 거부(97누13641)❸ • 지적공부 등에의 기재요구거부(94누4295)❹

❶ **참고판례**
무허가 건축물을 실제 생활의 근거지로 삼아 10년 이상 거주해 온 사람의 주민등록전입신고를 거부한 사안에서, 투기나 이주대책 요구 등을 방지할 목적으로 주민등록전입신고를 거부하는 것은 「주민등록법」의 입법 목적과 취지 등에 비추어 허용될 수 없다(대판 2009.6.18. 2008두10997).

❷ **참고판례**
지방자치단체장이 국유 잡종재산을 대부하여 달라는 신청을 거부한 것은 항고소송의 대상이 되는 행정처분이 아니므로 행정소송으로 그 취소를 구할 수 없다(대판 1998.9.22. 98두7602).

❸ **참고판례**
지정된 전통사찰에 대하여 그 등록의 말소를 신청할 법규상의 근거는 없고, 조리상으로도 그러한 신청권이 인정된다고 할 수 없으므로, 전통사찰의 등록말소신청을 거부한 행정청의 거부회신이 항고소송의 대상이 되는 거부처분에 해당하지 아니한다(대판 1999.9.3. 97누13641).

❹ **참고판례**
토지대장에 일정한 사항을 등재하거나 등재된 사항을 변경하는 행위는, 행정사무집행의 편의와 사실증명의 자료로 삼기 위한 것이고 그 등재나 변경으로 인하여 당해 토지에 대한 실체상의 권리관계에 어떤 변동을 가져오는 것은 아니어서 소관청이 그 등재사항에 대한 변경신청을 거부한 것을 가리켜 항고소송의 대상이 되는 행정처분이라고 할 수 없다(대판 1995.12.5. 94누4295).

ⓔ **관련문제 - 반복된 거부처분**: 법규에 신청할 수 있는 횟수 등을 제한하는 규정이 없는 이상, 동일한 내용을 수차 신청할 수 있고, 그에 따라 거부처분이 수회 있을 수 있는바, 거부처분 후 동일한 내용의 새로운 신청에 대한 반복된 거부처분은 각각의 독립된 처분(새로운 처분)으로서 항고소송의 대상이 되는 행정처분에 해당한다.

함께 정리하기

거부처분 후 동일한 내용의 새로운 신청에 대한 반복된 거부처분
▷ 각각 독립된 행정처분

관련판례

1. 거부처분은 관할 행정청이 국민의 처분신청에 대하여 거절의 의사표시를 함으로써 성립되고, 그 이후 동일한 내용의 새로운 신청에 대하여 다시 거절의 의사표시를 한 경우에는 새로운 거부처분이 있는 것으로 보아야 할 것이다(대판 2002.3.29. 2000두6084 ; 대판 1992.10.27. 92누1643). ★★

동일한 내용의 새로운 신청에 대하여 다시 거절의 의사표시를 한 경우
▷ 새로운 거부처분이 있는 것

2. 수익적 행정행위 신청에 대한 거부처분이 있은 후 당사자가 다시 신청을 한 경우에는 신청의 제목 여하에 불구하고 그 내용이 새로운 신청을 하는 취지라면 관할 행정청이 이를 다시 거절하는 것은 새로운 거부처분으로 봄이 원칙이다(대판 2019.4.3. 2017두52764). 나아가 어떠한 처분이 수익적 행정처분을 구하는 신청에 대한 거부처분이 아니라고 하더라도, 해당 처분에 대한 이의신청의 내용이 새로운 신청을 하는 취지로 볼 수 있는 경우에는, 그 이의신청에 대한 결정의 통보를 새로운 처분으로 볼 수 있다(대판 2022.3.17. 2021두53894). 관계 법령이나 행정청이 사전에 공표한 처분기준에 신청기간을 제한하는 특별한 규정이 없는 이상 재신청을 불허할 법적 근거가 없으며, 설령 신청기간을 제한하는 특별한 규정이 있더라도 재신청이 신청기간을 도과하였는지는 본안에서 재신청에 대한 거부처분이 적법한가를 판단하는 단계에서 고려할 요소이지, 소송요건 심사단계에서 고려할 요소가 아니다(대판 2021.1.14. 2020두50324). ★★

수익적 행정행위 신청에 대한 거부처분이 있은 후 당사자가 다시 새로운 신청을 한 경우에 관할 행정청이 이를 다시 거절하는 것
▷ 새로운 거부처분

❶ 원고의 예방접종 피해신청에 대하여 질병관리본부장(피고)이 피해보상 기각결정을 하였고(제1차 거부), 이에 대한 제소기간 도과 후 원고의 이의신청에 대하여 피고가 다시 기각결정을 한 사안에서(제2차 거부), ① 감염병예방법령은 예방접종 피해보상 기각결정에 대한 이의신청에 관하여 아무런 규정을 두고 있지 않으므로 피고가 원고의 이의신청에 대하여 스스로 다시 심사하였다고 하여 행정심판을 거친 경우에 대한 제소기간의 특례가 적용된다고 볼 수 없고, ② 원고가 제1차 거부통보에 대하여 이의신청 형식으로 불복하였고 제2차 거부통보의 결론이 제1차 거부통보와 같다고 하더라도, 피고는 원고의 이의신청에 따라 추가로 제출된 자료 등을 예방접종피해보상전문위원회에서 새로 심의하도록 하여 그 의견을 들은 후 제2차 거부통보를 하였으므로, 제2차 거부통보는 실질적으로 새로운 처분에 해당하여 독립한 행정처분으로서 항고소송의 대상이 된다고 한 사례

3. 이주대책 대상자 제외결정에 대한 이의신청에 대하여 다시 제외결정을 한 경우에 2차 결정은 1차 결정과 별도로 처분에 해당한다. ★★

행정절차법 제26조는 행정청이 처분을 할 때에는 당사자에게 그 처분에 관하여 행정심판 및 행정소송을 제기할 수 있는지 여부, 그 밖에 불복을 할 수 있는지 여부, 청구절차 및 청구기간, 그 밖에 필요한 사항을 알려야 한다고 규정하고 있다. 이 사건에서 피고 공사가 원고에게 2차 결정을 통보하면서 '2차 결정에 대하여 이의가 있는 경우 2차 결정 통보일부터 90일 이내에 행정심판이나 취소소송을 제기할 수 있다'는 취지의 불복방법 안내를 하였던 점을 보면, 피고 공사 스스로도 2차 결정이 행정절차법과 행정소송법이 적용되는 처분에 해당한다고 인식하고 있었음을 알 수 있고, 그 상대방인 원고로서도 2차 결정이 행정쟁송의 대상인 처분이라고 인식하였을 수밖에 없다고 보인다. 이와 같이 불복방법을 안내한 피고 공사가 이 사건 소가 제기되자 '처분성'이 인정되지 않는다고 본안전항변을 하는 것은 신의성실원칙(행정절차법 제4조)에도 어긋난다(대판 2021.1.14. 2020두50324).

이주대책 대상자 제외결정에 대한 이의신청에 대하여 다시 제외결정을 한 2차 결정
▷ 처분성○

함께 정리하기

그 밖에 이에 준하는 행정작용
▷ 전형적인 처분의 개념✕
▷ but 행정소송의 대상이 될 수 있는 작용
▷ 해당 여부는 구체적인 사안에 따라 판단

법령·고시·조례
▷ 일반적: 처분성✕
▷ 집행행위 개입 없이 권리·의무 형성 시[처분적 명령이나 처분규칙, 처분적 조례(두밀분교폐지조례 등)]: 행정처분○

보건복지부고시인 약제급여·비급여 목록, 급여상한금액표
▷ 행정처분○
▷ 다른 집행행위의 매개 없이 국민 직접 규율

항정신병 치료제의 요양급여 인정기준에 관한 보건복지부 고시
▷ 행정처분○

국립대학의 학칙
▷ 일반적·추상적 규정인 경우: 행정처분✕
▷ 그 자체로서 구성원의 권리나 법적 이익에 직접 영향을 미치는 경우: 행정처분○

행정계획의 처분성
▷ 일률적 판단✕
구속적 행정계획(⑩ 용도지역·용도지구 및 용도구역의 지정)
▷ 행정처분○

④ **그 밖에 이에 준하는 행정작용**: '그 밖에 이에 준하는 행정작용'이란 전형적인 처분의 개념에 해당하지는 않아도 행정소송의 대상이 될 수 있는 행정작용을 말한다. '그 밖에 이에 준하는 행정작용'이 무엇인가와 관련하여 구체적인 사안에 따라 개별적으로 판례들과 더불어 검토되어야 하는데, 이와 관련하여서는 아래에서 별도의 목차로 살펴보기로 한다.

(4) 구체적 검토

① **법령·고시·조례**
㉠ 일반적으로 법령이나 고시 또는 지방자치단체의 조례는 일반적·추상적 규율로서 사건의 성숙성이 없어 처분성이 부인된다.
㉡ 다만, 그것이 구체적 집행행위의 개입 없이 직접 국민에 대하여 구체적 효과를 발생하여 특정한 권리의무를 형성하게 하는 경우, 이른바 처분적 명령이나 처분규칙, 처분적 조례는 「행정소송법」상 처분에 해당한다(대판 1996.9.20. 95누8003).

> **🔍 관련판례**
>
> **1** 보건복지부 고시인 약제급여·비급여목록 및 급여상한금액표는 항고소송의 대상이 되는 행정처분에 해당한다. ★★★
> 보건복지부 고시인 약제급여·비급여목록 및 급여상한금액표는 다른 집행행위의 매개 없이 그 자체로서 국민건강보험가입자, 국민건강보험공단, 요양기관 등의 법률관계를 직접 규율하는 성격을 가지므로 항고소송의 대상이 되는 행정처분에 해당한다(대판 2006.9.22. 2005두2506).
>
> **2** 항정신병 치료제의 요양급여 인정기준에 관한 보건복지부 고시는 항고소송의 대상이 되는 행정처분에 해당한다. ★★★
> 항정신병 치료제의 요양급여 인정기준에 관한 보건복지부 고시가 다른 집행행위의 매개 없이 그 자체로서 제약회사, 요양기관, 환자 및 국민건강보험공단 사이의 법률관계를 직접 규율한다는 이유로 항고소송의 대상이 되는 행정처분에 해당한다(대결 2003.10.9. 2003무23).
>
> **3** 국립대학의 학칙이 그 자체로서 구성원의 구체적인 권리나 법적 이익에 직접 영향을 미치는 경우 행정처분에 해당한다(하급심 판례). ★★
> 국립대학의 학칙이나 제 규정 자체로 구성원의 구체적인 권리의무에 직접적인 변동을 가져오는 것이 아니라 교육조직, 학사운영 등에 관한 일반적·추상적 규정이라면 이는 행정처분이라고 볼 수 없지만, 그 학칙 등에 기초한 별도의 집행행위의 개입 없이도 그 자체로 구성원의 구체적인 권리나 법적 이익에 직접 영향을 미치는 경우라면 이는 항고소송의 대상이 되는 행정처분에 해당한다(대전지법 2008.3.26. 2007구합4683·4850).

② **행정계획**: 행정계획은 다양한 법적 성격을 갖고 있기 때문에 그 성격을 일률적으로 파악하기 어렵다. 국민에게 구속력을 갖는 행정계획(⑩ 도시·군관리계획결정 등)은 처분성이 인정되어 항고소송의 대상이 되지만, 국민이나 행정기관에 대하여 아무런 구속력을 가지지 않는 비구속적 행정계획(⑩ 4대강 살리기 마스터플랜 등)과 행정기관에 대해서만 구속력을 갖는 행정계획(⑩ 구 「농어촌도로정비법」상 농어촌도로기본계획 등)은 처분성이 부정되어 항고소송의 대상이 되지 않는다(제2편 행정계획 참조).

③ **부관**: 주된 행정행위의 일부를 이루는 기한, 조건, 철회권의 유보 등(부담 이외의 부관)은 처분성이 인정되지 않으나, 주된 행정행위에 부가하여 작위, 부작위, 수인, 급부 의무를 부과하는 부담은 <u>그 자체로 독립된 처분성이 인정된다</u>(대판 1992.1.21. 91누1264)(제2편 행정행위의 부관 참조).

④ **통지**: 권리의 변경을 초래하는 준법률행위적 행정행위로서의 통지는 처분성이 인정된다. 그러나 특정 사실의 통지가 아무런 법적 효과를 발생시키지 않은 경우에는 행정행위가 아닌 단순한 사실행위로서의 통지이므로 처분성이 인정되지 않는다(제2편 통지의 법적 성질 참조).

⑤ **경고**: 경고가 상대방의 권리·의무에 직접 영향을 미치는 경우에는 항고소송의 대상이 되는 <u>행정처분에 해당</u>하지만, 직접 영향을 미치지 않는 경우라면 행정처분이 아니다[제2편 비공식적(비정형적) 행정작용 참조].

⑥ **공증**: 개인의 권리나 법적 지위를 구속적으로 확정하는 행위, 즉 <u>규율적 성격을 갖는 경우</u>(예컨대 범죄기록부에 등재, 문화재지정등록 등)에는 행정행위의 성격을 갖는다고 보아 <u>처분성이 인정</u>되지만, 행정사무의 편의와 특정한 사실관계의 증명의 자료로 삼기 위한 것에 불과한 경우에는 사실행위로 보아 <u>처분성이 부정</u>된다(제2편 공증의 처분성 참조).

⑦ **사실행위**: 사실행위의 경우 국민의 권리·의무에 직접적 영향을 미치지 않는다는 점에서 항고소송의 대상이 될 수 없는 것이 원칙이다. 그러나 대법원은 <u>권력적 사실행위</u>라고 볼 수 있는 교도소장의 '접견내용 녹음·녹화 및 접견 시 교도관 참여대상자' 지정행위, 단수처분, 교도소재소자의 이송조치, 의료원 폐업결정 등에 대하여 <u>처분성을 인정</u>하였다(제2편 행정상 사실행위에 대한 권리구제 참조).

⑧ **행정소송 이외의 특별불복절차가 있는 경우**: 검사의 불기소처분, 불기소처분 결과통지 또는 공소제기, 행정청의 과태료부과처분, 통고처분, 형집행정지취소처분은 다른 불복절차에 의해 다투도록 특별히 규정되어 있으므로 <u>항고소송의 대상이 되는 처분이 아니다</u>.

통지
▷ 법적효과 발생O: 통지행위(처분O)
▷ 법적효과 발생×: 사실행위(처분×)

경고
▷ 권리·의무에 직접 영향 미치면 행정처분O

공증
▷ 규율적 성격 갖는 경우: 행정처분O
▷ 반복적이고 기술적인 직무수행 활동(사실행위): 행정처분×

사실행위
▷ 권력적 사실행위는 행정처분O

특별한 불복절차 존재
▷ 행정처분×

> **관련판례**
>
> **1** 검사의 불기소결정에 대해서는 항고소송을 제기할 수 없다. ★★★
>
> 행정소송법 제2조의 처분의 개념 정의에는 해당한다고 하더라도 그 처분의 근거 법률에서 행정소송 이외의 다른 절차에 의하여 불복할 것을 예정하고 있는 처분은 항고소송의 대상이 될 수 없다. 검사의 불기소결정에 대해서는 검찰청법에 의한 항고와 재항고, 형사소송법에 의한 재정신청에 의해서만 불복할 수 있는 것이므로, 이에 대해서는 <u>행정소송법상 항고소송을 제기할 수 없다</u>(대판 2018.9.28. 2017두47465).
>
> **2** 형사사건에 대한 검사의 공소제기는 행정처분이 아니다. ★★
>
> 형사소송법에 의하면 검사가 공소를 제기한 사건은 기본적으로 법원의 심리대상이 되고 피의자 및 피고인은 수사의 적법성 및 공소사실에 대하여 형사소송절차를 통하여 불복할 수 있는 절차와 방법이 따로 마련되어 있으므로 <u>검사의 공소에 대하여는 형사소송절차에 의하여서만 이를 다툴 수 있고 행정소송의 방법으로 공소의 취소를 구할 수는 없다</u>(대판 2000.3.28. 99두11264).

검사의 불기소결정
▷ 처분성×(항고·재항고·재정신청 대상)

검사의 공소제기
▷ 행정처분×

⑨ 기타 관련 판례
　㉠ 처분성을 긍정한 경우

> **관련판례**
>
> **1** 한국환경산업기술원장의 연구개발중단·연구비집행중지조치는 행정처분에 해당한다. ★★
> 한국환경산업기술원장이 환경기술개발사업 협약을 체결한 甲 주식회사 등에게 연차평가 실시 결과 절대평가 60점 미만으로 평가되었다는 이유로 연구개발 중단 조치 및 연구비 집행중지 조치(이하 '각 조치'라 한다)를 한 사안에서, 각 조치는 甲 회사 등에게 연구개발을 중단하고 이미 지급된 연구비를 더 이상 사용하지 말아야 할 공법상 의무를 부과하는 것이고, 연구개발 중단 조치는 협약의 해약 요건에도 해당하며, 조치가 있은 후에는 주관연구기관이 연구개발을 계속하더라도 그에 사용된 연구비는 환수 또는 반환 대상이 되므로, 각 조치는 甲 회사 등의 권리·의무에 직접적인 영향을 미치는 행위로서 항고소송의 대상이 되는 행정처분에 해당한다(대판 2015.12.24. 2015두264).
>
> **2** 한국토지주택공사의 부적격통보·재심사통보는 행정처분에 해당한다. ★★
> 한국토지주택공사가 택지개발사업의 시행자로서 일정 기준을 충족하는 손실보상대상자들에 대하여 생활대책을 수립·시행하였는데, 직권으로 갑 등이 생활대책대상자에 해당하지 않는다는 결정(부적격통보)을 하고, 갑 등의 이의신청에 대하여 재심사 결과로도 생활대책 대상자로 선정되지 않았다는 통보(재심사통보)를 한 사안에서, 재심사 결과 통보가 독립한 행정처분으로서 항고소송의 대상이 된다(대판 2016.7.14. 2015두58645).
>
> **3** 표준공시지가결정은 행정처분에 해당한다. ★
> 표준공시지가결정이 위법한 경우에는 그 자체를 행정소송의 대상이 되는 행정처분으로 보아 그 위법 여부를 다툴 수 있음은 물론, 수용보상금의 증액을 구하는 소송에서도 선행처분으로서 그 수용대상 토지 가격 산정의 기초가 된 비교표준지공시지가결정의 위법을 독립한 사유로 주장할 수 있다(대판 2008.8.21. 2007두13845).
>
> **4** 개별공시지가의 결정은 행정처분에 해당한다. ★★
> 시장·군수 또는 구청장의 개별토지가격결정은 관계법령에 의한 토지초과이득세, 택지초과소유부담금 또는 개발부담금 산정의 기준이 되어 국민의 권리나 의무 또는 법률상 이익에 직접적으로 관계되는 것으로서 행정소송법 제2조 제1항 제1호 소정의 행정청이 행하는 구체적 사실에 관한 법집행으로서의 공권력행사이므로 항고소송의 대상이 되는 행정처분에 해당한다(대판 1994.2.8. 93누111).
>
> **5** 근로복지공단이 사업주에 대하여 하는 '개별 사업장의 사업종류 변경결정'은 행정처분에 해당한다. ★★★
> 사업종류별 산재보험료율은 고용노동부장관이 매년 정하여 고시하므로, 개별 사업장의 사업종류가 구체적으로 결정되면 그에 따라 해당 사업장에 적용할 산재보험료율이 자동적으로 정해진다. 고용산재보험료징수법은 개별 사업장의 사업종류 결정의 절차와 방법, 결정기준에 관하여 구체적으로 규정하거나 하위법령에 명시적으로 위임하지는 않았으나, 고용산재보험료징수법의 사업종류 변경신고에 관한 규정들과 근로복지공단의 사실조사에 관한 규정들은 개별 사업장의 구체적인 특성을 고려하여 사업종류가 결정되고 그에 따라 산재보험료율이 결정되어야 함을 전제로 하고 있다. 따라서 근로복지공단이 개별 사업장의 사업종류를 결정하는 것은 고용산재보험료징수법을 집행하는 과정에서 이루어지는 행정작용이다. … 이러한 사업종류 결정의 주체, 내용과 결정기준을 고려하면, 개별 사업장의 사업종류 결정은 구체적 사실에 관한 법집행으로서 공권력을 행사하는 '확인적 행정행위'라고 보아야 한다(대판 2020.4.9. 2019두61137).

한국환경산업기술원장의 연구개발 중단조치·연구비 집행중지 조치
▷ 행정처분 ○

한국토지주택공사의 부적격통보·재심사통보
▷ 행정처분 ○

표준지공시지가결정
▷ 행정처분 ○

개별공시지가결정
▷ 행정처분 ○

근로복지공단이 사업주에 대하여 하는 '개별 사업장의 사업종류 변경결정'
▷ 확인적 행정행위
▷ 행정처분 ○

6 국가인권위원회의 성희롱결정과 시정조치권고는 행정처분에 해당한다. ★★★

국가인권위원회의 성희롱결정과 이에 따른 시정조치의 권고는 불가분의 일체로 행하여지는 것인데 국가인권위원회의 이러한 결정과 시정조치의 권고는 성희롱 행위자로 결정된 자의 인격권에 영향을 미침과 동시에 공공기관의 장 또는 사용자에게 일정한 법률상의 의무를 부담시키는 것이므로 국가인권위원회의 성희롱결정 및 시정조치권고는 행정소송의 대상이 되는 행정처분에 해당한다(대판 2005.7.8. 2005두487).

국가인권위원회의 성희롱결정·시정조치권고
▷ 행정처분○

7 국가인권위원회의 진정 각하 및 기각결정은 처분에 해당한다. ★★★

국가인권위원회가 진정을 각하 및 기각결정을 할 경우 피해자인 진정인으로서는 자신의 인격권 등을 침해하는 인권침해 또는 차별행위 등이 시정되고 그에 따른 구제조치를 받을 권리를 박탈당하게 되므로, 진정에 대한 국가인권위원회의 각하 및 기각결정은 피해자인 진정인의 권리행사에 중대한 지장을 초래하는 것으로서 항고소송의 대상이 되는 행정처분에 해당하므로, 그에 대한 다툼은 우선 행정심판이나 행정소송에 의하여야 할 것이다(헌재 2015.3.26. 2013헌마214).

국가인권위원회의 진정 각하·기각결정
▷ 행정처분○

8 구청장이 사회복지법인에 특별감사 결과 지적사항에 대한 시정지시와 그 결과를 관계서류와 함께 보고하도록 지시한 경우, 그 시정지시는 행정처분에 해당한다. ★★

원고로서는 위 보고명령 및 관련서류 제출명령을 이행하기 위하여 위 시정지시에 따른 시정조치의 이행이 사실상 강제되어 있다고 할 것이고, 만일 피고의 위 명령을 이행하지 않는 경우 시정명령을 받거나 법인설립허가가 취소될 수 있다. 이와 같은 사정에 비추어 보면, 위 시정지시는 단순한 권고적 효력만을 가지는 비권력적 사실행위에 불과하다고 볼 수는 없고, 원고에 대하여 의무의 부담을 명하거나 기타 법률상 효과를 발생하게 하는 것으로서 항고소송의 대상이 되는 행정처분에 해당한다(대판 2008.4.24. 2008두3500).

구청장이 사회복지법인에 특별감사 결과 지적사항에 대한 시정지시와 그 결과를 관계서류와 함께 보고하도록 지시
▷ 행정처분○

9 교육감이 학교법인에 대한 감사 실시 후 처리지시를 하고 그와 함께 그 시정조치에 대한 결과를 증빙서를 첨부한 문서로 보고하도록 한 것은 행정처분에 해당한다. ★

위 보고명령 및 증빙서 첨부명령을 이행하지 않는 경우 학교법인의 이사장이 형사상 처벌을 받거나 법 규정을 위반하였다는 사유로 임원 취임의 승인이 취소될 수도 있다. 이와 같은 사정에 비추어 보면, 원고로서는 위 보고명령 및 증빙서 첨부명령을 이행하기 위하여 이 사건 처리지시에 따른 제반 조치를 먼저 이행하는 것이 사실상 강제되어 있다고 할 것이므로, 이 사건 처리지시는 단순히 권고적 효력만을 가지는 비권력적 사실행위인 행정지도에 불과하다고 보기 어렵고, 원고에게 의무의 부담을 명하거나 기타 법률상 효과를 발생하게 하는 것으로서 항고소송의 대상이 되는 행정처분에 해당한다(대판 2008.9.11. 2006두18362).

교육감이 학교법인에 대한 감사 실시 후 처리지시를 하고 그와 함께 그 시정조치에 대한 결과를 증빙서를 첨부한 문서로 보고하도록 한 것
▷ 행정처분○

10 진실·화해를 위한 과거사정리위원회의 진실규명결정은 행정처분이다. ★★

진실규명결정이 이루어지면 그 결정에서 규명된 진실에 따라 국가가 피해자 등에 대하여 피해 및 명예회복 조치를 취할 법률상 의무를 부담하게 되는 점등 여러 사정을 종합하여 보면, 법이 규정하는 진실규명결정은 국민의 권리의무에 직접적으로 영향을 미치는 행위로서 항고소송의 대상이 되는 행정처분이라고 보는 것이 타당하다(대판 2013.1.16. 2010두22856).

과거사정리위원회의 진실규명결정
▷ 행정처분○

11 친일반민족행위자 재산조사위원회의 재산조사개시결정은 행정처분에 해당한다. ★★

친일반민족행위자재산조사위원회의 재산조사개시결정이 있는 경우 조사대상자는 친일반민족행위자재산조사위원회의 보전처분 신청을 통하여 재산권행사에 실질적인 제한을 받게 되고, 위 위원회의 자료제출요구나 출석요구 등의 조사행위에 응하여야 하는 법적 의무를 부담하게 되는 점, … 등을 종합하면, 친일반민족행위자재산조사위원회의 재산조사개시결정은 조사대상자의 권리·의무에 직접 영향을 미치는 독립한 행정처분으로서 항고소송의 대상이 된다(대판 2009.10.15. 2009두6513).

친일반민족행위자재산조사위원회의 재산조사개시결정
▷ 행정처분○

함께 정리하기

정보통신윤리위원회의 청소년유해매체물결정
▷ 행정처분○

지방자치단체의 장이「공유재산 및 물품 관리법」에 근거하여 기부채납 및 사용·수익허가 방식으로 민간투자사업을 추진하는 과정에서 이미 선정된 우선협상대상자를 그 지위에서 배제하는 행위
▷ 행정처분○

법무사의 사무원 채용승인 신청에 대하여 소속 지방법무사회가 '채용승인을 거부'하는 조치 또는 일단 채용승인을 하였으나 '채용승인을 취소'하는 조치
▷ 행정처분○

공정거래위원회의 입찰참가자격제한 등 요청 결정
▷ 행정처분○

12 정보통신윤리위원회(현 방송통신심의위원회)가 특정 인터넷사이트를 청소년유해매체물로 결정한 행위는 행정처분에 해당한다. ★

정보통신윤리위원회가 특정 인터넷사이트를 청소년유해매체물로 결정한 행위는 피고 명의로 외부에 표시되고 이의가 있는 때에는 피고에게 결정취소를 구하도록 통보하고 있어 객관적으로 이를 행정처분으로 인식할 정도의 외형을 갖추고 있는 점, 피고의 결정에 이은 고시 요청에 기하여 청소년보호위원회는 실질적 심사 없이 청소년유해매체물로 고시하여야 하고 이에 따라 당해 매체물에 관하여 구 청소년보호법상의 각종 의무가 발생하는 점에 비추어 볼 때, 피고의 이 사건 결정은 항고소송의 대상이 되는 행정처분에 해당한다(대판 2007.6.14. 2005두4397).

13 지방자치단체의 장이 기부채납 및 사용·수익허가 방식의 민간투자사업을 추진하는 과정에서 사업시행자 지정 전 단계에서 공모제안을 받아 일정한 심사를 거쳐 우선협상대상자를 선정하는 행위 및 이미 선정된 우선협상대상자를 그 지위에서 배제하는 행위는 행정처분에 해당한다. ★★★

지방자치단체의 장이 공유재산법에 근거하여 기부채납 및 사용·수익허가 방식으로 민간투자사업을 추진하는 과정에서 사업시행자를 지정하기 위한 전 단계에서 공모제안을 받아 일정한 심사를 거쳐 우선협상대상자를 선정하는 행위와 이미 선정된 우선협상대상자를 그 지위에서 배제하는 행위는 민간투자사업의 세부내용에 관한 협상을 거쳐 공유재산법에 따른 공유재산의 사용·수익허가를 우선적으로 부여받을 수 있는 지위를 설정하거나 또는 이미 설정한 지위를 박탈하는 조치이므로 모두 항고소송의 대상이 되는 행정처분으로 보아야 한다(대판 2020.4.29. 2017두31064).

14 법무사의 사무원 채용승인 신청에 대하여 소속 지방법무사회가 '채용승인을 거부'하는 조치 또는 일단 채용승인을 하였으나 '채용승인을 취소'하는 조치는 행정처분에 해당한다. ★★

법무사의 사무원 채용승인 신청에 대하여 소속 지방법무사회가 '채용승인을 거부'하는 조치 또는 일단 채용승인을 하였으나 법무사규칙 제37조 제6항을 근거로 '채용승인을 취소'하는 조치는 공법인인 지방법무사회가 행하는 구체적 사실에 관한 법집행으로서 공권력의 행사 또는 그 거부에 해당하므로 항고소송의 대상인 '처분'이라고 보아야 한다(대판 2020.4.9. 2015다34444).

15 공정거래위원회의 입찰참가자격제한 등 요청 결정은 행정처분에 해당한다. ★★

구 하도급거래 공정화에 관한 법률 제26조 제2항은 입찰참가자격제한 요청의 요건을 구 하도급거래 공정화에 관한 법률 시행령(2021.1.12. 대통령령 제31393호로 개정되기 전의 것, 이하 '시행령'이라 한다)으로 정하는 기준에 따라 부과한 벌점의 누산점수가 일정 기준을 초과하는 경우로 구체화하고, 위 요건을 충족하는 경우 공정거래위원회는 법 제26조 제2항 후단에 따라 관계 행정기관의 장에게 해당 사업자에 대한 입찰참가자격제한 요청 결정을 하게 되며, 이를 요청받은 관계 행정기관의 장은 특별한 사정이 없는 한 그 사업자에 대하여 입찰참가자격을 제한하는 처분을 해야 하므로, 사업자로서는 입찰참가자격제한 요청 결정이 있으면 장차 후속 처분으로 입찰참가자격이 제한될 수 있는 법률상 불이익이 존재한다. 이때 입찰참가자격제한 요청 결정이 있음을 알고 있는 사업자로 하여금 입찰참가자격제한처분에 대하여만 다툴 수 있도록 하는 것보다는 그에 앞서 직접 입찰참가자격제한 요청 결정의 적법성을 다툴 수 있도록 함으로써 분쟁을 조기에 근본적으로 해결하도록 하는 것이 법치행정의 원리에도 부합한다. 따라서 공정거래위원회의 입찰참가자격제한 요청 결정은 항고소송의 대상이 되는 처분에 해당한다(대판 2023.2.2. 2020두48260 ; 대판 2023.4.27. 2020두47892).

16 신문 등의 진흥에 관한 법률상 관할 시·도지사가 하는 신문 등록은 행정처분에 해당한다. ★

신문을 발행하려는 자는 신문의 명칭('제호'라는 용어를 사용하기도 한다) 등을 주사무소 소재지를 관할하는 시·도지사(이하 '등록관청'이라 한다)에게 등록하여야 하고, 등록을 하지 않고 신문을 발행한 자에게는 2천만원 이하의 과태료가 부과된다(신문 등의 진흥에 관한 법률 제9조 제1항, 제39조 제1항 제1호). 따라서 <u>등록관청이 하는 신문의 등록은 신문을 적법하게 발행할 수 있도록 하는 행정처분에 해당한다</u>(대판 2019.8.30. 2018두47189).

함께 정리하기

「신문 등의 진흥에 관한 법률」상 관할 시·도지사가 하는 신문 등록
▷ 행정처분○

ⓒ 처분성을 부정한 경우

🔨 관련판례

1 국세징수법상 가산금 또는 중가산금 고지는 행정처분이 아니다. ★★

국세징수법 제21조, 제22조가 규정하는 가산금 또는 중가산금은 국세를 납부기한까지 납부하지 아니하면 과세청의 확정절차 없이도 법률 규정에 의하여 당연히 발생하는 것이므로 <u>가산금 또는 중가산금의 고지가 항고소송의 대상이 되는 처분이라고 볼 수 없다</u>(대판 1990.5.8. 90누1168 ; 대판 2005.6.10. 2005다15482).

「국세징수법」상 가산금 또는 중가산금 고지
▷ 행정처분×

2 국가보훈처장이 유족에게 한 망인에 대한 서훈취소통보는 행정처분이 아니다. ★

국가보훈처장이 유족에게 한 망인에 대한 서훈취소통보는 상대방 또는 기타 관계자들의 법률상 지위에 직접적인 법률적 변동을 일으키지 아니하는 행위로 항고소송의 대상이 될 수 없는 <u>사실상의 통지에 해당한다</u>(대판 2015.4.23. 2012두26920).

국가보훈처장이 유족에게 한 망인에 대한 서훈취소통보
▷ 행정처분×

3 국가유공자법상 이의신청을 받아들이지 아니하는 결정은 행정처분이 아니다(↔이의신청을 받아들이는 결정은 처분). ★★

국가유공자법 제74조의18 제1항이 정한 이의신청을 받아들이는 것을 내용으로 하는 결정은 당초 국가유공자 등록신청을 받아들이는 새로운 처분으로 볼 수 있으나, 이와 달리 이의신청을 받아들이지 아니하는 내용의 결정은 종전의 결정 내용을 그대로 유지하는 것에 불과한 점 등을 종합하면, 국가유공자법 제74조의18 제1항이 정한 이의신청을 받아들이지 아니하는 결정은 이의신청인의 권리·의무에 새로운 변동을 가져오는 공권력의 행사나 이에 준하는 행정작용이라고 할 수 없으므로 원결정과 별개로 항고소송의 대상이 되지는 않는다(대판 2016.7.27. 2015두45953).

국가유공자법상 이의신청 거부결정
▷ 행정처분×
▷ 원결정을 대상으로 항고소송을 제기하여야 함

국가유공자법상 이의신청 인용결정
▷ 행정처분○

4 국세환급금 충당은 행정처분이 아니다. ★★

국세환급금의 충당은 납세의무자가 갖는 환급청구권의 존부나 범위 또는 소멸에 구체적이고 직접적인 영향을 미치는 처분이라기보다는 국가의 환급금 채무와 조세채권이 대등액에서 소멸되는 점에서 오히려 민법상의 상계와 비슷하고, 소멸대상인 조세채권이 존재하지 아니하거나 당연무효 또는 취소되는 경우에는 충당의 효력이 없는 것으로서 이러한 사유가 있는 경우에 납세의무자로서는 충당의 효력이 없음을 주장하여 언제든지 이미 결정된 국세환급금의 반환을 청구할 수 있다(대판 2019.6.13. 2016다239888).

국세환급금 충당
▷ 행정처분×

5 읍·면장에 의한 이장의 임명 및 면직은 행정처분이 아니다. ★★

<u>읍·면장의 이장에 대한 직권면직행위는 행정청으로서 공권력을 행사하여 행하는 행정처분이 아니라</u> 서로 대등한 지위에서 이루어진 <u>공법상 계약에 따라 그 계약을 해지하는 의사표시로 봄이 상당하다</u>(대판 2012.10.25. 2010두18963).

읍·면장에 의한 이장의 임명 및 면직
▷ 행정처분×

함께 정리하기

핵심정리 기타 처분성 인정 여부

처분성 인정	처분성 부정
• 한국환경산업기술원장의 연구개발중단·연구비 집행중지조치(2015두264) • 한국토지주택공사의 부적격통보·재심사통보(2015두58645) • 표준공시지가결정(2007두13845) • 개별공시지가의 결정(93누111) • 국가인권위원회의 성희롱결정과 시정조치권고(2005두487) • 국가인권위원회의 진정 각하 및 기각결정(2013헌마214) • 구청장이 사회복지법인에 특별감사 결과 지적사항에 대한 시정지시와 그 결과를 관계 서류와 함께 보고하도록 한 지시(2008두3500) • 교육감이 학교법인에 대한 감사 실시 후 처리지시를 하고 그와 함께 그 시정조치에 대한 결과를 증빙서를 첨부한 문서로 보고하도록 한 것(2006두18362) • 진실·화해를 위한 과거사정리위원회의 진실규명결정(2010두22856) • 친일반민족행위자 재산조사위원회의 재산조사 개시결정(2009두6513) • 정보통신윤리위원회의 청소년유해매체물 결정행위(2005두4397) • 서울시 공무원의 동일직급 전보발령(94구1496) • 지방자치단체의 장이 기부채납 및 사용·수익허가 방식의 민간투자사업을 추진하는 과정에서 사업시행자 지정 전 단계에서 공모제안을 받아 일정한 심사를 거쳐 우선협상대상자를 선정하는 행위 및 이미 선정된 우선협상대상자를 그 지위에서 배제하는 행위(2017두31064) • 법무사의 사무원 채용승인 신청에 대하여 소속 지방법무사회가 '채용승인을 거부'하는 조치 또는 일단 채용승인을 하였으나 '채용승인을 취소'하는 조치(2015다34444) • 방산물자 지정취소(2009두12853) • 세무조사결정(2009두23617·23624)	• 「국세징수법」상 가산금 또는 중가산금 고지(2005다15482) • 국가보훈처장의 서훈취소통보(2012두26920) • 해양수산부장관의 항만명칭결정(2007두23873) • 국가유공자법상 이의신청을 받아들이지 아니하는 결정(2015두45953) • 감사원의 징계요구와 그에 대한 재심의결정(2014두5637) • 국세환급금 충당(2016다239888) • 읍·면장에 의한 이장의 임명 및 면직(2010두18963) • 징계위원회결정(81누35) • 신고납부하는 취득세와 등록세의 수납행위(88누4591) • 과세관청이 신고납부하는 취득세와 등록세를 수령한 후 이를 확인하는 통지를 하면서 납세자의 면제신청을 거부하는 취지의 회신을 보낸 경우 그 확인통지나 거부회신(81누35)

과세관청의 경정처분
▷ 대상적격 문제됨

⑩ 경정처분의 경우

㉠ 문제의 소재: 행정청은 과세처분 등을 한 후 그 처분에 잘못이 있는 경우에 당초처분을 시정하기 위하여 이를 감액하거나 증액하는 처분을 하는 경우가 있다. 이 경우 당초처분에 대하여 감액 또는 증액된 처분을 경정처분이라 하는 바, 처분의 상대방은 당초처분과 경정처분 중 무엇을 대상으로 행정소송을 제기해야 하는지가 문제된다.

ⓒ **학설**: 당초처분과 경정처분은 독립된 처분으로 별개의 소송대상이라는 견해(병존설), 당초처분은 경정처분에 흡수되어 소멸하고, 경정처분만이 효력을 가지고 소송의 대상이 된다는 견해(흡수설), 경정처분은 당초처분에 흡수되어 경정처분에 의하여 수정된 당초의 처분이 소송의 대상이 된다는 견해(역흡수설) 등이 대립하고 있다.

ⓒ **판례**
　　ⓐ **감액경정처분의 경우**: 감액경정처분은 당초처분의 전부를 취소한 다음 새로이 처분을 한 것이 아니라, 당초처분의 일부취소에 불과하므로, 경정처분에 의하여 감액되고 남아 있는 당초처분이 항고소송의 대상이 된다(역흡수설). 이 경우 제소기간의 준수여부나 적법한 전심절차를 거쳤는지 여부도 당초의 처분을 기준으로 판단한다.

> **관련판례**
>
> **1** 감액처분이 있은후 그 감액처분으로도 아직 취소되지 않고 남아 있는 부분이 위법하다고 하여 다투는 경우 감액처분에 의하여 취소되지 않고 남은 부분이 항고소송의 대상이다. ★★★
>
> 과징금 부과처분에서 행정청이 납부의무자에 대하여 부과처분을 한 후 그 부과처분의 하자를 이유로 과징금의 액수를 감액하는 경우에 그 감액처분은 감액된 과징금 부분에 관하여만 법적 효과가 미치는 것으로서 처음의 부과처분과 별개 독립의 과징금 부과처분이 아니라 그 실질은 당초 부과처분의 변경이고, 그에 의하여 과징금의 일부취소라는 납부의무자에게 유리한 결과를 가져오는 처분이므로 처음의 부과처분이 전부 실효되는 것은 아니며, 그 감액처분으로도 아직 취소되지 않고 남아 있는 부분이 위법하다고 하여 다투는 경우 항고소송의 대상은 처음의 부과처분 중 감액처분에 의하여 취소되지 않고 남은 부분이고 감액처분이 항고소송의 대상이 되는 것은 아니다. 따라서 감액처분에 의하여 감액된 부분에 대한 부과처분 취소청구는 이미 소멸하고 없는 부분에 대한 것으로서 소의 이익이 없어 부적법하다(대판 2008.2.15. 2006두3957 ; 대판 2017.1.12. 2015두2352).
>
> **2** 감액처분으로도 아직 취소되지 않고 남은 부분을 다투고자 하는 경우 감액처분에 의하여 취소되지 않고 남은 부분이 소송의 대상이며, 그 결과 제소기간 준수 여부도 당초처분을 기준으로 판단한다. ★★★
>
> 행정청이 산업재해보상보험법에 의한 보험급여 수급자에 대하여 부당이득 징수결정을 한 후 징수결정의 하자를 이유로 징수금 액수를 감액하는 경우에 감액처분은 감액된 징수금 부분에 관해서만 법적 효과가 미치는 것으로서 당초 징수결정과 별개 독립의 징수금 결정처분이 아니라 그 실질은 처음 징수결정의 변경이고, 그에 의하여 징수금의 일부취소라는 징수의무자에게 유리한 결과를 가져오는 처분이므로 징수의무자에게는 그 취소를 구할 소의 이익이 없다. 이에 따라 감액처분으로도 아직 취소되지 않고 남아 있는 부분이 위법하다 하여 다투고자 하는 경우, 감액처분을 항고소송의 대상으로 할 수는 없고, 당초 징수결정 중 감액처분에 의하여 취소되지 않고 남은 부분을 항고소송의 대상으로 할 수 있을 뿐이며, 그 결과 제소기간의 준수 여부도 감액처분이 아닌 당초처분을 기준으로 판단해야 한다(대판 2012.9.27. 2011두27247).

함께 정리하기

병존설
▷ 독립된 처분으로 각각 별개의 소송대상

흡수설
▷ 경정처분만 소송대상

역흡수설
▷ 경정처분에 의해 수정된 당초처분이 소송대상

감액경정처분
▷ 소송대상: 경정처분으로 인하여 감액되고 남은 당초처분(역흡수설)
▷ 새로운 처분✕
▷ 당초처분의 일부취소에 불과
▷ 제소기간 준수 여부: 당초 처분을 기준으로 판단

감액처분으로도 아직 취소되지 않고 남아 있는 부분이 위법하다고 다투는 경우
▷ 감액처분에 의하여 취소되지 않고 남은 부분이 소송의 대상

제소기간의 준수 여부
▷ 당초처분을 기준으로 판단

적법한 전심절차 준수 여부
▷ 당초처분을 기준으로 판단

증액경정처분
▷ 소송대상: 증액처분(흡수설)
▷ 당초 처분은 증액처분에 흡수되어 소멸
▷ 제소기간 준수 여부: 증액경정처분 기준

증액경정처분
▷ 증액경정처분이 대상적격○

증액경정처분 취소소송
▷ 흡수되어 소멸한 당초처분의 절차적 하자 승계×

증액경정처분이 있은 후 이를 감액하는 재경정처분이 있는 경우 항고소송의 대상
▷ 증액경정처분 중 감액재경정결정에 의해 취소되지 않고 남은 부분

증액경정처분 취소소송
▷ 증액경정사유 뿐만 아니라 당초 신고에 관한 과다신고사유도 함께 다툴 수 있음

③ 경정처분으로도 아직 취소되지 아니하고 남아 있는 부분이 위법하다 하여 다투는 경우 적법한 전심절차를 거쳤는지 여부는 당초처분을 기준으로 판단하여야 한다. ★★★

과세표준과 세액을 감액하는 경정처분은 당초의 부과처분과 별개 독립의 과세처분이 아니라 그 실질은 당초의 부과처분의 변경이고, 그에 의하여 세액의 일부 취소라는 납세자에게 유리한 효과를 가져 오는 처분이므로, 그 경정처분으로도 아직 취소되지 아니하고 남아 있는 부분이 위법하다 하여 다투는 경우, 항고소송의 대상은 당초의 부과처분 중 경정처분에 의하여 아직 취소되지 않고 남은 부분이고, 그 경정처분이 항고소송의 대상이 되는 것은 아니며, 이 경우 적법한 전심절차를 거쳤는지 여부도 당초처분을 기준으로 판단하여야 한다(대판 2009.5.28. 2006두16403).

ⓑ 증액경정처분의 경우
㉮ 증액경정처분의 경우에 당초처분은 증액처분에 흡수되어 소멸되므로 증액경정처분이 항고소송의 대상이 된다(흡수설). 이 경우 제소기간의 준수 여부도 증액경정처분을 기준으로 판단한다.

관련판례

① 증액경정처분이 있는 경우 당초 신고·결정은 증액경정처분에 흡수됨으로써 독립된 존재가치를 잃게 되므로 증액경정처분을 대상으로 항고소송을 제기해야 한다. ★★★

증액경정처분이 있는 경우, 당초 신고나 결정은 증액경정처분에 흡수됨으로써 독립된 존재가치를 잃게 된다고 보아야 할 것이므로, 원칙적으로는 당초 신고나 결정에 대한 불복기간의 경과 여부 등에 관계없이 증액경정처분만이 항고소송의 심판대상이 되고, 납세의무자는 그 항고소송에서 당초 신고나 결정에 대한 위법사유도 함께 주장할 수 있다(대판 2009.5.14. 2006두17390).

② 증액경정처분이 있는 경우 당초처분은 증액경정처분에 흡수되어 소멸하고, 소멸한 당초처분의 절차적 하자는 존속하는 증액경정처분에 승계되지 아니한다(대판 2010.6.24. 2007두16493). ★★★

③ 증액경정처분이 있은 후 이를 감액하는 재경정처분이 있으면 증액경정처분 중 감액재경정결정에 의하여 취소되지 않고 남은 부분이 항고소송의 대상이 된다. ★★

과세처분이 있은 후 이를 증액하는 경정처분이 있으면 당초 처분은 경정처분에 흡수되어 독립된 존재가치를 상실하여 소멸하는 것이고, 그 후 다시 이를 감액하는 재경정처분이 있으면 재경정처분은 위 증액경정처분과는 별개인 독립의 과세처분이 아니라 그 실질은 위 증액경정처분의 변경이고 그에 의하여 세액의 일부 취소라는 납세의무자에게 유리한 효과를 가져오는 처분이라 할 것이므로, 그 감액하는 재경정결정으로도 아직 취소되지 않고 남아 있는 부분이 위법하다 하여 다투는 경우 항고소송의 대상은 그 증액경정처분 중 감액재경정결정에 의하여 취소되지 않고 남은 부분이고, 감액재경정결정이 항고소송의 대상이 되는 것은 아니다(대판 1996.7.30. 95누6328).

④ 납세의무자는 증액경정처분의 취소를 구하는 항고소송에서 과세관청의 증액경정사유 뿐만 아니라 당초신고에 관한 과다신고사유도 함께 주장하여 다툴 수 있다(대판 2013.4.18. 2010두11733). ★★

⑤ 납세자는 감액경정청구에 대한 거부처분 취소소송에서 당초 신고에 대한 과다신고사유뿐만 아니라 과세관청의 증액경정사유도 함께 주장하여 다툴 수 있다. ★★

통상의 과세처분 취소소송에서와 마찬가지로 감액경정청구에 대한 거부처분 취소소송 역시 그 거부처분의 실체적·절차적 위법사유를 취소 원인으로 하는 것으로서 그 심판의 대상은 과세표준 및 세액의 객관적인 존부이므로, 그 과세표준 및 세액의 인정이 위법하다고 내세우는 개개의 위법사유는 자기의 청구가 정당하다고 주장하는 공격방어방법에 불과한 점, 과세처분에 대한 취소소송과 경정청구는 모두 정당한 과세표준 및 세액의 존부를 정하고자 하는 동일한 목적을 가진 불복수단이므로, 납세자로 하여금 과세관청의 증액경정사유에 대하여는 취소소송으로써, 과다신고사유에 대하여는 경정청구로써 각각 다투게 하는 것은 납세자의 권익보호나 소송경제에 부합하지 않는 점 등에 비추어 보면, 납세자는 감액경정청구에 대한 거부처분 취소소송에서 당초 신고에 대한 과다신고사유뿐만 아니라 과세관청의 증액경정사유도 함께 주장하여 다툴 수 있다. 다만 증액경정처분에 대한 불복기간이 경과한 경우에는 구 국세기본법 제45조의2 제1항 단서에 따라 '경정으로 인하여 증가된 과세표준 및 세액'에 관하여는 취소를 구할 수 없고, 당초 신고한 과세표준 및 세액을 한도로 하여서만 취소를 구할 수 있을 따름이다(당초신고에 대한 경정청구거부처분 취소소송에서 불복기간이 도과된 증액경정처분의 위법사유를 주장할 수 있는지 여부가 문제된 사건, 대판 2024.6.27. 2021두39997).

> 함께 정리하기
>
> **감액경정청구에 대한 거부처분 취소소송**
> ▷ 당초 신고에 대한 과다신고사유뿐만 아니라 증액경정사유도 함께 다툴 수 있음

④ 그러나 증액경정처분이 제척기간 도과 후에 이루어진 경우에는 증액부분만이 무효로 되고 제척기간 도과 전에 있었던 당초처분은 유효한 것이므로, 납세의무자로서는 그와 같은 증액경정처분이 있었다는 이유만으로 당초 처분에 의하여 이미 확정되었던 부분에 대하여 다시 위법 여부를 다툴 수는 없다(대판 2004.2.13. 2002두9971).

> **증액경정처분이 제척기간 도과 후에 이루어진 경우**
> ▷ 납세의무자는 당초처분에 의하여 이미 확정되었던 부분의 위법 여부를 다시 다툴 수 없음

⑪ **변경처분의 경우(종전처분을 변경하는 내용의 후속처분의 경우)**
  ㉠ **문제의 소재**: 처분청은 직권으로 당초처분을 변경할 수 있다. 변경처분이 이루어질 경우, 처분의 상대방은 종전처분(선행처분)과 후속처분(후행처분) 중 무엇을 대상으로 행정소송을 제기해야 하는지가 문제된다.

> **처분청의 변경처분**
> ▷ 대상적격이 쟁점

  ㉡ **판례**
    ⓐ **실질적(적극적) 변경처분❶의 경우**
      ㉮ 후속처분이 종전처분의 주요 부분을 실질적으로 변경하는 경우, 종전처분은 그때부터 효력을 상실하므로 후속처분 만이 항고소송의 대상이 된다.
      ㉯ 이 경우 변경취소소송의 제소기간의 준수 여부는 변경처분시를 기준으로 한다.
    ⓑ **소극적(일부) 변경처분의 경우**
      ㉮ 종전처분의 내용 중 일부만을 소폭 변경하는 정도에 불과한 경우, 종전처분은 후속처분에 의하여 소멸한다고 볼 수 없어, 후속처분에도 불구하고 종전처분이 여전히 항고소송의 대상이 된다.
      ㉯ 이 경우 종전처분과 후행변경처분을 별도로 다툴 수가 있고, 선행처분취소소송에 후행처분취소청구를 추가하여 변경하였다면 후행처분에 관한 제소기간 준수 여부는 청구변경 당시를 기준으로 판단하여야 한다.

> ❶ **실질적(적극적) 변경처분**
> 실질적 변경처분이란 가령 허가취소처분을 영업정지처분으로 변경한 경우나 영업정지처분을 과징금부과처분으로 변경한 경우 등 처분의 동일성이 유지되지 않는 적극적 변경을 말한다.
>
> **실질적 변경처분의 경우**
> ▷ 선행처분의 효력은 상실, 후속처분이 대상적격
>
> **변경취소소송의 제소기간 준수여부**
> ▷ 변경처분시를 기준
>
> **소극적 변경처분의 경우**
> ▷ 선행처분은 후행처분에 의하여 소멸×, 종전처분이 대상적격
>
> **후행처분에 관한 제소기간 준수 여부**
> ▷ 청구변경 당시를 기준

함께 정리하기

대체·주요부분 변경하는 후속처분
▷ 후속처분이 대상적격 ○

일부만 추가·철회·변경하는 후속처분
▷ 종전처분이 대상적격 ○

후행처분이 선행처분의 일부만 소폭 변경하는 경우
▷ 선행처분은 후행처분에 의하여 소멸 ×

효력기간이 있는 제재적 처분의 집행시기를 변경하는 처분
▷ 변경처분 ○, 새로운 처분 ×

조합설립인가처분 후 경미한 사항의 변경인 변경인가처분
▷ 당초의 조합설립인가처분은 변경인가처분에 흡수 ×

관련판례

1 후속처분이 종전처분을 완전히 대체하는 것이거나 주요 부분을 실질적으로 변경하는 내용인 경우가 아닌 한, 후속처분에도 불구하고 종전처분이 여전히 항고소송의 대상이 된다. ★★★

기존의 행정처분을 변경하는 내용의 행정처분이 뒤따르는 경우, ① 후속처분이 종전처분을 완전히 대체하는 것이거나 주요 부분을 실질적으로 변경하는 내용인 경우에는 특별한 사정이 없는 한 종전처분은 효력을 상실하고 후속처분만이 항고소송의 대상이 되지만, ② 후속처분의 내용이 종전 처분의 유효를 전제로 내용 중 일부만을 추가·철회·변경하는 것이고 추가·철회·변경된 부분이 내용과 성질상 나머지 부분과 불가분적인 것이 아닌 경우에는, 후속처분에도 불구하고 종전처분이 여전히 항고소송의 대상이 된다(대판 2015.11.19. 2015두295).

> **[동지]**
> 선행처분의 주요 부분을 실질적으로 변경하는 내용으로 후행처분을 한 경우에 선행처분은 특별한 사정이 없는 한 효력을 상실하지만, 후행처분이 선행처분의 내용 중 일부만을 소폭 변경하는 정도에 불과한 경우에는 선행처분은 소멸하는 것이 아니라 후행처분에 의하여 변경되지 아니한 범위 내에서는 그대로 존속한다(대판 2020.4.9. 2019두49953). 선행처분의 내용 중 일부만을 소폭 변경하는 후행처분이 있는 경우 선행처분도 후행처분에 의하여 변경되지 아니한 범위 내에서 존속하고, 후행처분은 선행처분의 내용 중 일부를 변경하는 범위 내에서 효력을 가지지만, 선행처분의 주요 부분을 실질적으로 변경하는 내용으로 후행처분을 한 경우에는 선행처분은 특별한 사정이 없는 한 그 효력을 상실한다(대판 2022.7.28. 2021두60748). ★★

2 효력기간이 정해져 있는 제재적 행정처분의 효력이 발생한 이후 별도의 처분으로써 효력기간의 시기와 종기를 다시 정하였다면 이는 당초의 제재적 행정처분이 유효함을 전제로 그 구체적인 집행시기만을 변경하는 후속 변경처분이다. ★★

효력기간이 정해져 있는 제재적 행정처분의 효력이 발생한 이후에도 행정청은 특별한 사정이 없는 한 상대방에 대한 별도의 처분으로써 효력기간의 시기와 종기를 다시 정할 수 있다. 이는 당초의 제재적 행정처분이 유효함을 전제로 그 구체적인 집행시기만을 변경하는 후속 변경처분이다. 이러한 후속 변경처분도 특별한 규정이 없는 한 의사표시에 관한 일반법리에 따라 상대방에게 고지되어야 효력이 발생한다. 위와 같은 후속 변경처분서에 효력기간의 시기와 종기를 다시 특정하는 대신 당초 제재적 행정처분의 집행을 특정 소송사건의 판결 시까지 유예한다고 기재되어 있다면, 처분의 효력기간은 원칙적으로 그 사건의 판결 선고 시까지 진행이 정지되었다가 판결이 선고되면 다시 진행된다. 다만 이러한 후속 변경처분 권한은 특별한 사정이 없는 한 당초의 제재적 행정처분의 효력이 유지되는 동안에만 인정된다. 당초의 제재적 행정처분에서 정한 효력기간이 경과하면 그로써 처분의 집행은 종료되어 처분의 효력이 소멸하는 것이므로(행정소송법 제12조 후문 참조), 그 후 동일한 사유로 다시 제재적 행정처분을 하는 것은 위법한 이중처분에 해당한다(대판 2022.2.11. 2021두40720).

3 도시 및 주거환경정비법 관련 규정의 내용, 형식 및 취지 등에 비추어 보면, 당초 관리처분계획의 경미한 사항을 변경하는 경우와 달리 관리처분계획의 주요 부분을 실질적으로 변경하는 내용으로 새로운 관리처분계획을 수립하여 시장·군수의 인가를 받은 경우에는, 당초 관리처분계획은 달리 특별한 사정이 없는 한 효력을 상실한다(대판 2012.3.22. 2011두6400 ; 대판 2012.3.29. 2010두7765). ★★

4 재개발조합설립 인가신청에 대한 행정청의 조합설립인가처분 후 구 도시 및 주거환경정비법 시행령 제27조 각 호에서 정한 경미한 사항의 변경에 대하여 행정청이 변경인가처분을 한 경우, 당초의 조합설립인가처분은 변경인가처분에 흡수되지 않는다(대판 2010.12.9. 2009두4555). ★

5 선행처분의 취소를 구하는 소를 제기한 후 후행처분의 취소를 구하는 청구를 추가하여 청구를 변경하는 경우, 후행처분에 관한 제소기간 준수 여부는 청구변경 당시를 기준으로 판단하여야 한다. ★★

선행처분이 후행처분에 의하여 변경되지 아니한 범위 내에서 존속하고 후행처분은 선행처분의 내용 중 일부를 변경하는 범위 내에서 효력을 가지는 경우에, 선행처분의 취소를 구하는 소를 제기한 후 후행처분의 취소를 구하는 청구를 추가하여 청구를 변경하였다면 후행처분에 관한 제소기간 준수 여부는 청구변경 당시를 기준으로 판단하여야 하나, 선행처분에만 존재하는 취소사유를 이유로 후행처분의 취소를 청구할 수는 없다(대판 2012.12.13. 2010두20782 · 20799).

> **함께 정리하기**
> 후행처분에 관한 제소기간 준수 여부
> ▷ 청구변경 당시를 기준

2. 재결

(1) 재결의 의의

재결이란 행정심판의 청구에 대하여 「행정심판법」 제6조에 따른 행정심판위원회가 행하는 판단을 말한다(「행정심판법」 제2조 제3호). 「행정소송법」 제19조는 처분뿐만 아니라 행정심판의 재결도 취소소송의 대상이 될 수 있음을 규정하고 있다. 여기서 말하는 행정심판에 대한 재결은 「행정심판법」의 규정에 의하여 행정심판위원회가 행하는 재결뿐만 아니라 「행정심판법」 이외의 개별법규에 의한 각종 이의신청이나 당사자심판에 의한 재결도 포함된다(예 「공익사업을 위한 토지 등의 취득 및 보상에 관한 법률」상 토지수용위원회의 이의재결).

> **재결**
> ▷ 행정심판청구사건에 대해 행정심판위원회가 행하는 법적 판단
>
> **행정심판에 대한 재결**
> ▷ 「행정심판법」의 규정에 의하여 행정심판위원회가 행하는 재결
> ▷ 「행정심판법」 이외의 개별법규에 의한 각종 이의신청이나 당사자심판에 의한 재결

(2) 원처분주의

행정청의 처분에 대하여 행정심판의 재결을 거쳐 취소소송을 제기하는 경우 원처분을 대상으로 하여야 하는가, 재결을 대상으로 하여야 하는 것인가에 관하여 문제되는 바, 이와 관련하여서는 원처분주의와 재결주의가 대립하고 있다.

① 원처분주의와 재결주의
  ㉠ 원처분주의: 원처분과 재결 모두 취소소송의 대상이 될 수 있으나, 원처분의 위법은 원처분취소소송에서만 주장할 수 있고, 재결취소소송에서는 원처분의 위법은 주장할 수 없고, 재결 자체의 고유한 위법만을 주장할 수 있도록 하는 제도를 말한다.
  ㉡ 재결주의: 원처분에 대하여는 소송을 제기할 수 없고, 재결에 대하여만 소송을 제기할 수 있도록 하되 재결 자체의 위법뿐만 아니라 원처분의 위법도 재결취소소송에서 주장할 수 있도록 하는 제도를 말한다.

② 「행정소송법」의 태도
  ㉠ 「행정소송법」은 "취소소송은 처분 등을 대상으로 한다. 다만, 재결취소소송의 경우에는 재결 자체에 고유한 위법이 있음을 이유로 하는 경우에 한한다(동법 제19조)."라고 하여 원처분에 대하여만 제소를 허용하고, 재결에 대하여는 예외적으로 재결 자체에 고유한 위법이 있는 경우에 한하여 제소를 허용하는 이른바 '원처분주의'를 채택하고 있다. 따라서 원처분의 위법을 이유로 재결에 대한 취소소송을 제기할 수 없다.
  ㉡ 다만, 「감사원법」이나 「노동위원회법」과 같은 개별 법률에서 '재결주의'를 취하고 있는 때에는 원처분주의의 적용은 배제되고 재결에 대해서만 제소가 허용된다. 이에 대해서는 후술하기로 한다.

> **원처분주의**
> ▷ 원처분의 위법은 원처분취소소송에서만 주장 가능
> ▷ 재결취소소송에서는 재결 자체의 고유한 위법만을 주장 가능
>
> **재결주의**
> ▷ 재결에 대하여만 소송을 제기할 수 있도록 하되, 재결 자체의 위법뿐만 아니라 원처분의 위법도 재결취소소송에서 주장할 수 있도록 하는 제도
>
> 「행정소송법」 제19조
> ▷ 원처분주의

함께 정리하기

재결취소소송
▷ 재결 자체에 고유한 위법이 있는 경우에만 가능
▷ 원처분의 위법을 이유로 하는 재결취소소송은 불가능

재결 자체의 고유한 위법의 의의
▷ 재결 자체에 주체·형식·절차·내용의 위법이 있는 경우

재결 자체에 고유한 위법
▷ 재결청의 권한 또는 구성의 위법, 재결의 절차나 형식의 위법, 내용의 위법 등을 의미

재결에 이유모순의 위법이 있는 경우
▷ 재결취소소송에서 위법사유로 주장 ○
▷ 원처분취소소송에서 위법사유로서 주장 ✕

행정심판청구가 부적법하지 않음에도 각하한 재결
▷ 재결취소소송의 대상 ○

❶ 이 경우 처분의 상대방은 원처분의 위법을 이유로 원처분을 대상으로 <u>원처분</u>취소소송을 제기할 수 있고, 재결 자체의 고유한 하자를 이유로 재결을 대상으로 <u>각하재결</u>취소소송을 제기할 수 있다. 또한 양소를 병합하여 제기할 수도 있다(동법 제10조 제2항).

기각재결
▷ 원처분이 대상적격 ○

(3) 재결이 취소소송의 대상이 되는 경우

재결이 취소소송의 대상이 되는 경우는 재결 자체에 고유한 위법이 있는 경우에만 가능하다. 여기에서 '재결 자체의 고유한 위법'이란 원처분에는 없고 재결 자체에만 존재하는 위법을 의미하는 것으로 재결 자체에 주체·형식·절차·내용의 위법이 있는 경우를 말한다.

> **관련판례**
>
> **1** 행정소송법 제19조에서 말하는 '재결 자체에 고유한 위법'이란 원처분에는 없고 재결에만 있는 재결청의 권한 또는 구성의 위법, 재결의 절차나 형식의 위법, 내용의 위법 등을 뜻하고, 그 중 내용의 위법에는 위법·부당하게 인용재결을 한 경우가 해당한다(대판 1997.9.12. 96누14661). ★
>
> **2** 행정처분에 대한 행정심판의 재결에 이유모순의 위법이 있다는 사유는 재결처분 자체에 고유한 하자로서 재결처분의 취소를 구하는 소송에서는 그 위법사유로서 주장할 수 있으나, 원처분의 취소를 구하는 소송에서는 그 취소를 구할 위법사유로서 주장할 수 없다(대판 1996.2.13. 95누8027). ★★

① **주체·형식·절차의 위법**
  ㉠ **주체에 관한 위법**: 권한 없는 행정심판위원회가 재결하거나, 행정심판위원회의 구성에 하자가 있거나, 의결정족수가 흠결된 경우 등을 말한다.
  ㉡ **형식에 관한 위법**: 문서에 의하지 아니하거나, 법이 정한 주요기재사항이 누락되거나, 이유 기재에 중대한 흠이 있는 경우 등을 말한다.
  ㉢ **절차에 관한 위법**: 「행정심판법」상의 심판절차를 준수하지 않은 경우를 말한다.
② **내용의 위법**: 재결 자체에 고유한 내용상 위법이 있는 경우에는 위법·부당하게 각하재결, 기각재결, 인용재결을 한 경우가 해당한다(대판 1997.9.12. 96누14661).
  ㉠ **각하재결의 경우**: 행정심판청구가 부적법하지 않음에도 불구하고 실체심리를 하지 않은 채 각하한 재결은 심판청구인의 실체심리를 받을 권리를 박탈한 것으로서 원처분에는 없는 재결에 고유한 하자에 해당하므로, 재결취소소송의 대상이 된다(대판 2001.7.27. 99두2970).
  ㉡ **기각재결의 경우**
    ⓐ 원처분이 정당하다고 하면서 심판청구를 기각한 재결에 대해서는 원칙적으로 내용상의 위법을 주장하여 제소할 수 없다. 원처분에 있는 하자와 동일한 하자를 주장하는 것이 되기 때문이다. 따라서 이 경우에는 원처분을 대상으로 항고소송을 제기해야 한다.
    ⓑ 그러나 불고불리의 원칙(「행정심판법」 제47조 제1항)이나 불이익변경금지의 원칙(「행정심판법」 제47조 제2항)을 벗어나 재결한 경우, 또는 행정심판위원회가 청구인의 취소심판에 대하여 사정재결을 함에 있어서 사정재결의 요건을 잘못 판단한 경우에는 내용의 위법을 이유로 재결취소소송을 제기할 수 있다.
  ㉢ **인용재결의 경우**: 행정심판 청구인은 인용재결에 대하여 불복할 이유가 없으므로, 인용재결의 내용의 위법을 다투는 것은 인용재결로 인하여 권리침해 등의 불이익을 받게 되는 제3자(예 제3자가 행정심판청구인인 경우의 행정처분의 상대방, 행정처분의 상대방이 행정심판청구인인 경우의 제3자)의 경우에 문제가 된다.

ⓐ **인용재결에 대한 취소소송에서 제3자의 원고적격**: 제3자효를 수반하는 행정행위에 있어서 인용재결로 인하여 불이익을 입은 자는 그 인용재결에 대하여 항고소송을 제기할 수 있다. 그러나 인용재결로 인하여 새로이 어떠한 권리이익도 침해받지 아니하는 자인 경우에는 그 재결의 취소를 구할 원고적격이 없다.

> **관련판례**
>
> 제3자효 행정행위에서 인용재결이 있는 경우에 그 인용재결로 인하여 비로소 권리이익을 침해받은 자는 그 인용재결에 대하여 취소를 구할 수 있다. ★★
>
> 이른바 복효적 행정행위, 특히 제3자효를 수반하는 행정행위에 대한 행정심판청구에 있어서 그 청구를 인용하는 내용의 재결로 인하여 비로소 권리이익을 침해받게 되는 자는 재결의 당사자가 아니라고 하더라도 그 인용재결의 취소를 구하는 소를 제기할 수 있으나, 그 인용재결로 인하여 새로이 어떠한 권리이익도 침해받지 아니하는 자인 경우에는 그 재결의 취소를 구할 소의 이익이 없다(대판 1995.6.13. 94누15592).

ⓑ **제3자효 행정행위에 대한 인용재결의 경우 소의 대상**

㉮ 당해 인용재결은 형식상으로는 재결이나 실질적으로는 제3자에게 최초 처분의 성질을 갖는 것이라고 보아 제3자의 소송을 처분취소소송으로 보는 견해도 있으나, 다수설과 판례는 인용재결은 원처분과 내용을 달리하는 것이므로, 인용재결의 취소를 주장하는 것은 「행정소송법」 제19조 단서에 따라 원처분에는 없는 재결에 고유한 하자를 주장하는 셈이어서 제3자가 인용재결을 다투는 소송을 재결취소소송으로 본다.

㉯ 다만, 거부처분이 재결로 취소된 경우에는 그 재결의 취소를 구하는 것은 소의 이익이 없다는 것이 판례의 입장이다. 왜냐하면 거부처분이 재결에 의하여 취소되는 경우 처분청에게는 재처분의무가 인정되는데(「행정심판법」 제49조 제2항), 이 재처분이 거부처분이라면 제3자는 취소소송을 제기할 필요가 없고, 이 재처분이 인용처분이라면 제3자는 인용처분에 대한 취소소송을 제기하면 되는 것이므로 굳이 거부처분취소재결에 대한 취소를 구할 필요가 없기 때문이다.

> **관련판례**
>
> **1** 제3자효를 수반하는 행정행위에 대한 행정심판청구의 인용재결은 원처분과 내용을 달리하는 것이므로 그 인용재결의 취소를 구하는 것은 원처분에는 없는 재결에 고유한 하자를 주장하는 것이다. ★★★
>
> (제3자효를 수반하는 행정행위에 대하여 제3자가 행정심판을 제기하여 그 처분이 취소되는 재결이 있자 그 원처분의 상대방이 위 재결에 대한 취소소송을 제기한 경우, 위 소송이 재결에 고유한 하자를 주장하는 것이 되는지 여부) 이른바 복효적 행정행위, 특히 제3자효를 수반하는 행정행위에 대한 행정심판청구에 있어서 그 청구를 인용하는 내용의 재결로 인하여 비로소 권리이익을 침해받게 되는 자는 그 인용재결에 대하여 다툴 필요가 있고, 그 인용재결은 원처분과 내용을 달리하는 것이므로 그 인용재결의 취소를 구하는 것은 원처분에는 없는 재결에 고유한 하자를 주장하는 셈이어서 당연히 항고소송의 대상이 된다(대판 2001.5.29. 99두10292 ; 대판 1997.12.23. 96누10911).

제3자효를 수반하는 행정행위에 대한 인용재결의 취소를 구하는 것
▷ 원처분에는 없는 재결에 고유한 하자를 주장하는 것

함께 정리하기

처분의 상대방이 인용재결로 불이익 입는 경우
▷ 인용재결을 대상으로 항고소송 제기 可

거부처분이 재결로 취소된 경우 재결취소소송
▷ 소의 이익 ✕

부적법 각하하여야 함에도 인용재결을 한 경우
▷ 재결 자체에 고유한 하자 있는 것

② 원처분의 상대방이 아닌 제3자가 행정심판을 청구하여 재결청이 원처분을 취소하는 형성재결을 한 경우, 원처분의 상대방이 재결의 취소를 구하는 것이 원처분에 없는 재결 고유의 하자를 주장하는 것이다. ★★

당해 사안에서와 같이 원처분의 상대방이 아닌 제3자가 행정심판을 청구하여 재결청이 원처분을 취소하는 형성재결을 한 경우에 그 원처분의 상대방은 그 재결에 대하여 항고소송을 제기할 수밖에 없고, 이 경우 재결은 원처분과 내용을 달리 하는 것이어서 재결의 취소를 구하는 것은 원처분에 없는 재결 고유의 위법을 주장하는 것이 된다(대판 1998.4.24. 97누17131).

③ 거부처분이 재결로 취소된 경우에는 그 취소재결의 취소를 구하는 것은 소의 이익이 없다. ★★

당사자의 신청을 받아들이지 않은 거부처분이 재결에서 취소된 경우에 행정청은 종전 거부처분 또는 재결 후에 발생한 새로운 사유를 내세워 다시 거부처분을 할 수 있다. 그 재결의 취지에 따라 이전의 신청에 대하여 다시 어떠한 처분을 하여야 할지는 처분을 할 때의 법령과 사실을 기준으로 판단하여야 하기 때문이다. 또한 행정청이 재결에 따라 이전의 신청을 받아들이는 후속처분을 하였더라도 후속처분이 위법한 경우에는 재결에 대한 취소소송을 제기하지 않고도 곧바로 후속처분에 대한 항고소송을 제기하여 다툴 수 있다. 나아가 거부처분을 취소하는 재결이 있더라도 그에 따른 후속처분이 있기까지는 제3자의 권리나 이익에 변동이 있다고 볼 수 없고 후속처분 시에 비로소 제3자의 권리나 이익에 변동이 발생하며, 재결에 대한 항고소송을 제기하여 재결을 취소하는 판결이 확정되더라도 그와 별도로 후속처분이 취소되지 않는 이상 후속처분으로 인한 제3자의 권리나 이익에 대한 침해 상태는 여전히 유지된다. 이러한 점들을 종합하면, 거부처분이 재결에서 취소된 경우 재결에 따른 후속처분이 아니라 그 재결의 취소를 구하는 것은 실효적이고 직접적인 권리구제수단이 될 수 없어 분쟁해결의 유효적절한 수단이라고 할 수 없으므로 법률상 이익이 없다(대판 2017.10.31. 2015두45045).

ⓒ **부적법한 인용재결이 있는 경우**: 행정심판의 제기요건을 결여하였음에도 불구하고 각하하지 아니하고 인용재결을 한 경우에는 재결 자체에 고유한 위법이 있는 경우에 해당하므로 제3자는 인용재결을 다툴 수 있다. 판례도 자기완결적 신고의 수리는 처분성이 없으므로 수리처분의 취소를 구하는 행정심판청구는 부적법 각하해야 함에도 불구하고 인용재결한 경우에는 인용재결에 고유한 하자가 있으므로 인용재결이 행정소송의 대상이 된다고 보았다.

관련판례

재결청이 자기완결적 신고의 수리에 해당하는 골프장 사업시설 착공계획서 수리에 대하여 처분성 결여를 이유로 위 취소심판청구를 부적법 각하하여야 함에도 불구하고 이를 각하하지 않고 심판청구를 인용하여 취소재결을 하였다면 재결 자체에 고유한 하자가 있다. ★★

행정청이 골프장 사업계획승인을 얻은 자의 사업시설 착공계획서를 수리한 것에 대하여 인근 주민들이 그 수리처분의 취소를 구하는 행정심판을 청구하자 재결청이 그 청구를 인용하여 수리처분을 취소하는 형성적 재결을 한 경우, 그 수리처분 취소 심판청구는 행정심판의 대상이 되지 아니하여 부적법 각하하여야 함에도 위 재결은 그 청구를 인용하여 수리처분을 취소하였으므로 재결 자체에 고유한 하자가 있다(대판 2001.5.29. 99두10292).

(4) 인용재결의 경우 소의 대상

① 형성재결·이행재결의 경우
- ㉠ **형성재결**: 형성재결이 있으면 그 자체로 법률관계가 형성(예 처분의 취소)되고 처분청의 별도의 행위를 요하는 것이 아니므로, 위원회로부터 재결을 통보받은 처분청이 행하는 재결결과의 통보는 사실의 통지에 불과할 뿐 처분이 아니다(대판 1997.5.30. 96누14678). 따라서 형성재결의 경우에는 형성재결 그 자체가 취소소송의 대상이 된다.

> **관련판례**
> 당해 재결과 같이 그 인용재결청인 문화체육부장관 스스로가 직접 당해 사업계획승인처분을 취소하는 형성적 재결을 한 경우에는 그 재결 외에 그에 따른 행정청의 별도의 처분이 있지 않기 때문에 재결 자체를 쟁송의 대상으로 할 수밖에 없다(대판 1997.12.23. 96누10911).

- ㉡ **이행재결**
  - ⓐ **문제점**: 처분명령재결과 같은 이행재결의 경우에는 재결 이외에 그에 따른 행정청의 처분이 있게 되므로 이행재결 자체에 고유한 위법이 있는 경우에, 취소소송의 대상이 이행재결인지 이행재결에 따른 처분인지가 문제가 된다.
  - ⓑ **학설**: ㉮ 구체적인 권익의 침해는 처분이 있어야 하는 점을 강조하여 이행재결에 따른 처분이 소의 대상이 된다는 견해(이행처분설), ㉯ 재결에 따른 행정청의 처분은 재결의 기속력에 의한 부차적인 처분에 지나지 않으므로 이행재결이 취소소송의 대상이 된다는 견해(이행재결설 또는 처분명령재결설), ㉰ 양자 모두가 소의 대상이 된다는 견해(선택가능설)가 대립한다.
  - ⓒ **판례**: 대법원은 처분명령재결과 동일하게 이행재결의 성격을 갖는 '취소명령재결'의 경우에 선택가능설의 입장을 취한 바 있다(대판 1993.9.28. 92누15093). 그러나 해당 판례는 '취소명령재결'이 인정되던 시기에 나온 판례이다. 현행 「행정심판법」에서는 취소재결(형성재결)이외에 '취소명령재결'은 삭제되어 인정되지 않는다.

② 일부인용(일부취소)재결 및 변경(수정)재결의 경우
- ㉠ **문제점**: 일부인용재결(예 6개월 영업정지처분이 행정심판의 재결에서 3개월 영업정지처분으로 감경된 경우)과 변경재결(예 공무원에 대한 파면처분이 소청심사절차에서 해임으로 감경된 경우)이 있은 후에도 당사자가 여전히 불복하여 이에 대해 다투고자 할 때 (변경)재결과 (변경된)원처분 중 무엇을 대상으로 소송을 제기하여야 하는지 문제이다.
- ㉡ **학설**
  - ⓐ **변경된 원처분설**: 일부인용재결이나 변경재결을 구분하지 않고, 원처분주의 원칙상 재결은 소송의 대상이 되지 못하고 재결로 인하여 일부취소하고 남은 원처분, 또는 변경된 원처분이 소송의 대상이 된다는 견해이다.
  - ⓑ **변경재결설**: 일부인용재결의 경우에는 남은 원처분이 소송의 대상이 되나, 변경재결의 경우에는 당초처분을 변경하는 새로운 처분이므로 변경재결을 소의 대상으로 하여야 한다는 견해이다.

함께 정리하기

형성재결
▷ 형성재결 그 자체가 취소소송의 대상O

이행재결 후 행정청의 이행재결에 따른 처분이 있는 경우
▷ 이행재결 vs. 이행재결에 따른 처분(대상적격 문제)

이행처분설
▷ 처분 있어야 침해 현실화, 이행재결에 따른 처분이 소의 대상

이행재결설
▷ 재결에 따른 처분은 재결의 기속력에 의한 부차적 행위
▷ 이행재결이 취소소송의 대상

선택가능설
▷ 양자 모두가 대상적격O

취소명령재결(현재 삭제되었음)에 대한 과거 판례
▷ 양자 모두 소의 대상O
▷ 선택가능설

일부취소·변경재결
▷ 대상적격 문제됨

함께 정리하기

변경(수정)재결의 경우
▷ 감경되고 남은 원처분(수정된 원처분)을 대상으로 처분청(위원회 ×)을 피고로 하여 취소소송 제기

감봉을 견책으로 변경한 소청결정
▷ 견책으로 변경된 원처분인 감봉처분이 소의 대상

일부취소재결의 경우
▷ 일부취소 되고 남은 원처분을 대상으로 처분청(위원회 ×)을 피고로 하여 취소소송 제기

변경명령재결의 경우
▷ 변경된 내용의 당초처분을 대상으로 처분청(위원회 ×)을 피고로 하여 취소소송 제기

행정청이 식품위생법령에 따라 영업자에게 행정제재처분을 한 후 당초 처분을 영업자에게 유리하게 변경하는 처분을 한 경우
▷ 취소소송의 대상: 변경된 내용의 당초처분○
▷ 제소기간 판단: 변경된 내용의 당초처분○

ⓒ 판례
ⓐ 판례는 변경재결과 관련하여 원처분주의 원칙상 재결자체에 고유한 위법이 없는 한, 감경되고 남은 원처분(수정된 원처분)을 대상으로 처분청을 피고로 하여 취소소송을 제기하여야 한다고 본다(변경된 원처분설).

> **관련판례**
>
> **감봉을 견책으로 변경한 소청결정에 대한 소송은 재결 고유의 하자라 볼 수 없으므로 기각된다(즉, 견책으로 변경된 징계처분을 대상으로 소송을 제기해야 한다) ★★★**
>
> 항고소송은 원칙적으로 당해 처분을 대상으로 하나, 당해 처분에 대한 재결 자체에 고유한 주체, 절차, 형식 또는 내용상의 위법이 있는 경우에 한하여 그 재결을 대상으로 할 수 있다고 해석되므로, 징계혐의자에 대한 감봉 1월의 징계처분을 견책으로 변경한 소청결정 중 그를 견책에 처한 조치는 재량권의 남용 또는 일탈로서 위법하다는 사유는 소청결정 자체에 고유한 위법을 주장 하는 것으로 볼 수 없어 소청결정의 취소사유가 될 수 없다(대판 1993.8.24. 93누5673).

ⓑ 일부인용재결에 대한 판례는 없으나, 원처분주의에 대한 판례의 입장에서 볼 때 변경재결과 같은 입장이라고 볼 수 있다. 따라서 일부취소재결의 경우에도, 일부취소 되고 남은 원처분을 대상으로 취소소송을 제기하여야 한다.

③ 변경명령재결의 경우
㉠ 문제점: 위원회의 변경명령재결(예 원처분인 영업정지처분을 과징금부과처분으로 변경하라는 명령재결)에 따라 피청구인이 변경처분을 한 경우, 변경처분과 변경된 원처분(변경된 내용의 당초처분) 중 어느 행위가 취소소송의 대상이 될 것인지가 문제된다.

㉡ 학설
ⓐ 원처분은 변경처분에 흡수되므로 변경처분만이 소송의 대상이 된다는 견해(변경처분설), ⓑ 변경처분은 원처분에 흡수되므로 변경된 원처분만이 소송의 대상이 된다는 견해(변경된 원처분설)가 대립하고 있다.

㉢ 판례: 판례는 취소소송의 대상은 변경된 내용의 당초처분(과징금부과처분)이고, 제소기간의 준수여부도 이를 기준으로 판단한다고 본다. 따라서 행정심판위원회가 아니라 처분청이 피고가 된다.

> **관련판례**
>
> **행정청이 식품위생법령에 따라 영업자에게 행정제재처분을 한 후 당초 처분을 영업자에게 유리하게 변경하는 처분을 한 경우 취소소송의 대상은 변경된 내용의 당초처분이다. ★★★**
>
> [피고(전주 완산구청장)는 2002.12.26. 원고에 대하여 3월의 영업정지처분이라는 이 사건 당초처분을 하였고, 이에 대하여 원고가 행정심판청구를 하자 행정심판위원회는 2003.3.3. "피고가 2002.12.26. 원고에 대하여 한 3월의 영업정지처분을 2월의 영업정지에 갈음하는 과징금부과처분으로 변경하라"는 일부기각(일부인용)의 이행재결을 하였으며, 2003.3.10. 그 재결서 정본이 원고에게 도달한 사실, 피고는 위 재결취지에 따라 2003.3.13. "3월의 영업정지처분을 과징금 560만원으로 변경한다."는 취지의 후속 변경처분을 한 사안에서] 행정청이 식품위생법령에 따라 영업자에게 행정제재처분을 한 후(행정심판위원회의 변경명령재결에 따라) 그 처분을 영업자에게 유리하게 변경하는 처분을 한 경우, 변경처분에 의하여 유리하게 변경된 내용의 행정제재가 위법하다 하여 그 취소를 구하는 경우 그 취소소송의 대상은 변경된 당초 처분이지 변경처분은 아니고, 제소기간의 준수 여부도 변경처분이 아닌 변경된 내용의 당초 처분을 기준으로 판단하여야 한다(대판 2007.4.27. 2004두9302).

(5) 「행정소송법」 제19조 단서에 위반한 소송의 처리

재결 자체에 고유한 위법이 없는데도 재결에 대한 취소소송을 제기한 경우의 소송상 처리에 대하여 「행정소송법」 제19조 단서를 소극적 소송요건으로 보아 각하판결을 해야 한다는 견해가 있으나, 재결 자체의 고유한 위법여부는 본안판단사항이기 때문에 **기각판결을 해야 한다**는 것이 일반적인 견해이자 판례의 입장이다.

> **관련판례**
>
> **재결취소소송에서 재결 자체에 고유한 위법이 없는 경우 법원은 재결취소소송을 기각하여야 한다.** ★★★
>
> 재결취소소송의 경우 재결 자체에 고유한 위법이 있는지 여부를 심리할 것이고, 재결 자체에 고유한 위법이 없는 경우에는 원처분의 당부와는 상관없이 당해 재결취소소송은 이를 기각하여야 한다(대판 1994.1.25. 93누16901).

(6) 원처분주의의 예외(개별법률에서 재결주의를 택하고 있는 경우)

① 「행정소송법」은 원처분주의를 취하고 있으나(동법 제19조), 개별법률에서 예외적으로 재결주의를 채택하고 있는 경우가 있다. 재결주의가 채택되어 있는 경우에는 원처분은 취소소송의 대상이 아니고 행정심판의 **재결만이 취소소송의 대상**된다.

② 다만, 개별법률이 재결주의를 취하고 있는 경우라도 원처분이 무효인 경우 그 효력은 처음부터 당연히 발생하지 않는 것이므로 재결을 거칠 필요없이 원처분에 대한 무효확인소송은 제기할 수 있다(대판 1993.1.19. 91누8050).

③ 재결주의가 채택되어 있는 예로 ㉠ **감사원의 변상판정에 대한 재심의판정**(「감사원법」 제36조 제1항, 제40조 제2항), ㉡ **중앙노동위원회의 재심판정**(「노동위원회법」 제26조 제1항), ㉢ **특허심판원의 심결**(「특허법」 제186조, 제189조, 「디자인보호법」 제166조, 「상표법」 제162조, 「실용신안법」 제33조) 등이 있다.

> **참고** 재결주의를 채택한 경우
>
> 1. 감사원의 변상판정에 대한 재심의판정
> 「감사원법」 제36조 제2항은 회계관계 공무원에 대한 감사원의 변상판정(원처분)에 대하여 감사원에 재심의를 청구할 수 있도록 하고 있고, 동법 제40조 제2항은 감사원의 재심의판정(재결)에 불복하는 자는 감사원을 피고로 하여 행정소송을 제기할 수 있다고 규정함으로써 원처분인 변상판정이 아닌 재심의판정을 소송의 대상으로 하도록 하고 있다.
>
> 2. 노동위원회의 처분에 대한 중앙노동위원회의 재심판정
> 「노동위원회법」 제26조 제1항은 중앙노동위원회는 지방노동위원회 또는 특별노동위원회의 처분(원처분)을 재심하여 이를 인정·취소 또는 변경할 수 있다고 하고, 동법 제27조 제1항은 중앙노동위원회의 처분(재결)에 대한 소는 중앙노동위원회 위원장을 피고로 하여 처분의 통지를 받은 날부터 15일 이내에 이를 제기하여야 한다고 규정하고 있다. 따라서 지방노동위원회의 처분에 대하여 불복하는 취소소송을 제기하는 경우, 지방노동위원회 등의 원처분은 소송의 대상이 되지 못하고 재결주의에 따라 중앙노동위원회의 재심판정을 대상으로 중앙노동위원장을 피고로 하여 재심판정취소의 소를 제기하여야 한다(대판 1995.9.15. 95누6724).
>
> 3. 특허심판원의 심결에 대한 재심판정
> 특허출원에 대한 심사관의 거절사정(원처분)에 대하여는 바로 행정소송을 제기할 수 없고, 특허심판원에 심판청구를 한 후 그 심결(재결)을 소송대상으로 하여 특허법원에 심결취소를 요구하는 소를 제기하여야 한다(「특허법」 제186조, 제189조).

 **함께 정리하기**

재결 자체에 고유한 위법이 없는데도 재결에 대한 취소소송을 제기한 경우
▷ 기각판결(다수설·판례)

재결취소소송에서 재결 자체에 고유한 위법이 없는 경우
▷ 재결취소소송 기각

재결주의에서 취소소송의 대상
▷ 재결만

재결주의 예
▷ 감사원의 재심의판정
▷ 노동위원회의 재심판정
▷ 특허심판원의 심결

함께 정리하기

변상판정처분(원처분) vs. 재심의 판정(재결)
▷ 재심의판정이 대상적격O(재결주의)
▷ 피고: 감사원

관련판례

감사원의 재결에 해당하는 재심의판정에 대해서만 행정소송이 가능하다. ★★★

감사원의 변상판정처분에 대해서는 행정소송을 제기할 수 없고, 재결에 해당하는 재심의판정에 대해서만 감사원을 피고로 하여 행정소송을 제기할 수 있다(대판 1984.4.10. 84누91).

(7) 관련 문제

① **중앙토지수용위원회의 이의재결에 대한 불복**: 구 토지수용법은 재결주의를 취하였으나(제75조의2), 현행 토지보상법은 원처분주의를 취하고 있다(제85조 제1항). 대법원도 같은 입장이다. 따라서 이의재결에 불복하여 취소소송을 제기하는 경우 원처분인 수용재결을 대상으로 하여야 한다.

중앙토지수용위원회의 이의재결 불복
▷ 수용재결(원처분)이 대상O

「공익사업을 위한 토지 등의 취득 및 보상에 관한 법률」 제85조 【행정소송의 제기】 ① 사업시행자, 토지소유자 또는 관계인은 제34조에 따른 재결에 불복할 때에는 재결서를 받은 날부터 90일 이내에, 이의신청을 거쳤을 때에는 이의신청에 대한 재결서를 받은 날부터 60일 이내에 각각 행정소송을 제기할 수 있다. 이 경우 사업시행자는 행정소송을 제기하기 전에 제84조에 따라 늘어난 보상금을 공탁하여야 하며, 보상금을 받을 자는 공탁된 보상금을 소송이 종결될 때까지 수령할 수 없다.

관련판례

토지보상법상 이의신청은 임의적 절차이며 불복시 원처분주의에 따라 수용재결(원처분)의 취소를 구해야 한다. ★★★

수용재결에 불복하여 취소소송을 제기하는 때에는 이의신청을 거친 경우에도 수용재결을 한 중앙토지수용위원회 또는 지방토지수용위원회를 피고로 하여 수용재결의 취소를 구하여야 하고, 다만 이의신청에 대한 재결 자체에 고유한 위법이 있음을 이유로 하는 경우에는 그 이의재결을 한 중앙토지수용위원회를 피고로 하여 이의재결의 취소를 구할 수 있다고 보아야 한다(대판 2010.1.28. 2008두1504).

토지보상법상 이의신청(임의절차)
▷ 원처분주의O
▷ 재결주의X

② **교원소청심사위원회의 결정에 대한 불복**: 교원징계처분에 대해 취소소송을 제기하는 경우 사립학교 교원이나 국공립학교 교원 모두 원처분주의가 적용된다. 이 경우 원처분주의 적용에 있어 사립학교 교원의 경우와 국공립학교 교원의 경우에 차이가 있다.❶

❶ 「교원지위향상을 위한 특별법」 제9조 제1항은 교원(사립학교 교원 포함)은 징계처분 그 밖에 그 의사에 반하는 불리한 처분에 대하여 불복이 있을 때에는 심사위원회에 소청을 청구할 수 있고, 제10조 제3항은 심사위원회의 결정에 대하여 항고소송을 제기할 수 있다고 규정하고 있다.

㉠ **사립학교 교원의 경우**
  ⓐ 사립학교 교원에 대한 사립학교의 장의 징계 기타 불이익처분은 행정처분이 아닌 사법상의 행위이므로 사립학교 교원은 학교법인을 피고로 하여 민사소송을 제기하여 권리구제를 받을 수 있다.
  ⓑ 다만, 사립학교 교원이 교원소청심사위원회의 심사를 거친 경우, 교원소청심사위원회의 결정은 행정심판의 재결이 아니라 행정처분(원처분)이 된다. 따라서 교원이 결정에 불복하여 행정소송을 제기하는 경우 교원소청심사위원회를 피고로 하여 그 결정을 대상으로 행정소송을 제기하여야 한다(「교원지위법」 제10조).

사립학교 교원 징계
▷ 사법상 행위(민사소송)
▷ 피고: 학교법인

사립학교 교원이 교원소청심사위원회의 심사를 거친 경우
▷ 교원소청심사위원회의 결정: 행정처분(원처분)

관련판례

사립학교 교원에 대한 학교법인의 해임처분은 행정처분으로 볼 수 없고, 교원징계재심위원회(현 교원소청심사위원회)의 결정이 행정처분에 해당한다. ★★★

[1] 사립학교 교원은 학교법인 또는 사립학교 경영자에 의하여 임면되는 것으로서 사립학교 교원과 학교법인의 관계를 공법상의 권력관계라고는 볼 수 없으므로 사립학교 교원에 대한 학교법인의 해임처분을 취소소송의 대상이 되는 행정청의 처분으로 볼 수 없고, 따라서 학교법인을 상대로 한 불복은 행정소송에 의할 수 없고 민사소송절차에 의할 것이다.

[2] 사립학교 교원에 대한 해임처분에 대한 구제방법으로 학교법인을 상대로 한 민사소송 이외 교원지위향상을 위한 특별법 제7조 내지 10조에 따라 교육부 내에 설치된 교원징계재심위원회에 재심청구를 하고 교원징계재심위원회의 결정에 불복하여 행정소송을 제기하는 방법도 있으나, 이 경우에도 행정소송의 대상이 되는 행정처분은 교원징계재심위원회의 결정이지 학교법인의 해임처분이 행정처분으로 의제되는 것이 아니며 또한 교원징계재심위원회의 결정을 이에 대한 행정심판으로서의 재결에 해당되는 것으로 볼 수는 없다(대판 1993.2.12. 92누13707).

ⓒ **국·공립학교 교원의 경우**: 이에 반하여 교육공무원이 교원소청심사위원회의 결정에 불복하여 행정소송을 제기하는 경우에는 원처분주의에 따라 교원소청심사위원회의 결정이 아니라 원처분이 취소소송의 대상된다. 다만, 예외적으로 교원소청심사위원회의 결정에 고유한 위법이 인정되는 경우에 한하여 소청심사위원회의 결정이 취소소송의 대상이 된다.

관련판례

국·공립학교교원에 대한 징계에 있어 교원징계재심위원회결정에 불복이 있는 경우에 원처분을 소송의 대상으로, 원처분청을 상대로 취소소송을 제기한다. ★★★

국·공립학교 교원에 대한 징계 등 불리한 처분은 행정처분이므로 국공립학교 교원이 징계 등 불리한 처분에 대하여 불복이 있으면 교원징계재심위원회에 재심청구를 하고 위 재심위원회의 재심결정에 불복이 있으면 항고소송으로 이를 다투어야 할 것인데, 이 경우 그 소송의 대상이 되는 처분은 원칙적으로 원처분청의 처분이고, 원처분이 정당한 것으로 인정되어 재심청구를 기각한 재결에 대한 항고소송은 원처분의 하자를 이유로 주장할 수는 없고 그 재결 자체에 고유한 주체·절차·형식 또는 내용상의 위법이 있는 경우에 한한다(대판 1994.2.8. 93누17874).

3 취소소송의 당사자

1. 당사자

(1) 개념

취소소송에서 당사자란 원고와 피고를 말한다. 원고는 자신의 권익보호를 위해 처분 등의 위법을 이유로 처분의 취소·변경을 주장하는 자이고, 피고는 행정법규의 적용에 있어서 위법이 없다고 주장하는 행정청이다.❶

 함께 정리하기

사립학교 교원에 대한 학교법인의 해임처분
▷ 행정처분×

교원징계심사위원회의 결정
▷ 행정처분○

교원징계재심위원회 재심결정 불복
▷ 원처분주의 적용○

❶ 소송에서 당사자가 누구인가는 당사자능력, 당사자적격 등에 관한 문제와 직결되는 중요한 사항이므로, 사건을 심리·판단하는 법원으로서는 직권으로 소송당사자가 누구인가를 확정하여 심리를 진행하여야 한다(대판 2016.12.27. 2016두50440).

함께 정리하기

당사자능력
▷ 소송주체가 될 수 있는 일반적 능력

자연·도롱뇽
▷ 당사자능력×

충북대학교 총장
▷ 당사자능력×

당사자적격
▷ 특정의 소송사건에서 당사자로서 소송을 수행하고 본안판결을 받기에 적합한 자격

원고적격
▷ 구체적 소송사건에서 원고로서 소송을 수행하여 본안판결을 받을 수 있는 자격(직권조사사항)

원고적격
▷ 직권조사사항
▷ 상고심에도 존속해야 함
▷ 흠결시 각하

(2) 당사자능력

① 당사자능력이란 소송의 주체(원고·피고·참가인)가 될 수 있는 일반적 능력을 말한다. 「민법」, 기타 법률에 의하여 권리능력이 있는 자(자연인·법인)는 행정소송에서의 당사자능력을 가진다(「행정소송법」 제8조 제2항, 「민사소송법」 제51조). 법인격이 없는 사단이나 재단도 대표자 또는 관리인이 있으면 그 사단이나 재단의 이름으로 당사자가 될 수 있다(「행정소송법」 제8조 제2항, 「민사소송법」 제52조).

> **관련판례**
> 자연물인 도롱뇽 또는 그를 포함한 자연 그 자체로서는 소송을 수행할 당사자능력을 인정할 수 없다(대결 2006.6.2. 2004마1148). ★★

② 따라서 국가나 지방자치단체는 법인이므로 당사자능력이 있으나, 그 내부기관인 행정기관, 행정청 등은 「민법」상 권리주체가 아니므로 당사자능력이 없다(후술하는 공법인 및 국가기관 참조).

> **관련판례**
> 충북대학교 총장의 소는 원고 충북대학교 총장이 원고 대한민국이 설치한 충북대학교의 대표자일 뿐 항고소송의 원고가 될 수 있는 당사자능력이 없어 부적법하다(대판 2007.9.20. 2005두6935). ★★

(3) 당사자적격

당사자적격이란 특정의 소송사건에서 당사자로서 소송을 수행하고 본안판결을 받기에 적합한 자격, 즉 구체적인 소송사건에서의 원고적격과 피고적격을 말한다. 당사자적격은 당사자능력을 전제로 논의되는 것으로 당사자능력이 없으면 당사자적격도 없다.

2. 원고적격(법률상 이익이 있는 자)

(1) 원고적격의 의의

① 원고적격이란 구체적 소송사건에서 원고로서 소송을 수행하여 본안판결을 받을 수 있는 자격을 말한다. 이와 관련하여 「행정소송법」(이하 '동법'이라 함)은 "취소소송은 처분 등의 취소를 구할 법률상 이익이 있는 자가 제기할 수 있다(동법 제12조 전문)."라고 규정하고 있다.

② 원고적격은 소송요건의 하나이므로 법원의 직권조사사항이다(대판 2017.3.9. 2013두16852). 이러한 원고적격은 사실심 변론종결시는 물론 상고심에서도 존속하여야 하고, 이를 흠결하면 부적법한 소로서 각하의 대상이 된다(대판 2007.4.12. 2004두7924).

(2) '법률상 이익'의 의미

「행정소송법」상 취소소송의 원고적격은 '처분 등의 취소를 구할 법률상 이익이 있는 자'에게만 인정된다(동법 제12조 전단)고 규정하고 있다. 따라서 이하에서는 원고적격의 요건인 '법률상 이익'이 무엇을 의미하는지에 대하여 학설과 판례를 통해 살펴보기로 한다.

① 학설

권리구제설 (권리회복설)	취소소송의 목적이 위법한 처분으로 인하여 침해된 개인의 권리를 회복하는 소송이라는 전제하에 위법한 처분으로 권리를 침해당한 자만이 원고적격을 갖는다고 본다. 그러나 이 설은 취소소송의 원고적격의 범위를 너무 좁게 본다는 비판을 받는다.
법률상 보호이익 구제설 (법적 이익구제설)	• 위법한 처분에 의하여 침해되고 있는 이익이 근거법률 및 관계 법률에 의하여 보호되는 이익인 경우에는 그러한 이익이 침해된 자에게도 당해 처분을 취소할 원고적격이 인정된다고 본다. 이 설이 통설과 판례의 입장이다. • 이 설에 의하면 권리를 침해받는 자 뿐 아니라 법률이 보호하고 있는 이익을 침해받은 자에게도 원고적격을 인정하기 때문에 권리구제설보다 원고적격의 범위가 확대된다.
(소송상)보호 가치있는 이익구제설	소송법적 관점에서 재판에 의하여 보호할 만한 가치, 즉 법률상의 이익, 사실상의 이익 여부를 불문하고 이익이 침해된 자는 항고소송의 원고적격이 있다는 견해이다. 이 설은 논리상 권리구제를 지나치게 강조하여 사실상의 이익이라 하더라도 법원이 인정하면 원고적격이 인정된다는 문제점이 있다.
적법성 보장설	취소소송의 주된 기능을 행정통제에 있는 것으로 보아 처분의 위법성을 다툴 가장 적합한 이익상태에 있는 자에게 원고적격을 인정한다는 견해이다. 이 설은 취소소송을 객관소송화하는 것으로서 우리 「행정소송법」 법제하에서는 취소소송이 주관소송이라는 점에서 비판을 받고 있다.

② 판례

㉠ 판례는 법률상 보호이익구제설의 입장에서 '법률상 보호되는 이익'이라 함은 처분의 근거 법규 및 관련 법규에 의하여 보호되는 개별적·직접적·구체적 이익을 말하고, 공익보호의 결과로 국민 일반이 공통적으로 가지는 일반적·간접적·추상적 이익과 같이 사실적·경제적 이해관계를 갖는 데 불과한 경우는 여기에 포함되지 않는다고 판시하고 있다(대판 2015.7.23. 2012두19496 ; 대판 2004.8.16. 2003두2175 ; 대판 1994.4.12. 93누24247).

㉡ 따라서 판례는 원고적격의 요건으로 '처분의 근거 법규 및 관련 법규에 의하여 보호되는 개별적·직접적·구체적 이익의 침해'를 요구하고 있다. 이러한 이익이 침해된 자는 원고적격이 있으나, 사실상·경제상 이익 내지 반사적 이익의 침해만으로는 원고적격이 인정되지 않는다.

> **관련판례**
>
> **1** 환경영향평가대상지역 안 주민의 이익은 법률상 이익이다. ★★
> (속리산국립공원 용화집단시설지구 개발사업계획의 설계변경승인 및 공원사업시행허가에 관하여 자연공원법령뿐 아니라 환경영향평가법령도 직접적인 영향을 미치는 근거 법률이 되고) 환경영향평가에 관한 자연공원법령 및 환경영향평가법령의 규정들의 취지는 환경영향평가대상지역 안의 주민들이 개발 전과 비교하여 수인한도를 넘는 환경침해를 받지 아니하고 쾌적한 환경에서 생활할 수 있는 개별적 이익까지도 이를 보호하려는 데에 있다 할 것이므로, 환경영향평가대상지역 안의 주민들이 당해 변경승인 및 허가처분과 관련하여 갖는 환경상의 이익은 주민 개개인에 대하여 개별적으로 보호되는 직접적·구체적인 이익이라고 보아야 한다(대판 1998.4.24. 97누3286).
>
> **2** 중계유선방송사업 허가를 받은 중계유선방송사업자의 사업상 이익은 법률상 이익이다. ★★
> 허가를 받은 중계유선방송사업자의 사업상 이익은 단순한 반사적 이익에 그치는 것이 아니라 방송법에 의하여 보호되는 법률상 이익이라고 보아야 한다(대판 2007.5.11. 2004다11162).

통설·판례
▷ 법률상 보호이익설

법률상 이익
▷ 당해 처분의 근거법규 및 관련법규에 의해 보호되는 개별적·직접적·구체적 이익○

환경영향평가대상지역 내 주민
▷ 법률상 이익○

중계유선방송사업 허가를 받은 사업자의 사업상 이익
▷ 법률상 이익○

 **함께 정리하기**

절대보존지역의 유지로 지역주민들이 가지는 주거 및 생활환경상 이익
▷ 법률상의 이익 ✕

생태·자연도 1등급 권역의 인근 주민들이 가지는 이익
▷ 법률상의 이익 ✕

도지정문화재 지정처분으로 인해 침해될 수 있는 명예 내지 명예감정
▷ 법률상의 이익 ✕

사증발급 거부처분의 취소를 구하는 외국인
▷ 원칙: 원고적격 ✕

대한민국과의 실질적 관련성 내지 법적으로 보호가치가 있는 이해관계를 형성한 외국인
▷ 사증발급 거부처분의 취소를 구할 원고적격 ○

3 절대보존지역의 유지로 주민들이 가지는 주거 및 생활환경상 이익은 반사적 이익에 불과하다. ★★

[국방부 민·군 복합형 관광미항(제주해군기지) 사업시행을 위한 해군본부의 요청에 따라 제주특별자치도지사가 절대보존지역이던 서귀포시 강정동 해안변지역에 관하여 절대보존지역을 변경(축소)하고 고시한 사안에서] 절대보존지역의 유지로 지역주민회와 주민들이 가지는 주거 및 생활환경상 이익은 지역의 경관 등이 보호됨으로써 반사적으로 누리는 것일 뿐 근거 법규 또는 관련 법규에 의하여 보호되는 개별적·직접적·구체적 이익이라고 할 수 없다는 이유로, 지역주민회 등은 위 처분을 다툴 원고적격이 없다(대판 2012.7.5. 2011두13187).

4 생태·자연도 1등급 권역의 인근 주민들이 가지는 이익은 법률상의 이익이 아니다. ★★

(환경부장관이 생태·자연도 1등급으로 지정되었던 지역을 2등급 또는 3등급으로 변경하는 내용의 생태·자연도 수정·보완을 고시하자, 인근 주민 갑이 생태·자연도 등급변경처분의 무효 확인을 청구한 사안에서) 생태·자연도의 작성 및 등급변경의 근거가 되는 구 자연환경보전법 제34조 제1항 및 그 시행령 제27조 제1항·제2항에 의하면, 생태·자연도는 토지이용 및 개발계획의 수립이나 시행에 활용하여 자연환경을 체계적으로 보전·관리하기 위한 것일 뿐, 1등급 권역의 인근 주민들이 가지는 생활상 이익을 직접적이고 구체적으로 보호하기 위한 것이 아님이 명백하고, 1등급 권역의 인근 주민들이 가지는 이익은 환경보호라는 공공의 이익이 달성됨에 따라 반사적으로 얻게 되는 이익에 불과하므로, 인근 주민에 불과한 갑은 생태·자연도 등급권역을 1등급에서 일부는 2등급으로, 일부는 3등급으로 변경한 결정의 무효 확인을 구할 원고적격이 없다(대판 2014.2.21. 2011두29052).

5 구 문화재보호법상의 도지정문화재 지정처분으로 인하여 침해될 수 있는 특정 개인의 명예 내지 명예감정은 그 지정처분의 취소를 구할 법률상의 이익에 해당하지 않는다. ★

구 문화재보호법상의 도지사의 도지정문화재 지정처분은, … 그 입법목적이나 취지는 지역주민이나 국민 일반의 문화재 향유에 대한 이익을 공익으로서 보호함에 있는 것이지, 특정 개인의 문화재 향유에 대한 이익을 직접적·구체적으로 보호함에 있는 것으로 해석되지 아니하고 … 설령 위 지정처분으로 인하여 어느 개인이나 그 선조의 명예 내지 명예감정이 손상되었다고 하더라도, 그러한 명예 내지 명예감정은 위 지정처분의 근거 법규에 의하여 직접적·구체적으로 보호되는 이익이라고 할 수 없으므로 그 처분의 취소를 구할 법률상의 이익에 해당하지 아니한다(대판 2001.9.28. 99두8565).

6 외국인에게는 사증발급 거부처분의 취소를 구할 법률상 이익이 인정되지 않는다. ★★★

사증발급 거부처분을 다투는 외국인은, 아직 대한민국에 입국하지 않은 상태에서 대한민국에 입국하게 해달라고 주장하는 것으로, 대한민국과의 실질적 관련성 내지 대한민국에서 법적으로 보호가치 있는 이해관계를 형성한 경우는 아니어서, 해당 처분의 취소를 구할 법률상 이익을 인정하여야 할 법정책적 필요성도 크지 않다. 이와 같은 사증발급의 법적 성질, 출입국관리법의 입법 목적, 사증발급 신청인의 대한민국과의 실질적 관련성, 상호주의원칙 등을 고려하면, 우리 출입국관리법의 해석상 외국인(중국 국적으로 중국에 거주하며 한국인과 혼인한 외국인)에게는 사증발급 거부처분의 취소를 구할 법률상 이익이 인정되지 않는다(대판 2018.5.15. 2014두42506).

> **비교**
> 원고(스티브유)는 대한민국에서 출생하여 오랜 기간 대한민국 국적을 보유하면서 거주한 사람이므로 이미 대한민국과 실질적 관련성이 있거나 대한민국에서 법적으로 보호가치 있는 이해관계를 형성하였다고 볼 수 있다. 또한 재외동포의 대한민국 출입국과 대한민국 안에서의 법적 지위를 보장함을 목적으로 재외동포의 출입국과 법적 지위에 관한 법률(이하 '재외동포법'이라 한다)이 특별히 제정되어 시행 중이다. 따라서 원고는 이 사건 사증발급 거부처분의 취소를 구할 법률상 이익이 인정된다(대판 2019.7.11. 2017두38874).

> **비교**
> 반면, 국적법상 귀화불허가처분이나 출입국관리법상 체류자격변경 불허가처분, 강제퇴거명령 등을 다투는 외국인은 대한민국에 적법하게 입국하여 상당한 기간을 체류한 사람이므로, 이미 대한민국과의 실질적 관련성 내지 대한민국에서 법적으로 보호가치 있는 이해관계를 형성한 경우이어서, 해당 처분의 취소를 구할 법률상 이익이 인정된다(대판 2018.5.15. 2014두42506).

함께 정리하기

국적법상 귀화불허가처분, 출입국관리법상 체류자격변경 불허가처분·강제퇴거명령 등을 다투는 외국인
▷ 원고적격 ○

③ **'법률'의 범위**: 판례는 종래에 당해 처분의 근거법률만 고려하였지만, 오늘날에는 근거법규 외에 관련 법규까지 고려한다.

관련판례

1 당해 처분의 근거 법규 및 관련 법규에 의하여 보호되는 법률상 이익의 의미 ★★

당해 처분의 근거 법규 및 관련 법규에 의하여 보호되는 법률상 이익은 ① 당해 처분의 근거 법규의 명문 규정에 의하여 보호받는 법률상 이익, ② 당해 처분의 근거 법규에 의하여 보호되지는 아니하나 당해 처분의 행정목적을 달성하기 위한 일련의 단계적인 관련 처분들의 근거 법규에 의하여 명시적으로 보호받는 법률상 이익, ③ 당해 처분의 근거 법규 또는 관련 법규에서 명시적으로 당해 이익을 보호하는 명문의 규정이 없더라도 근거 법규 및 관련 법규의 합리적 해석상 그 법규에서 행정청을 제약하는 이유가 순수한 공익의 보호만이 아닌 개별적·직접적·구체적 이익을 보호하는 취지가 포함되어 있다고 해석되는 경우까지를 말한다(대판 2015.7.23. 2012두19496).

2 공원사업시행허가시 처분의 근거 법령은 자연공원법령뿐만 아니라 허가와 불가분적으로 관계가 있는 환경영향평가법령도 포함된다. ★★

국립공원 집단시설지구개발사업의 조성면적이 10만㎡ 이상인 경우에는 환경영향평가 대상사업에 해당하므로 환경부장관이 집단시설지구 내 시설물기본설계 변경승인처분 등을 함에 있어서는 반드시 자연공원법령 및 환경영향평가법령 소정의 환경영향평가를 거쳐서 그 환경영향평가의 협의내용을 사업계획에 반영시키도록 하여야 하므로 자연공원법령뿐 아니라, 환경영향평가법령도 위 변경승인처분 등에 직접적인 영향을 미치는 근거 법령이 된다고 볼 수밖에 없다(대판 2001.7.27. 99두2970).

당해처분의 근거법규·관련법규
▷ 당해처분의 근거법규의 명문규정 + 일련의 단계적인 관련처분들의 근거법규 + 근거법규 및 관련법규의 합리적 해석

공원사업시행허가 근거법령
▷ 자원공원법령·환경영향평가법령(관계법령)

④ **헌법상 기본권의 법률상 이익 인정 여부**: 헌법상 기본권이 원고적격의 요건인 법률상 이익이 될 수 있는지와 관련하여 대법원은 예외적으로 헌법상 기본권을 고려하기는 하나, 아직 이를 적극적으로 인정하는 판례는 없다. 추상적 기본권(환경권)의 침해만으로는 원고적격을 인정할 수 없다는 판례가 있을 뿐이다. 이에 반하여 헌법재판소는 헌법상 기본권에 의한 법률상 이익을 인정한다.

대법원
▷ 추상적 기본권인 환경권의 침해만으로는 원고적격 인정 ×

헌법재판소
▷ 구체적 기본권에 의한 법률상 이익 인정

관련판례

1 환경권에 관한 규정만으로 항고소송의 원고적격을 인정할 수 없다. ★★

헌법 제35조 제1항에서 정하고 있는 환경권에 관한 규정만으로는 그 권리의 주체·대상·내용·행사방법 등이 구체적으로 정립되어 있다고 볼 수 없고, 환경정책기본법 제6조도 그 규정 내용 등에 비추어 국민에게 구체적인 권리를 부여한 것으로 볼 수 없다는 이유로, 환경영향평가 대상지역 밖에 거주하는 주민에게 헌법상의 환경권 또는 환경정책기본법에 근거하여 공유수면매립면허처분과 농지개량사업 시행인가처분의 무효확인을 구할 원고적격이 없다(대판 2006.3.16. 2006두330).

대법원
▷ 환경권: 원고적격 ×

공유수면매립면허처분과 농지개량사업시행인가처분에 대한 환경영향평가 대상지역 밖에 거주하는 주민
▷ 원고적격 ×

함께 정리하기

헌재
▷ 경쟁의 자유: 법률상 이익○

법률상 이익 존재·침해·침해 우려
▷ 원고가 증명

수익적 처분 상대방
▷ 특별한 사정이 없는 한 원고적격✕

직권 소득처분 증액 감액 경정처분 결과 전체로서 소득처분금액 감소 시
▷ 취소를 구할 소 이익✕

불이익처분 상대방
▷ 원고적격○

2 헌법상 기본권인 경쟁의 자유가 행정청의 지정행위의 취소를 구할 법률상의 이익이 된다. ★★

설사 국세청장의 지정행위의 근거규범인 이 사건 조항들이 단지 공익만을 추구할 뿐 청구인 개인의 이익을 보호하려는 것이 아니라는 이유로 청구인에게 취소소송을 제기할 법률상 이익을 부정한다고 하더라도, <u>청구인의 기본권인 경쟁의 자유가 바로 행정청의 지정행위의 취소를 구할 법률상의 이익이 된다</u> 할 것이다(헌재 1998.4.30. 97헌마141).

⑤ **원고적격 입증책임**: 취소소송에서 원고적격이 인정되기 위해서는 법률상 이익의 존재가 인정되어야 하며 법률상 이익의 침해 또는 침해 우려를 원고가 증명하여야 한다.

(3) 구체적 검토

① 처분의 상대방과 제3자

㉠ 처분의 상대방

ⓐ **수익적 처분의 상대방**: 수익적 처분의 상대방은 처분으로 인해 그의 권리나 법률상 이익이 침해되었다고 볼 수 없으므로 특별한 사정이 없는 한 원고적격이 인정되지 않는다.

관련판례

1 행정처분이 수익적인 처분이거나 신청에 의하여 신청 내용대로 이루어진 처분인 경우에는 처분 상대방의 권리나 법률상 보호되는 이익이 침해되었다고 볼 수 없으므로 달리 특별한 사정이 없는 한 <u>처분의 상대방은 그 취소를 구할 이익이 없다</u>(대판 1995.5.26. 94누7324). ★★

2 과세관청이 직권으로 상대방에 대한 소득처분을 경정하면서 일부 항목에 대한 증액과 다른 항목에 대한 감액을 동시에 한 결과 <u>전체로서 소득처분금액이 감소된 경우에는</u> 그에 따른 소득금액변동통지가 납세자인 당해 법인에 불이익을 미치는 처분이 아니므로 <u>당해 법인은 그 소득금액변동통지의 취소를 구할 이익이 없다</u>(대판 2012.4.13. 2009두5510). ★★

ⓑ **불이익처분의 상대방**: 불이익처분의 상대방은 직접 개인적 이익의 침해를 받은 자로서 원고적격이 인정된다(대판 2020.4.9. 2015다34444 ; 대판 2018.3.27. 2015두47492).

관련판례

1 행정처분에 있어서 <u>불이익처분의 상대방은 직접 개인적 이익의 침해를 받은 자로서 원고적격이 인정되지만 수익처분의 상대방은 그의 권리나 법률상 보호되는 이익이 침해되었다고 볼 수 없으므로 달리 특별한 사정이 없는 한 취소를 구할 이익이 없다</u>(대판 1995.8.22. 94누8129).

② 제약회사는 보건복지부 고시인 약제급여·비급여목록 및 급여상한금액표의 취소를 구할 원고적격이 인정된다. ★★

제약회사가 자신이 공급하는 약제에 관하여 국민건강보험법, 같은 법 시행령, 국민건강보험 요양급여의 기준에 관한 규칙(2001.12.31. 보건복지부령 제207호) 등 약제상한금액 고시의 근거 법령에 의하여 보호되는 직접적이고 구체적인 이익을 향유하는데, 보건복지부 고시인 약제급여·비급여목록 및 급여상한금액표(보건복지부 고시 제2002-46호로 개정된 것)로 인하여 자신이 제조·공급하는 약제의 상한금액이 인하됨에 따라 위와 같이 보호되는 법률상 이익이 침해당할 경우, 제약회사는 위 고시의 취소를 구할 원고적격이 있다(대판 2006.12.21. 2005두16161 ; 대판 2006.9.22. 2005두2506).

ⓒ **거부처분의 상대방**: 거부처분의 대상적격 판단단계에서 신청권의 존재를 요구하는 판례에 따르면 신청권이 인정되어 대상적격을 충족하는 경우에는 원고적격의 문제는 별도로 제기되지 않는다. 다만, 거부처분의 상대방이 아닌 제3자가 취소소송을 제기한 경우에는 원고적격 인정여부를 적극적으로 검토할 필요가 있다.

ⓒ **처분의 제3자**
 ⓐ 처분의 직접 상대방이 아닌 제3자의 경우 간접적·반사적 이익의 침해에 불과하여 원고적격이 부정되는 것이 일반적이다.

관련판례

① 교육부장관의 학교법인 이사선임행위에 대해 甲 대학교 교수협의회·총학생회는 취소를 구할 원고적격이 있으나 학교직원들로 구성된 전국대학노동조합 甲 대학교지부는 원고적격이 없다. ★★★

교육부장관이 사학분쟁조정위원회의 심의를 거쳐 甲 대학교를 설치·운영하는 乙 학교법인의 이사 8인과 임시이사 1인을 선임한 데 대하여 甲 대학교 교수협의회와 총학생회 등이 이사선임처분의 취소를 구하는 소송을 제기한 사안에서, 구 사립학교법과 구 사립학교법 시행령 및 乙 법인 정관 규정은 헌법 제31조 제4항에 정한 교육의 자주성과 대학의 자율성에 근거한 甲 대학교 교수협의회와 총학생회의 학교운영참여권을 구체화하여 이를 보호하고 있다고 해석되므로 甲 대학교 교수협의회와 총학생회는 이사선임처분을 다툴 법률상 이익을 가지지만, 고등교육법령은 교육받을 권리나 학문의 자유를 실현하는 수단으로서 학생회와 교수회와는 달리 학교의 직원으로 구성된 노동조합의 성립을 예정하고 있지 아니하고, 노동조합은 근로자가 주체가 되어 자주적으로 단결하여 근로조건의 유지·개선 기타 근로자의 경제적·사회적 지위의 향상을 도모하기 위하여 조직된 단체인 점 등을 고려할 때, 학교의 직원으로 구성된 노동조합이 교육받을 권리나 학문의 자유를 실현하는 수단으로서 직접 기능한다고 볼 수는 없으므로, 개방이사에 관한 구 사립학교법과 구 사립학교법 시행령 및 乙 법인 정관 규정이 학교직원들로 구성된 전국대학노동조합 甲 대학교지부의 법률상 이익까지 보호하고 있는 것으로 해석할 수는 없다(대판 2015.7.23. 2012두19496).

② 국립대학 교수에게 타인을 같은 학과 부교수로 임용한 처분의 취소를 구할 법률상 이익이 없다(대판 1995.12.12. 95누11856).

③ 당해 운전기사의 합승행위를 이유로 회사에 대하여 한 과징금 부과처분으로 말미암아 당해 운전기사의 상여금지급이 제한되었다고 하더라도, 과징금 부과처분의 직접 당사자 아닌 당해 운전기사로서는 그 처분의 취소를 구할 직접적이고 구체적인 이익이 있다고 볼 수 없다(대판 1994.4.12. 93누24247). ★★

함께 정리하기

약제 상한금액 인하하는 보건복지부 고시
▷ 제약회사 원고적격○

거부처분 상대방
▷ 신청권이 인정되어 대상적격을 충족시 원고적격○

처분의 제3자
▷ 원고적격 부정됨이 일반적(∵간접적·반사적 이익의 침해에 불과)

교육부장관의 학교법인 이사선임행위
▷ 교수협의회·총학생회: 원고적격○
▷ 전국대학노동조합 지부: 원고적격×

부교수임용처분에 대하여 같은 학과의 기존교수
▷ 원고적격×

운전기사의 합승행위를 이유로 회사에 과징금부과
▷ 운전기사 과징금부과처분 취소 구할 원고적격×

함께 정리하기

행정학전공자를 조세정책과목 교수에 임용
▷ 세무학과 학생들: 임용처분 취소를 구할 원고적격 ✕

장의자동차운송 사업구역 위반 과징금부과처분 취소재결
▷ 제3자 원고적격 ✕

처분의 근거법규·관련법규에 의해 개별적·직접적·구체적으로 보호되는 이익 ○
▷ 처분의 제3자도 원고적격 ○

채석허가양수인
▷ 양도인에 대한 채석허가 취소처분의 취소를 구할 원고적격 ○

예탁금회원제 골프장 기존회원
▷ 회원모집 계획서 검토결과통보 취소 원고적격 ○

---

④ 세무학과 학생들은 행정학 전공자를 조세정책과목 교수로 임용한 처분에 대해 취소를 구할 원고적격이 없다. ★★

원고들은 서울시립대학교 세무학과에 재학중인 학생들로서 조세정책과목을 수강하고 있는데 피고인 서울시립대학교 총장이 경제학적으로 접근하여야 하는 조세정책과목의 담당교수를 행정학을 전공한 자로 임용함으로써 원고들의 학습권을 침해하였다고 주장하나 설령 피고의 이 사건 임용처분으로 말미암아 원고들이 그 주장과 같은 불이익을 받게 되더라도 그 불이익은 간접적이거나 사실적인 불이익에 지나지 아니하여, 그것만으로는 원고들에게 위 전임강사임용처분의 취소를 구할 소의 이익이 있다고 할 수 없다(대판 1993.7.27. 93누8139).

⑤ 면허구역위반을 이유로 한 과징금 부과처분에 의하여 동종업자의 영업이 보호되는 결과는 반사적 이익에 불과하여 과징금 부과처분취소재결의 취소를 구할 원고적격이 인정되지 않는다. ★★★

(면허받은 장의자동차운송사업구역에 위반하였음을 이유로 한 甲에 대한 행정청의 과징금부과처분에 대해 甲이 행정심판을 제기하여 과징금 부과처분취소재결을 받게 되자 동종업자 乙이 취소재결에 대해 취소소송을 제기한 사안에서) 면허 받은 장의자동차운송사업구역에 위반하였음을 이유로 한 행정청의 과징금부과처분에 의하여 동종업자의 영업이 보호되는 결과는 사업구역제도의 반사적 이익에 불과하기 때문에 그 과징금부과처분을 취소한 재결에 대하여 처분의 상대방 아닌 제3자는 그 취소를 구할 법률상 이익이 없다(대판 1992.12.8. 91누13700).

ⓑ 다만, 행정처분의 직접 상대방이 아닌 제3자라 하더라도 행정처분의 근거 법규 또는 관련 법규에 의하여 개별적·직접적·구체적으로 보호되는 이익(법률상 이익)이 있는 경우 처분의 취소를 구할 원고적격이 인정된다(대판 2020.4.9. 2015다34444 ; 대판 1994.4.12. 93누24247).

관련판례

① 채석허가를 받은 자에 대한 관할 행정청의 채석허가 취소처분에 대하여 수허가자의 지위를 양수한 양수인에게 그 취소처분의 취소를 구할 법률상 이익이 있다. ★★★

채석허가가 대물적 허가의 성질을 아울러 가지고 있고 수허가자의 지위가 사실상 양도·양수되는 점을 고려하여 수허가자의 지위를 사실상 양수한 양수인의 이익을 보호하고자 하는 데 있는 것으로 해석되므로, 수허가자의 지위를 양수받아 명의변경신고를 할 수 있는 양수인의 지위는 단순한 반사적 이익이나 사실상의 이익이 아니라 산림법령에 의하여 보호되는 직접적이고 구체적인 이익으로서 법률상 이익이라고 할 것이고, 채석허가가 유효하게 존속하고 있다는 것이 양수인의 명의변경신고의 전제가 된다는 의미에서 관할 행정청이 양도인에 대하여 채석허가를 취소하는 처분을 하였다면 이는 양수인의 지위에 대한 직접적 침해가 된다고 할 것이므로 양수인은 채석허가를 취소하는 처분의 취소를 구할 법률상 이익을 가진다(대판 2003.7.11. 2001두6289).

② 예탁금회원제 골프장의 기존회원은 그 골프장 운영자가 당초 사업계획의 승인을 받을 때 정한 예정인원을 초과하여 회원을 모집하는 내용의 회원모집계약서를 제출하여 받은 시·도지사의 검토결과 통보의 취소를 구할 법률상 이익이 있다. ★★

예탁금회원제 골프장에 있어서, 체육시설업자 또는 그 사업계획의 승인을 얻은 자가 회원모집 계획서를 제출하면서 허위의 사업시설 설치공정확인서를 첨부하거나 사업계획의 승인을 받을 때 정한 예정인원을 초과하여 회원을 모집하는 내용의 회원모집계획서를 제출하여 그에 대한 시·도지사 등의 검토결과 통보를 받는다면 이는 기존회원의 골프장에 대한 법률상의 지위에 영향을 미치게 되므로, 이러한 경우 기존회원은 위와 같은 회원모집계획서에 대한 시·도지사의 검토결과 통보의 취소를 구할 법률상의 이익이 있다(대판 2009.2.26. 2006두16243).

3 교도소에 미결수용된 구속된 피고인은 교도소장의 접견허가거부처분의 취소를 구할 원고적격을 가진다. ★★

구속된 피고인은 형사소송법 제89조의 규정에 따라 타인과 접견할 권리를 가지며 행형법 제62조, 제18조 제1항의 규정에 의하면 교도소에 미결수용된 자는 소장의 허가를 받아 타인과 접견할 수 있으므로 구속된 피고인이 사전에 접견신청한 자와의 접견을 원하지 않는다는 의사표시를 하였다는 등의 특별한 사정이 없는 한 구속된 피고인은 교도소장의 접견허가거부처분으로 인하여 자신의 접견권이 침해되었음을 주장하여 위 거부처분의 취소를 구할 원고적격을 가진다(대판 1992.5.8. 91누7552).

4 지방법무사회가 법무사의 사무원 채용승인 신청을 거부하여 사무원이 될 수 없게 된 자는 지방법무사회를 상대로 거부처분의 취소를 구할 원고적격이 인정된다. ★★

법무사규칙 제37조 제4항이 이의신청 절차를 규정한 것은 채용승인을 신청한 법무사뿐만 아니라 사무원이 되려는 사람의 이익도 보호하려는 취지로 볼 수 있다. 따라서 지방법무사회의 사무원 채용승인 거부처분 또는 채용승인 취소처분에 대해서는 처분 상대방인 법무사뿐만 아니라 그 때문에 사무원이 될 수 없게 된 사람도 이를 다툴 원고적격이 인정되어야 한다(대판 2020.4.9. 2015다34444).

5 제호사용을 허락받은 신규사업자는 도지사를 상대로 신문사업 지위변경수리 및 변경등록의 취소를 구할 원고적격이 인정된다. ★★

[甲 주식회사로부터 '제주일보' 명칭 사용을 허락받아 신문 등의 진흥에 관한 법률(이하 '신문법'이라 한다)에 따라 등록관청인 도지사(제주특별자치도지사)에게 신문의 명칭 등을 등록하고 제주일보를 발행하고 있던 乙 주식회사가, 丙 주식회사가 甲 회사의 사업을 양수하였음을 원인으로 하여 사업자 지위승계신고 및 그에 따른 발행인·편집인 등의 등록사항 변경을 신청한 데 대하여 도지사가 이를 수
리하고 변경등록을 하자, 사업자 지위승계신고 수리와 신문사업변경등록에 대한 무효확인 또는 취소를 구하는 소를 제기한 사안에서] 위 처분은 乙 회사가 '제주일보' 명칭으로 신문을 발행할 수 있는 신문법상 지위를 불안정하게 만드는 것이므로, 乙 회사에는 무효확인 또는 취소를 구할 법률상 이익이 인정된다(대판 2019.8.30. 2018두47189).

6 재단법인 한국연구재단이 甲 대학교 총장에게 연구개발비의 부당집행을 이유로 두뇌한국(BK)21 사업' 협약을 해지하고 연구팀장 乙에 대한 국가연구개발사업의 3년간 참여제한 등을 명하는 통보를 하자 乙이 통보 취소를 청구한 사안에서, 乙은 위 협약 해지 통보의 효력을 다툴 법률상 이익이 있다(대판 2014.12.11. 2012두28704). ★★

ⓒ 제3자의 원고적격이 문제되는 대표적인 사례로는 후술하는 경업자소송, 경원자소송, 인인소송(인근주민소송)이 있다.

② 공법인 및 국가기관
  ㉠ 국가 또는 지방자치단체의 원고적격: 공법인인 국가나 지방자치단체도 당사자능력이 있으므로 국가나 지방자치단체가 행정처분의 상대방인 경우에는 해당 처분을 다툴 원고적격을 가진다. 따라서 국가는 지방자치단체의 장의 자치사무에 대한 처분을 다투는 경우에는 원고가 될 수 있으나, 지방자치단체의 장의 기관위임사무의 처리에 관하여는 지방자치단체장을 상대로 취소소송을 제기하는 것은 허용되지 않는다.

 함께 정리하기

교도소에 미결수용된 구속된 피고인
▷ 교도소장의 접견허가거부처분의 취소를 구할 원고적격○

지방법무사회가 법무사의 사무원 채용승인 신청을 거부하여 사무원이 될 수 없게 된 자
▷ 지방법무사회를 상대로 거부처분의 취소를 구할 원고적격○

제호사용을 허락받은 신규사업자
▷ 제주특별자치도지사를 상대로 신문사업 지위변경수리 및 변경등록에 대한 무효확인 또는 취소를 구할 원고적격○

국가연구개발사업의 연구팀장인 교수
▷ 국가연구개발사업의 협약해지통보의 취소를 구할 원고적격○

국가
▷ 기관위임사무 처리에 관하여 지방자치단체장을 상대로 취소소송 제기 불가(∵ 감독권 행사하여 의사관철 可)

함께 정리하기

건축협의 거부행위
▷ 행정처분○

국가
▷ 관할 허가권자인 다른 지자체장 상대로 건축협의 거부행위에 대한 취소소송 제기 可

건축협의 취소
▷ 행정처분○

지방자치단체
▷ 관할 허가권자인 다른 지자체장 상대로 건축협의 취소에 대한 취소소송 제기 可

국가
▷ 기관위임사무인 국토이용계획과 관련하여 직접 필요한 조치 가능하기에 지자체장 상대로 취소소송 제기 不可

국가기관
▷ 원고적격 부정됨이 원칙

예외
▷ 다른 국가기관의 처분에 대하여 별다른 불복방법이 없고, 항고소송을 제기하는 것이 유효·적절한 수단인 경우 원고적격○

관련판례

1 국가 등 행정주체도 허가권자인 지방자치단체의 장을 상대로 건축협의 거부행위의 취소를 구할 원고적격을 가진다. ★★

허가권자인 지방자치단체의 장이 한 건축협의 거부행위는 비록 그 상대방이 국가 등 행정주체라 하더라도, 행정청이 행하는 구체적 사실에 관한 법집행으로서의 공권력 행사의 거부 내지 이에 준하는 행정작용으로서 행정소송법 제2조 제1항 제1호에서 정한 처분에 해당한다고 볼 수 있고, 이에 대한 법적 분쟁을 해결할 실효적인 다른 법적 수단이 없는 이상 국가 등은 허가권자를 상대로 항고소송을 통해 그 거부처분의 취소를 구할 수 있다고 해석된다(대판 2014.3.13. 2013두15934).

2 지방자치단체는 건축물 소재지 관할 허가권자인 다른 지방자치단체의 장을 상대로 건축협의 취소의 취소를 구할 수 있다. ★★

구 건축법 제29조 제1항·제2항, 제11조 제1항 등의 규정 내용에 의하면, 건축협의의 실질은 지방자치단체 등에 대한 건축허가와 다르지 않으므로, 지방자치단체 등이 건축물을 건축하려는 경우 등에는 미리 건축물의 소재지를 관할하는 허가권자인 지방자치단체의 장과 건축협의를 하지 않으면, 지방자치단체라 하더라도 건축물을 건축할 수 없다. 그리고 구 지방자치법 등 관련 법령을 살펴보아도 지방자치단체의 장이 다른 지방자치단체를 상대로 한 건축협의 취소에 관하여 다툼이 있는 경우에 법적 분쟁을 실효적으로 해결할 구제수단을 찾기도 어렵다. 따라서 건축협의 취소는 상대방이 다른 지방자치단체 등 행정주체라 하더라도 '행정청이 행하는 구체적 사실에 관한 법집행으로서의 공권력 행사'로서 처분에 해당한다고 볼 수 있고, 지방자치단체인 원고(서울특별시)가 이를 다툴 실효적 해결 수단이 없는 이상, 원고는 건축물 소재지 관할 허가권자인 지방자치단체의 장(강원도 양양군수)을 상대로 항고소송을 통해 건축협의 취소의 취소를 구할 수 있다(대판 2014.2.27. 2012두22980).

3 국가는 국토이용계획과 관련한 기관위임사무의 처리에 관하여 지자체장을 상대로 취소소송을 제기할 수 없다. ★★★

건설교통부장관은 지방자치단체의 장이 기관위임사무인 국토이용계획 사무를 처리함에 있어 자신과 의견이 다를 경우 행정협의조정위원회에 협의·조정 신청을 하여 그 협의·조정 결정에 따라 의견불일치를 해소할 수 있고, 법원에 의한 판결을 받지 않고서도 행정권한의 위임 및 위탁에 관한 규정이나 구 지방자치법에서 정하고 있는 지도·감독을 통하여 직접 지방자치단체의 장의 사무처리에 대하여 시정명령을 발하고 그 사무처리를 취소 또는 정지할 수 있으며, 지방자치단체의 장에게 기간을 정하여 직무이행명령을 하고 지방자치단체의 장이 이를 이행하지 아니할 때에는 직접 필요한 조치를 할 수도 있으므로, 국가가 국토이용계획과 관련한 지방자치단체의 장의 기관위임사무의 처리에 관하여 지방자치단체의 장을 상대로 취소소송을 제기하는 것은 허용되지 않는다(대판 2007.9.20. 2005두6935).

ⓒ 국가 등의 기관의 원고적격

ⓐ 국가 등의 기관은 처분청의 경우 피고능력은 있지만, 행정소송에서 원고가 될 수 있는 능력이 없는 것이 원칙이다.

ⓑ 다만, 다른 국가기관의 처분에 대하여 다툴 별다른 방법이 없고, 그 처분의 취소를 구하는 항고소송을 제기하는 것이 유효·적절한 수단인 경우에는 국가기관도 예외적으로 당사자능력과 원고적격을 갖는다.

관련판례

1 국가기관인 시·도 선거관리위원회 위원장은 국민권익위원회가 그에게 소속직원에 대한 중징계요구를 취소하라는 등의 조치 요구에 대해 취소소송을 제기할 원고적격을 가진다. ★★★

[甲(乙시·도 선거관리위원회 소속 직원)이 국민권익위원회에 부패방지 및 국민권익위원회의 설치와 운영에 관한 법률(이하 '국민권익위원회법'이라 한다)에 따른 신고와 신분보장조치를 요구하였고, 국민권익위원회가 甲의 소속기관 장인 乙시·도선거관리위원회 위원장에게 '甲에 대한 중징계요구를 취소하고 향후 신고로 인한 신분상 불이익처분 및 근무조건상의 차별을 하지 말 것을 요구'하는 내용의 조치요구를 한 사안에서] 국가기관 일방의 조치요구에 불응한 상대방 국가기관에 국민권익위원회법상의 제재규정과 같은 중대한 불이익을 직접적으로 규정한 다른 법령의 사례를 찾아보기 어려운 점, 그럼에도 乙(경기도 선관위원장)이 국민권익위원회의 조치요구를 다툴 별다른 방법이 없는 점 등에 비추어 보면, 처분성이 인정되는 위 조치요구에 불복하고자 하는 乙로서는 조치요구의 취소를 구하는 항고소송을 제기하는 것이 유효·적절한 수단이므로 비록 乙이 국가기관이더라도 당사자능력 및 원고적격을 가진다고 보는 것이 타당하고, 乙이 위 조치요구 후 甲을 파면하였다고 하더라도 조치요구가 곧바로 실효된다고 할 수 없고 乙은 여전히 조치요구를 따라야 할 의무를 부담하므로 乙에게는 위 조치요구의 취소를 구할 법률상 이익도 있다고 본 원심판단은 정당하다(대판 2013.7.25. 2011두1214).

2 국가기관인 소방청장은 처분성이 인정되는 국민권익위원회의 조치요구에 대해 취소소송을 제기할 원고적격을 갖는다. ★★★

[1] 국가기관 등 행정기관(이하 '행정기관 등'이라 한다) 사이에 권한의 존부와 범위에 관하여 다툼이 있는 경우에 이는 통상 내부적 분쟁이라는 성격을 띠고 있어 상급관청의 결정에 따라 해결되거나 법령이 정하는 바에 따라 '기관소송'이나 '권한쟁의심판'으로 다루어진다. 그런데 법령이 특정한 행정기관 등으로 하여금 다른 행정기관을 상대로 제재적 조치를 취할 수 있도록 하면서, 그에 따르지 않으면 그 행정기관에 대하여 과태료를 부과하거나 형사처벌을 할 수 있도록 정하는 경우가 있다. 이러한 경우에는 단순히 국가기관이나 행정기관의 내부적 문제라거나 권한 분장에 관한 분쟁으로만 볼 수 없다. 행정기관의 제재적 조치의 내용에 따라 '구체적 사실에 대한 법집행으로서 공권력의 행사'에 해당할 수 있고, 그러한 조치의 상대방인 행정기관이 입게 될 불이익도 명확하다. 그런데도 그러한 제재적 조치를 기관소송이나 권한쟁의심판을 통하여 다툴 수 없다면, 제재적 조치는 그 성격상 단순히 행정기관 등 내부의 권한 행사에 머무는 것이 아니라 상대방에 대한 공권력 행사로서 항고소송을 통한 주관적 구제대상이 될 수 있다고 보아야 한다. 기관소송 법정주의를 취하면서 제한적으로만 이를 인정하고 있는 현행 법령의 체계에 비추어 보면, 이 경우 항고소송을 통한 구제의 길을 열어주는 것이 법치국가 원리에도 부합한다. 따라서 이러한 권리구제나 권리보호의 필요성이 인정된다면 예외적으로 그 제재적 조치의 상대방인 행정기관 등에게 항고소송 원고로서의 당사자능력과 원고적격을 인정할 수 있다.

[2] (국민권익위원회가 소방청장에게 인사와 관련하여 부당한 지시를 한 사실이 인정된다며 이를 취소할 것을 요구하기로 의결하고 그 내용을 통지하자 소방청장이 국민권익위원회 조치요구의 취소를 구하는 소송을 제기한 사안에서) 처분성이 인정되는 국민권익위원회의 조치요구에 불복하고자 하는 소방청장으로서는 조치요구의 취소를 구하는 항고소송을 제기하는 것이 유효·적절한 수단으로 볼 수 있으므로 소방청장은 예외적으로 당사자능력과 원고적격을 가진다(대판 2018.8.1. 2014두35379).

함께 정리하기

경기도선거관리위원회 위원장
▷ 국민권익위원회 상대로 항고소송 제기 可: 당사자능력·원고적격O

乙이 권익위 조치요구 후 甲을 파면하였더라도
▷ 乙 조치요구의 취소를 구할 법률상 이익, 협의의 소의 이익O

다른 행정기관에 대한 제재조치
▷ 상대방 행정기관 당사자능력·원고적격 인정 可

국민권익위원회의 소방청장에 대한 취소조치요구
▷ 소방청장 당사자능력·원고적격O

함께 정리하기

법인·단체 구성원
▷ 원고적격 부정됨이 원칙

예외
▷ 법인 존속 자체 좌우하는 처분, 지위 중대한 영향 초래 시 원고적격○

법인의 존속 자체를 직접 좌우하는 처분
▷ 주주·임원 원고적격○

법인의 주주
▷ 주주의 지위를 보전할 수 없는 경우 원고적격○

처분으로 법인 영업불가
▷ 법인의 주주 원고적격○

③ 법인 및 단체에 속한 구성원
　㉠ 법인 또는 단체에 대한 처분에 대해서는 법인 또는 단체가 스스로 소송을 제기하면 되고, 법인 및 단체의 구성원은 법인 또는 단체에 대한 행정처분에 관하여 사실상이나 간접적인 이해관계를 가질 뿐이어서 처분의 취소를 구할 원고적격이 인정되지 않는 것이 원칙이다.
　㉡ 그러나 법인 또는 단체에 대한 처분이 법인의 존속 자체를 직접 좌우하는 처분이거나, 주주의 지위에 중대한 영향을 초래함에도 불구하고 구성원이 스스로 그의 지위를 보전할 구제방법이 없는 경우에는 구성원에게 원고적격이 인정된다.

> **관련판례**
>
> **1** 법인에 대한 행정처분이 당해 법인의 존속 자체를 직접 좌우하는 처분인 경우에는 그 주주나 임원이라 할지라도 당해 처분에 관하여 직접적이고 구체적인 법률상 이해관계를 가진다고 할 것이므로 그 취소를 구할 원고적격이 있다(대판 1997.12.12. 96누4602). ★
>
> **2** 법인의 주주는 원칙적으로 법인에 대한 처분의 취소를 구할 원고적격이 인정되지 않으나 달리 주주의 지위를 보전할 구제방법이 없을 경우에는 원고적격이 인정된다. ★★
> 일반적으로 법인의 주주는 당해 법인에 대한 행정처분에 관하여 사실상이나 간접적인 이해관계를 가질 뿐이어서 스스로 그 처분의 취소를 구할 원고적격이 없는 것이 원칙이라고 할 것이지만, 그 처분으로 인하여 궁극적으로 주식이 소각되거나 주주의 법인에 대한 권리가 소멸하는 등 주주의 지위에 중대한 영향을 초래하게 되는데도 그 처분의 성질상 당해 법인이 이를 다툴 것을 기대할 수 없고 달리 주주의 지위를 보전할 구제방법이 없는 경우에는 주주도 그 처분에 관하여 직접적이고 구체적인 법률상 이해관계를 가진다고 보이므로 그 취소를 구할 원고적격이 있다(대판 2004.12.23. 2000두2648).
>
> **3** 법인의 주주는 원칙적으로 법인에 대한 처분의 취소를 구할 원고적격이 없으나, 그 처분으로 인하여 당해 법인이 종전에 행하던 영업을 다시 행할 수 없는 예외적인 경우에는 주주도 그 효력을 다툴 원고적격이 있다. ★
> [1] 법인의 주주는 법인에 대한 행정처분에 관하여 사실상이나 간접적인 이해관계를 가질 뿐이어서 스스로 그 처분의 취소를 구할 원고적격이 없는 것이 원칙이라고 할 것이지만, 그 처분으로 인하여 법인이 더 이상 영업 전부를 행할 수 없게 되고, 영업에 대한 인·허가의 취소 등을 거쳐 해산·청산되는 절차 또한 처분 당시 이미 예정되어 있으며, 그 후속절차가 취소되더라도 그 처분의 효력이 유지되는 한 당해 법인이 종전에 행하던 영업을 다시 행할 수 없는 예외적인 경우에는 주주도 그 처분에 관하여 직접적이고 구체적인 법률상 이해관계를 가진다고 보아 그 효력을 다툴 원고적격이 있다.
> [2] 부실금융기관의 정비를 목적으로 은행의 영업 관련 자산 중 재산적 가치가 있는 자산 대부분과 부채 등이 타에 이전됨으로써 더 이상 그 영업 전부를 행할 수 없게 되고, 은행업무정지처분 등의 효력이 유지되는 한 은행이 종전에 행하던 영업을 다시 행할 수는 없는 경우, 은행의 주주에게 당해 은행의 업무정지처분 등을 다툴 원고적격이 인정된다(대판 2005.1.27. 2002두5313).

④ **제3자효 행정행위에서의 원고적격**: 제3자효 행정행위의 제3자의 경우에는 처분의 직접 상대방이 아니라는 점에서 관련 법규정의 해석 등을 통한 원고적격의 인정여부가 문제가 된다.

　㉠ 경업자소송(경쟁자소송)

　　ⓐ **의의**: 경업자소송이란 여러 영업자가 경쟁관계에 있는 경우에 경쟁관계에 있는 영업자에게 한 처분 또는 부작위를 경쟁관계에 있는 다른 영업자가 다투는 소송을 말한다.

경업자소송
▷ 동종영업의 기존업자가 경쟁 신규업자의 허가에 대해 제기하는 소송

　　ⓑ **판례**

　　　㉮ **기존업자가 특허업자인 경우**: 판례는 일반적으로 기존업자가 특허업자인 경우에는 그 기존업자가 그 특허로 인하여 받은 이익은 법률상 이익이라고 보아 원고적격을 인정한다. 특허는 특정인에게 새로운 권리를 설정하여 주는 설권적 행위이므로 기존업자의 독점적 이익을 법으로 보호할 필요가 있기 때문이다.

기존업자가 특허업자인 경우
▷ 원고적격○

관련판례

1 업종을 분뇨와 축산폐수 수집·운반업 및 정화조청소업으로 하여 <u>분뇨 등 관련 영업허가를 받아 영업을 하고 있는 기존업자의 이익은 법률상 보호되는 이익이므로, 기존업자는 경업자에 대한 영업허가처분의 취소를 구할 원고적격이 있다</u>(대판 2006.7.28. 2004두6716). ★★

분뇨 등 관련 영업의 기존허가업자 (특허업자)
▷ 경업자에 대한 영업허가처분의 취소를 구할 원고적격○

2 기존 고속형 시외버스운송사업자는 직행형 시외버스운송사업자에 대한 사업계획변경인가처분의 취소를 구할 법률상 이익이 있다(대판 2010.11.11. 2010두4179). ★★

고속형 시외버스운송사업자
▷ 직행형 시외버스운송사업자 사업계획변경인가 취소 원고적격○

3 여객자동차 운수사업법 제6조 제1호에 의한 자동차운송사업의 면허에 대하여 <u>당해 노선에 관한 기존 업자는 노선연장인가처분의 취소를 구할 법률상의 이익이 있다</u>(대판 1974.4.9. 73누173). ★

당해 노선의 기존업자
▷ 노선연장인가 취소 원고적격○

4 한정면허시외버스사업자는 일반면허시외버스사업자에 대한 사업계획변경인가처분의 취소를 구할 법률상 이익이 있다. ★★★

<u>일반면허를 받은 시외버스운송사업자에 대한 사업계획변경인가처분으로 인하여 기존에 한정면허를 받은 시외버스운송사업자의 노선 및 운행계통과 일반면허를 받은 시외버스운송사업자의 그것이 일부 중복되게 되고 기존업자의 수익감소가 예상된다면, 기존의 한정면허를 받은 시외버스운송사업자와 일반면허를 받은 시외버스운송사업자는 경업관계에 있는 것으로 보는 것이 타당하고, 따라서 기존의 한정면허를 받은 시외버스운송사업자는 일반면허 시외버스운송사업자에 대한 사업계획변경인가처분의 취소를 구할 법률상의 이익이 있다</u>(대판 2018.4.26. 2015두53824).

한정면허시외버스업자
▷ 일반면허 시외버스업자에 대한 사업계획변경인가처분의 취소를 구할 법률상의 이익○

5 개별화물자동차운송사업면허를 받아 이를 영위하고 있는 기존의 업자로서는 동일한 사업구역내의 동종의 사업용 화물자동차면허대수를 늘리는 보충인가처분에 대하여 그 취소를 구할 법률상 이익이 있다(대판 1992.7.10. 91누9107). ★

화물자동차운송사업 영위하고 있는 기존업자
▷ 동일한 사업구역 내의 동종의 사업용 화물자동차면허대수 늘리는 보충인가처분의 취소를 구할 법률상 이익○

　　　㉯ **기존업자가 허가업자인 경우**: 판례는 기존업자가 허가업자인 경우에는 그 기존업자가 그 허가로 인하여 받는 이익은 반사적 이익에 불과하다고 보아 원고적격을 부정한다. 다만, 허가의 경우에도 법이 기존업자의 이익도 보호하고 있는 것으로 해석되는 경우에는 기존업자도 원고적격이 인정될 수 있다고 본다.

기존업자가 허가업자인 경우
▷ 원고적격✕

함께 정리하기

기존 한의사
▷ 약사들에 대한 한약조제시험 합격처분의 효력 다툴 원고적격 ✕

기존 석탄가공업 허가업자
▷ 신규허가처분에 대한 행정소송 제기할 원고적격 ✕

기존 여관업자
▷ 숙박업구조변경허가처분의 무효확인 또는 취소를 구할 소의 이익 ✕

기존의 공중목욕장업허가업자
▷ 신규 목욕장업허가처분의 취소를 구할 법률상 이익 ✕

치과의원 경영자
▷ 의원으로서의 근린생활시설로 용도를 변경한 처분의 취소를 구할 원고적격 ✕

관련판례

1 기존 한의사들은 약사에게 한약조제권을 인정해주는 한약조제시험 합격처분의 효력을 다툴 원고적격이 없다. ★★★

한의사 면허는 경찰금지를 해제하는 명령적 행위(강학상 허가)에 해당하고, 한약조제시험을 통하여 약사에게 한약조제권을 인정함으로써 한의사인 원고들의 영업상 이익이 감소되었다고 하더라도 이러한 이익은 사실상의 이익에 불과하고 약사법이나 의료법 등의 법률에 의하여 보호되는 이익이라고는 볼 수 없으므로, 한의사들이 한약조제시험을 통하여 한약조제권을 인정받은 약사들에 대한 합격처분의 무효확인을 구하는 당해 소는 원고적격이 없는 자들이 제기한 소로서 부적법하다(대판 1998.3.10. 97누4289).

2 석탄가공업에 관한 허가는 독점적 영업권을 부여하는 것이 아니므로 기존업자들은 신규허가에 대하여 행정소송을 제기할 법률상 이익이 없다. ★★

석탄수급조정에 관한 임시조치법 소정의 석탄가공업에 관한 허가는 사업경영의 권리를 설정하는 형성적 행정행위가 아니라 질서유지와 공공복리를 위한 금지를 해제하는 명령적 행정행위여서 그 허가를 받은 자는 영업자유를 회복하는데 불과하고 독점적 영업권을 부여받은 것이 아니기 때문에 기존허가를 받은 원고들이 신규허가로 인하여 영업상 이익이 감소된다 하더라도 이는 원고들의 반사적 이익을 침해하는 것에 지나지 아니하므로 원고들은 신규허가 처분에 대하여 행정소송을 제기할 법률상 이익이 없다(대판 1980.7.22. 80누33).

3 숙박업구조변경허가처분에 대한 주변 숙박업자는 원고적격이 없다. ★★

이 사건 건물의 4, 5층 일부에 객실을 설비할 수 있도록 숙박업구조변경허가를 함으로써 그곳으로부터 50미터 내지 700미터 정도의 거리에서 여관을 경영하는 원고들이 받게 될 불이익은 간접적이거나 사실적, 경제적인 불이익에 지나지 아니하므로 그것만으로는 원고들에게 위 숙박업구조변경허가처분의 무효확인 또는 취소를 구할 소의 이익이 있다고 할 수 없다(대판 1990.8.14. 89누7900).

4 목욕탕 영업허가에 대한 기존 목욕탕업자는 원고적격이 없다. ★★

공중목욕장업 경영허가는 경찰금지의 해제로 인한 영업자유의 회복이라고 볼 것이므로 사건 허가처분에 의하여 목욕장업에 의한 이익이 사실상 감소된다하여도 이 불이익은 본건 허가처분의 단순한 사실상의 반사적 결과에 불과하고 이로 말미암아 원고의 권리를 침해하는 것이라고는 할 수 없으므로 원고는 피고의 피고 보조참가인에 대한 이 사건 목욕장업허가처분에 대하여 그 취소를 소구할 수 있는 법률상 이익이 없다(대판 1963.8.31. 63누101).

5 의원으로서의 인근생활시설로 용도변경된 건물과 가까운 곳에서 치과의원을 경영하는 자는 그 용도변경처분의 취소를 구할 원고적격이 없다. ★★

의료법상 의료인은 신고만으로 의원이나 치과의원을 개설할 수 있고 건축법 기타 건축관계법령상 의원 상호간의 거리나 개소에 아무런 제한을 두고 있지 아니하므로 치과의원을 경영하는 원고로서는 그 치과의원과 같은 아파트단지내에서 30미터 정도의 거리에 있는 건물에 대하여 당초에 상품매도점포로서의 근린생활시설로 되어 있던 용도를 원고와 경합관계에 있는 치과의원을 개설할 수 있도록 의원으로서의 근린생활시설로 변경한 서울특별시장의 용도변경처분으로 인하여 받게 될 불이익은 간접적이거나 사실적, 경제적인 불이익에 지나지 아니하여 그것만으로는 원고에게 위 용도변경처분의 취소를 구할 소익이 있다고 할 수 없다(대판 1990.5.22. 90누813).

㈐ 처분의 근거가 되는 법률이 해당 업자들 사이의 과당경쟁으로 인한 경영의 불합리를 방지하는 것도 그 목적으로 하는 경우: 판례는 허가나 특허의 구별 없이 처분의 근거가 되는 법률이 해당 업자들 사이의 과당경쟁으로 인한 경영의 불합리를 방지하는 것도 그 목적으로 하는 경우, 기존의 업자에게 신규 인·허가에 대한 취소를 구할 원고적격을 인정하고 있다(따라서 위 ㉮에 해당하는 판례 전체가 이에 해당하게 된다).

함께 정리하기

과당경쟁으로 인한 경영불합리 방지
▷ 제3자 원고적격○

관련판례

1 시외버스운송사업계획변경인가처분으로 시외버스 운행노선 중 일부가 기존의 시내버스 운행노선과 중복하게 되어 기존 시내버스사업자의 수익감소가 예상되는 경우, 기존의 시내버스운송사업자에게 위 처분의 취소를 구할 법률상의 이익이 있다. ★★★

[1] 일반적으로 면허나 인·허가 등의 수익적 행정처분의 근거가 되는 법률이 해당 업자들 사이의 과당경쟁으로 인한 경영의 불합리를 방지하는 것도 그 목적으로 하고 있는 경우, 다른 업자에 대한 면허나 인·허가 등의 수익적 행정처분에 대하여 미리 같은 종류의 면허나 인·허가 등의 수익적 행정처분을 받아 영업을 하고 있는 기존의 업자는 경업자에 대하여 이루어진 면허나 인·허가 등 행정처분의 상대방이 아니라 하더라도 당해 행정처분의 취소를 구할 당사자적격이 있다.

[2] 시외버스운송사업계획변경인가처분으로 인하여 기존의 시내버스운송사업자의 노선 및 운행계통과 시외버스운송사업자들의 그것들이 일부 중복되게 되고 기존업자의 수익감소가 예상된다면 기존의 시내버스운송사업자와 시외버스운송사업자들은 경업관계에 있는 것으로 봄이 상당하다 할 것이어서 기존의 시내버스운송사업자에게 시외버스 운송사업계획변경인가처분의 취소를 구할 법률상의 이익이 있다(대판 2002.10.25. 2001두4450).

시외버스운송사업계획변경인가처분으로 시외버스 운행노선 중 일부가 기존 시내버스 운행노선과 중복, 기존 시내버스사업자의 수익감소 예상
▷ 기존 시내버스운송사업자 동 처분의 취소를 구할 법률상의 이익○

2 담배 일반소매인으로 지정되어 영업을 하고 있는 기존업자의 신규 일반소매인에 대한 이익은 법률상 보호되는 이익에 해당한다. ★★★

담배 일반소매인의 지정기준으로서 일반소매인의 영업소 간에 일정한 거리제한을 두고 있는 것은 담배산업 전반의 건전한 발전 도모 및 국민경제에의 이바지라는 공익목적을 달성하고자 함과 동시에 일반소매인 간의 과당경쟁으로 인한 불합리한 경영을 방지함으로써 일반소매인의 경영상 이익을 보호하는 데에도 그 목적이 있다고 보이므로, 일반소매인으로 지정되어 영업을 하고 있는 기존업자의 신규 일반소매인에 대한 이익은 단순한 사실상의 반사적 이익이 아니라 법률상 보호되는 이익이라고 해석함이 상당하다(대판 2008.3.27. 2007두23811).

담배 일반소매인으로 지정되어 영업을 하고 있는 기존업자의 신규 일반소매인에 대한 이익
▷ 법률상 이익○
▷ 기존 담배 일반소매인 ↔ 신규 담배 일반소매인 경업자관계○

> **비교** 담배 일반소매인으로 지정되어 영업을 하고 있는 기존업자의 신규 구내소매인에 대한 이익은 반사적 이익이므로 기존업자는 신규 구내소매인 지정처분의 취소를 구할 원고적격이 없다. ★★★
>
> 구내소매인과 일반소매인 사이에서는 구내소매인의 영업소와 일반소매인의 영업소 간에 거리제한을 두지 아니할 뿐 아니라 … 일반소매인의 입장에서 구내소매인과의 과당경쟁으로 인한 경영의 불합리를 방지하는 것을 그 목적으로 할 수 있다고 보기 어려우므로, 일반소매인으로 지정되어 영업을 하고 있는 기존업자의 신규 구내소매인에 대한 이익은 법률상 보호되는 이익이 아니라 단순한 사실상의 반사적 이익이라고 해석함이 상당하므로, 기존 일반소매인은 신규 구내소매인 지정처분의 취소를 구할 원고적격이 없다(대판 2008.4.10. 2008두402).

기존 담배 일반소매인
▷ 신규 구내소매인 지정처분의 취소를 구할 원고적격✕
▷ 기존 일반소매인 ↔ 신규 구내소매인 경업자관계✕

기존 약종상허가업자
▷ 영업소이전허가처분의 취소를 구할 법률상 이익 ○

3 기존 약종사업자는 다른 약종사업자의 영업소이전허가처분에 대해 취소를 구할 법률상의 이익이 있다. ★★

甲이 적법한 약종상허가를 받아 허가지역 내에서 약종상영업을 경영하고 있음에도 불구하고 행정관청이 구 약사법 시행규칙을 위배하여 같은 약종상인 乙에게 乙의 영업허가지역이 아닌 甲의 영업허가지역내로 영업소를 이전하도록 허가하였다면 甲으로서는 이로 인하여 기존업자로서의 법률상 이익을 침해받았음이 분명하므로 甲에게는 행정관청의 영업소이전허가처분의 취소를 구할 법률상 이익이 있다(대판 1988.6.14. 87누873).

㉱ **경업자에 대한 행정처분이 경업자에게 불리한 내용인 경우**: 그러나 경업자에 대한 행정처분이 경업자에게 불리한 내용이라면 그와 경쟁관계에 있는 기존의 업자에게는 특별한 사정이 없는 한 유리할 것이므로 기존의 업자는 그 행정처분의 무효확인 또는 취소를 구할 이익은 없다(대판 2020.4.9. 2019두49953).

핵심정리 경업자의 원고적격 인정 여부에 관한 판례

원고적격을 긍정한 경우	원고적격을 부정한 경우
• 선박운항사업면허처분에 대한 기존업자(69누106) • 자동차운송사업면허에 대한 당해 노선의 기존업자(73누173) • 시외버스운송사업계획변경인가에 대한 기존의 시내버스운송사업자(2001두4450) • 시외버스운송사업계획변경인가에 대한 기존의 시외버스운송사업자(2009두10512) • 기존 시외버스를 시내버스로 전환하는 사업계획변경인가처분에 대해 노선이 중복되는 기존 시내버스업자(85누985) • 직행형 시외버스운송사업자에 대한 사업계획변경인가처분에 대해 노선이 중복되는 기존의 고속형 시외버스운송사업자(2010두4179) • 면허대수를 늘리는 보충인가처분에 대한 개별화물자동차운송사업자(91누9107) • 분뇨 등 관련 영업허가를 받아 영업을 하고 있는 기존업자(2004두6716) • 자신의 영업허가지역에 대한 타 약종상 영업소이전허가처분에 대한 기존업자(87누873) • 담배 일반소매업 영업소 간에 일정거리 제한이 있는 경우, 기존 담배 일반소매인의 신규 담배 일반소매인의 지정처분 취소(2007두23811)	• 목욕탕 영업허가에 대한 기존 목욕탕업자(63누101) • 새로운 치과의원 개설이 가능한 건물용도변경처분에 대한 인근 기존 치과의원 의사(90누813) • 숙박업 구조변경허가처분에 대한 인근 여관업자(89누7900) • 양곡가공업허가에 대한 기존 양곡업자(89누756 ; 79누433) • 약사들에 대한 한약조제권 인정에 대한 한의사(97누4289) • 신규 석탄가공업허가처분에 대한 기존 석탄가공업자(80누33) • 장의자동차 운송사업자에 대한 구역위반을 이유로 한 과징금 부과처분을 취소한 재결에 대한 동종 장의업자(91누13700) • 기존 담배일반소매인의 신규 구내소매인 지정처분 취소(2008두402)

ⓒ 경원자소송
  ⓐ 의의: 경원자소송이란 수인의 신청을 받아 일부에 대하여만 인·허가 등의 수익적 행정처분을 할 수 있는 경우에 인·허가 등을 받지 못한 자가 타인이 받은 인·허가처분을 대상으로 제기하는 소송을 말한다.
  ⓑ 판례: 판례는 경원관계가 존재하는 경우 일방에 대한 인·허가처분이 타방에 대한 불허가처분(거부처분)이 될 수밖에 없는 경우에 불허가처분을 받은 경원자에게 법률상의 이익이 있다고 보고 있다.
  따라서 인·허가처분을 다시 받으려는 경원자는 타인에 대한 인·허가처분의 취소를 구하거나, 자신에 대한 거부처분의 취소를 구할 수 있고, 양자를 관련청구소송으로 병합하여 제기할 수도 있다.

관련판례

1 법학전문대학원(로스쿨) 예비인가에 탈락한 학교법인 조선대학교는 로스쿨예비인가처분의 취소를 구할 원고적격이 있다. ★★★

[1] [법학전문대학원(로스쿨) 예비인가에 탈락한 학교법인 조선대학교가 교육과학기술부장관을 상대로 한 예비인가에 선정된 학교들의 예비인가처분 취소를 구하는 소송에서] 인·허가 등의 수익적 행정처분을 신청한 수인이 서로 경쟁관계에 있어서 일방에 대한 허가 등의 처분이 타방에 대한 불허가 등으로 귀결될 수밖에 없는 때 허가 등의 처분을 받지 못한 자는 비록 경원자에 대하여 이루어진 허가 등 처분의 상대방이 아니라 하더라도 당해 처분의 취소를 구할 원고적격이 있다.

[2] 다만, 명백한 법적 장애로 인하여 원고 자신의 신청이 인용될 가능성이 처음부터 배제되어 있는 경우에는 당해 처분의 취소를 구할 정당한 이익이 없다.

[3] 원심은 원고를 포함하여 법학전문대학원 설치인가 신청을 한 41개 대학들은 2,000명이라는 총 입학정원을 두고 그 설치인가 여부 및 개별 입학정원의 배정에 관하여 서로 경쟁관계에 있고 이 사건 각 처분이 취소될 경우 원고의 신청이 인용될 가능성도 배제할 수 없으므로, 원고가 이 사건 각 처분의 상대방이 아니라도 그 처분의 취소 등을 구할 당사자적격이 있다(대판 2009.12.10. 2009두8359).

2 액화석유가스(LPG) 충전사업허가에 대하여 허가를 받지 못한 자는 충전소허가처분의 취소를 구할 원고적격이 있다. ★★

액화석유가스충전사업의 허가기준을 정한 전라남도 고시에 의하여 고흥군 내에는 당시 1개소에 한하여 LPG 충전사업의 신규허가가 가능하였는데, 원고가 한 허가신청은 관계 법령과 위 고시에서 정한 허가요건을 갖춘 것이고, 피고보조참가인(이하 참가인이라 부른다)들의 그것은 그 요건을 갖추지 못한 것임에도 피고는 이와 반대로 보아 원고의 허가신청을 반려하는 한편 참가인들에 대하여는 이를 허가하는 이 사건 처분을 하였다는 것인 바, 그렇다면 원고와 참가인들은 경원관계에 있다 할 것이므로 원고에게는 이 사건 처분의 취소를 구할 당사자적격이 있다고 하여야 함은 물론 나아가 이 사건 처분이 취소된다면 원고가 허가를 받을 수 있는 지위에 있음에 비추어 처분의 취소를 구할 정당한 이익도 있다고 하여야 할 것이다(대판 1992.5.8. 91누13274).

3 인가·허가 등 수익적 행정처분을 신청한 여러 사람이 서로 경원관계에 있는 경우, 허가 등 처분을 받지 못한 사람은 원칙적으로 자신에 대한 거부처분의 취소를 구할 원고적격과 소의 이익이 있다. ★★★

인가·허가 등 수익적 행정처분을 신청한 여러 사람이 서로 경원관계에 있어서 한 사람에 대한 허가 등 처분이 다른 사람에 대한 불허가 등으로 귀결될 수밖에 없을 때 허가 등 처분을 받지 못한 사람은 신청에 대한 거부처분의 직접 상대방으로서 원칙적으로 자신에 대한 거부처분의 취소를 구할 원고적격이 있고, 취소판결이 확정되는 경우 판

함께 정리하기

경원자소송
▷ 수익적 처분의 신청 경합시 인·허가등을 받지 못한 자가 다른 경원자에 대한 인·허가처분을 대상으로 제기하는 소송

인·허가처분을 다시 받으려는 경원자
▷ 인·허가처분의 취소를 구할 원고적격○
▷ 자신에 대한 불허가처분(거부처분)의 취소를 구할 원고적격○

일방에 대한 허가가 타방에 대한 불허가로 귀결될 수밖에 없는 관계에 있는 경우 허가 등의 처분을 받지 못한 자
▷ 원고적격○

명백한 법적 장애로 신청이 인용될 가능성 처음부터 배제된 자
▷ 소의 이익×

액화석유가스 사업허가 받지 못한 자
▷ 원고적격○

경원관계에서 허가 등 처분을 받지 못한 사람
▷ 자신에 대한 거부처분의 취소를 구할 원고적격·소의 이익○

 함께 정리하기

결의 직접적인 효과로 경원자에 대한 허가 등 처분이 취소되거나 효력이 소멸되는 것은 아니더라도 행정청은 취소판결의 기속력에 따라 판결에서 확인된 위법사유를 배제한 상태에서 취소판결의 원고와 경원자의 각 신청에 관하여 처분요건의 구비 여부와 우열을 다시 심사하여야 할 의무가 있으며, 재심사 결과 경원자에 대한 수익적 처분이 직권취소되고 취소판결의 원고에게 수익적 처분이 이루어질 가능성을 완전히 배제할 수는 없으므로, 특별한 사정이 없는 한 경원관계에서 허가 등 처분을 받지 못한 사람은 자신에 대한 거부처분의 취소를 구할 소의 이익이 있다(대판 2015.10.29. 2013두27517).

ⓒ 인인(隣人)소송

ⓐ **의의**: 인인소송이란 어떠한 시설의 설치를 허가하는 행정청의 처분에 대하여 당해시설의 인근주민이 다투는 소송을 말한다.

ⓑ **판단기준**: 판례에 의하면 인근주민에게 시설설치허가를 다툴 원고적격이 있는지는 당해 허가처분의 근거법규 및 관계법규의 사익보호성 여부에 따라 결정된다. 즉, 당해 처분의 근거법규 및 관계법규가 공익뿐만 아니라 인근주민의 개인적 이익도 보호하고 있다고 해석되는 경우에 인근 주민에게 원고적격이 인정된다.

㉮ 처분의 근거규정의 해석에 의해 원고적격 인정여부를 판단한 사례
  • 원고적격이 인정된 경우

> **관련판례**

1 연탄공장 건축허가처분으로 불이익을 받고 있는 인근주민은 원고적격을 갖는다. ★★

주거지역안에서는 도시계획법 19조 1항과 개정전 건축법 32조 1항에 의하여 공익상 부득이하다고 인정될 경우를 제외하고는 거주의 안녕과 건전한 생활환경의 보호를 해치는 모든 건축이 금지되고 있을 뿐 아니라 주거지역내에 거주하는 사람이 받는 위와 같은 보호이익은 법률에 의하여 보호되는 이익이라고 할 것이므로 주거지역 내에 위 법조 소정 제한면적을 초과한 연단공장 건축허가처분으로 불이익을 받고 있는 제3거주자는 비록 당해 행정처분의 상대자가 아니라 하더라도 그 행정처분으로 말미암아 위와 같은 법률에 의하여 보호되는 이익을 침해받고 있다면 당해 행정처분의 취소를 소구하여 그 당부의 판단을 받을 법률상의 자격이 있다(대판 1975.5.13. 73누96).

2 도로의 용도폐지처분에 대하여 개별성이 강한 직접적·구체적 이해관계를 가지는 사람은 원고적격이 있다. ★★★

[1] 일반적으로 도로는 국가나 지방자치단체가 직접 공중의 통행에 제공하는 것으로서 일반국민은 이를 자유로이 이용할 수 있는 것이기는 하나, 일반적인 시민생활에 있어 도로를 이용만 하는 사람은 그 용도폐지를 다툴 법률상의 이익이 있다고 말할 수 없지만, 공공용재산이라고 하여도 당해 공공용재산의 성질상 특정개인의 생활에 개별성이 강한 직접적이고 구체적인 이익을 부여하고 있어서 그에게 그로 인한 이익을 가지게 하는 것이 법률적인 관점으로도 이유가 있다고 인정되는 특별한 사정이 있는 경우에는 그와 같은 이익은 법률상 보호되어야 할 것이고, 따라서 도로의 용도폐지처분에 관하여 이러한 직접적인 이해관계를 가지는 사람이 그와 같은 이익을 현실적으로 침해당한 경우에는 그 취소를 구할 법률상의 이익이 있다.

[2] 문화재는 문화재의 지정이나 그 보호구역으로 지정이 있음으로써 유적의 보존 관리 등이 법적으로 확보되어 지역주민이나 국민일반 또는 학술연구자가 이를 활용하고 그로 인한 이익을 얻는 것이지만, 그 지정은 문화재를 보존하여 이를 활용함으로써 국민의 문화적 향상을 도모함과 아울러 인류문화의 발전에 기여한다고 하는 목적을 위하여 행해지는 것이지, 그 이익이 일반 국민이나 인근주민의 문화재를 향유할 구체적이고도 법률적인 이익이라고 할 수는 없다(대판 1992.9.22. 91누13212).

인인소송
▷ 시설설치허가 대하여 인근 주민이 다투는 소송

인근 주민의 원고적격
▷ 근거법규 및 관계 법규의 사익 보호성 要

연탄공장건축허가처분에 대한 인접주민
▷ 원고적격 ○

도로용도폐지에 대한 당해 도로(공공용재산)의 성질상 특정개인의 생활에 개별성이 강한 직접적이고 구체적인 이익이 부여된 자
▷ 원고적격 ○

도로용도폐지에 대한 일반적인 시민생활에 있어 도로를 이용만 하는 사람
▷ 원고적격 ✕

문화재나 문화재보호구역 지정으로 인하여 인근주민이 문화재를 향유할 이익
▷ 법률상 이익 ✕

문화재 지정 관련 주민
▷ 원고적격 ✕

3 영광원자력발전소 부지사전승인처분에 의해 직접적이고 중대한 피해를 입으리라고 예상되는 지역 내의 주민은 원고적격을 가진다. ★★

원자력법 제12조 제2호의 취지는 원자로 등 건설사업이 방사성물질 및 그에 의하여 오염된 물질에 의한 인체·물체·공공의 재해를 발생시키지 아니하는 방법으로 시행되도록 함으로써 방사성물질 등에 의한 생명·건강상의 위해를 받지 아니할 이익을 일반적 공익으로서 보호하려는 데 그치는 것이 아니라 방사성물질에 의하여 보다 직접적이고 중대한 피해를 입으리라 예상되는 지역 내의 주민들의 위와 같은 이익을 직접적·구체적 이익으로서도 보호하려는 데에 있다 할 것이므로, 위와 같은 지역 내의 주민들에게는 방사성물질 등에 의한 생명·신체의 안전침해를 이유로 부지사전승인처분의 취소를 구할 원고적격이 있다(대판 1998.9.4. 97누19588).

4 도시계획결정의 취소를 구하는 공설화장장 금지구역 내의 인근주민은 원고적격을 가진다. ★

도시계획의 내용이 화장장의 설치에 관한 것일 때에는 도시계획법 제12조 뿐만 아니라 매장 및 묘지 등에 관한 법률 및 동 시행령 역시 그 근거 법률이 된다고 보아야 할 것이므로, 매장 및 묘지 등에 관한 법률 시행령 제4조 제2호가 공설화장장은 20호 이상의 인가가 밀집한 지역, 학교 또는 공중이 수시 집합하는 시설 또는 장소로 부터 1,000미터 이상 떨어진 곳에 설치하도록 제한을 가하고, 같은 시행령 제9조가 국민보건상 위해를 끼칠 우려가 있는 지역, 도시계획법 제17조의 규정에 의한 주거지역, 상업지역, 공업지역 및 녹지지역안의 풍치지구 등에의 공설화장장 설치를 금지함에 의하여 보호되는 부근 주민들의 이익은 위 도시계획결정처분의 근거 법률에 의하여 보호되는 법률상 이익이라 할 것이다(대판 1995.9.26. 94누14544).

5 토사채취 허가지의 인근 주민들에게 토사채취허가의 취소를 구할 법률상 이익이 있다. ★

구 산림법 및 그 시행령, 시행규칙들의 규정 취지는 산림의 보호·육성, 임업생산력의 향상 및 산림의 공익기능의 증진을 도모함으로써 그와 관련된 공익을 보호하려는 데에 그치는 것이 아니라 그로 인하여 직접적이고 중대한 생활환경의 피해를 입으리라고 예상되는 토사채취 허가지 등 인근 지역의 주민들이 주거·생활환경을 유지할 수 있는 개별적 이익까지도 보호하고 있다고 할 것이므로, 인근 주민들이 토사채취허가와 관련하여 가지게 되는 이익은 위와 같은 추상적, 평균적, 일반적인 이익에 그치는 것이 아니라 처분의 근거법규 등에 의하여 보호되는 직접적·구체적인 법률상 이익이라고 할 것이다(대판 2007.6.15. 2005두9736).

6 공유수면 점용·사용허가로 인접한 토지를 적정하게 이용할 수 없게 되는 등의 피해를 받을 우려가 있는 인접 토지 소유자 등은 공유수면 점용·사용허가처분의 취소를 구할 원고적격이 인정된다(대판 2014.9.4. 2014두2164). ★★

7 공장설립으로 수질오염 등이 발생할 우려가 있는 취수장에서 물을 공급받는 부산광역시 또는 양산시에 거주하는 주민들도 공장설립승인처분의 취소를 구할 원고적격이 인정된다. ★★★

[1] (수돗물을 공급받아 마시거나 이용하는 주민들이 환경상 이익의 침해를 이유로 공장설립승인처분의 취소 등을 구할 원고적격을 인정받기 위한 요건) 공장설립승인처분의 근거 법규 및 관련 법규 등을 고려할 때 수돗물을 공급받아 이를 마시거나 이용하는 주민들로서는 위 근거 법규 및 관련 법규가 환경상 이익의 침해를 받지 않은 채 깨끗한 수돗물을 마시거나 이용할 수 있는 자신들의 생활환경상의 개별적 이익을 직접적·구체적으로 보호하고 있음을 증명하여 원고적격을 인정받을 수 있다.

 **함께 정리하기**

영광원자력발전소 부지사전승인처분에 대한 지역 내의 주민
▷ 원고적격○

도시계획결정에 대한 공설화장장 금지구역 내의 인근주민
▷ 원고적격○

토사채취허가에 대한 토사채취지역 인근주민
▷ 원고적격○

공유수면 점용·사용허가로 인접한 토지를 적정하게 이용할 수 없게 되는 등의 피해를 받을 우려가 있는 인접 토지 소유자
▷ 원고적격○

공장설립승인처분에 대하여 공장설립으로 수질오염 등이 발생할 우려가 있는 취수장에서 물을 공급받는 인근주민
▷ 원고적격○

[2] (김해시장이 소감천을 통해 낙동강에 합류하는 하천수 주변의 토지에 구 산업집적활성화 및 공장설립에 관한 법률 제13조에 따라 공장설립을 승인하는 처분을 한 사안에서) 공장설립으로 수질오염 등이 발생할 우려가 있는 물금취수장에서 취수된 물을 공급받는 부산광역시 또는 양산시에 거주하는 주민들도 위 처분의 근거 법규 및 관련 법규에 의하여 개별적·구체적·직접적으로 보호되는 환경상 이익, 즉 법률상 보호되는 이익이 침해되거나 침해될 우려가 있는 주민으로서 원고적격이 인정된다(대판 2010.4.15. 2007두16127).

• 원고적격이 부정된 경우

관련판례

새로운 도로가 개설되어 유일한 통로가 아니게 된 경우, 그 도로를 이용하던 주민
▷ 원고적격 ×

1 甲이 乙 소유의 도로를 공로에 이르는 유일한 통로로 이용하였으나 甲 소유의 대지에 연접하여 새로운 공로가 개설되어 그 쪽으로 출입문을 내어 바로 새로운 공로에 이를 수 있게 된 경우, 甲은 乙 소유의 도로에 대한 도로폐지허가처분의 취소를 구할 법률상 이익이 없다(대판 1999.12.7. 97누12556). ★

상수원보호구역 변경에 대해 그 상수원으로부터 급수를 받는 인근주민
▷ 원고적격 ×

2 상수원보호구역변경처분에 대하여 상수원보호구역에서 급수 받는 주민은 원고적격이 인정되지 않는다. ★★★

상수원보호구역 설정의 근거가 되는 수도법 제5조 제1항 및 동 시행령 제7조 제1항이 보호하고자 하는 것은 상수원의 확보와 수질보전일 뿐이고, 그 상수원에서 급수를 받고 있는 지역주민들이 가지는 상수원의 오염을 막아 양질의 급수를 받을 이익은 직접적이고 구체적으로는 보호하고 있지 않음이 명백하여 위 지역주민들이 가지는 이익은 상수원의 확보와 수질보호라는 공공의 이익이 달성됨에 따라 반사적으로 얻게 되는 이익에 불과하므로 지역주민들에 불과한 원고들에게는 위 상수원보호구역변경처분의 취소를 구할 법률상의 이익이 없다(대판 1995.9.26. 94누14544).

공유수면매립목적변경처분에 대한 수녀원
▷ 원고적격 ×

3 재단법인 甲 수녀원은 매립목적을 택지조성에서 조선시설용지로 변경하는 내용의 공유수면매립목적 변경 승인처분의 무효확인을 구할 원고적격이 없다. ★★★

재단법인 甲 수녀원이, 매립목적을 택지조성에서 조선시설용지로 변경하는 내용의 공유수면매립목적 변경 승인처분으로 인하여 법률상 보호되는 환경상 이익을 침해받았다면서 행정청을 상대로 처분의 무효확인을 구하는 소송을 제기한 사안에서, 공유수면매립목적 변경 승인처분으로 甲 수녀원에 소속된 수녀 등이 쾌적한 환경에서 생활할 수 있는 환경상 이익을 침해받는다고 하더라도 이를 가리켜 곧바로 甲 수녀원의 법률상 이익이 침해된다고 볼 수 없고, 자연인이 아닌 甲 수녀원은 쾌적한 환경에서 생활할 수 있는 이익을 향수할 수 있는 주체가 아니므로 위 처분으로 위와 같은 생활상의 이익이 직접적으로 침해되는 관계에 있다고 볼 수도 없으며, 위 처분으로 환경에 영향을 주어 甲 수녀원이 운영하는 쨈 공장에 직접적이고 구체적인 재산적 피해가 발생한다거나 甲 수녀원이 폐쇄되고 이전해야 하는 등의 피해를 받거나 받을 우려가 있다는 점 등에 관한 증명도 부족하다는 이유로, 甲 수녀원에는 처분의 무효확인을 구할 원고적격이 없다고 하였다(대판 2012.6.28. 2010두2005).

㉯ 환경영향평가법령을 처분의 근거법규 내지 관련법규로 보아 원고적격 인정여부를 결정하는 경우: 판례는 시설의 설치를 함에 있어 환경영향평가를 실시하여야 하는 경우에 「환경영향평가법」을 시설허가처분의 근거법규 내지 관계법규로 보고, 환경영향평가 법령은 공익으로서의 환경상 이익뿐만 아니라 개인적 이익으로서의 환경상 이익도 보호하고 있다고 본다. 따라서 판례는 환경영향평가 대상지역에 거주하는 주민에게 당해 시설허가처분을 다툴 원고적격을 인정하고 있다.

- 환경영향평가 대상지역 안의 주민의 원고적격: 환경영향평가 대상지역 안의 주민이 갖는 환경상의 이익은 주민 개개인에 대하여 개별적으로 보호되는 직접적·구체적 이익으로서 그들에 대하여는 특단의 사정이 없는 한 환경상 이익에 대한 침해 또는 침해 우려가 있는 것으로 사실상 추정되어 법률상 보호되는 이익으로 인정됨으로써 원고적격이 인정된다. 따라서 대상지역 내의 주민은 자신이 그 지역에 거주하고 있다는 사실만 입증하면 원고적격이 추정된다.

- 환경영향평가 대상지역 밖의 주민의 원고적격: 환경영향평가 대상지역 밖의 주민이라 할지라도 처분 등으로 인하여 그 처분 전과 비교하여 수인한도를 넘는 환경피해를 받거나 받을 우려가 있는 경우에는, 그 처분 등으로 인하여 환경상 이익에 대한 침해 또는 침해우려가 있다는 것을 입증함으로써 그 처분 등의 무효확인을 구할 원고적격을 인정받을 수 있다.

관련판례

1 행정처분으로써 이루어지는 사업으로 환경상 침해를 받으리라고 예상되는 영향권의 범위가 그 처분의 근거 법규 등에 구체적으로 규정되어 있는 경우 영향권 내의 주민에게는 원고적격이 인정된다. ★★★

[1] 행정처분의 직접 상대방이 아닌 자로서 그 처분에 의하여 자신의 환경상 이익이 침해받거나 침해받을 우려가 있다는 이유로 취소나 무효확인을 구하는 제3자는, 자신의 환경상 이익이 그 처분의 근거 법규 또는 관련 법규에 의하여 개별적·직접적·구체적으로 보호되는 이익, 즉 법률상 보호되는 이익임을 입증하여야 원고적격이 인정된다.

[2] 다만, 그 행정처분의 근거 법규 또는 관련 법규에 그 처분으로써 이루어지는 행위 등 사업으로 인하여 환경상 침해를 받으리라고 예상되는 영향권의 범위가 구체적으로 규정되어 있는 경우에는, 그 영향권 내의 주민들에 대하여는 당해 처분으로 인하여 직접적이고 중대한 환경피해를 입으리라고 예상할 수 있고, 이와 같은 환경상의 이익은 주민 개개인에 대하여 개별적으로 보호되는 직접적·구체적 이익으로서 그들에 대하여는 특단의 사정이 없는 한 환경상 이익에 대한 침해 또는 침해 우려가 있는 것으로 사실상 추정되어 법률상 보호되는 이익으로 인정됨으로써 원고적격이 인정된다(대판 2009.9.24. 2009두2825 ; 대판 2010.4.15. 2007두16127 ; 대판 2006.12.22. 2006두14001 ; 대판 2006.3.16. 2006두330).
영향권 밖의 주민들은 당해 처분으로 인하여 그 처분 전과 비교하여 수인한도를 넘는 환경피해를 받거나 받을 우려가 있다는 자신의 환경상 이익에 대한 침해 또는 침해 우려가 있음을 증명하여야만 법률상 보호되는 이익으로 인정되어 원고적격이 인정된다(대판 2009.9.24. 2009두2825 ; 대판 2010.4.15. 2007두16127).

함께 정리하기

환경상 이익이 법률상 보호되는 이익임을 입증해야
▷ 원고적격○

행정처분으로써 이루어지는 사업으로 환경상 침해를 받으리라고 예상되는 영향권의 범위가 그 처분의 근거 법규 등에 구체적으로 규정되어 있는 경우 영향권 내의 주민
▷ 원고적격○

행정처분의 근거 법규 또는 관련 법규에 그 처분으로써 이루어지는 행위 등 사업으로 인하여 환경상 침해가 예상되는 영향권의 범위가 구체적으로 규정되어 있는 경우, 그 영향권 밖의 주민
▷ 당해 처분으로 인하여 자신의 환경상 이익의 침해 또는 침해 우려의 증명시 원고적격○

함께 정리하기

환경영향평가대상지역 내 주민
▷ 법률상 이익○

공유수면매립면허처분과 농지개량사업시행인가처분에 대한 환경영향평가 대상지역 안에 거주하는 주민
▷ 원고적격○

환경영향평가ㆍ영향권 밖 주민
▷ 피해ㆍ피해우려(환경상 이익) 입증해야 원고적격○

폐기물소각시설의 입지지역을 결정ㆍ고시한 처분에 대한 시설의 부지 경계선으로부터 300m 안의 주민
▷ 원고적격○

---

2 환경영향평가대상사업에 해당하는 국립공원집단시설지구개발사업에 관한 설계변경승인 및 공원사업시행허가처분에 대한 환경영향평가대상지역 안의 주민들의 이익은 법률상 이익이다. ★★

(속리산국립공원 내용화집단시설지구 개발사업계획의 설계변경승인 및 공원사업시행허가처분에 대한 인근 주민의 취소소송에서 자연공원법령뿐만 아니라 환경영향평가법령도 공원사업시행허가처분의 근거법규로 보고 환경영향평가 대상지역 안의 주민에게 원고적격, 즉 법률상 이익을 인정한 사례) 환경영향평가에 관한 자연공원법령 및 환경영향평가법령의 규정들의 취지는 환경영향평가대상지역 안의 주민들이 개발 전과 비교하여 수인한도를 넘는 환경침해를 받지 아니하고 쾌적한 환경에서 생활할 수 있는 개별적 이익까지도 이를 보호하려는 데에 있다 할 것이므로, 환경영향평가대상지역 안의 주민들이 당해 변경승인 및 허가처분과 관련하여 갖는 환경상의 이익은 주민 개개인에 대하여 개별적으로 보호되는 직접적ㆍ구체적인 이익(법률상 이익)이라고 보아야 한다(대판 1998.4.24. 97누3286 ; 대판 2001.7.27. 99두2970).

3 환경영향평가 대상 지역 안의 주민에게 공유수면매립면허처분 등의 무효확인을 구할 원고적격이 인정된다. ★★★

[1] 공유수면매립면허처분과 농지개량사업 시행인가처분의 근거 법규 또는 관련 법규가 되는 각 관련 규정의 취지는, 공유수면매립과 농지개량사업시행으로 인하여 직접적이고 중대한 환경피해를 입으리라고 예상되는 환경영향평가 대상지역 안의 주민들이 전과 비교하여 수인한도를 넘는 환경침해를 받지 아니하고 쾌적한 환경에서 생활할 수 있는 개별적 이익까지도 이를 보호하려는 데에 있다고 할 것이므로, 위 주민들이 공유수면매립면허처분 등과 관련하여 갖고 있는 위와 같은 환경상의 이익은 주민 개개인에 대하여 개별적으로 보호되는 직접적ㆍ구체적 이익으로서 그들에 대하여는 특단의 사정이 없는 한 환경상의 이익에 대한 침해 또는 침해우려가 있는 것으로 사실상 추정되어 공유수면매립면허처분 등의 무효확인을 구할 원고적격이 인정된다.

[2] 환경영향평가 대상지역 밖의 주민이라 할지라도 공유수면매립면허처분 등으로 인하여 그 처분 전과 비교하여 수인한도를 넘는 환경피해를 받거나 받을 우려가 있는 경우에는, 공유수면매립면허처분 등으로 인하여 환경상 이익에 대한 침해 또는 침해우려가 있다는 것을 입증함으로써 그 처분 등의 무효확인을 구할 원고적격을 인정받을 수 있다(대판 2006.3.16. 2006두330 전합).

4 폐기물처리시설 설치기관이 주변영향지역으로 지정ㆍ고시하지 아니한 경우, 1일 50t의 쓰레기를 소각하는 시설의 부지 경계선으로부터 300m 안의 주민들은 폐기물소각시설의 입지지역을 결정ㆍ고시한 처분의 무효확인을 구할 원고적격이 인정된다. ★★

구 폐기물처리시설 설치 촉진 및 주변지역 지원 등에 관한 법률 및 같은 법 시행령의 관계 규정의 취지는 처리능력이 1일 50t인 소각시설을 설치하는 사업으로 인하여 직접적이고 중대한 환경상의 침해를 받으리라고 예상되는 직접영향권 내에 있는 주민들이나 폐기물소각시설의 부지경계선으로부터 300m 이내의 간접영향권 내에 있는 주민들이 사업 시행 전과 비교하여 수인한도를 넘는 환경피해를 받지 아니하고 쾌적한 환경에서 생활할 수 있는 개별적인 이익까지도 이를 보호하려는 데에 있다 할 것이므로, 위 주민들이 소각시설입지지역결정ㆍ고시와 관련하여 갖는 위와 같은 환경상의 이익은 주민 개개인에 대하여 개별적으로 보호되는 직접적ㆍ구체적 이익으로서 그들에 대하여는 특단의 사정이 없는 한 환경상의 이익에 대한 침해 또는 침해우려가 있는 것으로 사실상 추정되어 폐기물 소각시설의 입지지역을 결정ㆍ고시한 처분의 무효확인을 구할 원고적격이 인정된다(대판 2005.3.11. 2003두13489).

- **환경영향평가 대상지역 밖의 주민으로서 환경상 이익을 현실적으로 향유하는 자의 원고적격**: 비록 환경영향평가 대상지역 밖의 주민이라도 그 환경영향평가대상지역 내에서 농작물을 경작하는 등 현실적으로 환경상 이익을 향유하는 자는 환경상 이익에 대한 침해 또는 침해 우려가 있는 것으로 사실상 추정되어 원고적격이 인정된다. 그러나 단지 그 영향권 내의 건물·토지를 소유하거나 환경상 이익을 일시적으로 향유하는 데 그치는 자는 원고적격이 인정되지 않는다.

함께 정리하기

환경영향평가 영향권 밖의 주민
▷ 피해·피해 우려(환경상 이익) 입증해야 원고적격○

관련판례

환경상 이익에 대한 침해 또는 침해 우려가 있는 것으로 사실상 추정되어 원고적격이 인정되는 사람의 범위 ★★

환경상 이익에 대한 침해 또는 침해 우려가 있는 것으로 사실상 추정되어 원고적격이 인정되는 사람에는 환경상 침해를 받으리라고 예상되는 영향권 내의 주민들을 비롯하여 그 영향권 내에서 농작물을 경작하는 등 현실적으로 환경상 이익을 향유하는 사람도 포함된다. 그러나 <u>단지 그 영향권 내의 건물·토지를 소유하거나 환경상 이익을 일시적으로 향유하는 데 그치는 사람은 포함되지 않는다</u>(대판 2009.9.24. 2009두2825).

단지 영향권 내의 건물·토지소유, 환경상 이익 일시적 향유자
▷ 원고적격 추정×

㉰ 거리제한 규정이 있는 경우 인근주민의 원고적격

관련판례

1. <u>납골당 설치장소에서 500m 내에 20호 이상의 인가가 밀집한 지역에 거주하는 주민들</u>에게는 납골당이 누구에 의하여 설치되는지를 따질 필요 없이 납골당 설치에 대하여 <u>환경이익 침해 또는 침해 우려가 있는 것으로 사실상 추정되어 원고적격이 인정된다</u>(대판 2011.9.8. 2009두6766). ★★★

2. 폐기물매립시설 부지 경계선으로부터 2km 이내, 폐기물소각시설 부지 경계선으로부터 300m 이내(간접영향권 지정 가능 범위 내)에 거주하는 주민들에게 주변영향지역 결정의 취소 등을 구할 원고적격이 인정된다(대판 2018.8.1. 2014두42520). ★★

납골당 설치허가에 대한 납골당 설치장소 500m내 인가밀집지역 거주주민
▷ 원고적격○

폐기물매립시설 부지 경계선으로부터 2km 이내, 폐기물소각시설 부지 경계선으로부터 300m 이내에 거주하는 주민들
▷ 원고적격○

핵심정리 인인소송에 있어 원고적격 인정 여부에 관한 판례

인근주민의 원고적격을 인정한 경우	인근주민의 원고적격을 부정한 경우
• 연탄공장건축허가처분에 대한 인접주민(73누96) • 도시계획결정에 대한 공설화장장 금지구역 내의 인근주민(94누14544) • 폐기물처리시설설치계획입지가 결정·고시된 지역 인근에 거주하는 주민(2004두14229) • 도로용도폐지에 대한 당해 도로(공공용재산)의 성질상 특정개인의 생활에 개별성이 강한 직접적이고 구체적인 이익이 부여된 자(91누13212) • 공유수면 점용·사용허가로 인접한 토지를 적정하게 이용할 수 없게 되는 등의 피해를 받을 우려가 있는 인접 토지 소유자(2014두2164) • 자동차 LPG충전소 설치허가에 대한 LPG충전소 설치지역 인접거주주민(83누59)	• 도로용도폐지에 대한 일반적인 시민생활에 있어 도로를 이용만 하는 사람(91누13212) • 새로운 도로가 개설되어 유일한 통로가 아니게 된 경우, 그 도로를 이용하던 주민(97누12556) • 공유수면매립목적변경처분에 대한 수녀원(2010두2005) • 공유수면매립면허처분과 농지개량사업시행인가처분에 대한 환경영향평가 대상지역 밖에 거주하는 주민(2006두330) • 상수원보호구역변경처분에 대한 급수 받는 주민들(94누14544)

- 토사채취허가에 대한 토사채취지역 인근주민(2005두9736)
- 공장설립승인처분에 대한 레미콘공장 신설부지에 인접해 거주하는 사람들(2005두11500)
- 건축허가에 대한 고층 건축물로 인해 일조권 침해를 받는 정북방향 거주주민(97구29266 ; 98두8292)
- 공유수면매립면허처분과 농지개량사업시행인가처분에 대한 환경영향평가 대상지역 안에 거주하는 주민(2006두330)
- 영광원자력발전소 부지사전승인처분에 대한 지역 내의 주민(97누19588)
- 납골당 설치허가에 대한 납골당 설치장소 500m 내 인가밀집지역 거주주민(2009두6766)
- 폐기물소각시설의 입지지역을 결정·고시한 처분에 대한 시설의 부지 경계선으로부터 300m 안의 주민(2003두13489)
- 김해시장의 낙동강 합류하천수 주변의 공장설립승인처분에 대하여 물금취수장에서 취수된 물을 공급받는 부산광역시 또는 양산시에 거주하는 주민(2007두16127)
- 광산허가를 받은 인근지역 토지·건물 등 소유·점유자·주민들이 환경상 이익 침해·침해우려의 증명시(2006두7577)
- 전원개발사업실시계획승인처분에 대하여 환경영향평가 대상 지역 안의 주민(97누19571)

⑤ **단체소송**: 단체소송이란 환경소송, 소비자보호소송 등과 같이, 단체가 일반적인 공익 또는 구성원의 권리침해를 보호하기 위해 제기하는 소송을 말한다. 단체소송도 일종의 객관소송이므로 원칙적으로 허용되지 않지만, 법령에 규정이 있는 경우에는 허용될 수 있다(동법 제45조).

> **관련판례**
>
> '건강보험요양급여행위 및 그 상대가치점수 개정' 고시의 취소소송에서 사단법인 대한의사협회는 원고적격이 인정되지 않는다. ★
>
> 사단법인인 대한의사협회는 의료법에 의하여 의사들을 회원으로 하여 설립된 사단법인으로서, 국민건강보험법상 요양급여행위, 요양급여비용의 청구 및 지급과 관련하여 직접적인 법률관계를 갖고 있지 않으므로, 보건복지부 고시인 '건강보험요양급여행위 및 그 상대가치점수 개정'으로 인하여 자신의 법률상 이익을 침해당하였다고 할 수 없고, 따라서 위 고시의 취소를 구할 원고적격이 없다(대판 2006.5.25. 2003두11988).

사단법인 대한의사협회
▷ 보건복지부 고시의 취소를 구할 원고적격 ✕

⑥ 기타 관련 판례
  ㉠ 원고적격을 인정한 경우

> **관련판례**
>
> **1** 학교법인의 임원취임승인신청 반려처분에 대하여, 임원으로 선임된 사람은 이를 다툴 수 있는 원고적격이 있다. ★★
>
> 관할청의 임원취임승인행위는 학교법인의 임원선임행위의 법률상 효력을 완성케 하는 보충적 법률행위이다. 따라서 관할청이 학교법인의 임원취임승인신청에 대하여 이를 반려하거나 거부하는 경우 학교법인에 의하여 임원으로 선임된 사람은 학교법인의 임원으로 취임할 수 없게 되는 불이익을 입게 되는바, 이와 같은 불이익은 간접적이거나 사실상의 불이익이 아니라 직접적이고도 구체적인 법률상의 불이익이라 할 것이므로 학교법인에 의하여 임원으로 선임된 사람에게는 관청의 임원취임승인신청 반려처분을 다툴 수 있는 원고적격이 있다(대판 2007.12.27. 2005두9651).
>
> **2** 도시 및 주거환경정비법상 조합설립추진위원회의 구성에 동의하지 아니한 정비구역 내의 토지 등 소유자는 조합설립추진위원회 설립승인처분의 취소를 구할 원고적격이 있다. ★★
>
> (도시 및 주거환경정비법 제13조 제1항 및 제2항의 입법 경위와 취지에 비추어 하나의 정비구역 안에서 복수의 조합설립추진위원회에 대한 승인은 허용되지 않는 점, 조합설립추진위원회가 조합을 설립할 경우 같은 법 제15조 제4항에 의하여 조합설립추진위원회가 행한 업무와 관련된 권리와 의무는 조합이 포괄승계하며, 주택재개발사업의 경우 정비구역 내의 토지 등 소유자는 같은 법 제19조 제1항에 의하여 당연히 그 조합원으로 되는 점 등에 비추어 보면) 조합설립추진위원회의 구성에 동의하지 아니한 정비구역 내의 토지 등 소유자도 조합설립추진위원회 설립승인처분에 대하여 같은 법에 의하여 보호되는 직접적이고 구체적인 이익을 향유하므로 그 설립승인처분의 취소소송을 제기할 원고적격이 있다(대판 2007.1.25. 2006두12289).
>
> **3** 도시계획사업 시행지역에 포함된 토지의 소유자는 사업실시계획처분의 효력을 다툴 이익이 있다. ★
>
> 도시계획사업 시행지역에 포함된 토지의 소유자는 도시계획사업 실시계획의 인가로 인하여 자기의 토지가 수용당하게 되고 또 자기의 토지가 수용되지 않는 경우에도 도시계획사업이 시행되어 도시계획시설이 어떻게 설치되느냐에 따라 토지의 이용관계가 달라질 수 있으므로, 도시계획사업 시행지역에 포함된 토지의 소유자는 도시계획사업 실시계획 인가처분의 효력을 다툴 이익이 있다(대판 1995.12.8. 93누9927).
>
> **4** 난민불인정처분을 다투는 위명(僞名)을 사용한 미얀마 국적인은 원고적격을 갖는다. ★★
>
> 미얀마 국적의 甲이 위명인 '乙' 명의의 여권으로 대한민국에 입국한 뒤 乙 명의로 난민신청을 하였으나 법무부장관이 乙 명의를 사용한 甲을 직접 면담하여 조사한 후 甲에 대하여 난민불인정 처분을 한 사안에서, 처분의 상대방은 허무인이 아니라 '乙'이라는 위명을 사용한 甲이라는 이유로, 甲이 처분의 취소를 구할 법률상 이익이 있다고 하였다(대판 2017.3.9. 2013두16852).
>
> **5** 공매 등의 절차에 의하여 영업시설의 전부를 인수함으로써 영업자의 지위를 승계한 자가 관계행정청에 이를 신고하여 관계행정청이 그 지위승계신고를 수리하는 처분에 대해 소유권을 상실한 종전 영업자는 취소를 구할 법률상 이익이 있다(대판 2012.12.13. 2011두29144). ★★

 **함께 정리하기**

학교법인의 임원취임승인신청 반려처분에 대하여 임원으로 선임된 자
▷ 원고적격○

조합설립추진위원회의 구성에 동의하지 아니한 정비구역 내의 토지 등 소유자
▷ 원고적격○

사업실시계획처분에 대한 도시계획사업 시행지역에 포함된 토지의 소유자
▷ 원고적격○

난민불인정처분을 다투는 위명을 사용한 미얀마 국적인
▷ 원고적격○

영업자의 지위를 승계한 자가 관계행정청에 이를 신고하여 관계행정청이 그 지위승계신고를 수리하는 처분에 대해 소유권을 상실한 종전 영업자
▷ 원고적격○

 **함께 정리하기**

ⓛ 원고적격을 부정한 경우

> **관련판례**

원천징수의무자에 대한 납세고지를 다투는 원천납세의무자
▷ 원고적격×

1 원천납세의무자는 원천징수의무자에 대한 납세고지를 다툴 수 있는 원고적격이 없다. ★★

원천징수에 있어서 원천납세의무자는 과세권자가 직접 그에게 원천세액을 부과한 경우가 아닌 한 과세권자의 원천징수의무자에 대한 납세고지로 인하여 자기의 원천세납세의무의 존부나 범위에 아무런 영향을 받지 아니하므로 이에 대하여 항고소송을 제기할 수 없다(대판 1994.9.9. 93누22234).

소득처분에 따른 소득의 귀속자
▷ 법인에 대한 소득금액변동통지의 취소를 구할 법률상 이익×(원고적격×)

2 소득처분에 따른 소득의 귀속자는 법인에 대한 소득금액변동통지의 취소를 구할 법률상 이익이 없다. ★★

원천징수의무자에 대한 소득금액변동통지는 원천납세의무의 존부나 범위와 같은 원천납세의무자의 권리나 법률상 지위에 어떠한 영향을 준다고 할 수 없으므로 소득처분에 따른 소득의 귀속자는 법인에 대한 소득금액변동통지의 취소를 구할 법률상 이익이 없다(대판 2015.3.26. 2013두9267).

개발제한구역 해제대상에서 누락된 토지의 소유자
▷ 도시관리계획변경결정의 취소를 구할 법률상 이익×(원고적격×)

3 개발제한구역 해제대상에서 누락된 토지의 소유자는 도시관리계획변경결정의 취소를 구할 원고적격이 없다. ★★★

개발제한구역 중 일부 취락을 개발제한구역에서 해제하는 내용의 도시관리계획변경결정에 대하여, 개발제한구역 해제대상에서 누락된 토지의 소유자는 위 결정의 취소를 구할 법률상 이익이 없다(대판 2008.7.10. 2007두10242).

도시계획결정에 의한 토지수용으로 소유권을 상실한 자
▷ 도시계획결정의 취소를 구할 법률상 이익×(원고적격×)

4 도시계획사업의 시행으로 인한 토지수용에 의하여 이미 토지에 대한 소유권을 상실한 사람은 도시계획결정의 취소를 구할 법률상 이익이 없다. ★★★

도시계획사업의 시행으로 인한 토지수용에 의하여 이미 이 사건 토지에 대한 소유권을 상실한 청구인은 도시계획결정과 토지의 수용이 법률에 위반되어 당연무효라고 볼만한 특별한 사정이 보이지 않는 이상 이 사건 토지에 대한 도시계획결정의 취소를 청구할 법률상의 이익이 없다(헌재 2002.5.30. 2000헌바58).

농업에너지이용효율화사업에 관한 보조금 집행을 위해 보조사업자(농가)의 계약상대방이 될 수 있는 시공업체를 공모절차를 통해 선정한 경우 선정되지 아니한 자
▷ 나머지 시공업체에 대한 처분의 취소를 구할 법률상 이익×(원고적격×)

5 농업에너지이용효율화사업에 관한 보조금 집행을 원활하게 하기 위해 보조사업자(농가)의 계약상대방이 될 수 있는 시공업체를 공모절차를 통해 선정한 경우, 선정되지 아니한 자들의 원고적격 ★

선정결과 공고 중 원고들에 대한 선정제외결정 부분은 불이익처분의 직접 상대방으로서 그 취소를 구할 원고적격이 인정되지만, 나머지 16개 업체에 대한 선정결정, 2개 업체에 대한 선정제외결정 부분은 그 취소를 구할 원고적격이 인정되지 않는다. 그 이유는 다음과 같다.
① 피고는 응모한 20개 업체에 대하여 절대평가제를 적용하여 평가점수 70점을 기준으로 선정 여부를 결정하였을 뿐이고, 응모한 업체들은 선정에 관한 상호 경쟁관계 또는 경원자 관계가 아니었다.
② 16개 업체에 대한 선정결정으로 인하여 원고들의 계약체결의 자유와 영업의 자유가 직접적으로 제한된다고 볼 수 없다. 선정된 16개 업체가 사업대상자(농가)들과 시공계약을 체결할 가능성이 높아지고, 그로 인하여 원고들의 영업기회가 줄어들 수 있을 터이지만 이는 간접적·사실적·경제적 불이익에 불과하다(대판 2021.2.4. 2020두48772).

핵심정리 제3자효 행정행위의 원고적격 인정여부에 관한 판례

원고적격을 긍정한 경우	원고적격을 부정한 경우
• 중계유선방송사업허가를 받은 중계유선방송사업자의 사업상 이익(2004다11162) • 정보공개청구에 대한 거부처분의 상대방(2003두8050) • 건축협의 취소처분에 대한 당사자인 지방자치단체(2012두22980) • 국민권익위원회의 중징계요구 취소 등 조치요구에 대한 경기도 선관위원장(2011두1214) • 관할청의 임원취임승인신청 반려처분에 대한 임원으로 선임된 자(2005두9651) • 예정인원을 초과하는 회원모집계획서에 대한 시·도지사의 검토결과 통보의 취소에 대한 기존 회원(2006두16243) • 약제 상한금액을 인하하는 보건복지부 고시에 대한 제약회사(2005두16161) • 법인의 주주는 통상 법인에 대한 처분의 취소를 구할 원고적격이 인정되지 않으나 주식소각 등 주주의 지위를 구제할 방법이 없을 경우에는 원고적격 인정(2000두2648) • 조합설립추진위원회 설립승인처분에 대한 주택재개발사업조합설립추진위원회 구성에 동의하지 않은 소유자(2006두12289) • 사업실시계획처분에 대한 도시계획사업 시행지역에 포함된 토지의 소유자(93누9927) • 난민불인정처분에 대한 미얀마 국적인(2013두16852) • 공매 등의 절차로 영업시설의 전부를 인수함으로써 영업자의 지위를 승계한 자가 관계행정청에 이를 신고하여 관계행정청이 그 신고를 수리하는 처분에 대해 종전 영업자(2011두29144) • 양도인에게 행해진 허가취소처분에 대한 수허가자 지위의 양수인(2001두6289) • 분양전환승인처분에 대한 임차인 대표회의 • 도시환경정비사업에 대한 사업시행계획이 당연무효인 경우, 분양신청기간 내에 분양신청을 하지 않거나 분양신청을 철회하여 조합원의 지위를 상실한 토지 등의 소유자(2008두18342) • 사업양도·양수가 존재하지 아니하거나 무효인 때 신고수리처분의 무효확인을 구하는 양도인(2005두3554)	• 절대보존지역이던 서귀포시 강정동 해안변지역에 관하여 절대보존지역 변경(축소)에 대한 고시 지역주민들(2011두13187) • 생태·자연도등급조정처분에 대한 인근 주민(2011두29052) • 도지사의 도지정문화재 지정처분에 대한 지정문화재가 다른 곳에 있음을 주장하는 후손(99두8565) • 보건복지부 고시인 건강보험요양행위 및 그 상대가치점수 개정에 대한 사단법인인 대한의사협회(2003두11988) • 운전기사의 행위로 인한 회사 과징금처분에 대한 운전기사(93누24247) • 과징금부과처분을 취소한 재결에 대한 처분의 상대방이 아닌 제3자(91누13700) • 원천징수의무자에 대한 납세고지를 다투는 원천납세의무자(93누22234) • 법인에 대한 소득금액변동통지의 취소를 구하는 소득의 귀속자(2013두9267) • 환지처분이 공고된 후에 환지처분에 대한 토지소유자(84누446 ; 88누2557) • 개발제한구역에서 해제하는 도시관리계획변경결정에 대한 해제누락된 토지소유자(2007두10242) • 주택사용검사처분에 대한 구 주택법상 입주자, 입주예정자(2011두30465) • 압류처분에 대한 압류부동산을 매수한 자(82누524) • 도시계획결정이 무효가 아닌 한 토지수용에 의하여 이미 토지에 대한 소유권을 상실한 자(2000헌바58) • 공유수면매립목적변경처분의 무효확인을 구하는 수녀원(2010두2005) • 2종 교과용 도서에 대하여 검정신청을 하였다가 불합격결정처분을 받은 자가 자신이 검정신청한 교과서의 과목과 전혀 관계가 없는 과목의 교과용 도서에 대한 합격결정처분에 대하여는 그 취소를 구할 법률상의 이익이 없음(91누6634)

함께 정리하기

광의의 소의 이익
▷ 원고적격 + 분쟁해결의 현실성·권리보호의 필요성

협의의 소의 이익
▷ 분쟁해결의 현실성·권리보호의 필요성

❶
예컨대, 甲에 대한 1개월 영업정지처분에 대하여 甲이 취소소송을 제기하는 경우, 甲이 취소소송을 제기할 자격이 있는가 하는 문제는 원고적격의 문제이고, 이미 영업정지일로부터 1개월 이상이 지난 경우에도 이를 취소소송으로 다툴 실익이 있는가 하는 것은 협의의 소익의 문제이다.

협의의 소의 이익
▷ 소송요건으로서 법원의 직권조사사항(협의의 소의 이익이 없으면 각하판결)
▷ 상고심에서도 존속해야 함

❷
위법한 행정처분의 취소를 구하는 소는 위법한 처분에 의하여 발생한 위법상태를 배제하여 원상으로 회복시키고 그 처분으로 침해되거나 방해받은 권리와 이익을 보호·구제하고자 하는 소송이므로, 비록 그 위법한 처분을 취소하더라도 원상회복이나 권리구제가 불가능한 경우에는 그 취소를 구할 이익이 없다고 할 것이지만, 그 취소판결로 인한 권리구제의 가능성이 확실한 경우에만 소의 이익이 인정된다고 볼 것은 아니다(대판 2015.10.29. 2013두27517).

협의의 소 이익 법적 근거
▷ 제12조 후문 '회복되는 법률상 이익'

❸
「행정소송법」 제12조 후문은 1984년 12월 15일 「행정소송법」을 전면 개정하면서 도입되었다.

회복되는 법률상 이익
▷ 근거법률, 관계법률에 의해 보호되는 개별적·직접적·구체적 이익

3. 협의의 소의 이익(권리보호의 필요성)

항고소송에서 소의 이익이란 개념은 광의로는 ① 원고가 될 수 있는 자격, 즉 원고적격의 문제와, ② 소송을 제기할 실익, 즉 분쟁해결의 현실성·권리보호의 필요성의 문제를 모두 포함한다. 이 중 ②만을 지칭할 때는 협의의 소의 이익이라 한다. ①과 관련해서는 이미 살펴보았고, 이하에서는 ②에 관하여 논하기로 한다.

> 「행정소송법」 제12조【원고적격】 취소소송은 처분등의 취소를 구할 법률상 이익이 있는 자가 제기할 수 있다. 처분등의 효과가 기간의 경과, 처분등의 집행 그 밖의 사유로 인하여 소멸된 뒤에도 그 처분등의 취소로 인하여 회복되는 법률상 이익이 있는 자의 경우에는 또한 같다.

(1) 의의

① 취소소송도 다른 소송과 마찬가지로 소를 제기할 수 있으려면 본안판결을 구할 현실적 이익 내지 필요성이 있어야 허용되는 바,❷ 이를 '협의의 소의 이익' 또는 '권리보호의 필요'라고도 부른다.

② 이러한 소의 이익은 소송요건으로서 법원의 직권조사사항이고, 사실심 변론종결시는 물론 상고심에서도 존속하여야 한다(대판 2007.4.12. 2004두7924). 법원의 심리결과 소의 이익이 인정되지 않는 경우에는 법원은 소각하판결을 한다.

(2) 근거

① 「행정소송법」 제12조 후문은 "처분 등의 효과가 기간의 경과, 처분 등의 집행 그 밖의 사유로 인하여 소멸된 뒤에도 그 처분 등의 취소로 인하여 회복되는 법률상 이익이 있는 자의 경우에는 또한 같다."라고 규정하여 이 경우에도 취소소송을 제기할 수 있음을 규정하고 있다.❸

② 「행정소송법」 제12조 후문의 해석과 관련하여 다수설은 「행정소송법」 제12조의 제목은 '원고적격'이지만 전문은 원고적격에 관한 규정이고, 후문은 협의의 소의 이익에 관한 규정으로 본다.

(3) '회복되는 법률상 이익'의 의미

① 「행정소송법」 제12조 후문의 '회복되는 법률상 이익'의 의미와 관련하여 취소소송을 통하여 구제되는 기본적인 법률상의 이익뿐만 아니라 '부수적 이익'도 포함한다고 해석함이 다수견해이다. 이때 부수적 이익도 법률상의 이익이어야 하며, 명예·신용 등의 인격적 이익, 장래의 불이익 등과 같은 단순한 사실상·경제적 이익이어서는 안 된다는 것이 일반적인 입장이다.

② 판례는 「행정소송법」 제12조 후문의 '법률상 이익(협의의 소의 이익)'의 개념을 제12조 전문의 '법률상 이익(원고적격)'의 개념과 동일하게 보고 '당해 처분의 근거법률에 의하여 보호되는 개별적·직접적·구체적 이익'이라고 해석하고, 간접적이거나 사실적, 경제적 이해관계를 갖는데 불과한 경우는 '법률상 이익'에 해당하지 않는다고 본다(대판 1978.5.23. 78누72).

(4) 소의 이익 유무의 판단기준

① 원칙: 취소소송에서 협의의 소의 이익은 대상적격과 원고적격이 인정되는 한 충족되는 것으로 추정하는 것이 일반적이다.

② 예외: 그러나 ㉠ 처분의 효력이 소멸한 경우, ㉡ 원상회복이 불가능한 경우, ㉢ 권리침해의 상태가 해소된 경우, ㉣ 취소소송보다 실효적이고 직접적인 권리구제수단이 있는 경우에는 소의 이익이 부정된다. 다만, 이 경우에도 처분의 취소를 구할 현실적 이익이 있는 경우에는 소의 이익이 인정된다.

(5) 구체적 검토

① **처분의 효력이 소멸한 경우**: 처분의 효력이 소멸한 경우에는 해당 처분의 취소를 통하여 회복할 법률상 이익이 없는 것이 원칙이다. 그러나 비록 처분의 효력이 상실된 경우라도 당해 처분을 취소할 현실적인 이익이 있는 경우에는 예외적으로 그 처분의 취소를 구할 소의 이익이 인정된다.❶

㉠ 원칙적으로 협의의 소의 이익 부정

ⓐ 취소소송 중 처분이 취소·철회된 경우

> **관련판례**
>
> **1** 취소소송 중 처분을 취소하는 형성재결이 이루어진 경우 취소를 구하는 소는 소의 이익이 없다. ★★
>
> 행정처분에 대하여 그 취소를 구하는 행정심판을 제기하는 한편, 그 처분의 집행으로 생길 중대한 손해를 예방하여야 할 긴급한 필요가 있는 때에 해당한다 하여 행정소송법 제18조 제2항 제2호에 의하여 행정심판의 재결을 거치지 아니하고 그 처분의 취소를 구하는 소를 제기하였는데, 판결선고 이전에 그 행정심판절차에서 '처분청의 당해 처분을 취소한다'는 형성적 재결이 이루어졌다면, 그 취소의 재결로써 당해 처분은 소급하여 그 효력을 잃게 되므로 더 이상 당해 처분의 효력을 다툴 법률상의 이익이 없게 된다(대판 1997.5.30. 96누18632).
>
> **2** 행정청이 당초의 분뇨 등 관련 영업허가신청 반려처분의 취소를 구하는 소의 계속 중, 사정변경을 이유로 위 반려처분을 직권취소함과 동시에 위 신청을 재반려하는 내용의 재처분을 한 경우, 당초의 반려처분의 취소를 구하는 소는 더 이상 소의 이익이 없게 되었다(대판 2006.9.28. 2004두5317). ★★

ⓑ 다른 처분으로 대체되어 처분이 소멸한 경우

> **관련판례**
>
> **1** 부지사전승인처분에 대한 취소소송 중 건설허가처분(최종결정)이 있은 경우, 부지사전승인처분의 취소를 구하는 소는 소의 이익이 없다. ★★★
>
> 원자로 및 관계시설의 부지사전승인처분은 그 자체로서 건설부지를 확정하고 사전공사를 허용하는 법률효과를 지닌 독립한 행정처분이기는 하지만, 건설허가 전에 신청자의 편의를 위하여 미리 그 건설허가의 일부 요건을 심사하여 행하는 사전적 부분 건설허가처분의 성격을 갖고 있는 것이어서 나중에 건설허가처분이 있게 되면 그 건설허가처분에 흡수되어 독립된 존재가치를 상실함으로써 그 건설허가처분만이 쟁송의 대상이 되는 것이므로, 부지사전승인처분의 취소를 구하는 소는 소의 이익을 잃게 되고, 따라서 부지사전승인처분의 위법성은 나중에 내려진 건설허가처분의 취소를 구하는 소송에서 이를 다투면 된다(대판 1998.9.4. 97누19588).

 **함께 정리하기**

대상적격·원고적격 인정 시
▷ 일반적으로 협의의 소의 이익 추정

효력소멸·원상회복불가·침해해소·보다 쉬운 방법·실제적 효용×
▷ 소의 이익×

처분을 취소할 현실적 이익○
▷ 소의 이익○

처분효력 소멸
▷ 원칙적: 소의 이익×

❶ 판례는 그 처분이 외형상 잔존함으로 인하여 어떠한 법률상 이익이 침해되었다고 볼 만한 특별한 사정이 있는 경우에는 그 처분의 취소를 구할 소의 이익을 인정하였다.

취소소송 중 처분 취소재결
▷ 소의 이익×

반려처분 취소소송 중 반려처분 직권취소
▷ 소의 이익×

부지사전승인처분 취소소송 중 건설허가처분
▷ 부지사전승인처분 취소소송 소의 이익×

함께 정리하기

최초 과징금 부과처분 후 자진신고로 감면처분
▷ 최초 과징금 부과처분 소의 이익✕

과징금부과·감면기각 별도처분
▷ 감면기각처분 소의 이익○

환지처분 공고
▷ 환지예정지지정처분 소의 이익✕

감액과징금 감액부분
▷ 소의 이익✕

새로운 사유에 의한 직위해제
▷ 이전 직위해제 소의 이익✕

2 최초 과징금 부과처분을 한 뒤 자진신고 등을 이유로 감면처분을 한 경우, 선행처분의 취소를 구할 소의 이익은 부정된다. ★★★

공정거래위원회가 부당한 공동행위를 행한 사업자로서 구 독점규제 및 공정거래에 관한 법률 제22조의2에서 정한 자진신고자나 조사협조자에 대하여 과징금 부과처분을 한 뒤, 독점규제 및 공정거래에 관한 법률 시행령 제35조 제3항에 따라 다시 자진신고자 등에 대한 사건을 분리하여 자진신고 등을 이유로 한 과징금 감면처분을 하였다면, 후행처분은 자진신고 감면까지 포함하여 처분 상대방이 실제로 납부하여야 할 최종적인 과징금액을 결정하는 종국적 처분이고, 선행처분은 이러한 종국적 처분을 예정하고 있는 일종의 잠정적 처분으로서 후행처분이 있을 경우 선행처분은 후행처분에 흡수되어 소멸한다. 따라서 위와 같은 경우에 선행처분의 취소를 구하는 소는 이미 효력을 잃은 처분의 취소를 구하는 것으로 부적법하다(대판 2015.2.12. 2013두987).

> **비교** 공정거래위원회 과징금처분과 감면기각처분은 병존하므로 소의 이익이 있다. ★★
> (공정거래위원회가 부당한 공동행위의 시정명령 및 과징금 부과와 자진신고자 또는 조사협조자에 대한 감면 여부를 분리 심리하여 별개로 의결한 후 과징금 등 처분과 별도의 처분서로 감면기각처분을 한 경우, 과징금 등 처분과 감면기각처분의 취소를 구하는 소를 함께 제기한 경우, 감면기각처분의 취소를 구할 소의 이익이 인정되는지 여부) 공정거래위원회가 시정명령 및 과징금 부과와 감면 여부를 분리 심리하여 별개로 의결한 후 과징금 등 처분과 별도의 처분서로 감면기각처분을 하였다면, 원칙적으로 2개의 처분, 즉 과징금 등 처분과 감면기각처분이 각각 성립한 것이고, 처분의 상대방으로서는 각각의 처분에 대하여 함께 또는 별도로 불복할 수 있다. 따라서 과징금 등 처분과 동시에 감면기각처분의 취소를 구하는 소를 함께 제기했더라도, 특별한 사정이 없는 한 감면기각처분의 취소를 구할 소의 이익이 부정된다고 볼 수 없다(대판 2016.12.27. 2016두43282 ; 대판 2017.1.12. 2016두35199).

3 환지처분이 일단 공고되어 효력을 발생하게 되면 환지예정지지정처분은 그 효력이 소멸되는 것이므로, 환지처분이 공고된 후에는 환지예정지지정처분에 대하여 그 취소를 구할 법률상 이익은 없다(대판 1999.10.8. 99두6873). ★

4 행정청이 과징금 부과처분을 한 후 부과처분의 하자를 이유로 감액처분을 한 경우, 감액된 부분에 대한 부과처분 취소청구는 소의 이익이 없어 부적법하다. ★★

행정처분을 한 처분청은 처분에 하자가 있는 경우에는 별도의 법적 근거가 없더라도 스스로 이를 취소하거나 변경할 수 있는바, 부과처분의 하자를 이유로 과징금의 액수를 감액하는 경우에 감액처분은 감액된 과징금 부분에 관하여만 법적 효과가 미치는 것으로서 당초 부과처분과 별개 독립의 과징금 부과처분이 아니라 실질은 당초 부과처분의 변경이고, 그에 의하여 과징금의 일부취소라는 납부의무자에게 유리한 결과를 가져오는 처분이므로 당초 부과처분이 전부 실효되는 것은 아니다. 따라서 감액처분에 의하여 감액된 부분에 대한 부과처분 취소청구는 이미 소멸하고 없는 부분에 대한 것으로서 소의 이익이 없어 부적법하다(대판 2017.1.12. 2015두2352).

5 새로운 사유에 기한 직위해제처분시 이전에 한 직위해제처분의 취소를 구하는 것은 소의 이익은 없다. ★★★

행정청이 공무원에 대하여 새로운 직위해제사유에 기한 직위해제처분을 한 경우 그 이전에 한 직위해제처분은 이를 묵시적으로 철회하였다고 봄이 상당하므로, 그 이전 처분의 취소를 구하는 부분은 존재하지 않는 행정처분을 대상으로 한 것으로서 그 소의 이익이 없어 부적법하다(대판 2003.10.10. 2003두5945).

ⓒ 처분이 기간의 경과 등으로 실효된 경우

> **관련판례**
>
> **1** 행정처분의 효력기간이 경과한 후에는 그 처분이 외형상 잔존함으로 인하여 어떠한 법률상 이익이 침해되고 있다고 볼 사정이 없는 한 그 처분의 취소를 구할 법률상 이익이 없다. ★★
>
> 행정처분에 그 효력기간이 정하여져 있는 경우, 그 처분의 효력 또는 집행이 정지된 바 없다면 위 기간의 경과로 그 행정처분의 효력은 상실되므로 그 기간 경과 후에는 그 처분이 외형상 잔존함으로 인하여 어떠한 법률상 이익이 침해되고 있다고 볼 만한 별다른 사정이 없는 한 그 처분의 취소를 구할 법률상의 이익이 없다(대판 2002.7.26. 2000두7254).
>
> **2** 집회 및 시위의 금지통고가 기간의 경과로 효력이 소멸하면 소의 이익이 부정된다. ★
>
> 피고(종로경찰서장)가 심각한 교통 불편을 줄 것이 명백하다는 이유로 원고(전국농민회총연맹)에게 집회 및 시위의 금지 통고를 한 후 기간의 경과로 금지 통고의 효과가 소멸한 경우, 원고와 피고 사이에 위와 같은 사유로 위법한 처분이 반복될 위험성이 있어 그 위법성을 확인하거나 불분명한 법률문제를 해명할 필요가 있다고 보기 어렵다는 이유로 위 금지 통고의 취소를 구하는 이 사건 소가 부적법하다는 원심 판단은 정당하다(대판 2018.4.12. 2017두67834).
>
> **3** 공유수면점용허가 취소처분에 대한 법원의 집행정지결정으로 허가기간이 진행되어 허가기간이 경과한 경우, 취소처분의 취소를 구할 법률상 이익이 없다. ★
>
> 공유수면점용허가기간 중에 그 허가를 취소하는 처분이 있었다고 하여도 그 취소처분에 대한 법원의 집행정지결정으로 허가기간이 진행되어 허가기간이 경과하였다면 이로써 그 허가처분은 실효된 것이고 그 후 위 취소처분을 취소하더라도 허가된 상태로의 원상회복은 불가능하므로, 위 취소처분이 외형상 잔존함으로 말미암아 어떠한 법률상 불이익이 있다고 볼 만한 특별한 사정이 없는 한 위 취소처분의 취소를 구할 이익이 없다(대판 1991.7.23. 90누6651).
>
> **4** 토석채취허가취소처분 취소소송 중에 토석채취 허가기간이 경과한 경우(사실심변론종결일 현재 토석채취 허가기간이 경과한 경우) 토석채취허가취소처분의 취소를 구할 소의 이익은 없다(대판 1993.7.27. 93누3899). ★
>
> **5** 중재재정이 실효된 경우, 노동관계 당사자는 그 중재재정의 취소를 구할 법률상의 이익이 없다(대판 1997.12.26. 96누10669). ★
>
>> **비교** 갱신 기대권 인정되는 근로자는 계약기간 만료 후라도 갱신 거절을 다툴 법률상 이익이 있다. ★
>>
>> 기간을 정하여 근로계약을 체결한 근로자에게 근로계약이 갱신될 수 있으리라는 정당한 기대권이 인정되는 경우, 사용자가 이를 위반하여 부당하게 근로계약의 갱신을 거절하는 것은 부당해고와 마찬가지로 아무런 효력이 없으므로, 근로자로서는 근로계약기간이 만료된 후에도 갱신 거절의 유효 여부를 다툴 법률상 이익을 가진다(대판 2017.10.12. 2015두59907).

효력기간 경과한 행정처분
▷ 소의 이익×

금지통고가 기간 경과로 효력소멸
▷ 소의 이익×

공유수면점용허가 취소처분에 대한 법원의 집행정지결정으로 허가기간이 진행되어 허가기간이 경과한 경우
▷ 소의 이익×

토석채취허가취소처분 취소소송 중에 토석채취 허가기간이 경과한 경우
▷ 소의 이익×

cf. 광업권취소처분에 대한 쟁송 중 광업권존속기간이 만료된 경우
▷ 소의 이익×(대판 1995.7.11. 95누4568).

중재재정
▷ 유효기간 경과 시 소의 이익×

갱신 기대권 인정되는 근로자
▷ 계약기간 만료 후라도 갱신거절 다툴 법률상 이익○

ⓒ 예외적으로 협의의 소의 이익 인정
  ⓐ 가중적 제재규정이 있는 경우(제재처분의 전력이 장래의 제재처분의 가중요건 또는 전제요건으로 규정되어 있는 경우)
    ㉮ 제재처분의 전력이 장래의 제재처분의 가중요건 또는 전제요건으로 규정되어 있는 경우에는 비록 효력기간의 경과 등으로 그 행정처분의 효력이 상실된 경우에도 가중된 제재처분을 받을 현실적인 위험이 인정된다. 따라서 가중된 제재처분을 받을 불이익을 제거하기 위하여 제재처분의 취소를 구할 소의 이익이 있다. 다만, 일정기간의 경과 등으로 실제로 가중된 제재처분을 받을 우려가 없어졌다면 특별한 사정이 없는 한 그 처분의 취소를 구할 소의 이익은 없다.

법에 가중적 제재규정○
▷ 효력기간 경과해도 소의 이익○

> **관련판례**
>
> **1** 행정처분의 효력기간이 경과하였다고 하더라도 그 처분을 받은 전력에 대해 가중적 제재규정이 법에 규정되어 있는 경우에는 소의 이익이 인정된다. ★★★
> [1] 행정처분의 전력이 장래에 불이익하게 취급되는 것으로 법에 규정되어 있어 법정의 가중요건으로 되어 있고, 이후 그 법정가중요건에 따라 새로운 제재적인 행정처분이 가해지고 있다면, 선행 행정처분의 효력기간이 경과하였다 하더라도 선행 행정처분의 잔존으로 인하여 법률상의 이익이 침해되고 있다고 볼 만한 특별한 사정이 있는 경우에 해당한다.
> [2] 의료법에서 의료인에 대한 제재적인 행정처분으로서 면허자격정지처분과 면허취소처분이라는 2단계 조치를 규정하면서 전자의 제재처분을 보다 무거운 후자의 제재처분의 기준요건으로 규정하고 있는 이상 자격정지처분을 받은 의사로서는 면허자격정지처분에서 정한 기간이 도과되었다 하더라도 그 처분을 그대로 방치하여 둠으로써 장래 의사면허취소라는 가중된 제재처분을 받게 될 우려가 있는 것이어서 의사로서의 업무를 행할 수 있는 법률상 지위에 대한 위험이나 불안을 제거하기 위하여 면허자격정지처분의 취소를 구할 이익이 있다(대판 2005.3.25. 2004두14106).

건축사 업무정지처분을 받은 후 새로운 업무정지처분을 받음이 없이 1년이 경과하여 실제로 가중된 제재처분을 받을 우려가 없게 된 경우
▷ 업무정지처분(선행처분)의 취소를 구할 소의 이익✕

> **2** (건축사법 제28조 제1항이 건축사 업무정지처분을 연 2회 이상 받고 그 정지기간이 통산하여 12월 이상이 될 경우에는 가중된 제재처분인 건축사사무소 등록취소처분을 받게 되도록 규정되어 있는 경우) 건축사 업무정지처분을 받은 후 새로운 업무정지처분을 받음이 없이 1년이 경과하여 실제로 가중된 제재처분을 받을 우려가 없어졌다면 위 처분에서 정한 정지기간이 경과한 이상 특별한 사정이 없는 한 그 처분의 취소를 구할 법률상 이익이 없다(대판 2000.4.21. 98두10080). ★★

  ㉯ 종래 판례는 가중요건이 부령 형식의 행정규칙으로 규정되어 있는 경우에는 소의 이익을 부정하였으나(대판 1982.3.23. 81누243), 최근에 제재적 행정처분의 가중사유나 전제 요건에 관한 규정이 행정규칙의 형식으로 되어 있어도 소의 이익을 긍정하는 것으로 입장을 변경하였다.

관련판례

제재적 행정처분이 그 처분에서 정한 제재기간의 경과로 인하여 그 효과가 소멸하였으나 부령인 시행규칙 또는 지방자치단체의 규칙의 형식으로 정한 처분기준에서 제재적 행정처분을 받은 것을 가중사유나 전제요건으로 삼아 장래의 제재적 행정처분을 하도록 정하고 있는 경우, 선행처분인 제재적 행정처분을 받은 상대방은 그 처분에서 정한 제재기간이 경과하였다 하더라도 그 처분의 취소를 구할 법률상 이익이 있다. ★★★

제재적 행정처분이 그 처분에서 정한 제재기간의 경과로 인하여 그 효과가 소멸되었으나, 부령인 시행규칙 또는 지방자치단체의 규칙(이하 이들을 '규칙'이라고 한다)의 형식으로 정한 처분기준에서 제재적 행정처분(이하 '선행처분'이라고 한다)을 받은 것을 가중사유나 전제요건으로 삼아 장래의 제재적 행정처분(이하 '후행처분'이라고 한다)을 하도록 정하고 있는 경우, 제재적 행정처분의 가중사유나 전제요건에 관한 규정이 법령이 아니라 규칙의 형식으로 되어 있다고 하더라도, 그러한 규칙이 법령에 근거를 두고 있는 이상 그 법적 성질이 대외적·일반적 구속력을 갖는 법규명령인지 여부와는 상관없이, 관할 행정청이나 담당공무원은 이를 준수할 의무가 있으므로 이들이 그 규칙에 정해진 바에 따라 행정작용을 할 것이 당연히 예견되고, 그 결과 행정작용의 상대방인 국민으로서는 그 규칙의 영향을 받을 수밖에 없다. 따라서 규칙이 정한 바에 따라 선행처분을 가중사유 또는 전제요건으로 하는 후행처분을 받을 우려가 현실적으로 존재하는 경우에는, 선행처분을 받은 상대방은 비록 그 처분에서 정한 제재기간이 경과하였다 하더라도 그 처분의 취소소송을 통하여 그러한 불이익을 제거할 권리보호의 필요성이 충분히 인정된다고 할 것이므로, 선행처분의 취소를 구할 법률상 이익이 있다고 보아야 한다(대판 2006.6.22. 2003두1684).

ⓑ 집행정지결정이 있는 경우

관련판례

영업정지처분의 집행정지기간 동안 영업정지기간이 경과하여도 영업정지의 취소를 구할 소의 이익은 인정된다. ★

영업정지처분에 대하여 그 효력정지결정이 있으면 그 처분의 집행자체 또는 그 효력발생이 정지되고 그 효력정지결정이 취소되거나 실효되면 그때부터 다시 영업정지기간이 진행되는 것이므로 영업정지처분이 그 효력정지결정으로 효력이 정지되어 있을 동안에 영업정지기간이 경과 되었다고 하여도 그 처분의 취소를 구할 소송상 이익이 있다(대판 1982.6.22. 81누375).

ⓒ 동일한 사유로 위법한 처분이 반복될 구체적인 위험성이 있는 경우

관련판례

1 제소 당시에는 권리보호의 이익을 갖추었는데 제소 후 취소 대상 행정처분이 기간의 경과 등으로 그 효과가 소멸한 때, 동일한 소송 당사자 사이에서 동일한 사유로 위법한 처분이 반복될 위험성이 있어 행정처분의 위법성 확인 내지 불분명한 법률문제에 대한 해명이 필요하다고 판단되는 경우, 행정의 적법성 확보와 그에 대한 사법통제, 국민의 권리구제의 확대 등의 측면에서 여전히 그 처분의 취소를 구할 법률상 이익이 있다(대판 2007.7.19. 2006두19297). ★★

시행규칙에 가중적 제재규정○
▷ 소의 이익○

집행정지기간 중 영업정지기간 도과
▷ 소의 이익○(∵효력정지결정 취소·실효시부터 영업정지기간 다시 진행)

선행 임시이사선임처분 취소소송 중 후행 임시이사 교체
▷ 선행처분 소의 이익○(∵ 동일한 처분이 반복될 위험○)

함께 정리하기

처분청의 직권취소에도 불구하고 완전한 원상회복이 이루어지지 않아 무효확인 또는 취소로써 회복할 수 있는 다른 권리나 이익이 남아 있는 경우
▷ 소의 이익 ○

다른 교도소로 이송
▷ 영치품 사용 불허 처분 다툴 소의 이익 ○

처분이 반복될 위험성이 있는 경우
▷ 반드시 해당 사건의 동일한 소송 당사자 사이에서 반복될 위험이 있는 경우만을 의미하는 것 ×

원상회복 불가능한 경우
▷ 원칙: 소의 이익 ×
▷ 예외: 회복되는 부수적인 이익이 있으면, 소의 이익 ○

지방의료원해산
▷ 폐업결정 취소를 구할 소의 이익 ×

---

② 처분청의 직권취소에도 불구하고 완전한 원상회복이 이루어지지 않아 무효확인 또는 취소로써 회복할 수 있는 다른 권리나 이익이 남아 있는 경우 그 처분의 취소를 구할 소의 이익을 인정할 수 있다. ★★

처분청의 직권취소에도 불구하고 완전한 원상회복이 이루어지지 않아 무효확인 또는 취소로써 회복할 수 있는 다른 권리나 이익이 남아 있거나 또는 동일한 소송 당사자 사이에서 그 행정처분과 동일한 사유로 위법한 처분이 반복될 위험성이 있어 행정처분의 위법성 확인 내지 불분명한 법률문제에 대한 해명이 필요한 경우 행정의 적법성 확보와 그에 대한 사법통제, 국민의 권리구제의 확대 등의 측면에서 예외적으로 그 처분의 취소를 구할 소의 이익을 인정할 수 있을 뿐이다(대판 2019.6.27. 2018두49130).

③ 수형자의 영치품에 대한 사용신청 불허처분 후 수형자가 다른 교도소로 이송되었다 하더라도 수형자의 권리와 이익의 침해 등이 해소되지 않은 점 등에 비추어, 위 영치품 사용신청 불허처분의 취소를 구할 이익이 있다(대판 2008.2.14. 2007두13203). ★★

④ 처분이 반복될 위험성이 있는 경우란 반드시 해당 사건의 동일한 소송 당사자 사이에서 반복될 위험이 있는 경우만을 의미하는 것은 아니다. ★★

여기에서 '그 행정처분과 동일한 사유로 위법한 처분이 반복될 위험성이 있는 경우'란 불분명한 법률문제에 대한 해명이 필요한 상황에 대한 대표적인 예시일 뿐이며, 반드시 '해당 사건의 동일한 소송 당사자 사이에서' 반복될 위험이 있는 경우만을 의미하는 것은 아니다(대판 2024.4.16. 2022두57138 ; 대판 2020.12.24. 2020두30450).

② **원상회복이 불가능한 경우**: 취소소송의 인용판결을 받아 처분이 취소되더라도 원상회복이 불가능한 경우(예 폐기명령에 따라 식품을 폐기한 경우)에는 원칙적으로 처분의 취소를 구할 소의 이익은 부정된다. 그러나 원상회복이 불가능하더라도 회복되는 부수적인 이익이 있는 경우에는 예외적으로 소의 이익을 인정할 수 있다.

㉠ 원칙적으로 협의의 소의 이익 부정

관련판례

① 도지사가 도에서 설치·운영하는 지방의료원을 폐업하겠다는 결정을 발표하고 그에 따라 폐업을 위한 일련의 조치가 이루어진 후 지방의료원을 해산한다는 내용의 조례를 공포하고 지방의료원의 청산절차가 마쳐진 경우, 도지사의 폐업결정은 항고소송의 대상에 해당하지만 취소를 구할 소의 이익은 인정되지 않는다. ★★

(甲 도지사가 도에서 설치·운영하는 乙 지방의료원을 폐업하겠다는 결정을 발표하고 그에 따라 폐업을 위한 일련의 조치가 이루어진 후 乙 지방의료원을 해산한다는 내용의 조례를 공포하고 乙 지방의료원의 청산절차가 마쳐진 사안에서) 폐업결정 후 을 지방의료원을 해산한다는 내용의 조례가 제정·시행되었고 조례가 무효라고 볼 사정도 없어 乙 지방의료원을 폐업 전의 상태로 되돌리는 원상회복은 불가능하므로 법원이 폐업결정을 취소하더라도 단지 폐업결정이 위법함을 확인하는 의미밖에 없고, 폐업결정의 취소로 회복할 수 있는 다른 권리나 이익이 남아있다고 보기도 어려우므로, 甲 도지사의 폐업결정이 법적으로 권한 없는 자에 의하여 이루어진 것으로서 위법하더라도 취소를 구할 소의 이익을 인정하기 어렵다(대판 2016.8.30. 2015두60617).

함께 정리하기

2 제주도 조례개정으로 먹는샘물 판매협약 해지통지한 경우 조례의 무효확인을 구할 법률상 이익이 없다. ★

甲 주식회사가 제주특별자치도개발공사와 먹는샘물에 관하여 협약기간 자동연장조항이 포함된 판매협약을 체결하였는데, 제주특별자치도지사가 개발공사 설치조례를 개정·공포하면서 '먹는샘물 민간위탁 사업자의 선정은 일반입찰에 의한다'는 규정을 신설하고, '종전 먹는샘물 국내판매 사업자는 2012.3.14.까지 이 조례에 따른 먹는샘물 국내판매 사업자로 본다'는 내용의 부칙조항을 둠에 따라 개발공사가 협약 해지 통지를 하자, 甲 회사가 부칙조항의 무효확인을 구한 사안에서, 협약기간 자동연장조항에 따라 협약기간이 일정 시점 이후까지 자동연장되었다고 보기 어렵다는 등의 사유로 甲 회사가 먹는샘물 판매사업자의 지위를 상실하였다면 지위 상실의 원인이 부칙조항에 의한 것이라고 보기 어려워 부칙조항의 무효확인 판결을 받더라도 판매사업자의 지위를 회복할 수 없으므로, 무효확인을 구할 법률상 이익이 없다(대판 2016.6.10. 2013두1638).

먹는샘물 판매자 지위 상실
▷ 조례 무효확인의 법률상 이익×

3 위법한 건축허가에 대해 취소소송으로 다투는 도중에 건축공사가 완료된 경우 그 취소를 구할 소의 이익은 없다. ★★

위법한 행정처분의 취소를 구하는 소는 위법한 처분에 의하여 발생한 위법상태를 배제하여 원상으로 회복시키고 그 처분으로 침해되거나 방해받은 권리와 이익을 보호·구제하고자 하는 소송이므로 비록 그 위법한 처분을 취소한다 하더라도 원상회복이 불가능한 경우에는 그 취소를 구할 이익이 없다 할 것인바, 건축허가에 기하여 이미 건축공사를 완료하였다면 그 건축허가처분의 취소를 구할 이익이 없다 할 것이고, 이와 같이 건축허가처분의 취소를 구할 이익이 없게 되는 것은 건축허가처분의 취소를 구하는 소를 제기하기 전에 건축공사가 완료된 경우 뿐 아니라 소를 제기한 후 사실심 변론종결일 전에 건축공사가 완료된 경우에도 마찬가지이다(대판 2007.4.26. 2006두18409).

건축공사 완료
▷ 건축허가처분 취소 구할 소의 이익×

4 주택법상 입주자나 입주예정자는 사용검사처분의 무효확인 또는 취소를 구할 법률상 이익이 없다. ★★

사용검사처분은 건축물을 사용·수익할 수 있게 하는 데에 그치므로 건축물에 대하여 사용검사처분이 이루어졌다고 하더라도 그 사정만으로는 건축물에 있는 하자나 건축법 등 관계 법령에 위반되는 사실이 정당화되지는 않는다. 또한 건축물에 대한 사용검사처분의 무효확인을 받거나 처분이 취소된다고 하더라도 사용검사 전의 상태로 돌아가 건축물을 사용할 수 없게 되는 것에 그칠 뿐 곧바로 건축물의 하자 상태 등이 제거되거나 보완되는 것도 아니다. 그리고 입주자나 입주예정자들은 사용검사처분의 무효확인을 받거나 처분을 취소하지 않고도 민사소송 등을 통하여 분양계약에 따른 법률관계 및 하자 등을 주장·증명함으로써 사업주체 등으로부터 하자의 제거·보완 등에 관한 권리구제를 받을 수 있으므로, 사용검사처분의 무효확인 또는 취소 여부에 의하여 법률적인 지위가 달라진다고 할 수 없다. 위와 같은 사정들을 종합하여 볼 때, 구 주택법상 입주자나 입주예정자는 사용검사처분의 무효확인 또는 취소를 구할 법률상 이익이 없다(대판 2015.1.29. 2013두24976 ; 대판 2014.7.24. 2011두30465).

입주자·입주예정자
▷ 사용검사처분 다툴 소의 이익×

5 건축법상 이격거리가 확보되지 않아 위법한 건축허가라도 건축공사가 완료되었다면 인접한 대지의 소유자는 건축허가의 취소를 구할 법률상의 이익이 없다. ★★★

건축허가가 건축법 소정의 이격거리를 두지 아니하고 건축물을 건축하도록 되어 있어 위법하다 하더라도 그 건축허가에 기하여 건축공사가 완료되었다면 그 건축허가를 받은 대지와 접한 대지의 소유자인 원고가 위 건축허가처분의 취소를 받아 이격거리를 확보할 단계는 지났으며 민사소송으로 위 건축물 등의 철거를 구하는 데 있어서도 위 처분의 취소가 필요한 것이 아니므로 원고로서는 위 처분의 취소를 구할 법률상의 이익이 없다(대판 1992.4.24. 91누11131).

이격거리 미확보 상태로 건축공사 완료
▷ 건축허가처분 취소 구할 소의 이익×

함께 정리하기

건축물 완공
▷ 건축물 소유자 건축허가취소처분 취소 구할 소의 이익○(이행강제금, 대집행)

> **비교** 건축허가취소처분을 받은 건축물 소유자는 그 건축물이 완공된 후에도 여전히 취소처분의 취소를 구할 소의 이익을 가진다. ★★
>
> 건축허가를 받아 건축물을 완공하였더라도 건축허가가 취소되면 그 건축물은 철거 등 시정명령의 대상이 되고 이를 이행하지 않은 건축주 등은 건축법 제80조에 따른 이행강제금 부과처분이나 행정대집행법 제2조에 따른 행정대집행을 받게 되며, 나아가 건축법 제79조 제2항에 의하여 <u>다른 법령상의 인·허가 등을 받지 못하게 되는 등의 불이익을 입게 된다</u>. 따라서 <u>건축허가취소처분을 받은 건축물 소유자는 그 건축물이 완공된 후에도 여전히 위 취소처분의 취소를 구할 법률상 이익을 가진다고 보아야 한다</u>(대판 2015.11.12. 2015두47195).

건축물 완공
▷ 건물준공처분 다툴 법률상 이익×

6 인접건물 소유자는 건물준공처분의 무효확인이나 취소를 구할 법률상 이익이 없다. ★★

처분의 무효 등 확인소송이나 취소소송은 처분의 무효 등 확인이나 취소를 구할 법률상 이익이 있는 자만이 제기할 수 있다고 할 것이어서 <u>신축한 건물이 무단증평, 이격거리위반, 베란다돌출, 무단구조변경 등 건축법에 위반하여 시공됨으로써 인접주택 소유자의 사생활과 일조권을 침해하고 있다고 하더라도, 인접건물 소유자들로서는 위 건물준공처분의 무효확인이나 취소를 구할 법률상 이익이 없다</u>(대판 1993.11.9. 93누13988).

대집행 완료
▷ 대집행계고처분 다툴 소의 이익×

7 대집행실행이 완료된 경우에는 대집행계고처분의 취소를 구할 소의 이익을 인정할 수 없다. ★★★

<u>대집행계고처분 취소소송의 변론종결 전에 대집행영장에 의한 통지절차를 거쳐 사실행위로서 대집행의 실행이 완료된 경우에는</u> 행위가 위법한 것이라는 이유로 손해배상이나 원상회복 등을 청구하는 것은 별론으로 하고 <u>처분의 취소를 구할 법률상 이익은 없다</u>(대판 1993.6.8. 93누6164).

이전고시 효력 발생 후
▷ 관리처분계획에 대한 인가처분 다툴 소의 이익×

8 도시 및 주거환경정비법상 이전고시가 효력을 발생하게 된 이후에는 조합원 등이 관리처분계획에 대한 인가처분의 취소 또는 무효확인을 구할 법률상 이익은 없다. ★★

이전고시의 효력 발생으로 이미 대다수 조합원 등에 대하여 획일적·일률적으로 처리된 권리귀속 관계를 모두 무효화하고 다시 처음부터 관리처분계획을 수립하여 이전고시 절차를 거치도록 하는 것은 정비사업의 공익적·단체법적 성격에 배치되므로, <u>이전고시가 효력을 발생한 후에는 조합원 등이 관리처분계획의 취소 또는 무효확인을 구할 법률상 이익이 없다고 보는 것이 타당하고, 이는 관리처분계획에 대한 인가처분의 취소 또는 무효확인을 구하는 경우에도 마찬가지이다</u>(대판 2012.5.24. 2009두22140 ; 대판 2012.3.22. 2011두6400).

이전고시의 효력발생 후
▷ 조합원 등은 수용재결·이의재결 취소·무효확인 구할 법률상 이익×

9 도시 및 주거환경정비법상 (대지 또는 건축물의 소유권)이전고시의 효력이 발생한 이후에는 조합원 등이 해당 정비사업을 위하여 이루어진 수용재결이나 이의재결의 취소 또는 무효확인을 구할 <u>법률상 이익이 없다고 해석함이 타당하다</u>(대판 2017.3.16. 2013두11536). ★

조합설립인가처분 이루어진 경우
▷ 조합설립추진위원회 구성승인처분 다툴 소의 이익×

10 도시 및 주거환경정비법상 조합설립추진위원회 구성승인처분을 다투는 소송 계속 중에 조합설립인가처분이 이루어졌다면 조합설립추진위원회 구성승인처분에 대하여 취소 또는 무효확인을 구할 법률상 이익은 없다. ★★★

추진위원회 구성승인처분을 다투는 소송 계속 중에 조합설립인가처분이 이루어진 경우에는, 추진위원회 구성승인처분에 위법이 존재하여 조합설립인가 신청행위가 무효라는 점 등을 들어 직접 조합설립인가처분을 다툼으로써 정비사업의 진행을 저지하여야 하고, 이와는 별도로 <u>추진위원회 구성승인처분에 대하여 취소 또는 무효확인을 구할 법률상의 이익은 없다</u>(대판 2013.1.31. 2011두11112).

11 소음·진동배출시설에 대한 설치허가가 취소된 후 그 배출시설이 철거된 경우, 소음·진동배출시설설치허가취소처분의 취소를 구할 소의 이익은 없다. ★★

소음·진동배출시설에 대한 설치허가가 취소된 후 그 배출시설이 어떠한 경위로든 철거되어 다시 복구 등을 통하여 배출시설을 가동할 수 없는 상태라면 이는 배출시설 설치허가의 대상이 되지 아니하므로 외형상 설치허가취소행위가 잔존하고 있다고 하여도 특단의 사정이 없는 한 이제 와서 굳이 위 처분의 취소를 구할 법률상의 이익이 없다(대판 2002.1.11. 2000두2457).

ⓑ 예외적으로 협의의 소의 이익 인정

관련판례

1 제명의결의 취소로 의원의 지위를 회복할 수는 없다 하더라도 제명의결시부터 임기만료일까지의 기간에 대한 월정수당의 지급을 구할 수 있는 등 여전히 그 제명의결의 취소를 구할 법률상 이익이 있다. ★★★

지방의회 의원에게 지급되는 비용 중 적어도 월정수당(제3호)은 지방의회 의원의 직무활동에 대한 대가로 지급되는 보수의 일종으로 봄이 상당하다. 따라서 지방의회 의원이 제명의결 취소소송 계속 중 임기가 만료되어 제명의결의 취소로 지방의회 의원으로서의 지위를 회복할 수는 없다 할지라도, 그 취소로 인하여 최소한 제명의결시부터 임기만료일까지의 기간에 대해 월정수당의 지급을 구할 수 있는 등 여전히 그 제명의결의 취소를 구할 법률상 이익은 남아 있다(대판 2009.1.30. 2007두13487).

2 해임처분의 무효확인·취소소송 중 임기가 만료되었더라도 그 무효확인·취소로 보수지급을 구할 수 있는 경우에는 소의 이익이 인정된다. ★★

한국방송공사 사장에 대한 해임처분 무효확인 또는 취소소송 계속 중 임기가 만료되어 해임처분의 무효확인 또는 취소로 지위를 회복할 수는 없다고 할지라도, 그 무효확인 또는 취소로 해임처분일부터 임기만료일까지 기간에 대한 보수 지급을 구할 수 있는 경우에는 해임처분의 무효확인 또는 취소를 구할 법률상 이익이 있다(대판 2012.2.23. 2011두5001).

3 대학입학고사 불합격처분 취소소송 계속 중 당해연도의 입학시기가 지난 경우에도 불합격처분의 취소를 구할 소의 이익이 있다. ★★

어느 학년도의 합격자는 반드시 당해년도에만 입학하여야 한다고 볼 수 없으므로 원고들이 불합격처분의 취소를 구하는 이 사건 소송계속 중 당해년도의 입학시기가 지났더라도 당해년도의 합격자로 인정되면 다음년도의 입학시기에 입학할 수도 있다고 할 것이므로 원고들로서는 피고의 불합격처분의 적법여부를 다툴만한 법률상의 이익이 있다(대판 1990.8.28. 89누8255).

4 도시개발사업의 공사가 완료되어도 도시계획변경결정·도시개발구역지정·도시개발사업실시계획인가처분의 취소를 구할 소의 이익이 인정된다. ★★

도시개발사업의 시행에 따른 도시계획변경결정처분과 도시개발구역지정처분 및 도시개발사업실시계획인가처분은 도시개발사업의 시행자에게 단순히 도시개발에 관련된 공사의 시공권한을 부여하는 데 그치지 않고 당해 도시개발사업을 시행할 수 있는 권한을 설정하여 주는 처분으로서 위 각 처분 자체로 그 처분의 목적이 종료되는 것이 아니고 위 각 처분이 유효하게 존재하는 것을 전제로 하여 당해 도시개발사업에 따른 일련의 절차 및 처분이 행해지기 때문에 위 각 처분이 취소된다면 그것이 유효하게 존재하는 것을 전제로 하여 이루어진 토지수용이나 환지 등에 따른 각종의 처분이나 공공시설의 귀속 등에 관한 법적 효력은 영향을 받게 되므로, 도시개발사업의 공사 등이 완료되고 원상회복이 사회통념상 불가능하게 되었더라도 위 각 처분의 취소를 구할 법률상 이익은 소멸한다고 할 수 없다(대판 2005.9.9. 2003두5402).

함께 정리하기

소음·진동배출시설 철거
▷ 설치허가처분취소 다툴 소의 이익×

임기만료된 지방의회의원
▷ 제명의결취소 구할 소의 이익○ (월정수당)

임기만료
▷ 해임처분 다툴 소의 이익○(보수)

입학시기 도과
▷ 대입불합격처분 다툴 소의 이익○

도시개발사업 공사완료
▷ 계획인가처분취소 다툴 소의 이익○(토지수용, 환지 등)

함께 정리하기

현역입영한 자
▷ 현역병입영통지처분취소 다툴 소의 이익○

공장 시설물이 철거되어 공장을 다시 운영할 수 없는 상태라면
▷ 외형상 공장등록취소행위가 잔존하고 있어도 그 처분의 취소를 구할 법률상 이익×

유효한 공장등록으로 인해 공장등록에 관한 당해법률이나 다른 법률에 의해 보호되는 직접적·구체적 이익이 있다면
▷ 공장건물이 멸실되었더라도 공장등록취소처분의 취소를 구할 법률상 이익○

공장등록 취소 후 공장시설물이 철거되었어도 대도시 공장을 지방으로 이전할 경우 세액공제 및 소득세 감면혜택이 있는 경우
▷ 공장등록취소처분의 취소를 구할 법률상 이익○

개발제한구역 내 공장설립승인 취소
▷ 공장건축허가처분 취소소송 소의 이익○(환경상 이익 침해)

학교법인 임원취임승인의 취소처분 후 그 임원의 임기가 만료되고 구 사립학교법 제22조 제2호 소정의 임원결격사유기간마저 경과한 경우
▷ 승인이 취소된 임원은 취임승인 취소처분의 취소를 구할 소의 이익○
▷ 긴급처리권에 기해 정식이사 선임권 有

「국가공무원법」상 직위해제처분의 취소소송 계속 중 정년을 초과하여 직위해제처분의 취소로 공무원 신분을 회복할 수는 없다고 할지라도, 그 취소로 직위해제일부터 직권면직일까지 기간에 대한 감액된 봉급 등의 지급을 구할 수 있는 경우
▷ 직위해제처분의 취소를 구할 법률상 이익○
▷ 대상: 감액된 봉급

---

5 현역입영대상자로서는 현실적으로 입영을 하였다고 하더라도, 입영 이후의 법률관계에 영향을 미치고 있는 현역병입영통지처분 등을 한 관할지방병무청장을 상대로 위법을 주장하여 그 취소를 구할 소송상의 이익이 있다(대판 2003.12.26. 2003두1875). ★★★

6 공장등록이 취소된 후 그 공장시설물이 철거되었다 하더라도 유효한 공장등록으로 인하여 조세감면·우선입주 등의 혜택과 같은 직접적·구체적 이익이 있다면 공장등록취소처분의 취소를 구할 소의 이익이 인정된다. ★★

[1] (공장등록이 취소된 후 그 공장 시설물이 어떠한 경위로든 철거되어 다시 복구 등을 통하여 공장을 운영할 수 없는 상태라면 이는 공장등록의 대상이 되지 아니하므로 외형상 공장등록취소행위가 잔존하고 있다고 하여도 그 처분의 취소를 구할 법률상의 이익이 없다 할 것이나) 유효한 공장등록으로 인하여 공장등록에 관한 당해 법률이나 다른 법률에 의하여 보호되는 직접적·구체적 이익이 있다면, 당사자로서는 공장건물의 멸실 여부에 불구하고 그 공장등록취소처분의 취소를 구할 법률상의 이익이 있다.

[2] 공장등록이 취소된 후 그 공장시설물이 철거되었다 하더라도 대도시 안의 공장을 지방으로 이전할 경우 조세특례제한법상의 세액공제 및 소득세 등의 감면혜택이 있고, 공업배치 및 공장설립에 관한 법률상의 간이한 이전절차 및 우선 입주의 혜택이 있는 경우, 그 공장등록취소처분의 취소를 구할 법률상 이익이 있다(대판 2002.1.11. 2000두3306).

7 개발제한구역 안에서의 공장설립을 승인한 처분이 위법하다는 이유로 쟁송취소되었으나 그 승인처분에 기초한 공장건축허가처분이 잔존하는 경우, 인근 주민들에게 공장건축허가처분의 취소를 구할 법률상 이익이 있다. ★★

개발제한구역 안에서의 공장설립을 승인한 처분이 위법하다는 이유로 쟁송취소 되었다고 하더라도 그 승인처분에 기초한 공장건축허가처분이 잔존하는 이상, 공장설립승인처분이 취소되었다는 사정만으로 인근 주민들의 환경상 이익이 침해되는 상태나 침해될 위험이 종료되었다거나 이를 시정할 수 있는 단계가 지나버렸다고 단정할 수는 없고, 인근 주민들은 여전히 공장건축허가처분의 취소를 구할 법률상 이익이 있다(대판 2018.7.12. 2015두3485).

8 학교법인 임원취임승인의 취소처분 후 그 임원의 임기가 만료되고 구 사립학교법 소정의 임원결격사유기간마저 경과하였다 하더라도 취임승인이 취소된 임원은 취임승인취소처분의 취소를 구할 소의 이익이 있다. ★★★

학교법인 임원취임승인의 취소처분 후 그 임원의 임기가 만료되고 구 사립학교법 제22조 제2호 소정의 임원결격사유기간마저 경과한 경우 또는 위 취소처분에 대한 취소소송 제기 후 임시이사가 교체되어 새로운 임시이사가 선임된 경우라도 그 임원취임승인취소처분이 위법하다고 판명되고 나아가 임시이사들의 지위가 부정되어 직무권한이 상실되면, 그 정식이사들은 후임이사 선임시까지 민법 제691조의 유추적용에 의하여 직무수행에 관한 긴급처리권을 가지게 되고 이에 터잡아 후임 정식이사들을 선임할 수 있게 되는바, 위 취임승인취소처분 및 당초의 임시이사선임처분의 취소를 구할 소의 이익이 있다(대판 2007.7.19. 2006두19297 전합).

9 국가공무원법상 직위해제처분의 무효확인 또는 취소소송 계속 중 정년을 초과하여 직위해제처분의 무효확인 또는 취소로 공무원 신분을 회복할 수는 없다고 할지라도, 그 무효확인 또는 취소로 직위해제일부터 직권면직일까지 기간에 대한 감액된 봉급 등의 지급을 구할 수 있는 경우에는 직위해제처분의 무효확인 또는 취소를 구할 법률상 이익이 있다(대판 2014.5.16. 2012두26180). ★

10 사립학교 교원이 소청심사청구를 하여 해임처분의 효력을 다투던 중 형사판결 확정 등 당연퇴직사유가 발생하여 교원의 지위를 회복할 수 없더라도, 해임처분이 취소되거나 변경되면 해임처분일부터 당연퇴직사유 발생일까지의 기간에 대한 보수 지급을 구할 수 있는 경우에는 소청심사청구를 기각한 교원소청심사위원회 결정의 취소를 구할 법률상 이익이 있다(사립학교 교원에 대한 해임처분에 관한 소청심사청구 이후 당연퇴직사유가 발생하여 원직복직이 불가능해진 경우 소의 이익 인정 여부가 문제된 사건, 대판 2024.2.8. 2022두50571). ★

11 취업규칙 등에서 대기발령에 따른 효과로 승진·승급에 제한을 가하는 등의 법률상 불이익을 규정하고 있는 경우, 대기발령을 받은 근로자는 실효된 대기발령에 대한 구제를 신청할 이익이 있다(대판 2024.9.13. 2024두40493). ★

12 공공용지의 취득 및 손실보상에 관한 특례법 제8조 제1항 소정의 이주대책업무가 종결되고 그 공공사업을 완료하여 사업지구 내에 더 이상 분양할 이주대책용 단독택지가 없는 경우에도 보상금청구권 등의 권리를 확정하는 법률상의 이익은 여전히 남아 있는 것이므로 이주대책대상자 선정신청을 거부한 행정처분의 취소를 구할 법률상 이익이 있다(대판 1999.8.20. 98두17043). ★

13 근로자가 부당해고 구제신청을 하여 해고의 효력을 다투던 중 정년에 이르거나 근로계약기간이 만료하는 등의 사유로 원직에 복직하는 것이 불가능하게 된 경우에도 임금 상당액을 지급받을 필요가 있다면 구제신청을 기각한 중앙노동위원회의 재심판정을 다툴 소의 이익이 있다(대판 2020.2.20. 2019두52386 전합).

> **비교**
> 근로자가 부당해고 구제신청을 할 당시 이미 정년에 이르거나 근로계약기간 만료, 폐업 등의 사유로 근로계약관계가 종료하여 근로자의 지위에서 벗어난 경우에는 노동위원회의 구제명령을 받을 이익이 소멸하였다고 봄이 타당하다(대판 2022.7.14. 2020두54852).

③ **처분 후 사정변경에 의해 권리침해의 상태가 해소된 경우**: 처분 후 사정변경에 의해 권익의 침해 등이 해소된 경우에는 처분의 취소를 구할 소의 이익이 없다. 그러나 처분 후에 사정변경이 있더라도 권익침해가 해소되지 않은 경우에는 처분의 취소를 구할 소의 이익이 있다.

㉠ 권리침해의 상태가 해소된 경우(소의 이익 부정)

관련판례

1 치과의사국가시험 불합격처분 이후 새로 실시된 국가시험에 합격한 자들로서는 더 이상 위 불합격처분의 취소를 구할 법률상의 이익이 없다(대판 1993.11.9. 93누6867). ★

2 사법시험 제2차 시험에 관한 불합격처분 이후에 새로이 실시된 제2차 및 제3차 시험에 합격하였을 경우에는 더 이상 위 불합격처분의 취소를 구할 법률상 이익이 없다(대판 2007.9.21. 2007두12057). ★★ ❶

3 공익근무요원 소집해제신청을 거부한 후에 원고가 계속하여 공익근무요원으로 복무함에 따라 복무기간 만료를 이유로 소집해제처분을 한 경우, 원고가 입게 되는 권리와 이익의 침해는 소집 해제처분으로 해소되었으므로 위 거부처분의 취소를 구할 소의 이익이 없다(대판 2005.5.13. 2004두4369). ★★

함께 정리하기

형사판결 확정 등 당연퇴직사유 발생
▷ 해임처분 다툴 소의 이익○(보수)

대기발령을 받은 근로자
▷ 대기발령에 대한 구제를 신청할 이익○

이주대책업무가 종결되고 이주대책용 단독택지가 없는 경우
▷ 이주대책대상자 선정신청 거부처분의 취소를 구할 법률상 이익○
▷ 대상: 보상금

근로자가 부당해고 구제신청을 하여 해고의 효력을 다투던 중 정년에 이르거나 근로계약기간이 만료된 경우
▷ 중앙노동위원회의 재심판정을 다툴 소의 이익○
▷ 대상: 임금

근로자가 부당해고 구제신청을 할 당시 이미 정년에 이르거나 근로계약관계가 종료
▷ 노동위원회의 구제명령을 받을 이익×

치과의사국가시험 불합격처분 이후 새로 실시된 국가시험에 합격한 자
▷ 기존 불합격처분 다툴 소의 이익×
사법시험 제2차 시험에 관한 불합격처분 이후에 새로이 실시된 제2차 및 제3차 시험에 합격하였을 경우
▷ 기존 2차 시험 불합격처분 다툴 소의 이익×

❶ 사법시험 제1차 시험 불합격 처분 이후에 새로이 실시된 사법시험 제1차 시험에 합격하였을 경우에는 더 이상 위 불합격 처분의 취소를 구할 법률상 이익이 없다(대판 1996.2.23. 95누2685).

공익근무요원 소집해제신청을 거부한 후에 원고가 계속하여 공익근무요원으로 복무함에 따라 복무기간 만료를 이유로 소집해제처분을 한 경우
▷ 소집해제신청 거부처분 다툴 소의 이익×

함께 정리하기

보충역편입처분 및 공익근무요원소집처분의 취소를 구하는 소의 계속 중 병역처분변경신청에 따라 제2국민역편입처분으로 병역처분이 변경된 경우
▷ 보충역편입처분 및 공익근무요원소집처분의 취소를 구할 소의 이익 ✕

현역병 입영대상자로 병역처분을 받은 자가 병역처분변경거부처분 취소소송 중 모병에 응하여 현역병으로 자진 입대한 경우
▷ 입영처분 다툴 소의 이익 ✕

교원소청심사위원회의 파면처분 취소결정에 대한 취소소송 계속 중 학교법인이 교원에 대한 징계처분을 파면에서 해임으로 변경한 경우
▷ 파면처분 취소결정의 취소를 구할 소의 이익 ✕

고등학교에서 퇴학처분을 당한 후 고등학교졸업학력검정고시에 합격한 경우
▷ 퇴학 처분 다툴 소의 이익 ○

징계에 관한 일반사면
▷ 징계처분의 취소를 구할 소송상 이익 ○

---

④ 보충역편입처분 및 공익근무요원소집처분의 취소를 구하는 소의 계속 중 병역처분변경신청에 따라 제2국민역편입처분으로 병역처분이 변경된 경우, 종전 보충역편입처분 및 공익근무요원소집처분의 취소를 구할 소의 이익이 없다. ★

보충역편입처분 및 공익근무요원소집처분의 취소를 구하는 소의 계속중 병역처분변경신청에 따라 제2국민역편입처분으로 병역처분이 변경된 경우, 보충역편입처분은 제2국민역편입처분을 함으로써 취소 또는 철회되어 그 효력이 소멸하였고, 공익근무요원소집처분의 근거가 된 보충역편입처분이 취소 또는 철회되어 그 효력이 소멸한 이상 공익근무요원소집처분 또한 그 효력이 소멸하였다는 이유로, 종전 보충역편입처분 및 공익근무요원소집처분의 취소를 구할 소의 이익이 없다고 한 사례(대판 2005.12.9. 2004두6563)

⑤ 현역병 입영대상자로 병역처분을 받은 자가 병역처분변경거부처분 취소소송 중 모병에 응하여 현역병으로 자진 입대한 경우, 그 병역처분변경거부처분의 위법을 다툴 실제적 효용 내지 이익이 없어 소의 이익이 없다(대판 1998.9.8. 98두9165). ★★★

⑥ 교원소청심사위원회의 파면처분 취소결정에 대한 취소소송 계속 중 학교법인이 교원에 대한 징계처분을 파면에서 해임으로 변경한 경우, 종전의 파면처분은 소급하여 실효되고 해임만 효력을 발생하므로, 소급하여 효력을 잃은 파면처분을 취소한다는 내용의 교원소청심사결정의 취소를 구하는 것은 법률상 이익이 없다(대판 2010.2.25. 2008두20765). ★

ⓒ 권리침해상태가 해소되지 않은 경우(소의 이익 인정)

관련판례

① 고등학교에서 퇴학처분을 당한 후 고등학교졸업학력검정고시에 합격한 경우, 퇴학처분의 취소를 구할 소의 이익이 있다. ★★★

고등학교에서 퇴학처분을 받은 후 고등학교졸업학력검정고시에 합격하였다 하더라도 고등학교졸업이 대학입학자격이나 학력인정으로서의 의미밖에 없다고 할 수 없으므로 고등학교졸업학력검정고시에 합격하였다 하여 고등학교 학생으로서의 신분과 명예가 회복될 수 없는 것이니 퇴학처분을 받은 자로서는 퇴학처분의 위법을 주장하여 그 취소를 구할 소송상의 이익이 있다(대판 1992.7.14. 91누4737).

② 징계에 관한 일반사면이 있었다고 할지라도 사면의 효과는 소급하지 아니하므로 파면처분으로 이미 상실된 원고의 공무원지위가 회복될 수 없는 것이니 원고로서는 동 파면처분의 위법을 주장하여 그 취소를 구할 소송상 이익이 있다고 할 것이다(대판 1981.7.14. 80누536 ; 대판 1983.2.8. 81누121). ★

④ 보다 실효적이고 직접적인 권리구제수단이 있는 경우(취소소송보다 간단한 방법으로 권리보호가 가능한 경우, 원고의 청구가 이론적 의미만 있을 뿐 소송으로 다툴 실제적 효용이나 이익이 없는 경우 등): 취소소송을 제기하는 것보다 직접적인 구제수단이 있음에도 처분 등의 취소를 구하는 것은 특별한 사정이 없는 한 분쟁해결의 유효적절한 수단이라고 할 수 없어 소의 이익이 부정된다(대판 2017.10.31. 2015두45045).

관련판례

1 당사자의 신청을 받아들이지 않은 거부처분이 재결에서 취소된 경우, 재결의 취소를 구할 법률상 이익이 없다. ★★

거부처분이 재결에서 취소된 경우 재결에 따른 후속처분이 아니라 그 재결의 취소를 구하는 것은 실효적이고 직접적인 권리구제수단이 될 수 없어 분쟁해결의 유효적절한 수단이라고 할 수 없으므로 법률상 이익이 없다(대판 2017.10.31. 2015두45045).

2 환지처분이 확정된 후에는 환지처분의 일부에 위법이 있다고 하더라도 민사상의 손해배상 청구를 할 수 있으므로, 행정소송으로 그 취소를 구할 수 없다(대판 1985.4.23. 84누446·88누2557). ★★

3 학교법인의 임원선임행위에 하자가 있다는 이유로 감독청의 취임승인처분의 취소 또는 무효확인을 구할 법률상 이익은 없다. ★

사립학교법 제20조 제2항에 의한 학교법인의 임원에 대한 감독청의 취임승인은 학교법인의 임원선임행위를 보충하여 그 법률상의 효력을 완성케 하는 보충적 행정행위로서 그 자체만으로는 법률상 아무런 효력도 발생할 수 없는 것인바, 기본행위인 사법상의 임원선임행위에 하자가 있다는 이유로 그 선임행위의 효력에 관하여 다툼이 있는 경우에는 민사쟁송으로 그 선임행위의 무효확인을 구하는 등의 방법으로 분쟁을 해결할 것이지 보충적 행위로서 그 자체만으로는 아무런 효력이 없는 승인처분만의 취소 또는 무효확인을 구하는 것은 특단의 사정이 없는 한 분쟁해결의 유효적절한 수단이라 할 수 없어 소구할 법률상의 이익이 없다(대판 2005.12.23. 2005두4823).

4 조합설립인가처분이 있은 후에 조합설립결의의 하자를 이유로 그 결의 부분만을 따로 떼어내어 무효 등 확인의 소를 제기하는 것은 허용되지 않는다. ★★★

행정청이 도시 및 주거환경정비법 등 관련 법령에 근거하여 행하는 조합설립인가처분은 단순히 사인들의 조합설립행위에 대한 보충행위로서의 성질을 갖는 것에 그치는 것이 아니라 법령상 요건을 갖출 경우 도시 및 주거환경정비법상 주택재건축사업을 시행할 수 있는 권한을 갖는 행정주체(공법인)로서의 지위를 부여하는 일종의 설권적 처분의 성격을 갖는다고 보아야 한다. 그리고 그와 같이 보는 이상 조합설립결의는 조합설립인가처분이라는 행정처분을 하는 데 필요한 요건 중 하나에 불과한 것이어서, 조합설립결의에 하자가 있다면 그 하자를 이유로 직접 항고소송의 방법으로 조합설립인가처분의 취소 또는 무효확인을 구하여야 하고, 이와는 별도로 조합설립결의 부분만을 따로 떼어내어 그 효력 유무를 다투는 확인의 소를 제기하는 것은 원고의 권리 또는 법률상의 지위에 현존하는 불안·위험을 제거하는 데 가장 유효·적절한 수단이라 할 수 없어 특별한 사정이 없는 한 확인의 이익이 인정되지 아니한다(대판 2009.9.24. 2008다60568 ; 대결 2010.4.8. 2009마1026).

⑤ 기타 관련 판례

관련판례

1 행정청이 토지형질변경허가거부처분을 할 당시는 광업권의 존속기간이 만료되지 아니하였을 뿐만 아니라, 광업권자는 상공자원부장관의 허가를 받아 광업권의 존속기간을 연장할 수도 있는 것이므로, 행정청이 위 거부처분을 한 뒤에 광업권의 존속기간이 만료되었다고 하여 위 거부처분의 취소를 구할 법률상 이익이 없다고 할 수 없다(대판 1994.4.12. 93누21088). ★★

함께 정리하기

거부처분의 취소재결
▷ 재결자체 취소 구할 소의 이익×

환지처분 중 일부 변경 시 민사상 손해배상청구 가능
▷ 환지처분이 확정된 후에는 환지처분 일부 취소 구할 법률상 이익×

학교법인의 임원선임행위에 하자 있음을 이유로 감독청의 취임승인처분의 취소 또는 무효확인을 구할 소의 이익×

조합설립인가처분
▷ 인가의 성질을 갖는 설권적 처분(특허)

조합설립결의 부분만을 따로 떼어내어 그 효력 유무를 다투는 확인의 소를 제기하는 것
▷ 소의 이익×

행정청이 토지형질변경허가거부처분을 한 뒤에 광업권의 존속기간이 만료된 경우
▷ 취소를 구할 법률상 이익○

함께 정리하기

의제된 인허가가 취소되고 주된 행정행위도 취소된 경우 주된 행정행위의 취소와 별도로 의제된 인허가의 취소를 구하는 경우	▷ 소의 이익 ○
공무원을 직위해제한 후 그 직위해제 사유와 동일한 사유를 이유로 징계처분을 한 경우	▷ 직위해제취소 소의 이익 ○
상등병에서 병장으로의 진급요건을 갖춘 자에 대하여 진급처분을 행하지 아니한 상태에서 예비역으로 편입하는 처분을 한 경우	▷ 예비역편입 처분 취소 구할 소의 이익 ×
정보공개가 신청된 정보를 공공기관이 보유·관리하고 있지 아니한 경우	▷ 정보공개거부처분의 취소를 구할 소의 이익 ×

2 의제된 인허가가 사후에 취소되면서 이와 더불어 주된 행정행위도 취소된 경우, 주된 행정행위의 취소를 다투는 것과 별도로 의제된 인허가의 취소를 구할 필요가 있다. ★★

(군수가 甲 주식회사에 구 중소기업창업 지원법 제35조에 따라 산지전용허가 등이 의제되는 사업계획을 승인하면서 산지전용허가와 관련하여 재해방지 등 명령을 이행하지 아니한 경우 산지전용허가를 취소할 수 있다는 조건을 첨부하였는데, 甲 회사가 재해방지 조치를 이행하지 않았다는 이유로 산지전용허가 취소를 통보하고, 이어 토지의 형질변경 허가 등이 취소되어 공장설립 등이 불가능하게 되었다는 이유로 甲 회사에 사업계획승인을 취소한 사안에서) 산지전용허가 취소는 군수가 의제된 산지전용허가의 효력을 소멸시킴으로써 甲 회사의 구체적인 권리·의무에 직접적인 변동을 초래하는 행위로 보이는 점 등을 종합하면 의제된 산지전용허가 취소가 항고소송의 대상이 되는 처분에 해당하고, 산지전용허가 취소에 따라 사업계획승인은 산지전용허가를 제외한 나머지 인허가 사항만 의제하는 것이 되므로 사업계획승인 취소는 산지전용허가를 제외한 나머지 인허가 사항만 의제된 사업계획승인을 취소하는 것이어서 산지전용허가 취소와 사업계획승인 취소가 대상과 범위를 달리하는 이상, 甲 회사로서는 사업계획승인 취소와 별도로 산지전용허가 취소를 다툴 필요가 있다(대판 2018.7.12. 2017두48734).

3 직위해제 후 동일 사유로 징계처분이 이루어졌더라도 직위해제처분에 따른 효과로 승진·승급에 제한을 가하는 등의 법률상 불이익을 규정하고 있는 경우에는 예외적으로 종전 직위해제의 취소를 구할 소의 이익이 있다. ★★★

직위해제처분은 근로자로서의 지위를 그대로 존속시키면서, 다만 그 직위만을 부여하지 아니하는 처분이므로 만일 어떤 사유에 기하여 근로자를 직위해제한 후 그 직위해제 사유와 동일한 사유를 이유로 징계처분을 하였다면 뒤에 이루어진 징계처분에 의하여 그 전에 있었던 직위해제처분은 그 효력을 상실한다. 여기서 직위해제처분이 효력을 상실한다는 것은 직위해제처분이 소급적으로 소멸하여 처음부터 직위해제처분이 없었던 것과 같은 상태로 되는 것이 아니라 사후적으로 그 효력이 소멸한다는 의미이다. 따라서 직위해제처분에 기하여 발생한 효과는 당해 직위해제처분이 실효되더라도 소급하여 소멸하는 것이 아니므로, 인사규정 등에서 직위해제처분에 따른 효과로 승진·승급에 제한을 가하는 등의 법률상 불이익을 규정하고 있는 경우에는 직위해제처분을 받은 근로자는 이러한 법률상 불이익을 제거하기 위하여 그 실효된 직위해제처분에 대한 구제를 신청할 이익이 있다(대판 2010.7.29. 2007두18406).

4 상등병에서 병장으로의 진급요건을 갖춘 자에 대하여 진급처분을 행하지 아니한 상태에서 예비역으로 편입하는 처분을 한 경우, 진급처분부작위법을 이유로 예비역편입처분의 취소를 구할 소의 이익은 없다. ★

예비역편입처분은 병역법 시행령 제27조 제3항에 따라 헌법상 부담하고 있는 국방의 의무의 정도를 현역에서 예비역으로 변경하는 것으로 병의 진급처분과 그 요건을 달리하는 별개의 처분으로서 그 자에게 유리한 것임이 분명하므로 예비역편입처분에 앞서 진급권자가 진급처분을 행하지 아니한 위법이 있었다 하더라도 예비역 편입처분으로 인하여 어떠한 권리나 법률상 보호되는 이익이 침해당하였다고 볼 수 없고, 상등병에서 병장으로의 진급처분 여부는 원칙적으로 진급권자의 합리적 판단에 의하여 결정되는 것이므로 그와 같은 진급처분이 행하여지지 않았다는 이유로 위 예비역편입처분의 취소를 구할 이익이 있다고 할 수 없다(대판 2000.5.16. 99두7111).

5 정보공개청구자가 특정한 것과 같은 정보를 공공기관이 보유·관리하고 있지 않은 경우, 해당 정보에 대한 공개거부처분에 대하여 취소를 구할 법률상 이익이 없다. ★★

공개대상 정보는 원칙적으로 공개를 청구하는 자가 정보공개법 제10조 제1항 제2호에 따라 작성한 정보공개청구서의 기재내용에 의하여 특정되며, 만일 공개청구자가 특정한 바와 같은 정보를 공공기관이 보유·관리하고 있지 않은 경우라면 특별한 사정이 없는 한 해당 정보에 대한 공개거부처분에 대하여는 취소를 구할 법률상 이익이 없다(대판 2013.1.24. 2010두18918).

> 6 (기간제 및 단시간근로자 보호 등에 관한 법률 제9조에 따른 차별적 처우의 시정신청 당시 또는 시정절차 진행 도중에 근로계약기간이 만료한 경우, 기간제근로자가 차별적 처우의 시정을 구할 시정이익이 소멸하는지 여부) 시정신청 당시에 혹은 시정절차 진행 도중에 근로계약기간이 만료하였다는 이유만으로 기간제근로자가 차별적 처우의 시정을 구할 시정이익이 소멸하지는 아니한다(대판 2016.12.1. 2014두43288). ★

함께 정리하기

기간제근로자가 신청한 차별적 처우의 시정신청 당시 또는 시정절차 진행 도중에 근로계약기간이 만료한 경우
▷ 차별적 처우의 시정을 구할 소의 이익 ○

4. 피고적격

> 「행정소송법」 제2조 【정의】 ② 이 법을 적용함에 있어서 행정청에는 법령에 의하여 행정권한의 위임 또는 위탁을 받은 행정기관, 공공단체 및 그 기관 또는 사인이 포함된다.
> 제13조 【피고적격】 ① 취소소송은 다른 법률에 특별한 규정이 없는 한 그 <u>처분등을 행한 행정청을 피고로 한다</u>. 다만, 처분등이 있은 뒤에 그 처분등에 관계되는 권한이 다른 행정청에 승계된 때에는 이를 승계한 행정청을 피고로 한다.
> ② 제1항의 규정에 의한 행정청이 없게 된 때에는 그 처분등에 관한 사무가 귀속되는 국가 또는 공공단체를 피고로 한다.
> 제14조 【피고경정】 ① 원고가 피고를 잘못 지정한 때에는 법원은 원고의 신청에 의하여 결정으로써 피고의 경정을 허가할 수 있다.
> ② 법원은 제1항의 규정에 의한 결정의 정본을 새로운 피고에게 송달하여야 한다.
> ③ 제1항의 규정에 의한 신청을 각하하는 결정에 대하여는 즉시항고할 수 있다.
> ④ 제1항의 규정에 의한 결정이 있은 때에는 새로운 피고에 대한 소송은 처음에 소를 제기한 때에 제기된 것으로 본다.
> ⑤ 제1항의 규정에 의한 결정이 있은 때에는 종전의 피고에 대한 소송은 취하된 것으로 본다.
> ⑥ 취소소송이 제기된 후에 제13조 제1항 단서 또는 제13조 제2항에 해당하는 사유가 생긴 때에는 법원은 당사자의 신청 또는 직권에 의하여 피고를 경정한다. 이 경우에는 제4항 및 제5항의 규정을 준용한다.

(1) 개설

피고적격이란 구체적인 소송에서 피고로서 소송을 수행하여 본안판결을 받을 수 있는 자격을 의미한다. 본래 취소소송의 피고는 권리의무의 귀속주체인 국가나 지방자치단체가 되는 것이 원칙이나, 「행정소송법」은 소송수행의 편의를 위하여 '처분 등을 행한 행정청'에게 피고적격을 인정하고 있다(동법 제13조).

피고적격
▷ 구체적 소송에서 소송수행·본안판결 받을 자격
소송수행의 편의를 위하여 '처분 등을 행한 행정청'에게 피고적격 인정

(2) 처분 등을 행한 행정청

① 취소소송은 다른 법률에 특별한 규정이 없는 한 그 처분 등을 행한 행정청을 피고로 한다(동법 제13조 제1항). 따라서 처분의 취소·변경의 경우에는 처분청이, 재결의 취소·변경의 경우에는 행정심판위원회가 피고가 된다.

② 여기서 처분 등을 행한 행정청이란 소송의 대상인 처분을 외부적으로 그의 이름으로 처분을 행한 행정청을 말한다. 처분의 권한이 있는지는 본안의 문제로서, 정당한 권한을 가진 행정청인지 여부는 불문한다. 따라서 대외적으로 의사를 표시할 수 있는 기관이 아닌 내부기관은 실질적인 의사가 그 기관에 의하여 결정되더라도 피고적격을 갖지 못한다(대판 2014.5.16. 2014두274 ; 대판 1989.1.24. 88누3314).

❶ 한편, 당사자소송, 손해배상청구소송, 부당이득반환청구소송의 피고는 행정청이 아니라 행정주체이다.

대외적으로 의사를 표시할 수 없는 내부기관
▷ 피고적격 ×

함께 정리하기

항고소송의 피고적격
▷ 행정처분 등을 외부적으로 그의 명의로 행한 행정청

내부위임의 경우
▷ 위임청의 이름으로 처분시 그에 대한 항고소송 피고는 위임청
▷ 수임청의 이름으로 처분시 그에 대한 항고소송 피고는 수임청

행정청
▷ 본래적 의미의 행정청(행정에 관한 의사를 결정하여 표시하는 국가기관 또는 지방자치단체의 기관)
▷ 법령에 의하여 행정권한의 위임 또는 위탁을 받은 행정기관, 공공단체 및 그 기관 또는 사인
▷ 공무수탁사인이 자신의 이름으로 처분을 한 경우: 피고적격○

❶ 공무수탁사인
공무수탁사인은 행정주체이면서 행정청으로서의 지위를 갖는다. 따라서 공무수탁사인은 행정청이므로 항고소송의 피고가 되고, 행정주체이므로 당사자소송의 피고가 된다.

처분청·통지행정청 다른 경우
▷ 처분청이 피고적격○

독립유공자 서훈취소결정에 대한 무효확인소송의 피고
▷ 대통령○(국가보훈처장×)

처분이 있은 후 처분 등에 관계되는 권한이 다른 행정청에 승계된 경우
▷ 승계한 행정청이 피고

❷
판례도 근로복지공단이 수행하던 업무가 국민건강보험공단에 이관된 경우 권한을 이관 받은 국민건강보험공단이 취소소송의 피고가 되어야 한다고 보았다(대판 2013. 2.28. 2012두22904).

관련판례

항고소송에서 피고는 처분명의자인 행정청이다. ★★

항고소송은 원칙적으로 소송의 대상인 행정처분 등을 외부적으로 그의 명의로 행한 행정청을 피고로 하여야 하는 것으로서, 그 행정처분을 하게 된 연유가 상급행정청이나 타행정청의 지시나 통보에 의한 것이라 하여 다르지 않으며, 권한의 위임이나 위탁을 받아 수임행정청이 정당한 권한에 기하여 수임행정청 명의로 한 처분에 대하여는 말할 것도 없고, 내부위임이나 대리권을 수여받은 데 불과하여 원행정청 명의나 대리관계를 밝히지 아니하고는 그의 명의로 처분 등을 할 권한이 없는 행정청이 권한 없이 그의 명의로 한 처분에 대하여도 처분명의자인 행정청이 피고가 되어야 한다(대판 1994.6.14. 94누1197 ; 대판 2013.2.28. 2012두22904).

③ 행정청에는 본래적 의미의 행정청(행정에 관한 의사를 결정하여 표시하는 국가기관 또는 지방자치단체의 기관) 이외에도 법령에 의하여 행정권한의 위임 또는 위탁을 받은 행정기관, 공공단체 및 그 기관 또는 사인이 포함된다(동법 제2조 제2항). 따라서 공무수탁사인❶이 자신의 이름으로 처분을 한 경우에는 공무수탁사인이 피고가 된다.

④ 국가에 있어서는 통상 장관과 청장, 그리고 특별 지방행정기관(지방국토관리청, 지방환경관리청, 지방경찰청, 경찰서, 세관 등)의 장이 행정청이 되고, 지방자치단체에 있어서는 지방자치단체의 장이 행정청이 된다.

(3) 구체적 검토

① **처분청과 통지한 자가 다른 경우**: 처분청과 통지한 행정청이 다른 경우, 처분청이 피고가 된다. 예컨대, 인천광역시장이 환경보전법 위반사업장을 폐쇄명령하고, 인천광역시 북구청장이 통지한 경우 처분을 한 인천광역시장이 피고가 된다(대판 1990.4.27. 90누233).

관련판례

독립유공자 서훈취소결정에 대한 무효확인소송의 피고는 대통령이다. ★★

(국무회의에서 건국훈장 독립장이 수여된 망인에 대한 서훈취소를 의결하고 대통령이 결재함으로써 서훈취소가 결정된 후 국가보훈처장이 망인의 유족 甲에게 '독립유공자 서훈취소결정 통보'를 하자 甲이 국가보훈처장을 상대로 서훈취소결정의 무효 확인 등의 소를 제기한 사안에서) 甲이 서훈취소 처분을 행한 행정청(대통령)이 아니라 국가보훈처장을 상대로 제기한 위 소는 피고를 잘못 지정한 경우에 해당하므로, 법원으로서는 석명권을 행사하여 정당한 피고로 경정하게 하여 소송을 진행해야 함에도 국가보훈처장이 서훈취소 처분을 한 것을 전제로 처분의 적법 여부를 판단한 원심판결에 법리오해 등의 잘못이 있다(대판 2014.9.26. 2013두2518).

② **권한승계와 처분청이 없게 된 경우**
  ㉠ **권한승계의 경우**
    ⓐ 처분 등이 있은 뒤에 그 처분 등에 관계되는 권한이 다른 행정청에 승계된 때에는 이를 승계한 행정청을 피고로 한다(동법 제13조 제1항 후단).❷

ⓑ 여기서 '그 처분 등에 관계되는 권한이 다른 행정청에 승계된 때'라고 함은 처분 등이 있은 뒤에 행정기구의 개혁, 행정주체의 합병·분리 등에 의하여 처분청의 당해 권한이 타 행정청에 승계된 경우뿐만 아니라 처분 등의 상대방인 사인의 지위나 주소의 변경 등에 의하여 변경 전의 처분 등에 관한 행정청의 관할이 이전된 경우 등을 말한다(대판 2000.11.14. 99두5481).

ⓒ **처분청이 없게 된 경우**: 처분 등을 행한 행정청이 없게 된 때에는 그 처분 등에 관한 사무가 귀속되는 국가 또는 공공단체를 피고로 한다(동법 제13조 제2항).

③ **권한의 위임·위탁의 경우 ❶**

㉠ 「행정소송법」은 「행정소송법」을 적용함에 있어 법령에 의하여 행정권한의 위임 또는 위탁을 받은 행정기관, 공공단체 및 그 기관 또는 사인을 행정청에 포함하고 있다(동법 제2조 제2항).

㉡ 따라서 행정권한의 위임이나 위탁이 있는 경우에는 실제로 자신의 이름으로 처분을 한 수임관청이나 수탁청이 피고가 된다.

> **관련판례**
>
> **예방접종 피해보상 거부처분 취소소송의 피고는 질병관리본부장이다.** ★★
>
> (보건소에서 폐렴구균 예방접종을 받은 후 다음 날 좌측안면에 마비증상이 발생한 원고가 예방접종 피해신청을 하였으나 피고인 질병관리본부장이 피해보상 기각결정을 하였고, 이에 원고가 이의신청, 행정심판을 거친 후 예방접종피해보상거부처분의 취소를 구한 사안에서) 감염병예방법 및 동법 시행령 관련 규정에 의하면 법령상 보상금 지급에 대한 처분권한은, 국가사무인 예방접종피해보상에 관한 보건복지부장관의 위임을 받아 보상금 지급 여부를 결정하고, 그 보상금을 지급함으로써 대외적으로 보상금 지급 여부에 관한 의사를 표시할 수 있는 피고(질병관리본부장)에게 있다고 보아야 한다. 따라서 원심판결에는 피고적격에 관한 법리를 오해한 잘못이 없다(대판 2019.4.3. 2017두52764).

㉢ 한편, 국가 또는 지방자치단체의 사무가 공법인(예 한국도로공사, 공무원연금관리공단, 근로복지공단, 농어촌공사 등)에게 위임된 경우에는 공법인의 대표자가 아니라 공법인 그 자체가 피고가 된다.

> **관련판례**
>
> ① 에스에이치공사(전 서울주택공사)가 택지개발사업 시행자인 서울특별시장으로부터 이주대책 수립권한을 포함한 택지개발사업에 따른 권한을 위임 또는 위탁받은 경우, 이주대책 대상자들이 에스에이치공사 명의로 이루어진 이주대책에 관한 처분에 대한 취소소송을 제기함에 있어 정당한 피고는 에스에이치공사가 된다(대판 2007.8.23. 2005두3776). ★★
>
> ② (양재~판교 간 경부고속국도 구간의 통행료 징수권을 행사할 권한이 국가로부터 통행료 징수권이 포함된 유료도로관리권을 출자받은 한국도로공사에게 있다고 한 사례) 한국도로공사는 국가로부터 유료도로 통행료 징수권이 포함된 유료도로관리권을 출자 받아 이 사건 구간의 통행료 징수권을 행사할 권한을 적법하게 가지게 되었고, 이에 따라 한국도로공사가 이 사건 처분(통행료부과처분)을 한 것이지 건설교통부장관이 이 사건 처분을 하였다고 볼 수 없으므로 이 사건 소 중 건설교통부장관을 상대로 한 부분은 부적법하다(대판 2005.6.24. 2003두6641). ★

함께 정리하기

처분 등에 관계되는 권한이 다른 행정청에 승계된 때의 의미
▷ 처분청의 당해 권한이 타 행정청에 승계된 경우 + 변경 전의 처분 등에 관한 행정청의 관할이 이전된 경우

처분 등을 한 행정청이 없게 된 때
▷ 처분 등에 관한 사무가 귀속되는 국가 또는 공공단체가 피고적격○

❶ **행정권한의 위임·위탁**
행정권한의 위임·위탁이란 사무 처리권한의 일부를 다른 행정청에 실질적으로 이전하는 것으로 하급관청에 이전하는 것을 '위임', 대등관청에 이전하는 것을 '위탁'이라 한다.

법령에 의하여 행정권한의 위임 또는 위탁을 받은 행정기관, 공공단체 및 그 기관 또는 사인
▷ 행정청

행정권한의 위임이나 위탁이 있는 경우
▷ 수임관청이나 수탁관청이 피고

예방접종 피해보상 거부처분 취소소송
▷ 피고적격: 질병관리본부장

공공조합, 공법상의 재단법인, 영조물 법인 등
▷ 행정주체이면서 행정청: 피고적격○
▷ 공법인의 장: 피고적격✕

에스에이치공사 명의로 이루어진 이주대책에 관한 처분에 대한 취소소송
▷ 피고는 에스에이치공사

통행료부과처분 무효확인소송
▷ 국가로부터 통행료징수권이 포함된 유료도로관리권을 출자받은 한국도로공사가 피고적격○

함께 정리하기

성업공사의 공매 대행
▷ 성업공사 피고적격○(세무서장×)

3 성업공사(현 한국자산관리공사)에 의한 공매의 대행은 세무서장의 공매권한의 위임이므로 공매처분에 대한 항고소송의 피고는 성업공사이다. ★★

성업공사에 의한 공매의 대행은 세무서장의 공매권한의 위임으로 보아야 하고 따라서 성업공사는 공매권한의 위임에 의하여 압류재산을 공매하는 것이므로, 성업공사가 공매를 한 경우에 그 공매처분에 대한 취소 또는 무효확인 등의 항고소송을 함에 있어서는 수임청으로서 실제로 공매를 행한 성업공사를 피고로 하여야 하고, 위임청인 세무서장은 피고적격이 없다(대판 1996.9.6. 95누12026).

④ 내부위임❶의 경우

㉠ 내부위임의 경우에는 위임과 달리 처분권한이 이전되지 않기 때문에 위임관청이 피고가 된다.

❶ 내부위임
행정청(위임관청)이 내부적으로 사무처리의 편의를 위해 그 보조기관 또는 하급행정기관(수임관청)으로 하여금 그 권한을 사실상 행사하게 하는 것을 말한다. 권한이 이전되는 것은 아니므로 수임관청은 자신의 명의로 처분을 해서는 안 되고 위임관청의 명의로 해야 한다.

내부위임
▷ 위임관청이 피고적격○(∵권한이전×)

내부위임에서 수임청이 위임관청의 명의로 권한을 행사한 경우
▷ 피고는 위임관청

📌 관련판례
수임관청이 내부위임 된 바에 따라 위임관청의 이름으로 권한을 행사하였다면, 그 처분의 취소나 무효확인을 구하는 소송의 피고는 위임관청이다. ★★

[1] 행정관청이 특정한 권한을 법률에 따라 다른 행정관청에 이관한 경우와 달리 내부적인 사무처리의 편의를 도모하기 위하여 그의 보조기관 또는 하급행정관청으로 하여금 그의 권한을 사실상 행하도록 하는 내부위임의 경우에는 수임관청이 그 위임된 바에 따라 위임관청의 이름으로 권한을 행사하였다면 그 처분청은 위임관청이므로 그 처분의 취소나 무효확인을 구하는 소송의 피고는 위임관청으로 삼아야 한다.
[2] 구청장이 서울특별시장의 이름으로 한 직위해제 및 파면처분에 대하여 처분청은 서울특별시장이므로 구청장을 피고로 한 소를 각하한 원심의 판단이 정당하다(대판 1991.10.8. 91누520).

내부위임임에도 수임관청이 위법하게 자신의 명의로 처분을 한 경우
▷ 수임관청

㉡ 반면, 행정권한이 내부위임임에도 불구하고 처분권한이 없는 수임관청이 위법하게 자신의 명의로 처분을 한 경우에는 수임관청이 피고가 된다. 국민의 입장에서는 내부위임이 있었는지를 알 수 없기 때문이다.

📌 관련판례

1 내부위임을 받은데 불과한 하급행정청이 권한 없이 행한 행정처분에 대한 취소소송의 피고는 실제로 그 처분을 행한 하급행정청이다. ★★★

행정처분의 취소 또는 무효확인을 구하는 행정소송은 다른 법률에 특별한 규정이 없는 한 그 처분을 행한 행정청을 피고로 하여야 하며, 행정처분을 행할 적법한 권한 있는 상급행정청으로부터 내부위임을 받은데 불과한 하급행정청이 권한 없이 행정처분을 한 경우에도 실제로 그 처분을 행한 하급행정청을 피고로 할 것이지 그 상급행정청을 피고로 할 것은 아니다(대판 1989.11.14. 89누4765 ; 대판 1994.8.12. 94누2763 ; 대판 1991.2.22. 90누5641).

내부위임에서 수임청이 자신의 명의로 권한을 행사한 경우
▷ 피고는 수임청

2 처분 등을 할 권한이 없는 행정청이 권한 없이 그의 명의로 한 처분에 대하여도 처분명의자인 행정청이 피고가 된다. ★★

행정처분의 취소 또는 무효확인을 구하는 행정소송은 다른 법률에 특별한 규정이 없는 한 소송의 대상인 행정처분 등을 외부적으로 그의 명의로 행한 행정청을 피고로 하여야 하는 것으로서 그 행정처분을 하게 된 연유가 상급행정청이나 타행정청의 지시나 통보에 의한 것이라 하여 다르지 않다고 할 것이며, 권한의 위임이나 위탁을 받아 수임행정청이 정당한 권한에 기하여 그 명의로 한 처분에 대하여는 말할 것도 없고, 내부위임이나 대리권을 수여받은 데 불과하여 원행정청 명의나 대리관계를 밝히지 아니하고는 그의 명의로 처분 등을 할 권한이 없는 행정청이 권한 없이 그의 명의로 한 처분에 대하여도 처분명의자인 행정청이 피고가 되어야 할 것이다(대판 1995.12.22. 95누14688).

처분 권한 없는 행정청이 한 처분에 대한 취소 또는 무효확인을 구하는 행정소송의 피고
▷ 처분명의자인 행정청

ⓒ 내부위임의 한 종류인 위임전결❶의 경우에도 마찬가지로 권한이 이전되지 않는다. 따라서 행정안전부 위임전결규정에 따라 전자정부국장이 행한 행위에 대한 항고소송의 피고는 행정안전부장관이다.

⑤ 권한의 대리❷의 경우
ⓘ 권한의 대리는 권한의 귀속 자체의 변경을 발생시키는 것은 아니기 때문에, 대리권을 수여한 피대리 행정청이 피고가 된다. 따라서 행정안전부장관을 대리하여 전자정부국장이 행한 행위에 대한 항고소송의 피고는 전자정부국장이 아니라 행정안전부장관이다.

> **관련판례**
>
> **한국농어촌공사가 농림축산식품부장관의 대행자 지위에서 농지보전부담금 부과처분을 한 경우 항고소송의 피고는 농림축산식품부장관이다. ★★**
>
> 항고소송은 다른 법률에 특별한 규정이 없는 한 원칙적으로 소송의 대상인 행정처분을 외부적으로 행한 행정청을 피고로 하여야 하고(행정소송법 제13조 제1항 본문), 다만 대리기관이 대리관계를 표시하고 피대리 행정청을 대리하여 행정처분을 한 때에는 피대리 행정청이 피고로 되어야 한다. 피고 한국농어촌공사가 '피고 농림축산식품부장관의 대행자' 지위에서 위와 같은 납부통지를 하였음을 분명하게 밝힌 이상, 피고 농림축산식품부장관이 이 사건 농지보전부담금 부과처분을 외부적으로 자신의 명의로 행한 행정청으로서 항고소송의 피고가 되어야 하고, 단순한 대행자에 불과한 피고 한국농어촌공사를 피고로 삼을 수는 없다(대판 2018.10.25. 2018두43095).

ⓛ 그러나 대리권을 수여받은 대리기관이 대리관계를 밝힘이 없이 자신의 명의로 처분을 하였다면 대리기관이 피고가 된다. 다만, 이 경우에도 대리기관이나 처분의 상대방 모두 대리기관이 피대리 행정청을 대리하여 한 것임을 알고서 이를 받아들인 예외적인 경우에는 피대리 행정청이 피고가 된다.

> **관련판례**
>
> **대리권을 수여받은 행정청이 대리관계를 밝힘이 없이 자신의 명의로 행정처분을 한 경우, 그 행정처분에 대한 항고소송의 피고는 대리기관이 된다. ★★**
>
> 대리권을 수여받은 데 불과하여 그 자신의 명의로는 행정처분을 할 권한이 없는 행정청의 경우 대리관계를 밝힘이 없이 그 자신의 명의로 행정처분을 하였다면 그에 대하여는 처분명의자인 당해 행정청이 항고소송의 피고가 되어야 하는 것이 원칙이지만, 비록 대리관계를 명시적으로 밝히지는 아니하였다 하더라도 처분명의자가 피대리 행정청 산하의 행정기관으로서 실제로 피대리 행정청으로부터 대리권한을 수여받아 피대리 행정청을 대리한다는 의사로 행정처분을 하였고 처분명의자는 물론 그 상대방도 그 행정처분이 피대리 행정청을 대리하여 한 것임을 알고서 이를 받아들인 예외적인 경우에는 피대리 행정청이 피고가 되어야 한다(대결 2006.2.23. 2005부4).

함께 정리하기

위임전결
▷ 위임기관이 피고적격○(∵권한이전✕)

❶ **위임전결**
행정청이 내부적으로 행정청의 보조기관 등에게 일정한 경미한 사항의 결정권을 위임하여 보조기관 등이 사실상 그 권한을 행사하는 것을 말한다.

❷ **권한의 대리**
행정청의 권한의 전부 또는 일부를 다른 행정기관으로 하여금 대신 행사하게 하고 그 권한행사의 효과가 피대리 행정청에 귀속하게 하는 것을 말한다. 대리기관은 피대리 행정청을 위한 것임을 표시하면서 행위를 하여야 한다.

대리
▷ 권한귀속 변경✕

대리관계 표시 후 처분
▷ 피대리청이 피고적격○

한국농어촌공사가 농림축산식품부장관의 대행자 지위에서 농지보전부담금부과처분을 한 경우
▷ 농림축산식품부장관이 피고적격○

대리관계 표시 없이 처분
▷ 대리기관이 피고적격○

대리관계 표시 없어도 상대방이 인식
▷ 피대리청이 피고적격○

함께 정리하기

합의제 행정기관이 처분청인 경우
▷ 합의제행정기관이 피고적격○
(합의제 행정기관의 장×)

개별법령에 합의제 행정청의 장을 피고로 한다는 특별한 규정이 있는 경우
▷ 중앙노동위원회장·중앙해양안전심판원장이 피고적격

❶ 「노동위원회법」제27조(중앙노동위원회의 처분에 대한 소송)
① 중앙노동위원회의 처분에 대한 소송은 중앙노동위원회 위원장을 피고(被告)로 하여 처분의 송달을 받은 날부터 15일 이내에 제기하여야 한다.

❷ 「해양사고의 조사 및 심판에 관한 법률」제75조(피고)
제74조 제1항의 소송에서는 중앙심판원장을 피고로 한다.

7급 지방공무원 신규임용시험 불합격결정에 대한 취소소송
▷ 시·도 인사위원회위원장이 피고적격○

중앙노동위원회 재심불복
▷ 중앙노동위원회위원장이 피고적격○

처분적 조례
▷ 지자체장이 피고적격○

교육·학예에 관한 조례
▷ 시·도교육감이 피고적격○

조례무효확인소송의 피고적격
▷ 지방자치단체장

교육·학예에 관한 조례에 대한 무효확인소송의 피고
▷ 시·도 교육감

⑥ **합의제행정기관의 경우**
㉠ 합의제 행정청이 처분청인 경우에는 합의제 행정청 자체가 피고가 된다. 예컨대, 중앙선거관리위원회, 행정심판위원회, 감사원, 토지수용위원회, 국민권익위원회, 한국저작권위원회(구 저작권심의조정위원회), 교원소청심사위원회, 공무원소청심사위원회, 공정거래위원회 등이 행정청으로서 피고적격을 갖는다.
㉡ 그러나 개별법령에서 합의제 행정청의 장을 피고로 한다는 특별한 규정이 있는 경우(예 「노동위원회법」제27조 제1항,❶ 「해양사고의 조사 및 심판에 관한 법률」제75조❷ 등)에는 합의제 행정기관의 장(예 중앙노동위원회 위원장, 중앙심판원장)이 피고가 된다.

관련판례

1 7급 지방공무원 신규임용시험 불합격결정에 대한 소송의 피고는 시·도 인사위원회위원장이다. ★

시·도 인사위원회는 독립된 합의제행정기관으로서 7급 지방공무원의 신규임용시험의 실시를 관장한다고 할 것이므로, 그 관서장인 시·도 인사위원회 위원장은 그의 명의로 한 7급 지방공무원의 신규임용시험 불합격결정에 대한 취소소송의 피고적격을 가진다(대판 1997.3.28. 95누7055).

2 중앙노동위원회의 재심에 불복하는 경우에는 중앙노동위원회 위원장을 피고로 취소소송을 제기하여야 한다. ★★★

당사자가 지방노동위원회의 처분에 대하여 불복하기 위하여는 처분 송달일로부터 10일 이내에 중앙노동위원회에 재심을 신청하고 중앙노동위원회의 재심판정서 송달일로부터 15일 이내에 중앙노동위원회 위원장을 피고로 하여 재심판정취소의 소를 제기하여야 할 것이다(대판 1995.9.15. 95누6724).

⑦ **지방의회와 지방자치단체장(교육감)**
㉠ 지방의회는 지방자치단체 내부의 의결기관에 불과하다. 따라서 지방의회는 원칙적으로 항고소송의 피고가 될 수 없고, 조례를 공포한 지방자치단체의 장이 피고가 된다. 교육·학예에 관한 조례는 시·도교육감이 피고가 된다.

관련판례

조례가 항고소송의 대상이 되는 행정처분에 해당되는 경우 조례무효확인소송의 피고적격은 지방자치단체의 장이되고, 교육·학예에 관한 조례의 무효확인소송의 피고적격은 시·도교육감이 된다. ★★★

[1] 조례가 집행행위의 개입 없이도 그 자체로서 직접 국민의 구체적인 권리의무나 법적 이익에 영향을 미치는 등의 법률상 효과를 발생하는 경우 그 조례는 항고소송의 대상이 되는 행정처분에 해당하고, 이러한 조례에 대한 무효확인 소송을 제기함에 있어서 행정소송법 제38조 제1항, 제13조에 의하여 피고적격이 있는 처분 등을 행한 행정청은, 행정주체인 지방자치단체 또는 지방자치단체의 내부적 의결기관으로서 지방자치단체의 의사를 외부에 표시할 권한이 없는 지방의회가 아니라, 지방자치단체의 집행기관으로서 조례로서의 효력을 발생시키는 공포권이 있는 지방자치단체의 장이다.

[2] 구 지방교육자치에 관한 법률 제14조 제5항, 제25조에 의하면 시·도의 교육·학예에 관한 사무의 집행기관은 시·도 교육감이고 시·도 교육감에게 지방교육에 관한 조례안의 공포권이 있다고 규정되어 있으므로, 교육에 관한 조례의 무효확인 소송을 제기함에 있어서는 그 집행기관인 시·도 교육감을 피고로 하여야 한다(대판 1996.9.20. 95누8003).

ⓒ 그러나 그 소속의원에 대한 징계의결(대판 1993.11.26. 93누7341), 지방의회의장선거(대판 1995.1.12. 94누2602), 지방의회의장에 대한 불신임결의(대판 1994.10.11. 94두23)는 지방의회의 이름으로 행하여지는 처분이므로 이에 대한 취소소송의 피고는 지방의회가 된다.

⑧ **타법에 특별규정이 있는 경우**

ⓞ 개별법 가운데 행정조직의 특수성 및 국가 최고기관의 지위 등을 고려하여 행정소송의 피고를 「행정소송법」과 달리 규정하는 경우가 있다. 예컨대,「국가공무원법」에 따른 처분 그 밖에 본인의 의사에 반한 불리한 처분으로 대통령이 행한 처분에 대한 행정소송의 피고는 소속장관이 된다(「국가공무원법」 제16조 제2항).

> 「**국가공무원법」 제16조 【행정소송과의 관계】** ② 제1항에 따른 행정소송을 제기할 때에는 대통령의 처분 또는 부작위의 경우에는 소속 장관을, 중앙선거관리위원회위원장의 처분 또는 부작위의 경우에는 중앙선거관리위원회사무총장을 각각 피고로 한다.

관련판례

대통령이 행하는 검사임용거부처분에 대한 취소소송의 피고는 소속 장관인 법무부장관이다(대결 1990.3.14. 90두4). ★

ⓛ 같은 논리로, ㉮ 국회의장이 처분청인 경우에는 국회사무총장(「국회사무처법」 제4조 제3항), ㉯ 대법원장이 처분청인 경우에는 법원행정처장(「법원조직법」 제70조), ㉰ 헌법재판소장이 처분청인 경우에는 사무처장(「헌법재판소법」 제17조 제5항) 이 각각 피고가 된다.

(4) 피고경정

① **의의 및 취지**: 피고경정이란 소송의 계속 중에 피고로 지정된 자를 다른 자로 변경하는 것을 말한다. 「행정소송법」이 피고경정을 규정하고 있는 이유는, 원고가 피고를 잘못 지정한 경우 소를 각하하고 새로운 소를 제기하게 하는 것보다 피고를 경정하는 것이 원고의 권리구제에 효과적이고 소송경제에도 부합하기 때문이다.

② **피고경정이 가능한 경우**: 「행정소송법」상 피고의 경정은 ① 원고가 피고를 잘못 지정한 경우(동법 제14조 제1항), ② 행정청의 권한이 승계되거나 행정청이 없게 된 경우(동법 제14조 제6항), ③ 소의 변경이 있는 경우(동법 제21조 제4항)에 가능하다.

ⓞ **원고가 피고를 잘못 지정한 경우**: 원고가 처분 등을 행한 행정청이 아닌 다른 행정기관을 상대로 취소소송을 제기한 경우에는 피고경정의 사유가 된다. 피고를 잘못 지정한 때에 해당하는지의 여부는 제소시를 기준으로 판단한다.

ⓛ **행정청의 권한이 승계되거나 행정청이 없게 된 경우**: 「행정소송법」은 처분 등이 있은 뒤에 그 처분 등에 관계되는 권한이 다른 행정청에 승계된 때에는 이를 승계한 행정청을 피고로 하고(동법 제13조 제1항 후문), 처분이나 재결을 한 행정청이 없게 된 때에는 그 처분 등에 관한 사무가 귀속되는 국가 또는 공공단체를 피고로 하는 바(동법 제13조 제2항), 이 경우 피고경정이 필요하다.

 **함께 정리하기**

지방의회
▷ 원칙: 피고적격× (∵의결기관에 불과)

지방의원징계·의장선출·의장불신임의결
▷ 예외적 지방의회 피고적격○

공무원에 대한 징계 기타 불이익처분의 피고적격
▷ 대통령: 소속장관
▷ 국회의장: 국회규칙상 기관장
▷ 중앙선거관리위원장: 사무총장

대통령의 검사임용거부처분
▷ 법무부장관이 피고적격○

처분청에 따른 피고적격
▷ 국회의장: 국회사무총장(「국회사무처법」 제4조 제3항)
▷ 대법원장: 법원행정처장(「법원조직법」 제70조)
▷ 헌법재판소장: 사무처장(「헌법재판소법」 제17조 제5항)

피고경정
▷ 소송계속 중 다른 피고로 변경

사유
▷ 피고 잘못 지정
▷ 권한승계·행정청이 없게 된 때
▷ 소 변경

함께 정리하기

행정소송의 피고경정
▷ 사실심 변론종결시까지 可

피고 잘못 지정
▷ 원고신청

소제기 후 권한승계·행정청폐지
▷ 원고 신청 or 법원 직권 가능

권한승계·행정청이 없게 된 때 피고경정
▷ 당사자의 신청, 법원의 직권 가능

피고경정 인용결정 시 피고경정결정서 정본
▷ 새로운 피고에 송달

각하결정
▷ 즉시항고 可

피고경정 효과
▷ 처음에 소를 제기한 때 제기된 것

종전 피고에 대한 소송
▷ 취하간주

피고 잘못 지정 시
▷ 법원의 적극적 석명의무O

ⓒ 소의 변경이 있는 경우: 항고소송에서 당사자소송으로 또는 당사자소송에서 항고소송으로 소를 변경하는 경우에는 피고의 변경을 수반하므로 피고를 경정할 필요가 있다.

③ **허용시기**: 민사소송의 피고의 경정은 제1심 변론종결시까지만 가능하나, 행정소송의 피고의 경정은 사실심 변론종결시까지 허용된다는 것이 판례의 입장이다(대결 2006.2.23. 2005부4).

④ **절차**
  ㉠ 원고가 피고를 잘못 지정한 경우에는 법원은 원고의 신청에 의하여 결정으로써 피고를 경정할 수 있다(동법 제14조 제1항). 취소소송이 제기된 후에 그 처분 등에 관계되는 권한이 다른 행정청에 승계되거나(동법 제13조 제1항 단서), 행정청이 없게 된 경우에는(동법 제13조 제2항) 법원은 당사자의 신청 또는 직권에 의하여 피고를 경정한다(동법 제14조 제6항).
  ㉡ 법원이 피고경정을 결정하는 경우 결정의 정본을 새로운 피고에게 송달하여야 하며(동법 제14조 제2항), 피고경정을 각하하는 결정에 대해서는 즉시항고할 수 있다(동법 제14조 제3항).

⑤ **효과**
  ㉠ 피고경정에 대한 허가결정이 있는 때에는 새로운 피고에 대한 소송은 처음에 소를 제기한 때에 제기된 것으로 본다(동법 제14조 제4항). 따라서 허가결정 당시에 이미 제소기간이 경과하고 있는 경우에도 제소기간이 준수된 것이 된다.
  ㉡ 피고경정의 허가결정이 있는 때에는 종전의 피고에 대한 소송은 취하된 것으로 본다(동법 제14조 제5항).

⑥ **법원의 석명의무**: 원고가 피고를 잘못 지정하였다면 법원으로서는 당연히 석명권을 행사하여 원고로 하여금 피고를 경정하게 하여 소송을 진행케 하였어야 할 것이고 그렇지 않고 피고의 지정이 잘못되었다는 이유로 소를 각하한 것은 위법하다(대판 2004.7.8. 2002두7852).

> **관련판례**
>
> **법원의 석명의무** ★
> 甲이 서훈취소 처분을 행한 행정청(대통령)이 아니라 국가보훈처장을 상대로 제기한 위 소는 피고를 잘못 지정한 경우에 해당하므로, 법원으로서는 석명권을 행사하여 정당한 피고로 경정하게 하여 소송을 진행해야 함에도 국가보훈처장이 서훈취소 처분을 한 것을 전제로 처분의 적법 여부를 판단한 원심판결에 법리오해 등의 잘못이 있다(대판 2014.9.26. 2013두2518).

5. 공동소송 및 소송참가

> 「행정소송법」 제15조 【공동소송】 수인의 청구 또는 수인에 대한 청구가 처분등의 취소청구와 관련되는 청구인 경우에 한하여 그 수인은 공동소송인이 될 수 있다.
>
> 제16조 【제3자의 소송참가】 ① 법원은 소송의 결과에 따라 권리 또는 이익의 침해를 받을 제3자가 있는 경우에는 당사자 또는 제3자의 신청 또는 직권에 의하여 결정으로써 그 제3자를 소송에 참가시킬 수 있다.
> ② 법원이 제1항의 규정에 의한 결정을 하고자 할 때에는 미리 당사자 및 제3자의 의견을 들어야 한다.
> ③ 제1항의 규정에 의한 신청을 한 제3자는 그 신청을 각하한 결정에 대하여 즉시항고할 수 있다.
> ④ 제1항의 규정에 의하여 소송에 참가한 제3자에 대하여는 「민사소송법」 제67조의 규정을 준용한다.
>
> 제17조 【행정청의 소송참가】 ① 법원은 다른 행정청을 소송에 참가시킬 필요가 있다고 인정할 때에는 당사자 또는 당해 행정청의 신청 또는 직권에 의하여 결정으로써 그 행정청을 소송에 참가시킬 수 있다.
> ② 법원은 제1항의 규정에 의한 결정을 하고자 할 때에는 당사자 및 당해 행정청의 의견을 들어야 한다.
> ③ 제1항의 규정에 의하여 소송에 참가한 행정청에 대하여는 「민사소송법」 제76조의 규정을 준용한다.
>
> 「민사소송법」 제67조 【필수적 공동소송에 대한 특별규정】 ① 소송목적이 공동소송인 모두에게 합일적으로 확정되어야 할 공동소송의 경우에 공동소송인 가운데 한 사람의 소송행위는 모두의 이익을 위하여서만 효력을 가진다.
> ② 제1항의 공동소송에서 공동소송인 가운데 한 사람에 대한 상대방의 소송행위는 공동소송인 모두에게 효력이 미친다.
> ③ 제1항의 공동소송에서 공동소송인 가운데 한 사람에게 소송절차를 중단 또는 중지하여야 할 이유가 있는 경우 그 중단 또는 중지는 모두에게 효력이 미친다.
>
> 제76조 【참가인의 소송행위】 ① 참가인은 소송에 관하여 공격·방어·이의·상소, 그 밖의 모든 소송행위를 할 수 있다. 다만, 참가할 때의 소송의 진행정도에 따라 할 수 없는 소송행위는 그러하지 아니하다.
> ② 참가인의 소송행위가 피참가인의 소송행위에 어긋나는 경우에는 그 참가인의 소송행위는 효력을 가지지 아니한다.

(1) 공동소송

① **의의**: 수인의 청구 또는 수인에 대한 청구가 처분 등의 취소청구와 관련되는 청구인 경우에 그 수인은 공동소송인이 될 수 있다(동법 제15조). 즉, 공동소송은 하나의 소송절차에 여러 사람의 원고 또는 피고가 관여하는 소송의 형태로 소의 주관적 병합이라고도 한다.

② **요건**: 공동소송의 참여시기는 사실심 변론종결전까지라 할 것이며, 공동소송인은 각자 독립당사자로서 소송에 참가하는 것이므로 각자 소송요건을 충족하고 있어야 한다. 따라서 취소를 구할 법률상 이익이 없거나 제소기간이 경과한 후에는 공동소송인으로 참가할 수 없다.

함께 정리하기

소송참가
▷ 타인 간의 소송 계속 중 제3자가 자기의 이익을 위하여 소송절차에 참가하는 것

제3자 소송참가
▷ 당사자 또는 제3자의 신청 또는 직권에 의하여 결정

타인의 취소소송
▷ 적법하게 계속되고 있어야 함(심급불문)

형성력·기속력 의해
▷ 권리·이익 침해

권리 또는 이익
▷ 법률상 이익

권리·이익 침해
▷ 법률상 이익(사실상·경제상×)

침해를 받을
▷ 소송의 결과에 따라 침해될 개연성이 있는 것으로 충분

제3자
▷ 당해 소송당사자 이외의 자
▷ 예 형성력 미칠 종전 허가 받은 자, 허가취소청구자, 취소판결의 기속력에 의해 허가 취소된 종전 허가 받은 자

제3자 소송참가 可
▷ 국가·공공단체 제3자에 포함 가능
▷ but 행정청×

타인 사이의 항고소송에서 소송의 결과에 관하여 이해관계가 있다고 주장하면서 「민사소송법」제71조에 의한 보조참가를 할 수 있는 제3자는 「민사소송법」상의 당사자능력 및 소송능력을 갖춘 자이어야 하므로 그러한 당사자능력 및 소송능력이 없는 행정청으로서는 「민사소송법」상의 보조참가를 할 수는 없고, 다만 「행정소송법」제17조 제1항에 의한 소송참가를 할 수 있을 뿐이다(대판 2002.9.24. 99두1519).

(2) 소송참가

① **의의**: 소송참가란 타인 간의 소송의 계속 중에 제3자가 자기의 이익을 옹호하기 위하여 그 소송절차에 참가하는 것을 말한다. 「행정소송법」은 제3자의 소송참가(동법 제16조)와 행정청의 소송참가(동법 제17조)를 규정하고 있다. 이들 규정은 다른 항고소송(동법 제38조)은 물론, 당사자소송(동법 제44조 제1항)과, 민중소송·기관소송(동법 제46조 제1항)에도 준용된다.

② **제3자의 소송참가**

  ㉠ 의의

  ⓐ 제3자의 소송참가란 소송의 결과에 따라 권리 또는 이익의 침해를 받을 우려가 있는 제3자가 있는 경우에 당사자 또는 제3자의 신청 또는 직권에 의하여 그 제3자를 소송에 참가시키는 제도를 말한다(동법 제16조 제1항).

  ⓑ 제3자의 소송참가는 제3자효 행정행위에서 특히 그 의미를 갖는다. 제3자의 소송참가가 인정되는 것은 취소판결의 효력이 제3자에게도 미치기 때문이다(동법 제29조 제1항).

> 「행정소송법」제29조【취소판결등의 효력】① 처분 등을 취소하는 확정판결은 제3자에 대하여도 효력이 있다.

  ㉡ 참가의 요건

  ⓐ **타인간의 소송 계속**: 소송이 어느 심급에 있는가는 불문하므로 상고심에서도 가능하다. 그렇지만 소가 적법하게 제기되어 계속되고 있어야 한다.

  ⓑ **소송의 결과에 따라 권리 또는 이익의 침해를 받을 자**

   ㉮ 참가인이 되려면 참가이유로서 소송의 결과에 의하여 권리 또는 이익의 침해를 받을 것이 요구된다. 소송의 결과에 의해 권리 또는 이익의 침해를 받는다는 것은 판결의 결론인 판결의 주문에 의하여 직접 자기의 권리 또는 이익이 박탈당하는 것을 말한다. 그 밖에 판결의 기속력 때문에 이루어지는 행정청의 새로운 처분에 의해 권리 또는 이익이 박탈당하는 경우까지도 포함한다.

   ㉯ 여기에서 소송의 결과에 따라 '침해받을 권리 또는 이익'은 법률상 이익을 의미하며 단순한 사실상의 이익이나 경제상의 이익은 포함되지 않는다.

> 🔨 **관련판례**
> 제3자의 소송참가가 허용되기 위하여는 당해 소송의 결과에 따라 제3자의 권리 또는 이익이 침해되어야 하고, 이때의 이익은 법률상 이익을 말하며 단순한 사실상의 이익이나 경제상의 이익은 포함되지 않는다(대판 2008.5.29. 2007두23873). ★

   ㉰ 권리 또는 이익의 '침해를 받는다'라는 것은 소송참가시 소송의 결과가 확정되지 않은 상태이므로 실제로 침해받았을 것을 요하는 것이 아니라 소송의 결과에 따라 침해될 개연성이 있는 것으로 족하다.

  ⓒ **제3자**: 여기에서 '제3자'라 함은 당해 소송당사자 이외의 자를 말하는 것으로서 개인에 한하지 않고 국가 또는 공공단체도 포함되나, 행정청은 당사자능력이 없어 이에 해당하지 않는다.❶

ⓒ **참가의 대상**: 소송의 결과에 따라 권리 또는 이익의 침해를 받을 제3자는 원고와 피고 어느 쪽을 위해서도 참가할 수 있다. 이점에서 후술하는 피고 행정청을 위해서만 참가할 수 있는 행정청의 소송참가와 다르다.

ⓔ **참가의 절차**: 제3자의 소송참가는 당사자 또는 제3자의 신청 또는 법원의 직권에 의하여 결정으로써 행하여진다(동법 제16조 제1항). 법원이 제3자의 참가를 허가하거나 명하는 결정을 하고자 할 때에는 미리 당사자 및 제3자의 의견을 들어야 한다(동법 제16조 제2항). 소송참가 신청을 한 제3자는 그 신청을 각하한 결정에 대하여 즉시항고 할 수 있다(동법 제16조 제3항).

ⓜ **참가인의 지위**

ⓐ **공동소송적 보조참가인**: 소송에 참가한 제3자에 대하여는 필수적 공동소송에 대한 「민사소송법」 제67조가 준용되므로(동법 제16조 제4항), 참가인은 피참가인과의 관계에 있어서 필수적 공동소송에서의 공동소송인에 준하는 지위에 서게 된다. 그러나 제3자는 참가인으로서 소송당사자에 대하여 독자적인 청구를 못한다는 점에서 일종의 공동소송적 보조참가인의 지위와 유사한 성격을 가지는 것으로 보는 것이 통설이다.

> 「민사소송법」 제67조 【필수적 공동소송에 대한 특별규정】 ① 소송목적이 공동소송인 모두에게 합일적으로 확정되어야 할 공동소송의 경우에 공동소송인 가운데 한 사람의 소송행위는 모두의 이익을 위하여서만 효력을 가진다.
> ② 제1항의 공동소송에서 공동소송인 가운데 한 사람에 대한 상대방의 소송행위는 공동소송인 모두에게 효력이 미친다.

ⓑ **참가인이 피참가인의 행위와 어긋나는 행위를 할 수 있는지 여부**

㉮ 행정청의 소송참가(동법 제17조)와 달리 「민사소송법」 제76조가 적용되지 않으므로 참가인은 피참가인의 소송행위와 어긋나는(저촉되는) 행위, 즉 집행정지결정의 취소를 청구할 수 있고(동법 제24조 제1항), 독립하여 상소를 제기할 수 있다(이때 참가인의 상소기간은 피참가인의 상소기간과 별도로 독립하여 기산된다). 그러나 참가인은 소송의 당사자가 아니므로 소송을 종결시키는 행위는 할 수 없다.

㉯ 따라서 참가인이 상소한 경우에 피참가인이 상소권포기나 상소취하를 하여도 상소의 효력은 지속된다. 즉, 참가인이 상소를 하였다면, 피참가인은 참가인의 의사에 반하여 상소취하나 상소포기를 할 수 없다.

> **🔨 관련판례**
>
> **참가인이 상소를 한 경우 피참가인은 상소취하나 상소포기를 할 수 없다.** ★★
>
> 민사소송법 제78조의 공동소송적 보조참가에는 필수적 공동소송에 관한 민사소송법 제67조 제1항, 즉 "소송목적이 공동소송인 모두에게 합일적으로 확정되어야 할 공동소송의 경우에 공동소송인 가운데 한 사람의 소송행위는 모두의 이익을 위하여서만 효력을 가진다."라고 한 규정이 준용되므로, 피참가인의 소송행위는 모두의 이익을 위하여서만 효력을 가지고, 공동소송적 보조참가인에게 불이익이 되는 것은 효력이 없으므로, 참가인이 상소를 할 경우에 피참가인이 상소취하나 상소포기를 할 수는 없다(대판 2017.10.12. 2015두36836).

 **함께 정리하기**

절차
▷ 당사자 신청 or 법원 직권으로 참가결정 시: 미리 당사자·제3자 의견 청취
▷ 각하결정: 즉시항고 可

참가인 지위
▷ 공동소송적 보조참가인의 지위

참가인
▷ 실제 소송에 참가하여 소송행위를 하였는지 여부 불문하고 판결의 효력을 받음

참가인
▷ 집행정지결정의 취소 청구 可
▷ 피참가인의 행위와 저촉되는 행위 可
▷ 독립하여 상소제기 可(상소기간 독립 기산)
▷ 소 취하 ✕

참가인이 상소를 제기할 경우
▷ 피참가인은 상소취하나 상소포기 ✕

참가인이 상소를 한 경우
▷ 피참가인은 상소취하나 상소포기 不可

ⓗ 참가인에 대한 판결의 효력
　ⓐ 참가인의 지위를 취득한 제3자는 판결의 효력을 받는다. 실제로 소송에 참가하여 소송행위를 하였는지 여부는 묻지 않는다.
　ⓑ 소송에 참가한 제3자는 판결 확정 후 「행정소송법」 제31조에 의한 재심청구를 할 수 없다. 왜냐하면 재심청구는 제3자에게 책임 없는 사유로 소송에 참가하지 못하고 판결이 내려진 경우에 구제수단이기 때문이다(후술하는 재심청구 참조).

③ 행정청의 소송참가
　㉠ 의의
　　ⓐ 행정청의 소송참가란 관계행정청이 행정소송에 참가하는 것을 말한다. 법원은 다른 행정청을 소송에 참가시킬 필요가 있다고 인정할 때에는 당사자 또는 당해 행정청의 신청 또는 직권에 의하여 결정으로써 그 행정청을 소송에 참가시킬 수 있다(동법 제17조 제1항).
　　ⓑ 행정청이 처분 또는 재결을 함에 있어서는 처분청 또는 재결청 이외의 행정청이 그에 절차적으로 관계되는 경우가 적지 않다. 이에 따라 「행정소송법」은 취소소송의 적정한 심리·재판을 도모하기 위하여 관계행정청이 직접 소송에 참여하여 공격·방어 방법을 제출할 수 있도록 행정청의 소송참가제도를 명문으로 규정하고 있다.
　㉡ 참가의 요건
　　ⓐ **타인 간의 소송 계속**: 행정청의 소송참가도 제3자의 소송참가와 같이 타인간의 계속 중인 소송은 적법하여야 하며, 그 소송이 어느 심급에 있는가는 불문한다.
　　ⓑ **다른 행정청**: 여기서 '다른 행정청'이란 피고인 행정청 이외의 행정청으로서 소송의 대상인 처분 등과 관련 있는 행정청을 의미한다.
　　ⓒ **참가의 필요성**: '참가시킬 필요가 있다고 인정할 때'란 관계행정청을 소송에 끌어들여 공격·방어에 참가시킴으로써 사건의 적정한 심리·재판을 실현하기 위하여 필요한 경우를 의미한다.
　㉢ 참가의 절차
　　ⓐ 법원의 직권, 당사자 또는 당해 행정청(소송에 참가하고자 하는 다른 행정청)의 신청에 의한다(동법 제17조 제1항). 참가허부의 재판은 결정의 형식으로 하며, 당사자 및 행정청의 의견을 들어야 한다(동법 제17조 제2항).
　　ⓑ 다른 행정청은 피고인 행정청 측에만 참가할 수 있고, 원고 측에는 참가할 수 없다.
　㉣ 참가 행정청의 지위
　　ⓐ 법원의 참가결정이 있게 되면, 그 소송에 참가한 행정청은 제3자의 소송참가의 경우와 달리 「민사소송법」 제76조(참가인의 소송행위)가 준용되어 단순한 보조참가인에 준하는 지위에서 소송을 수행하게 된다(「행정소송법」 제17조 제3항).
　　ⓑ 따라서 참가행정청은 소송에 관하여 공격·방어·이의신청·상소 기타 일체의 소송행위를 할 수 있다. 그러나 피참가인의 소송행위와 저촉되는 행위를 할 수 없고, 하더라도 무효가 된다(「민사소송법」 제76조 제2항).

처분청·재결청 외 행정청
▷ 소송참가 可

참가 요건
▷ 타인의 취소소송 적법 계속(심급 불문)
다른 행정청
▷ 소송의 대상인 처분 등과 관련있는 행정청
참가 필요성
▷ 적정한 심리·재판 실현

절차
▷ 직권·신청에 의해(의견청취 해야)

다른 행정청
▷ 피고 행정청측에만 참가 可

참가행정청의 지위
▷ 보조참가인의 지위

참가인의 소송행위가 피참가인의 소송행위 어긋나는 때
▷ 효력 ✕

「**민사소송법**」**제76조【참가인의 소송행위】** ① 참가인은 소송에 관하여 공격·방어·이의·상소, 그 밖의 모든 소송행위를 할 수 있다. 다만, 참가할 때의 소송의 진행정도에 따라 할 수 없는 소송행위는 그러하지 아니하다.
② 참가인의 소송행위가 피참가인의 소송행위에 어긋나는 경우에는 그 참가인의 소송행위는 효력을 가지지 아니한다.

핵심정리 「행정소송법」상 제3자 소송참가와 행정청의 소송참가의 비교

구분	제3자 소송참가(제16조)	행정청의 소송참가(제17조)
지위	공동소송적 보조참가인	단순한 보조참가인
소송행위	• 불리한 행위 단독으로× • 유리한 행위는 저촉되어도○ • 예컨대, 참가인이 상소를 제기한 경우 당사자(피참가인)가 상소취하를 하여도 상소의 효력은 유지됨	• 피참가인과 저촉되는 행위× • 하면 무효
독립상소	가능	가능
상소기간	독립기산 (참가인의 상소기간은 참가인에게 판결 송달시부터 독립하여 기산)	종속기산 (참가인의 상소는 피참가인 상소기간 내에 한함)

④ 「민사소송법」에 의한 소송참가

㉠ 소송참가에 관하여 「행정소송법」이 규정하는 제3자 및 행정청의 소송참가 이외에, 「민사소송법」에 의한 각종 참가, 특히 보조참가가 가능한지를 둘러싸고 견해의 대립이 있지만, 긍정설이 다수설이고, 판례와 실무관행도 대체로 그에 따르고 있다.

㉡ 실무적으로 행정소송에서 「민사소송법」상의 여러 가지 참가유형 중에 보조참가를 하는 경우가 많은데, 이것이 단순한 보조참가인지 아니면 공동소송적 보조참가인지 다툼이 있으나 다수설과 판례는 판결의 효력이 참가인에게도 미치는 점 등 행정소송의 성질에 비추어 보아 그 참가는 「민사소송법」 제78조에서 규정하는 공동소송적 보조참가라고 본다.

관련판례

행정소송 사건에서 참가인이 한 보조참가가 행정소송법 제16조가 규정한 제3자의 소송참가에 해당하지 않는 경우에도, 판결의 효력이 참가인에게까지 미치는 점 등 행정소송의 성질에 비추어 보면 그 참가는 민사소송법 제78조에 규정된 공동소송적 보조참가라고 볼 수 있다(대판 2017.10.12. 2015두36836 ; 대판 2013.3.28. 2011두13729). ★

행정소송 사건
▷ 「민사소송법」상의 공동소송적 보조참가 가능

6. 소송상의 대리인

(1) 「민사소송법」의 준용

「행정소송법」에는 소송대리에 관한 명문의 규정이 없으므로 「민사소송법」상의 소송대리인에 관한 규정이 준용된다[「민사소송법」 제87조(소송대리인의 자격), 제90조(소송대리인의 범위) 등].

(2) 「국가를 당사자로 하는 소송에 관한 법률」(약칭: 국가소송법)의 적용

다만, 국가를 당사자로 하는 소송에 있어서는 「국가소송법」에 의한 특례가 인정된다. 즉, 법무부장관이나 행정청의 장은 국가를 당사자로 하는 소송에서 직원 등을 소송수행자로 지정하거나 변호사를 소송대리인으로 선임하여 소송을 수행하게 할 수 있다(「국가소송법」 제3조, 제5조).

4 제소기간

> 「행정소송법」 제20조 【제소기간】 ① 취소소송은 처분 등이 있음을 안 날부터 90일 이내에 제기하여야 한다. 다만, 제18조 제1항 단서에 규정한 경우와 그 밖에 행정심판청구를 할 수 있는 경우 또는 행정청이 행정심판청구를 할 수 있다고 잘못 알린 경우에 행정심판청구가 있은 때의 기간은 재결서의 정본을 송달받은 날부터 기산한다.
> ② 취소소송은 처분 등이 있은 날부터 1년(제1항 단서의 경우는 재결이 있은 날부터 1년)을 경과하면 이를 제기하지 못한다. 다만, 정당한 사유가 있는 때에는 그러하지 아니하다.
> ③ 제1항의 규정에 의한 기간은 불변기간으로 한다.

제소기간 준수여부
▷ 직권조사사항
▷ 소 제기시 기준

1. 제소기간의 의의

제소기간이란 소송을 제기할 수 있는 기간을 의미한다. 제소기간 준수 여부는 소송요건으로서 법원의 직권조사사항에 해당하고(대판 1987.1.20. 86누490 ; 대판 2013.3.14. 2010두2623), 원칙적으로 소 제기시를 기준으로 판단한다.

2. 행정심판을 거치지 않고 취소소송을 제기하는 경우

행정심판 없이 행정소송 시 처분 있음을 안 날 90일, 처분 있은 날 1년 내 소제기
▷ 어느 한 기간 먼저 경과시: 부적법 각하

(1) 제소기간

행정심판을 거치지 않고 행정소송을 제기하는 경우, 취소소송은 처분 등이 있음을 안 날로부터 90일 이내 또는 처분이 있음을 알지 못한 때에는 처분이 있은 날로부터 1년 이내에 소제기를 하여야 한다(동법 20조 제1항 본문, 제2항). 이 두 기간 중 어느 한 기간이라도 먼저 경과되면 취소소송은 부적법하여 각하된다.

(2) 처분이 있음을 안 날부터 90일 이내

① 처분이 있음을 안 날의 의미

처분이 있음을 안 날
▷ 현실적으로 안 날
▷ 위법 판단시 ✕

　㉠ 처분이 있음을 안 날이란 당사자가 통지·공고 기타의 방법으로 당해 처분이 있었다는 사실을 현실적으로 안 날을 의미하며 구체적으로 그 행정처분의 위법 여부를 판단한 날을 가리키는 것은 아니다(대판 1991.6.28. 90누6521). 따라서 처분의 구체적 내용이나 해당 처분의 위법 여부까지 알 필요는 없다.

　㉡ 처분이 있었음을 알았다고 하려면 먼저 처분이 존재하여야 하고, 상대방에게 고지되어 효력을 발생하여야 하므로(대판 1977.11.22. 77누195), 아직 외부적으로 성립하지 않은 처분이나 상대방이 있는 행정처분을 상대방에게 아직 통지하지 않은 경우 등에는 비록 상대방이 그 내용을 어떠한 경로로 미리 알게 되었다 하더라도 제소기간은 진행될 수 없다.

함께 정리하기

상대방 있는 행정처분
▷ 상대방에게 고지되어 상대방이 행정처분이 있다는 사실을 현실적으로 알았을 때부터 제소기간 진행

관련판례

상대방 있는 행정처분의 경우 상대방에게 고지되어 상대방이 행정처분이 있다는 사실을 현실적으로 알았을 때 제소기간이 진행한다. ★★

[1] 행정소송법 제20조 제1항이 정한 제소기간의 기산점인 '처분 등이 있음을 안 날'이란 통지, 공고 기타의 방법에 의하여 당해 처분 등이 있었다는 사실을 현실적으로 안 날을 의미한다. 상대방이 있는 행정처분의 경우에는 특별한 규정이 없는 한 의사표시의 일반적 법리에 따라 행정처분이 상대방에게 고지되어야 효력을 발생하게 되므로, 행정처분이 상대방에게 고지되어 상대방이 이러한 사실을 인식함으로써 행정처분이 있다는 사실을 현실적으로 알았을 때 행정소송법 제20조 제1항이 정한 제소기간이 진행한다고 보아야 한다.

[2] [지방보훈청장이 허혈성심장질환이 있는 갑에게 재심 서면판정 신체검사를 실시한 다음 종전과 동일하게 전(공)상군경 7급 국가유공자로 판정하는 '고엽제후유증전환 재심 신체검사 무변동처분' 통보서를 송달하자 甲이 위 처분의 취소를 구한 사안에서] 위 처분이 甲에게 고지되어 처분이 있다는 사실을 현실적으로 알았을 때 행정소송법 제20조 제1항에서 정한 제소기간이 진행한다고 보아야 함에도, 甲이 통보서를 송달받기 전에 자신의 의무기록에 관한 정보공개를 청구하여 위 처분을 하는 내용의 통보서를 비롯한 일체의 서류를 교부받은 날부터 제소기간을 기산하여 위 소는 90일이 지난 후 제기한 것으로서 부적법하다고 본 원심판결에 법리를 오해한 위법이 있다(대판 2014.9.25. 2014두8254).

② **처분서가 처분 상대방의 주소지에 송달된 경우**: 처분에 관한 서류가 처분상대방의 주소지에 송달되는 등 사회통념상 처분이 있음을 처분상대방이 알 수 있는 상태에 놓여진 때에는 반증이 없는 한, 처분상대방 처분이 있음을 알았다고 추정할 수 있다.

관련판례

당사자의 주소지에 송달되는 등 사회통념상 처분이 있음을 알 수 있는 상태에 놓여진 때에는 그 처분이 있음을 알았다고 추정할 수 있다. ★★

행정심판법 제18조 제1항 소정의 심판청구기간 기산점인 '처분이 있음을 안 날'이라 함은 당사자가 통지·공고 기타의 방법에 의하여 당해 처분이 있었다는 사실을 현실적으로 안 날을 의미하고, 추상적으로 알 수 있었던 날을 의미하는 것은 아니지만, 처분에 관한 서류가 당사자의 주소지에 송달되는 등 사회통념상 처분이 있음을 당사자가 알 수 있는 상태에 놓여진 때에는 반증이 없는 한 그 처분이 있음을 알았다고 추정할 수 있다(대판 1999.12.28. 99두9742).

사회통념상 알 수 있는 상태
▷ 알았다고 추정 可

③ 처분이 공고 또는 고시된 경우
  ㉠ 일반처분의 경우
    ⓐ 고시 또는 공고에 의하여 행정처분(일반처분)을 하는 경우, 그 행정처분에 이해관계를 갖는 자가 고시 또는 공고가 있었다는 사실을 현실적으로 알았는지를 불문하고 고시 또는 공고의 효력이 발생하는 날에 그 행정처분이 있음을 알았다고 보고, 그때부터 제소기간이 개시된다.

불특정 다수인에 대한 고시·공고
▷ 현실적으로 알았는지 여부에 관계없이 효력발생일로부터 90일 내 제소 要

청소년유해매체물 결정·고시
▷ 고시 효력발생시점부터 제소기간 기산

🔨 관련판례

불특정 다수인에게 고시 또는 공고하는 경우 상대방이 고시 또는 공고 사실을 현실적으로 알았는지 여부에 관계없이 고시가 효력이 발생하는 날에 처분이 있음을 알았다고 보아야 한다. ★★★

통상 고시 또는 공고에 의하여 행정처분을 하는 경우에는 그 처분의 상대방이 불특정 다수인이고 그 처분의 효력이 불특정 다수인에게 일률적으로 적용되는 것이므로, 그 행정처분에 이해관계를 갖는 자가 고시 또는 공고가 있었다는 사실을 현실적으로 알았는지 여부에 관계없이 고시가 효력을 발생하는 날 행정처분이 있음을 알았다고 보아야 하고, 따라서 그에 대한 취소소송은 그 날로부터 90일 이내에 제기하여야 한다(대판 2006.4.14. 2004두3847; 대판 2007.6.14. 2004두619).

개별토지가격결정에 대한 안 날
▷ 현실적으로 안 날

ⓑ 다만, 개별토지가격결정의 경우와 같이 처분의 효력이 각 상대방에 대해 개별적으로 발생하는 경우에는 그 처분은 실질에 있어서 개별처분이라고 볼 수 있으므로 공고 또는 고시가 효력을 발생하여도 통지 등으로 실제로 알았거나 알 수 있었던 경우를 제외하고는 처분이 있음을 알지 못한 경우의 제소기간, 즉 행정심판의 경우 처분이 있는 날로부터 180일 이내, 행정소송의 경우 처분이 있는 날로부터 1년 이내가 적용된다(대판 1993.12.24. 92누17204).

개별토지가격결정에 대한 재조사 또는 행정심판의 청구기간
▷ 실제로 처분이 있음을 안 날로부터 기산

🔨 관련판례

개별토지가격결정의 공고는 공고일로부터 그 효력을 발생하지만 처분 상대방인 토지소유자 및 이해관계인이 공고일에 개별토지가격결정처분이 있음을 알았다고까지 의제할 수는 없다. ★★

개별토지가격결정에 있어서는 그 처분의 고지방법에 있어 개별토지가격합동조사지침(국무총리훈령 제248호)의 규정에 의하여 행정편의상 일단의 각 개별토지에 대한 가격결정을 일괄하여 읍·면·동의 게시판에 공고하는 것일 뿐 그 처분의 효력은 각각의 토지 또는 각각의 소유자에 대하여 각별로 효력을 발생하는 것이므로 개별토지가격결정의 공고는 공고일로부터 그 효력을 발생하지만 처분 상대방인 토지소유자 및 이해관계인이 공고일에 개별토지가격결정처분이 있음을 알았다고까지 의제할 수는 없어 결국 개별토지가격결정에 대한 재조사 또는 행정심판의 청구기간은 처분 상대방이 실제로 처분이 있음을 안 날로부터 기산하여야 할 것이나, 시장, 군수 또는 구청장이 개별토지가격결정을 처분 상대방에 대하여 별도의 고지절차를 취하지 않는 이상 토지소유자 및 이해관계인이 위 처분이 있음을 알았다고 볼 경우는 그리 흔치 않을 것이므로, 특별히 위 처분을 알았다고 볼만한 사정이 없는 한 개별토지가격결정에 대한 재조사청구 또는 행정심판청구는 행정심판법 제18조 제3항 소정의 처분이 있은 날로부터 180일 이내에 이를 제기하면 된다(대판 1993.12.24. 92누17204).

특정인에 대한 송달불능으로 공고
▷ 현실적으로 안 날로부터 기산

ⓒ **특정인에 대한 처분을 공고한 경우**: 특정인에 대한 행정처분을 주소불명 등의 이유로 송달할 수 없어 관보 등에 공고한 경우(「행정절차법」 제14조 제4항에 의한 공고), 공고가 효력발생일이 아니라 상대방이 그 처분이 있었다는 사실을 현실적으로 안 날에 그 처분이 있음을 알았다고 보아야 한다. 따라서 상대방은 공고 또는 고시의 효력발생일로부터 90일 이내가 아닌 처분이 있음을 안 날로부터 90일 이내에 제소할 수 있다.

관련판례

특정인에 대한 행정처분을 주소불명 등의 이유로 송달할 수 없어 관보·공보·게시판·일간신문 등에 공고한 경우에는, 공고가 효력을 발생하는 날에 상대방이 그 행정처분이 있음을 알았다고 볼 수는 없고, 상대방이 당해 처분이 있었다는 사실을 현실적으로 안 날에 그 처분이 있음을 알았다고 보아야 한다(대판 2006.4.28. 2005두14851). ★★

주소불명 특정인 처분이 있음을 안 날
▷ 현실적으로 안 날(공고의 효력발생일×)

④ 불변기간과 소송행위의 추완
㉠ 처분이 있음을 안 날로부터 '90일'의 기간은 불변기간에 해당한다(「행정소송법」제20조 제3항). 따라서 법원이 임의로 줄이거나 늘릴 수 없다(「민사소송법」제172조 제1항 단서). 다만, 당사자가 책임질 수 없는 사유로 말미암아 불변기간을 지킬 수 없었던 경우에는 「행정소송법」제8조 제2항에 의하여 준용되는 「민사소송법」제173조 제1항에 의해 추후보완이 허용되어 사유 없어진 날부터 2주 이내에 게을리 한 소송행위를 보완할 수 있다.

90일 불변기간
▷ 변경 불가
▷ 추후보완 可

> 「민사소송법」제173조【소송행위의 추후보완】① 당사자가 책임질 수 없는 사유로 말미암아 불변기간을 지킬 수 없었던 경우에는 그 사유가 없어진 날부터 2주 이내에 게을리 한 소송행위를 보완할 수 있다. 다만, 그 사유가 없어질 당시 외국에 있던 당사자에 대하여는 이 기간을 30일로 한다.

㉡ 여기서 당사자가 책임질 수 없는 사유란 당사자가 그 소송행위를 하기 위하여 일반적으로 하여야 할 주의를 다하였음에도 불구하고 그 기간을 준수할 수 없었던 사유를 말한다(대판 2001.5.8. 2000두6916 ; 대판 2005.1.13. 2004두9951).

⑤ 불고지·오고지의 경우: 「행정심판법」에는 불고지·오고지의 효과에 관한 규정이 있으나, 「행정소송법」에는 불고지·오고지의 효과에 관한 규정이 없으므로 행정소송의 제기기간에 관한 불고지·오고지는 행정소송제기기간에 영향을 미치지 않는다.

관련판례

행정심판법상 불고지·오고지에 관한 규정(행정심판법 제27조 제5항)은 행정소송에 적용되지 않는다. ★★

행정처분시나 그 이후 행정청으로부터 행정심판 제기기간에 관하여 법정 심판청구기간보다 긴 기간으로 잘못 통지받은 경우에 보호할 신뢰 이익은 그 통지받은 기간 내에 행정심판을 제기한 경우에 한하는 것이지 행정소송을 제기한 경우에까지 확대된다고 할 수 없으므로, 당사자가 행정처분시나 그 이후 행정청으로부터 행정심판 제기기간에 관하여 법정 심판청구기간보다 긴 기간으로 잘못 통지받아 행정소송법상 법정 제소기간을 도과하였다고 하더라도, 그것이 당사자가 책임질 수 없는 사유로 인한 것이라고 할 수는 없다(대판 2001.5.8. 2000두6916).

「행정심판법」상 불고지·오고지 규정
▷ 행정소송에 적용×

(3) 처분이 있음을 알지 못한 경우

① 원칙 – 처분이 있은 날로부터 1년: 처분 등이 있은 날로부터 1년 이내에 취소소송을 제기를 하여야 한다(「행정소송법」제20조 제2항). 처분이 있은 날이란 상대방이 있는 행정처분의 경우 행정처분의 상대방에게 고지되어 효력이 발생한 날을 의미한다.

처분이 있은 날
▷ 행정처분의 상대방에게 고지되어 효력이 발생한 날

> **관련판례**
> 행정소송법 제20조 제2항에서 '처분이 있은 날'이라 함은 그 행정처분이 상대방에게 고지되어 효력이 발생한 날을 말한다고 할 것이다(대판 1990.7.13. 90누2284). ★★

② 예외 - 정당한 사유가 있는 경우

- ⓐ 일반론
  - ⓐ 정당한 사유가 있는 때에는 1년이 경과하여도 제소할 수 있다(「행정소송법」 제20조 제2항 단서).
  - ⓑ 여기에서 '정당한 사유'란 불확정 개념으로서 그 존부는 사안에 따라 개별적, 구체적으로 판단하여야 하나 「민사소송법」 제173조의 '당사자가 그 책임을 질 수 없는 사유'나 「행정심판법」 제18조 제2항 소정의 '천재, 지변, 전쟁, 사변 그 밖에 불가항력적인 사유'보다는 넓은 개념이라고 풀이되므로, 제소기간 도과의 원인 등 여러 사정을 종합하여 지연된 제소를 허용하는 것이 사회통념상 상당하다고 할 수 있는가에 의하여 판단하여야 한다(대판 1991.6.28. 90누6521).
  - ⓒ 정당한 사유의 존재가 불분명한 경우에는 이를 주장하는 원고가 증명책임을 진다.

② 처분의 제3자가 제소하는 경우
- ⓐ 제소기간의 요건은 처분의 상대방이 소송을 제기하는 경우뿐만 아니라 법률상 이익이 침해된 제3자가 소송을 제기하는 경우에도 적용된다.
- ⓑ 그러나 행정처분의 직접 상대방이 아닌 제3자는 일반적으로 처분이 있는 것을 바로 알 수 없으므로, 특별한 사정이 없는 한 「행정소송법」 제20조 제2항 단서의 정당한 사유가 있는 경우에 해당하여 1년이 경과한 뒤에도 취소소송을 제기할 수 있다(대판 1992.7.28. 91누12844). 다만, 제3자가 어떠한 경위로든 처분이 있음을 안 경우에는 안 날로부터 90일 이내에 취소소송을 제기하여야 한다.

3. 행정심판을 거쳐 취소소송을 제기하는 경우

(1) 제소기간

① 재결서 정본을 송달받은 경우: 행정심판을 거쳐 취소소송을 제기하는 경우, 재결서의 정본을 송달받은 날로부터 90일 이내에 제기하여야 한다(동법 제20조 제1항 단서). 이 기간은 불변기간이다(동법 제20조 제3항).

② 재결서 정본을 송달받지 못한 경우: 재결서의 정본을 송달받지 못한 경우에는 재결이 있은 날부터 1년이 경과하면 취소소송을 제기할 수 없다. 다만, 정당한 사유가 있는 때에는 그러하지 않는다(「행정소송법」 제20조 제2항).

(2) 행정심판을 거쳐 취소소송을 제기하는 경우의 의미

여기에서 '행정심판을 거쳐 취소소송을 제기하는 경우'란 ① 다른 법률에 당해 처분에 대한 행정심판의 재결을 거치지 아니하면 취소소송을 제기할 수 없다는 규정한 경우(동법 제18조 제1항 단서)와, ② 그 밖에 행정심판청구를 할 수 있는 경우, 또는 ③ 행정청이 행정심판청구를 할 수 있다고 잘못 알린 경우에 행정심판청구를 한 경우를 말한다(「행정소송법」 제20조 제1항 단서).

정당한 사유 있는 경우
▷ 1년 경과해도 제소 可

정당한 사유
▷ 지연된 제소를 허용하는 것이 사회통념상 상당하다고 할 수 있는가에 의하여 판단

정당한 사유의 존재가 불분명시
▷ 원고에게 증명책임○

처분 있음을 모르는 제3자
▷ 정당한 사유○
▷ 단, 어떠한 경위로든 안 경우: 안 날로부터 90일 내 제소 要

행정심판 거친 경우
▷ 재결서 정본 송달 후 90일, 재결이 있은 날부터 1년 이내

재결서 정본 송달받지 못한 경우
▷ 재결 있은 날부터 1년 경과하면 취소소송을 제기✕

관련판례

1. 행정청이 행정심판청구를 할 수 있다고 잘못 알려 행정심판의 청구를 한 경우에는 그 제소기간은 행정심판 재결서의 정본을 송달받은 날부터 기산하여야 한다(대판 2006.9.8. 2004두947). ★

2. 불가쟁력이 발생한 후에 행정청이 행정심판청구를 할 수 있다고 잘못 알렸다 하더라도 재결서 정본을 송달받은 날부터 다시 취소소송의 제소기간이 기산되는 것은 아니다. ★★
이미 제소기간이 지남으로써 불가쟁력이 발생하여 불복청구를 할 수 없었던 경우라면 그 이후에 행정청이 행정심판청구를 할 수 있다고 잘못 알렸다고 하더라도 그 때문에 처분 상대방이 적법한 제소기간 내에 취소소송을 제기할 수 있는 기회를 상실하게 된 것은 아니므로 이러한 경우에 잘못된 안내에 따라 청구된 행정심판 재결서 정본을 송달받은 날부터 다시 취소소송의 제소 기간이 기산되는 것은 아니다. 불가쟁력이 발생하여 더 이상 불복청구를 할 수 없는 처분에 대하여 행정청의 잘못된 안내가 있었다고 하여 처분 상대방의 불복청구 권리가 새로이 생겨나거나 부활한다고 볼 수는 없기 때문이다(대판 2012.9.27. 2011두27247).

행정심판청구 가능하다고 오고지
▷ 재결서정본 송달일부터 기산

불가쟁력 발생 후 오고지
▷ 다시 제소기간 기산×

(3) 행정심판의 의미

여기서 말하는 행정심판은 「행정심판법」에 따른 일반행정심판과 「행정심판법」 제4조에서 정하고 있는 특별행정심판을 의미한다(대판 2014.4.24. 2013두10809). 따라서 특별행정심판을 거친 경우 제소기간에 대한 별도의 규정이 없다면 「행정소송법」이 적용되어 재결서 정본을 송달받은 날로부터 90일 이내에 취소소송을 제기하여야 한다.

재결서 정본 송달 후 90일 제소기간
▷ 임의적·필요적 절차 불문

(4) 적법한 행정심판의 청구

행정심판의 청구기간을 도과하는 등 행정심판 청구 자체가 부적법한 경우에는 재결을 기준으로 제소기간을 기산할 수 없다. 행정심판청구의 적법 여부에 대한 판단은 행정심판위원회가 내린 결론에 구애받지 않고 법원이 독자적으로 판단한다.

관련판례

행정처분이 있음을 안 날부터 90일을 넘겨 행정심판을 청구하였다가 각하재결을 받은 후 그 재결서를 송달받은 날부터 90일 내에 원래의 처분에 대하여 취소소송을 제기한 경우, 취소소송의 제소기간을 준수한 것으로 볼 수 없다. ★★★
처분이 있음을 안 날부터 90일 내에 행정심판을 청구하지도 않고 취소소송을 제기하지도 않은 경우에는 그 후 제기된 취소소송은 제소기간을 경과한 것으로서 부적법하고, 처분이 있음을 안 날부터 90일을 넘겨 청구한 부적법한 행정심판청구에 대한 재결이 있은 후 재결서를 송달받은 날부터 90일 이내에 원래의 처분에 대하여 취소소송을 제기하였다고 하여 취소소송이 다시 제소기간을 준수한 것으로 되는 것은 아니다(대판 2011.11.24. 2011두18786).

부적법한 행정심판
▷ 재결기준 제소기간 기산×
▷ 제소기간특례 적용×

4. 구체적 검토

(1) 소의 변경·추가적 병합의 경우 제소기간의 기준시점

① 소의 변경의 경우

㉠ 소의 종류의 변경의 경우: 소의 종류를 변경하는 경우에는 새로운 소가 제소기간을 준수하였는지는 처음의 소가 제기된 때를 기준으로 하여야 한다(동법 제21조 제4항).

소 종류 변경
▷ 처음의 소 제기된 때 기준

함께 정리하기

청구취지의 변경
▷ 소의 변경이 있은 때를 기준

추가적 병합
▷ 추가병합 신청한 때 기준

추가된 청구취지에 대한 제소기간 준수 등의 판단
▷ 청구취지의 추가·변경 신청이 있는 때를 기준으로

헌재위헌결정으로 소제기 가능케 된 경우 기산점
▷ 객관적: 위헌결정 있은 날
▷ 주관적: 위헌결정 안 날

변경명령재결
▷ 대상적격: 변경된 내용의 당초처분
▷ 제소기간: 재결서 정본 송달 후 90일

반복된 거부처분시 제소기간
▷ 각 거부처분마다 별도 기산

ⓒ 청구취지의 변경의 경우(「민사소송법」에 의한 소의 변경): 청구취지의 변경(동법 제8조 제2항, 「민사소송법」 제262조)이 있는 경우에는 구소가 취하되고 새로운 소가 제기된 것이므로, 새로운 소에 대한 제소기간을 준수하였는지는 원칙적으로 소의 변경이 있은 때를 기준으로 판단한다(대판 2004.11.25. 2004두7023).

② 추가적 병합의 경우: 소를 추가적으로 병합하는 경우 추가적으로 병합된 소의 제소기간은 추가병합신청이 있은 때를 기준으로 판단해야 한다.

> **관련판례**
>
> **1** 보충역편입취소의 효력을 다투는 소에 공익근무요원복무중단처분, 현역병입영대상편입처분 및 현역병입영통지처분의 취소를 구하는 청구를 추가적으로 병합한 경우, 제소기간 준수 여부는 각각의 청구취지의 추가·변경신청이 있은 때를 기준으로 개별적으로 판단하여야 한다(대판 2004.12.10. 2003두12257). ★
>
> **2** 공정거래위원회의 처분에 대하여 청구취지를 추가하는 경우, 청구취지가 추가된 때에 새로운 소를 제기한 것으로 보므로, 추가된 청구취지에 대한 제소기간 준수 등은 원칙적으로 청구취지의 추가·변경 신청이 있는 때를 기준으로 판단하여야 한다(대판 2018.11.15. 2016두48737). ★★

(2) 헌법재판소의 위헌결정으로 취소소송의 제기가 가능하게 된 경우

처분 당시에는 취소소송의 제기가 법제상 허용되지 않아 소송을 제기할 수 없다가 위헌결정으로 인하여 비로소 취소소송을 제기할 수 있게 된 경우, 객관적으로는 '위헌결정이 있은 날', 주관적으로는 '위헌결정이 있음을 안 날' 비로소 취소소송을 제기할 수 있게 되어 이때를 제소기간의 기산점으로 삼아야 한다(대판 2008.2.1. 2007두20997).

(3) 처분변경명령재결에 따라 변경처분이 있는 경우

행정심판에서 처분변경명령재결이 있어 처분청이 변경처분을 한 경우 취소소송의 대상은 변경된 내용의 당초처분이며, 제소기간은 행정심판 재결서 정본을 송달받은 날로부터 90일 이내이다(대판 2007.4.27. 2004두9302).

(4) 거부처분의 경우

거부처분이 반복되는 경우, 반복된 신청에 대한 매 거부처분시마다 새로운 처분이 있는 것으로 보아야 하므로, 제소기간 역시 각 거부처분마다 별도로 진행된다(대판 2000.3.29. 200두6084).

(5) 이의신청을 거쳐 취소소송을 제기하는 경우

행정심판이 아닌 이의신청을 거쳐 취소소송을 제기하는 경우, 행정심판을 거친 경우의 제소기간 특례규정인 「행정소송법」 제20조 제1항 단서가 적용될 수 없으므로, 개별법에 명문의 규정이 없는 한 이의신청에 대한 결과통지일이 아니라 처분 등이 있음을 안 날부터 기산한다(대판 2014.4.24. 2013두10809).

(6) 조세심판에서의 재조사결정의 경우

조세심판에서 재결청의 재조사결정은 처분청의 후속처분에 의하여 그 내용이 보완됨으로써 이의신청 등에 대한 결정으로서의 효력이 발생한다고 할 것이므로, 재조사결정에 따른 행정소송의 제소기간은 이의신청인 등이 후속처분의 통지를 받은 날부터 기산된다(대판 2010.6.25. 2007두12514).

5. 다른 법률에서 특별한 규정을 두고 있는 경우

「행정소송법」 이외의 타 법률에서 제소기간에 대한 특별한 규정을 두고 있는 경우(예 「보안관찰법」 제23조)에는 그에 따른다.

6. 기타 주관적 소송의 제소기간

(1) 무효등 확인소송의 경우

무효등 확인소송은 제소기간에 관한 규정이 적용되지 않는다. 다만, 무효선언적 의미의 취소소송은 취소소송과 마찬가지이므로 제소기간의 제한을 받는다(대판 1990.12.26. 90누6279 ; 대판 1993.3.12. 92누11039).

(2) 부작위위법확인소송의 경우

부작위위법확인소송은 행정청이 아무런 작위 의무를 하지 않는 '부작위'를 대상으로 하기 때문에 부작위의 상태가 지속되는 한 제소기간의 제한을 받지 않는다. 다만, 행정심판을 거쳐 취소소송을 제기하는 경우에는 재결을 송달받은 날로부터 90일 이내에 소송을 제기하여야 한다(동법 제38조 제2항, 제20조).

(3) 당사자소송의 경우

당사자소송에도 취소소송의 제소기간에 관한 규정은 적용되지 않는다. 「행정소송법」에 당사자소송의 제소기간을 별도로 제한하는 규정은 없다. 다만, 당사자소송에 관하여 개별법령에 제소기간이 정하여져 있는 때에는 그 기간은 불변기간으로 한다(동법 제41조).

5 행정심판의 전치(행정심판과 행정소송의 관계)

> 「행정소송법」 제18조 【행정심판과의 관계】 ① <u>취소소송은 법령의 규정에 의하여 당해 처분에 대한 행정심판을 제기할 수 있는 경우에도 이를 거치지 아니하고 제기할 수 있다. 다만, 다른 법률에 당해 처분에 대한 행정심판의 재결을 거치지 아니하면 취소소송을 제기할 수 없다는 규정이 있는 때에는 그러하지 아니하다.</u>
> ② 제1항 단서의 경우에도 다음 각호의 1에 해당하는 사유가 있는 때에는 <u>행정심판의 재결을 거치지 아니하고 취소소송을 제기할 수 있다.</u>
> 1. 행정심판청구가 있은 날로부터 60일이 지나도 재결이 없는 때
> 2. 처분의 집행 또는 절차의 속행으로 생길 중대한 손해를 예방하여야 할 긴급한 필요가 있는 때
> 3. 법령의 규정에 의한 행정심판기관이 의결 또는 재결을 하지 못할 사유가 있는 때
> 4. 그 밖의 정당한 사유가 있는 때
> ③ 제1항 단서의 경우에 다음 각호의 1에 해당하는 사유가 있는 때에는 <u>행정심판을 제기함이 없이 취소소송을 제기할 수 있다.</u>

함께 정리하기

조세심판에서 재조사결정
▷ 후속처분 통지받은 날부터 기산 (특별심판절차)

다른 법률에서 제소기간에 대한 특별한 규정을 두고 있는 경우
▷ 타 법률 따름

무효등 확인소송
▷ 제소기간 적용×

무효선언을 구하는 취소소송
▷ 제소기간 적용○

부작위위법확인소송
▷ 제소기간 적용×
▷ 단, 행정심판 거치면 적용○

당사자소송
▷ 취소소송 제소기간 적용×
▷ 개별법령에 당사자소송 제소기간이 정하여져 있는 경우 그 기간은 불변기간

1. 동종사건에 관하여 이미 행정심판의 기각재결이 있은 때
2. 서로 내용상 관련되는 처분 또는 같은 목적을 위하여 단계적으로 진행되는 처분중 어느 하나가 이미 행정심판의 재결을 거친 때
3. 행정청이 사실심의 변론종결후 소송의 대상인 처분을 변경하여 당해 변경된 처분에 관하여 소를 제기하는 때
4. 처분을 행한 행정청이 행정심판을 거칠 필요가 없다고 잘못 알린 때

④ 제2항 및 제3항의 규정에 의한 사유는 이를 소명하여야 한다.

1. 개설

(1) 행정심판의 전치의 의의

행정심판의 전치란 행정소송을 제기에 앞서 먼저 행정청에 의한 행정심판절차를 거치도록 하는 것을 말한다. 행정심판의 전치를 필수적인 절차로 하는 원칙을 행정심판전치주의라 한다.

> 행정심판의 전치의 의의
> ▷ 행정소송을 제기에 앞서 먼저 행정청에 의한 행정심판절차를 거치도록 하는 제도

(2) 현행법 규정

> **헌법 제107조** ③ 재판의 전심절차로서 행정심판을 할 수 있다. 행정심판의 절차는 법률로 정하되, 사법절차가 준용되어야 한다.
>
> 「**행정소송법**」 **제18조 【행정심판과의 관계】** ① 취소소송은 법령의 규정에 의하여 당해 처분에 대한 행정심판을 제기할 수 있는 경우에도 이를 거치지 아니하고 제기할 수 있다. 다만, 다른 법률에 당해 처분에 대한 행정심판의 재결을 거치지 아니하면 취소소송을 제기할 수 없다는 규정이 있는 때에는 그러하지 아니하다.

행정심판전치는 헌법 제107조 제3항에 근거한 것으로, 구 「행정소송법」은 행정심판전치주의를 원칙으로 하였으나, 1998년 3월 1일부터 시행된 개정 「행정소송법」 제18조 제1항에 따라 행정심판은 원칙적으로 임의적 절차로 변경되었고, 예외적으로 개별법령에서 정하는 경우에만 행정심판전치주의를 채택하고 있다.

(3) 행정심판의 범위

행정심판의 전치에서 말하는 행정심판이란 「행정심판법」에 따른 행정심판 외에 개별법에 의한 행정심판(예 「국세기본법」상 이의신청·심사청구·심판청구, 「국가공무원법」상 소청, 「국민연금법」상 소청, 「도로교통법」상 이의신청 등)도 포함된다.

2. 임의적 행정심판전치주의와 필요적 행정심판전치주의

(1) 임의적 행정심판전치주의(원칙)

「행정소송법」은 임의적 전치주의를 원칙적으로 명시하고 있다(동법 제18조 제1항 전단). 임의적 전치주의 하에서 원고는 행정심판을 거칠지 여부를 선택할 수 있다. 따라서 처분에 의하여 권익을 침해받은 사람은 판단에 따라 행정심판을 거쳐 취소소송을 제기할 수도 있고, 곧바로 취소소송을 제기할 수도 있다.

> 「행정소송법」 제18조 제1항 본문
> ▷ 임의적 행정심판전치주의(원칙)
>
> 「행정소송법」 제18조 제1항 단서
> ▷ 필요적 행정심판전치주의(예외)

(2) 필요적 행정심판전치주의(예외)

① **의의**: 「행정심판법」은 원칙적으로 임의적 전치주의를 채택하고 있으나, "다만, 다른 법률에 당해 처분에 대한 행정심판의 재결을 거치지 아니하면 취소소송을 제기할 수 없다는 규정이 있는 때에는 그러하지 아니하다(동법 제18조 제1항 단서)."라고 규정하여 임의적 전치주의의 예외를 인정하고 있다.

② **다른 법률의 예**: 현행법상 예외적으로 행정심판전치주의를 규정하고 있는 예로는 ㉠ 공무원(국가·지방·교육공무원)에 대한 징계 및 기타 불이익처분(「국가공무원법」 제16조, 「지방공무원법」 제20조의2, 「교육공무원법」 제53조 제1항), ㉡ 국세·지방세·관세법상의 처분(「국세기본법」 제56조 제2항, 「지방세기본법」 제98조 제3항, 「관세법」 제120조 제2항), ㉢ 운전면허취소처분 등 「도로교통법」에 의한 각종 처분(「도로교통법」 제142조, 다만 과태료처분과 통고처분은 제외), ㉣ 재결주의❶에 속하는 경우(ⓐ 감사원의 변상판정에 대한 재심의판정, ⓑ 노동위원회의 처분에 대한 중앙노동위원회의 재심, ⓒ 특허심판원의 심결) 등이 있다.

> 「**국세기본법**」 **제56조【다른 법률과의 관계】** ② 제55조에 규정된 위법한 처분에 대한 행정소송은 「행정소송법」 제18조 제1항 본문, 제2항 및 제3항에도 불구하고 <u>이 법에 따른 심사청구 또는 심판청구와 그에 대한 결정을 거치지 아니하면 제기할 수 없다.</u>
>
> 「**국가공무원법**」 **제16조【행정소송과의 관계】** ① 제75조에 따른 처분, 그 밖에 본인의 의사에 반한 불리한 처분이나 부작위에 관한 <u>행정소송은 소청심사위원회의 심사·결정을 거치지 아니하면 제기할 수 없다.</u>❷
>
> 「**도로교통법**」 **제142조【행정소송과의 관계】** 이 법에 따른 처분으로서 해당 처분에 대한 <u>행정소송은 행정심판의 재결을 거치지 아니하면 제기할 수 없다.</u>❸

③ **행정심판과 행정소송의 관련성**

㉠ 적법한 행정심판의 청구

ⓐ 행정심판전치주의의 요건을 갖추기 위해서는 행정심판이 적법하여야 한다.

ⓑ 적법한 심판청구를 행정심판위원회가 부적법한 것으로 각하한 경우에는 행정심판 전치의 요건을 충족한 것으로 본다(대판 1990.10.12. 90누2383). 적법한 심판제기가 있었으나 기각된 경우에도 행정심판 전치의 요건을 충족한 것으로 본다.

ⓒ 반면, 부적법한 심판청구에 대해 각하하지 않고 행정심판위원회가 본안 판단한 경우 행정심판 전치의 요건을 갖추었다고 볼 수 없다.

> 🔎 **관련판례**
>
> **행정심판청구가 기간도과로 인해 부적법한 경우, 그 부적법을 간과한 채 실질적 재결을 하였더라도 부적법 각하를 면치 못한다.** ★★
> 행정처분의 취소를 구하는 항고소송의 전심절차인 <u>행정심판청구가 기간도과로 인하여 부적법한 경우에는 행정소송 역시 전치의 요건을 충족치 못한 것이 되어 부적법 각하를 면치 못하는 것이고</u>, 이 점은 행정청이 행정심판의 제기기간을 도과한 부적법한 심판에 대하여 그 부적법을 간과한 채 실질적 재결을 하였다 하더라도 달라지는 것이 아니다(대판 1991.6.25. 90누8091).

함께 정리하기

필요적 행정심판전치의 예(조, 공, 도, 감, 노, 특)
▷ 조세, 공무원에 대한 징계·기타 불이익처분, 도로교통법상 처분, 재결주의(감사원의 재심의 판정, 중앙노동위원회의 재심, 특허심판원의 심결)

❶ **재결주의**
재결주의란 원처분에 대하여는 소송을 제기할 수 없고, 재결에 대하여만 소송을 제기할 수 있도록 하는 것이므로 재결주의를 취하는 경우에는 당연히 행정심판을 거쳐야 한다.

조세
▷ 심사청구 또는 심판청구 거쳐야 함

공무원 징계, 기타 불이익처분
▷ 소청심사위원회(또는 교원소청심사위원회)의 심사·결정 거쳐야 함

❷
공무원에 대한 징계처분이나 강임·휴직·직위해제 또는 면직처분, 그 밖에 본인의 의사에 반한 불리한 처분이나 부작위에 관한 행정소송은 소청심사위원회의 심사·결정을 거치지 아니하면 제기할 수 없다.

운전면허정지·취소등 행정처분
▷ 행정심판의 재결 거쳐야 함

❸
「도로교통법」상 운전면허정지·취소처분에 대해서는 행정심판의 필요적 전치주의가 적용된다.

적법한 청구 각하(기각)
▷ 전치요건 충족O

부적법한 심판청구에 대해 각하하지 않고 부적법을 간과한 채 재결을 한 경우
▷ 전치요건 충족X

청구기간 도과로 부적법한 청구 간과 재결
▷ 취소소송 각하(∵ 심판전치요건 구비X)

- ⓒ **인적 관련성**: 행정심판의 청구인과 행정소송의 원고가 반드시 동일할 필요는 없다. 따라서 ① 행정소송 원고가 행정심판 청구인과 동일 지위에 있거나 지위를 승계한 경우나, ② 동일한 행정처분에 의하여 공동의 법률적 이해관계를 갖는 공동권리자의 1인이 이미 적법한 행정심판을 거친 경우 등에는 행정심판을 경유함이 없이 행정소송을 제기할 수 있다(대판 1988.2.23. 87누704).
- ⓒ **사물 관련성**: 행정심판의 대상인 처분과 취소소송의 대상인 처분은 동일한 것이어야 한다(단, 청구원인이 반드시 일치할 필요는 없음). 다만, 서로 내용상 관련되는 처분 또는 동일한 목적을 위해 단계적으로 진행되는 처분 중 어느 하나가 이미 행정심판의 재결을 거친 때에는 행정심판을 제기하지 않고 취소소송을 제기할 수 있다(동법 제18조 제3항 제2호).
- ⓔ **주장사유의 관련성**: 공격방어방법의 경우 심판에서의 주장과 소송에서의 주장이 전혀 별개의 것이 아닌 한 반드시 일치해야 하는 것은 아니므로 원고는 전심절차에서 주장하지 아니한 공격방어방법을 행정소송절차에서 주장할 수 있다(대판 1999.11.26. 99두9407).

전심절차에서 주장하지 아니한 공격방어방법
▷ 행정소송절차에서 주장 可

관련판례

1 **행정심판절차에서 주장하지 아니한 처분의 위법사유를 원고는 취소소송에서 주장할 수 있고 다시 별도로 전심절차를 거쳐야 하는 것은 아니다.** ★★

항고소송에 있어서 원고는 전심절차에서 주장하지 아니한 공격방어방법을 소송절차에서 주장할 수 있고 법원은 이를 심리하여 행정처분의 적법 여부를 판단할 수 있는 것이므로, 원고가 전심절차에서 주장하지 아니한 처분의 위법사유를 소송절차에서 새롭게 주장하였다고 하여 다시 그 처분에 대하여 별도의 전심절차를 거쳐야 하는 것은 아니다(대판 1996.6.14. 96누754).

전심절차에서 주장하지 아니한 공격방어방법
▷ 행정소송에서 주장 可

2 **소청심사결정에 대한 취소소송에서 소청심사결정 후에 생긴 사유가 아닌 이상 소청심사단계에서 주장하지 아니한 사유도 주장할 수 있고 법원도 이에 대하여 심리·판단할 수 있다.** ★★

교원소청심사위원회가 한 결정의 취소를 구하는 소송에서 그 결정의 적부는 결정이 이루어진 시점을 기준으로 판단하여야 하지만, 그렇다고 하여 소청심사 단계에서 이미 주장된 사유만을 행정소송의 판단대상으로 삼을 것은 아니다. 따라서 소청심사 결정 후에 생긴 사유가 아닌 이상 소청심사 단계에서 주장하지 아니한 사유도 행정소송에서 주장할 수 있고, 법원도 이에 대하여 심리·판단할 수 있다(대판 2018.7.12. 2017두65821).

소청심사 단계에서 주장하지 아니한 사유
▷ 행정소송에서 주장 可

> **동지**
> 부당해고 구제신청에 관한 중앙노동위원회의 명령 또는 결정의 취소를 구하는 소송에서 그 명령 또는 결정이 적법한지는 그 명령 또는 결정이 이루어진 시점을 기준으로 판단하여야 하고, 그 명령 또는 결정 후에 생긴 사유를 들어 적법 여부를 판단할 수는 없으나, 그 명령 또는 결정의 기초가 된 사실이 동일하다면 노동위원회에서 주장하지 아니한 사유도 행정소송에서 주장할 수 있다(대판 2021.7.29. 2016두64876).

재결취소소송에서 재결의 위법여부 판단시점
▷ 재결시

노동위원회에서 주장하지 아니한 사유
▷ 행정소송에서 주장 可

④ 행정심판전치주의의 요건충족에 대한 판단
  ㉠ **직권조사사항**: 행정심판전치주의가 적용되는 경우 행정심판의 전치요건을 구비하였는가의 여부는 소송요건으로서 법원의 직권조사사항에 속한다(대판 1982.12.28. 82누7 ; 대판 1996.9.6. 96누7045).
  ㉡ **전치요건의 판단시점**: 요건충족의 판단시점은 원칙적으로 취소소송의 제기시이다. 그러나 판례는 행정소송 제기 당시에는 행정심판의 전치요건을 구비 못한 위법이 있다 하여도 사실심변론종결시까지 행정심판 전치요건을 충족하면 전치요건의 흠결은 치유된다고 본다.

> 🔨 **관련판례**
>
> 필요적 행정심판전치주의가 적용되는 경우, 소송계속중 전심절차를 거쳤다면 사실심변론종결시에는 전치요건흠결의 하자는 치유되었다고 볼 것이다. ★★
>
> 전심절차를 밟지 아니한 채 증여세부과처분취소소송을 제기하였다면 제소당시로 보면 전치요건을 구비하지 못한 위법이 있다 할 것이지만, 소송계속중 심사청구 및 심판청구를 하여 각 기각결정을 받았다면 원심변론종결일 당시에는 위와 같은 전치요건흠결의 하자는 치유되었다고 볼 것이다(대판 1987.4.28. 86누29).

⑤ **필요적 행정심판전치주의 완화(예외)**: 행정심판의 전치가 필요적인 경우라 하여도 행정심판전치주의를 적용함으로써 발생할 수 있는 권익침해를 예방하기 위하여 「행정소송법」은 필요적 심판전치주의 예외를 규정하고 있다(제18조 제2항, 제3항).
  ㉠ 행정심판 제기는 하되 재결을 거칠 필요가 없는 경우(동법 제18조 제2항)
    ※ 이 경우 행정심판청구는 있어야 한다.
    ⓐ 행정심판청구가 있은 날로부터 60일이 지나도 재결이 없는 때(재결의 부당한 지연으로 인하여 발생하는 당사자의 불이익 방지하기 위함)(제1호)
    ⓑ 처분의 집행 또는 절차의 속행으로 생길 중대한 손해를 예방하여야 할 긴급한 필요가 있는 때(제2호)

> 🔨 **관련판례**
>
> 행정소송법 제18조 제2항 제2호의 취지는 행정심판 자체를 제기하지 않고도 취소소송을 제기할 수 있다는 취지는 아니다. ★
>
> 계고처분의 집행으로 생길 중대한 손해를 예방하여야 할 긴급한 필요가 있었더라도 이는 행정소송법 제18조 제2항에 따라 재결을 거치지 아니하고 바로 취소소송을 제기할 수 있다는 뜻일 뿐 행정심판 자체를 제기하지 않고도 취소소송을 제기할 수 있다는 취지는 아니다(대판 1990.10.26. 90누5528).

  ㉢ 법령의 규정에 의한 행정심판기관이 의결 또는 재결을 하지 못할 사유가 있는 때(예 위원회의 미구성)(제3호)
  ⓓ 그 밖의 정당한 사유가 있는 때(제4호)
  ㉡ 행정심판을 제기함이 없이 취소소송을 제기할 수 있는 경우(동법 제18조 제3항)
    ⓐ 동종사건에 관하여 이미 행정심판의 기각재결이 있은 때(전심절차의 무용한 중복을 방지하기 위함)(제1호)❶

공유자 중 1인 행정심판제기
▷ 나머지 공유자 행정심판전치 不要

> ⚖️ **관련판례**
>
> 공동소송의 원고 중 1인이 행정심판을 거쳤다면 나머지 원고는 행정심판을 거치지 않고 행정소송을 제기할 수 있다. ★
>
> 동일한 행정 처분에 의하여 여러 사람이 동일한 의무를 부담하는 경우 그 중 한 사람이 적법한 행정심판을 제기하여 행정처분청으로 하여금 그 행정처분을 시정할 수 있는 기회를 가지게 한 이상 나머지 사람은 행정심판을 거치지 아니하더라도 행정소송을 제기할 수 있다(대판 1988.2.23. 87누704).

　　ⓑ 서로 내용상 관련되는 처분 또는 같은 목적을 위하여 단계적으로 진행되는 처분 중 어느 하나가 이미 행정심판의 재결을 거친 때(분쟁사유의 공통성 때문임)(제2호)

가산금 징수처분 전심절차×, 부당이득금 부과처분 전심절차○
▷ 가산금 징수처분도 부당이득금 부과처분과 함께 행정소송 可

> ⚖️ **관련판례**
>
> 부당이득금 부과처분에 대하여 전심절차를 거친 이상 가산금 징수처분에 대하여 전심절차를 밟지 않았다 하더라도 가산금 징수처분에 대하여도 부당이득금 부과처분과 함께 행정소송으로 다툴 수 있다. ★★
>
> 하천구역의 무단 점용을 이유로 부당이득금 부과처분과 가산금 징수처분을 받은 사람이 가산금 징수처분에 대하여 행정청이 안내한 전심절차를 밟지 않았다 하더라도 부당이득금 부과처분에 대하여 전심절차를 거친 이상 가산금 징수처분에 대하여도 부당이득금 부과처분과 함께 행정소송으로 다툴 수 있다(대판 2006.9.8. 2004두947).

❶
처분청이 아닌 재결청 소속의 행정심판 업무 담당 공무원이 행정심판을 거칠 필요가 없다고 잘못 알린 경우, 행정소송법 제18조 제3항 제4호의 규정을 유추·적용하여 행정심판 제기 없이 그 취소소송을 제기할 수 있다(대판 1996.8.23. 96누4671).

　　ⓒ 행정청이 사실심의 변론종결 후 소송의 대상인 처분을 변경하여 당해 변경된 처분에 관하여 소를 제기하는 때(절차중복·소송지연을 방지하기 위함)(제3호)
　　ⓓ 처분을 행한 행정청이 행정심판을 거칠 필요가 없다고 잘못 알린 때(신뢰보호)(제4호)❶
　⑥ 필요적 행정심판전치주의의 적용범위
　　㉠ 적용되는 행정소송

적용범위
▷ 취소소송·부작위위법확인소송○
▷ 무효확인소송×
부작위위법확인소송
▷ 의무이행심판 거쳐야 함
무효선언 구하는 취소소송
▷ 전심절차 거쳐야 함

　　　ⓐ 행정심판 전치주의는 취소소송과 부작위위법확인소송에서 적용되지만(동법 제18조, 제38조 제2항), 무효등 확인소송에는 적용되지 않는다(동법 제38조 제1항). 이때 부작위위법확인소송에서 전치되는 행정심판은 의무이행심판이다.
　　　ⓑ 그러나 무효선언을 구하는 의미의 취소소송은 그 형식이 취소소송이므로 행정심판전치주의가 적용된다(대판 1987.6.9. 87누219 ; 대판 1990.8.28. 90누1892).

2단계 이상의 행정심판절차가 규정되어 있는 경우
▷ 하나의 행정심판절차 거치면 족함
명문 규정 없는 경우
▷ 모든 행정심판 절차 거칠 필요×
처분의 상대방이 아닌 제3자가 취소소송을 제기하는 경우
▷ 행정심판전치주의 적용○

　　㉡ 2단계(둘) 이상의 행정심판절차가 규정되어 있는 경우(예 구 「국세기본법」상 심사청구와 심판청구): 모든 단계의 행정심판을 거쳐야 한다는 특별한 규정이 없는 한 하나의 행정심판절차를 거치면 족하다는 것이 통설의 입장이다.
　　㉢ 처분의 상대방이 아닌 제3자가 취소소송을 제기하는 경우: 처분의 상대방이 아닌 제3자가 취소소송을 제기하는 경우 행정심판의 청구기간을 준수하기 어렵다는 점에서 개별법에서 규정된 행정심판전치주의가 적용되는지가 문제가 되는 바, 판례는 제3자가 제기하는 취소소송에 있어서도 행정심판전치주의가 적용된다고 본다.

🔎 **관련판례**

제3자효 행정행위에 대한 취소소송에 있어서도 행정심판전치주의가 적용된다. ★★

행정처분의 직접 상대방이 아닌 제3자는 행정심판법 제18조 제3항 본문소정의 제척기간에 심판청구가 가능하였다는 특별한 사정이 없는 한 그 제척기간 내에 구애됨이 없이 행정심판을 제기할 수 있으나, 어떠한 경우에도 <u>행정심판을 제기함이 없이 곧바로 행정소송을 제기할 수 없다</u>(대판 1989.5.9. 88누5150).

ⓔ **개별법률에서 재결주의를 택하고 있는 경우**: 개별법률에서 예외적으로 재결주의를 규정하고 있는 경우(예 감사원의 재심의 판정, 중앙노동위원회의 재심판정, 특허심판원의 심결에 대한 재심판정)에는 재결만이 행정소송의 대상이 되므로 반드시 행정심판을 거쳐야 한다. 즉, 재결주의는 논리적으로 필요적 행정심판전치주의가 수반된다(대상적격 파트에서 전술한 원처분주의의 예외 참조).

6 관할법원

1. 취소소송의 재판관할

> 「**행정소송법**」 **제9조 【재판관할】** ① 취소소송의 제1심관할법원은 피고의 소재지를 관할하는 행정법원으로 한다.
> ② 제1항에도 불구하고 다음 각 호의 어느 하나에 해당하는 피고에 대하여 취소소송을 제기하는 경우에는 대법원소재지를 관할하는 행정법원에 제기할 수 있다.
> 1. 중앙행정기관, 중앙행정기관의 부속기관과 합의제행정기관 또는 그 장
> 2. 국가의 사무를 위임 또는 위탁받은 공공단체 또는 그 장
> ③ 토지의 수용 기타 부동산 또는 특정의 장소에 관계되는 처분등에 대한 취소소송은 그 부동산 또는 장소의 소재지를 관할하는 행정법원에 이를 제기할 수 있다.

(1) 관할의 의의

관할이란 각 법원에 대한 재판권의 배분, 즉 특정법원이 특정사건을 재판할 수 있는 권한을 말한다. 관할권의 존재는 소송요건으로 법원의 직권조사사항이다.

(2) 토지관할

토지관할이란 소재지를 기준으로 하여 재판권을 분배하는 것을 말한다.
① **보통관할**: 취소소송의 제1심 관할법원을 '피고의 소재지를 관할하는 행정법원'으로 한다(동법 제9조 제1항). 다만, ① 중앙행정기관, 중앙행정기관의 부속기관과 합의제행정기관 또는 그 장이 피고인 경우,❶ 또는 ② 국가의 사무를 위임 또는 위탁받은 공공단체 또는 그 장이 피고인 경우에는 대법원 소재지를 관할하는 행정법원에 제기할 수 있다(동법 제9조 제2항).
② **특별관할**: 토지의 수용 기타 부동산 또는 특정의 장소에 관계되는 처분 등에 대한 취소소송은 그 부동산 또는 장소의 소재지를 관할하는 행정법원에 이를 제기할 수 있다(동법 제9조 제3항).

함께 정리하기

재결주의
▷ 논리상 필요적 행정심판전치
▷ 예 감사원 재심의판정·중앙노동위원회 재심·특허심판원 심결

필요적 행정심판전치주의
▷ 국세, 공무원(교원 포함), 도로교통

필요적 행정심판전치주의 + 재결주의
▷ 감사원, 노동위원회, 특허

관할
▷ 재판권의 배분(직권조사사항)

토지관할
▷ 소재지 기준 재판권분배

보통관할
▷ 피고 소재지 행정법원, 대법원 소재지 행정법원 임의적·추가적 가능

❶ 세종특별자치시에 위치한 해양수산부의 장관이 한 처분에 대한 취소소송은 대전지방법원(본원)뿐만 아니라 대법원소재지를 관할하는 서울행정법원에 제기할 수 있다.

부동산·특정 장소 관련처분
▷ 부동산·장소 소재지 행정법원에 제기 可

「민사소송법」상
▷ 합의·변론관할 준용

「행정소송법」제9조나 제40조에 항고소송이나 당사자소송의 토지관할에 관하여 이를 전속관할로 하는 명문의 규정이 없는 이상 이들 소송의 토지관할을 전속관할이라 할 수 없다(대판 1994. 1. 25. 93누18655). 따라서 「민사소송법」제29조 제1항에 의하여 당사자는 합의로 제1심 관할법원을 정할 수 있고(합의관할), 같은 법 30조에 의하여 관할권이 없는 법원에 제기된 소에 대하여 피고가 제1심법원에서 관할 위반의 항변하지 않고 본안 변론한 경우에 당해 법원이 관할권을 가진다(변론관할).

서울행정법원에 민사소송 제기
▷ 변론관할 성립 可

사물관할
▷ 단독판사와 합의부 사이에서 제1심 소송사건의 분담을 정한 것

행정사건의 사물관할
▷ 원칙 합의부 관할

운전면허관련처분, 업무상재해관련처분 등 주로 경미하고 자주 발생한 사건 등은 실무상 단독판사가 담당하고 있다.

심급관할
▷ 하급법원의 재판에 대해 불복시 심판할 상급법원 정하는 관할

3심제
▷ 1심: 행정법원
▷ 항소심: 고등법원
▷ 상고심: 대법원

제1심 관할법원
▷ 서울: 행정법원
▷ 그 외: 지방법원 본원(예 춘천지방법원 강릉지원)

③ **토지관할의 임의성**: 토지관할은 전속관할이 아니라 임의관할이므로(대판 1994.1.25. 93누18655), ❶「행정소송법」 제8조 제2항에 의해 「민사소송법」상의 합의관할(제29조) 및 변론관할(제30조)에 관한 규정이 준용된다. 따라서 항고소송은 당사자의 합의나 피고의 응소에 의하여 피고의 소재지를 관할하는 지방법원 이외의 지방법원을 관할법원으로 정할 수 있다.

> **관련판례**
> **민사소송이 서울행정법원에 제기된 경우 변론관할이 성립할 수 있다. ★★**
> 민사소송인 소가 서울행정법원에 제기되었는데도 피고는 제1심법원에서 관할위반이라고 항변하지 아니하고 본안에 대하여 변론을 한 사실을 알 수 있는바, 공법상의 당사자소송 사건인지 민사사건인지 여부는 이를 구별하기가 어려운 경우가 많고, 행정사건의 심리절차에 있어서는 행정소송의 특수성을 감안하여 행정소송법이 정하고 있는 특칙이 적용될 수 있는 점을 제외하면 심리절차면에서 민사소송절차와 큰 차이가 없는 점 등에 비추어 보면, 행정소송법 제8조 제2항, 민사소송법 제30조에 의하여 제1심법원에 변론관할이 생겼다고 봄이 상당하다(대판 2013.2.28. 2010두22368).

(3) 사물관할

① 사물관할이란 제1심 지방법원 단독판사와 합의부 사이에서 제1심 소송사건의 분담을 정하는 것을 말한다.
② 행정사건은 판사 3명으로 구성된 합의부 관할이 원칙이다. 다만, 단독판사가 심판할 것으로 합의부가 결정한 사건의 심판권은 단독판사가 행사한다(「법원조직법」 제7조 제3항).❷

(4) 심급관할

① 심급관할은 하급법원의 재판에 대하여 불복한 경우 심판할 상급법원을 정하는 관할을 말한다.
② 취소소송은 지방법원급인 행정법원이 제1심으로 심판하고, 항소심은 고등법원이, 상고심은 대법원이 담당하는 3심제를 채택하고 있다.

> **참고 행정법원(제1심 관할법원)**
> 행정법원은 서울에만 설치되어 있으므로 행정법원이 설치되지 않은 지역의 경우 행정법원이 설치될 때까지 해당 지방법원 본원이 관할한다. 따라서 피고의 소재지가 서울지역인 경우 서울행정법원이, 행정법원이 설치되지 않은 서울 이외의 지역인 경우 그 지역을 관할하는 지방법원 본원이 취소소송의 제1심 관할법원이 된다.

(5) 관할위반을 이유로 한 이송

① 제1심법원 사이에서의 이송 및 심급을 달리하는 경우의 이송

㉠ 관할권이 없는 법원에 소송이 제기된 경우에 법원은 결정으로 이를 관할법원에 이송하여야 한다(동법 제8조, 「민사소송법」 제34조 제1항).

> 「민사소송법」 제34조 【관할위반 또는 재량에 따른 이송】 ① 법원은 소송의 전부 또는 일부에 대하여 관할권이 없다고 인정하는 경우에는 결정으로 이를 관할법원에 이송한다.

㉡ 이와 같은 관할이송은 원고의 고의 또는 중대한 과실 없이 행정소송이 심급을 달리하는 법원에 잘못 제기된 경우에도 적용한다(동법 제7조).

② **행정사건으로 제기할 사건을 민사사건으로 제기한 경우**: 원고가 고의 또는 중대한 과실 없이 행정소송으로 제기하여야 할 사건을 민사소송으로 잘못 제기한 경우 ㉠ 수소법원이 그 행정소송에 대한 관할도 동시에 가지고 있다면 이를 행정소송으로 심리·판단하여야 하고, ㉡ 그 행정소송에 대한 관할을 가지고 있지 않다면 관할 법원에 이송하여야 한다.

관련판례

1 행정소송으로 제기하여야 할 사건을 민사소송으로 잘못 제기한 경우에 수소법원이 행정소송에 대한 관할이 없다면 관할법원에 이송하여야 한다. ★★

원고가 고의 또는 중대한 과실 없이 행정소송으로 제기하여야 할 사건을 민사소송으로 잘못 제기한 경우, ① 수소법원으로서는 만약 행정소송에 대한 관할도 동시에 가지고 있다면 이를 행정소송으로 심리·판단하여야 하고, ② 행정소송에 대한 관할을 가지고 있지 아니하다면 당해 소송이 이미 행정소송으로서의 전심절차 및 제소기간을 도과하였거나 행정소송의 대상이 되는 처분 등이 존재하지도 아니한 상태에 있는 등 행정소송으로서의 소송요건을 결하고 있음이 명백하여 행정소송으로 제기되었더라도 어차피 부적법하게 되는 경우가 아닌 이상 이를 부적법한 소라고 하여 각하할 것이 아니라 관할법원에 이송하여야 한다(대판 2017.11.9. 2015다215526 ; 대판 2008.7.24. 2007다25261).

2 행정소송으로 제기하여야 할 사건을 민사소송으로 잘못 제기하였으나 행정소송으로서의 소송요건을 결하고 있음이 명백한 경우 수소법원은 각하하여야 한다. ★★★

원고가 고의 또는 중대한 과실 없이 행정소송으로 제기하여야 할 사건을 민사소송으로 잘못 제기한 경우, 수소법원으로서는 만약 그 행정소송에 대한 관할도 동시에 가지고 있다면 이를 행정소송으로 심리·판단하여야 하고, 그 행정소송에 대한 관할을 가지고 있지 아니하다면 관할법원에 이송하여야 한다. 다만, 해당 소송이 이미 행정소송으로서의 전심절차 및 제소기간을 도과하였거나 행정소송의 대상이 되는 처분 등이 존재하지도 아니한 상태에 있는 등 행정소송으로서의 소송요건을 결하고 있음이 명백하여 행정소송으로 제기되었더라도 어차피 부적법하게 되는 경우에는 이송할 것이 아니라 각하하여야 한다(대판 2020.10.15. 2020다222382).

3 관리처분계획안 총회결의의 무효확인을 구하는 소(당사자소송)가 민사소송으로 제기된 경우, 이송 후 관리처분계획에 대한 취소소송 등으로 변경될 수 있어 관할법원인 행정법원으로 이송함이 상당하다. ★★★

주택재건축정비사업조합의 관리처분계획에 대하여 그 관리처분계획안에 대한 총회결의의 무효확인을 구하는 소가 관할을 위반하여 민사소송으로 제기된 후에 관할 행정청의 인가·고시가 있었던 경우 따로 총회결의의 무효확인만을 구할 수는 없게 되었으나,

---

함께 정리하기

관할권이 없는 법원에 소송이 제기된 경우
▷ 관할법원에 이송

❶ 행정소송에서 관할위반의 제소를 부적법하다고 각하한다면 제소기간이 도과하는 등의 문제로 다시 소를 제기할 수 없는 결과가 발생할 수도 있기 때문에 행정소송의 경우에는 민사소송의 경우보다 관할위반의 사건을 관할이 있는 법원으로 이송하여 줄 필요성이 크다.

관할이송
▷ 원고의 고의 또는 중대한 과실 없이 행정소송이 심급을 달리하는 법원에 잘못 제기된 경우에도 적용

고의·중과실 없이 행정소송을 민사소송으로 제기한 경우
▷ 수소법원이 행정소송 관할 동시 존재 시 행정소송으로 심리·판단

행정소송 관할 부존재 시
▷ 이송O, 각하X

행정소송을 민사소송으로 잘못 제기 시
▷ 수소법원이 행정소송에 대한 관할을 가지고 있는 경우: 항고소송으로 소 변경하게 하여 행정소송으로 심판O
▷ 수소법원이 행정소송에 대한 관할을 가지고 있지 아니한 경우: 각하X, 관할법원에 이송O

행정소송으로 제기하여야 할 사건을 민사소송으로 잘못 제기하였으나 행정소송으로서의 소송요건을 결하고 있음이 명백한 경우
▷ 수소법원은 각하할 것

민사소송으로 관리처분계획안 총회결의무효확인소송 제기
▷ 행정법원으로 이송

이송 후 행정법원의 허가를 얻어 관리처분계획에 대한 취소소송 등으로 변경될 수 있음을 고려하면, 그와 같은 사정만으로 이송 후 그 소가 부적법하게 되어 각하될 것이 명백한 경우에 해당한다고 보기 어려우므로, 위 소는 관할법원인 행정법원으로 이송함이 상당하다(대판 2009.9.17. 2007다2428).

조합설립인가처분 후 민사소송으로 조합설립결의 무효확인
▷ 행정법원으로 이송

④ 조합설립결의의 하자를 이유로 민사소송이 제기된 경우 당사자소송으로 제기된 것으로 보아 관할법원인 행정법원으로 이송함이 마땅하다. ★★

도시 및 주거환경정비법상 주택재건축정비사업조합에 대한 행정청의 조합설립인가처분이 있은 후에 조합설립결의의 하자를 이유로 민사소송으로 그 의의 무효 등 확인을 구한 사안에서, 그 소는 행정소송의 일종인 당사자소송으로 제기된 것으로 봄이 상당하고, 이송 후 관할법원의 허가를 얻어 조합설립인가처분에 대한 항고소송으로 변경될 수 있어 관할법원인 행정법원으로 이송함이 마땅하다(대판 2009.9.24. 2008다60568).

③ 소송당사자에게 관할위반을 이유로 하는 이송신청권이 있는지 여부: 관할위반으로 인한 이송은 법원의 직권에 의하고, 이송신청권은 인정되지 않는다.

관할위반 이송
▷ 법원의 직권 결정

> **🔨 관련판례**
>
> 소송당사자에게 관할위반을 이유로 하는 이송신청권이 있는 것은 아니다. ★
> 수소법원의 재판관할권 유무는 법원의 직권조사사항으로서 법원이 그 관할에 속하지 아니함을 인정한 때에는 민사소송법 제34조 제1항에 의하여 직권으로 이송결정을 하는 것이고, 소송당사자에게 관할위반을 이유로 하는 이송신청권이 있는 것은 아니다(대결 2018.1.19. 2017마1332).

(6) 편의에 의한 이송

① **손해나 지연을 피하기 위한 이송**: 전속관할이 정해진 소를 제외하고는 법원은 소송에 대하여 관할권이 있는 경우라도 현저한 손해 또는 지연을 피하기 위하여 필요하면 직권 또는 당사자의 신청에 따른 결정으로 소송의 전부 또는 일부를 다른 법원에 이송할 수 있다(「행정소송법」 제8조 제2항, 「민사소송법」 제35조).

② **관련청구소송의 이송**: 또한 「행정소송법」 제10조 관련청구소송의 이송도 편의에 의한 이송의 한 종류로 볼 수 있다. 이에 대해서는 후술하기로 한다.

2. 관련청구소송의 이송 및 병합

> 「**행정소송법**」 **제10조 【관련청구소송의 이송 및 병합】** ① 취소소송과 다음 각호의 1에 해당하는 소송(이하 "관련청구소송"이라 한다)이 각각 다른 법원에 계속되고 있는 경우에 관련청구소송이 계속된 법원이 상당하다고 인정하는 때에는 당사자의 신청 또는 직권에 의하여 이를 취소소송이 계속된 법원으로 이송할 수 있다.
> 1. 당해 처분등과 관련되는 손해배상·부당이득반환·원상회복등 청구소송
> 2. 당해 처분등과 관련되는 취소소송
> ② 취소소송에는 사실심의 변론종결시까지 관련청구소송을 병합하거나 피고외의 자를 상대로 한 관련청구소송을 취소소송이 계속된 법원에 병합하여 제기할 수 있다.

(1) 의의 및 제도의 취지

① 취소소송과 상호 관련성이 있는 여러 청구를 하나의 소송절차에서 심판하도록 함으로써 심리의 중복이나 재판상 모순·저촉을 방지하고 당사자나 법원의 부담을 경감할 수 있는바, 이러한 취지에서 「행정소송법」은 관련청구소송의 이송 및 병합을 인정하고 있다(동법 제10조).

② 이 조항은 무효등 확인소송(동법 제38조 제1항), 부작위위법확인소송(동법 제38조 제2항), 당사자소송(동법 제44조 제2항), 민중소송과 기관소송(동법 제44조 제1항)에도 적용된다.

[함께 정리하기]
주된 청구가 무효등 확인소송, 부작위위법확인소송, 당사자소송인 경우
▷ 관련청구 이송·병합 可

(2) 관련청구소송의 내용과 범위

① 당해 처분등과 관련되는 손해배상·부당이득반환·원상회복 등 청구소송(동법 제10조 제1항 제1호)

㉠ '처분 등과 관련되는 손해배상·부당이득반환·원상회복 등의 청구'란 청구의 내용 또는 발생 원인이 행정소송의 대상인 처분 등과 법률상 또는 사실상 공통되거나 그 처분의 효력이나 존부 유무가 선결문제로 되는 등의 관계에 있는 청구를 말한다.

[함께 정리하기]
손해배상·부당이득반환·원상회복 청구
▷ 취소소송에 이송·병합 可

> **관련판례**
> 손해배상청구 등의 민사소송이 행정소송에 관련청구로 병합되기 위해서는 청구의 내용 또는 발생원인이 행정소송의 대상인 처분 등과 법률상 또는 사실상 공통되거나, 그 처분의 효력이나 존부 유무가 선결문제로 되는 등의 관계에 있어야 함이 원칙이다(대판 2000.10.27. 99두561). ★★

[함께 정리하기]
손해배상청구등의 민사소송이 행정소송에 관련청구로 병합되기 위한 요건
▷ 처분등과 법률상 또는 사실상 공통되거나, 처분의 효력이나 존부 유무가 선결문제로 되는 관계 要

㉡ 예컨대, 처분에 대한 취소소송에 당해 처분으로 인한 손해에 대한 국가배상소송을, 조세부과처분취소소송에 조세과오납금환급청구소송을, 압류처분취소소송에 인한 압류등기말소청구소송을 병합하는 경우가 이에 해당한다.

[함께 정리하기]
취소소송·국가배상청구소송
▷ 동시에 제기 可

② 당해 처분 등과 관련되는 취소소송(동법 제10조 제1항 제2호): '처분 등과 관련되는 취소소송'에는 ㉠ 원처분에 대한 소송에 병합하여 제기하는 재결의 취소소송, ㉡ 대집행절차에 있어서 계고처분과 대집행영장에 의한 통지와 같이 당해 처분과 함께 하나의 절차를 구성하는 행위의 취소소송, ㉢ 경원자관계에서 수익적 처분을 받지 못한 자가 제기한 자신에 대한 거부처분의 취소청구와 상대방에 대한 면허처분의 취소청구를 병합 제기하는 경우 등이 이에 해당한다.

[함께 정리하기]
경원자관계, 계고처분과 대집행 통지, 원처분과 재결
▷ 관련되는 취소소송

(3) 관련청구소송의 이송

① 이송의 의의

㉠ 소송의 이송이란 어느 법원에 일단 계속된 소송을 그 법원의 재판에 의하여 다른 법원의 관할로 이전하는 것을 말한다.

㉡ 「행정소송법」은 제10조 제1항에서 "취소소송과 관련청구소송이 각각 다른 법원에 계속되고 있는 경우에 관련청구소송이 계속된 법원이 상당하다고 인정하는 때에는 당사자의 신청 또는 직권에 의하여 이를 취소소송이 계속된 법원으로 이송할 수 있다."라고 규정하고 있다.

[함께 정리하기]
소송의 이송
▷ 어느 법원에 일단 계속된 소송을 그 법원의 재판에 의하여 다른 법원의 관할로 이전하는 것

② 요건
  ㉠ 취소소송과 관련청구소송이 각각 다른 법원에 계속되어야 한다.
  ㉡ 관련청구소송이 계속된 법원이 이송하는 것이 상당하다고 인정하여야 한다.
  ㉢ 당사자의 신청 또는 법원의 직권에 의해 이송결정이 있어야 한다.
  ㉣ 취소소송의 계속 중인 법원으로 이송하여야 한다.

③ 효과
  ㉠ **소송계속유지**: 이송결정이 확정되면 소송은 처음부터 이송받은 법원에 계속된 것으로 본다(「민사소송법」 제40조 제1항, 이송결정의 소급효). 따라서 소제기에 의한 시효중단이나 법률상 기간준수의 효력은 그대로 유지된다.

이송결정 소급효
▷ 시효중단·기간 준수효력 유지

항고소송으로 제기해야 할 사건을 민사소송으로 잘못 제기하여 이송결정이 확정된 후 항고소송으로 소 변경시 제소기간 준수여부 판단시기
▷ 처음 소 제기한 때

> 📎 **관련판례**
> 원고가 항고소송으로 제기해야 할 사건을 민사소송으로 잘못 제기하여 수소법원이 관할법원에 이송하는 결정을 하고 이송결정이 확정된 후 항고소송으로 소 변경을 한 경우, 그 항고소송에 대한 제소기간 준수 여부를 판단하는 기준 시기는 처음 소를 제기한 때이다. ★
> 행정소송법 제8조 제2항은 "행정소송에 관하여 이 법에 특별한 규정이 없는 사항에 대하여는 법원조직법과 민사소송법 및 민사집행법의 규정을 준용한다."라고 규정하고 있고, 민사소송법 제40조 제1항은 "이송결정이 확정된 때에는 소송은 처음부터 이송받은 법원에 계속된 것으로 본다."라고 규정하고 있다. 한편 행정소송법 제21조 제1항, 제4항, 제37조, 제42조, 제14조 제4항은 행정소송 사이의 소 변경이 있는 경우 처음 소를 제기한 때에 변경된 청구에 관한 소송이 제기된 것으로 보도록 규정하고 있다. 이러한 규정 내용 및 취지 등에 비추어 보면, 원고가 행정소송법상 항고소송으로 제기해야 할 사건을 민사소송으로 잘못 제기한 경우에 수소법원이 그 항고소송에 대한 관할을 가지고 있지 아니하여 관할법원에 이송하는 결정을 하였고, 그 이송결정이 확정된 후 원고가 항고소송으로 소 변경을 하였다면, 그 항고소송에 대한 제소기간의 준수 여부는 원칙적으로 처음에 소를 제기한 때를 기준으로 판단하여야 한다(대판 2022.11.17. 2021두44425).

이송결정의 기속력
▷ 다시 다른 법원으로 이송 불가

  ㉡ **이송결정의 기속력**: 이송결정이 확정되면 그 결정은 이송받는 법원을 구속하므로, 이송받은 법원은 이송결정에 따라야 하고 사건을 다시 다른 법원에 이송하지 못한다(「민사소송법」 제38조 제2항). 이를 이송결정의 기속력이라 한다.

(4) 관련청구소송의 병합

  ① 의의
    ㉠ 관련청구소송의 병합이란 취소소송 등에 당해 취소소송 등과 관련 있는 청구소송(관련청구소송)을 병합하여 제기하는 것을 말한다.
    ㉡ 「행정소송법」은 제10조 제2항에서 "취소소송에는 사실심의 변론종결시까지 관련청구소송을 병합하거나 피고 이외의 자를 상대로 한 관련청구소송을 취소소송이 계속된 법원에 병합하여 제기할 수 있다."라고 규정하고 있다.

  ② 요건
    ㉠ **주된 청구인 취소소송 등에 관련청구를 병합할 것**: 행정사건에 관련 민사사건이나, 행정사건을 병합하는 방식이어야 한다. 반대로 민사사건에 관련, 행정사건을 병합할 수는 없다(즉, 취소소송 등의 행정소송이 주된 소송이고, 손해배상·부당이득반환·원상회복 등의 민사소송은 병합되는 소송이다).

ⓛ 취소소송 등이 적법할 것(취소소송의 적법성): 관련청구소송의 병합은 관련청구소송을 취소소송에 병합하는 것이므로, 관련청구소송이 병합될 취소소송은 소송요건을 갖춘 적법한 것이어야 한다.

> **관련판례**
>
> 행정소송법 제38조, 제10조에 의한 관련청구소송의 병합은 본래의 항고소송이 적법할 것을 요건으로 하는 것이어서 본래의 항고소송이 부적법하여 각하되면 그에 병합된 관련청구도 소송요건을 흠결한 부적합한 것으로 각하되어야 한다(대판 2001.11.27. 2000두697). ★★

항고소송 부적법
▷ 관련청구도 각하

ⓒ 관련청구소송이 병합될 것(관련청구소송): 병합될 청구는 「행정소송법」 제10조 제1항이 규정하는 관련청구소송이어야 한다.
ⓔ 사실심변론종결 이전일 것(병합의 시기): 관련청구소송의의 병합은 사실심의 변론종결 이전에 하여야 한다. 사실심의 변론종결 이전이면 원시적 병합뿐만 아니라, 후발적 병합도 가능하다.

당해처분의 사실심 변론종결 전
▷ 원시적·추가적 병합 불문

③ **병합요건의 조사**: 병합요건은 법원의 직권조사사항이다. 병합요건이 충족되지 않은 경우 변론을 분리하여 별도의 소로 분리심판하여야 하는 것이 원칙이다.
④ **형태**
  ㉠ 객관적 병합과 주관적 병합: 동일한 원·피고 사이에서 복수청구의 병합을 객관적 병합(동법 제10조 제2항 전단)이라 하고, 피고 외의 자를 상대로 하는 병합을 주관적 병합(동법 제10조 제2항 후단)이라 한다. 「행정소송법」은 양자를 모두 인정하고 있다.❶
  ㉡ 원시적 병합과 후발적(추가적) 병합: 취소소송의 제기시에 병합하여 제기하는 경우를 원시적 병합(동법 제10조 제2항 후단)이라 하고, 계속 중인 취소소송에 사후적으로 병합하는 것을 후발적(추가적) 병합(동법 제10조 제2항 전단)이라 한다. 「행정소송법」은 양자를 모두 인정하고 있다.

❶ 「민사소송법」에서는 객관적 병합의 경우 수 개의 청구가 동종의 소송절차에서 심리되는 경우에 의하는 경우에 한하여 병합이 인정되지만(「민사소송법」 제253조), 「행정소송법」은 관련청구인 이상 동종의 소송절차에서의 복수청구뿐만 아니라 다른 종류의 소송절차, 예컨대, 행정소송과 민사소송의 병합도 가능하다.

> **참고** 심리의 순서에 따른 병합의 구분
>
> | 단순 병합 | 서로 관련 없이 양립한 복수의 청구를 병렬적으로 병합하여 병합된 다른 청구의 당부에 관계없이 병합된 모든 청구에 대하여 판결을 구하는 형태의 병합이다. |
> |---|---|
> | 선택적 병합 | 양립 가능한 여러 개의 청구 중 어느 하나의 청구가 인용되면 다른 청구에 대해서는 심판을 구하지 않는 형태의 병합이다. |
> | 예비적 병합 | 양립할 수 없는 수개의 청구를 순차적으로 병합하여 제1차 청구(주위적 청구)가 인용되지 않을 것에 대비하여 제2차적 청구(예비적 청구)에 대해 심판을 구하는 형태의 병합이다. 예비적 병합의 경우에는 원고가 붙인 순위에 따라 심판하여야 하며, 주위적 청구를 인용할 때에는 다음 순위인 예비적 청구에 대하여 심판을 요하지 않는다(대판 2000.11.16. 98다22253). |

⑤ **병합된 부당이득반환청구가 인용되기 위하여 당해 처분의 취소가 확정되어야 하는지 여부**: 취소소송에 부당이득반환청구가 병합된 경우, 부당이득반환청구가 인용되기 위해서는 그 소송절차에서 판결에 의해 당해 처분이 취소되면 충분하고 그 처분의 취소가 확정되어야 하는 것은 아니다.

병합된 부당이득반환청구 인용 조건
▷ 처분이 당해 절차에서 취소되면 충분
▷ 처분의 취소 확정 불요

> **관련판례**
>
> 행정처분의 취소를 구하는 취소소송에 당해 처분의 취소를 선결문제로 하는 부당이득반환청구가 병합된 경우, 그 청구가 인용되기 위해 그 소송절차에서 당해 처분의 취소가 확정되어야 하는 것은 아니다. ★★★
>
> 행정소송법 제10조는 처분의 취소를 구하는 취소소송에 당해 처분과 관련되는 부당이득반환소송을 관련 청구로 병합할 수 있다고 규정하고 있는바, 이 조항을 둔 취지에 비추어 보면, 취소소송에 병합할 수 있는 당해 처분과 관련되는 부당이득반환소송에는 당해 처분의 취소를 선결문제로 하는 부당이득반환청구가 포함되고, <u>이러한 부당이득반환청구가 인용되기 위해서는 그 소송절차에서 판결에 의해 당해 처분이 취소되면 충분하고 그 처분의 취소가 확정되어야 하는 것은 아니라고 보아야 한다</u>(대판 2009.4.9. 2008두23153).

⑥ **본래의 취소소송 등이 부적법하여 각하된 경우 병합된 관련소송의 처리**: 관련청구의 병합은 본래의 항고소송이 적법한 것을 요건으로 하는 것이어서, 본래의 취소소송 등이 부적법하여 각하되면 그에 병합된 관련청구소송도 소송요건을 흠결한 부적합한 것으로 각하되어야 한다(대판 2001.11.27. 2000두697).

7 소장

소의 제기
▷ 법원에 소장(당사자, 법정대리인, 청구취지, 청구원인 기재) 제출

행정소송은 소장을 작성하여 법원에 소장을 제출함으로써 제기한다. 「행정소송법」에는 소장에 관하여 특별한 규정이 없으므로 「행정소송법」 제8조 제2항에 의해 「민사소송법」이 정하는 바에 따라 소장에는 당사자와 법정대리인, 청구의 취지와 원인을 적어야 한다(「민사소송법」 제248조, 제249조).

> 「민사소송법」 **제248조 【소제기의 방식】** 소는 법원에 소장을 제출함으로써 제기한다.
>
> **제249조 【소장의 기재사항】** ① 소장에는 당사자와 법정대리인, 청구의 취지와 원인을 적어야 한다.
> ② 소장에는 준비서면에 관한 규정을 준용한다.

제3절 소의 변경

> 「행정소송법」 **제21조 【소의 변경】** ① 법원은 <u>취소소송을</u> 당해 처분등에 관계되는 사무가 귀속하는 국가 또는 공공단체에 대한 <u>당사자소송 또는 취소소송외의 항고소송으로 변경</u>하는 것이 상당하다고 인정할 때에는 <u>청구의 기초에 변경이 없는 한 사실심의 변론종결시까지 원고의 신청에 의하여 결정</u>으로써 <u>소의 변경을 허가할 수 있다</u>.
> ② 제1항의 규정에 의한 허가를 하는 경우 피고를 달리하게 될 때에는 법원은 새로이 피고로 될 자의 의견을 들어야 한다.
> ③ 제1항의 규정에 의한 허가결정에 대하여는 즉시항고할 수 있다.

④ 제1항의 규정에 의한 허가결정에 대하여는 제14조 제2항·제4항 및 제5항의 규정을 준용한다.

제37조【소의 변경】 제21조의 규정은 무효등 확인소송이나 부작위위법확인소송을 취소소송 또는 당사자소송으로 변경하는 경우에 준용한다.

제42조【소의 변경】 제21조의 규정은 당사자소송을 항고소송으로 변경하는 경우에 준용한다.

제22조【처분변경으로 인한 소의 변경】 ① 법원은 <u>행정청이 소송의 대상인 처분을 소가 제기된 후 변경한 때에는 원고의 신청에 의하여 결정으로써 청구의 취지 또는 원인의 변경을 허가할 수 있다.</u>
② 제1항의 규정에 의한 신청은 처분의 변경이 있음을 안 날로부터 60일 이내에 하여야 한다.
③ 제1항의 규정에 의하여 변경되는 청구는 제18조 제1항 단서의 규정에 의한 요건을 갖춘 것으로 본다.

1 개설

1. 의의

소의 변경이란 소송 중에 원고가 소송의 대상인 청구를 변경하는 것을 말하며, 청구의 변경이라고도 한다.❶ 소의 변경 후에도 변경 전의 소송절차는 그대로 유지된다. 소의 변경은 청구 그 자체의 변경을 의미하고, 단순한 공격·방어방법의 변경은 소의 변경이 아니다.

2. 종류

「행정소송법」은 소의 변경과 관련하여 ① 소 종류의 변경(제21조)과 ② 처분변경으로 인한 소의 변경(제22조)의 두 가지를 규정하고 있다.
「행정소송법」에서는 「행정소송법」상 명문으로 인정한 소의 변경 이외에도 「행정소송법」 제8조 제2항에 따라 「민사소송법」이 준용되므로 ③ 「민사소송법」에 따른 소 변경(「민사소송법」 제262조, 제263조)도 가능하다.

2 「행정소송법」상의 소의 변경

1. 소의 종류의 변경

(1) 의의 및 취지

① 소의 종류의 변경이란 행정소송 사이에서 소의 종류 자체를 변경하는 것을 말한다. 이는 행정소송의 종류를 잘못 선택하여 초래되는 불이익으로부터 원고를 보호하며, 기존의 소송과정에서 얻은 자료를 새로운 소송에서 그대로 사용하게 하여 소송경제를 도모하는 데 의미가 있다.
② 소의 종류의 변경은 항고소송 사이에서뿐만 아니라 항고소송과 당사자소송 사이에서도 인정된다. 따라서 소의 종류의 변경으로 당사자인 피고의 변경을 가져올 수 있다.
③ 소의 종류의 변경은 교환적 변경의 경우에 한하며 추가적 변경은 허용되지 않는다.

소 변경
▷ 소송 중에 원고가 소송의 대상인 청구를 변경하는 것
▷ 공격·방어방법 변경: 소 변경 ✕

❶ 소의 변경에는 구 청구를 새로운 청구로 대체하는 교환적 변경(A → A')과 종래의 청구를 그대로 두고 새로운 청구를 추가하는 추가적 변경(A → A+A')이 있다.

유형
▷ 소 종류 변경
▷ 처분변경으로 인한 소 변경
▷ 「민사소송법」상 소 변경

취소소송
▷ 다른 항고소송·당사자소송으로 변경 可

함께 정리하기

「행정소송법」상 소의 종류의 변경에 따른 당사자(피고)의 변경
▷ 교환적 변경 ○
▷ 예비적 청구만이 있는 피고의 추가경정 ✕

소 변경의 종류
▷ 항고소송 간의 변경 가
▷ 항고소송과 당사자소송 간의 변경 가

요건
▷ 취소소송 계속
▷ 소 변경이 상당
▷ 청구기초 변경이 없을 것
▷ 사실심의 변론종결 전
▷ 원고신청(직권 ✕)

효과
▷ 구소를 제기한 때, 신소가 제기된 것으로 간주
▷ 신소 제기 시, 구소는 취하됨

> **관련판례**
>
> 행정소송법상 소의 종류의 변경에 따른 당사자(피고)의 변경은 교환적 변경에 한한다고 봄이 상당하므로 예비적 청구만이 있는 피고의 추가경정신청은 허용되지 않는다(대결 1989. 10.27. 89두1). ★★

(2) 종류

① **항고소송 간의 변경**: 취소소송을 취소소송 외의 항고소송(무효등 확인소송 또는 부작위 위법확인소송)으로(동법 제21조 제1항), 무효등 확인소송을 취소소송으로, 부작위 위법확인소송을 취소소송으로(동법 제37조) 변경하는 것이 가능하다.

② **항고소송과 당사자소송간의 변경**: 취소소송이나 무효등 확인소송을 당해 처분 등에 관계되는 사무가 귀속되는 국가 또는 공공단체에 대한 당사자소송으로 변경하거나(동법 제21조 제1항), 당사자소송을 항고소송으로 변경하는 것(동법 제42조)이 가능하다.

(3) 요건

법원이 소의 종류를 변경을 허가하기 위해서는 ① 취소소송이 계속되고 있어야 하고, ② 법원이 소의 종류를 변경하는 것이 상당하다고 인정되어야 하고, ③ 청구기초에 변경이 없어야 하고(청구의 기초가 동일할 것), ④ 행정소송이 사실심의 변론종결 전이어야 하고, ⑤ 원고의 신청이 있어야 한다.

(4) 절차

① 소의 변경은 법원이 결정으로 허가하며, 이로써 피고를 달리하게 될 때에는 새로이 피고로 될 자의 의견을 들어야 한다(동법 제21조 제2항).

② 법원의 허가결정에 대하여 신·구 청구의 피고 모두 즉시항고 할 수 있다(동법 제21조 제3항). 불허가결정에 대해서는 「행정소송법」이 특별히 정한 바가 없다.

③ 허가결정이 있게 되면 법원은 허가결정의 정본을 새로운 피고에게 송달하여야 한다(동법 제21조 제4항, 동법 제14조 제2항).

(5) 효과

소의 변경을 허가하는 결정이 있게 되면, 새로운 소송(신소)은 이전의 소송(구소)이 처음 제기된 때 제기된 것으로 보며, 이전의 소(구소)는 취하된 것으로 본다(동법 제21조 제4항, 제14조 제4항·5항).

(6) 다른 항고소송에의 준용

소의 종류의 변경에 관한 「행정소송법」 제21조의 규정은 무효등 확인소송이나 부작위 위법확인소송을 취소소송 또는 당사자소송으로 변경하는 경우에 준용한다(동법 제37조).

2. 처분변경으로 인한 소의 변경

(1) 의의 및 취지

처분변경으로 인한 소의 변경이란 행정청이 소송의 대상인 처분을 소가 제기된 후 변경한 때에는 원고의 신청에 의하여 법원의 허가를 받아 새로운 처분으로 소를 변경하는 것을 말한다(동법 제22조). ❶ 이는 소의 각하나 새로운 소의 제기라는 무용한 절차의 반복을 배제하여 간편하고도 신속하게 개인의 권익구제를 확보하기 위해 인정되는 제도이다.

(2) 요건

① 소송의 대상인 처분이 소가 제기된 후 행정청에 의하여 변경되어야 한다. 이 경우 변경은 ㉠ 구처분과 동일한 내용의 처분 또는 구처분과 기초를 같이 하는 다른 처분으로 변경하는 **형식적 변경**(예 하천점용료부과처분을 절차상의 하자로 직권취소한 이후 동일한 내용의 하천점용료부과처분을 한 경우)뿐만 아니라, ㉡ 처분내용의 동일성이 없는 다른 처분으로 변경하는 **실질적 변경**(예 영업허가취소처분을 영업정지처분으로 변경)을 불문하고, 처분청에 의한 변경뿐만 아니라 감독청에 의한 변경도 포함된다.

> **관련판례**
>
> **흠 있는 부분에 해당하는 점용료를 감액하는 처분은 당초 처분 자체를 일부 취소하는 변경처분에 해당한다.** ★★
>
> 행정청은 행정소송이 계속되고 있는 때에도 직권으로 그 처분을 변경할 수 있다. 점용료 부과처분에 취소사유에 해당하는 흠이 있는 경우 도로관리청으로서는 당초 처분 자체를 취소하고 흠을 보완하여 새로운 부과처분을 하거나, 흠 있는 부분에 해당하는 점용료를 감액하는 처분을 할 수 있다. 흠 있는 부분에 해당하는 점용료를 감액하는 처분은 당초 처분 자체를 일부 취소하는 변경처분에 해당하고, 그 실질은 종래의 위법한 부분을 제거하는 것으로서 흠의 치유와는 차이가 있다(대판 2019.1.17. 2016두56721).

② 처분의 변경이 있음을 안 날로부터 60일 이내에 원고가 신청하여야 한다(동법 22조 제2항).

③ 소 변경의 일반적 요건으로서 변경될 소가 계속되고 사실심 변론종결 전이어야 하며, 변경되는 새로운 소는 적법하여야 한다.

(3) 절차

처분변경으로 인한 소의 변경은 원고의 신청이 있어야 하고, 법원은 결정으로써 청구의 취지 또는 원인의 변경을 허가할 수 있다(동법 제22조 제1항).

(4) 예외적 행정심판절차

행정심판전치주의가 적용되는 경우라도 변경전의 처분에 대하여 행정심판전치절차를 거쳤으면 새로운 처분에 대하여 별도의 행정심판을 거치지 않아도 된다(동법 제22조 제3항).

함께 정리하기

효과
▷ 구소가 행정심판 거쳤으면 신소는 심판전치요건 충족

처분변경으로 인한 소의 변경
▷ 무효등 확인소송·당사자소송: 준용○
▷ 부작위위법확인소송: 준용✕

(5) 효과

소의 변경을 허가하는 결정이 있게 되면, 새로운 소송은 이전의 소송(구소)이 제기된 때 제기된 것으로 보며, 구소는 취하된 것으로 본다(동법 제21조 제4항).

(6) 다른 항고소송에의 준용

처분변경으로 인한 소의 변경에 관한 규정은 무효등 확인소송과 당사자소송의 경우에는 준용되지만(동법 제38조 제1항, 제44조), 부작위위법확인소송은 처분이 존재하지 아니하므로 준용되지 않는다(동법 제38조 제2항).

3 「민사소송법」상의 소의 변경

1. 「민사소송법」에 의한 소의 변경

행정소송
▷ 「민사소송법」 제262조의 소 변경 인정

(1) 소의 변경에도 「민사소송법」의 규정이 준용되므로(동법 제8조 제2항), 「민사소송법」상 소의 변경도 허용된다. 따라서 「행정소송법」에서도 「민사소송법」이 정한 요건을 갖춘다면 청구의 취지 또는 원인을 변경(예 일부취소를 전부취소로 변경)할 수 있다(「민사소송법」 제262조, 제263조).

> 「민사소송법」 제262조【청구의 변경】① 원고는 청구의 기초가 바뀌지 아니하는 한도 안에서 변론을 종결할 때까지 청구의 취지 또는 원인을 바꿀 수 있다.

> **관련판례**
>
> **행정소송에는 민사소송법상의 소의 변경도 허용된다.** ★
>
> 행정소송법 제21조와 제22조가 정하는 소의 변경은 그 법조에 의하여 특별히 인정되는 것으로서 민사소송법상의 소의 변경을 배척하는 것이 아니므로, 행정소송의 원고는 행정소송법 제8조 제2항에 의하여 준용되는 민사소송법 제235조에 따라 청구의 기초에 변경이 없는 한도에서 청구의 취지 또는 원인을 변경할 수 있다(대판 1999.11.26. 99두9407).

「민사소송법」의 준용에 의한 소의 변경의 경우 제소기간 준수여부
▷ 소의 변경이 있은 때를 기준

(2) 「민사소송법」의 준용에 의한 소의 변경의 경우 「행정소송법」에 규정된 소의 변경에 해당하는 것이 아니어서 「행정소송법」의 제소기간의 특례가 적용되지 않으므로, 청구취지를 변경하여 종전의 소가 취하되고 새로운 소가 제기된 것으로 변경되는 경우 새로운 소에 대한 제소기간의 준수 등은 원칙적으로 소의 변경이 있을 때를 기준으로 판단 한다(대판 2004.11.25. 2004두7023).

2. 행정소송과 민사소송 사이의 소의 변경

판례는 민사소송을 항고소송으로 변경하는 것을 인정하였다. 나아가 최근에는 당사자소송에서 민사소송으로의 소 변경도 인정하였다.

민사소송 → 항고소송
▷ 소 변경 가능

> **관련판례**
>
> **1** 원고가 고의·과실 없이 행정소송으로 제기하여야 할 사건을 민사소송으로 잘못 제기한 경우, 민사소송의 수소법원이 행정소송에 대한 관할도 동시에 가지고 있다면 행정소송으로의 소의 변경을 허용한다(대판 1999.11.26. 97다42250). ★★

2. **공법상 당사자소송에서 민사소송으로 소 변경이 가능하다.** ★★

공법상 당사자소송의 소 변경에 관하여 행정소송법은, 공법상 당사자소송을 항고소송으로 변경하는 경우(행정소송법 제42조, 제21조) 또는 처분변경으로 인하여 소를 변경하는 경우(행정소송법 제44조 제1항, 제22조)에 관하여만 규정하고 있을 뿐, 공법상 당사자소송을 민사소송으로 변경할 수 있는지에 관하여 명문의 규정을 두고 있지 않다. 그러나 공법상 당사자소송에서 민사소송으로의 소 변경이 금지된다고 볼 수 없다. 이유는 다음과 같다.

① 행정소송법 제8조 제2항은 행정소송에 관하여 민사소송법을 준용하도록 하고 있으므로, 행정소송의 성질에 비추어 적절하지 않다고 인정되는 경우가 아닌 이상 공법상 당사자소송의 경우도 민사소송법 제262조에 따라 청구의 기초가 바뀌지 아니하는 한도 안에서 변론을 종결할 때까지 청구의 취지를 변경할 수 있다.

② 한편 대법원은 여러 차례에 걸쳐 행정소송법상 항고소송으로 제기해야 할 사건을 민사소송으로 잘못 제기한 경우 수소법원으로서는 원고로 하여금 항고소송으로 소 변경을 하도록 석명권을 행사하여 행정소송법이 정하는 절차에 따라 심리·판단해야 한다고 판시해 왔다. 이처럼 민사소송에서 항고소송으로의 소 변경이 허용되는 이상, 공법상 당사자소송과 민사소송이 서로 다른 소송절차에 해당한다는 이유만으로 청구기초의 동일성이 없다고 해석하여 양자 간의 소 변경을 허용하지 않을 이유가 없다.

③ 일반 국민으로서는 공법상 당사자소송의 대상과 민사소송의 대상을 구분하기가 쉽지 않고 소송 진행 도중의 사정변경 등으로 인해 공법상 당사자소송으로 제기된 소를 민사소송으로 변경할 필요가 발생하는 경우도 있다. 소 변경 필요성이 인정됨에도, 단지 소 변경에 따라 소송절차가 달라진다는 이유만으로 이미 제기한 소를 취하하고 새로 민사상의 소를 제기하도록 하는 것은 당사자의 권리 구제나 소송경제의 측면에서도 바람직하지 않다.

따라서 공법상 당사자소송에 대하여도 청구의 기초가 바뀌지 아니하는 한도 안에서 민사소송으로 소 변경이 가능하다고 해석하는 것이 타당하다(대판 2023.6.29. 2022두44262).

함께 정리하기

당사자소송 → 민사소송
▷ 소 변경 가능

제4절 취소소송 제기의 효과

1 주관적 효과(법원 등에 대한 효과)

소가 제기되면 법원은 이를 심리하고 판결하여야 할 의무를 부담하게 되고, 당사자는 법원에 계속되어 있는 사건에 대하여 다시 소를 제기하지 못한다(「민사소송법」 제259조).

2 객관적 효과(처분 등에 대한 효과)

「행정소송법」은 취소소송의 제기는 처분 등의 효력이나 그 집행 또는 절차의 속행에 영향을 주지 아니한다고 규정하여 집행정지 대신 집행부정지의 원칙을 택하고 있다(동법 제23조). 이에 관하여는 아래 가구제에서 설명하기로 한다.

제5절 행정소송의 가구제

1 개설

행정소송의 가구제
▷ 본안판결의 실효성 확보 위해 임시적 효력·지위 부여해 잠정적 권리구제를 도모하는 것
▷ 현행 「행정소송법」은 집행정지제도만 규정

(1) 행정소송의 가구제라 함은 본안판결의 실효성을 확보하기 위하여 공법상의 권리관계에 있어서 임시적인 효력관계나 지위를 부여함으로써 본안판결이 확정될 때까지 잠정적으로 권리구제를 도모하는 것을 말한다.

(2) 현행 「행정소송법」은 「행정소송법」상의 가구제 수단으로 집행정지만을 규정하고 가처분에 관한 규정이 없어, 「민사집행법」상 가처분에 관한 규정이 행정소송에도 준용이 될 수 있는지에 대해 논란이 있다.

2 「행정소송법상」의 집행정지제도

> 「**행정소송법**」 제23조 【집행정지】 ① 취소소송의 제기는 처분등의 효력이나 그 집행 또는 절차의 속행에 영향을 주지 아니한다.
> ② 취소소송이 제기된 경우에 처분등이나 그 집행 또는 절차의 속행으로 인하여 생길 회복하기 어려운 손해를 예방하기 위하여 긴급한 필요가 있다고 인정할 때에는 본안이 계속되고 있는 법원은 당사자의 신청 또는 직권에 의하여 처분등의 효력이나 그 집행 또는 절차의 속행의 전부 또는 일부의 정지(이하 "집행정지"라 한다)를 결정할 수 있다. 다만, 처분의 효력정지는 처분등의 집행 또는 절차의 속행을 정지함으로써 목적을 달성할 수 있는 경우에는 허용되지 아니한다.
> ③ 집행정지는 공공복리에 중대한 영향을 미칠 우려가 있을 때에는 허용되지 아니한다.
> ④ 제2항의 규정에 의한 집행정지의 결정을 신청함에 있어서는 그 이유에 대한 소명이 있어야 한다.
> ⑤ 제2항의 규정에 의한 집행정지의 결정 또는 기각의 결정에 대하여는 즉시항고할 수 있다. 이 경우 집행정지의 결정에 대한 즉시항고에는 결정의 집행을 정지하는 효력이 없다.
> ⑥ 제30조 제1항의 규정은 제2항의 규정에 의한 집행정지의 결정에 이를 준용한다.
>
> 제24조 【집행정지의 취소】 ① 집행정지의 결정이 확정된 후 집행정지가 공공복리에 중대한 영향을 미치거나 그 정지사유가 없어진 때에는 당사자의 신청 또는 직권에 의하여 결정으로써 집행정지의 결정을 취소할 수 있다.
> ② 제1항의 규정에 의한 집행정지결정의 취소결정과 이에 대한 불복의 경우에는 제23조 제4항 및 제5항의 규정을 준용한다.
>
> 제29조 【취소판결등의 효력】 ① 처분등을 취소하는 확정판결은 제3자에 대하여도 효력이 있다.
> ② 제1항의 규정은 제23조의 규정에 의한 집행정지의 결정 또는 제24조의 규정에 의한 그 집행정지결정의 취소결정에 준용한다.
>
> 제30조 【취소판결등의 기속력】 ① 처분등을 취소하는 확정판결은 그 사건에 관하여 당사자인 행정청과 그 밖의 관계행정청을 기속한다.

1. 집행부정지의 원칙

「**행정소송법**」
▷ 집행부정지가 원칙

「행정소송법」은 취소소송의 제기는 처분 등의 효력이나 그 집행 또는 절차의 속행에 영향을 주지 아니한다고 규정하여 집행부정지를 원칙으로 하고 있다(동법 제23조 제1항).

2. 예외적인 집행정지

그러나 집행부정지의 원칙을 엄격히 적용하는 경우, 행정소송을 제기하여 승소한 경우에도 이미 처분이 집행되는 등의 사정에 의해 회복할 수 없는 손해를 입게 되어 권리구제가 되지 못하는 경우가 있을 수 있으므로 「행정소송법」은 행정구제의 실효성을 확보하기 위하여 일정한 경우 예외적으로 집행정지를 인정하고 있다(동법 제23조 제2항).

3. 집행정지의 요건

(1) 적극적 요건

① 적법한 본안소송의 계속 중일 것
  ㉠ 본안소송이 계속 중일 것
    ⓐ 집행정지를 위해서는 본안소송이 계속 중이어야 한다(이 점에서 본안 소송 제기 전에 가능한 민사소송에서의 가처분과 차이가 있다)(대결 1988.6.14. 88두6). 따라서 집행정지결정을 한 후에라도 본안소송이 취하되면 집행정지결정도 당연히 효력이 소멸된다.

> **관련판례**
>
> 집행정지결정을 한 후에라도 본안소송이 취하되어 소송이 계속하지 아니한 것으로 되면 집행정지결정은 당연히 그 효력이 소멸된다. ★★★
>
> 행정처분의 집행정지는 행정처분집행부정지의 원칙에 대한 예외로서 인정되는 일시적인 응급처분이라 할 것이므로 집행정지결정을 하려면 이에 대한 본안소송이 법원에 제기되어 계속중임을 요건으로 하는 것이므로 집행정지결정을 한 후에라도 본안소송이 취하되어 소송이 계속하지 아니한 것으로 되면 집행정지결정은 당연히 그 효력이 소멸되는 것이고 별도의 취소조치를 필요로 하는 것이 아니다(대판 1975.11.11. 75누97 ; 대결 2007.6.28. 2005무75).

    ⓑ 집행정지를 위해서는 본안소송이 계속 중이어야 하므로, 집행정지신청은 본안소송의 제기 후 또는 적어도 본안소송의 제기와 동시에 하여야 한다. 다만, 본안소송보다 먼저 집행정지의 신청을 한 경우라도 신청에 대한 법원의 각하결정이 있기 전에 본안소송이 제기되면 하자는 보완될 수 있다.
  ㉡ 계속 중인 본안소송은 적법할 것: 집행정지는 원고가 승소할 수 있는 가능성을 전제로 한 권리보호수단이라는 점에서 본안소송은 소송요건을 갖춘 적법한 것이어야 한다.

> **관련판례**
>
> 행정처분 자체의 적법여부는 집행정지신청의 요건이 아니지만, 신청인의 본안청구 자체는 적법한 것이어야 한다. ★★★
>
> 행정처분의 효력정지나 집행정지를 구하는 신청사건에서는 행정처분 자체의 적법 여부는 원칙적으로 판단의 대상이 아니고, 그 행정처분의 효력이나 집행을 정지할 것인가에 관한 행정소송법 제23조 제2항에서 정한 요건의 존부만이 판단의 대상이 되는 것이다. 다만, 집행정지는 행정처분의 집행부정지원칙의 예외로서 인정되는 것이고, 또 본안에서 원고가 승소할 수 있는 가능성을 전제로 한 권리보호수단이라는 점에 비추어 보면, 집행정지사건 자체에 의하여도 신청인의 본안청구가 적법한 것이어야 한다는 것을 집행정지의 요건에 포함시키는 것이 옳다(대결 2010.11.26. 2010무137 ; 대결 1999.11.26. 99부3).

집행정지
▷ 집행부정지원칙의 예외

❶ 행정처분의 집행정지는 행정처분 집행부정지의 원칙에 대한 예외로서 인정되는 일시적인 응급처분이라 할 것이다(대판 1975. 11.11. 75누97).

적법한 본안소송 계속, 본안소송 취하 시
▷ 집행정지 당연소멸
▷ 별도 취소조치 불요

집행정지신청 시기
▷ 본안소송 제기 후, 동시에

본안청구의 적법
▷ 집행정지의 요건

대상
▷ 적극적 처분에 인정 ○
▷ 처분 전·부작위·처분 소멸 후에는 인정 ✕

집행정지 허용
▷ 취소소송·무효등 확인소송 ○
▷ 부작위위법확인소송 ✕

❶ 후행처분의 집행정지 가부
취소소송의 대상이 되는 처분의 집행정지를 구하는 것이 원칙이지만, 후행처분이 선행처분의 절차의 속행이라고 여겨지는 경우에는 선행처분의 취소소송을 본안으로 하여 후행처분의 집행정지를 청구할 수 있다. 선행처분과 후행처분이 동일한 법적 효과를 목표로 하는 경우, 즉 위법성이 승계되는 경우(예 대집행의 계고와 대집행영장에 의한 통지) 및 후행처분이 선행 처분의 집행의 성질을 가지는 경우(예 과세처분과 체납처분, 철거명령과 대집행의 계고처분)가 이에 해당한다.

수도권매립지관리공사의 입찰참가자격제한
▷ 집행정지의 대상 ✕ (처분 ✕)

처분의 일부
▷ 집행정지 可

② 정지대상인 처분 등이 존재할 것
  ㉠ 정지대상인 처분
    ⓐ 집행정지는 본안소송의 대상이 되는 처분 등의 효력에 대한 정지를 구하는 것이므로 처분 등이 존재하여야 한다. 그러므로 처분 등의 효력이 발생하기 전이거나, 부작위 또는 처분 등이 소멸된 경우에는 회복시킬 대상이 없으므로 집행정지가 허용되지 않는다.
    ⓑ 따라서 집행정지가 허용되는 본안소송은 취소소송과 무효등 확인소송이며(동법 제23조, 제38조 제1항), 부작위법확인소송과 당사자소송은 제외된다(동법 제38조 제2항, 제44조 제1항).
    ⓒ 재결, 제3자효 행정행위, 행정행위 부관 중 부담, 후행처분❶ 등은 여기에서의 처분 등에 해당하여 집행정지의 대상이 된다. 사실행위나 사법상의 행위는 처분 등에 해당하지 않는다.

> **관련판례**
> 수도권매립지관리공사의 입찰참가자격제한은 처분이 아니므로 집행정지의 대상이 되지 않는다. ★★
> (수도권매립지관리공사가 甲에게 입찰참가자격을 제한하는 내용의 부정당업자제재처분을 하자, 甲이 제재처분의 무효확인 또는 취소를 구하는 행정소송을 제기하면서 제재처분의 효력정지신청을 한 사안에서) 수도권매립지관리공사는 행정소송법에서 정한 행정청 또는 그 소속기관이거나 그로부터 제재처분의 권한을 위임받은 공공기관에 해당하지 않으므로, 수도권매립지관리공사가 한 위 제재처분은 행정소송의 대상이 되는 행정처분이 아니라 단지 甲을 자신이 시행하는 입찰에 참가시키지 않겠다는 뜻의 사법상의 효력을 가지는 통지에 불과하므로, 甲이 수도권매립지관리공사를 상대로 하여 제기한 위 효력정지신청은 부적법함에도 그 신청을 받아들인 원심결정은 집행정지의 요건에 관한 법리를 오해한 위법이 있다(대결 2010.11.26. 2010무137).

    ⓓ 처분이 가분적인 경우에는 처분의 일부에 대한 집행정지가 가능하다(동법 제23조 제2항). 예를 들면 압류재산의 일부에 대한 압류의 집행정지, 영업정지처분 중 일정 기간에 대한 효력정지 등이 있다.

📌 핵심정리 소송 유형별 가구제 수단

구분	취소소송	무효등 확인소송	부작위위법확인소송	당사자소송
집행정지	○ (제23조)	○ (제38조 제1항)	✕ (제38조 제2항)	✕ (제44조)
가처분	✕	✕	✕	○

  ㉡ **거부처분**: 거부처분의 경우 집행정지가 허용되는지에 관하여 견해의 대립이 있으나, 통설과 판례는 거부처분은 집행정지의 대상이 되지 않는다고 본다.

관련판례

1 거부처분은 행정소송법상의 집행정지의 대상이 되지 아니한다. ★★★

[1] 신청에 대한 거부처분의 효력을 정지하더라도 거부처분이 없었던 것과 같은 상태, 즉 거부처분이 있기 전의 신청시의 상태로 되돌아가는 데에 불과하고 행정청에게 신청에 따른 처분을 하여야 할 의무가 생기는 것이 아니므로, 거부처분의 효력정지는 그 거부처분으로 인하여 신청인에게 생길 손해를 방지하는 데에 아무런 소용이 없어 그 효력정지를 구할 이익이 없다.

[2] 허가갱신신청을 거부한 불허처분의 효력을 정지하더라도 이로 인하여 유효기간이 만료된 허가의 효력이 회복되거나 행정청에게 허가를 갱신할 의무가 생기는 것도 아니라 할 것이니 투전기업소 갱신허가불허처분의 효력을 정지하더라도 불허처분으로 입게 될 손해를 방지하는 데에 아무런 소용이 없고 따라서 불허처분의 효력정지를 구하는 신청은 이익이 없어 부적법하다(대결 1993.2.10. 91두47).

거부처분
▷ 집행정지 불가

허가갱신 거부처분
▷ 집행정지 불가

2 접견허가신청에 대한 교도소장의 거부처분은 집행정지의 대상이 되지 않는다. ★★

교도소장이 접견을 불허한 처분에 대하여 효력정지를 한다 하여도 이로 인하여 위 교도소장에게 접견의 허가를 명하는 것이 되는 것도 아니고 또 당연히 접견이 되는 것도 아니어서 접견허가거부처분에 의하여 생길 회복할 수 없는 손해를 피하는 데 아무런 보탬도 되지 아니하니 접견허가거부처분의 효력을 정지할 필요성이 없다(대결 1991.5.2. 91두15).

접견허가거부처분
▷ 집행정지 불가

③ 회복하기 어려운 손해가 발생할 우려가 있을 것

㉠ 처분 등이나 그 집행 또는 절차의 속행으로 인하여 생길 '회복하기 어려운 손해'를 발생할 우려가 있어야 한다.

㉡ 여기에서의 '회복하기 어려운 손해'란 특별한 사정이 없는 한 금전으로 보상할 수 없는 손해로서 금전보상이 불능인 경우뿐만 아니라 금전보상으로는 사회관념상 행정처분을 받은 당사자가 참고 견딜 수 없거나 참고 견디기가 현저히 곤란한 경우의 유형, 무형의 손해를 일컫는다(대결 1987.6.23. 86두18 ; 대결 2003.4.25. 2003무2 ; 대결 2011.4.21. 2010무111 ; 대결 2018.7.12. 2018무600). 다만, 손해의 규모가 현저히 클 필요는 없다.

회복하기 어려운 손해
▷ 금전보상 불가능한 손해, 금전보상으로 참고 견디기가 현저히 곤란한 손해

관련판례

회복하기 어려운 손해는 그 규모가 현저하게 큰 것임은 요하지 않으나 적은 손해는 포함되지 않는다. ★★

행정처분 집행정지 요건으로서의 회복할 수 없는 손해는 금전보상만으로 수인 또는 허용할 수 없거나 하기 어려운 유형·무형의 손해로서 당해 행정처분과의 사이에 상당인과관계가 있는 것을 말하고 그 손해는 반드시 현저하게 큰 것임을 요하지 않으나 수인성과의 관계에서 볼 때 적은 손해는 포함되지 않는다(대결 1974.12.23. 74그4).

회복하기 어려운 손해
▷ 규모 대소가 판단 기준 ✕
▷ 규모가 적은 손해는 포함 ✕

㉢ '회복하기 어려운 손해'는 신청인의 개인적 손해에 한정되고, 공익상 손해 또는 신청인 외에 제3자가 입은 손해는 포함되지 않는다(서울행법 2010.3.12. 2009아3749).

ⓔ 관련 판례
ⓐ 회복하기 어려운 손해라고 본 판례

현역병입영처분으로 인하여 특례보충역으로 방위산업체에 종사하던 신청인이 입영하여 다시 현역병으로 복무하는 손해
▷ 회복하기 어려운 손해○

> **관련판례**
>
> **1** 현역병입영처분의 효력이 정지되지 아니한 채 본안소송이 진행된다면 특례보충역으로 방위산업체에 종사하던 신청인은 입영하여 다시 현역병으로 복무하지 않을 수 없는 결과 병역의무를 중복하여 이행하는 셈이 되어 불이익을 입게 되고 상당한 정신적 고통을 받게 될 것이므로 이는 사회관념상 '회복하기 어려운 손해'에 해당된다(대결 1992.4.29. 92두7). ★
>
> **2** 과징금납부명령의 처분이 사업자의 자금사정이나 경영 전반에 미치는 파급효과가 매우 중대한 경우 그로 인한 손해는 '회복하기 어려운 손해'에 해당한다. ★★
> 사업여건의 악화 및 막대한 부채비율로 인하여 외부자금의 신규차입이 사실상 중단된 상황에서 285억원 규모의 과징금을 납부하기 위하여 무리하게 외부자금을 신규차입하게 되면 주거래은행과의 재무구조개선약정을 지키지 못하게 되어 사업자가 중대한 경영상의 위기를 맞게 될 것으로 보이는 경우, 그 과징금납부명령의 처분으로 인한 손해는 효력정지 내지 집행정지의 적극적 요건인 '회복하기 어려운 손해'에 해당한다(대결 2001.10.10. 2001무29).
>
> > **비교** 사업자가 중대한 경영상의 위기를 맞게 될 것으로 보이는 경우는 '회복하기 어려운 손해'에 해당한다.
> > 기업 이미지 및 신용이 훼손으로 인한 손해가 '회복하기 어려운 손해'에 해당한다고 하기 위해서는, 그 경제적 손실이나 기업 이미지 및 신용의 훼손으로 인하여 사업자의 자금사정이나 경영 전반에 미치는 파급효과가 매우 중대하여 사업 자체를 계속할 수 없거나 중대한 경영상의 위기를 맞게 될 것으로 보이는 등의 사정이 존재하여야 한다(대결 2003.4.25. 2003무2 ; 대결 2003.10.9. 2003무23).

사업자가 중대한 경영상의 위기를 맞게 될 것으로 보이는 경우
▷ 회복하기 어려운 손해○

교도소 이송처분으로 인해 피고인이 변호인 접견이 어려워지는 등의 손해
▷ 회복하기 어려운 손해○

입찰참가자격정지처분으로 인하여 국가기관 등의 입찰 등에 참가하지 못하는 손해
▷ 회복하기 어려운 손해○

> **3** 상고심에 계속 중인 형사피고인을 안양교도소로부터 진주교도소로 이송하면 '회복하기 어려운 손해(교도소 이송처분으로 인해 피고인이 변호인 접견이 어려워지는 등의 손해)'가 발생할 염려가 있다(대결 1992.8.7. 92두30). ★
>
> **4** 입찰참가자격정지처분으로 인하여 국가기관 등의 입찰 등에 참가하지 못하는 손해는 '회복하기 어려운 손해'에 해당한다(대결 1986.3.21. 86두5). ★

ⓑ 회복하기 어려운 손해가 아니라고 본 판례

항정신병 치료제의 요양급여 인정기준에 관한 보건복지부 고시로 인한 회사의 경제적 손실, 기업 이미지 및 신용의 훼손
▷ 회복하기 어려운 손해✕

토지 소유권 수용 등으로 인한 손해 (=더 이상 농사를 이를 수 없는 손해)
▷ 회복하기 어려운 손해✕

> **관련판례**
>
> **1** 항정신병 치료제의 요양급여 인정기준에 관한 보건복지부 고시의 효력이 계속 유지됨으로 인한 제약회사의 경제적 손실, 기업 이미지 및 신용의 훼손은 행정소송법 제23조 제2항 소정의 집행정지의 요건인 '회복하기 어려운 손해'에 해당하지 않는다(대결 2003.10.9. 2003무23). ★
>
> **2** (국토해양부 등에서 발표한 '4대강 살리기 마스터플랜'에 따른 '한강 살리기 사업' 구간 인근에 거주하는 주민들이 각 공구별 사업실시계획승인처분에 대한 효력정지를 신청한 사안에서) 토지 소유권 수용 등으로 인한 손해(=더 이상 농사를 이를 수 없는 손해)는 행정소송법 제23조 제2항의 효력정지 요건인 금전으로 보상할 수 없거나 사회관념상 금전보상으로는 참고 견디기 어렵거나 현저히 곤란한 경우의 유·무형 손해에 해당하지 않는다(대결 2011.4.21. 2010무111). ★

③ 유흥접객영업허가의 취소처분으로 5,000여만원의 시설비를 회수하지 못하게 된다면 생계까지 위협받게 되는 결과가 초래될 수 있다는 등의 사정은 위 처분의 존속으로 당사자에게 금전으로 보상할 수 없는 손해가 생길 우려가 있는 경우라고 볼 수 없다(대판 1991.3.2. 91두1). ★★

④ 긴급한 필요가 있을 것
  ㉠ '긴급한 필요'라 함은 회복하기 어려운 손해의 발생이 절박하여 손해를 회피하기 위하여 본안판결을 기다릴 여유가 없는 것을 말한다(대결 1994.1.17. 93두79).
  ㉡ '긴급한 필요'가 있는지 여부는 처분의 성질, 양태와 내용, 처분상대방이 입는 손해의 성질·내용과 정도, 원상회복·금전배상의 방법과 난이도 등은 물론 본안청구의 승소가능성 정도 등을 종합적으로 고려하여 구체적·개별적으로 판단하여야 한다(대결 2011.4.21. 2010무111 ; 대결 2018.7.12. 2018무600).

(2) 소극적 요건
① 공공복리에 중대한 영향을 미칠 우려가 없을 것
  ㉠ 집행정지는 공공복리에 중대한 영향을 미칠 우려가 있을 때에는 허용되지 아니한다(동법 제23조 제3항). 여기에서의 '공공복리'는 그 처분의 집행과 관련된 구체적이고도 개별적인 공익을 말한다(대결 1999.12.20. 99무42).
  ㉡ 공공복리에 미칠 영향이 중대한지는 절대적 기준에 의하여 판단할 것이 아니라, 신청인의 '회복하기 어려운 손해'와 '공공복리' 양자를 비교·교량하여, 전자를 희생하더라도 후자를 옹호하여야 할 필요가 있는지에 따라 상대적·개별적으로 판단하여야 한다(대결 2010.5.14. 2010무48).

관련판례

1 중국거민신분증 위조에 대한 소명이 불충분할 경우 출입국관리법상 보호명령의 집행정지는 공공복리에 중대한 영향을 미칠 우려가 있다. ★
거민신분증이 위조되었다는 점에 관하여 소명이 매우 불충분한 상태에서 보호명령의 집행을 정지하여 신청인에 대한 보호를 해제할 경우, 외국인의 출입국 관리에 막대한 지장을 초래하여 공공복리에 중대한 영향을 미칠 우려가 있다고 보여지므로, 이와 같은 이유로 그 집행정지신청을 받아들이지 않은 원심결정은 결국 정당하다(대결 1997.1.10. 96두31).

2 한국문화예술위원장의 해임처분 집행정지는 공공복리에 중대한 영향을 미칠 우려가 있다. ★
(한국문화예술위원회 위원장이 자신의 해임처분의 무효확인을 구하는 소송을 제기한 후 다시 해임처분의 집행정지 신청을 한 사안에서) 해임처분으로 신청인에게 회복하기 어려운 손해가 발생할 우려가 있어 이를 예방하기 위하여 긴급한 필요가 있다고 볼 수 없을 뿐만 아니라, 그 효력을 정지할 경우 공공복리에 중대한 영향을 미칠 우려가 있다는 이유로, 위 효력정지 신청을 기각한 원심의 판단을 긍정한다(대결 2010.5.14. 2010무48).

함께 정리하기

유흥접객영업허가의 취소처분으로 5,000여만원의 시설비를 회수하지 못하게 된다면 생계까지 위협받게 되는 결과가 초래될 수 있다는 등의 사정
▷ 회복하기 어려운 손해✕

강제퇴거명령 집행정지
▷ 공공복리 중대한 영향○

한국문화예술위원장의 해임처분 집행정지
▷ 공공복리 중대한 영향○

② 본안청구가 이유 없음이 명백하지 아니할 것
  ㉠ 본안청구가 이유 없음이 명백하지 아니할 것이 「행정소송법」상 집행정지요건으로 규정되어 있지는 않지만 이를 집행정지의 소극적 요건으로 볼 것인지에 관하여 견해의 대립이 있다.
  ㉡ 집행정지는 가구제이므로 본안문제인 처분 자체의 적법여부는 원칙적으로 판단의 대상이 되지 않지만, 집행정지는 본안에서의 원고의 승소가능성을 전제로 하는 권리보호수단이고, 행정의 원활한 수행을 보장하여 집행정지의 남용도 방지하여야 할 필요도 있는 것이므로, 본안청구가 이유 없음이 명백하지 아니할 것을 집행정지의 소극적인 요건으로 하는 것은 타당하다는 것이 통설과 판례의 입장이다.

본안청구 이유 없음 명백하지 않을 것
▷ 집행정지 요건에 포함

> **관련판례**
>
> **1** 본안청구가 이유 없음이 명백하지 않아야 한다는 것이 집행정지의 요건에 포함된다. ★★
> 행정처분의 효력정지나 집행정지제도는 신청인이 본안 소송에서 승소판결을 받을 때까지 그 지위를 보호함과 동시에 후에 받을 승소판결을 무의미하게 하는 것을 방지하려는 것이어서 본안 소송에서 처분의 취소가능성이 없음에도 처분의 효력이나 집행의 정지를 인정한다는 것은 제도의 취지에 반하므로 효력정지나 집행정지사건 자체에 의하여도 신청인의 본안 청구가 이유 없음이 명백하지 않아야 한다는 것도 효력정지나 집행정지의 요건에 포함시켜야 한다(대결 2007.7.13. 2005무85 ; 대결 1997.4.28. 96무75).

본안소송에서 처분취소가능성 없음이 명백할 경우
▷ 집행정지 불가

> **2** 본안소송에서 처분취소가능성 없음이 명백할 경우 집행정지를 명할 수 없다. ★★
> 행정처분의 효력정지나 집행정지를 구하는 신청사건에 있어서는 행정처분 자체의 적법 여부는 원칙적으로는 판단할 것이 아니고 그 행정처분의 효력이나 집행을 정지할 것인가에 대한 행정소송법 제23조 제2항 소정의 요건의 존부만이 판단의 대상이 되나 본안소송에서의 처분의 취소가능성이 없음에도 불구하고 처분의 효력정지나 집행정지를 인정한다는 것은 제도의 취지에 반하므로 집행정지사건 자체에 의하여도 신청인의 본안청구가 이유 없음이 명백할 때에는 행정처분의 효력정지나 집행정지를 명할 수 없다(대결 1992.8.7. 92두30).

공공복리
▷ 행정청이 주장·소명해야 함

4. 집행정지요건의 주장·소명책임

판례는 '처분 등이나 그 집행 또는 절차의 속행으로 인한 손해발생의 우려' 등 집행정지의 적극적 요건에 관한 주장·소명책임은 원칙적으로 신청인 측에게 있고(대결 2011.4.21. 2010무111), '공공복리에 중대한 영향을 미칠 우려가 없을 것'이라는 집행정지의 소극적 요건에 대한 주장·소명책임은 행정청에 있다는 입장이다(대결 1999.12.20. 99무42).

> **핵심정리** 집행정지의 요건 및 집행정지요건의 주장·소명책임
>
> | 구분 | 적극적 요건 | 소극적 요건 |
> |---|---|---|
> | 요건 | • 본안소송이 계속 중일 것
• 계속 중인 본안소송은 적법할 것
• 정지대상인 처분 등의 존재할 것
• 처분의 집행 등으로 인하여 회복하기 어려운 손해가 발생할 우려가 있을 것
• 긴급한 필요가 있을 것 | • 공공복리에 중대한 영향을 미칠 우려가 없을 것
• 본안청구가 이유 없음이 명백하지 않을 것 |
> | 주장·소명책임 | 신청인 | 행정청 |

5. 집행정지의 신청 및 결정

(1) 집행정지의 신청

① 신청인 적격

㉠ 집행정지를 신청할 수 있는 자는 본안소송의 당사자이다. 따라서 신청인은 법률상 이익이 있는 자이어야 한다. 집행정지 신청요건인 '법률상 이익'은 항고소송의 요건 중 원고적격의 '법률상 이익'과 동일하다.

> **관련판례**
>
> 행정처분에 대한 효력정지신청을 구함에 있어서도 이를 구할 법률상 이익이 있어야 한다. ★★
>
> [1] 행정처분에 대한 효력정지신청을 구함에 있어서도 이를 구할 법률상 이익이 있어야 하는바, 이 경우 법률상 이익이라 함은 그 행정처분으로 인하여 발생하거나 확대되는 손해가 당해 처분의 근거 법률에 의하여 보호되는 직접적이고 구체적인 이익과 관련된 것을 말하는 것이고 단지 간접적이거나 사실적·경제적 이해관계를 가지는 데 불과한 경우는 여기에 포함되지 않는다.
> [2] 경쟁 항공회사에 대한 국제항공노선면허처분으로 인하여 노선의 점유율이 감소됨으로써 경쟁력과 대내외적 신뢰도가 상대적으로 감소되고 연계노선망개발이나 타항공사와의 전략적 제휴의 기회를 얻지 못하게 되는 손해를 입게 되었다고 하더라도 위 노선에 관한 노선면허를 받지 못하고 있는 한 그러한 손해는 법률상 보호되는 권리나 이익침해로 인한 손해라고는 볼 수 없으므로 처분의 효력정지를 구할 법률상 이익이 될 수 없다 (대결 2000.10.10. 2000무17).

㉡ 제3자효 행정행위에서 소송당사자인 처분의 제3자도 집행정지를 신청할 수 있다는 것이 일반적 견해이다. 단 제3자는 취소소송의 제기와 동시에 행정행위의 집행정지를 신청하여야 한다.

② 신청의 이익의 존재

㉠ 집행정지를 신청할 신청의 이익이 있어야 한다. 신청의 이익이라 함은 집행정지 결정으로 현실적으로 보호될 수 있는 이익을 말한다. 본안소송에서의 협의의 소의 이익에 대응하는 것이다.

㉡ 원칙적으로 이미 집행이 완료되어 효력을 상실하였거나 처분의 목적이 달성되어 효력이 상실된 경우에는 집행정지가 인정되지 않는다. 다만, 집행이 완료된 경우라도 위법 상태가 계속 중이거나 처분의 효력정지 효과로서 사실 상태를 원상으로 복구할 수 있는 경우에는 집행정지가 가능하다.

(2) 집행정지의 결정

① 집행정지의 요건이 충족된 경우에 본안이 계속되고 있는 법원은 당사자의 신청 또는 직권에 의하여 처분 등의 효력이나 그 집행 또는 절차의 속행의 전부 또는 일부의 정지를 결정할 수 있다(동법 제23조 제2항). ❶

② 당사자가 집행정지결정을 신청함에 있어서는 그 이유에 대한 소명이 있어야 한다(동법 제23조 제4항).

 **함께 정리하기**

집행정지 신청할 수 있는 자
▷ 본안소송의 당사자

집행정지 법률상 이익
▷ 항고소송 법률상 이익과 동일

행정처분에 대한 효력정지신청을 구함에 있어서도
▷ 이를 구할 법률상 이익이 있어야 함

제3자효 행정행위의 제3자
▷ 취소소송의 신청과 동시에 집행정지신청 可

신청이익
▷ 현실적으로 보호 가능한 이익

이미 집행 완료, 목적 달성 불가
▷ 신청이익×

집행완료 후 위법상태 계속, 원상복구가능시
▷ 신청이익○

집행정지
▷ 신청·직권
▷ 본안소송과 별도 신청 불가

❶ 당사자의 신청이 없어도 법원은 직권에 의해 집행정지결정을 할 수 있으므로, 신청인이 처분의 집행정지를 구한 경우에 법원은 그 신청의 범위를 넘어 처분의 효력을 정지시킬 수가 있다.

 함께 정리하기

6. 집행정지결정의 내용

(1) 처분의 효력정지

① 처분의 효력정지란 처분의 내용에 따르는 공정력·구속력·집행력 등을 잠정적으로 정지시킴으로써, 정지 결정 이후부터 처분이 존재하지 않는 상태에 두는 것을 말한다(예 영업의 취소, 공무원에 대한 면직처분 등에 대한 효력을 정지하는 것).

② 처분의 효력정지는 처분의 집행 또는 절차의 속행을 정지함으로써 목적을 달성할 수 있는 경우에는 허용되지 않는다(동법 제23조 제2항 단서).

효력정지
▷ 집행·절차 속행정지로 목적달성 가능하면 불허

(2) 처분의 집행정지

처분의 집행정지는 처분의 내용을 강제적으로 실현하는 집행력의 행사를 정지시키는 것으로서 처분의 내용이 실현되지 않은 상태로 두는 것을 말한다(예 철거명령에 대한 집행정지신청에서 철거명령을 강제집행하기 위한 대집행을 정지하는 것).

집행정지
▷ 집행력의 행사정지

(3) 절차의 속행정지

절차의 속행정지는 심판대상인 처분에 따르는 후속처분을 정지시키는 것을 말한다(예 대집행계고에 대한 집행정지신청에서 대집행영장의 통지나 대집행의 실시 등 절차의 속행을 정지하는 것).

절차속행정지
▷ 후속처분의 정지

(4) 처분의 일부에 대한 집행정지

「행정소송법」은 처분의 일부에 대한 집행정지도 가능하다고 규정하고 있다(동법 제23조 제2항). 따라서 처분이 재량행위든 기속행위든 그 처분의 내용이 가분적인 경우에는 그 일부에 대해서만 정지하는 것도 가능하다(예 압류재산의 일부에 대해서만 압류의 집행을 정지하는 경우).

7. 집행정지 결정의 효력

(1) 형성력

처분 등의 효력정지는 당해 처분이 없었던 것과 같은 상태를 실현시키는 것이므로 그 범위 안에서 형성력을 갖는다. 따라서 집행정지결정이 고지되면 행정청의 별도의 효력정지 등의 통보가 없더라도 집행정지결정에서 정한 대로 처분의 효력 등이 잠정적으로 정지된다.

형성력
▷ 당해 처분이 없었던 것과 같은 상태를 실현시키는 범위 안에서

(2) 장래효

집행정지결정은 원칙적으로 집행정지결정 시점부터 장래에 향하여 효력을 가지며 소급효가 없다. 따라서 집행정지결정은 결정 이전에 이미 형성된 법률관계에는 영향을 미치지 않는다.

장래효
▷ 집행정지결정은 결정 이전에 이미 형성된 법률관계 영향×

(3) 기속력

집행정지결정은 취소판결의 기속력에 준하여 당해 사건에 관하여 당사자인 행정청과 그 밖의 관계행정청을 기속한다(동법 제23조 제6항, 제30조 제1항). 따라서 행정청은 동일한 내용으로 다시 새로운 행정처분을 할 수 없다. 판례는 집행정지결정의 기속력에 위반하는 행정처분은 무효로 본다(대결 1961.11.23. 4294행상3).

집행정지결정
▷ 행정청·관계행정청 기속

집행정지결정의 기속력에 위반하는 행정처분
▷ 무효

(4) 제3자효

제3자효 행정행위에 대한 집행정지의 효력은 제3자에게도 미친다(동법 제29조 제2항).

(5) 시간적 효력

집행정지결정의 효력은 결정의 주문에 정해진 시기(종기)까지 존속하며 그 시기의 도래와 동시에 효력이 당연히 소멸한다. 그 주문에 특별히 시기(종기)에 대하여 정함이 없다면 본안판결까지 그 효력이 존속한다.

제3자효 행정행위에 대한 집행정지의 효력
▷ 제3자에게도 효력 ○

시간적 효력
▷ 주문에 정해진 시기
▷ 정하지 않은 경우 본안판결까지 존속

관련판례

1 법원이 집행정지결정을 하면서 그 주문에서 당해 법원에 계속 중인 본안소송의 판결선고시까지 효력을 정지한 경우, 원고패소판결이 선고되면 그 본안판결의 선고시에 집행정지결정의 효력은 별도의 취소조치 없이 소멸하고 처분의 효력이 부활한다. ★★

행정소송법 제23조에 의한 집행정지결정의 효력은 결정주문에서 정한 시기까지 존속하였다가 그 시기의 도래와 동시에 당연히 실효하는 것이므로, 일정기간 동안 업무를 정지할 것을 명한 행정청의 업무정지처분에 대하여 법원이 집행정지결정을 하면서 주문에서 당해 법원에 계속 중인 본안소송의 판결선고 시까지 처분의 효력을 정지한다고 선언하였을 경우에는 당초 처분에서 정한 업무정지기간의 진행은 그때까지 저지되다가 본안소송의 판결선고에 의하여 위 정지결정의 효력이 소멸함과 동시에 당초 처분의 효력이 당연히 부활되어 그 처분에서 정하였던 정지기간(정지결정 당시 이미 일부 진행되었다면 나머지 기간)은 이때부터 다시 진행한다(대판 2005.6.10. 2005두1190 ; 대판 1999.2.23. 98두14471).

원고패소 판결선고
▷ 별도 취소조치 없이 집행정지 소멸, 처분효력 부활

2 집행정지기간이 만료되는 경우 집행정지결정의 효력은 장래를 향하여 소멸한다. ★★

집행정지결정의 효력은 결정 주문에서 정한 기간까지 존속하다가 그 기간이 만료되면 장래에 향하여 소멸한다. 집행정지결정은 처분의 집행으로 회복하기 어려운 손해를 예방하기 위하여 긴급한 필요가 있고 달리 공공복리에 중대한 영향을 미치지 않을 것을 요건으로 하여 본안판결이 있을 때까지 해당 처분의 집행을 잠정적으로 정지함으로써 위와 같은 손해를 예방하는 데 취지가 있으므로, 항고소송을 제기한 원고가 본안소송에서 패소확정판결을 받았더라도 집행정지결정의 효력이 소급하여 소멸하지 않는다(대판 2020.9.3. 2020두34070).

집행정지기간 만료시 집행정지결정의 효력
▷ 장래를 향하여 소멸

3 일정한 납부기한을 정한 과징금부과처분에 대한 집행정지결정이 내려진 경우 그 집행정지기간 동안 납부기간은 진행되지 않는다. ★

일정한 납부기한을 정한 과징금부과처분에 대하여 '회복하기 어려운 손해'를 예방하기 위하여 긴급한 필요가 있고 달리 공공복리에 중대한 영향을 미치지 아니한다는 이유로 집행정지결정이 내려졌다면 그 집행정지기간 동안은 과징금부과처분에서 정한 과징금의 납부기간은 더 이상 진행되지 아니하고 집행정지결정이 당해 결정의 주문에 표시된 시기의 도래로 인하여 실효되면 그 때부터 당초의 과징금부과처분에서 정한 기간(집행정지결정 당시 이미 일부 진행되었다면 그 나머지 기간)이 다시 진행하는 것으로 보아야 한다(대판 2003.7.11. 2002다48023).

과징금부과처분에 대한 집행정지결정이 내려진 경우
▷ 집행정지기간 동안 납부기간은 진행 ✕

4 보조금 교부결정의 일부를 취소한 행정청의 처분에 대한 효력정지결정의 효력이 소멸하여 보조금 교부결정 취소처분의 효력이 되살아난 경우, 취소처분에 의하여 취소된 부분의 보조사업에 대하여 효력정지기간 동안 교부된 보조금의 반환을 명하여야 한다. ★★

행정소송법 제23조에 의한 효력정지결정의 효력은 결정주문에서 정한 시기까지 존속하고 그 시기의 도래와 동시에 효력이 당연히 소멸하므로, 보조금 교부결정의 일부를 취소한 행정청의 처분에 대하여 법원이 효력정지결정을 하면서 주문에서 그 법원에 계속 중인 본안소송의 판결선고 시까지 처분의 효력을 정지한다고 선언하였을 경우,

보조금 교부결정의 일부를 취소한 행정청의 처분에 대한 효력정지결정의 효력이 소멸하여 보조금 교부결정 취소처분의 효력이 되살아난 경우
▷ 취소처분에 의하여 취소된 부분의 보조사업에 대하여 효력정지기간 동안 교부된 보조금의 반환을 명하여야 함

 함께 정리하기

본안소송의 판결선고에 의하여 정지결정의 효력은 소멸하고 이와 동시에 당초의 보조금 교부결정 취소처분의 효력이 당연히 되살아난다. 따라서 효력정지결정의 효력이 소멸하여 보조금 교부결정 취소처분의 효력이 되살아난 경우, 특별한 사정이 없는 한 행정청으로서는 구 보조금의 예산 및 관리에 관한 법률 제31조 제1항에 따라 취소처분에 의하여 취소된 부분의 보조사업에 대하여 효력정지기간 동안 교부된 보조금의 반환을 명하여야 한다(대판 2017.7.11. 2013두25498).

5 집행정지결정이 있었고 본안판결에서 처분이 적법한 것으로 확정된 경우(= 집행정지는 인용되었지만 행정소송에서 원고가 패소한 경우) 처분청은 당초 집행정지결정이 없었던 경우와 동등한 수준으로 해당 제재처분이 집행되도록 필요한 조치를 취하여야 한다. ★★

[1] 제재처분에 대한 행정쟁송절차에서 처분에 대해 집행정지결정이 이루어졌더라도 본안에서 해당 처분이 최종적으로 적법한 것으로 확정되어 집행정지결정이 실효되고 제재처분을 다시 집행할 수 있게 되면, 처분청으로서는 당초 집행정지결정이 없었던 경우와 동등한 수준으로 해당 제재처분이 집행되도록 필요한 조치를 취하여야 한다. 집행정지는 행정쟁송절차에서 실효적 권리구제를 확보하기 위한 잠정적 조치일 뿐이므로, 본안 확정판결로 해당 제재처분이 적법하다는 점이 확인되었다면 제재처분의 상대방이 잠정적 집행정지를 통해 집행정지가 이루어지지 않은 경우와 비교하여 제재를 덜 받게 되는 결과가 초래되도록 해서는 안 된다.

[2] 반대로, 처분상대방이 집행정지결정을 받지 못했으나 본안소송에서 해당 제재처분이 위법하다는 것이 확인되어 취소하는 판결이 확정되면(집행정지결정이 없었고 본안판결에서 처분이 위법한 것으로 확정된 경우 = 집행정지는 없었지만 행정소송에서 원고가 승소한 경우), 처분청은 그 제재처분으로 처분상대방에게 초래된 불이익한 결과를 제거하기 위하여 필요한 조치를 취하여야 한다(대판 2020.9.3. 2020두34070).

집행정지결정이 있었고 본안판결에서 처분이 적법한 것으로 확정된 경우
▷ 처분청은 당초 집행정지결정이 없었던 경우와 동등한 수준으로 해당 제재처분이 집행되도록 필요한 조치를 취하여야 함

집행정지결정이 없었고 본안판결에서 처분이 위법한 것으로 확정된 경우
▷ 처분청은 그 제재처분으로 처분상대방에게 초래된 불이익한 결과를 제거하기 위하여 필요한 조치를 취하여야 함

8. 집행정지결정의 불복과 집행정지결정의 취소

(1) 집행정지결정에 대한 불복

법원의 집행정지의 결정 또는 기각 결정에 대하여는 즉시항고 할 수 있다. 이 경우 「민사소송법」상의 즉시항고에 집행정지의 효력이 있는 것과 달리(「민사소송법」제447조), 「행정소송법」상 집행정지결정에 대한 즉시항고에는 집행을 정지하는 효력이 없다(동법 제23조 제5항).

(2) 집행정지결정의 취소

① **취소의 사유**: 집행정지결정이 확정된 후 집행정지가 공공복리에 중대한 영향을 미치거나 그 정지사유가 없어진 때에는 법원은 당사자의 신청 또는 직권에 의하여 결정으로써 집행정지의 결정을 취소할 수 있다(동법 제24조 제1항).

② **취소의 효과**: 집행정지결정이 취소되면 처분의 원래의 효과가 발생한다. 따라서 정지결정이 취소되면 그 정지기간은 특별한 사유가 없는 한 이때부터 다시 진행하게 된다(대결 1970.11.20. 70그4).

집행정지결정·기각결정
▷ 즉시항고 可(집행정지 효력×)
▷ 「민사소송법」상 즉시항고 시: 집행정지효○

집행정지결정의 취소
▷ 집행정지결정이 확정된 후 집행정지가 공공복리에 중대한 영향을 미치거나 그 정지사유가 없어진 때
▷ 당사자 신청·법원 직권에 의해 취소 可

효과
▷ 처분의 원래의 효과가 발생
▷ 취소결정에 대하여 즉시항고 可
▷ 제3자에게도 효력○

3 「민사집행법」상 가처분이 항고소송에 준용되는지 여부

> 「민사집행법」 제300조 【가처분의 목적】 ① 다툼의 대상에 관한 가처분은 현상이 바뀌면 당사자가 권리를 실행하지 못하거나 이를 실행하는 것이 매우 곤란할 염려가 있을 경우에 한다.
> ② 가처분은 다툼이 있는 권리관계에 대하여 임시의 지위를 정하기 위하여도 할 수 있다. 이 경우 가처분은 특히 계속하는 권리관계에 끼칠 현저한 손해를 피하거나 급박한 위험을 막기 위하여, 또는 그 밖의 필요한 이유가 있을 경우에 하여야 한다.
> 「행정소송법」 제8조 【법적용예】 ② 행정소송에 관하여 이 법에 특별한 규정이 없는 사항에 대하여는 「법원조직법」과 「민사소송법」 및 「민사집행법」의 규정을 준용한다.

1. 가처분제도의 의의

가처분이란 금전 이외의 특정한 급부를 목적으로 하는 청구권의 집행을 보전하거나 다툼이 있는 권리관계에 관하여 임시의 지위를 보전하는 것을 목적으로 하는 가구제제도를 말한다.

2. 준용 여부

(1) 문제점

「행정심판법」은 임시처분(가처분)에 관한 규정이 있으나 「행정소송법」에는 가처분에 관한 규정이 없다. 다만, 행정소송상 「민사집행법」의 가처분을 준용한다는 명문규정은 없지만, 「행정소송법」 제8조 제2항의 규정을 근거로 이를 행정소송에서도 준용할 수 있는지에 관하여 논란이 있다.

「민사집행법」상 가처분 규정
▷ 행정소송 준용 여부 문제(제8조 제2항의 적용범위)

(2) 학설

「행정소송법」에 가처분에 관한 명문의 규정을 두고 있지 않으므로 준용할 수 없다는 부정설(다수설)과 「행정소송법」 제8조 제2항에 의하여 준용할 수 있다는 긍정설이 대립하고 있다.

(3) 판례

판례는 "「민사집행법」상 가처분으로 행정청의 행정행위의 금지를 구하는 것은 허용할 수 없다."라고 하여 부정설과 같은 입장이다.

통설·판례
▷ 준용부정설의 입장

> **관련판례**
> 민사소송법상의 보전처분은 민사판결절차에 의하여 보호받을 수 있는 권리에 관한 것이므로, 민사소송법상의 가처분으로써 행정청의 어떠한 행정행위의 금지를 구하는 것은 허용될 수 없다할 것이다(대결 1992.7.6. 92마54). ★★★

행정행위의 금지
▷ 가처분으로 구할 수 없음

제6절 취소소송의 심리

1 개설

1. 소송의 심리의 의의
소송의 심리란 법원이 소에 대한 판결을 하기 위하여 그 기초가 되는 소송자료(주로 사실과 증거)를 수집하는 절차를 말한다.

2. 소송의 심리에 관한 원칙

(1) 심리에 관한 기본원칙으로는 소송절차의 주도권이 누구에게 있는지에 따라 당사자가 소송을 주도하는 당사자주의와 법원이 주도하는 직권주의로 나뉜다. 당사자주의는 다시 처분권주의와 변론주의로 구분된다.

(2) 당사자주의를 원칙으로 하되, 행정소송은 민사소송과 달리 그 결과는 공익실현과 밀접한 관련이 있으므로 「행정소송법」제26조에서 직권심리주의를 보충적인 소송원칙으로 인정하고 있다.

2 심리의 내용

1. 소송요건 심리

(1) 의의

소송요건심리란 제기된 소가 소송요건을 갖춘 것인지의 여부를 심리하는 것을 말한다.❶ 요건심리결과 소송요건을 갖추지 못하면 소송은 부적합 각하된다.

(2) 소송요건의 존부의 판단

① 소송요건의 구비 여부는 법원의 의한 직권조사사항으로 당사자의 자백에 구속되지 않는다. 따라서 당사자의 주장이 없다고 하더라도 그 존부에 관하여 의심이 있는 경우에 법원은 이를 직권으로 밝혀야 한다.

> **관련판례**
>
> **1** 행정소송에서 쟁송의 대상이 되는 행정처분의 존부는 직권조사사항으로 자백의 대상(변론주의)이 아니다. ★★★
>
> 행정소송에서 쟁송의 대상이 되는 행정처분의 존부는 소송요건으로서 직권조사사항이고, 자백의 대상이 될 수 없는 것이므로, 설사 그 존재를 당사자들이 다투지 아니한다 하더라도 그 존부에 관하여 의심이 있는 경우에는 이를 직권으로 밝혀 보아야 할 것이고, 사실심에서 변론종결시까지 당사자가 주장하지 않던 직권조사사항에 해당하는 사항을 상고심에서 비로소 주장하는 경우 그 직권조사사항에 해당하는 사항은 상고심의 심판범위에 해당한다(대판 2004.12.24. 2003두15195 ; 대판 2001.11.9. 98두892 ; 대판 1992.1.21. 91누1684).

「행정소송법」
▷ 당사자주의 원칙
▷ 직권심리주의 가미

요건심리
▷ 소송요건을 갖춘 것인지의 여부를 심리하는 것

❶ 취소소송의 소송요건으로는 대상적격, 원고적격, 피고적격, 제소기간, 피고적격, 관할, 전심절차 등이 있다.

직권조사사항
▷ 흠결시 각하 판결

소송요건의 존부
▷ 사실심변론종결시를 기준

처분의 존부(대상적격)
▷ 소송요건: 자백대상×(변론주의×)

> [비교]
> 행정소송에 있어서 처분청의 처분권한 유무는 직권조사사항이 아니다(대판 1997.6.19. 95누8669). ★★

② 해당 처분을 다툴 법률상 이익이 있는지 여부는 직권조사사항으로 이에 관한 당사자의 주장은 직권발동을 촉구하는 의미밖에 없으므로, 원심법원이 이에 관하여 판단하지 않았다고 하여 **판단유탈의 상고이유로 삼을 수 없다**(대판 2017.3.9. 2013두16852). ★

② 소송요건은 사실심의 변론종결시까지는 구비되어야 하며, 사실심 변론종결시는 물론 상고심에서도 존속하여야 한다.

직권조사사항에 관한 당사자의 주장
▷ 직권발동을 촉구하는 의미에 불과하므로 판단유탈의 상고이유×

> 🔨 **관련판례**
>
> 1 당사자적격에 관한 사항은 소송요건에 관한 것으로서 **사실심의 변론종결시를 기준으로 법원이 이를 직권으로 조사하여 판단하여야 한다**(대판 2010.2.25. 2009다85717). ★★
>
> 2 소송요건은 직권조사사항으로서 당사자가 주장하지 않더라도 법원이 직권으로 조사하여 판단하여야 하고, **사실심 변론종결 이후에 소송요건이 흠결되거나 그 흠결이 치유된 경우 상고심에서도 이를 참작하여야 한다**(대판 2020.1.16. 2019다247385).

당사자적격
▷ 사실심 변론종결시 기준으로 법원이 직권 판단

사실심 변론종결 이후에 소송요건이 흠결되거나 그 흠결이 치유된 경우
▷ 상고심은 이를 참작

2. 본안심리

본안심리란 요건심리의 결과 소송요건이 구비된 경우, 사건의 본안(예 취소소송에서의 처분의 위법 여부)에 대해 실체적 심사를 하는 것을 말한다. 본안심리결과 청구가 이유 있다고 인정되면 **인용판결**을 하고, 이유가 없다고 인정되면 **기각판결**을 한다.

본안심리
▷ 청구를 인용할 것인가 또는 기각할 것인가를 판단하기 위하여 사건의 본안(예 취소소송에서의 처분의 위법 여부)에 대해 실체적 심사를 하는 것

3 심리의 범위

1. 불고불리의 원칙

「행정소송법」에도 민사소송에서와 같이 원칙적으로 불고불리의 원칙이 적용되어, 법원은 소송제기가 없는 사건에 대하여 심리·재판할 수 없고, 소제기가 있는 사건에 대해서도 당사자의 청구범위를 넘어서 심리·재판할 수 없다(「민사소송법」 제203조, 동법 제8조 제2항).

> 🔨 **관련판례**
>
> **행정소송에 있어서도 법원은 당사자가 신청하지 아니한 사항에 대하여는 판결할 수 없다.** ★★★
>
> 행정소송에 있어서도 행정소송법 제8조에 의하여 민사소송법 제203조가 준용되어 **법원은 당사자가 신청하지 아니한 사항에 대하여는 판결할 수 없는 것이고**, 행정소송법 제26조에서 직권심리주의를 채용하고 있으나 이는 행정소송에 있어서 원고의 청구범위를 초월하여 그 이상의 청구를 인용할 수 있다는 의미가 아니라 원고의 청구범위를 유지하면서 그 범위 내에서 필요에 따라 주장 외의 사실에 관하여도 판단할 수 있다는 뜻이다(대판 1987.11.10. 86누491).

신청하지 않은 사항
▷ 법원 판결 불가

함께 정리하기

❶ 법률문제
어떠한 행정작용이 행정의 법률적합성에 부합하는가의 문제를 말한다.

1심·2심
▷ 법률·사실문제 심리·판단

상고심
▷ 법률문제만 심리·판단

2. 법률문제❶와 사실문제

법원은 행정사건을 심리함에 있어 소송의 대상이 된 처분의 법률문제뿐만 아니라 사실문제에 대하여도 심리할 수 있다. 단, 법률심인 상고심은 하급심이 인정한 사실관계를 전제로 법률문제만을 심리·판단한다.

3. 재량문제

(1) 행정청의 재량행위도 행정소송의 대상이 된다. 이에 따라 재량처분이 취소소송의 대상이 되면 법원은 각하하여서는 안 되며, 본안에서 재량권의 이탈·남용 여부를 심사하여 그 결과에 따라 기각하거나 처분을 취소하는 판결을 내려야 한다. 「행정소송법」 제27조도 "행정청의 재량에 속하는 처분이라도 재량권의 한계를 넘거나 그 남용이 있는 때에는 법원은 이를 취소할 수 있다."라고 규정하고 있다.

(2) 그러나 재량권 행사가 이탈·남용에 이르지 않고 단순한 부당에 그친 경우에는 행정심판을 제기할 수는 있어도 행정소송에 의한 통제의 대상이 되지 않는다(제2편 재량의 한계 참조).

4 심리의 일반원칙

1. 「민사소송법」상 심리원칙의 준용

행정사건의 심리에 있어서도 행정소송법에 특별한 규정이 없는 한 「민사소송법」이 준용되므로(동법 제8조 제2항), 민사소송의 심리에 관한 일반원칙인 처분권주의, 변론주의, 공개심리주의, 구술심리주의 등이 적용된다.

(1) 처분권주의

처분권주의
▷ 소송절차의 개시 및 종료, 심판대상의 결정을 당사자의 의사에 맡기는 원칙

① 처분권주의란 소송절차의 개시 및 종료, 심판대상의 결정을 당사자의 의사에 맡기는 원칙을 말한다(「민사소송법」 제203조, 동법 제8조 제2항,). 이 원칙은 사적자치에 근거를 둔 법질서에 뿌리를 두고 있다.
② 앞서 설명한 불고불리의 원칙도 처분권주의의 한 내용으로 볼 수 있다.

(2) 변론주의

변론주의
▷ 소송자료 당사자가 수집·제출
▷ 법원은 제출한 소송자료만 소송기초

① 변론주의란 직권심리주의에 대응하는 것으로 재판의 기초가 되는 소송자료(사실자료와 증거자료)의 수집·제출책임을 당사자에게 지우고, 법원은 당사자가 제출한 소송자료만을 재판의 기초로 삼아야 한다는 원칙을 말한다.
② 행정소송의 심리에도 민사소송과 마찬가지로 기본적으로 변론주의가 지배한다. 다만, 직권심리주의가 일부 가미되어 있을 뿐이다.

(3) 공개심리주의

공개심리주의(공개재판주의)
▷ 재판의 심리와 판결은 공개적으로 진행되어야 한다는 원칙

① 공개심리주의란 재판의 심리와 판결은 공개적으로 진행되어야 한다는 원칙으로(헌법 제109조 전단, 「법원조직법」 제57조 제1항 전단), 공개재판주의라고도 한다.
② 다만, 법원은 국가의 안전보장 또는 안녕질서를 방해하거나 선량한 풍속을 해할 염려가 있을 때에는 결정으로 공개하지 아니할 수 있다(헌법 제109조 후문, 「법원조직법」 제57조 제1항 후문).

(4) 구술심리주의

① 구술심리주의란 심리를 함에 있어서 당사자 및 법원의 소송행위, 특히 변론 및 증거조사를 구술로 행하는 심리원칙을 말한다(서면심리주의의 반대).
② 행정소송의 심리는 구술심리주의를 그 원칙으로 하면서, 서면심리주의를 통해 보충한다.

2. 「행정소송법」상 특수한 소송절차

「행정소송법」은 판결의 공정성과 타당성을 확보하기 위하여 변론주의의 대한 예외로서 법원의 직권심리(동법 제26조)와 행정심판기록의 제출명령(동법 제25조)에 관하여 규정하고 있다.

> 「행정소송법」 제25조 【행정심판기록의 제출명령】 ① 법원은 당사자의 신청이 있는 때에는 결정으로써 재결을 행한 행정청에 대하여 행정심판에 관한 기록의 제출을 명할 수 있다.
> ② 제1항의 규정에 의한 제출명령을 받은 행정청은 지체 없이 당해 행정심판에 관한 기록을 법원에 제출하여야 한다.
> 제26조 【직권심리】 법원은 필요하다고 인정할 때에는 직권으로 증거조사를 할 수 있고, 당사자가 주장하지 아니한 사실에 대하여도 판단할 수 있다.
> 「민사소송법」 제292조 【직권에 의한 증거조사】 법원은 당사자가 신청한 증거에 의하여 심증을 얻을 수 없거나, 그 밖에 필요하다고 인정한 때에는 직권으로 증거조사를 할 수 있다.

(1) 직권심리주의(「행정소송법」 제26조의 해석)

① 문제점: 직권심리주의란 소송자료(사실과 증거)의 수집을 법원이 직권으로 할 수 있는 소송심리의 원칙을 말한다. 「행정소송법」 제26조는 "법원은 필요하다고 인정할 때에는 직권으로 증거조사를 할 수 있고, 당사자가 주장하지 아니한 사실에 대하여도 판단할 수 있다."라고 하여 법원의 직권심리주의를 규정하고 있는데, 이 규정의 의미에 대해서는 학설의 대립이 있다.❶

② 학설 및 판례
  ㉠ 학설
    ⓐ 직권탐지주의설: 「행정소송법」 제26조가 "당사자가 주장하지 아니한 사실에 대하여도 판단할 수 있다."라고 규정하고 있는 점을 논거로, 법원은 당사자가 제출한 사실에 관한 보충적 증거조사를 할 수 있음에 그치지 않고, '당사자가 주장하지 않은 사실에 대해서도' 직권으로 이를 탐지하여 재판의 자료로 할 수 있다는 견해이다.
    ⓑ 변론주의보충설(다수설): 동 조문은 행정소송도 민사소송과 마찬가지로 변론주의를 기본원칙으로 하면서, 법원이 당사자가 주장한 사실에 대해 당사자의 입증활동이 불충분하여 심증을 얻기 어려운 경우에 보충적으로 직권으로 증거조사를 할 수 있다는 견해이다.
  ㉡ 판례: 판례는 변론주의보충설을 취하고 있다. 판례는 행정소송은 변론주의를 기본구조로 하면서 직권주의를 가미되어 있는 것이어서, 「행정소송법」 제26조의 직권심리는 당사자주의·변론주의에 대한 일부 예외규정일 뿐이라는 것이 기본 입장이다.

 함께 정리하기

구술심리주의
▷ 변론 및 증거조사를 구술로 행하는 심리원칙

직권심리주의
▷ 소송자료(사실과 증거)의 수집을 법원이 직권으로 할 수 있는 소송심리의 원칙

❶ 변론주의가 지배하는 민사소송에서도 직권에 의한 증거조사는 허용된다(「민사소송법」 제292조). 그런데 행정소송법 제26조의 직권심리에 관한 규정은 직권에 의한 증거조사뿐 아니라 당사자가 주장하지 아니한 사실에 대한 판단까지도 규정하여 민사소송법의 규정의 규정과는 다소 차이가 있는바, 이러한 차이점을 부각시킬 것인지 여부에 대하여 견해의 대립이다.

직권탐지주의설
▷ 당사자가 주장하지 않은 사실에 대해서도 직권으로 탐지 가능

변론주의보충설
▷ 변론주의를 보충하기 위하여 예외적으로만 직권증거조사 가능

판례
▷ 변론주의보충설

함께 정리하기

「행정소송법」제26조
▷ 당사자주의, 변론주의의 예외규정
▷ 아무런 제한 없이 당사자가 주장하지 않은 사실 판단 불가
▷ 기록에 현출된 사항에 한하여 직권증거조사·판단 可

적법여부 합리적 의심
▷ 석명·직권 심리 판단해야 함

당사자가 주장하지도 아니한 법률효과에 관한 요건사실이나 독립된 공격방어방법을 시사하여 그 제출을 권유하는 것
▷ 변론주의 원칙 위배

기본적 사실관계의 동일성이 없는 사실을 직권으로 심사하는 것
▷ 변론주의 원칙 위배

명의신탁등기 과징금 부과처분과 장기미등기 과징금 부과처분 사유가 존재한다는 이유로 적법하다고 판단하는 것
▷ 변론주의 원칙 위배

관련판례

1 법원은 당사자가 주장하지 아니한 사실을 판단할 수 있는 것은 아니고, 일건 기록에 현출되어 있는 사항에 관하여서만 직권으로 증거조사를 하고 이를 기초로 하여 판단할 수 있을 뿐이다. ★★

행정소송법 제26조가 법원은 필요하다고 인정할 때에는 직권으로 증거조사를 할 수 있고, 당사자가 주장하지 아니한 사실에 대하여도 판단할 수 있다고 규정하고 있지만, 이는 행정소송의 특수성에 연유하는 당사자주의, 변론주의에 대한 일부 예외 규정일 뿐 법원이 아무런 제한 없이 당사자가 주장하지 아니한 사실을 판단할 수 있는 것은 아니고, 일건 기록에 현출되어 있는 사항에 관하여서만 직권으로 증거조사를 하고 이를 기초로 하여 판단할 수 있을 따름이고, 그것도 법원이 필요하다고 인정할 때에 한하여 청구의 범위내에서 증거조사를 하고 판단할 수 있을 뿐이다(대판 1994.10.11. 94누4820).

2 법원은 기록상 자료가 나타나 있다면 당사자가 주장하지 않았더라도 판단할 수 있다. ★★

행정소송에서 기록상 자료가 나타나 있다면 당사자가 주장하지 않았더라도 판단할 수 있고, 당사자가 제출한 소송자료에 의하여 법원이 처분의 적법 여부에 관한 합리적인 의심을 품을 수 있음에도 단지 구체적 사실에 관한 주장을 하지 아니하였다는 이유만으로 당사자에게 석명을 하거나 직권으로 심리·판단하지 아니함으로써 구체적 타당성이 없는 판결을 하는 것은 행정소송법 제26조의 규정과 행정소송의 특수성에 반하므로 허용될 수 없다(대판 2010.2.11. 2009두18035 ; 대판 2011.2.10. 2010두20980).

3 당사자가 주장하지도 아니한 법률효과에 관한 요건사실이나 독립된 공격방어방법을 시사하여 그 제출을 권유하는 것은 변론주의 원칙에 위배된다. ★★

법원의 석명권 행사는 당사자의 주장에 모순된 점이 있거나 불완전·불명료한 점이 있을 때에 이를 지적하여 정정·보충할 수 있는 기회를 주고, 계쟁 사실에 대한 증거의 제출을 촉구하는 것을 그 내용으로 하는 것으로, 당사자가 주장하지도 아니한 법률효과에 관한 요건사실이나 독립된 공격방어방법을 시사하여 그 제출을 권유함과 같은 행위를 하는 것은 변론주의의 원칙에 위배되는 것으로 석명권 행사의 한계를 일탈하는 것이 된다(대판 2001.1.16. 99두8107 ; 대판 2005.1.14. 2002두7234).

4 기본적 사실관계의 동일성이 없는 사실을 직권으로 심사하는 것은 직권심사주의의 한계를 벗어난 것이다. ★

같은 국가유공자 비해당결정이라도 그 사유가 공무수행과 상이 사이에 인과관계가 없다는 것과 본인 과실이 경합되어 있어 지원대상자에 해당할 뿐이라는 것은 기본적 사실관계의 동일성이 없다고 보아야 한다. 따라서 처분청이 공무수행과 사이에 인과관계가 없다는 이유로 국가유공자 비해당결정을 한 데 대하여 법원이 그 인과관계의 존재는 인정하면서 직권으로 본인 과실이 경합된 사유가 있다는 이유로 그 처분이 정당하다고 판단하는 것은 「행정소송법」이 허용하는 직권심사주의의 한계를 벗어난 것으로서 위법하다(대판 2013.8.22. 2011두26589).

5 명의신탁등기 과징금 부과처분과 장기미등기 과징금 부과처분 사유가 존재한다는 이유로 적법하다고 판단하는 것은 직권심사주의 원칙상 될 수 없다. ★★

명의신탁등기 과징금과 장기미등기 과징금은 위반행위의 태양, 부과 요건, 근거 조항을 달리하므로, 각 과징금 부과처분의 사유는 상호 간에 기본적 사실관계의 동일성이 있다고 할 수 없다. 그러므로 그중 어느 하나의 처분사유에 의한 과징금 부과처분에 대하여 당해 처분사유가 아닌 다른 처분사유가 존재한다는 이유로 적법하다고 판단하는 것은 특별한 사정이 없는 한 행정소송법상 직권심사주의의 한계를 넘는 것으로서 허용될 수 없다(대판 2017.5.17. 2016두53050).

③ 그 밖에 행정소송에의 준용: 취소소송의 직권심리를 규정하는 「행정소송법」 제26조의 규정은 무효등 확인소송, 부작위위법확인소송 및 당사자소송에 준용된다(동법 제38조, 제44조 제1항).

(2) 행정심판기록의 제출명령

① 법원은 당사자의 신청이 있는 때에는 결정으로써 그 재결을 행한 행정청에 대하여 행정심판에 관한 기록의 제출을 명할 수 있으며, 이 경우 재결을 행한 행정청은 지체 없이 당해 행정심판에 관한 기록을 법원에 제출하여야 한다(동법 제25조).
② 「행정소송법」은 원고의 증거수집의 곤란을 덜어주고, 입증자료의 용이한 확보 등 당사자의 소송상 지위보장을 위해 당사자의 신청이 있는 경우, 법원이 재결을 행한 행정청(행정심판위원회)에 대하여 행정심판기록의 제출을 명할 수 있도록 규정하고 있다.❶
③ 여기에서 행정심판기록이란 당해 행정심판에 관한 모든 기록을 가리키는 것으로서, 행정심판청구서와 그에 대한 답변서 및 재결서뿐만 아니라, 행정심판위원회의 회의록 및 기타 행정심판위원회의 심리를 위하여 제출된 모든 증거와 자료를 포함한다.
④ 이 규정은 무효등 확인소송과 부작위법확인소송 및 당사자소송에 준용된다(동법 제38조, 제44조 제1항).

5 주장책임과 입증책임(증명책임)

1. 주장책임

(1) 의의

① 변론주의하에서는 법원은 당사자가 주장하지 않은 사실을 판결의 기초로 삼을 수 없다. 따라서 당사자가 분쟁의 대상이 되는 주요사실을 변론에서 주장하지 않으면 그러한 사실이 없는 것으로 취급되어 불이익을 받게 되는 바, 이를 주장책임이라고 한다.
② 행정소송에서도 변론주의를 기본구조로 하고 있으므로 당사자에게 주장책임이 있다.

> **관련판례**
>
> **행정소송에서의 주장·입증책임** ★
> 행정소송에 있어서 특단의 사정이 있는 경우를 제외하면 당해 행정처분의 적법성에 관하여는 당해 처분청이 이를 주장·입증하여야 할 것이나 행정소송에 있어서 직권주의가 가미되어 있다고 하여도 여전히 변론주의를 기본 구조로 하는 이상 행정처분의 위법을 들어 그 취소를 청구함에 있어서는 직권조사사항을 제외하고는 그 취소를 구하는 자가 위법사유에 해당하는 구체적인 사실을 먼저 주장하여야 한다(대판 2000.3.23. 98두2768).

(2) 직권심리주의와 주장책임

「행정소송법」은 직권심리주의를 보충적으로 인정하고 있으므로 그 범위 내에서 주장책임도 완화된다.

함께 정리하기

「행정소송법」 제26조(직권심리) 규정
▷ 무효등 확인소송, 부작위법확인소송 및 당사자소송에 준용

법원
▷ 당사자 신청으로 재결 행정청에 기록 제출요구 가

❶ 행정소송에서도 「민사소송법」에 의한 문서제출명령이 허용되지 않는 것은 아니지만 당사자의 소송상 지위보장을 위하여 「민사소송법」상 문서제출명령으로는 제출대상으로 할 수 없는 행정심판위원회의 내부문서(「민사소송법」 344조 제3호 참조)에 대해서도 제출시킬 수 있도록 한 제도이다.

주장책임
▷ 주장하지 않아 사실이 없는 것으로 취급되는 불이익

주장·입증책임
▷ 행정처분 적법성: 처분청
▷ 위법사유에 해당하는 구체적인 사실: 처분 상대방

행정소송 당사자
▷ 주장책임O

2. 입증책임(증명책임)

(1) 의의
① 입증책임이란 소송상 일정한 사실의 존부가 확정되지 않은 경우에 불리한 법적 판단을 받게 되는 당사자 일방의 불이익 또는 불이익의 위험을 말한다.
② 입증책임은 변론주의 하에서 특히 중요한 의미를 가지는 것이나, 직권심리주의 하에서도 어떠한 사실이 증명되지 않은 경우가 생길 수 있으므로 문제가 된다.

(2) 취소소송에서의 입증책임의 분배
입증책임의 분배란 어떤 사실의 존부가 확정되지 않은 경우에 당사자 중 누구에게 그 불이익을 부담시킬 것인가 하는 문제이다.「행정소송법」에 입증책임에 관하여는 아무런 규정이 없기 때문에, 취소소송에 있어서 입증책임을 어떻게 분배할 것인지에 대해 견해의 대립이 있다.

① 학설
  ㉠ 원고책임설: 행정행위의 공정력에 대한 적법성추정이론에 근거하여 행정행위가 위법하다고 주장하는 원고에게 입증책임이 있다는 견해이다.
  ㉡ 피고책임설: 법치행정의 원칙상 처분은 적법하여야 하므로 행위의 적법성의 입증책임은 피고인 행정청이 부담하여야 한다는 견해이다.
  ㉢ 법률요건분류설(입증책임 분배설)
    ⓐ 입증책임에 관한 별도의 규정이 없는 한 행정소송에 있어서도 민사소송과 마찬가지로 당사자는 각각 자기에게 유리한 법규범의 요건사실에 관하여 입증책임을 부담한다는 견해이다(다수설).
    ⓑ 이에 따라 취소소송에서는 ㉮ 행정청의 권한행사규정(~한 경우에는 ~한 처분을 할 수 있다)의 요건사실의 존재는 권한행사의 필요 또는 적법성을 주장하는 자가 입증책임을 부담하고[적극적 처분의 경우는 그 처분을 한 행정청이, 소극적 처분(거부처분)의 경우에는 원고], ㉯ 행정청의 권한불행사규정(~한 경우에는 ~한 처분을 할 수 없다)이나 상실규정의 요건사실의 존재는 처분 권한의 불행사나 상실을 주장하는 자가 요건사실에 대한 입증책임을 부담한다고 본다[적극적 처분의 경우는 원고가, 소극적 처분(거부처분)의 경우는 그 처분을 한 행정청].
  ㉣ 행정법독자분배설: 행정소송의 특수성을 감안하여 구체적 사안에 따라 입증책임을 결정하여야 한다는 견해이다.
② 판례: 판례는 특별한 규정이 없는 한 행정소송에서의 입증책임도 「민사소송법」상의 입증책임의 원칙인 법률요건분류설(입증책임 분배설)에 따라야 한다는 입장이다.

입증책임
▷ 소송상 일정한 사실의 존부가 확정되지 않은 경우에 불리한 법적 판단을 받게 되는 당사자 일방의 불이익 또는 불이익의 위험

입증책임 규정×
▷ 분배 견해대립

법률요건분류설(입증책임 분배설)
▷ 각 당사자는 자기에게 유리한 법규범의 요건사실에 관하여 입증책임을 부담

❶ 이 견해는「민사소송법」에서 권리의 존재를 주장하는 자가 그 요건인 권리발생사실에 관하여, 권리의 존재를 부정하는 자가 그 권리의 발생을 방해 또는 소멸시키는 요건사실에 관하여 입증책임을 져야 한다는 입증책임 분배원칙을 근거로 하고 있다.

권한행사규정(~한 경우에는 ~한 처분을 할 수 있다)의 요건사실
▷ 권한행사의 적법성(필요성)을 주장하는 자가 입증책임○

권한불행사규정이나 상실규정(~한 경우에는 ~한 처분을 할 수 없다)의 요건사실
▷ 권한불행사나 상실을 주장하는 자가 입증책임○

관련판례

항고소송의 경우 처분의 적법사유에 대한 입증책임은 피고에게 있고, 이와 상반되는 주장·입증책임은 원고에게 있다. ★★★

민사소송법의 규정이 준용되는 행정소송에 있어서 입증책임은 원칙적으로 민사소송의 일반원칙에 따라 당사자간에 분배되고 항고소송의 경우에는 그 특성에 따라 당해 처분의 적법을 주장하는 피고에게 그 적법사유에 대한 입증책임이 있다 할 것인바 피고가 주장하는 당해 처분의 적법성이 합리적으로 수긍할 수 있는 일응의 입증이 있는 경우에는 그 처분은 정당하다 할 것이며 이와 상반되는 주장과 입증은 그 상대방인 원고에게 그 책임이 돌아간다(대판 1984.7.24. 84누124 ; 대판 2016.10.27. 2015두42817).

입증책임
▷ 처분 적법사유: 피고
▷ 처분 위법사유: 원고

(3) 구체적 검토(법률요건분류설에 따른 입증책임 분배)

① **소송요건**: 소송요건은 법원의 직권조사사항이지만, 그 존부가 불분명한 경우에는 부적합한 소로 취급(각하판결)되어 원고에게 불이익하게 되므로 이에 대한 입증책임은 원고가 부담한다.

② **본안사항**
  ㉠ 본안인 처분의 적법성에 대한 입증책임은 당해 처분이 적극적 처분(예 과세원인, 과세표준, 금액 등)이든 소극적 처분(예 거부처분, 거부사유나 비공개사유 등)이든 피고인 행정청이 부담한다.

관련판례

1 과세처분의 적법성에 대한 증명책임은 과세관청에 있으므로 어느 사업연도의 소득에 대한 과세처분의 적법성이 다투어지는 경우 과세관청으로서는 과세소득이 있다는 사실 및 그 소득이 그 사업연도에 귀속된다는 사실을 증명하여야 한다(대판 2020.4.9. 2018두57490). ★

2 과세처분의 위법을 이유로 그 취소를 구하는 행정소송에 있어 처분의 적법성 및 과세요건사실의 존재에 관하여는 원칙적으로 과세관청이 그 입증책임을 부담한다(대판 1996.4.26. 96누1627 ; 대판 1990.2.13. 89누2851). ★

3 성희롱을 사유로 한 징계처분의 당부를 다투는 행정소송에서 징계사유에 대한 증명책임은 그 처분의 적법성을 주장하는 피고에게 있다(대판 2018.4.12. 2017두7470). ★

4 국가유공자 인정 요건, 즉 공무수행으로 상이를 입었다는 점이나 그로 인한 신체장애의 정도가 법령에 정한 등급 이상에 해당한다는 점은 국가유공자 등록신청인이 증명할 책임이 있지만, 그 상이가 '불가피한 사유 없이 본인의 과실이나 본인의 과실이 경합된 사유로 입은 것'이라는 사정, 즉 지원대상자 요건에 해당한다는 사정은 국가유공자 등록신청에 대하여 지원대상자로 등록하는 처분을 하는 처분청이 증명책임을 진다고 보아야 한다(대판 2013.8.22. 2011두26589).

과세소득이 있다는 사실 및 그 소득이 그 사업연도에 귀속된다는 사실
▷ 과세관청이 증명

과세요건사실의 존재에 관하여
▷ 과세관청이 증명

성희롱을 사유로 한 징계처분의 당부를 다투는 행정소송에서 징계사유에 대한 증명책임
▷ 처분청이 부담

국가유공자 등록신청에 대하여 지원대상자 요건에 해당한다는 사정
▷ 처분청이 증명책임

함께 정리하기

수익적 행정행위 취소사유 증명책임
▷ 처분청

⑤ 수익적 행정처분의 하자나 취소해야 할 필요성에 관한 증명책임은 기존 이익과 권리를 침해하는 처분을 한 행정청에 있다. ★★★

일정한 행정처분으로 국민이 일정한 이익과 권리를 취득하였을 경우에 종전 행정처분에 하자가 있음을 전제로 직권으로 이를 취소하는 행정처분은 이미 취득한 국민의 기존 이익과 권리를 박탈하는 별개의 행정처분으로, 취소될 행정처분에 하자가 있어야 하고, 나아가 행정처분에 하자가 있다고 하더라도 취소해야 할 공익상 필요와 취소로 당사자가 입게 될 기득권과 신뢰보호 및 법률생활 안정의 침해 등 불이익을 비교·교량한 후 공익상 필요가 당사자가 입을 불이익을 정당화할 만큼 강한 경우에 한하여 취소할 수 있는 것이며 (수익적 행정처분의) 하자나 취소해야 할 필요성에 관한 증명책임은 기존 이익과 권리를 침해하는 처분을 한 행정청에 있다(대판 2017.6.15. 2014두46843 ; 대판 2014.11.27. 2014두9226 ; 대판 2012.3.29. 2011두23375).

비공개사유에 대한 증명책임
▷ 공공기관

⑥ 정보공개거부처분 취소소송에서 비공개사유의 주장·입증책임은 피고인 공공기관에 있다(대판 2007.2.8. 2006두4899 ; 대판 2003.12.11. 2001두8827). ★★★

체류자격 거부처분 취소소송에서 요건을 충족하지 못하였다는 처분사유에 관한 증명책임
▷ 행정청이 부담

⑦ 결혼이민[F-6 다목] 체류자격을 신청한 외국인에 대하여 행정청이 그 요건을 충족하지 못하였다는 이유로 거부처분을 하는 경우, 결혼이민[F-6 다목] 체류자격 거부처분 취소소송에서 위 처분사유에 관한 증명책임은 피고 행정청에 있다. ★★

결혼이민[F-6 다목] 체류자격을 신청한 외국인에 대하여 행정청이 그 요건을 충족하지 못하였다는 이유로 거부처분을 하는 경우, '그 요건을 갖추지 못하였다는 판단', 다시 말해 '혼인파탄의 주된 귀책사유가 국민인 배우자에게 있지 않다는 판단' 자체가 처분사유가 된다. 부부가 혼인파탄에 이르게 된 여러 사정들은 그와 같은 판단의 근거가 되는 기초 사실 내지 평가요소에 해당한다. 결혼이민[F-6 다목] 체류자격 거부처분 취소소송에서 위 처분사유에 관한 증명책임은 피고 행정청에 있다(대판 2019.7.4. 2018두66869).

ⓒ 다만, 적극적 처분의 경우 권한장애·소멸사실(예 면세대상 또는 비과세대상이라는 사실 등), 소극적 처분(거부처분)의 경우 권한발생사실[예 신청의 대상이 된 수익적 처분의 성립요건이 충족사실 등(위의 ④번 판례 전단)]에 대해서는 원고에게 입증책임이 있다.

🔨 관련판례

과세대상이 된 토지가 비과세 혹은 면제대상이라는 점
▷ 납세의무자가 입증책임 부담

과세대상이 된 토지가 비과세 혹은 면제대상이라는 점은 이를 주장하는 납세의무자에게 입증책임이 있는 것이다(대판 1996.4.26. 94누12708). ★

③ **재량행위의 경우**: 재량처분이 법정요건에 부합한다는 사실은 피고 행정청에 있고, 행정법의 일반원칙 등 재량의 일탈·남용에 해당한다는 사실은 원고에게 있다.

🔨 관련판례

재량의 일탈·남용
▷ 원고 입증책임

재량행위에 있어 재량의 일탈·남용의 입증책임은 원고에게 있다. ★★★

자유재량에 의한 행정처분이 그 재량권의 한계를 벗어난 것이어서 위법하다는 점은 그 행정처분의 효력을 다투는 자(원고)가 이를 주장·입증하여야 하고, 처분청이 그 재량권의 행사가 정당한 것이었다는 점까지 주장·입증할 필요는 없다(대판 1987.12.8. 87누861 ; 대판 2016.10.27. 2015두41579).

❶ 등기에 의한 우편송달의 경우라도 수취인이 주민등록지에 실제로 거주하지 아니하는 경우 우편물이 수취인에게 도달하였다고 추정할 수 없으므로 우편물의 도달사실을 처분청이 입증해야 한다(대판 1998.2.13. 97누8977).

④ **처분의 절차적 적법성**: 처분의 절차적 적법성에 대해서는 적극적 처분·소극적 처분을 불문하고 행정청이 그 절차가 적법하다는 사실을 증명하여야 한다.

제7절 취소소송의 판결

1 판결의 의의 및 종류

1. 판결의 의의
판결이란 법원이 구체적인 법률상 쟁송을 해결하기 위하여 소송절차를 거쳐 내리는 결정을 말한다.

2. 판결의 종류❶

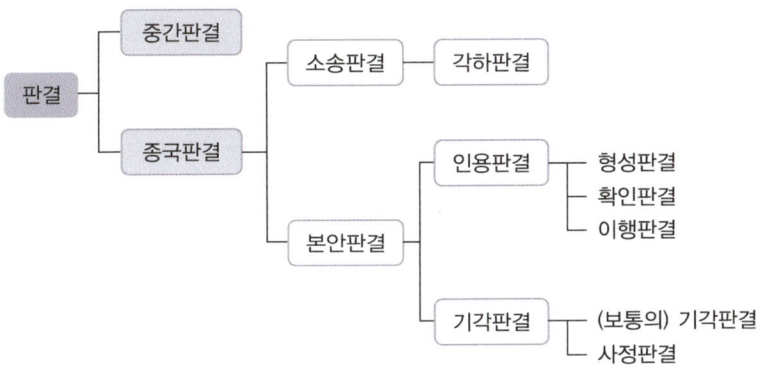

종국판결은 소송사건의 전부 또는 일부를 종료시키는 판결을 말하고, 중간판결은 종국판결을 하기 전에 소송의 진행 중에 발생한 쟁점을 해결하기 위해 내리는 확인적 성질의 판결을 말한다(예 피고의 방소항변을 이유 없다고 하는 판결). 취소소송에서의 종국판결은 다시 소송판결(각하판결)과 본안판결로 구분되며, 본안판결은 다시 기각판결과 인용판결로 나눌 수 있다.

3. 종국판결의 내용

(1) 각하판결

각하판결(= 소송판결)이란 소송요건이 결여된 부적법한 소에 대해 본안심리를 거부하는 판결을 말한다. 소제기 후에 소의 대상이나 소의 이익이 소멸된 경우에도 각하판결을 한다.

(2) 기각판결

① **(보통의) 기각판결**: 기각판결이란 원고의 취소청구가 이유 없을 때 원고의 청구를 배척하는 판결을 말한다. 즉, 원고가 위법하다고 주장하는 행정청의 처분이 적법한 경우에 내려지는 판결이다.

판결
▷ 법원이 구체적인 법률상 쟁송을 해결하기 위하여 소송절차를 거쳐 내리는 결정

❶ 판결의 종류
① 소송판결: 소송요건 또는 상소요건의 흠결이 있는 경우에 소송을 부적법하다 하여 각하하는 판결을 말한다(예 소각하판결).
② 본안판결: 종국판결 중 본안심리의 결과 청구의 전부 또는 일부를 인용하거나 기각하는 판결을 말한다.
③ 전부판결: 동일한 소송절차로 심판되는 사건의 전부를 동시에 종료시키는 판결을 말한다.
④ 일부판결: 동일한 소송절차에서 계속되고 있는 사건의 일부를 다른 부분으로부터 분리시켜 하는 판결을 말한다.

각하판결
▷ 소송요건이 결여된 부적법한 소에 대해 본안심리를 거부하는 판결

기각판결
▷ 원고의 청구가 이유 없다는 판결

② 사정판결

> 「행정소송법」 제28조 【사정판결】 ① 원고의 청구가 이유있다고 인정하는 경우에도 처분등을 취소하는 것이 현저히 공공복리에 적합하지 아니하다고 인정하는 때에는 법원은 원고의 청구를 기각할 수 있다. 이 경우 법원은 그 판결의 주문에서 그 처분등이 위법함을 명시하여야 한다.
> ② 법원이 제1항의 규정에 의한 판결을 함에 있어서는 미리 원고가 그로 인하여 입게 될 손해의 정도와 배상방법 그 밖의 사정을 조사하여야 한다.
> ③ 원고는 피고인 행정청이 속하는 국가 또는 공공단체를 상대로 손해배상, 제해시설의 설치 그 밖에 적당한 구제방법의 청구를 당해 취소소송등이 계속된 법원에 병합하여 제기할 수 있다.
> 제32조 【소송비용의 부담】 취소청구가 제28조의 규정에 의하여 기각되거나 행정청이 처분등을 취소 또는 변경함으로 인하여 청구가 각하 또는 기각된 경우에는 소송비용은 피고의 부담으로 한다.

㉠ 의의
ⓐ 사정판결은 본안심리 결과 원고의 청구가 이유 있다고 인정하는 경우(처분이 위법성이 인정되는 경우)에도 처분 등을 취소하는 것이 현저히 공공복리에 적합하지 아니하다고 인정하는 때에 원고의 청구를 기각하는 판결을 말한다(「행정소송법」 제28조).
ⓑ 사정판결은 공공복리의 유지를 위해 예외적으로 인정된 제도이므로 그 적용은 엄격한 요건 아래 제한적으로 하여야 한다(대판 1995.6.13. 94누4660 ; 대판 2000.2.11. 99두7210).

㉡ 요건
ⓐ 원고의 청구가 이유 있을 것: 사정판결은 본안심리의 결과, 처분 등이 위법하다는 원고의 청구가 이유가 있다고 판단되어야 한다. 적법한 행정처분에 대하여 현저히 공공복리에 부적합하다 하여 사정판결로 취소할 수는 없다(대판 1982.11.9. 81누176).
ⓑ 처분 등의 취소가 현저히 공공복리에 적합하지 않을 것
㉮ 사정판결은 원고의 청구가 이유 있다고 인정됨에도 불구하고 처분 등을 취소하는 것이 현저히 공공복리에 적합하지 아니하다고 인정되어야 한다.
㉯ 현저히 공공복리에 적합하지 아니한가의 여부의 판단함에 있어서는 위법·부당한 행정처분을 취소·변경하여야 할 필요와 그 취소·변경으로 인하여 발생할 수 있는 공공복리에 반하는 사태 등을 비교·교량하여 그 적용 여부를 판단하여야 한다(대판 1997.11.11. 95누4902 ; 대판 2006.9.22. 2005두2506 ; 대판 2009.12.10. 2009두8359 등).❶

ⓒ 당사자의 주장(항변)이 없어도 법원이 직권으로 사정판결을 할 수 있는지 여부: 판례는 「행정소송법」 제26조를 근거로 당사자의 명백한 주장(항변)이 없더라도 기록에 나타난 사실을 기초로 하여 법원은 직권으로 사정판결을 할 수 있다고 본다.

사정판결
▷ 청구이유 있어도 공공복리 위해 원고 청구 기각하는 판결

사정판결
▷ 행정의 법률적합성 원칙의 예외적 현상

요건
▷ 원고 청구이유○

적법한 처분
▷ 사정판결 대상×

요건
▷ 권리구제 필요성과 공공복리침해 비교·형량

❶ 즉, 위법한 처분을 취소하여 개인의 권익을 구제할 필요와 그 취소로 인하여 발생할 수 있는 공공복리에 대한 현저한 침해를 비교·형량하여 결정하여야 한다.

사정판결
▷ 당사자의 주장(항변)이 없어도 법원이 직권으로 사정판결 가

관련판례

법원은 직권으로 사정판결을 할 수 있다. ★★★

행정소송법 제26조, 제28조 제1항 전단의 각 규정에 비추어 행정소송에 있어서 <u>법원이 사정판결을 할 필요가 있다고 인정하는 때에는 당사자의 명백한 주장이 없는 경우에도 일건기록에 나타난 사실을 기초로 하여 직권으로 사정판결을 할 수 있다</u>(대판 1992.2.14. 90누9032; 대판 2006.9.22. 2005두2506).

③ **위법성과 필요성 판단의 기준시**: 사정판결의 대상이 되는 처분의 위법 여부는 처분시를 기준으로 판단하여야 하지만, 사정판결은 처분 이후의 사정변경을 고려하는 취지에서 인정되는 것이므로 사정판결의 필요성은 변론종결시(판결시)를 기준으로 판단하여야 한다(대판 1970.3.24. 69누29).

④ **주장·입증책임**: 사정판결의 필요성에 대한 주장·입증책임은 피고인 행정청이 부담한다.

⑤ **효과**: 사정판결은 원고의 청구를 기각하는 판결이므로 취소소송의 대상인 처분 등은 위법함에도 불구하고 그 효력이 유지된다.

⑥ **원고보호를 위한 조치**
  ㉠ **사정조사의 의무**: 법원이 사정판결을 함에 있어서는 미리 원고가 사정판결로 인하여 입게 될 손해의 정도와 배상방법 그 밖의 사정을 조사하여야 한다(동법 제28조 제2항).

관련판례

사정판결시에는 원고가 입게 될 손해의 정도와 배상방법 그 밖의 사정에 관한 심리 등에 대한 사정조사를 해야 하고, 간과 시 법원은 석명권 행사하여야 한다. ★

사정판결은 처분이 위법하나 공익상 필요 등을 고려하여 취소하지 아니하는 것일 뿐 처분이 적법하다고 인정되는 것은 아니므로, <u>사정판결의 요건을 갖추었다고 판단되는 경우 법원으로서는 행정소송법 제28조 제2항에 따라 원고가 입게 될 손해의 정도와 배상방법, 그 밖의 사정에 관하여 심리하여야 하고, 이 경우 원고는 행정소송법 제28조 제3항에 따라 손해배상, 제해시설의 설치 그 밖에 적당한 구제방법의 청구를 병합하여 제기할 수 있으므로, 당사자가 이를 간과하였음이 분명하다면 적절하게 석명권을 행사하여 그에 관한 의견을 진술할 수 있는 기회를 주어야 한다</u>(대판 2016.7.14. 2015두4167).

  ㉡ **소송비용의 피고부담**: 사정판결은 원고의 청구가 이유가 있음에도 불구하고 그 청구를 기각하는 것이므로, 소송비용은 승소한 피고(행정청)가 부담한다(동법 제32조).
  ㉢ **판결주문에 그 처분 등이 위법함을 명시할 것**: 사정판결을 하는 경우 법원은 그 판결의 주문에서 그 처분 등이 위법함을 명시하여야 한다(동법 제28조 제1항 후단). 판결주문에 위법을 명시하게 되면, 그 처분 등의 위법성에 대하여 기판력이 발생한다.

> **참고** 사정판결의 주문 기재 예시
> 1. 원고의 청구를 기각한다.
> 2. 다만, 피고가 2015.3.3. 원고에 대하여 한 ○○처분은 위법하다.
> 3. 소송비용은 (　　)의 부담으로 한다.

함께 정리하기

법원
▷ 직권으로 사정판결 可

사정판결 필요성
▷ 판결시 기준으로 판단

사정판결 필요성 주장·입증책임
▷ 행정청이 부담

사정조사의무
▷ 법원은 원고의 손해정도·배상방법 등 조사해야 함

사정조사의무
▷ 원고가 손해정도·배상방법 등 조사해야 함
▷ 간과시 법원은 석명권 행사

함께 정리하기

사정판결시
▷ 원고는 손해배상·제해시설 설치·적당한 구제방법청구 등을 취소소송에 병합제기 可

사정판결(취소소송에만 인정)
▷ 원·피고 불복 可

법학전문대학원 설치예비인가 취소소송이 인용될 경우 이미 입학한 재학생의 불이익이 예상되고 총정원제로 운영되는 법학전문대학원의 시행에 중대한 지장을 초래할 우려가 있는 경우
▷ 사정판결○

재개발조합설립 및 사업시행인가처분이 처분 당시 법정요건인 토지 및 건축물 소유자 총수의 각 3분의 2 이상의 동의를 얻지 못하여 위법하더라도 그 후 90% 이상의 소유자가 재개발사업의 속행을 바라고 있는 경우
▷ 사정판결○

관리처분계획상 재결의에 많은 시간·비용 소요
▷ 사정판결×

위법한 생활폐기물처리업허가의 거부처분이 취소될 경우 기존의 동종업체에게 경쟁상대를 추가시킴으로써 일시적인 공급시설의 과잉현상이 나타나 업체의 난립 및 과당경쟁으로 인한 부작용
▷ 사정판결×

검찰조직안정·인화 저해우려
▷ 사정판결×

ⓔ 원고에 대한 권리구제: 사정판결로 해당 처분 등이 적법하게 되는 것은 아니므로 원고는 당해 처분 등으로 손해를 입은 경우 손해배상청구를 할 수 있다. 이때 원고는 피고인 행정청이 속하는 국가 또는 공공단체를 상대로 손해배상, 제해시설의 설치, 그 밖에 적당한 구제방법의 청구를 당해 취소소송 등이 계속된 법원에 병합하여 제기할 수 있다(동법 제28조 제3항).

⑦ **사정판결에 대한 불복**: 사정판결에 대해서는 원고와 피고(행정청) 모두가 상소할 수 있다.

⑧ **적용범위**: 사정판결은 취소소송에서만 인정되고, 무효등 확인소송, 부작위위법확인소송, 당사자소송에는 준용되지 않는다(동법 제38조).

⑨ 구체적인 사례
　㉠ 사정판결을 긍정한 예(처분 등을 취소함이 현저히 공공복리에 적합하지 아니하다고 본 사례)

> **관련판례**
>
> 1. 법학전문대학원 설치예비인가 취소소송이 인용될 경우 이미 입학한 재학생의 불이익이 예상되고 총정원제로 운영되는 법학전문대학원의 시행에 중대한 지장을 초래할 우려가 있는 경우(대판 2009.12.10. 2009두8359) ★★
>
> 2. 도시재개발법에 따른 재개발조합설립 및 사업시행인가처분이 처분 당시 법정요건인 토지 및 건축물 소유자 총수의 각 3분의 2 이상의 동의를 얻지 못하여 위법하더라도 그 후 90% 이상의 소유자가 재개발사업의 속행을 바라고 있는 경우(대판 1995.7.28. 95누4629) ★★
>
> > **비교**
> > 재개발사업에 동의한 자가 동의하지 아니한 자에 비하여 많다거나 재개발사업을 시행하지 못하게 됨으로써 사업시행에 동의한 사람들이 생활상의 고통을 받는다는 사정만으로는 이 사건 재개발조합설립 및 사업시행인가처분을 취소하는 것이 현저히 공공복리에 적합하지 아니하다고 할 수 없다(대판 2001.6.15. 99두5566). ★★

　㉡ 사정판결을 부정한 예(처분 등을 취소함이 현저히 공공복리에 적합하지 아니한 경우에 해당하지 않는다고 본 사례)

> **관련판례**
>
> 1. 위법한 관리처분계획의 수정을 위한 조합원총회의 재결의를 위하여 시간과 비용이 많이 소요된다는 등의 사정이 있는 경우(대판 2001.10.12. 2000두4279) ★★
>
> 2. 신뢰보호의 원칙과 비례의 원칙에 반하는 위법한 생활폐기물처리업허가의 거부처분이 취소될 경우 기존의 동종업체에게 경쟁상대를 추가시킴으로써 일시적인 공급시설의 과잉현상이 나타나 업체의 난립 및 과당경쟁으로 인한 부작용이 예상되는 경우(대판 1998.5.8. 98두4061) ★★
>
> 3. (이른바 '심재륜 사건'에서의) 위법하게 징계면직된 검사의 복직이 상명하복의 검찰조직의 안정과 인화를 저해할 우려가 있는 경우(대판 2001.8.24. 2000두7704) ★★

(3) 인용판결(취소판결)

① **의의**: 인용판결이란 처분의 취소·변경을 구하는 원고의 청구가 이유가 있어 그 청구의 전부 또는 일부를 인용하는 판결을 말한다. 취소소송에서의 인용판결은 처분 등을 취소 또는 변경하는 판결이므로 위법한 처분 등을 취소 또는 변경하는 형성적 효과가 발생한다.

② **종류**: 취소소송에서의 인용판결에는 처분(거부처분 포함)이나 재결에 대한 취소판결과 변경판결, 무효선언으로서의 취소판결이 있다.

③ **적극적 변경의 가능성**
  ⓐ **문제의 소재**: 「행정소송법」 제4조 제1호는 취소소송에 관하여 '행정청의 위법한 처분 등을 취소 또는 변경하는 소송'이라고 규정하고 있는데, 여기에서 '변경'이 소극적 변경인 일부취소만을 의미하는지 아니면 적극적 변경(예 허가취소처분을 영업정지처분으로 변경, 파면처분을 정직처분으로 변경 등)도 포함하는 지가 문제된다.
  ⓑ **판례**: 판례는 여기서의 '변경'을 소극적 변경, 즉 일부취소를 의미하는 것으로 보아 적극적으로 처분을 변경하는 판결은 인정되지 않는다고 본다(대판 1997.9.30. 97누3200)(의무이행소송 인정 여부 참조). ❶

④ **일부취소판결의 가능성(일부취소의 인정기준)**
  ⓐ **일부취소의 인정여부**: 처분의 일부에만 위법이 있는 경우, 위법한 일부만의 일부취소가 가능한지가 문제된다. 판례는 행정소송법 제4조 제1호의 '변경'을 소극적 변경, 즉 일부취소를 의미하는 것으로 보고 일정한 요건 하에서 일부취소판결을 인정하고 있다.
  ⓑ **일부취소가 가능한 경우**: 처분의 일부취소의 가능성은 일부취소의 대상이 되는 부분의 분리가능성에 따라 결정된다. 외형상 하나의 행정처분에 해당하더라도 가분성이 있거나 그 처분 대상의 일부가 특정될 수 있다면 그 일부만의 취소가 가능하다.

> **관련판례**
>
> **1** 조세부과처분과 같은 금전부과처분이 기속행위인 경우, 당사자가 제출한 자료에 의해 정당한 세액을 산출할 수 있다면 부과처분 전부를 취소할 것이 아니라 정당한 부과금액을 초과하는 부분만 일부취소하여야 한다. ★★
>
> 1-1. 과세처분취소소송의 처분의 적법 여부는 과세액이 정당한 세액을 초과하느냐의 여부에 따라 판단되는 것으로서 당사자는 사실심 변론종결시까지 객관적인 조세채무액을 뒷받침하는 주장과 자료를 제출할 수 있고 이러한 자료에 의하여 적법하게 부과될 정당한 세액이 산출되는 때에는 그 정당한 세액을 초과하는 부분만 취소하여야 할 것이고 전부를 취소할 것이 아니다(대판 2000.6.13. 98두5811 ; 대판 1995.4.28. 94누13527 ; 대판 2022.5.26. 2022두33712).
>
> 1-2. 일반적으로 금전부과처분취소소송에서 부과금액 산출과정의 잘못 때문에 부과처분이 위법한 것으로 판단되더라도 사실심 변론종결시까지 제출된 자료에 의하여 적법하게 부과될 정당한 부과금액이 산출되는 때에는 부과처분 전부를 취소할 것이 아니라 정당한 부과금액을 초과하는 부분만 취소하여야 하지만, 처분청이 처분시를 기준으로 정당한 부과금액이 얼마인지 주장·증명하지 않고 있는 경우에도 법원이 적극적으로 직권증거조사를 하거나 처분청에게 증명을 촉구하는 등의 방법으로 정당한 부과금액을 산출할 의무까지 부담하는 것은 아니다(대판 2016.7.14. 2015두4167).

함께 정리하기

인용판결
▷ 원고의 청구가 이유가 있어 그 청구의 전부 또는 일부를 인용하는 판결

취소소송에서
▷ 적극적 변경처분 가능한지 문제됨

판례
▷ 적극적 변경판결 불가

❶ 행정심판의 경우 행정청의 위법 또는 부당한 처분을 취소하거나 변경하는 취소심판(「행정심판법」 제5조 제1호)에서, '변경'은 소극적 변경뿐 아니라 적극적 변경도 포함된다. 반면, 행정소송의 경우 권력분립원칙상 취소소송에서는 처분을 취소하는 소극적 변경만 가능하다.

일부취소가 가능한 경우
▷ 가분성이 있거나 그 처분 대상의 일부가 특정될 수 있는 경우

조세부과처분과 같은 금전부과처분이 기속행위인 경우, 당사자가 제출한 자료에 의해 정당한 세액을 산출할 수 있는 경우
▷ 일부취소 可
▷ 다만, 법원이 적극적으로 정당한 부과금액을 산출할 의무까지 부담하는 것은 ×

함께 정리하기

정보공개거부처분
▷ 공개가능한 부분 일부취소 可

여러 개의 상이에 대한 국가유공자비해당처분
▷ 인정되는 상이 부분 일부취소해야 함

법위반사실공표
▷ 위반사실별 특정 가능: 일부취소 ○, 전부취소 ×

여러 위반 사실 과징금납부명령
▷ 일부 위반행위에 대한 과징금 부과만 위법하고 그 일부의 위반행위를 기초로 한 과징금액을 산정할 수 있는 자료가 있는 경우 일부 과징금 납부명령 취소 가능

2 (법원이 행정청의 정보공개거부처분의 위법 여부를 심리한 결과) 공개를 거부한 정보에 비공개대상정보에 해당하는 부분과 공개가 가능한 부분이 혼합되어 있고 공개청구의 취지에 어긋나지 아니하는 범위 안에서 두 부분을 분리할 수 있음을 인정할 수 있을 때에는 청구취지의 변경이 없더라도 공개가 가능한 부분만의 일부취소를 명할 수 있다(대판 2003.10.10. 2003두7767 ; 대판 2003.3.11. 2001두6425). ★★★

3 행정청이 여러 개의 위반행위에 대하여 하나의 제재처분을 하였으나, 위반행위별로 제재처분의 내용을 구분하는 것이 가능하고 여러 개의 위반행위 중 일부의 위반행위에 대한 제재처분 부분만이 위법하다면, 법원은 제재처분 중 위법성이 인정되는 부분만 취소하여야 하고 제재처분 전부를 취소하여서는 아니 된다(대판 2020.5.14. 2019두63515).

4 여러 개의 상이에 대한 국가유공자요건비해당처분에 대한 취소소송에서 그 중 일부 상이만이 국가유공자요건이 인정되는 상이에 해당하는 경우, 국가유공자요건비해당처분 중 그 요건이 인정되는 상이에 대한 부분만을 취소하여야 한다. ★★

여러 개의 상이에 대한 국가유공자요건비해당처분에 대한 취소소송에서 그 중 일부 상이가 국가유공자요건이 인정되는 상이에 해당하더라도 나머지 상이에 대하여 위 요건이 인정되지 아니하는 경우에는 국가유공자요건비해당처분 중 위 요건이 인정되는 상이에 대한 부분만을 취소하여야 할 것이고, 그 비해당처분 전부를 취소할 수는 없다고 할 것이다(대판 2012.3.29. 2011두9263 ; 대판 2016.8.30. 2014두46034).

5 공정거래위원회의 법위반사실공표명령이 하나의 조항으로 이루어졌으나 그 대상이 된 사업자의 광고행위와 표시행위로 인한 각 법위반사실이 별개로 특정될 수 있는 경우, 그 중 하나의 법위반사실이 인정되지 않는다고 하여 법위반사실공표명령 전부를 취소할 수는 없다. ★★

외형상 하나의 행정처분이라 하더라도 가분성이 있거나 그 처분대상의 일부가 특정될 수 있다면 일부만의 취소도 가능하고 그 일부의 취소는 당해 취소부분에 관하여만 효력이 생기는 것인바, 공정거래위원회가 사업자에 대하여 행한 법위반사실공표명령은 비록 하나의 조항으로 이루어진 것이라고 하여도 그 대상이 된 사업자의 광고행위와 표시행위로 인한 각 법위반사실은 별개로 특정될 수 있어 이 중 표시행위에 대한 법위반사실이 인정되지 아니하는 경우에 그 부분에 대한 공표명령의 효력만을 취소할 수 있을 뿐, 공표명령 전부를 취소할 수 있는 것은 아니다(대판 2000.12.12. 99두12243).

6 공정거래위원회가 부당한 공동행위에 대한 과징금을 부과하면서 여러 개의 위반행위에 대하여 하나의 과징금 납부명령을 하였으나 그 중 일부의 위반행위에 대한 과징금 부과만이 위법한 경우, 과징금 납부명령 전부를 취소할 수는 없다. ★★

공정거래위원회가 부당한 공동행위에 대한 과징금을 부과함에 있어 여러 개의 위반행위에 대하여 하나의 과징금 납부명령을 하였으나 여러 개의 위반행위 중 일부의 위반행위에 대한 과징금 부과만이 위법하고 소송상 그 일부의 위반행위를 기초로 한 과징금액을 산정할 수 있는 자료가 있는 경우에는, 하나의 과징금 납부명령일지라도 그 일부의 위반행위에 대한 과징금액에 해당하는 부분만을 취소하여야 한다(대판 2009.10.29. 2009두11218 ; 대판 2019.1.31. 2013두14726).

③ 일부취소가 불가능한 경우(전부취소)
㉠ 과징금부과처분과 같이 재량행위의 경우에는 처분청의 재량권을 존중하여야 하므로 법원의 일부취소는 인정되지 않는다. 따라서 법원은 전부취소를 하여야 하고, 처분청이 재량권을 행사하여 다시 적정한 처분을 해야 한다.

함께 정리하기

재량행위
▷ 일부취소 ✕
▷ 전부취소 ○(∵ 처분청의 재량권 존중)

관련판례

1 재량행위인 과징금 납부명령이 재량권을 일탈하였을 경우, 법원은 과징금 납부명령 전부를 취소해야 한다. ★★★

처분을 할 것인지 여부와 처분의 정도에 관하여 재량이 인정되는 과징금 납부명령에 대하여 그 명령이 재량권을 일탈하였을 경우, 법원으로서는 재량권의 일탈 여부만 판단할 수 있을 뿐이지 재량권의 범위 내에서 어느 정도가 적정한 것인지에 관하여는 판단할 수 없어 그 전부를 취소할 수밖에 없고, 법원이 적정하다고 인정하는 부분을 초과한 부분만 취소할 수는 없다(대판 2009.6.23. 2007두18062 ; 대판 2010.7.15. 2010두7031).

공정위의 과징금납부명령
▷ 일부취소 불가

2 재량행위인 과징금 부과처분이 법이 정한 한도액을 초과하여 위법한 경우, 법원은 과징금 부과처분 전부를 취소해야 한다. ★★★

자동차운수사업면허조건 등에 위반한 사업자에 대하여 행정청이 행정제재수단으로 사업정지를 명할 것인지, 과징금을 부과할 것인지, 과징금을 부과키로 한다면 그 금액은 얼마로 할 것인지에 관하여 재량권이 부여되었다 할 것이므로, 과징금 부과처분이 법이 정한 한도액을 초과하여 위법할 경우 법원으로서는 그 전부를 취소할 수밖에 없고, 그 한도액을 초과한 부분이나 법원이 적정하다고 인정되는 부분을 초과한 부분만을 취소할 수 없다(금 100만원을 부과한 당해 처분 중 금 10만원을 초과하는 부분은 재량권 일탈·남용으로 위법하다며 그 일부분만을 취소한 원심판결을 파기한 사례)(대판 1993.7.27. 93누1077 ; 대판 1998.4.10. 98두2270).

자동차운수사업면허조건 등에 위반한 사업자에 대한 위법한 과징금 부과처분
▷ 전부취소

3 명의신탁자에 대한 과징금 부과처분이 재량권을 일탈·남용하여 위법한 경우, 법원은 과징금 부과처분 전부를 취소하여야 한다. ★★

명의신탁이 조세를 포탈하거나 법령에 의한 제한을 회피할 목적이 아니어서 '부동산 실권리자명의 등기에 관한 법률 시행령' 제3조의2 단서의 과징금 감경사유가 있는 경우 과징금 감경 여부는 과징금 부과 관청의 재량에 속하는 것이므로, 과징금 부과 관청이 이를 판단하면서 재량권을 일탈·남용하여 과징금 부과처분이 위법하다고 인정될 경우, 법원으로서는 과징금 부과처분 전부를 취소할 수밖에 없고, 법원이 적정하다고 인정되는 부분을 초과한 부분만 취소할 수는 없다(대판 2010.7.15. 2010두7031).

명의신탁자에 대한 위법한 과징금 부과처분
▷ 전부취소

4 영업정지처분이 적정한 영업정지기간을 초과하여서 위법한 경우 그 초과부분만을 취소할 수 없다. ★

행정청이 영업정지처분을 함에 있어서 그 정지기간을 어느 정도로 할 것인지는 행정청의 재량권에 속하는 사항인 것이며 법원으로서는 그 처분의 취소를 명할 수 있을 뿐이고, 재량권의 한계 내에서 어느 정도가 적정한 영업정지기간인지를 가리는 일은 사법심사의 범위를 벗어난다(대판 1982.9.28. 82누2).

위법한 영업정지기간
▷ 전부취소

㉡ 조세부과처분과 같은 금전부과처분이 기속행위라 할지라도 당사자가 제출한 자료에 의해 적법하게 부과될 부과금액을 산출할 수 없는 경우에는 법원이 처분청의 역할을 할 수 없으므로 금전부과처분의 일부취소가 인정되지 않는다.

기속행위
▷ 일부취소 可

일부취소하기 위한 자료불충분
▷ 일부취소 ✕

정당한 금액 산출 불가
▷ 개발부담금 일부취소 불가

정당한 금액 산출 불가
▷ 과세처분 일부취소 불가

> **관련판례**
>
> **1** 개발부담금부과처분 취소소송에 있어 당사자가 제출한 자료에 의하여 적법하게 부과될 정당한 부과금액을 산출할 수 없을 경우에는 부과처분 전부를 취소할 수밖에 없으나, 그렇지 않은 경우에는 그 정당한 금액을 초과하는 부분만 취소하여야 한다(대판 2004. 7.22. 2002두868 ; 대판 2000.6.9. 99두5542). ★★
>
> **2** 당사자가 사실심 변론종결시까지 객관적인 과세표준과 세액을 뒷받침하는 주장과 자료를 제출하지 아니하여 적법하게 부과될 정당한 세액을 산출할 수 없는 경우에는 과세처분 전부를 취소할 수밖에 없고, 그 경우 법원이 직권에 의하여 적극적으로 납세의무자에게 귀속될 세액을 찾아내어 부과될 정당한 세액을 계산할 의무까지 지는 것은 아니다 (대판 2020.6.25. 2017두72935 ; 대판 2020.8.20. 2017두44084). ★

④ **일부취소 의무**: 일부취소가 가능한 경우에는 법원은 원칙적으로 전부취소를 하여서는 안 되며 일부취소를 하여야 한다.

2 위법판단의 기준시

1. 문제점

처분은 신청 당시가 아닌 처분 당시의 사실상태 및 법령상태를 기초로 하여 행해지게 된다. 그런데 처분이 행하여진 뒤에 당해 처분의 근거가 된 사실상태 및 법령이 변경된 경우에 법원은 어느 시점의 사실상태 및 법령상태를 기준으로 처분의 위법성을 판단하여야 할 것인지가 문제된다.

2. 학설

(1) 처분시설

처분의 위법 여부는 처분시의 법령과 사실상태를 기준으로 판단하여야 한다는 견해로, 이 설이 통설이다.

(2) 판결시설

처분의 위법 여부는 판결시(변론종결시)의 법령과 사실상태를 기준으로 판단하여야 한다는 견해이다.

판례
▷ 취소소송: 처분시
▷ 부작위위법확인소송: 판결시

3. 판례

판례는 처분시설의 입장이다.

관련판례

1 행정처분의 위법여부는 행정처분이 행하여졌을 때의 법령과 사실상태를 기준으로 판단해야 한다. ★★★

1-1. 행정소송에서 행정처분의 위법 여부는 행정처분이 있을 때의 법령과 사실상태를 기준으로 하여 판단하여야 하고, 처분 후 법령의 개폐나 사실상태의 변동에 의하여 영향을 받지는 않으므로(대판 2002.7.9. 2001두10684 ; 대판 2007.5.11. 2007두1811 ; 대판 2010.8.26. 2010두2579 ; 대판 2012.10.11. 2011두8277 등). 난민인정 거부처분의 취소를 구하는 취소소송에서도 그 거부처분을 한 후 국적국의 정치적 상황이 변화하였다고 하여 처분의 적법 여부가 달라지는 것은 아니다(대판 2008.7.24. 2007두3930).

> **(동지)**
> 원고는 피고 서울특별시 구로구청장의 영업정지 5개월의 처분(이하 '이 사건 처분') 이후 간이회생절차 종결 결정을 받아 비로소 위 시행령 조항의 건설업 등록말소 내지 영업정지 예외사유가 발생하였으므로, 달리 이 사건 처분 당시 영업정지 예외사유가 발생하여 있었다고 볼 만한 자료가 없는 이상, 이 사건 처분은 그 처분 당시의 법령과 사실상태를 기준으로 판단할 때 적법하다고 할 것이고, 이 사건 처분 이후 원고가 간이회생절차 종결 결정을 받은 사실로 인하여 처분 당시 적법하였던 이 사건 처분이 다시 위법하게 된다고 볼 수는 없다(대판 2022.4.28. 2021두61932).

1-2. 항고소송에서 행정처분의 위법 여부는 행정처분이 있을 때의 법령과 사실 상태를 기준으로 판단하여야 하며, 법원은 행정처분 당시 행정청이 알고 있었던 자료뿐만 아니라 사실심 변론종결 당시까지 제출된 모든 자료를 종합하여 처분 당시 존재하였던 객관적 사실을 확정하고 그 사실에 기초하여 처분의 위법 여부를 판단할 수 있다(대판 2010.1.14. 2009두11843).

2 공정거래위원회의 과징금 납부명령이 재량권 일탈·남용으로 위법한지는 다른 특별한 사정이 없는 한 과징금 납부명령이 행하여진 '의결일' 당시의 사실상태를 기준으로 판단하여야 한다(대판 2015.5.28. 2015두36256). ★★

4. 행정처분의 위법판단의 기준시점이 처분시라는 의미

행정처분의 위법판단의 기준시점이 '처분시'의 의미는 처분 후에 생긴 법령의 개폐나 사실상태의 변동에 영향을 받지 않는다는 뜻이지, 처분 당시 존재하였던 자료나 행정청에 제출되었던 자료만으로 위법 여부를 판단한다는 의미는 아니다. 따라서 법원이 처분의 위법을 판단함에 있어서는 처분 당시 존재하였던 자료만이 아니라 사실심 변론종결시까지 제출된 모든 자료를 종합하여 고려하여야 한다.

관련판례

행정처분의 위법 여부를 판단하는 기준 시점이 '처분시'라는 의미 ★★

[1] 행정처분의 위법 여부를 판단하는 기준 시점에 관하여 판결시가 아니라 처분시라고 하는 의미는 행정처분이 있을 때의 법령과 사실상태를 기준으로 하여 위법 여부를 판단하며 처분 후 법령의 개폐나 사실상태의 변동에 영향을 받지 않는다는 뜻이지 처분 당시 존재하였던 자료나 행정청에 제출되었던 자료만으로 위법 여부를 판단한다는 의미는 아니다.

[2] 그러므로 처분 당시의 사실상태 등에 관한 증명은 사실심 변론종결 당시까지 할 수 있고, 법원은 행정처분 당시 행정청이 알고 있었던 자료뿐만 아니라 사실심 변론종결 당시까지 제출된 모든 자료를 종합하여 처분 당시 존재하였던 객관적 사실을 확정하고 그 사실에 기초하여 처분의 위법 여부를 판단할 수 있다(대판 1993.5.27. 92누19033 ; 대판 2017.4.7. 2014두37122 ; 대판 2018.6.28. 2015두58195).

함께 정리하기

행정처분의 위법여부의 기준시점
▷ 행정처분이 있을 때의 법령과 사실상태를 기준으로 하여 판단

공정거래위원회의 시정명령 및 과징금 납부명령이 재량권 일탈·남용으로 위법한지 판단하는 기준시점
▷ 과징금 납부명령이 행하여진 '의결일' 당시의 사실상태를 기준으로 판단

위법 여부
▷ 사실심 변론종결시까지 제출된 자료 종합하여 처분시를 기준으로 처분의 위법여부 판단

위법판단시 고려할 수 있는 자료의 범위
▷ 사실심 변론종결 당시까지 제출된 모든 자료

함께 정리하기

처분사유의 추가변경
▷ 처분시에 존재했으나 처분의 근거로 삼지 않았던 사유를 행정소송 중에 새로이 추가하거나 변경

소의 변경
▷ 청구 자체의 변경

처분사유의 추가·변경
▷ 청구를 이유 있게 하는 사유를 추가·변경하는 것

부정설
▷ 원고에게 법적 불안 초래하므로 부정

긍정설
▷ 소송경제·분쟁 일회적 해결 위해 긍정

절충설
▷ 소송경제·방어권보장 조화 범위 내 긍정

3 처분사유의 추가·변경

1. 의의

처분사유의 추가·변경이란 처분 당시에는 존재하였으나 처분사유로 삼지 않았던 사실상·법률상의 근거를 사후에 행정소송절차에서 처분의 적법성을 유지하기 위하여 행정청(처분청)이 새로이 추가하거나 변경하는 것을 말한다.

2. 구별개념

(1) 소 변경과 구별

처분사유의 추가·변경은 청구를 이유 있게 하는 사유를 추가·변경하는 것이라는 점에서 청구 그 자체를 변경하는 소의 변경과 구별된다.

(2) 처분이유의 사후제시(하자치유)와 구별

① 처분사유의 추가·변경은 처분시에 이유제시가 되었으나 소송계속 중에 처분의 적법성 유지를 위하여 처분시에 이미 존재하였지만 처분사유로 하지 않았던 처분사유를 추가하거나 변경하는 것이라는 점에서, 처분시에 이유제시가 되지 않았거나 불충분하여 이유제시라는 형식요건에 하자가 있는 것을 사후에 이유를 추완함으로써 그 하자를 치유하는 처분이유의 사후제시와 구별된다.

② 처분이유의 사후제시는 절차의 하자에 관한 문제로서 행정작용법상의 문제인 반면에, 처분사유의 추가·변경은 실체법상 적법성을 확보하기 위한 소송법상의 문제이다.

3. 허용 여부

(1) 문제의 소재

「행정소송법」에는 처분사유의 추가·변경에 관한 규정이 없다. 따라서 취소소송의 심리 과정에서 행정청의 처분사유의 추가·변경이 허용할 수 있는지에 대해 견해가 대립한다.

(2) 학설

① **부정설**: 처분사유의 추가·변경을 허용하면 처분의 상대방에게 예기치 않은 법적 불안을 초래할 수 있으므로 상대방의 신뢰보호차원에서 인정될 수 없다는 견해이다.

② **긍정설**: 처분사유의 추가·변경을 부정한다고 하더라도 행정청은 그 새로운 사유를 근거로 다시금 거부 내지 불허처분을 할 수 있으므로 소송경제에 반하게 되므로 분쟁의 일회적 해결차원에서 허용하여야 한다는 견해이다.

③ **제한적 긍정설**: 처분의 상대방의 보호와 소송경제의 요청을 고려할 때, 원래의 처분사유와 기본적인 사실관계의 동일성이 인정되는 범위 내에서만 처분사유의 추가·변경을 허용되어야 한다는 견해로서 다수설의 입장이다.

(3) 판례

판례는 처분청은 당초 처분의 근거로 삼은 사유와 기본적 사실관계에 있어서 동일성이 인정되는 한도 내에서만 새로운 처분사유를 추가하거나 변경할 수 있다고 하여 제한적 긍정설의 입장이다.

판례(절충설)
▷ 처분시 존재하였던 처분사유와 기본적 사실관계 동일성 한도에서 새로운 처분 사유 추가·변경 可

> **관련판례**
>
> **행정처분의 취소를 구하는 항고소송에서 당초의 처분의 근거로 삼은 사유와 기본적 사실관계의 동일성이 인정되지 않는 별개의 사실을 처분사유로 주장할 수 없다.** ★★★
>
> 행정처분의 취소를 구하는 항고소송에 있어서는 실질적 법치주의와 행정처분의 상대방인 국민에 대한 신뢰보호라는 견지에서 처분청은 당초 처분의 근거로 삼은 사유와 기본적 사실관계에 있어서 동일성이 인정되는 한도 내에서만 새로운 처분사유를 추가하거나 변경할 수 있을 뿐, 기본적 사실관계와 동일성이 인정되지 않는 별개의 사실을 들어 처분사유로 주장하는 것은 허용되지 아니하며(대판 2004.2.13. 2001두4030), 법원으로서도 당초의 처분사유와 기본적 사실관계의 동일성이 없는 사실은 처분사유로 인정할 수 없는 것이다(대판 1992.8.18. 91누3659).

처분사유의 추가·변경
▷ 당초의 처분의 근거로 삼은 사유와 기본적 사실관계의 동일성이 인정되는 범위 안에서만 허용

4. 허용요건 및 한계

(1) 기본적 사실관계의 동일성이 유지될 것

① 처분사유의 추가·변경은 기본적 사실관계의 동일성이 인정되는 한도 내에서만 허용되고, 기본적 사실관계의 동일성 유무는 처분사유를 법률적으로 평가하기 이전의 구체적인 사실에 착안하여 그 기초인 사회적 사실관계가 기본적인 점에서 동일한지에 따라 판단한다.

> **관련판례**
>
> **1 기본적 사실관계의 동일성 유무는 기초가 되는 사회적 사실관계가 기본적인 점에서 동일한지에 여부에 따라 결정된다.** ★★★
>
> 행정처분의 취소를 구하는 항고소송에서, 처분청은 당초 처분의 근거로 삼은 사유와 기본적 사실관계가 동일성이 있다고 인정되는 한도 내에서만 다른 사유를 추가 혹은 변경할 수 있고, 여기서 기본적 사실관계의 동일성 유무는 처분사유를 법률적으로 평가하기 이전의 구체적인 사실에 착안하여 그 기초인 사회적 사실관계가 기본적인 점에서 동일한지 여부에 따라 결정되며, 추가 또는 변경된 사유가 처분 당시에 그 사유를 명기하지 않았을 뿐 이미 존재하고 있었고 당사자도 그 사실을 알고 있었다 하여 당초의 처분사유와 동일성이 있는 것이라고 할 수는 없다(대판 2009.11.26. 2009두15586 ; 대판 2011.11.24. 2009두19021 ; 대판 2003.12.11. 2003두8395·2001두8827).
>
> **2 구체적 사실을 변경하지 아니하는 범위 내에서 단지 처분의 근거법령만 추가·변경하는 경우에는 새로운 처분사유의 추가·변경이 아니다.** ★★
>
> 행정처분의 취소를 구하는 항고소송에서 처분청이 처분 당시에 적시한 구체적 사실을 변경하지 아니하는 범위 내에서 단지 그 처분의 근거법령만을 추가·변경하거나 당초의 처분사유를 구체적으로 표시하는 것에 불과한 경우에는 새로운 처분사유를 추가하거나 변경하는 것이라고 볼 수 없다(대판 2007.2.8. 2006두4899 ; 대판 2013.10.11. 2012두24825).

기본적 사실관계의 동일성 유무
▷ 기초되는 사회적 사실관계가 기본적인 점에서 동일한지에 여부에 따라 결정

이미 존재하고 있었다거나 당사자가 그 사실을 알고 있었던 경우
▷ 기본적 사실관계의 동일성 ✕

구체적 사실을 변경하지 아니하는 범위 내에서 단지 처분의 근거법령만 추가·변경하는 경우
▷ 처분사유의 추가·변경 ✕

당초의 처분사유를 구체적으로 표시하는 것에 불과한 경우
▷ 처분사유의 추가·변경 ✕

함께 정리하기

처분의 근거법령을 변경하는 것이 종전 처분과 동일성을 인정할 수 없는 별개의 처분을 하는 것과 다름없는 경우
▷ 허용 ×

처분사유의 규범적 평가와 근거법령의 변경으로 당초 처분의 내용을 변경할 필요 有
▷ 근거 법령만 추가·변경 ×

당초 행정처분의 근거로 제시한 이유가 실질적인 내용이 없는 경우
▷ 소송의 단계에서 처분사유 추가 ×

처분사유 자체가 아니라 그 근거가 되는 기초 사실 내지 평가요소에 지나지 않은 사정
▷ 추가로 주장 可

처분사유 추가·변경
▷ 처분변경(소변경, 소송물변경) 초래 ×

③ 처분의 근거법령을 변경하는 것이 종전 처분과 동일성을 인정할 수 없는 별개의 처분을 하는 것과 다름없는 경우에는 허용될 수 없다. ★★

행정처분이 적법한지는 특별한 사정이 없는 한 처분 당시 사유를 기준으로 판단하면 되고, 처분청이 처분 당시 적시한 구체적 사실을 변경하지 아니하는 범위 내에서 단지 처분의 근거법령만을 추가·변경하는 것은 새로운 처분사유의 추가라고 볼 수 없으므로 이와 같은 경우에는 (법원은) 처분청이 처분 당시 적시한 구체적 사실에 대하여 처분 후 추가·변경한 법령을 적용하여 처분의 적법 여부를 판단하여도 무방하다(대판 1988.1.19. 87누603). 그러나 처분의 근거법령을 변경하는 것이 종전 처분과 동일성을 인정할 수 없는 별개의 처분을 하는 것과 다름없는 경우에는 허용될 수 없다(대판 2011.5.26. 2010두28106).

④ 기존의 처분사유와 사회적 사실관계의 기본적 동일성이 인정되더라도 그에 대한 규범적 평가와 처분의 근거 법령 변경으로 당초 처분의 내용을 변경할 필요성이 제기되는 경우, 당초 처분의 내용을 그대로 유지한 채 근거 법령만 추가·변경하는 것은 허용되지 않는다. ★★

사회적 사실관계의 기본적 동일성이 인정되는 경우라고 하더라도 그에 대한 규범적 평가와 처분의 근거 법령의 변경으로, 예를 들어 기속행위가 재량행위로 변경되는 경우와 같이, 당초 처분의 내용을 변경할 필요성이 제기되는 경우에는 해당 처분을 취소한 후 처분청으로 하여금 다시 처분절차를 거쳐 새로운 처분을 하도록 하여야 할 것이지 당초 처분의 내용을 그대로 유지한 채 근거 법령만 추가·변경하는 것은 허용될 수 없다(대판 2024.11.28. 2023두61349).

⑤ 당초 행정처분의 근거로 제시한 이유가 실질적인 내용이 없는 경우에는 행정소송의 단계에서 행정처분의 사유를 추가할 수 없다. ★★

행정처분의 취소를 구하는 항고소송에서는 처분청이 당초 처분의 근거로 제시한 사유와 기본적 사실관계에서 동일성이 없는 별개의 사실을 들어 처분사유로 주장할 수 없다. 피고는 이 사건 소송(산업단지개발계획변경신청거부처분취소소송)에서 "이 사건 산업단지 안에 새로운 폐기물시설부지를 마련할 시급한 필요가 없다."는 점을 이 사건 거부처분의 사유로 추가하였다. 그러나 피고가 당초 처분의 근거로 제시한 사유가 실질적인 내용이 없다고 보는 이상, 위 추가 사유는 그와 기본적 사실관계가 동일한지 여부를 판단할 대상조차 없는 것이므로, 결국 소송단계에서 처분사유를 추가하여 주장할 수 없다(대판 2017.8.29. 2016두44186).

⑥ 처분사유 자체가 아니라 그 근거가 되는 기초 사실 내지 평가요소에 지나지 않은 사정은 추가로 주장할 수 있다. ★★

외국인 甲이 법무부장관에게 귀화신청을 하였으나 법무부장관이 심사를 거쳐 '품행 미단정'을 불허사유로 국적법상의 요건을 갖추지 못하였다며 신청을 받아들이지 않는 처분을 하였는데, 법무부장관이 甲을 '품행 미단정'이라고 판단한 이유에 대하여 제1심 변론절차에서 자동차관리법위반죄로 기소유예를 받은 전력 등을 고려하였다고 주장하였다가 원심 변론절차에서 불법 체류한 전력이 있다는 추가적인 사정까지 고려하였다고 주장한 사안에서, 법무부장관이 원심에서 추가로 제시한 불법 체류 전력 등의 제반 사정은 처분사유의 근거가 되는 기초 사실 내지 평가요소에 지나지 않으므로, 추가로 주장할 수 있다(대판 2018.12.13. 2016두31616).

② 기본적 사실관계의 동일성이 인정되지 않아서 처분사유의 추가·변경이 허용되지 않는 경우, 법원은 당초 처분사유만을 근거로 심리하여 청구의 인용 여부를 판단하여야 한다. 그러나 동일성이 인정되지 않는 처분사유라도 처분 상대방이 명시적으로 동의한 경우에는 법원은 추가·변경된 처분사유의 실체적 당부에 관하여 심리·판단할 수 있다.

> **관련판례**
>
> **기본적 사실관계가 동일하지 않은 사유를 처분사유로 추가·변경한 것에 대하여 처분상대방이 명시적으로 동의한 경우, 법원은 이를 예외적으로 허용할 수 있다.**★★★
>
> 처분청이 기본적 사실관계의 동일성이 인정되지 않는 별개의 사실을 들어 처분사유로 주장하는 것이 허용되지 않는다고 해석하는 이유는 행정처분의 상대방의 방어권을 보장함으로써 실질적 법치주의를 구현하고 행정처분의 상대방에 대한 신뢰를 보호하고자 하는 데에 취지가 있음을 고려하면, 처분청이 거부처분에 대한 항고소송에서 기존의 처분사유와 기본적 사실관계가 동일하지 않은 사유를 처분사유로 추가·변경한 것에 대하여 처분상대방이 추가·변경된 처분사유의 실체적 당부에 관하여 해당 소송 과정에서 심리·판단하는 것에 명시적으로 동의하는 경우에는, 법원으로서는 그 처분사유가 기존의 처분사유와 기본적 사실관계가 동일한지와 무관하게 예외적으로 이를 허용할 수 있다. 처분상대방으로서는 처분청이 별개의 사실을 바탕으로 새롭게 주장하는 처분사유까지 동일 소송절차 내에서 판단을 받음으로써 분쟁을 한꺼번에 해결하는 것을 유효·적절한 수단으로서 선택할 수도 있으므로, 처분상대방의 그러한 절차적 선택을 존중하는 것이 처분사유 추가·변경 제한 법리의 기본취지와도 부합하기 때문이다. 그렇다면 법원은, 처분상대방의 명시적 동의에 따라 처분사유의 추가·변경을 허용할 경우, 추가·변경된 거부처분사유가 당초 거부처분사유와 기본적 사실관계의 동일성이 인정되지 않더라도 처분사유 추가·변경 제한 법리에 따라 처분청의 주장을 형식적으로 배척할 것이 아니라 추가·변경된 거부처분사유의 실체적 당부에 관하여 심리·판단해야 한다. 그 결과 추가·변경된 거부처분사유도 실체적으로 위법하여 처분을 취소하는 판결이 선고·확정되는 경우 추가·변경된 거부처분사유에 관한 법원의 판단에 대해서까지 취소판결의 기속력이 미친다고 보아야 한다. 이와 달리 처분상대방의 명시적인 동의가 없다면, 법원으로서는 처분사유 추가·변경 제한 법리의 원칙으로 돌아가 처분청의 거부처분사유 추가·변경을 허용해서는 안 된다.
>
> 따라서 처분청이 거부처분에 대한 항고소송에서 당초 거부처분사유와 기본적 사실관계의 동일성이 인정되지 않는 다른 거부처분사유를 주장한 것에 대하여 처분상대방이 아무런 의견을 밝히지 않고 있다면 법원은 적절하게 석명권을 행사하여 처분상대방에게 처분사유 추가·변경 제한 법리의 원칙이 그대로 적용될 것을 주장하는지, 아니면 추가·변경된 거부처분사유의 실체적 당부에 관한 법원의 판단을 구하는지에 관하여 의견을 진술할 수 있도록 기회를 주어야 한다. 그리고 법원이 기본적 사실관계가 동일하지 않은 사유의 실체적 당부에 관한 처분상대방의 명시적인 동의 없이 추가·변경된 거부처분사유를 심리·판단하여 이를 근거로 거부처분이 적법하다고 판단하는 것은 행정소송법상 직권심리주의의 한계를 벗어난 것으로 허용될 수 없다(대판 2024.11.28. 2023두61349).

함께 정리하기

처분상대방의 명시적 동의 有
▷ 동일성 없는 처분사유의 추가·변경 可

(2) 동일한 소송물의 범위 내일 것(처분의 동일성이 유지될 것)

처분사유의 변경으로 소송물이 변경되면 청구의 변경에 해당되어 처분의 추가·변경이 아닌 소의 변경이 문제되기 때문에 처분사유의 변경은 취소소송의 소송물의 범위 내, 즉 처분의 동일성을 해치지 않는 범위 내에서만 허용된다. 따라서 처분사유의 추가·변경은 처분의 변경을 초래하지 않는다.

(3) 시간적 한계

① **추가·변경사유의 기준시**: 취소소송에 있어서 처분의 위법성 판단시점을 처분시로 보는 통설과 판례에 따르면, 추가·변경사유는 처분시에 객관적으로 존재하던 사유이어야 한다. 즉, 처분 이후에 발생한 새로운 처분사유는 추가·변경의 대상이 되지 않는다.

② **추가·변경사유의 허용시점**: 행정청의 처분사유의 추가·변경은 사실심 변론종결시까지만 허용된다.

추가·변경사유의 기준시
▷ 처분시 존재하던 사유만(처분 후 발생사유×)

함께 정리하기

시간적 범위
▷ 사실심 변론종결시까지 가능

행정심판단계 처분사유 추가·변경
▷ 기본적 사실관계 동일성 要
행정내부적인 시정절차
▷ 기본적 사실관계 동일성 不要

행정심판단계
▷ 기본적 사실관계 동일성 要

「산업재해보상보험법」상 심사청구
(내부적 시정절차)
▷ 기본적 사실관계 동일성 不要

'담합을 주도하거나 담합하여 입찰을 방해하였다'는 사유와 '특정인의 낙찰을 위하여 담합한 자'에 해당한다는 사유
▷ 동일성○

'준농림지역에서의 행위제한'이라는 사유와 '자연경관 및 생태계의 교란, 국토 및 자연의 유지와 환경보전 등 중대한 공익상의 필요'라는 사유
▷ 동일성○

종합소득세 과세대상 소득 중 특정소득을 '이자소득'으로 보았다가 '대금업에 의한 사업소득'에 해당한다고 처분사유를 변경한 경우
▷ 동일성○

> **관련판례**
>
> 행정청은 기본적 사실관계의 동일성이 있다고 인정되는 한도 내에서만 다른 처분사유를 추가, 변경할 수 있다고 할 것이나 이는 사실심 변론종결시까지만 허용된다(대판 1999.8.20. 98두17043 ; 대판 1999.2.9. 98두16675). ★★★

5. 행정심판과 내부시정절차에서 처분사유의 추가·변경의 허용 여부

행정심판의 단계에서도 행정소송과 마찬가지로 '기본적 사실관계의 동일성 유무'에 따라 처분사유의 추가·변경이 가능하다. 다만, 행정내부적인 시정절차(이의신청절차)에서는 이러한 제한을 받지 않는다.

> **관련판례**
>
> ① 행정심판에서도 기본적 사실관계의 동일성이 인정되는 한도 내에서 처분사유의 추가·변경이 가능하다. ★★★
> 행정처분의 취소를 구하는 항고소송에서 처분청은 당초 처분의 근거로 삼은 사유와 기본적 사실관계가 동일성이 있다고 인정되는 한도 내에서만 다른 사유를 추가 또는 변경할 수 있고, 이러한 법리는 행정심판 단계에서도 그대로 적용된다(대판 2014.5.16. 2013두26118).
>
> ② 공단 내부의 시정절차인 산업재해보상보험법상 심사청구에서는 동일성 없는 사유도 추가·변경이 가능하다. ★
> 산업재해보상보험법상 내부 시정절차에서는 당초 처분의 근거로 삼은 사유와 기본적 사실관계의 동일성이 인정되지 않는 사유라고 하더라도 이를 처분의 적법성과 합목적성을 뒷받침하는 처분사유로 추가·변경할 수 있다(대판 2012.9.13. 2012두3859).

6. 구체적인 사례

(1) 기본적 사실관계의 동일성을 인정한 예(처분사유의 추가·변경 인정 판례)

> **관련판례**
>
> ① ⓐ 국가를 당사자로 하는 계약에 관한 법률 시행령 제76조 제1항 제12호 소정의 "담합을 주도하거나 담합하여 입찰을 방해하였다."는 사유와, ⓑ 같은 항 제7호 소정의 '특정인의 낙찰을 위하여 담합한 자'에 해당한다는 사유(대판 2008.2.28. 2007두13791)
>
> ② ⓐ 주택신축을 위한 산림형질변경허가신청에 대한 거부처분의 근거로 제시된 '준농림지역에서의 행위제한'이라는 사유와, ⓑ 나중에 거부처분의 근거로 추가한 '자연경관 및 생태계의 교란, 국토 및 자연의 유지와 환경보전 등 중대한 공익상의 필요'라는 사유(대판 2004.11.26. 2004두4482)
>
> ③ ⓐ 과세관청이 종합소득세 부과처분을 하면서 종합소득세 과세대상 소득 중 특정소득을 이자소득으로 보았다가, ⓑ 취소소송에서 이를 이자소득이 아니라 대금업에 의한 사업소득에 해당한다고 처분사유를 변경한 경우(대판 2002.3.12. 2000두2181)

4 ⓐ 건축신고수리 반려처분 취소소송에서 "위 토지가 건축법상 도로에 해당하여 건축을 허용할 수 없다."는 사유와, ⓑ "위 토지가 인근 주민들의 통행에 제공된 사실상의 도로인데, 주택을 건축하여 주민들의 통행을 막는 것은 사회공동체와 인근 주민들의 이익에 반하므로 甲의 주택 건축을 허용할 수 없다."는 사유(대판 2019.10.31. 2017두74320)

5 ⓐ 지입제 운영행위에 대하여 자동차운송사업면허를 취소한 행정처분에 있어서 당초의 취소근거로 삼은 자동차운수사업법 제26조(명의이용금지)를 위반하였다는 사유와, ⓑ 직영으로 운영하도록 한 면허조건을 위반하였다는 사유(대판 1992.10.9. 92누213)

6 ⓐ 당초의 정보공개거부처분사유인 "검찰보존사무규칙 제20조 소정의 신청권자에 해당하지 아니한다."는 사유와, ⓑ 새로이 추가된 거부처분사유인 '공공기관의 정보공개에 관한 법률 제7조(현행 제9조) 제1항 제6호'의 사유(대판 2003.12.11. 2003두8395)

7 ⓐ 행정청이 폐기물처리사업계획 부적정 통보처분을 하면서 그 처분사유로 사업예정지에 폐기물처리시설을 설치할 경우 인근 농지의 농업경영과 농어촌 생활유지에 피해를 줄 것이 예상되어 농지법에 의한 농지전용이 불가능하다는 사유 등을 내세웠다가, ⓑ 위 행정처분의 취소소송에서 사업예정지에 폐기물처리시설을 설치할 경우 인근 주민의 생활이나 주변 농업활동에 피해를 줄 것이 예상되어 폐기물처리시설 부지로 적절하지 않다는 사유(대판 2006.6.30. 2005두364)

8 ⓐ 석유판매업허가신청에 대하여 '주유소 건축예정 토지에 관하여 도시계획법 제4조 및 구 토지의 형질변경 등 행위허가기준 등에 관한 규칙에 의거하여 행위제한을 추진하고 있다'는 당초의 불허가처분사유와, ⓑ 항고소송에서 주장한 위 신청이 '토지형질변경허가의 요건을 갖추지 못하였다는 사유 및 도심의 환경보전의 공익상 필요'라는 사유(대판 1999.4.23. 97누14378)

9 ⓐ 토지형질변경 불허가처분의 사유인 "국립공원에 인접한 미개발지의 합리적인 이용대책 수립시까지 그 허가를 유보한다."라는 사유와, ⓑ 그 처분의 취소소송에서 추가하여 주장한 처분사유인 '국립공원 주변의 환경·풍치·미관 등을 크게 손상시킬 우려가 있으므로 공공목적상 원형유지의 필요가 있는 곳으로서 형질변경허가 금지 대상'이라는 사유(대판 2001.9.28. 2000두8684)

함께 정리하기

"위 토지가 「건축법」상 도로에 해당하여 건축을 허용할 수 없다."는 사유와 "인근 주민들의 통행에 제공된 사실상의 도로인데, 주민들의 통행을 막는 것은 사회공동체와 인근 주민들의 이익에 반하므로 甲의 주택 건축을 허용할 수 없다."는 사유
▷ 동일성○

「자동차운수사업법」제26조(명의이용금지)를 위반하였다는 사유와 직영으로 운영하도록 한 면허조건을 위반하였다는 사유
▷ 동일성○

정보공개거부처분사유인 "「검찰보존사무규칙」제20조 소정의 신청권자에 해당하지 아니한다."는 사유와 새로이 추가된 거부처분사유인 '「공공기관의 정보공개에 관한 법률」제7조(현행 제9조) 제1항 제6호'의 사유
▷ 동일성○

"농지의 농업경영과 농어촌 생활유지에 피해를 줄 것이 예상되어 「농지법」에 의한 농지전용이 불가능하다."는 사유와 "인근 주민의 생활이나 주변 농업활동에 피해를 줄 것이 예상되어 폐기물처리시설 부지로 적절하지 않다."는 사유
▷ 동일성○

"「도시계획법」제4조 및 구 「토지의 형질변경 등 행위허가기준 등에 관한 규칙」에 의거하여 행위제한을 추진하고 있다."는 당초의 불허가처분사유와 '토지형질변경허가의 요건을 갖추지 못하였다는 사유 및 도심의 환경보전의 공익상 필요'라는 사유
▷ 동일성○

"국립공원에 인접한 미개발지의 합리적인 이용대책 수립시까지 그 허가를 유보한다."라는 사유와 '국립공원 주변의 환경·풍치·미관 등을 크게 손상시킬 우려가 있으므로 공공목적상 원형유지의 필요가 있는 곳으로서 형질변경허가 금지 대상'이라는 사유
▷ 동일성○

 함께 정리하기

(2) 기본적 사실관계의 동일성을 부정한 예(처분사유의 추가·변경 부정 판례)

관련판례

"무자료 주류 판매에 해당한다."는 사유와 "무면허 판매업자에게 주류를 판매한 때에 해당한다."는 사유
▷ 동일성×

"인근주민의 동의서를 제출하지 않았다."는 사유와 "자연경관이 훼손된다."는 사유
▷ 동일성×

입찰참가자격을 제한시킨 당초의 처분 사유인 '정당한 이유 없이 계약을 이행하지 않은 사실'과 '관계 공무원에게 뇌물을 준 사실'
▷ 동일성×

"현재 대법원에 재판 진행 중인 사안에 포함되어 있다."는 사유와 해당 정보가 '대법원의 재판과 별개 사건인 서울중앙지방법원에 진행 중인 재판에 관련된 정보'라는 사유
▷ 동일성×

정보공개거부처분사유인 「공공기관의 정보공개에 관한 법률」 제7조(현행 제9조) 제1항 제4호(내부적인 의사결정) 및 제6호의 사유와 제5호의 사유(사생활침해우려)
▷ 동일성×

"대지에 관한 일부 공유지분권자의 대지사용승낙서가 제출되지 않았다."라는 사유와 "공사용 가설건축물이 더 이상 공사용으로 사용되지 않고 있다."라는 사유
▷ 동일성×

'본인부담금 수납대장을 비치하지 아니한 사실'과 '보건복지부장관의 관계서류 제출명령에 위반하였다'는 사실
▷ 동일성×

"(온천발견신고수리거부) 규정온도에 미달되어 온천에 해당하지 않는다."는 사유와 "온천으로서의 이용가치, 기존의 도시계획 및 공공사업에의 지장 여부 등을 고려하여 이 사건 온천발견신고수리를 거부한다."는 사유
▷ 동일성×

"(중고자동차매매업 허가신청에 대한 불허가처분) 기존의 다른 공동사업장과의 거리제한규정에 저촉된다."는 사유와 "최소 주차용지에 미달한다."는 사유
▷ 동일성×

1 ⓐ 종합주류도매업면허를 취소하면서 "무자료 주류 판매에 해당한다."는 사유와, ⓑ "무면허 판매업자에게 주류를 판매한 때에 해당한다."는 사유(대판 1996.9.6. 96누7427)

2 ⓐ 토석채취허가신청에 대한 반려처분의 사유인 "인근주민의 동의서를 제출하지 않았다."는 사유와, ⓑ "자연경관이 훼손된다."는 사유(대판 1992.8.18. 91누3659)

3 ⓐ 입찰참가자격을 제한시킨 당초의 처분 사유인 정당한 이유 없이 계약을 이행하지 않은 사실과, ⓑ 항고소송에서 새로 주장한 계약의 이행과 관련하여 관계 공무원에게 뇌물을 준 사실(대판 1999.3.9. 98두18565)

4 ⓐ 당초의 정보공개거부처분의 사유인 "현재 대법원에 재판 진행 중인 사안에 포함되어 있다."는 사유와, ⓑ 해당 정보가 '대법원의 재판과 별개 사건인 서울중앙지방법원에 진행 중인 재판에 관련된 정보'라는 사유(대판 2011.11.24. 2009두19021)

5 ⓐ 당초의 정보공개거부처분사유인 공공기관의 정보공개에 관한 법률 제7조(현행 제9조) 제1항 제4호(내부적인 의사결정) 및 제6호의 사유와, ⓑ 새로 추가된 같은 항 제5호의 사유(사생활침해우려)(대판 2003.12.11. 2001두8827)

6 ⓐ 가설건축물 존치기간 연장신고 반려처분의 사유인 "대지에 관한 일부 공유지분권자의 대지사용승낙서가 제출되지 않았다."라는 사유와, ⓑ "공사용 가설건축물이 더 이상 공사용으로 사용되지 않고 있다."라는 사유(대판 2018.1.25. 2015두35116)

7 ⓐ 의료보험요양기관 지정취소처분의 사유인 구 의료보험법 제33조 제1항이 정하는 본인부담금 수납대장을 비치하지 아니한 사실과, ⓑ 항고소송에서 새로 주장한 처분사유인 같은 법 제33조 제2항이 정하는 보건복지부장관의 관계서류 제출명령에 위반하였다는 사실(대판 1992.11.24. 95누10952)

8 ⓐ 온천발견신고수리거부의 당초의 처분사유인 "규정온도에 미달되어 온천에 해당하지 않는다."는 사유와, ⓑ "온천으로서의 이용가치, 기존의 도시계획 및 공공사업에의 지장 여부 등을 고려하여 이 사건 온천발견신고수리를 거부한다."는 사유(대판 1992.11.24. 92누3052)

9 ⓐ 중고자동차매매업 허가신청에 대한 불허가처분의 사유인 "기존의 다른 공동사업장과의 거리제한규정에 저촉된다."는 사유와, ⓑ "최소 주차용지에 미달한다."는 사유(대판 1995.11.21. 95누10952)

10 ⓐ 이주대책대상자 선정신청의 거부 사유로서 '당해 사업지구 내 가옥소유자가 아니'라는 사유와, ⓑ '이주대책 실시기간을 도과하였다'는 사유(대판 1999.8.20. 98두17043)

11 ⓐ 석유판매업허가신청에 대하여 "군사시설보호구역 내에 위치하여 관할 군부대장의 동의를 얻지 못하였다."는 당초 불허가사유와, ⓑ "군시설인 탄약창에 근접하여 공공의 안전에 미치는 영향이 지대하다."는 사유(대판 1991.11.8. 91누70)

12 ⓐ 국가유공자 비해당결정의 당초의 처분 사유인 "공무수행과 상이 사이에 인과관계가 없다."는 사유와, ⓑ "본인 과실이 경합되어 있다."는 사유(대판 2013.8.22. 2011두26589)

13 ⓐ 구청위생과 직원인 원고가 이 사건 '당구장이 정화구역외인 것처럼 허위표시를 함으로써 정화위원회의심의를 면제하여 허가처분하였다'는 당초의 징계사유와, ⓑ '정부문서규정에 위반하여 이미 결제된 당구장허가처분서류의 도면에 상사의 결제를 받음이 없이 거리표시를 기입하였다'는 사유(대판 1983.10.25. 83누396)

14 ⓐ 당초의 처분사유인 중기취득세의 체납과 ⓑ 그 후 추가된 처분사유인 자동차세의 체납(대판 1989.6.27. 88누6160)

15 ⓐ 부동산실명법상 과징금 부과처분의 당초의 처분의 사유인 '명의신탁등기'라는 사유와, ⓑ '장기미등기'라는 사유(대판 2017.5.17. 2016두53050)

16 ⓐ 피고(미래창조과학부장관)가 원고의 정보공개청구에 대하여 별다른 이유를 제시하지 않은 채 이동통신요금과 관련한 총괄원가액수만을 공개한 것과, ⓑ 정보공개거부처분 취소소송에서 원가 관련 정보가 법인의 영업상 비밀에 해당한다는 비공개사유를 주장하는 것(대판 2018.4.12. 2014두5477)

17 ⓐ 부지 지상에 컨테이너를 설치하여 창고임대업을 영위한 것과 관련하여 위 컨테이너가 건축법 제11조에 위반하였음을 이유로 원상복구 시정명령 및 계고처분을 한 것과, ⓑ 건축법 제20조 제3항 위반을 처분사유로 추가한 것(대판 2021.7.29. 2021두34756)

함께 정리하기

(이주대책대상자 선정신청의 거부) '당해 사업지구 내 가옥소유자가 아니'라는 사유와 "이주대책 실시기간을 도과하였다."는 사유
▷ 동일성×

"(석유판매업 허가신청에 대하여) 군사시설보호구역 내에 위치하여 관할 군부대장의 동의를 얻지 못하였다."는 당초 불허가사유와 "군시설인 탄약창에 근접하여 공공의 안전에 미치는 영향이 지대하다."는 불허가사유
▷ 동일성×

"공무수행과 상이 사이에 인과관계가 없다."는 사유와 "본인 과실이 경합되어 있다."는 사유
▷ 동일성×

"당구장이 정화구역외인 것처럼 허위표시를 함으로써 정화위원회의심의를 면제하여 허가처분하였다."는 당초의 징계사유와 "정부문서규정에 위반하여 이미 결제된 당구장허가처분서류의 도면에 상사의 결제를 받음이 없이 거리표시를 기입하였다."는 사유
▷ 동일성×

중기취득세의 체납과 자동차세의 체납
▷ 동일성×

(부동산실명법상 과징금 부과처분) '명의신탁등기'라는 사유와 '장기미등기'라는 사유
▷ 동일성×

'정보공개청구에 대하여 별다른 이유를 제시하지 않은 채 이동통신요금과 관련한 총괄원가액수만을 공개한 것'과 '정보공개거부처분 취소소송에서 원가 관련 정보가 법인의 영업상 비밀에 해당한다는 비공개사유를 주장하는 것'
▷ 동일성×

'「건축법」 제11조에 위반하였음을 이유로 원상복구 시정명령 및 계고처분을 한 것'과 '「건축법」 제20조 제3항 위반을 처분사유로 추가한 것'
▷ 동일성×

4 판결의 효력

「행정소송법」은 취소소송의 판결의 효력에 대하여 제3자에 대한 효력(동법 제29조)과 기속력(동법 제30조)에 대해서만 규정하고 있다. 그러나 행정소송도 재판인 이상 취소소송의 판결이 확정되면 소송의 일반적인 효력인 자박력, 확정력, 형성력, 집행력 등의 효력이 발생하게 된다.

1. 자박력(불가변력)

행정소송에 있어서도 판결이 일단 선고되면 선고법원 자신도 자신의 판결에 구속되어 판결의 내용을 취소·변경할 수 없게 된다. 이를 판결의 자박력, 구속력 또는 불가변력이라 한다. 자박력은 선고법원에 대한 효력으로, 재판의 신용과 법적 안정성을 위한 것이다.

2. 확정력

확정력에는 형식적 확정력(불가쟁력)과 실질적 확정력(기판력)이 있다.

(1) 불가쟁력(형식적 확정력)

① 법원이 한 종국판결에 대하여 당사자는 상소를 통하여 그 효력을 다툴 수 있는바, 상소제기기간이 경과하거나, 상소의 포기한 경우 또는 모든 심급을 거친 경우 등으로 상소할 수 없을 때에는 판결은 그 소송절차 내에서는 더 이상 다툴 수 없게 되는데, 이 경우에 판결이 가지는 구속력을 형식적 확정력이라 한다. 이를 불가쟁력이라고도 한다.
② 일반적으로 판결은 형식적으로 확정되어야 판결의 내용에 따른 효력인 실질적 확정력(기판력), 형성력, 기속력이 생기게 된다.
③ 불가쟁력(형식적 확정력)은 당사자와 이해관계인, 즉 법원의 판결에 불복하는 자에 대한 효력이다.

(2) 기판력(실질적 확정력)

「행정소송법」 제8조 【법적용예】 ② 행정소송에 관하여 이 법에 특별한 규정이 없는 사항에 대하여는 「법원조직법」과 「민사소송법」 및 「민사집행법」의 규정을 준용한다.

「민사소송법」 제216조 【기판력의 객관적 범위】 ① 확정판결(確定判決)은 주문에 포함된 것에 한하여 기판력(旣判力)을 가진다.

제218조 【기판력의 주관적 범위】 ① 확정판결은 당사자, 변론을 종결한 뒤의 승계인(변론 없이 한 판결의 경우에는 판결을 선고한 뒤의 승계인) 또는 그를 위하여 청구의 목적물을 소지한 사람에 대하여 효력이 미친다.

① 의의
㉠ 기판력 또는 실질적 확정력이란 판결이 확정되면 이후의 절차(예 후소)에서 동일사항(동일소송물)이 문제되는 경우에도 소송당사자(승계인 포함)는 기존 판결에 반하는 주장을 할 수 없고, 법원도 이에 모순·저촉되는 판단을 할 수 없는 판결의 구속력을 말한다(대판 1987.6.9. 86다카2756).❶
㉡ 이러한 기판력(실질적 확정력)은 확정판결이 가지는 효력이라는 점에서 형식적 확정력(불가쟁력)의 존재를 전제로 한다.

불가변력
▷ 선고법원에 대한 효력
▷ 판결이 선고되면 선고법원 자신도 이에 구속되어 판결의 내용을 취소·변경할 수 없게 되는 효력

불가쟁력(형식적 확정력)
▷ 법원의 판결에 불복하는 자(당사자와 이해관계인)에 대한 효력
▷ 상소제기기간이 경과하거나, 상소를 포기한 경우 또는 모든 심급을 거친 경우 등으로 판결에 불복하는 자가 더 이상 상소를 통해서 그 효력을 다툴 수 없게 된 상태

기판력(실질적 확정력)
▷ 법원과 당사자(승계인 포함)에 대한 효력
▷ 당사자: 반복·모순·저촉주장 금지
▷ 법원: 모순·저촉판단 금지

❶ 확정판결의 기판력이라 함은 확정판결의 주문에 포함된 법률적 판단의 내용은 이후 그 소송당사자의 관계를 규율하는 새로운 기준이 되는 것이므로 동일한 사항이 소송상 문제가 되었을 때 당사자는 이에 저촉되는 주장을 할 수 없고 법원도 이에 저촉되는 판단을 할 수 없는 기속력을 의미하는 것이다(대판 1987.6.9. 86다카2756).

기판력(실질적 확정력)
▷ 불가쟁력(형식적 확정력)을 전제로 함
▷ 소송절차의 반복과 모순된 재판의 방지라는 법적 안정성의 요청에 따라 인정

② **취지**: 기판력은 소송절차의 반복과 모순된 재판의 방지라는 법적 안정성의 요청에 따라 일반적으로 인정되고 있는 판결의 효력이다.
③ **법적 근거**: 「행정소송법」에는 기판력에 관한 명문의 규정을 두고 있지 않지만, 「행정소송법」 제8조 제2항에 의하여 「민사소송법」이 준용되므로 기판력에 관한 규정인 「민사소송법」 제216조와 제218조가 준용된다.
④ **내용**: 판결의 기판력이 발생하면, 당사자는 동일한 소송물을 대상으로 다시 소를 제기할 수 없다(반복금지효). 뿐만 아니라 후소에서 당사자는 기판력이 있는 전소의 확정판결의 내용에 반하는 주장을 할 수 없고, 법원은 전소판결에 모순·저촉되는 판단을 할 수 없다(모순금지효).
⑤ **적용 판결**: 기판력은 인용판결뿐만 아니라 청구기각판결에도 인정된다.
⑥ **효력범위**
　㉠ **주관적 범위**
　　ⓐ 기판력은 대립하는 당사자 사이에서만 미치는 것이 원칙이지만, 분쟁해결의 실효성을 높이기 위해 당사자와 동일인이라고 볼 수 있을 정도로 밀접한 관계가 있는 승계인(기판력이 발생한 이후에 당사자로부터 소송물인 권리·의무를 승계한 자)에게도 미친다. 「행정소송법」 제16조에 의하여 소송참가를 한 제3자에게도 미친다. 그러나 당해 소송과 관계없는 제3자에게는 미치지 않는다.
　　ⓑ 한편, 취소소송의 피고는 처분의 효과가 귀속되는 국가 또는 공공단체이어야 하는데 소송수행의 편의상 처분청을 피고로 한 것이므로, 그 판결의 기판력은 피고 행정청이 속하는 국가나 공공단체에도 미친다(대판 1998.7.24. 98다10854). ❶

　㉡ **객관적 범위**
　　ⓐ 기판력은 판결의 주문에 표시된 소송물에 관한 판단에만 미치고, 판결이유에서 제시된 그 전제가 되는 구체적인 위법사유에 관한 판단에는 미치지 않는다. ❷

> **관련판례**
> 확정판결의 기판력은 그 판결의 주문에 포함된 것, 즉 소송물로 주장된 법률관계의 존부에 관한 판단의 결론 그 자체에만 미치는 것이고 판결이유에서 설시된 그 전제가 되는 법률관계의 존부에까지 미치는 것은 아니다(대판 2000.2.25. 99다55472 ; 대판 1987.6.9. 86다카2756 ; 대판 2010.12.23. 2010다58889). ★★★

　　ⓑ 취소판결의 기판력은 소송물로 된 행정처분의 위법성 존부에 관한 판단 그 자체에만 미치는 것이므로 전소와 후소가 그 소송물을 달리하는 경우에는 전소 확정판결의 기판력이 후소에 미치지 아니한다(대판 1996.4.26. 95누5820 ; 대판 2009.1.15. 2006두14926).
　　ⓒ 그러나 전소와 후소의 소송물이 동일하지 아니하여도 전소의 기판력 있는 법률관계가 후소의 선결적 법률관계가 되는 때에는 전소의 판결의 기판력이 후소에 미쳐 후소의 법원은 전에 한 판단과 모순되는 판단을 할 수 없다(대판 2000.2.25. 99다55472).

함께 정리하기

기판력에 관한 규정 ✕
▷ 「민사소송법」을 준용(동법 제8조 제2항)

당사자
▷ 동일한 소송물을 대상으로 다시 소 제기 ✕(반복금지효)

법원
▷ 전소판결에 모순·저촉되는 판단 ✕(모순금지효)

주관적 범위
▷ 당사자·승계인·소송참가를 한 제3자 ○
▷ 당해 소송과 관계없는 제3자 ✕
▷ 행정청의 처분이 귀속되는 국가 또는 공공단체

❶ 따라서 세무서장을 피고로 하는 과세처분 취소소송에서 패소한 원고가 국가를 피고로 하여 과세처분의 무효를 주장하면서 과오납금반환청구소송을 제기하면 취소소송의 기판력에 저촉된다.

객관적 범위
▷ 인용판결 ○, 기각판결 ○
▷ 주문에 나타난 판단에만 ○
▷ 판결이유에서 제시된 그 전제가 되는 구체적인 위법사유에 관한 판단 ✕

❷ 판결이유 부분은 민사소송과 같이 행정소송에서도 판결주문을 해석하기 위한 수단으로서의 의미를 가질 뿐 기판력으로서는 의미를 갖지 못하므로 기판력이 미치지 않음이 원칙이다.

전소와 후소가 그 소송물을 달리하는 경우
▷ 전소의 기판력이 후소에 미치지 ✕
▷ 전소의 기판력 있는 법률관계가 후소의 선결적 법률관계가 되는 때에는 전소의 판결의 기판력이 후소에 미침

함께 정리하기

인용판결
▷ 당해 처분의 위법함에 발생

기각판결
▷ 당해 처분의 적법함에 발생

사정판결
▷ 당해 처분의 위법함에 발생

시간적 범위
▷ 사실심 변론종결시를 표준으로 발생

차단효
▷ 사실심 변론종결시까지 제출하지 아니한 공격·방어방법은 후소에서 주장×

❶ 확정된 종국판결은 그 기판력으로서 당사자가 사실심의 변론종결시를 기준으로 그때까지 제출하지 않은 공격방어방법은 그 뒤 다시 동일한 소송을 제기하여 이를 주장할 수 없다(대판 1992.2.25. 91누6108).

취소소송에서 기각판결이 확정된 경우
▷ 무효등 확인소송·부당이득반환소송에 미침

취소소송의 기판력
▷ 무효확인소송에 미침

취소소송의 기판력
▷ 무효확인소송에 미침

ⓓ 취소소송의 소송물을 통설 및 판례(대판 1990.3.23. 89누5386)와 같이 '위법성 일반'으로 보게 되면, 취소소송의 기판력은 인용판결의 경우에는 당해 처분이 위법하다는 점에, 기각판결의 경우에는 당해 처분이 적법하다는 점에 미친다. 다만, 사정판결은 기각판결의 일종이지만 처분의 위법성을 주문에 명시하므로 당해 처분이 위법하다는 점에 기판력이 생긴다.

> **관련판례**
>
> 행정청의 공사중지명령에 대한 취소소송에서 명령이 적법한 것으로 확정된 경우, 이후 그 명령의 상대방이 명령의 해제신청을 거부한 처분의 취소를 구하는 소송에서 명령의 적법성을 다툴 수 없다. ★★
>
> 행정청이 관련 법령에 근거하여 행한 공사중지명령의 상대방이 명령의 취소를 구한 소송에서 패소함으로써 그 명령이 적법한 것으로 이미 확정되었다면, 이후 이러한 공사중지명령의 상대방은 그 명령의 해제신청을 거부한 처분의 취소를 구하는 소송에서 그 명령의 적법성을 다툴 수 없다. 그와 같은 공사중지명령에 대하여 그 명령의 상대방이 해제를 구하기 위해서는 명령의 내용 자체로 또는 성질상으로 명령 이후에 원인사유가 해소되었음이 인정되어야 한다(대판 2014.11.27. 2014두37665).

ⓒ **시간적 범위**: 기판력은 사실심 변론종결시를 기준으로 하여 효력이 발생한다. 확정판결은 변론종결시까지 제출된 자료를 기초로 하여 이루어지는 것이기 때문이다.❶ 따라서 처분청은 당해 사건의 사실심 변론종결 이전에 주장할 수 있었던 사유를 내세워 확정판결과 저촉되는 처분을 할 수 없다.

⑦ **기판력의 적용**

㉠ **기판력과 무효등 확인소송과의 관계**

ⓐ 전소인 취소소송에서 기각판결이 확정되면 처분이 적법하다는 점에서 기판력이 발생하므로 무효등 확인소송뿐만 아니라 그 처분이 무효임을 전제로 한 부당이득반환의 민사소송에까지 미친다.

> **관련판례**
>
> **1** 청구기각판결이 확정되면 처분의 적법함에 관하여 기판력이 발생하므로 무효확인청구도 할 수 없다. ★★★
>
> 행정처분취소청구를 기각하는 판결이 확정되면 그 처분이 적법하다는 점에 관하여 기판력이 생기고 그 소의 원고뿐만 아니라 관계 행정기관도 이에 기속된다 할 것이므로 면직처분이 위법하지 아니하다는 점이 판결에서 확정된 이상 원고가 다시 이를 무효라 하여 그 무효확인을 소구할 수는 없다(대판 1992.12.8. 92누6891).
>
> **2** 과세처분 취소소송에서 청구가 기각된 확정판결의 기판력은 그 과세처분의 무효확인을 구하는 소송에 미친다. ★★
>
> 과세처분취소 청구를 기각하는 판결이 확정되면 그 처분이 적법하다는 점에 관하여 기판력이 생기고 그 후 원고가 다시 이를 무효라 하여 그 무효확인을 소구할 수는 없는 것이어서, 과세처분의 취소소송에서 청구가 기각된 확정판결의 기판력은 그 과세처분의 무효확인을 구하는 소송에도 미친다(대판 1998.7.24. 98다10854).

ⓑ 이에 반하여, 전소인 무효등 확인소송에서 기각판결이 확정된 경우에는 처분이 무효가 아니라는 점, 즉 유효하다는 점에 대해서만 기판력이 발생하므로 취소소송에는 기판력이 미치지 않는다. 따라서 취소소송의 제기요건이 갖추어진 경우에는 다시 취소소송을 제기하거나 국가배상소송을 제기할 수 있다.

ⓒ 기판력과 국가배상청구소송과의 관계
  ⓐ 문제의 소재: 취소소송의 확정판결이 난 후, 국가배상청구소송을 제기했을 때 취소소송의 기판력이 국가배상청구소송에 미치는지 여부가 문제된다. 이는 취소소송에 있어서 위법과 국가배상청구소송에 있어서 위법이 동일한가 하는 문제와 관련이 있다.
  ⓑ 학설
    ㉮ 기판력 부정설: 취소소송의 위법과 국가배상청구소송의 위법은 다른 개념이므로 취소소송의 판결의 기판력은 국가배상소송에 영향을 미치지 않는다는 견해이다.
    ㉯ 기판력 긍정설: 취소소송의 위법과 국가배상청구소송의 위법은 동일하므로 취소소송의 판결의 기판력은 국가배상소송에 영향을 미친다고 보는 견해이다.
    ㉰ 제한적 긍정설: 국가배상청구소송의 위법 개념을 취소소송의 위법 개념보다 넓은 개념으로 보는 견해로서 인용판결의 기판력은 국가배상청구소송에 미치지만, 기각판결의 기판력은 국가배상청구소송에 미치지 않는다고 본다. 이 견해가 일반적인 입장이다.
  ⓒ 판례: 취소소송에서의 확정판결의 기판력이 국가배상청구소송에 미치는지 여부와 관련하여 판례의 입장은 분명하지 않다. 다만, 판례는 어떠한 행정처분이 후에 항고소송에서 취소되었다고 할지라도 그 기판력에 의하여 당해 행정처분이 곧바로 공무원의 고의 또는 과실로 인한 것으로서 불법행위를 구성한다고 단정할 수는 없다고 한다(대판 2003.11.27. 2001다33789).

⑧ 기판력(실질적 확정력)과 처분청의 직권취소: 쟁송취소와 직권취소는 서로 관련이 없기 때문에 원고의 청구가 기각되는 경우에도 처분청은 직권으로 당해 처분을 취소할 수 있다.

3. 형성력

(1) 의의
판결의 형성력이란 법원의 판결에 따라 법률관계의 발생·변경·소멸을 가져오는 효력을 말한다. 형성력은 행정처분을 취소하는 청구인용판결(취소판결)에만 인정되고, 청구기각판결에는 인정되지 않는다(대판 1969.1.28. 68다1466).

(2) 근거
「행정소송법」은 취소판결의 형성력에 관한 명문의 규정은 없지만, 취소판결의 제3자효를 규정한 「행정소송법」 제29조 제1항을 보면 취소판결의 형성력을 인정하고 있는 것이라 해석된다.

함께 정리하기

무효확인소송에서 기각판결이 확정된 경우
▷ 소송송에는 기판력이 미치지×, 취소소송·국가배상청구 可

기판력과 국가배상청구
▷ 취소소송 기판력이 국가배상청구에 미치는지 문제됨

❶ 이에 반하여 국가배상청구소송의 기판력은 취소소송에 미치지 않는다. 왜냐하면 두 소송의 소송물이 다르기 때문이다.

기판력 부정설
▷ 취소소송의 위법과 국가배상청구소송의 위법은 다른 개념이라고 보는 견해
▷ 인용판결, 기각판결의 기판력: 모두 국가배상청구소송에 미치지 않음

기판력 긍정설
▷ 취소소송의 위법과 국가배상청구소송의 위법은 동일한 개념이라고 보는 견해
▷ 인용판결, 기각판결의 기판력: 모두 국가배상청구소송에 미침

제한적 긍정설
▷ 국가배상청구소송의 위법 개념을 취소소송의 위법 개념보다 넓은 개념으로 보는 견해
▷ 인용판결의 기판력: 국가배상청구소송에 미침(제한적으로만 미침)
▷ 기각판결의 기판력: 국가배상청구소송에 미치지 않음

판례
▷ 항고소송 인용판결이 곧바로 국가배상청구소송 인용 단정×

직권취소
▷ 기판력과 무관하게 행정청 직권취소 可

형성력
▷ 당사자와 제3자에 대한 효력

형성효, 소급효, 제3자효(대세효)
▷ 법률관계 발생·변경·소멸을 가져오는 효력
▷ 인용판결에서만 인정

취소판결의 형성력
▷ 명문규정×
▷ 해석상 인정

함께 정리하기

형성효
▷ 행정처분을 취소한다는 확정판결이 있으면 행정청의 별도의 행위 없이 처분이 취소되는 형성적 효과를 발생

취소판결확정
▷ 당연히 취소효과 발생(별도의 취소조치 不要)

소급효
▷ 처분시로 소급하여 소멸
▷ 취소판결 후에 취소된 처분을 대상으로 하는 처분은 당연무효ㅇ

❶ 해임처분을 받은 공무원이 그 해임처분 취소소송에서 승소하면 처분의 효력을 상실함으로써 소급하여 공무원의 신분은 회복하게 된다.

조합설립인가처분이 법원의 재판에 의하여 취소된 경우
▷ 조합설립인가처분은 소급하여 효력 상실

과세처분 취소판결 확정
▷ 이후 경정처분은 당연무효

제3자효
▷ 취소의 효력(형성효, 소급효) 제3자에게 미침

(3) 내용

① **형성효**: 취소소송은 형성소송이므로 행정처분을 취소한다는 확정판결이 있으면 행정청의 별도의 행위 없이 처분이 취소되는 형성적 효과를 발생시킨다.

> **관련판례**
> 행정처분을 취소한다는 확정판결이 있으면 그 **취소판결의 형성력에 의하여 당해 행정처분의 취소나 취소통지 등의 별도의 절차를 요하지 아니하고 당연히 취소의 효과가 발생한다고 할 것이고 별도로 취소의 절차를 취할 필요는 없을 것이다**(대판 1991.10.11. 90누5443). ★★★

② **소급효**: 처분을 취소하는 판결이 확정되면 그 처분은 처분시에 소급하여 소멸한다(대판 1999.2.5. 98도4239 ; 대판 1993.6.25. 93도27). ❶ 따라서 취소판결 후에 취소된 처분을 대상으로 하는 경정처분은 존재하지 않는 과세처분을 경정하는 것으로서 당연히 무효이다.

> **관련판례**
> **1** 도시 및 주거환경정비법상 주택재개발사업조합의 조합설립인가처분이 법원의 재판에 의하여 취소된 경우 그 조합설립인가처분은 소급하여 효력을 상실한다. 이에 따라 당해 주택재개발사업조합 역시 조합설립인가처분 당시로 소급하여 도시정비법상 주택재개발사업을 시행할 수 있는 행정주체인 공법인으로서의 지위를 상실한다(대판 2012.3.29. 2008다95885). ★★
>
> **2** 과세처분취소 판결의 확정 후에 한 그 과세처분을 경정하는 경정처분은 무효이다. ★★
> 과세처분을 취소하는 판결이 확정되면 그 과세처분은 처분시에 소급하여 소멸하므로 그 뒤에 과세관청에서 그 과세처분을 경정하는 경정처분을 하였다면 이는 존재하지 않는 과세처분을 경정한 것으로서 그 하자가 중대하고 명백한 당연무효의 처분이다(대판 1989.5.9. 88다카16096).

③ **제3자효(대세효)**

> 「행정소송법」 제29조 【취소판결등의 효력】 ① 처분등을 취소하는 확정판결은 제3자에 대하여도 효력이 있다.
>
> 제16조 【제3자의 소송참가】 ① 법원은 소송의 결과에 따라 권리 또는 이익의 침해를 받을 제3자가 있는 경우에는 당사자 또는 제3자의 신청 또는 직권에 의하여 결정으로써 그 제3자를 소송에 참가시킬 수 있다.
>
> 제31조 【제3자에 의한 재심청구】 ① 처분등을 취소하는 판결에 의하여 권리 또는 이익의 침해를 받은 제3자는 자기에게 책임없는 사유로 소송에 참가하지 못함으로써 판결의 결과에 영향을 미칠 공격 또는 방어방법을 제출하지 못한 때에는 이를 이유로 확정된 종국판결에 대하여 재심의 청구를 할 수 있다.

㉠ **의의**: 취소판결의 효력(형성효, 소급효)은 소송에 관여하지 않은 제3자에 대하여 미치는데, 이를 취소판결의 제3자효라고 한다. 「행정소송법」 제29조 제1항은 확정된 취소판결의 효력은 제3자에도 미친다고 규정하여 취소판결의 제3자효를 인정하고 있다.

㉡ **취지**: 제3자효를 인정하고 있는 취지는 소송당사자와 제3자에 사이에 소송의 결과가 달라지는 것을 방지하고 그 법률관계를 통일적으로 규율하려는데 있다.

ⓒ 제3자의 범위: 취소판결의 효력이 미치는 제3자의 범위에 대하여 견해의 대립이 있으나, 제3자는 모든 제3자를 의미하는 것으로 보는 것이 일반적인 견해이다.

ⓔ 제3자효의 문제
  ⓐ 취소판결이 확정되면 당해 처분은 소급하여 취소되므로, 취소된 처분을 전제로 형성된 처분이나 법률관계도 원칙적으로 그 효력을 상실한다(대판 1999.2.5. 98도4239 ; 대판 2012.3.29. 2008다95885 등).
  ⓑ 그러나 취소된 행정처분을 기초로 하여 새로운 사법상의 계약 등이 있는 경우에는 취소판결의 확정으로 인하여 당해 행정처분을 기초로 하여 새로 형성된 제3자의 권리까지 당연히 그 행정처분 전의 상태로 환원되는 것은 아니다.

> **관련판례**
>
> 행정처분을 기초로 하여 새로 형성된 제3자의 권리까지 당연히 그 행정처분 전의 상태로 환원되는 것은 아니다. ★★
>
> 행정처분을 취소하는 확정판결이 제3자에 대하여도 효력이 있다고 하더라도 일반적으로 판결의 효력은 주문에 포함한 것에 한하여 미치는 것이니 그 취소판결 자체의 효력으로써 그 행정처분을 기초로 하여 새로 형성된 제3자의 권리까지 당연히 그 행정처분 전의 상태로 환원되는 것이라고는 할 수 없고, 단지 취소판결의 존재와 취소판결에 의하여 형성되는 법률관계를 소송당사자가 아니었던 제3자라 할지라도 이를 용인하지 않으면 아니 된다는 것을 의미하는 것에 불과하다 할 것이며, 따라서 취소판결의 확정으로 인하여 당해 행정처분을 기초로 새로 형성된 제3자의 권리관계에 변동을 초래하는 경우가 있다 하더라도 이는 취소판결 자체의 형성력에 기한 것이 아니라 취소판결의 위와 같은 의미에서의 제3자에 대한 효력의 반사적 효과로서 그 취소판결이 제3자의 권리관계에 대하여 그 변동을 초래할 수 있는 새로운 법률요건이 되는 까닭이라 할 것이다(대판 1986.8.19. 83다카2022).

ⓓ 제3자의 보호방안: 취소판결의 효력이 제3자에게도 미치기 때문에 제3자의 재판청구권을 침해할 수 있으므로「행정소송법」은 제3자의 소송참가제도(제16조)와 제3자의 재심청구제도(제31조)를 인정하고 있다.

ⓑ 제3자효의 준용:「행정소송법」제29조 제1항의 취소판결의 제3자효의 규정은 집행정지결정과 집행정지결정의 취소결정에 준용되고(동법 제29조 제2항), 무효등확인소송 및 부작위위법확인소송에도 준용된다(동법 제38조 제1항, 제2항). 다만, 당사자소송에는 준용되지 않는다(동법 제44조).

4. 기속력

>「행정소송법」제30조【취소판결등의 기속력】① 처분등을 취소하는 확정판결은 그 사건에 관하여 당사자인 행정청과 그 밖의 관계행정청을 기속한다.
> ② 판결에 의하여 취소되는 처분이 당사자의 신청을 거부하는 것을 내용으로 하는 경우에는 그 처분을 행한 행정청은 판결의 취지에 따라 다시 이전의 신청에 대한 처분을 하여야 한다.
> ③ 제2항의 규정은 신청에 따른 처분이 절차의 위법을 이유로 취소되는 경우에 준용한다.

함께 정리하기

제3자의 범위
▷ 모든 제3자를 의미

취소판결의 제3자효
▷ 취소된 처분을 기초로 하여 새로 형성된 제3자의 권리까지 처분 전의 상태로 환원되는 것은 아님

제3자의 보호방안
▷ 소송참가·재심청구 인정

형성력의 준용
▷ 집행정지결정·취소결정, 무효등확인소송, 부작위위법확인소송 ○
▷ 당사자소송 ✕

 **함께 정리하기**

기속력
▷ 행정기관에 대한 효력
▷ 확정판결의 취지에 따라 행동하도록 당사자인 행정청과 그 밖의 관계행정청을 구속하는 효력

기속력
▷ 인용판결 ○
▷ 기각판결 × (∴직권취소 可)

기판력설
▷ 본질은 기판력

특수효력설
▷ 법이 특별히 부여한 효력(통설)

최근의 판례
▷ 기판력과 기속력을 구별 ○

(1) 의의

① 취소판결의 기속력이란 확정판결의 취지에 따라 행동하도록 당사자인 행정청과 그 밖의 관계행정청을 구속하는 효력을 말한다.
② 「행정소송법」제30조 제1항은 "처분 등을 취소하는 확정판결은 그 사건에 관하여 당사자인 행정청과 그 밖의 관계행정청을 기속한다."라고 규정하고, 이를 무효등 확인소송과 부작위위법확인소송 및 당사자소송에도 준용하고 있다(동법 제38조 제1항·제2항, 제44조 제1항).

(2) 적용 판결

기속력은 인용판결에 한하여 인정되고 기각판결에는 인정되지 않는다. 따라서 취소소송의 기각판결이 있은 후에도 처분청은 당해 처분을 직권으로 취소할 수 있다.

(3) 성질

① **학설**: 기속력 성질에 관하여는 기판력설과 특수효력설이 대립하고 있다.
  ㉠ **기판력설**: 기속력은 취소판결의 기판력이 행정적 측면에 미치는 것에 지나지 않으며 그 본질은 기판력과 같다는 견해이다.
  ㉡ **특수효력설**: 기속력은 취소판결의 실효성을 확보하기 위하여 「행정소송법」이 특별히 부여한 효력으로서 기판력과는 그 본질이 다르다는 견해로서 통설의 입장이다.
② **판례**: 기판력과 기속력이라는 용어를 구별하지 않고 사용한 판례도 종종 있었으나, 최근에는 기속력을 기판력과는 구별되는 특수한 효력으로 보고 양자를 명확히 구별하고 있다.

> **관련판례**
>
> **1 기속력을 기판력의 일종으로 본 판례** ★★
> 어떠한 행정처분에 위법한 하자가 있다는 이유로 그 취소를 소구한 행정소송에서 그 행정처분을 취소하는 판결이 선고되어 확정된 경우에 처분행정청이 그 행정소송의 사실심 변론종결 이전의 사유를 내세워 다시 확정판결에 저촉되는 행정처분을 하는 것은 확정판결의 기판력에 저촉되어 허용될 수 없고 이와 같은 행정처분은 그 하자가 명백하고 중대한 경우에 해당되어 당연무효이다(대판 1989.9.12. 89누985).
>
> **2 기속력을 기판력과 다른 특수한 효력으로 본 판례** ★★
> 취소확정판결의 '기속력'은 취소청구가 인용된 판결에서 인정되며 당사자인 행정청과 그 밖의 관계행정청은 확정판결의 취지에 따라 행동하여야 할 의무를 진다. 이에 비하여 '기판력'이란(행정소송법 제8조 제2항, 민사소송법 제216조, 제218조) 기판력 있는 전소 판결의 소송물과 동일한 후소를 허용하지 않음과 동시에, 후소의 소송물이 전소의 소송물과 동일하지는 않더라도 전소의 소송물에 관한 판단이 후소의 선결문제가 되거나 모순관계에 있을 때에는 후소에서 전소 판결의 판단과 다른 주장을 하는 것을 허용하지 않는 작용을 말한다(대판 2016.3.24. 2015두48235).

핵심정리 기판력과 기속력의 비교

구분	기판력	기속력
규정	「민사소송법」 규정: 행정소송에도 준용	「행정소송법」 제30조
적용 판결	인용·기각판결 모두에서 인정	인용판결에서만 인정
주관적 범위	원고·피고, 후소법원	처분청 및 관계행정청을 구속(원고×)
객관적 범위	주문에 포함된 것에만 미침	주문 및 이유인 위법사유에도 미침
시간적 범위	사실심 변론종결시를 표준으로 발생	처분시까지 존재하던 사유에 대해서만 발생
특성	소송법상 효력	실체법상 효력

(4) 범위

① 주관적 범위
  ㉠ 기속력은 당사자인 행정청뿐만 아니라 그 밖의 관계행정청을 기속한다(동법 제30조 제1항).
  ㉡ 여기에서 관계행정청이란 취소된 처분 등을 기초로 하여 그와 관련된 처분이나 부수되는 행위를 할 수 있는 행정청을 총칭한다.

② 객관적 범위
  ㉠ 기속력은 취소판결의 취지에 따라 행정청을 구속하는 효력이므로, 취소판결의 취지는 처분이 위법이라는 것을 인정하는 판결주문(결론)과 판결이유 중에 설시된 개개의 위법사유를 포함한다. 따라서 기속력은 판결의 주문뿐만 아니라 그 전제가 되는 처분 등의 구체적 위법사유에 관한 이유 중의 판단에 대하여도 미친다. 이는 판결의 주문에 한하여 미치는 기판력과 구별된다.

> **관련판례**
> 확정판결의 기속력은 주로 판결의 실효성 확보를 위하여 인정되는 효력으로서 판결의 주문뿐만 아니라 그 전제가 되는 처분 등의 구체적 위법사유에 관한 이유 중의 판단에 대하여도 인정된다(대판 2001.3.23. 99두5238). ★★★

  ㉡ 다만, 판결의 결론과 직접 관계없는 방론❶이나 간접사실의 판단에는 미치지 않는다.
  ㉢ 한편, 기속력은 '그 사건'에 한하여 발생하므로 사건이 다른 경우에는 기속력이 미치지 않는다. 그런데 사건의 동일성 여부는 결국 기본적 사실관계의 동일성 여부로 판단하는 것이므로, 기본적 사실관계가 다른 경우에는 기속력이 미치지 않는다. 즉, 기속력은 개개의 위법사유에 대한 판단에 대하여 생기는 것인바, 행정청이 기본적 사실관계가 동일하지 아니한 별도의 새로운 사유를 들어 동일한 내용의 처분을 다시 하는 것은 허용되는 것이다(기속력에 반하지 않는 적법한 재처분에 해당).

주관적 범위
▷ 행정청·관계행정청

관계행정청
▷ 취소된 처분을 기초로 부수행위를 행한 다른 조직의 행정청 포함

객관적 범위
▷ 판결의 주문 및 그 전제되는 요건사실의 인정과 판단(개개의 위법사실)

기속력 범위
▷ 주문·이유 중 판단

간접사실, 방론×

❶ **방론**
부가적인 판사의 의견으로, 판결이유 가운데 그 사건의 판결과 직접적인 관계가 없는 부분을 말한다.

기본적 사실관계가 다른 경우(사건이 다른 경우)
▷ 기속력이 미치지×

시간적 범위
▷ 처분시의 처분사유에만 미침

처분시 후 새로운 사유로 동일 처분
▷ 기속력 위반 ✕

반복금지효
▷ 처분청 및 관계행정청에 대한 효력
▷ 처분청 및 관계행정청은 판결의 취지에 저촉되는 처분을 하여서는 안 된다는 구속을 받는 것

동일한 처분의 반복금지
▷ 동일한 사실관계 아래서 동일 당사자에 대하여 동일한 내용의 처분 금지

기본적 사실관계의 동일성 없는 사유로 동일한 처분
▷ 기속력 위반 ✕

예컨대, 음주운전을 하였다는 이유로 한 면허취소처분이 법원의 판결에 의해 취소된 경우, 처분청이 다시 신호위반을 이유로 면허취소처분을 하더라도 기속력에 반하지 않는다.

취소판결 확정 후 종전 처분과 다른 사유를 들어 새로이 처분을 하는 것
▷ 기속력 위반 ✕

③ **시간적 범위**: 처분의 위법 여부의 판단시점은 처분시이므로 기속력은 처분 당시를 기준으로 처분 당시까지 존재하던 사유에 대해서만 미치고, 그 이후에 생긴 사유에는 미치지 아니한다. 따라서 처분시 이후에 생긴 새로운 처분사유(예 새로운 사실관계나 개정된 법령)를 들어 동일한 내용의 처분을 다시 하는 것은 기속력에 반하지 않는다.

(5) 내용

기속력은 소극적 효력으로서 반복금지효와 적극적 효력으로서 재처분의무 및 결과제거의무를 그 내용으로 한다.

① **소극적 효력 – 반복금지효(저촉금지효)**

㉠ **의의**: 반복금지효란 취소판결이 확정되면 행정청 및 관계행정청은 판결의 취지에 저촉되는 처분을 하여서는 안 된다는 구속을 받는 것을 말한다. 즉, 동일한 사실관계 아래서 동일 당사자에 대하여 동일한 내용의 처분을 반복하여서는 안 된다는 부작위의무를 말한다.

㉡ **내용**

ⓐ **동일한 처분의 반복금지**

㉮ 처분청이 취소된 처분과 동일한 처분을 하는 것은 취소판결의 기속력(반복금지효)에 반한다. '동일한 처분'이란 동일한 사실관계 아래서 동일 당사자에 대하여 동일한 내용을 갖는 행위를 말한다.

> **관련판례**
> 징계처분의 취소를 구하는 소에서 <u>징계사유가 될 수 없다고 판결한 사유와 동일한 사유를 내세워 행정청이 다시 징계처분을 한 것은 확정판결에 저촉되는 행정처분을 한 것으로서</u>, 위 취소판결의 기속력이나 확정판결의 기판력에 저촉되어 <u>허용될 수 없다</u>(대판 1992.7.14. 92누2912).

㉯ 취소된 처분의 취소사유와 기본적 사실관계의 동일성이 없는 다른 처분사유를 들어 동일한 내용의 처분을 하여도 이는 동일한 처분이 아니므로 기속력에 반하지 않는다.❶

> **관련판례**
> <u>종전 처분이 판결에 의하여 취소된 경우, 종전 처분과 다른 사유를 들어 새로이 처분을 하는 것이 기속력에 저촉되지 않는다.</u> ★★
> 취소 확정판결의 기속력은 판결의 주문 및 전제가 되는 처분 등의 구체적 위법사유에 관한 판단에도 미치나, <u>종전 처분이 판결에 의하여 취소되었더라도 종전 처분과 다른 사유를 들어서 새로이 처분을 하는 것은 기속력에 저촉되지 않는다. 여기에서 동일 사유인지 다른 사유인지는 확정판결에서 위법한 것으로 판단된 종전 처분사유와 기본적 사실관계에서 동일성이 인정되는지 여부에 따라 판단되어야 하고, 기본적 사실관계의 동일성 유무는 처분사유를 법률적으로 평가하기 이전의 구체적인 사실에 착안하여 그 기초인 사회적 사실관계가 기본적인 점에서 동일한지에 따라 결정된다. 또한 행정처분의 위법 여부는 행정처분이 행하여진 때의 법령과 사실을 기준으로 판단하므로, 확정판결의 당사자인 처분 행정청은 종전 처분 후에 발생한 새로운 사유를 내세워 다시 처분을 할 수 있고, 새로운 처분의 처분사유가 종전 처분의 처분사유와 기본적 사실관계에서 동일하지 않은 다른 사유에 해당하는 이상, 처분사유가 종전 처분 당시 이미 존재하고 있었고 당사자가 이를 알고 있었더라도 이를 내세워 새로이 처분을 하는 것은 확정판결의 기속력에 저촉되지 않는다</u>(대판 2016.3.24. 2015두48235).

ⓓ 취소판결의 사유가 절차 또는 형식 위법인 경우에 행정청이 판결의 취지에 따라 절차 또는 형식을 갖추어(보완하여) 행한 동일한 내용의 처분은 취소된 처분과 동일한 처분이 아니므로 역시 기속력에 반하지 않는다.

> **관련판례**
>
> **위법사유를 보완하여 행한 새로운 과세처분은 기속력에 반하지 않는다.** ★★
>
> 과세처분 시 납세고지서에 과세표준, 세율, 세액의 산출근거 등이 누락되어 있어 이러한 절차 내지 형식의 위법을 이유로 과세처분을 취소하는 판결이 확정된 경우에 그 확정판결의 기판력은 확정판결에 적시된 절차 내지 형식의 위법사유에 한하여 미친다고 할 것이므로 과세처분권자가 그 확정판결에 적시된 위법사유를 보완하여 행한 새로운 과세처분은 확정판결에 의하여 취소된 종전의 과세처분과는 별개의 처분으로서 확정판결의 기판력에 저촉되는 것은 아니다(대판 1986.11.11. 85누231).❶
>
> > **동지**
> > 과세의 절차 내지 형식에 위법이 있어 과세처분을 취소하는 판결이 확정되었을 때는 그 확정판결의 기판력은 거기에 적시된 절차 내지 형식의 위법사유에 한하여 미치는 것이므로 과세관청은 그 위법사유를 보완하여 다시 새로운 과세처분을 할 수 있고, 그 새로운 과세처분은 확정판결에 의하여 취소된 종전의 과세처분과는 별개의 처분이라 할 것이어서 확정판결의 기판력에 저촉되는 것이 아니다(대판 1987.2.10. 86누91).

ⓑ 동일한 처분이 아닌 경우(판결 이유에서 제시된 위법사유의 반복금지)
㉮ 기속력은 판결의 이유에 제시된 위법사유에 대하여도 미치므로 판결의 이유에서 제시된 위법사유를 다시 반복하는 것은 동일한 처분이 아닌 경우에도 동일한 과오를 반복하는 것으로서 기속력에 반한다.
㉯ 예를 들면, 법규 위반을 이유로 내린 영업허가취소처분이 비례의 원칙 위반으로 취소된 경우에 동일한 법규 위반을 이유로 영업정지처분을 내리는 것은 기속력에 반하지 않는다. 그러나 법규 위반사실이 없는 것을 이유로 영업허가취소처분이 취소된 경우에 동일한 법규 위반을 이유로 영업정지처분을 내리는 것은 기속력에 반한다.

② 적극적 효력 – 재처분의무, 결과제거의무(원상회복의무)
㉠ 재처분의무
ⓐ 의의: 재처분의무란 행정청이 취소판결의 취지에 따라 일정한 처분을 하여야 할 의무를 말한다. 이에 따라 행정청은 판결의 취지에 따라야 할 의무와 재처분을 하여야 의무를 부담한다.
ⓑ 거부처분의 취소판결에 따른 재처분의무
㉮ 규정: 「행정소송법」 제30조 제2항은 "판결에 의하여 취소되는 처분이 당사자의 신청을 거부하는 것을 내용으로 하는 경우에는 그 처분을 행한 행정청은 판결의 취지에 따라 다시 이전의 신청에 대한 처분을 하여야 한다."라고 하여 거부처분의 취소판결에 따른 재처분의무를 규정하고 있다. 이러한 재처분의무는 당사자의 새로운 신청이 없더라도 당연히 하여야 할 의무이다.

함께 정리하기

절차, 형식 위법 이유로 처분 취소 시 적법절차, 형식 구비 후 동일한 처분
▷ 기속력 위반 ✕

절차 내지 형식의 위법을 이유로 선고된 취소판결 확정 후 위법사유를 보완하여 행한 새로운 처분
▷ 기속력 위반 ✕

❶ 기판력과 기속력을 구분하지 않고 혼용한 판례(기판력설)이나 실제로는 기속력에 관한 판례로 보아야 한다.

동일한 처분이 아니더라도 판결 이유에 제시된 위법사유 반복
▷ 기속력 위반 ○

법규 위반을 이유로 내린 영업허가취소처분이 '비례원칙 위반'으로 취소된 경우, 동일한 법규 위반을 이유로 영업정지처분
▷ 기속력 위반 ✕

'법규 위반사실이 없음'을 이유로 영업허가취소처분이 취소된 경우, 동일한 법규 위반을 이유로 영업정지처분
▷ 기속력 위반 ○

재처분의무
▷ 행정청이 취소판결의 취지에 따라 일정한 처분을 하여야 할 의무

당사자의 새로운 신청이 없어도
▷ 재처분의무 有

함께 정리하기

판결의 취지에 따른다는 의미
▷ 행정청이 판결의 취지를 존중한다는 것O, 반드시 원고가 신청한 내용대로 재처분할 의무✕
▷ 행정청은 종전 처분 후에 발생한 새로운 사유(기본적 사실관계의 동일성이 없는 다른 이유)를 들어 다시 거부처분 可

기본적 사실관계의 동일성이 없는 사유를 들어 다시 거부처분
▷ 기속력 위반✕

사실심 변론종결 후
▷ 새로운 사유로 다시 거부처분 可

거부처분이 절차·형식상의 위법을 이유로 취소된 경우
▷ 적법한 절차·형식을 갖추어(보완) 행한 동일 내용의 처분: 기속력 위반✕

확정판결의 당사자인 처분 행정청
▷ 그 확정판결에 적시된 절차·형식상의 위법사유를 보완하여 다시 거부처분 可

㉯ **판결의 취지에 따른 재처분**: 판결의 취지에 따른다는 의미는 행정청은 판결의 취지를 존중하면 된다는 것이지, 반드시 원고가 신청한 내용대로 재처분을 하여야 하는 것은 아니다. 따라서 행정청은 종전 처분 후에 발생한 새로운 사유(기본적 사실관계의 동일성이 없는 다른 이유)를 들어 다시 거부처분을 할 수 있고, 이 경우 반복금지의무 위반이 아님은 물론 오히려 재처분의무를 성실히 이행한 것이 된다.

> **관련판례**
>
> **1** 기본적 사실관계의 동일성이 없는 사유를 들어 다시 거부처분을 하는 것은 기속력에 반하지 않는다. ★★★
> 고양시장이 甲 주식회사의 공동주택 건립을 위한 주택건설사업계획승인 신청에 대하여 미디어밸리 조성을 위한 시가화예정 지역이라는 이유로 거부하자, 甲 회사가 거부처분의 취소를 구하는 소송을 제기하여 승소판결을 받았고 위 판결이 그대로 확정되었는데, 이후 고양시장이 해당 토지 일대가 개발행위허가 제한지역으로 지정되었다는 이유로 다시 거부하는 처분을 한 사안에서, <u>재거부처분은 종전 거부처분 후 해당 토지 일대가 개발행위허가 제한지역으로 지정되었다는 새로운 사실을 사유로 하는 것으로, 이는 종전 거부처분 사유와 내용상 기초가 되는 구체적인 사실관계가 달라 기본적 사실관계가 동일하다고 볼 수 없다는 이유로, 행정소송법 제30조 제2항에서 정한 재처분에 해당하고 종전 거부처분을 취소한 확정판결의 기속력에 반하는 것은 아니라고 본 원심</u> 판단을 수긍한 사례(대판 2011.10.27. 2011두14401)
>
> **2** 사실심 변론종결 이후 발생한 새로운 사유를 내세워 다시 거부처분을 할 수 있다. ★★★
> 행정소송법 제30조 제2항에 의하면, 행정청의 거부처분을 취소하는 판결이 확정된 경우에는 그 처분을 행한 행정청은 판결의 취지에 따라 이전의 신청에 대하여 재처분할 의무가 있고, 이 경우 확정판결의 당사자인 <u>처분 행정청은 그 행정소송의 사실심 변론종결 이후 발생한 새로운 사유를 내세워 다시 이전의 신청에 대하여 거부처분을 할 수 있으며, 그러한 처분도 이 조항에 규정된 재처분에 해당한다</u>(대판 1999.12.28. 98두1895 ; 대결 2004.1.15. 2002무30 ; 대판 2011.10.27. 2011두14401).

㉰ **거부처분이 절차상(형식상) 위법을 이유로 취소된 경우**: 거부처분이 절차 또는 형식상(무권한, 형식의 위법, 절차의 위법)의 위법을 이유로 취소된 경우에, 행정청은 그 위법사유를 보완하여 신청한 내용대로 처분을 할 수도 있고, 다시 거부처분을 할 수도 있다. 이 경우 행정청이 적법한 절차 또는 형식을 갖추어 행한 동일한 내용의 처분은 취소된 처분과 동일한 처분이 아니고,「행정소송법」상 재처분의무을 성실히 이행한 것이기 때문에 판결의 기속력에 반하지 않는다.

> **관련판례**
>
> 행정소송법 제30조 제2항의 규정에 의하면 행정청의 거부처분을 취소하는 판결이 확정된 경우에는 그 처분을 행한 행정청이 판결의 취지에 따라 이전의 신청에 대하여 재처분할 의무가 있다고 할 것이나, <u>그 취소사유가 행정처분의 절차, 방법의 위법으로 인한 것이라면 그 처분 행정청은 그 확정판결의 취지에 따라 그 위법사유를 보완하여 다시 종전의 신청에 대한 거부처분을 할 수 있고, 그러한 처분도 위 조항에 규정된 재처분에 해당한다</u>(대판 2005.1.14. 2003두13045). ★★★

㉔ 거부처분이 실체법상 위법을 이유로 취소된 경우

- 거부처분이 실체법상 위법을 이유로 취소된 경우 당해 거부처분을 한 행정청은 원칙적으로 신청을 인용하는 처분(例 허가를 신청한 경우 허가처분)을 하여야 한다. 다만, 거부처분 이후 발생한 새로운 사유(例 법령의 변경, 사실상황의 변경)를 근거로 다시 거부처분을 하는 것은 가능하다.
- 예컨대, 거부처분 후에 법령이 개정되어 시행된 경우, 행정청은 개정된 법령의 허가기준을 새로운 사유로 들어 다시 이전의 신청에 대한 거부처분을 할 수 있으며, 그러한 거부처분도 「행정소송법」 제30조 제2항에 규정된 재처분에 해당된다. 다만, 개정법령에서 이미 허가를 신청 중인 경우 종전 규정에 따른다는 취지의 경과규정을 둔 경우에는 종전 규정에 따른 재처분이 이루어져야 할 것이므로, 개정된 법령의 허가기준을 새로운 사유로 들어 거부처분을 할 수는 없다.

관련판례

1 취소소송에서 소송의 대상이 된 거부처분을 실체법상의 위법사유에 기하여 취소하는 판결이 확정된 경우에는 당해 거부처분을 한 행정청은 원칙적으로 신청을 인용하는 처분을 하여야 하고, 사실심 변론종결 이전의 사유를 내세워 다시 거부처분을 하는 것은 확정판결의 기속력에 저촉되어 허용되지 아니한다(대판 2001.3.23. 99두5238).

2 거부처분이 있은 후 법령이 개정되어 시행된 경우, 개정된 법령과 그에 따른 기준을 새로운 사유로 들어 다시 거부처분을 하였다면 기속력에 반하는 것이 아니다. ★★★
행정처분의 적법 여부는 그 행정처분이 행하여 진 때의 법령과 사실을 기준으로 하여 판단하는 것이므로 거부처분 후에 법령이 개정되어 시행된 경우에는 개정된 법령의 허가기준을 새로운 사유로 들어 다시 이전의 신청에 대한 거부처분을 할 수 있으며, 그러한 거부처분도 원칙적으로 행정소송법 제30조 제2항에 규정된 재처분에 해당된다(대결 1998.1.7. 97두22).

3 취소소송 중 법령이 개정되었으나 경과규정을 둔 경우, 경과규정에 따르지 않고 개정법령에 따라 거부처분을 한 것은 기속력에 위반된다. ★★
(주택건설사업 승인신청 거부처분의 취소를 명하는 판결이 확정되었음에도 행정청이 그에 따른 재처분을 하지 않은 채 위 취소소송 계속 중에 도시계획법령이 개정되었다는 이유를 들어 다시 거부처분을 한 사안에서) 개정된 도시계획법령에 그 시행 당시 이미 개발행위허가를 신청 중인 경우에는 종전 규정에 따른다는 경과규정을 두고 있으므로 위 사업승인신청에 대하여는 종전 규정에 따른 재처분을 하여야 함에도 불구하고 개정 법령을 적용하여 새로운 거부처분을 한 것은 확정된 종전 거부처분 취소판결의 기속력에 저촉되어 당연무효에 해당한다(대결 2002.12.11. 2002무22).

4 판결의 판단대상에서 제외된 부분을 새로운 소송에서 다시 주장하는 것은 기판력에 저촉되지 않는다. ★★
종전 확정판결의 행정소송 과정에서 한 주장 중 처분사유가 되지 아니하여 판결의 판단 대상에서 제외된 부분을 행정청이 그 후 새로이 행한 처분의 적법성과 관련하여 새로운 소송에서 다시 주장하더라도 위 확정판결의 기판력(편저자 주: 기속력)에 저촉된다고 할 수 없다(대판 1991.8.9. 90누7326).

5 토지형질변경 및 건축허가신청 반려처분의 취소판결이 확정되었음에도 확정판결의 취지에 따른 재처분을 하지 아니하여 간접강제절차가 진행 중 새로이 그 지역에 건축법 제12조 제2항에 따라 건축허가제한공고를 하고 그에 따라 다시 한 거부처분이 행정소송법 제30조 제2항 소정의 재처분에 해당한다(대결 2004.1.15. 2002무30).

함께 정리하기

거부처분이 실체법상 위법을 이유로 취소된 경우
▷ 원칙: 인용처분(例 허가처분)하여야 함
▷ 예외: 거부처분 이후 발생한 새로운 사유(例 법령변경 등)를 들어 다시 거부처분 可

재처분의무
▷ 원칙적으로 판결의 취지에 따라 처분해야 함

개정법령을 근거로 다시 거부처분
▷ 재처분○

경과규정○
▷ 개정법 따른 처분은 기속력 위반

판결의 판단대상에서 제외된 부분을 새로운 소송에서 다시 주장하는 것
▷ 기판력(기속력)에 저촉×

건축허가신청 반려처분의 취소판결 확정 후 건축허가제한공고를 하고 그에 따라 다시 한 거부처분
▷ 적법한 재처분에 해당

함께 정리하기

행정청이 다시 새로운 이익형량을 하여 도시관리계획 수립
▷ 기속력에 따른 재처분의무를 이행한 것

❶ 본 규정은 신청에 따른 인용처분에 의해 권익을 침해당한 처분의 제3자(예 경원자, 경업자, 인근주민)의 소 제기에 의하여 당해 인용처분이 절차상의 위법을 이유로 취소된 경우에, 행정청으로 하여금 판결의 취지에 따른 적법한 절차에 의한 재심사를 하게 한 후 신청인(인용처분의 상대방)에게 인용처분이든 거부처분이든 처분을 다시 하도록 하여 신청인의 권익을 보호하기 위한 것이다.

결과제거의무
▷ 취소판결 확정 시 행정청은 취소된 처분에 의해 초래된 위법상태 제거하여 원상으로 회복할 의무O

❷ **결과제거청구권**
결과제거청구권은 공행정작용의 결과로 남은 위법한 상태로 인하여 자기의 법률적 이익을 침해받은 자가 행정주체를 상대로 위법한 상태를 제거하여 침해가 있기 전의 원래 상태 또는 그와 유사한 상태로 회복시켜 줄 것을 청구하는 권리를 말한다.

명문규정 ×
▷ 해석상 인정

취소판결의 기속력
▷ 결과제거의무 인정O

기속력에 반하는 처분
▷ 당연무효

⑥ **행정청이 다시 새로운 이익형량을 하여 도시관리계획을 수립한 경우, 취소판결의 기속력에 따른 재처분의 의무를 이행한 것이라고 보아야 한다.** ★★

취소 확정판결의 기속력의 범위에 관한 법리 및 도시관리계획의 입안·결정에 관하여 행정청에 부여된 재량을 고려하면, 주민 등의 도시관리계획 입안 제안을 거부한 처분을 이익형량에 하자가 있어 위법하다고 판단하여 취소하는 판결이 확정되었더라도 행정청에 그 입안 제안을 그대로 수용하는 내용의 도시관리계획을 수립할 의무가 있다고는 볼 수 없고, <u>행정청이 다시 새로운 이익형량을 하여 적극적으로 도시관리계획을 수립하였다면 취소판결의 기속력에 따른 재처분의무를 이행한 것이라고 보아야 한다.</u> 다만 취소판결의 기속력 위배 여부와 계획재량의 한계 일탈 여부는 별개의 문제이므로, 행정청이 적극적으로 수립한 도시관리계획의 내용이 취소판결의 기속력에 위배되지는 않는다고 하더라도 계획재량의 한계를 일탈한 것인지의 여부는 별도로 심리·판단하여야 한다(대판 2020.6.25. 2019두56135).

ⓒ 제3자효 행정행위가 절차상의 하자로 취소된 경우의 재처분의무

㉮ 신청에 따른 처분이 절차의 위법을 이유로 취소된 경우에도 행정청은 재처분의무를 부담한다(동법 제30조 제3항). 여기서 "신청에 따른 처분"이라 함은 "신청에 대한 인용처분"을 말한다.

㉯ 신청에 대한 인용처분을 받은 상대방이 취소소송을 제기하는 경우는 상정하기 어렵기 때문에, 「행정소송법」제30조 제3항❶은 제3자효 행정행위로 인하여 불이익을 받은 제3자가 제기하는 취소소송에서 취소판결이 확정된 경우를 전제로 한다.

ⓒ 결과제거의무(원상회복의무)

ⓐ 취소판결이 확정되면 행정청은 취소된 처분에 의해 초래된 위법상태를 제거하여 원상으로 회복할 의무를 부담한다. 예컨대, 재산의 압류처분이 취소되면 행정청은 당해 재산을 반환하여야 할 의무를 부담한다. 이러한 의무에 대응하여 원고는 결과제거청구권❷을 갖는다.

ⓑ 취소판결의 기속력의 내용으로 결과제거의무를 인정하는 명문의 규정은 없지만, 「행정소송법」제30조 제1항을 근거하여 인정하는 것으로 보기도 한다.

> **관련판례**
>
> **행정처분을 취소하는 판결이 확정된 경우, 취소판결의 기속력에 따른 행정청의 의무** ★★
>
> 어떤 행정처분을 위법하다고 판단하여 취소하는 판결이 확정되면 행정청은 취소판결의 기속력에 따라 그 판결에서 확인된 위법사유를 배제한 상태에서 다시 처분을 하거나 그 밖에 위법한 결과를 제거하는 조치를 할 의무가 있다(대판 2020.4.9. 2019두49953).

(6) 기속력 위반의 효력

기속력에 위반된 행정처분은 그 하자가 중대하고 명백하여 당연무효이다.

> **관련판례**
>
> 확정판결의 당사자인 처분행정청이 그 행정소송의 사실심 변론종결 이전의 사유를 내세워 다시 확정판결과 저촉되는 행정처분을 하는 것은 허용되지 않는 것으로서 <u>이러한 행정처분은 그 하자가 중대하고도 명백한 것이어서 당연무효라 할 것이다</u>(대판 1990.12.11. 90누3560). ★★

5. 간접강제(거부처분 취소판결에 따른 재처분의무의 실효성 확보수단)

> 「행정소송법」 제34조 【거부처분취소판결의 간접강제】 ① 행정청이 제30조 제2항의 규정에 의한 처분을 하지 아니하는 때에는 <u>제1심 수소법원</u>은 당사자의 신청에 의하여 결정으로써 상당한 기간을 정하고 행정청이 그 기간 내에 이행하지 아니하는 때에는 그 지연기간에 따라 일정한 배상을 할 것을 명하거나 즉시 손해배상을 할 것을 명할 수 있다.
> ② 제33조와 「민사집행법」 제262조의 규정은 제1항의 경우에 준용한다.
>
> 제33조 【소송비용에 관한 재판의 효력】 소송비용에 관한 재판이 확정된 때에는 피고 또는 참가인이었던 행정청이 소속하는 국가 또는 공공단체에 그 효력을 미친다.
>
> 「민사집행법」 제262조 【채무자의 심문】 제260조 및 제261조의 결정은 변론 없이 할 수 있다. 다만, 결정하기 전에 채무자를 심문하여야 한다.
>
> 제261조 【간접강제】 ① 채무의 성질이 간접강제를 할 수 있는 경우에 제1심 법원은 채권자의 신청에 따라 간접강제를 명하는 결정을 한다. 그 결정에는 채무의 이행의무 및 상당한 이행기간을 밝히고, 채무자가 그 기간 이내에 이행을 하지 아니하는 때에는 늦어진 기간에 따라 일정한 배상을 하도록 명하거나 즉시 손해배상을 하도록 명할 수 있다.
> ② 제1항의 신청에 관한 재판에 대하여는 즉시항고를 할 수 있다.

(1) 의의

① 거부처분에 대한 취소판결이 확정되었음에도 행정청이 「행정소송법」 제30조 제2항의 판결의 취지에 따른 처분을 하지 않을 경우 판결의 실효성을 확보하기 위하여 제1심 수소법원은 당사자의 신청에 의하여 결정으로써 행정청에게 일정한 배상을 할 것을 명령할 수 있는바(동법 제30조 제1항), 이를 간접강제라고 한다.

② 간접강제제도는 금전적 배상제도의 일종으로 판결의 기속력에 따른 재처분의무의 이행을 강제하기 위한 제도이다.

(2) 요건

① 간접강제가 적용되기 위해서는 거부처분취소판결이나 부작위위법확인판결이 확정되어야 하며, 거부처분취소판결 등이 확정되었음에도 행정청이 재처분을 하지 않아야 한다(재처분의무의 불이행).

② 이때 재처분을 하지 않았다는 것은 아무런 재처분을 하지 않은 것뿐만 아니라 재처분이 기속력에 반하여 당연무효가 된 경우도 포함한다.

> **관련판례**
>
> **재처분의무의 불이행에는 재처분이 기속력 위반으로 당연무효가 된 경우도 포함한다. ★★★**
> 거부처분에 대한 취소의 확정판결이 있음에도 행정청이 아무런 재처분을 하지 아니하거나, 재처분을 하였다 하더라도 그것이 종전 거부처분에 대한 취소의 확정판결의 기속력에 반하는 등으로 당연무효라면 이는 아무런 재처분을 하지 아니한 때와 마찬가지라 할 것이므로 이러한 경우에는 행정소송법 제30조 제2항, 제34조 제1항 등에 의한 간접강제신청에 필요한 요건을 갖춘 것으로 보아야 한다(대결 2002.12.11. 2002무22).

간접강제
▷ 처분청이 거부처분 취소판결 확정에 따른 재처분의무 불이행시 판결의 실효성 확보 위해 금전적 배상제도의 일종으로 간접강제 규정○

요건
▷ 거부처분취소판결확정
▷ 재처분의무불이행

재처분의무 불이행
▷ 기속력위반으로 재처분이 당연무효된 경우 포함

함께 정리하기

절차
▷ 당사자가 제1심 수소법원에 신청
▷ 행정청이 상당기간 내 처분할 기간 정하고 그 불이행 시 지연기간에 따라 또는 즉시 배상을 명하는 결정을 함

재처분 불이행시
▷ 인용결정을 집행권원으로 집행문 부여받아 배상금을 추심 可

간접강제 기각 · 인용결정
▷ 즉시항고 可

배상금 성질
▷ 심리적 강제수단(제재 · 손해배상×)

의무이행기간 경과 후 재처분
▷ 배상금 추심 불가

취소소송 간접강제
▷ 부작위위법확인소송에서 준용○
▷ 무효등 확인소송에 준용×

(3) 절차

① **간접강제의 신청 및 지급방법**
  ㉠ 간접강제는 당사자가 제1심 수소법원에 신청하여야 한다.
  ㉡ 제1심 수소법원은 당사자의 신청이 있을 때에는 상당한 기간을 정하고, 행정청이 그 기간 내에 이행하지 아니한 때에는 그 지연기간에 따라 일정한 배상을 할 것을 명하거나 즉시 손해배상을 명하는 결정을 한다(동법 제34조 제1항).

② **배상금의 추심**: 간접강제결정이 있음에도 불구하고 행정청이 재처분을 이행하지 아니하는 경우에는 신청인은 인용결정을 집행권원으로 하여 집행문을 부여받아 배상금을 추심할 수 있다.

③ **불복절차**: 간접강제신청에 대한 인용결정이나 기각결정에 대하여는 즉시항고할 수 있다(「민사집행법」 제261조 제2항).

(4) 배상금의 법적 성질

판례는 간접강제결정에 근거한 배상금의 법적 성질에 관하여 재처분의 지연에 대한 제재나 손해배상이 아닌 재처분의 이행에 관한 심리적 강제수단으로 보고 있다. 따라서 간접강제결정에서 정한 기한이 경과한 후에라도 행정청이 재처분의무를 이행하였다면 간접강제의 목적은 달성되는 것이므로 처분의 상대방이 더 이상 배상금을 추심하는 것은 허용되지 않는다.

> **관련판례**
>
> 간접강제결정에 기한 배상금은 재처분의 이행에 관한 심리적 강제수단에 불과한 것으로 재처분의 이행이 있다면 배상금을 추심하는 것은 허용되지 않는다. ★★★
>
> 행정소송법 제34조 소정의 간접강제결정에 기한 배상금은 확정판결의 취지에 따른 재처분의 지연에 대한 제재나 손해배상이 아니고 재처분의 이행에 관한 심리적 강제수단에 불과한 것으로 보아야 하므로, 특별한 사정이 없는 한 간접강제결정에서 정한 의무이행기한이 경과한 후에라도 확정판결의 취지에 따른 재처분의 이행이 있으면 배상금을 추심함으로써 심리적 강제를 꾀할 목적이 상실되어 처분상대방이 더 이상 배상금을 추심하는 것은 허용되지 않는다(대판 2004.1.15. 2002두2444 ; 대판 2010.12.23. 2009다37725).

(5) 간접강제결정의 효력이 미치는 범위

「행정소송법」 제33조가 준용됨으로 간접강제결정은 피고 또는 참가인이었던 행정청이 소속하는 국가 또는 공공단체에 그 효력을 미친다(동법 제34조 제2항).

(6) 적용 범위

간접강제 규정은 거부처분 취소소송에서 규정되어 있고(동법 제34조), 부작위위법확인소송에 준용되고 있다(동법 제38조 제2항). 그러나 무효등확인판결의 경우 판결의 기속력 및 재처분의무에 관한 규정(동법 제30조)은 준용되면서도 **간접강제를 준용한다는 규정이 없어**(동법 38조 제1항) 무효등확인판결에도 간접강제가 허용되는지에 논란이 있으나, 대법원은 거부처분에 대한 **무효등확인 판결은 간접강제의 대상이 되지 않는다**는 입장이다(대결 1996.12.24. 98무37). 이에 대해 입법의 불비라는 비판이 있다.

핵심정리 기속력 규정 및 간접강제 규정의 준용 여부

구분	무효등 확인소송 (제38조 제1항)	부작위위법확인소송 (제38조 제2항)	당사자소송 (제44조 제1항)
제30조 제1항 (기속력)	준용O	준용O	준용O
제30조 제2항 (재처분의무)	준용O	준용O	×
제34조(간접강제)	×	준용O	×

제8절 판결 이외의 취소소송의 종료

1 개설

취소소송은 법원의 종국판결❶에 의하여 종료되는 것이 원칙이나, 종국판결에 의하지 않고 소의 취하, 청구의 포기·인낙, 재판상의 화해 등에 의해서도 종료될 수 있다.

2 당사자의 행위에 의한 종료

1. 소의 취하

소의 취하란 원고가 제기한 송의 전부 또는 일부를 철회하는 취지의 법원에 대한 일방적인 의사표시를 말한다. 행정소송도 처분권주의에 따라 소의 취하가 인정된다.

2. 청구의 포기·인낙

(1) 의의

청구의 포기란 변론 또는 준비절차에 원고가 자기의 소송상의 청구가 이유 없음을 자인하는 법원에 대한 일방적 의사표시이고, 청구의 인낙이란 피고가 원고의 소송상의 청구가 이유 있음을 자인하는 법원에 대한 일방적 의사표시이다.

(2) 인정 여부

① 민사소송에서 인정되는 청구의 포기·인낙이 행정소송에서도 인정되는지가 문제된다.❷
② 법치행정의 원리상 처분의 위법 여부의 판단을 당사자 간의 주관적 판단에 두는 것은 문제가 있다는 점에서 부정하는 견해가 다수설이다.
③ 행정소송의 실무상 청구의 인낙의 허용에는 부정적이나, 청구의 포기의 허용에는 긍정적이다.

---

❶ 종국판결
상소권포기, 상소기간의 경과, 상소기각 등에 의해 확정된다.

소 취하
▷ 원고가 제기한 소송의 전부 또는 일부를 철회하는 취지의 법원에 대한 일방적인 의사표시

청구포기
▷ 원고가 청구 이유 없음 인정하는 의사표시

청구인낙
▷ 피고가 청구 이유 있음 인정하는 의사표시

❷
「민사소송법」 제220조(화해, 청구의 포기·인낙조서의 효력) 화해, 청구의 포기·인낙을 변론조서·변론준비기일조서에 적은 때에는 그 조서는 확정판결과 같은 효력을 가진다. 즉, 조서가 성립되면 포기조서는 청구기각의, 인낙조서는 청구인용의 확정판결과 동일한 효력이 있다.

다수설
▷ 청구포기·인낙 불허

실무상
▷ 청구인낙의 허용에는 부정적이나, 청구포기의 허용에는 긍정적

함께 정리하기

소송상 화해
▷ 소송 계속 중 쌍방이 양보하여 소송종료 합의

종래 다수설
▷ 부정
유력설
▷ 긍정

성질상 승계가 허용될 수 없는 소송에서 원고가 사망한 경우
▷ 소송종료 ○
피고인 행정청이 폐지 등으로 없게 된 경우
▷ 소송종료 ✕

 공무원으로서의 지위는 일신전속권으로서 상속의 대상이 되지 않으므로, 의원면직처분에 대한 무효확인을 구하는 소송은 당해 공무원이 사망함으로써 중단됨이 없이 종료된다(대판 2007.7.26. 2005두15748).

3. 재판상의 화해

(1) 의의

소송상 화해란 소송계속 중 당사자 쌍방이 소송물인 권리관계의 주장을 서로 양보하여 소송을 종료시키기로 하는 합의를 말한다. 이 과정에서 작성된 화해조서는 확정판결과 같은 효력이 있다(「민사소송법」 제220조).

(2) 인정여부

취소소송에 「민사소송법」상의 화해규정이 준용될 수 있는지에 대해 청구의 포기·인낙과 마찬가지로 다툼이 있다. 다수의 견해는 부정설을 취하고 있으나, 여러 이유로 재판이 복잡해지고 지연되는 현실을 비추어 볼 때, 개인의 권리구제 확보와 법원의 재판 부담도 경감을 위해 취소소송에서도 화해를 인정할 필요가 있다는 견해가 유력하다.

3 기타 사유에 의한 종료

성질상 승계가 허용될 수 없는 소송에서 원고가 사망한 경우에 소송은 종료된다(대판 2007.7.26. 2005두15748). 이에 반하여, 피고인 행정청이 폐지 등으로 없게 된 때에는 그 처분 등에 관한 사무가 귀속되는 국가나 공공단체가 피고가 되므로(동법 제13조 제2항) 종료되지 않는다.

제9절 취소소송의 불복절차 [상소, 항고(재항고), 재심]

1 상소(항소와 상고)

제1심법원의 판결에 대해서는 항소심에 항소할 수 있으며, 항소심의 종국판결에 대해서는 대법원에 상고할 수 있다.

2 항고와 재항고

행정소송에서도 결정이나 명령에 대하여 불복이 있으면 항고할 수 있고 항고법원의 결정 및 명령에 대하여 대법원에 재항고할 수 있다.

3 재심

1. 의의

확정된 종국판결에 일정사유(「민사소송법」제451조 제1항)가 있어 재심사를 구하는 것을 재심이라 한다. 재심에는 당사자가 제기한 일반적인 재심과 제3자가 제기하는 재심으로 구분할 수 있다. 당사자가 제기하는 일반적인 재심은 「행정소송법」제8조 제2항에 따라 「민사소송법」제451조 이하를 준용되므로 재심청구가 가능하다. 여기서는 「행정소송법」이 특별히 규정하고 있는 제3자가 제기하는 재심에 대해서 살펴보기로 한다.

2. 제3자의 재심청구

> 「행정소송법」제31조 【제3자에 의한 재심청구】 ① 처분 등을 취소하는 판결에 의하여 권리 또는 이익의 침해를 받은 제3자는 자기에게 책임 없는 사유로 소송에 참가하지 못함으로써 판결의 결과에 영향을 미칠 공격 또는 방어방법을 제출하지 못한 때에는 이를 이유로 확정된 종국판결에 대하여 재심의 청구를 할 수 있다.
> ② 제1항의 규정에 의한 청구는 확정판결이 있음을 안 날로부터 30일 이내, 판결이 확정된 날로부터 1년 이내에 제기하여야 한다.
> ③ 제2항의 규정에 의한 기간은 불변기간으로 한다.

(1) 취소소송에서의 인용판결의 효력은 소송당사자 이외에 제3자에게 미치므로(동법 제29조), 소송 당사자 외의 제3자는 불측의 손해를 입지 않기 위하여 소송참가를 할 수 있겠으나(동법 제16조), 본인의 귀책사유 없이 소송참가를 할 수 없는 경우도 있을 수 있으므로, 「행정소송법」제31조는 이러한 경우에 대비하여 제3자에 대한 재심청구를 규정하고 있다.❶

(2) 「행정소송법」제31조의 해석상 소송참가를 한 제3자는 판결확정 후 행정소송법 제31조에 의한 재심을 청구를 할 수 없다.

3. 재심청구의 원고

재심청구의 원고는 '처분 등을 취소하는 판결에 의하여 권리 또는 이익의 침해를 받은 제3자'이다. 권리 또는 이익이 침해된 자란 법률상 이익이 침해된 자를 의미하고, 제3자란 당해 소송당사자 이외의 자를 말하는 것으로서 개인에 한하지 않고 법인도 포함된다.

4. 재심사유

재심은 자기에게 책임 없는 사유로 소송에 참가하지 못하여야 하고, 판결의 결과에 영향을 미칠 공격 또는 방어방법을 제출하지 못하여야 한다.

5. 재심청구기간

제3자에 의한 재심청구는 확정판결을 안 날로부터 30일 이내, 판결이 확정된 날로부터 1년 이내에 제기하여야 하며, 이기간은 불변기간이다(동법 제31조 제2항, 제3항).

❶ 제3자의 재심이란 처분 등을 취소하는 판결에 의해 권리 또는 이익을 침해받은 제3자가 자기에게 책임 없는 사유로 소송에 참가하지 못함으로써 판결의 결과에 영향을 미칠 공격 또는 방어방법을 제출하지 못하고 판결이 확정된 경우 이 확정판결에 대한 취소와 동시에 판결 전 상태로 복구시켜 줄 것을 구하는 불복방법이다(동법 제31조).

재심청구권자
▷ 취소 판결에 의해 법률상 이익 침해된 제3자
▷ 자연인, 법인 포함

재심사유
▷ 책임 없는 사유로 소송에 참가하지 못하여야 하고, 판결의 결과에 영향을 미칠 공격 또는 방어방법을 제출하지 못하여야 함

청구기간
▷ 확정판결 있음을 안 날 30일 이내 · 확정된 날 1년 이내(불변기간)

6. 제3자의 재심청구의 준용

「행정소송법」제31조의 제3자의 재심청구에 관한 규정은 무효등 확인소송과 부작위위법확인소송에 준용된다(동법 제38조). 다만, 당사자소송에는 준용되지 않는다(동법 제44조).

제10절 소송비용

소송비용은 패소자가 부담한다(「민사소송법」제98조). 취소청구가 사정판결에 의하여 기각되거나 행정청이 처분 등을 취소 또는 변경함으로 인하여 청구가 각하 또는 기각된 경우에는 소송비용은 피고의 부담으로 한다(동법 제32조). 소송비용에 관한 재판이 확정된 때에는 피고 또는 참가인이었던 행정청이 소속하는 국가 또는 공공단체에 그 효력을 미친다(동법 제33조).

원칙
▷ 패소자가 부담

사정판결에 따른 기각판결
▷ 피고가 부담

행정청이 처분 취소 또는 변경해서 청구가 기각 또는 각하된 경우
▷ 피고가 부담

소의 취하
▷ 취하한 자가 부담

제6장 항고소송 2(무효등 확인소송)

제1절 개설

> 「행정소송법」제38조【준용규정】① 제9조, 제10조, 제13조 내지 제17조, 제19조, 제22조 내지 제26조, 제29조 내지 제31조 및 제33조의 규정은 무효등 확인소송의 경우에 준용한다.
>
> 제35조【무효등 확인소송의 원고적격】무효등 확인소송은 처분등의 효력 유무 또는 존재 여부의 확인을 구할 법률상 이익이 있는 자가 제기할 수 있다.

1 의의 및 종류

무효등 확인소송이란 행정청의 처분 등의 효력 유무 또는 존재 여부를 확인하는 소송을 말한다(「행정소송법」(이하 '동법'이라 함) 제4조 제2호). 무효등 확인소송에는 처분 등의 무효확인소송, 유효확인소송, 존재확인소송, 부존재확인소송, 실효확인소송이 있다.

무효등 확인소송의 의의
▷ 처분의 효력·존재 여부 확인소송

무효등 확인소송의 종류
▷ 처분 등의 무효확인소송, 유효확인소송, 존재확인소송, 부존재확인소송, 실효확인소송

2 성질

무효등 확인소송은 주관소송으로서 당해 처분 등이 무효임을 확인선언하는 확인소송의 성질을 가지면서도 처분의 효력을 다툰다는 점에서 항고소송의 성질도 가진다.

3 적용규정

무효등 확인소송에는 취소소송에 관한 「행정소송법」의 대부분의 규정이 준용된다. 그러나 행정심판전치주의, 제소기간, 사정판결, 간접강제에 관한 규정은 준용되지 않는다.

무효확인소송
▷ 취소소송에 관한 행정심판전치주의, 제소기간, 사정판결, 간접강제에 관한 규정 준용×

제2절 소의 제기

1 대상적격

취소소송에 관한 「행정소송법」 제19조는 무효등 확인소송에도 준용된다.❶ 따라서 무효등 확인소송도 취소소송과 마찬가지로 '처분 등'이 소송의 대상이 된다(동법 제38조 제1항, 제19조).

2 원고적격

1. 법률상 이익이 있는 자

무효등 확인소송은 처분 등의 효력 유무 또는 존재 여부의 확인을 구할 법률상 이익이 있는 자가 제기할 수 있다(동법 제38조 제1항, 제19조).

2. '법률상 이익'의 의미

이때의 '법률상 이익'은 취소소송에서의 '법률상 이익'과 마찬가지로 당해 처분의 근거 법률에 의하여 보호되는 직접적이고 구체적인 이익이 있는 경우를 말한다(대판 2001.7.10. 2000두2136).

3 협의의 소의 이익(권리보호의 필요성)

1. 협의의 소의 이익으로서의 '확인의 이익'

무효등 확인소송에서도 취소소송에서와 마찬가지로 협의의 소의 이익(권리보호의 필요성)이 요구된다. 무효등 확인소송에서 협의의 소의 이익은 '처분의 무효확인을 구할 이익(확인의 이익)'을 의미한다.❷

> **관련판례**
>
> 절차상 또는 형식상 하자로 무효인 행정처분에 대하여 행정청이 적법한 절차 또는 형식을 갖추어 다시 동일한 행정처분을 하였다면, <u>종전의 무효인 행정처분에 대한 무효확인 청구는 과거의 법률관계의 효력을 다투는 것에 불과하므로 무효확인을 구할 법률상 이익이 없다</u>(대판 2010.4.29. 2009두16879).

대상적격
▷ 처분 등(= 취소소송과 대상적격 범위 동일)

❶ 법규범의 무효확인이나 문서의 진위 여부 등의 사실관계의 확인은 무효확인의 대상이 아니다. 따라서 행정소송에 있어서 확인의 소는 권리 또는 법률관계의 존부 확정을 목적으로 하는 소송이므로, 현재의 구체적인 권리나 법률관계만이 확인의 소의 대상이 될 뿐인데, 원고 소유의 대지가 타인 소유의 건물의 부지가 아님의 확인을 구하는 소는 사실관계의 확인을 구하는 것이어서 부적법하다(대판 1991.12.24. 91누1974).

원고적격
▷ 법률상 이익 있는 자(= 취소소송)

법률상 이익
▷ 근거 법률에 의해 보호되는 직접적·구체적 이익(간접적·사실적·경제적 ×)

무효등 확인소송에서 협의의 소의 이익
▷ 처분의 무효확인을 구할 이익(확인의 이익)을 의미

❷ 「행정소송법」 제35조는 제12조 제2문과 같이 별도의 협의의 소의 이익에 관한 규정을 두고 있지는 않지만, 여기에서의 '법률상 이익이 있는 자'의 의미는 취소소송의 경우와 같이 ① 원고적격이 있는 자(무효인 처분 등으로 본인의 공권이 침해된 자)뿐만 아니라, ② 소송으로 무효등의 확인을 구할 필요성이 있는 자(확인이익이 있는 자)를 포함한다. ②를 협의의 소의 이익이라 한다.

무효인 행정처분에 대하여 행정청이 다시 절차 또는 형식을 갖추어 동일한 행정처분을 한 경우
▷ 무효확인을 구할 법률상 이익 ×

2. 즉시확정 이익(확인소송의 보충성)이 요구되는지 여부

무효등 확인소송에서 위와 같은 법률상 이익 외에 민사소송에서의 '확인의 이익(즉시확정의 이익)'이 별도로 요구되는지, 즉, 무효등 확인소송보다 실효적인 구제수단(처분의 무효를 전제로 한 이행소송)이 가능한 경우에는 무효등 확인소송이 허용되는지(확인소송의 보충성)에 관하여 견해의 대립이 있다.

(1) 학설

① **긍정설(즉시확정이익설)**: 무효등 확인소송은 실질적으로 확인소송의 성질을 가지고 있으므로 민사소송에서의 확인의 이익과 같이 무효등 확인소송의 경우에도 '즉시확정 이익'이 필요하다는 견해이다. 즉, 확인소송은 그 확인판결을 받는 것이 유효·적한 권리구제의 수단일 때 인정되는 것이므로 처분의 무효를 전제로 한 이행소송과 같이 보다 효과적인 권리구제 수단이 있는 경우에는 확인소송은 허용되지 않는다는 것이다.

② **부정설(법적보호이익설)**: 무효등 확인소송에서 취소소송에서와 같이 소의 이익이 요구될 뿐 이와 별도로 '즉시확정 이익'은 요구되지 않는다는 견해로 다수설의 입장이다. 무효등 확인소송도 본질적으로 취소소송과 같이 처분을 다투는 소송이며, 무효등 확인소송에서도 취소판결의 기속력이 준용되고 있어 민사소송과 달리 무효판결 자체라도 판결의 실효성이 확보되므로 확인소송의 보충성을 요구할 필요가 없다는 점을 논거로는 한다.

(2) 판례

① 종래 판례는 긍정설(즉시확정이익설)을 취하여 무효등 확인소송도 확인소송인 이상 보충성이 요구되므로 그것이 원고의 법적 지위의 불안 또는 위험을 제거하기 위하여 가장 유효적절한 수단일 경우에만 허용된다고 하였다(대판 1992.7.28. 92누4352).

> **관련판례**
>
> **무효등 확인소송에도 보충성이 요구된다.** ★
> 학교법인에 분규가 생겨 감독청이 이사 전원에 대한 취임승인을 취소하고 임시이사를 선임하였고 그 후 여러 차례에 걸쳐 이 사진을 개편해 오다가 마지막으로 임시이사진의 결의에 따라 정식이사를 선임하고 퇴임한 경우, 일련의 위 처분들이 모두 당연 무효라면 그를 이유로 최종 이사선임결의의 효력을 다투는 민사소송을 제기하면 될 것이지 굳이 독립한 행정소송으로 위 처분들의 무효확인을 구할 실익이 있다고 할 수 없다(대판 1992.7.28. 92누4352).

② 그러나 대법원은 전원합의체판결로 입장을 변경하여 부정설과 같은 논거로 무효등 확인소송의 보충성을 요구하지 않고 있다. 따라서 처분의 무효를 전제로 한 이행소송과 같은 직접적인 구제수단이 있는지 여부를 따질 필요 없이 근거법률에 의해 보호되는 직접적이고 구체적인 이익이 있는 경우에는 무효등 확인소송을 우선적으로 제기할 수 있다.❶

함께 정리하기

즉시확정의 이익(확인소송의 보충성)요부
▷ 무효등 확인소송보다 실효적인 구제수단(처분의 무효를 전제로 한 이행소송)이 있는 경우
▷ 무효등 확인소송이 허용되는지 여부의 문제

학설
▷ 긍정설(즉시확정이익설) vs. 부정설(법적보호이익설)

종래 판례
▷ 무효등 확인소송도 확인소송인 이상 보충성이 요구됨(보충성 필요설)

최근 판례
▷ 무효등 확인판결 자체만으로도 실효성 확보가 가능하므로 별도로 이행소송과 같은 직접적인 구제수단이 있는지 여부를 따질 필요 없음(보충성 불요설로 변경)

❶ 무효인 행정처분이 이미 집행된 경우(예 무효인 조세부과처분에 따라 세금이 이미 납부된 경우)에 그에 의해 형성된 위법상태의 제거를 위한 직접적인 소송방법(예 납부된 조세의 부당이득반환청구소송)이 인정되더라도 행정처분의 무효확인을 독립한 소송으로 구할 법률상 이익이 있다.

함께 정리하기

보충성 불요
▷ 명문규정✕
▷ 직접적 구제수단 유무 불문
▷ 무효확인판결 자체로 실효성 확보 可

사업의 양도행위가 무효
▷ 양도·양수행위의 무효를 구함이 없이 지위승계 신고수리처분의 무효확인을 구할 법률상 이익○

압류처분에 기한 압류등기가 경료된 경우
▷ 압류등기 말소청구 없이 곧바로 압류처분의 무효확인을 구할 이익○

피고적격
▷ 취소소송 준용○(처분 등을 한 행정청)

제소기간
▷ 제한 없음
▷ 단, 무효선언을 구하는 취소소송: 제한 有

관련판례

1 항고소송으로 처분에 대한 무효확인소송을 제기하는 경우 무효확인소송의 '보충성'이 요구되지 않으므로 처분의 무효를 전제로 한 이행소송 등과 같은 직접적인 구제수단이 있는지 여부를 따질 필요가 없다. ★★★

행정소송은 … 민사소송과는 그 목적, 취지 및 기능 등을 달리한다. 또한 행정소송법 제4조에서는 무효확인소송을 항고소송의 일종으로 규정하고 있고, 행정소송법 제38조 제1항에서는 처분 등을 취소하는 확정판결의 기속력 및 행정청의 재처분 의무에 관한 행정소송법 제30조를 무효확인소송에도 준용하고 있으므로 무효확인판결 자체만으로도 실효성을 확보할 수 있다. 그리고 무효확인소송의 보충성을 규정하고 있는 외국의 일부 입법례와는 달리 우리나라 행정소송법에는 명문의 규정이 없어 이로 인한 명시적 제한이 존재하지 않는다. 행정처분의 근거 법률에 의하여 보호되는 직접적이고 구체적인 이익이 있는 경우에는 행정소송법 제35조에 규정된 '무효확인을 구할 법률상 이익'이 있다고 보아야 하고, 이와 별도로 무효확인소송의 보충성이 요구되는 것은 아니므로 행정처분의 무효를 전제로 한 이행소송 등과 같은 직접적인 구제수단이 있는지 여부를 따질 필요가 없다고 해석함이 상당하다(대판 2008.3.20. 2007두6342 ; 대판 2019.2.14. 2017두62587).

2 사업의 양도행위가 무효라고 주장하는 양도자가 양도·양수행위의 무효를 구함이 없이 사업양도·양수에 따른 허가관청의 지위승계 신고수리처분의 무효확인을 구할 법률상 이익이 있다. ★★★

사업양도·양수에 따른 허가관청의 지위승계신고의 수리는 적법한 사업의 양도·양수가 있었음을 전제로 하는 것이므로 그 수리대상인 사업양도·양수가 존재하지 아니하거나 무효인 때에는 수리를 하였다 하더라도 그 수리는 유효한 대상이 없는 것으로서 당연히 무효라 할 것이고, 사업의 양도행위가 무효라고 주장하는 양도자는 민사쟁송으로 양도·양수행위의 무효를 구함이 없이 막바로 허가관청을 상대로 하여 행정소송으로 위 신고수리처분의 무효확인을 구할 법률상 이익이 있다(대판 2005.12.23. 2005두3554).

3 압류처분에 기한 압류등기가 경료된 경우에도 압류처분의 무효확인을 구할 이익이 있다. ★★

압류등기가 말소된다고 하여도 압류처분이 외형적으로 효력이 있는 것처럼 존재하는 이상 그 불안과 위험을 제거할 필요가 있다고 할 것이므로, 압류처분에 기한 압류등기가 경료되어 있는 경우에도 압류처분의 무효확인을 구할 이익이 있다(대판 2003.5.16. 2002두3669).

4 피고적격

취소소송의 피고적격에 관한 규정이 무효등 확인소송에 준용되므로, 처분 등을 행한 행정청이 피고가 된다(동법 제38조 제1항, 제13조 제1항).

5 제소기간

무효등 확인소송의 경우에는 제소기간의 제한이 없다. 다만, '무효선언을 구하는 취소소송'은 그 소송의 형식이 취소소송이므로 제소기간에 대한 제한이 적용된다(대판 1993.3.12. 92누11039).

6 재판관할

무효등 확인소송의 재판관할도 취소소송의 재판관할에 관한 규정이 준용되므로(동법 제38조 제1항, 제9조) 제1심 관할법원은 피고인 행정청의 소재지를 관할하는 행정법원으로 한다.

7 예외적 행정심판전치주의

무효등 확인소송에는 취소소송에 적용되는 행정심판전치에 관한 규정은 적용되지 않는다(동법 제38조 제1항, 제18조). 그러나 무효선언을 구하는 취소소송은 그 형식이 취소소송이므로 행정심판전치주의가 적용된다(대판 1987.6.9. 87누219 ; 대판 1990.8.28. 90누1892).

8 가구제

1. 집행정지

「행정소송법」제23조의 집행정지에 관한 규정은 무효등 확인소송에도 준용된다(동법 제38조 제1항, 제23조). 따라서 원칙적으로 무효등 확인소송도 집행부정지의 원칙이 적용되어 소송의 제기는 처분 등의 효력이나 그 집행 또는 절차의 속행에 영향을 주지 않는다. 따라서 집행정지의 요건을 갖추면 무효등 확인소송의 경우에도 집행정지가 가능하다.

2. 가처분

「민사집행법」상의 가처분의 규정은 무효등 확인소송에도 준용되지 않는다(대결 1992.7.6. 92마54).

9 관련청구소송의 이송 및 병합

관련청구소송의 이송·병합에 관한 취소소송의 규정은 무효등 확인소송에도 준용된다(동법 제38조 제1항, 제10조).

10 소의 변경

(1) 소의 종류의 변경에 관한 「행정소송법」제21조의 규정은 무효등 확인소송을 취소소송 또는 당사자소송으로 변경하는 경우에 준용한다(동법 제37조).

(2) 처분변경으로 인한 소 변경도 무효등 확인소송에서 준용된다(동법 제38조 제1항, 제22조).

함께 정리하기

재판관할
▷ 취소소송 준용○
▷ 피고 행정청의 소재지 관할 행정법원

행정심판전치주의
▷ 취소소송 준용×
▷ 단, 무효선언을 구하는 취소소송: 행정심판전치주의 적용○

집행정지
▷ 취소소송 준용○

「민사소송법」상 가처분
▷ 준용×

관련청구 이송·병합
▷ 취소소송 준용○

소 종류의 변경·처분변경으로 인한 소변경
▷ 취소소송 준용○

제3절 소송의 심리

1 직권심리주의와 행정심판의 기록제출명령

취소소송의 직권심리를 규정하고 있는 「행정소송법」 제26조와 행정심판의 기록제출명령을 규정하고 있는 「행정소송법」 제25조는 무효등 확인소송에도 준용된다(동법 제38조 제1항).

2 입증책임

1. 문제점

무효등 확인소송에서 무효원인사실에 대한 입증책임을 당사자 간에 어떻게 분배할 것인가에 대하여 견해의 대립이 있다.

2. 학설

학설은 ① 취소소송과 마찬가지로 법률요건분류설에 따라야 한다는 견해(일반원칙설)와, ② 처분이 무효라는 사실은 예외적인 사실이므로 원고가 입증책임을 부담하여 한다는 견해(원고책임설)이 대립하고 있다.

3. 판례

판례는 원고책임설의 입장이다.

> **관련판례**
>
> **1** 무효확인소송에서는 원고가 하자의 중대·명백성의 증명책임을 부담한다. ★★★
> 행정처분의 당연무효를 구하는 소송에 있어서 <u>그 무효를 구하는 사람에게 그 행정처분에 존재하는 하자가 중대하고 명백하다는 것을 주장 입증할 책임이 있다</u>(대판 1984.2.28. 82누154 ; 대판 1992.3.10. 91누6030 ; 대판 2010.5.13. 2009두3460).
>
> **2** 행정처분의 무효 확인을 구하는 소송에서 행정처분의 무효 사유에 대한 증명책임은 원고에게 있고, 이는 무효 확인을 구하는 뜻에서 처분의 취소를 구하는 소송에서도 마찬가지이다. ★★
> [1] 민사소송법이 준용되는 행정소송에서 증명책임은 원칙적으로 민사소송의 일반원칙에 따라 당사자 간에 분배되고, 항고소송은 그 특성에 따라 해당 처분의 적법성을 주장하는 피고에게 적법사유에 대한 증명책임이 있으나, 예외적으로 <u>행정처분의 당연무효를 주장하여 무효 확인을 구하는 행정소송에서는 원고에게 행정처분이 무효인 사유를 주장·증명할 책임이 있고, 이는 무효 확인을 구하는 뜻에서 행정처분의 취소를 구하는 소송에 있어서도 마찬가지이다.</u>
> [2] 한편 행정처분의 무효 확인을 구하는 소에는 특단의 사정이 없는 한 취소를 구하는 취지도 포함되어 있다고 보아야 하므로, <u>해당 행정처분의 취소를 구할 수 있는 경우라면 무효사유가 증명되지 아니한 때에 법원으로서는 취소사유에 해당하는 위법이 있는지 여부까지 심리하여야 한다.</u> 나아가 과세처분에 대한 취소소송과 무효확인소송은 모두 소송물이 객관적인 조세채무의 존부확인으로 동일하다.

함께 정리하기

직권심리주의, 행정심판기록제출명령
▷ 취소소송 준용 O

입증책임
▷ 무효원인사실에 대한 입증책임을 당사자간에 어떻게 분배할 것인지 문제

학설
▷ 일반원칙설 vs. 원고책임설

판례
▷ 원고책임설

중대·명백한 하자 입증책임
▷ 원고

무효 확인을 구하는 취소소송에서 무효사유에 대한 주장·증명책임
▷ 원고

결국 과세처분의 위법을 다투는 조세행정소송의 형식이 취소소송인지 아니면 무효확인소송인지에 따라 증명책임이 달리 분배되는 것이라기보다는 위법사유로 취소사유와 무효사유 중 무엇을 주장하는지 또는 무효사유의 주장에 취소사유를 주장하는 취지가 포함되어 있는지 여부에 따라 증명책임이 분배된다(과세처분에 대한 무효확인소송에서 처분사유의 변경이 있는 경우 증명책임 귀속이 문제된 사건, 대판 2023.6.29. 2020두46073).

3 위법판단의 기준시

취소소송의 경우와 동일하게 처분시를 기준으로 처분의 무효 등을 판단한다.

위법판단시점
▷ 처분시(=취소소송)

제4절 판결의 효력 등

1 취소판결의 효력에 관한 규정의 준용

(1) 취소판결의 효력에 관한 규정은 무효등 확인소송에도 준용되므로(동법 제38조 제1항, 제29조), 제3자에 대하여 무효등확인판결의 효력이 미친다. 따라서 제3자를 보호하기 위한 제3자의 소송참가와 재심청구가 인정된다(동법 제38조 제1항, 제16조, 제31조).

무효확인판결의 효력
▷ 취소판결의 효력(제3자효) 준용 O
▷ 제3자의 소송참가·재심청구 可

> **관련판례**
> 행정처분의 무효확인판결은 비록 형식상은 확인판결이라 하여도 그 확인판결의 효력은 그 취소판결의 경우와 같이 소송의 당사자는 물론 제3자에게도 미친다(대판 1982.7.27. 82다173). ★

무효확인판결
▷ 대세적 효력(대세효) O

(2) 또한 무효등확인판결에도 기속력이 인정된다(동법 제38조 제1항, 제30조 제1항). 따라서 무효등확인판결은 당사자인 행정청과 그 밖에 관계행정청을 구속하므로 이들 행정청으로서는 동일한 처분의 반복이 금지된다. 또한 거부처분에 대하여 무효등확인판결이 내려진 경우에는, 거부처분을 한 행정청은 판결의 취지에 따라 다시 이전의 신청에 대한 처분을 할 의무(재처분의무)를 진다(동법 제38조 제1항, 제30조, 제2항).

무효확인판결의 효력
▷ 취소판결의 효력(기속력) 준용 O: 반복금지효, 재처분의무, 결과제거의무(원상회복의무) 有

2 간접강제

처분의무의 실효성을 확보하기 위한 간접강제제도는 무효등 확인소송에 준용되지 않는다(동법 제38조, 제34조). 판례도 거부처분에 대해서 무효확인판결이 내려진 경우에는 간접강제가 허용되지 않는다고 본다.

거부처분에 대한 무효확인판결
▷ 재처분의무 불이행시 간접강제 ×

거부처분의 무효확인판결에 따른 재처분의무를 이행하지 않는 경우
▷ 간접강제 불가

> 🔨 **관련판례**
>
> 거부처분에 대하여 무효등확인판결이 나온 경우, 재처분의무가 인정될 뿐 간접강제까지 허용되는 것은 아니다. ★★
>
> 행정소송법 제38조 제1항이 무효확인 판결에 관하여 취소판결에 관한 규정을 준용함에 있어서 같은 법 제30조 제2항을 준용한다고 규정하면서도 같은 법 제34조는 이를 준용한다는 규정을 두지 않고 있으므로, 행정처분에 대하여 무효확인 판결이 내려진 경우에는 그 행정처분이 거부처분인 경우에도 행정청에 판결의 취지에 따른 재처분의무가 인정될 뿐 그에 대하여 간접강제까지 허용되는 것은 아니라고 할 것이다(대결 1998.12.24. 98무37).

3 사정판결

사정판결은 취소소송에서만 인정되고(동법 제28조), 부작위위법확인소송, 무효등 확인소송에서는 준용되지 않는다(동법 제38조 제1항).

무효확인소송
▷ 사정판결 불가

> 🔨 **관련판례**
>
> 당연무효의 행정처분을 소송목적물로 하는 행정소송에서는 존치시킬 효력이 있는 행정행위가 없기 때문에 행정소송법 제28조 소정의 사정판결을 할 수 없다(대판 1996.3.22. 95누5509 ; 대판 1987.3.10. 84누158 ; 대판 1985.2.26. 84누380). ★★★

제5절 무효등 확인소송과 취소소송의 관계

1 취소소송과 무효등 확인소송의 선택

무효등 확인소송
▷ 소송요건 유리(∵ 제소기간 제한×)

취소소송
▷ 본안판단 유리(∵ 무효사유는 중대·명백 요구)

취소소송과 무효등 확인소송은 별개의 독립된 소송이다. 그러므로 처분 등에 불복하는 자는 바라는 목적을 가장 효과적으로 달성할 수 있는 항고소송의 종류를 선택할 수 있다.❶

❶ 다만, 소송요건 측면에서 볼 때 무효등 확인소송은 제소기간의 제한이 없고, 필요적 행정심판전치주의가 적용되지 않는다는 점에서 취소소송보다 원고에게 유리하나, 본안판단 측면에 있어서는 처분의 위법성이 중대하고 명백해야 인용판결을 받을 수 있으므로 무효 확인소송이 취소소송보다 원고에게 불리하다. 따라서 제소기간을 도과하지 않은 경우에는 취소소송을, 제소기간을 도과한 경우에는 무효확인소송을 선택하여 소를 제기하는 것이 일반적이다.

2 무효인 처분에 대한 취소소송의 제기(무효선언을 구하는 취소소송)

(1) 무효와 취소의 구별은 상대적이기에 무효사유가 있는 처분에 대하여도 취소소송을 제기할 수 있다. 이러한 취소소송을 '무효를 선언하는 의미의 취소소송'이라고 한다.❶ 대법원도 이를 허용하고 있다.

(2) 당사자가 취소소송을 제기하였으나 본안심리결과 처분의 하자가 중대·명백하여 당연무효사유로 밝혀졌다면 법원은 '무효를 선언하는 의미의 취소판결'을 할 수 있다. 다만, 이 경우에도 형식적으로는 취소소송의 형태를 취하고 있으므로 취소소송의 제기요건(예외적 행정심판전치, 제소기간의 준수 등)을 갖추어야 한다.

> **관련판례**
> 행정처분의 당연무효를 선언하는 의미에서 그 취소를 청구하는 행정소송을 제기한 경우에도 전심절차와 제소기간의 준수 등 취소소송의 제소요건을 갖추어야 한다(대판 1990.12.26. 90누6279 ; 대판 1993.3.12. 92누11039). ★★★

3 취소사유가 있는 처분에 대해 무효등 확인소송을 제기한 경우

1. 문제점

무효확인소송을 제기하였는데 그 처분의 하자(위법)가 취소사유에 불과한 경우, 당해 무효확인소송이 취소소송의 제기요건을 갖추지 못했다면 법원은 기각판결을 하여야 한다는 점에서 학설과 판례가 일치하고 있다. 그러나 취소소송의 소송요건을 갖춘 경우에는 법원이 어떠한 판결을 내려야 할 것인지에 대해서는 견해의 대립이 있다.

2. 학설

(1) 소변경필요설

법원은 석명권을 행사하여 취소소송으로 소변경을 한 후에 취소판결을 해야 한다는 견해이다.

(2) 취소소송포함설(소변경불요설)

무효확인청구에는 취소를 구하는 청구가 포함한다고 보고 취소소송의 소송요건을 갖춘 경우 법원은 바로 취소판결을 할 수 있다는 견해이다.

3. 판례

판례는 "일반적으로 행정처분의 무효확인을 구하는 소에는 원고가 그 처분의 취소를 구하지 아니한다고 밝히지 아니한 이상 그 처분이 만약 당연무효가 아니라면 그 취소를 구하는 취지도 포함되어 있는 것으로 보아야 한다."고 판시하여(대판 1994.12.23. 94누477), 취소소송포함설을 따르는 것으로 보인다. 다만, 이 경우에도 취소청구를 인용하려면 취소소송으로서의 제소요건을 구비하고 있어야 한다(대판 1986.9.23. 85누838).

 함께 정리하기

무효선언을 구하는 취소소송
▷ 허용

❶ 무효인 처분을 취소소송으로 다투면 취소청구에는 엄밀한 의미의 취소뿐만 아니라 무효를 선언하는 의미의 취소를 구하는 취지가 포함되어 있다고 보아야 한다.

무효선언을 구하는 취소소송
▷ 무효선언 의미의 취소판결(제소기간 등 취소소송요건 구비 전제)○
▷ 무효확인판결✕

무효선언을 구하는 취소소송
▷ 취소소송 제기요건 충족해야 함

취소사유가 있는 처분에 대해 취소소송의 제기요건 갖추지 못한 무효등 확인소송
▷ 기각○
▷ 각하✕

취소사유가 있는 처분에 대해 취소소송의 제기요건을 갖춘 무효등 확인소송
▷ 소변경필요설 vs. 취소소송포함설(소변경불요설)

판례
▷ 소 변경 없이 바로 취소판결 可(∵ 무효확인을 구하는 청구에는 취소를 구하는 취지도 포함)

함께 정리하기

동일처분에 대한 무효확인청구와 취소청구
▷ 예비적 병합만 可
▷ 선택적·단순병합 ✕

❶
반면, 각각 다른 처분에 대한 무효확인청구와 취소청구는 서로 양립이 가능하므로 선택적 병합이나 단순 병합이 허용된다.

무효확인청구가 기각될 것을 대비하여
▷ 취소청구를 예비적으로 병합 可

제소기간의 준수여부
▷ 주위적 청구인 무효확인의 소가 제기된 시점을 기준으로 판단

❷
한편, 원고는 취소청구가 제소기간의 경과 등의 이유로 각하될 것을 대비하여 무효확인청구를 예비적으로 병합할 수는 있다. 그러나 무효확인청구가 각하될 것을 대비하여 취소청구를 예비적으로 병합할 수는 없다. 왜냐하면 소송요건 측면에서 볼 때 무효확인청구는 제소기간의 제한이 없고, 필요적 행정심판전치주의가 적용되지 않는다는 점에서 취소청구보다 소송요건이 완화되어 있기 때문이다.

행정처분에 대한 무효확인청구와 취소청구
▷ 주위적(무효확인청구)·예비적(취소청구) 병합 ○
▷ 선택적·단순병합 ✕

주된 무효등 확인소송에 제소기간 도과한 취소소송을 병합하는 경우
▷ 무효등 확인소송이 취소소송의 제소기간을 준수하면, 제소기간 도과한 병합된 취소소송도 적법

4 무효등 확인소송과 취소소송의 병합

(1) 동일처분에 대한 무효확인청구와 취소청구는 서로 양립할 수 없는 청구이므로 선택적 병합이나 단순 병합은 허용되지 않고, 예비적 병합만이 가능하다. ❶

(2) 즉, 원고는 동일처분에 대하여 무효확인청구가 기각될 것을 대비하여 취소청구를 예비적으로 병합할 수 있다. 그러나 취소청구가 기각될 것을 대비하여 무효확인청구를 예비적으로 병합할 수는 없다. ❷ 처분의 위법이 인정되지 않아 취소청구가 배척된다면 논리적으로 무효확인도 인정될 수 없기 때문이다. 이때 제소기간의 준수 여부는 주위적 청구인 무효확인의 소가 제기된 시점을 기준으로 판단한다.

관련판례

1 행정처분에 대한 무효확인과 취소청구는 서로 양립할 수 없는 청구로서 주위적·예비적 청구로서만 병합이 가능하고 선택적 청구로서의 병합이나 단순 병합은 허용되지 아니한다(대판 1999.8.20. 97누6889). ★★

비교
행정처분의 무효확인청구와 취소청구는 그 소송의 요건을 달리하는 것이므로 하자있는 특정의 행정처분에 관하여 그 하자가 중대하고 명백한 것이었음을 주장하여 그 처분의 무효확인을 구함과 동시에 그 하자를 취소사유에 해당하는 것이었다고 주장하여 그 처분의 취소를 구하는 청구를 예비적으로 병합할 수 있다(대판 1971.2.25. 70누125).

2 무효확인에는 취소를 구하는 취지도 포함되어 있기에 주된 무효확인의 소에 제소기간 도과한 취소소송을 예비적으로 병합한 경우라도 무효확인의 소가 취소소송의 제소기간 내 제기되었다면 병합된 취소소송도 적법하다. ★★★
행정처분의 무효확인을 구하는 소에는 특단의 사정이 없는 한 그 취소를 구하는 취지도 포함되어 있다고 보아야 하는 점 등에 비추어 볼 때, 동일한 행정처분에 대하여 무효확인의 소를 제기 하였다가 그 후 그 처분의 취소를 구하는 소를 추가적으로 병합한 경우, 주된 청구인 무효확인의 소가 적법한 제소기간 내에 제기되었다면 추가로 병합된 취소청구의 소도 적법하게 제기된 것으로 봄이 상당하다(대판 2005.12.23. 2005두3554).

제7장 항고소송 3(부작위위법확인소송)

제1절 개설

「행정소송법」 제2조【정의】① 이 법에서 사용하는 용어의 정의는 다음과 같다.
2. "부작위"라 함은 행정청이 당사자의 신청에 대하여 상당한 기간 내에 일정한 처분을 하여야 할 법률상 의무가 있음에도 불구하고 이를 하지 아니하는 것을 말한다.
제36조【부작위위법확인소송의 원고적격】부작위위법확인소송은 처분의 신청을 한 자로서 부작위의 위법의 확인을 구할 법률상 이익이 있는 자만이 제기할 수 있다.
제38조【준용규정】② 제9조, 제10조, 제13조 내지 제19조, 제20조, 제25조 내지 제27조, 제29조 내지 제31조, 제33조 및 제34조의 규정은 부작위위법확인소송의 경우에 준용한다.

1 의의

부작위위법확인소송이란 행정청이 당사자의 신청에 대하여 상당한 기간 내에 일정한 처분을 하여야 할 법률상 의무가 있음에도 불구하고 이를 하지 않는 경우에, 이러한 행정청의 부작위가 위법하다는 것을 확인하는 소송을 말한다(동법 제2조 제1항 제2호, 제4조 제3호).

부작위위법확인소송
▷ 행정청의 처분의 부작위가 위법하다는 것을 확인하는 소송

2 성질

(1) 부작위위법확인소송은 주관소송으로서 행정청의 부작위가 위법함을 확인하는 확인소송이다.

(2) 부작위위법확인소송은 모든 행정청의 부작위를 대상으로 하는 것이 아니라 '공권력행사로서의 행정청의 처분의 부작위'를 대상으로 하는 것이므로 취소소송과 무효등 확인소송과 함께 항고소송에 해당한다(동법 제4조).

성질
▷ 주관소송, 확인소송, 항고소송

3 한계

(1) 부작위위법확인소송은 행정청의 부작위가 위법함을 확인함으로서 행정청의 적극적인 처분을 신속하게 하도록 하여 소극적 위법상태를 제거하는 것을 목적으로 한다.

한계
▷ 권리보호가 우회적이고 간접적
▷ 소극적 위법상태를 제거하는 것이 목적
▷ 현행 「행정소송법」은 의무이행소송 인정 ✕
▷ 권리구제 실효성 담보를 위해 재처분의무·간접강제 규정 준용 ○

부작위위법확인소송
▷ 소극적인 위법상태를 제거하는 것이 목적

🔍 **관련판례**

부작위위법확인소송은 부작위의 위법을 확인함으로써 소극적인 위법상태를 제거하는 것을 목적으로 한다. ★★★

부작위위법확인의소는 소극적 처분을 하여야 할 법률상의 응답의무가 있음에도 불구하고 이를 하지 아니하는 경우 판결시를 기준으로 그 부작위의 위법함을 확인함으로써 행정청의 응답을 신속하게 하여 부작위 내지 무응답이라고 하는 소극적인 위법상태를 제거하는 것을 목적으로 하는 것이다(대판 1992.7.28. 91누7361 ; 대판 2000.2.25. 99두11455).

(2) 행정청의 부작위에 대한 보다 실효적인 구제수단은 의무이행소송이지만, 현행 「행정소송법」은 의무이행소송에 대신하여 부작위위법확인소송을 규정하고 있고, 그 실효성을 담보하기 위하여 인용판결 시, 행정청의 재처분의무(동법 제38조 제2항, 제39조 제2항)와 간접강제(동법 제38조 제2항, 제34조)를 인정하고 있다.

행정청의 부작위에 대한 의무이행소송
▷ 허용 ×

🔍 **관련판례**

행정청의 부작위에 대한 의무이행소송은 허용되지 않는다. ★★

행정심판법 제3조에 의하면 행정청의 위법 또는 부당한 거부처분이나 부작위에 대하여 의무이행 심판청구를 할 수 있으나 행정소송법 제4조에서는 행정심판법상의 의무이행심판청구에 대응하여 부작위위법확인소송만을 규정하고 있으므로 행정청의 부작위에 대한 의무이행소송은 현행법상 허용되지 않는다(대판 1989.9.12. 87누868).

(3) 그러나 위와 같은 부작위위법확인소송은 권리보호가 우회적이고 간접적이다. 이에 따라 보다 직접적인 권리구제를 위하여 의무이행소송의 도입이 강하게 주장되고 있다.

4 적용규정

처분변경으로 인한 소 변경, 집행정지, 사정판결, 사정판결로 인한 피고의 소송비용부담
▷ 준용 ×

부작위위법확인소송은 항고소송의 일종이라는 점에서 취소소송과 공통되는 점이 많으므로 취소소송에 관한 「행정소송법」의 대부분의 규정이 부작위위법확인소송에 준용된다. 그러나 처분변경으로 인한 소의 변경(동법 제22조), 집행정지(동법 제23조, 제24조), 사정판결(동법 제28조), 사정판결로 인한 피고의 소송비용부담(동법 제33조)에 관한 규정 등은 그 성질상 부작위위법확인소송에 준용되지 않는다(동법 제38조 제2항).

제2절 소의 제기

1 대상적격

1. 부작위의 의의
'부작위'라 함은 행정청이 당사자의 신청에 대하여 상당한 기간 내에 일정한 처분을 하여야 할 법률상 의무가 있음에도 불구하고 이를 하지 아니하는 것을 말한다(동법 제2조 제2호).

부작위
▷ 당사자의 신청에 대해 상당한 기간 내 일정한 처분을 해야 할 법률상 의무가 있음에도 이를 불이행하는 것

2. 부작위의 성립요건
부작위위법확인소송의 대상인 '부작위'가 성립하기 위하여는 ① 당사자의 신청이 있어야 하고, ② 행정청이 상당한 기간 내, ③ 일정한 처분을 하여야 할 법률상 의무가 있음에도 불구하고, ④ 행정청이 아무런 처분을 하지 않을 것(처분의 부작위).

(1) 당사자의 신청이 있을 것
① **당사자의 신청행위가 있을 것**: 행정청의 부작위가 성립하기 위해서는 당사자의 신청이 있어야 한다. 부작위 성립요건으로서 요구되는 당사자의 신청은 단지 당사자의 신청행위가 있는 것으로 충분하다. 따라서 당사자의 신청이 적법할 것(신청요건을 갖출 것)을 요하지 않는다.

행정청의 부작위가 성립하기 위해서는 당사자의 신청이 있어야 한다. 부작위 성립요건으로서 요구되는 당사자의 신청은 단지 당사자의 신청행위가 있는 것으로 충분하다. 따라서 당사자의 신청이 적법할 것(신청요건을 갖출 것)을 요하지 않는다.

② **신청권의 존재 여부**: 판례는 부작위가 성립하기 위해서는 국민이 행정청에 대하여 그 신청에 따른 행정행위를 해 줄 것을 요구할 수 있는 법규상 또는 조리상 신청권이 있어야 한다고 본다. 또한 판례는 신청권의 존부문제를 대상적격의 문제로 보면서 동시에 원고적격의 문제로 보고 있다.

법규상 또는 조리상 신청권이 있어야 함
▷ 신청권: 대상적격의 문제이면서 동시에 원고적격의 문제(判)

> **관련판례**
> 부작위위법확인의 소에 있어 **당사자가 행정청에 대하여 어떠한 행정행위를 하여 줄 것을 요구할 수 있는 법규상 또는 조리상 권리를 갖고 있지 아니한 경우에는 항고소송의 대상이 되는 위법한 부작위가 있다고 볼 수 없거나 원고적격이 없어 그 부작위위법확인의 소는 부적법하다.** ★★
> 국회의원에게는 대통령 및 외교통상부장관의 특임공관장에 대한 인사권 행사 등과 관련하여 대사의 직을 계속 보유하게 하여서는 아니 된다는 요구를 할 수 있는 법규상 또는 조리상 신청권이 있다고 할 수 없다(대판 2000.2.25. 99두11455).

법규상 또는 조리상 신청권이 없는 경우
▷ 부작위위법확인의 소 부적법(∵ 항고소송의 대상인 위법한 부작위가 없거나 원고적격이 없음)

국회의원
▷ 대통령 및 외교통상부장관의 특임공관장에 대한 인사권 행사 등과 관련하여 대사의 직을 계속 보유하게 하여서는 아니된다는 요구를 할 수 있는 법규상 또는 조리상 신청권×

함께 정리하기

처분의 부작위일 것 ○
▷ 사법상 청구의 부작위 ✕
▷ 비권력적 사실행위의 부작위 ✕
▷ 행정입법의 부작위 ✕

❶ 부작위위법확인소송은 처분의 신청을 한 자가 제기하는 것이므로 이를 통하여 원고가 구하는 행정청의 응답행위는 「행정소송법」제2조 제1항 제1호 소정의 처분에 관한 것이라야 한다(대판 1991.11.8. 90누9391).

검사가 압수 해제된 것으로 간주된 압수물의 환부신청에 대하여 아무런 결정·통지도 하지 아니한 것
▷ 부작위위법확인소송의 대상 ✕

행정입법부작위
▷ 부작위위법확인소송 ✕

상당한 기간
▷ 사회통념상 그 신청에 대한 처분을 하는데 필요한 것으로 인정되는 기간

처리기간 경과로 부작위
▷ 위법한 것은 아님

「행정절차법」이나 민원처리법상 처분·민원의 처리기간 규정
▷ 강행규정 ✕
▷ 훈시규정 ○

법률상 의무
▷ 명문규정에 의해 인정되는 경우뿐만 아니라 조리상 인정되는 경우도 포함

③ **처분에 대한 신청일 것**: 부작위가 되기 위해서는 원고가 신청한 행정청의 행위가 「행정소송법」상 '처분'이어야 한다(대판 1991.11.8. 90누9391). 처분의 부작위가 아닌 사법상 청구의 부작위, 비권력적 사실행위의 부작위, 행정입법의 부작위는 부작위위법확인소송의 대상이 아니다. ❶

관련판례

1 검사가 압수 해제된 것으로 간주된 압수물의 환부신청에 대하여 아무런 결정·통지도 하지 아니한 경우, 부작위위법확인소송의 대상이 되지 않는다. ★★

형사본안사건에서 무죄가 선고되어 확정되었다면 형사소송법 제332조 규정에 따라 검사가 압수물을 제출자나 소유자 기타 권리자에게 환부하여야 할 의무가 당연히 발생한 것이고, 권리자의 환부신청에 대한 검사의 환부결정 등 어떤 처분에 의하여 비로소 환부의무가 발생하는 것은 아니므로 압수가 해제된 것으로 간주된 압수물에 대하여 피압수자나 기타 권리자가 민사소송으로 그 반환을 구함은 별론으로 하고 검사가 피압수자의 압수물 환부신청에 대하여 아무런 결정이나 통지도 하지 아니하고 있다고 하더라도 그와 같은 부작위는 현행 행정소송법상의 부작위위법확인소송의 대상이 되지 아니한다(대판 1995.3.10. 94누14018).

2 추상적인 법령의 제정 여부 등은 부작위위법확인소송의 대상이 될 수 없다. ★★★

행정소송은 구체적 사건에 대한 법률상 분쟁을 법에 의하여 해결함으로써 법적 안정을 기하자는 것이므로 부작위위법확인소송의 대상이 될 수 있는 것은 구체적 권리의무에 관한 분쟁이어야 하고 추상적인 법령에 관하여 제정의 여부 등은 그 자체로서 국민의 구체적인 권리의무에 직접적 변동을 초래하는 것이 아니어서 그 소송의 대상이 될 수 없다(대판 1992.5.8. 91누11261).

(2) 상당한 기간이 경과할 것

① 부작위가 성립하기 위해서는 당사자의 신청 후 상당한 기간이 경과하였는데도, 행정청이 아무런 의무를 행하지 않아야 한다. 여기에서의 상당한 기간이란 사회통념상 그 신청에 대한 처분을 하는데 필요한 것으로 인정되는 기간을 의미한다.

② 법령에서 신청에 대한 처리기간을 정하고 있는 경우에 그 처리기간이 경과되면 특별한 사정이 없는 한 상당한 기간이 경과했다고 볼 것이다. 다만, 이 경우 처리기간 경과로 그 부작위가 위법한 것은 아니다. 왜냐하면 이 규정은 강행규정이라기 보다는 주의적인 규정(훈시규정)으로 이해되기 때문이다.

관련판례

행정절차법이나 민원 처리에 관한 법률상 처분·민원의 처리기간에 관한 규정은 강행규정이라고 볼 수 없다. ★

처분이나 민원의 처리기간을 정하는 것은 신청에 따른 사무를 가능한 한 조속히 처리하도록 하기 위한 것이다. 처리기간에 관한 규정은 훈시규정에 불과할 뿐 강행규정이라고 볼 수 없다. 행정청이 처리기간이 지나 처분을 하였더라도 이를 처분을 취소할 절차상 하자로 볼 수 없다(대판 2019.12.13. 2018두41907).

(3) 처분을 하여야 할 법률상 의무가 있을 것

① 부작위가 성립하기 위해서는 행정청에게 처분을 하여야 할 법률상 의무가 있어야 한다. 여기에서의 '법률상 의무'에는 명문규정에 의해 인정되는 경우뿐만 아니라 조리상 인정되는 경우도 포함된다.

② 법률상 의무는 기속행위에 대하여 뿐만 아니라 재량행위에 대하여도 존재할 수 있다. 기속행위의 경우에는 특정처분을 할 의무가 당연히 인정될 것이며, 재량행위인 경우에도 재량이 '0'으로 수축하면 행정청은 신청된 특정처분을 하여야 할 의무가 인정된다.

(4) 아무런 처분도 하지 않을 것

① 부작위가 성립하려면 행정청이 신청에 대하여 아무런 처분을 하지 않아야 한다. 따라서 행정청이 당사자의 신청에 대하여 거부처분을 한 경우에는 항고소송의 대상인 위법한 부작위가 있다고 볼 수 없어 이에 대한 부작위위법확인의 소는 부적법하다(대판 1998.1.23. 96누12641).

> **관련판례**
>
> **1** 행정청이 행한 공사중지명령 이후에 그 원인사유의 소멸을 이유로 한 공사중지명령철회 신청에 대하여 아무런 응답을 하지 않고 있는 경우, 행정청의 부작위는 그 자체로 위법하다(대판 2005.4.14. 2003두7590). ★★
>
> **2** 당사자의 신청에 대한 행정청의 거부처분이 있는 경우에는 행정청이 당사자의 신청에 대하여 상당한 기간 내에 일정한 처분을 하여야 할 법률상의 응답의무를 이행하지 아니함으로써 야기된 부작위라는 위법상태를 제거하기 위하여 제기하는 부작위위법확인소송은 허용되지 아니한다(대판 1991.11.8. 90누9391).

② 법령에서 일정기간 동안 아무런 처분이 없는 경우에 거부처분을 한 것으로 간주하는 간주거부의 경우와 묵시적 거부의 경우에는 부작위위법확인소송이 아니라 거부처분취소소송으로 다투어야 한다.

> **참고** **검사임용판례**
> 판례는 검사임용판례에서 "검사지원자 중 한정된 수의 임용대상자에 대한 임용결정은 한편으로는 그 임용대상에서 제외한 자에 대한 임용거부결정이라는 양면성을 지니는 것이므로 임용대상자에 대한 임용의 의사표시는 동시에 임용대상에서 제외한 자에 대한 임용거부의 의사표시를 포함한 것으로 볼 수 있고 이러한 임용거부의 의사표시는 본인에게 직접 고지되지 않았다고 하여도 본인이 이를 알았거나 알 수 있었을 때에 효력이 발생한다."고 판시하여(대판 1991.2.12. 90누5825), 임용대상에서 제외된 자에게 부작위위법확인소송이 아니라 거부처분취소소송을 제기할 것 요구한 바 있다.

2 원고적격

1. 처분의 신청을 한 자

(1) 부작위위법확인소송의 원고적격은 처분의 신청을 한 자로서 부작위의 위법의 확인을 구할 법률상 이익이 있는 자만이 제기할 수 있다(동법 제36조).

(2) '처분의 신청을 한 자'의 의미에 대해 단순히 처분을 신청한 자로 족하다는 견해와 법규상 또는 조리상 신청권이 있어야 한다는 견해가 대립하는데, 판례는 후자의 입장이다.

함께 정리하기

기속행위
▷ 특정처분의무○

재량행위
▷ 재량'0'으로 수축시 특정처분의무○

거부처분
▷ 부작위×

공사중지명령 원인소멸시
▷ 공사중지명령 철회신청권○

신청 후 행정청의 응답하지 않은 부작위
▷ 위법

행정청의 거부처분이 있는 경우
▷ 부작위위법확인소송 허용×

간주거부, 묵시적 거부
▷ 부작위위법확인소송×
▷ 거부처분취소소송○

처분의 신청을 한 자로서 부작위의 위법의 확인을 구할 법률상 이익이 있는 자
▷ 원고적격○

처분의 신청을 한 자
▷ 법규상 또는 조리상 신청권이 있어야 함

함께 정리하기

당사자가 처분 신청×, 법규상 또는 조리상 신청권×, 거부처분시 부작위법확인의 소
▷ 부적법(∵원고적격, 부작위×)

법률상 이익
▷ 처분의 근거법규 및 관련법규에 의해 보호되는 직접적·구체적 이익 ○(간접적·사실적·경제적 관계×)

부작위의 직접 상대방이 아닌 제3자라 하더라도 부작위법확인을 받을 법률상의 이익이 있는 경우
▷ 원고적격○

부작위법확인소송 계속 도중 부작위상태가 해소되거나 인용판결을 받는다고 하더라도 원고의 권리·이익을 보호하는 것이 불가능
▷ 확인의 이익이 없어 각하

판결시(변론종결시)까지 부작위상태 해소
▷ 소의 이익 상실로 각하

권리·이익 보호·구제 불가능
▷ 확인의 이익×

관련판례

부작위위법확인소송은 처분을 신청을 한 자로서 법규상 또는 조리상 신청권이 인정되는 자만이 제기할 수 있다. ★★

부작위위법확인소송은 처분의 신청을 한 자로서 부작위의 위법의 확인을 구할 법률상의 이익이 있는 자만이 제기할 수 있다 할 것이며, 당사자가 행정청에 대하여 어떠한 행정행위를 하여 줄 것을 신청하지 아니하거나 그러한 신청을 하였더라도 당사자가 행정청에 대하여 그러한 행정행위를 하여 줄 것을 요구할 수 있는 법규상 또는 조리상의 권리를 갖고 있지 아니하든지 또는 행정청이 당사자의 신청에 대하여 거부처분을 한 경우에는 원고적격이 없거나 항고소송의 대상인 위법한 부작위가 있다고 볼 수 없어 그 부작위위법확인의 소는 부적법하다(대판 1995.9.15. 95누7345).

(3) 여기에서의 '법률상 이익'은 취소소송에서의 '법률상 이익'과 마찬가지로 처분의 근거법규 및 관련법규에 의해 보호되는 직접적이고 구체적 이익을 말한다(대판 2001.7.10. 2000두2136).

2. 제3자의 경우

취소소송에서와 마찬가지로, 부작위의 직접 상대방이 아닌 제3자라 하더라도 부작위위법확인을 받을 법률상의 이익이 있는 경우에는 원고적격이 인정된다(대판 1989.5.23. 88누8135).

3 협의의 소의 이익(권리보호의 필요성)

부작위위법확인소송은 확인소송이라는 점에서 원고적격 이외에 확인의 이익이 필요하다. 따라서 부작위위법확인소송의 계속 도중 부작위상태가 해소되거나, 부작위위법확인판결을 받는다고 하더라도 원고의 권리와 이익을 보호하는 것이 불가능한 경우에는 확인의 이익이 없어 각하된다.

관련판례

1. (부작위 위법 여부의 판단 기준시는 판결(사실심의 구두변론 종결)시 이므로) 소제기의 전후를 통하여 판결시까지 행정청이 그 신청에 대하여 적극 또는 소극의 처분을 함으로써 부작위상태가 해소된 때에는 소의 이익을 상실하게 되어 당해 소는 각하를 면할 수가 없는 것이다(대판 1990.9.25. 89누4758). ★★

2. (원고가 서울특별시장을 상대로 조례제정부작위위법확인을 구하는 사안에서)당사자의 신청이 있은 이후 당사자에게 생긴 사정의 변화로 인하여 위 부작위가 위법하다는 확인을 받는다고 하더라도 종국적으로 침해되거나 방해받은 권리와 이익을 보호·구제받는 것이 불가능하게 되었다면 그 부작위가 위법하다는 확인을 구할 이익은 없다(대판 2002.6.28. 2000두4750). ★★

4 피고적격

취소소송의 피고적격에 관한 규정이 준용되어 부작위위법확인소송의 피고는 부작위를 행한 행정청이 된다(동법 제38조 제2항, 제13조).

피고적격
▷ 당사자의 신청에 대하여 부작위를 행한 행정청

5 제소기간

취소소송의 제소기간에 관한 규정은 부작위위법확인소송에도 준용된다(동법 제38조 제2항, 제20조). 그러나 판례는 부작위위법확인의 소는 원칙적으로 제소기간의 제한을 받지 않으나, 행정심판을 거친 경우에는 「행정소송법」 제20조가 정한 제소기간 내(재결서의 정본을 송달받은 날부터 90일 이내)에 부작위위법확인의 소를 제기하여야 한다고 본다.

> **관련판례**
>
> 1. 부작위위법확인의 소는 부작위상태가 계속되는 한 그 위법의 확인을 구할 이익이 있다고 보아야 하므로 <u>원칙적으로 제소기간의 제한을 받지 않는다</u>(대판 2009.7.23. 2008두10560). ★★
>
> 2. 그러나 행정소송법 제38조 제2항이 제소기간을 규정한 같은 법 제20조를 부작위위법확인소송에 준용하고 있는 점에 비추어 보면, <u>행정심판 등 전심절차를 거친 경우에는 행정소송법 제20조가 정한 제소기간 내에 부작위위법확인의 소를 제기하여야 한다</u>(대판 2009.7.23. 2008두10560). ★★

제소기간
▷ 원칙적 적용×(∵부작위가 계속되는 한 확인의 이익 있음)

전심절차 거친 경우
▷ 재결서 송달 후 90일 내

6 재판관할

부작위위법확인소송의 재판관할도 취소소송의 재판관할에 관한 규정이 준용되므로(동법 제38조 제1항, 제9조) 제1심 관할법원은 피고 행정청의 소재지를 관할하는 행정법원으로 한다.

관할
▷ 준용○(피고 행정청 소재지 관할 행정법원)

7 예외적 행정심판전치주의

행정심판전치에 관한 취소소송의 규정은 부작위위법확인소송에서도 준용된다(동법 제38조 제2항, 제18조 제1항). 따라서 개별법에서 예외적 행정심판전치주의를 규정하고 있는 경우에는 행정심판을 거쳐 부작위위법확인소송을 제기하여야 한다. 현행법상 부작위위법확인심판은 인정되지 않으므로 여기에서 전치되는 행정심판은 의무이행심판이다.

예외적 행정심판전치주의
▷ 준용○

전치되는 행정심판
▷ 의무이행심판

8 집행정지

「행정소송법」 제23조의 집행정지에 관한 규정은 처분의 존재를 그 요건으로 하므로 취소소송과 무효등 확인소송에만 인정되고 부작위위법확인소송에 적용되지 않는다. 따라서 법원은 부작위에 대하여 집행정지결정을 할 수 없다.

집행정지
▷ 준용×

함께 정리하기

관련청구소송의 이송·병합
▷ 준용 O

9 관련청구소송의 이송 및 병합

관련청구소송의 이송·병합에 관한 취소소송의 규정은 부작위위법확인소송에도 준용된다 (동법 제38조 제2항, 제10조).

10 소의 변경

소 종류의 변경
▷ 준용 O

부작위위법확인소송을 취소소송 또는 당사자소송으로 소 종류의 변경
▷ 긍정

(1) 소의 종류의 변경에 관한 규정은 부작위위법확인소송에도 준용된다(동법 제38조 제2항, 제37조). 따라서 부작위위법확인소송 계속 중에 부작위위법확인소송을 취소소송 또는 당사자소송으로 소의 변경이 가능하다.

부작위위법확인소송을 거부처분에 대한 취소소송으로 소 변경
▷ 긍정(처음 소 제기 시 취소소송의 제소기간 준수 要)

> **관련판례**
>
> 부작위위법확인소송을 거부처분에 대한 취소소송으로 변경 허용한 사례 ★★
> 당사자가 동일한 신청에 대하여 부작위위법확인의 소를 제기하였으나 그 후 소극적 처분(거부처분)이 있다고 보아 처분취소소송으로 소를 교환적으로 변경한 후 여기에 부작위위법확인의 소를 추가적으로 병합한 경우, 최초의 부작위위법확인의 소가 적법한 제소기간 내에 제기된 이상 그 후 처분 취소소송으로의 교환적 변경과 처분취소소송에의 추가적 변경 등의 과정을 거쳤다고 하더라도 여전히 제소기간을 준수한 것으로 봄이 상당하다(대판 2009.7.23. 2008두10560).

처분변경으로 인한 소 변경
▷ 준용 ×

(2) 그러나 부작위위법확인소송의 경우에는 처분이 존재하지 않으므로 처분변경으로 인한 소 변경(동법 제22조)은 준용하지 않고 있다.

11 소송참가

제3자 소송참가·행정청의 소송참가
▷ 준용 O

제3자의 소송참가(동법 제16조), 행정청의 소송참가(동법 제17조) 역시 부작위위법확인소송에 준용된다(동법 제38조 제2항).

제3절 소송의 심리

1 심리의 범위

문제의 소재
▷ 법원은 행정청의 부작위의 위법 여부만 심리해야 하는지, 아니면 당사자가 신청한 처분의 실체적인 내용까지 심리할 수 있는지 문제됨

「행정소송법」은 부작위위법확인소송을 '행정청의 부작위가 위법하다는 것을 확인하는 소송'으로 정의하고 있다. 이와 관련하여 부작위위법확인소송에 있어서 법원은 행정청의 부작위의 위법 여부만 심리해야 하는지, 아니면 부작위의 위법 여부뿐만 아니라 당사자가 신청한 처분의 실체적인 내용까지 심리할 수 있는지에 관하여 논란이 있다.

1. 학설

(1) 절차적심리설(소극설)

부작위위법확인소송은 그 성질이 행정청의 부작위가 위법한 것임을 확인하는 소송이므로, 법원은 부작위의 위법 여부만을 심사하여야 하며, 실체적인 내용(행정청이 행할 구체적인 내용)까지 심리한다면 이는 의무이행소송을 인정하는 결과가 되어 허용되지 않는다는 견해이다(다수설).

(2) 실체적심리설(적극설)

법원은 단순히 부작위의 적부에 대한 심리에 그치지 않고, 신청의 실체적 내용이 이유 있는지도 심리하여 그에 대한 적정한 처리방향에 관한 법률적 판단을 하여야 한다는 견해이다.

2. 판례

판례는 "부작위위법확인소송은 판결시를 기준으로 그 부작위의 위법함을 확인함으로써 부작위 내지 무응답이라는 소극적인 위법상태를 제거하는 것을 목적으로 하는 소송(대판 1992.7.28. 91누7361)"이라고 보면서 "행정청의 부작위는 그 자체로 위법하다고 할 것이고 구체적으로 그 신청이 인용될 수 있는지 여부는 소극적 처분에 대한 항고소송의 본안에서 판단하여야 할 사항"이라고 하여(대판 1990.9.25. 89누4758), 절차적 심리설의 입장이다.

2 직권심리주의와 행정심판의 기록제출명령

취소소송의 직권심리를 규정하고 있는 「행정소송법」 제26조와 행정심판의 기록제출명령을 규정하고 있는 「행정소송법」 제25조는 부작위위법확인소송에도 준용된다(동법 제38조 제1항).

3 입증책임

부작위위법확인소송에서 일정한 처분을 신청한 사실과 신청권의 존재, 상당한 기간이 경과하였다는 사실은 원고에게 입증책임이 있다. 이에 반하여 부작위에 대한 정당화사유에 대해서는 피고인 행정청이 입증책임을 진다.

4 위법성 판단시점

부작위위법확인소송에서는 처분이 존재하지 않으므로 취소소송의 위법성 판단 시점인 처분시가 아닌 판결시(사실심의 변론종결시)를 기준으로 위법성을 판단을 해야 한다(대판 1999.4.9. 98두12437).

 함께 정리하기

절차적 심리설
▷ 부작위의 위법 여부만이 심판의 대상이 된다는 견해

실체적 심리설
▷ 신청의 실질적인 내용이 이유 있는지도 심리하여 행정청의 처리 방향까지 제시하여야 한다는 견해

판례
▷ 절차적 심리설

직권심리주의, 행정심판기록제출명령
▷ 준용 O

처분을 신청한 사실, 신청권 존재, 상당한 기간 경과 등 존재에 대한 입증책임
▷ 원고

부작위 정당화 사유에 대한 입증책임
▷ 피고 행정청

위법성 판단시점
▷ 판결시(사실심변론종결시)

취소소송
▷ 처분시

제4절 판결

1 판결의 종류

부작위위법확인소송의 판결과 그 효력에 대하여는 기본적으로 취소소송의 경우와 동일하다. 부작위위법확인소송에 있어서도 소송요건이 구비되지 않은 경우에는 각하판결, 원고의 청구가 이유 없다고 인정하는 경우에는 기각판결, 원고의 청구가 이유 있다고 인정하는 경우에는 인용판결을 내린다.

2 판결의 기속력과 처분의무

1. 부작위위법확인소송의 인용판결의 기속력

부작위위법확인소송에 대해서는 취소판결의 기속력에 관한 규정이 준용된다(동법 제38조 제2항, 제30조). 따라서 부작위위법확인소송의 기속력에 따라 행정청은 판결의 취지에 따른 처분의무를 부담한다.

2. 처분의무의 의미

그런데 판결의 취지에 따르는 이전 신청에 대한 처분이 무엇을 의미하는가에 대하여 행정청의 응답의무인지 아니면 원고가 당초 신청한 특정처분의 발급의무인지에 관하여 견해의 대립이 있다.

(1) 응답의무설

① 다수설 및 판례는 절차적 심리설의 입장에서 부작위위법확인판결의 기속력의 내용인 처분의무는 판결의 취지에 따라 단순히 신청에 대한 응답의무를 부담하는데 그치는 행정청의 응답의무라고 본다(대판 1992.7.28. 91누7361).

② 이에 따르면, 부작위위법확인판결이 나온 경우 행정청은 어떠한 처분을 하기만 하면 되는 것이 되므로, 신청의 대상이 되는 처분이 기속행위인 경우에도 행정청이 거부처분을 하여도 판결의 기속력으로서 처분의무를 이행한 것이 된다고 한다. 따라서 부작위위법확인판결 이후 행정청의 거부처분에 대하여 상대방은 기속력 위반을 이유로 간접강제를 신청할 수는 없고, 다시 거부처분취소소송을 제기할 수밖에 없게 된다. 이러한 이유로 실효성 있는 권리구제를 위하여 의무이행소송을 도입이 필요하다 할 것이다.

관련판례

甲의 乙에 대한 부작위위법확인소송의 판결이 확정된 후, 乙이 거부처분을 하였으므로 甲의 간접강제신청은 그에 필요한 요건을 갖추지 못한 것이라고 한 원심을 수긍한 사례 ★★

신청인이 피신청인을 상대로 제기한 부작위위법확인소송에서 신청인의 제2 예비적 청구를 받아들이는 내용의 확정판결을 받았다. 그 판결의 취지는 피신청인이 신청인의 광주광역시 지방부이사관 승진임용신청에 대하여 아무런 조치를 취하지 아니하는 것 자체가 위법함을 확인하는 것일 뿐이다. 따라서 피신청인이 신청인을 승진임용하는 처분을 하는 경우는 물론이고, 승진임용을 거부하는 처분을 하는 경우에도 위 확정판결의 취지에 따른 처분을 하였다고 볼 것이다. 그런데 위 확정판결이 있은 후에 피신청인은 신청인의 승진임용을 거부하는 처분을 하였다. 따라서 결국 신청인의 이 사건 간접강제신청은 그에 필요한 요건을 갖추지 못하였다는 것이다(대결 2010.2.5. 2009무153).

(2) 특정처분의무설

① 실체적 심리설은 부작위위법확인판결의 기속력의 내용인 처분의무를 원고가 당초 신청한 특정처분의 발급의무라고 본다.
② 이에 따르면, 부작위위법확인판결이 나온 경우 행정청은 기속행위의 경우에는 상대방의 신청을 인용하는 처분을 하여야 하고, 재량행위의 경우는 재량의 하자 없는 처분을 하여야 한다고 본다. 따라서 이 견해에 의하면, 부작위위법확인소송의 인용판결에 실질적 기속력이 인정되게 된다.

3 간접강제

부작위위법확인소송에도 간접강제에 관한 「행정소송법」 제34조의 규정이 준용된다(동법 제38조 제2항). 따라서 부작위위법확인판결이 확정된 경우, 행정청이 판결의 취지에 따라 이전신청에 따른 처분을 하지 않을 경우 상대방은 간접강제를 신청할 수 있다.

4 제3자효

부작위위법확인소송은 형식상으로 확인판결이지만, 그 위법확인의 효과는 취소소송의 형성적 효과에 준하는 것이므로 부작위위법확인판결에 제3자에 대한 효력이 인정된다(동법 제38조 제2항, 제29조).

5 사정판결

부작위위법확인소송에 사정판결은 준용되지 않는다(동법 제38조 제2항, 제28조 참조). 사정판결은 행정청의 처분을 전제로 하는 것인데 부작위위법확인소송의 경우에는 행정청의 아무런 처분이 존재하지 않기 때문이다.

제8장 당사자소송

 함께 정리하기

「**행정소송법**」 **제3조 【행정소송의 종류】** 행정소송은 다음의 네가지로 구분한다.
  2. 당사자소송: 행정청의 처분등을 원인으로 하는 법률관계에 관한 소송 그 밖에 공법상의 법률관계에 관한 소송으로서 그 법률관계의 한쪽 당사자를 피고로 하는 소송
제39조 【피고적격】 당사자소송은 국가·공공단체 그 밖의 권리주체를 피고로 한다.
제40조 【재판관할】 제9조의 규정은 당사자소송의 경우에 준용한다. 다만, 국가 또는 공공단체가 피고인 경우에는 관계행정청의 소재지를 피고의 소재지로 본다.
제41조 【제소기간】 당사자소송에 관하여 법령에 제소기간이 정하여져 있는 때에는 그 기간은 불변기간으로 한다.
제44조 【준용규정】 ① 제14조 내지 제17조, 제22조, 제25조, 제26조, 제30조 제1항, 제32조 및 제33조의 규정은 당사자소송의 경우에 준용한다.
② 제10조의 규정은 당사자소송과 관련청구소송이 각각 다른 법원에 계속되고 있는 경우의 이송과 이들 소송의 병합의 경우에 준용한다.

1 개설

1. 의의

당사자소송이란 행정청의 처분 등을 원인으로 하는 법률관계에 관한 소송, 그 밖에 공법상의 법률관계에 관한 소송으로서 그 법률관계의 한쪽 당사자를 피고로 하는 소송을 말한다 [「행정소송법」(이하 '동법'이라 함) 제3조 제2호].

2. 성질

당사자소송은 개인의 권리구제를 목적으로 하는 주관적 소송이다. 당사자소송은 법률관계가 최초로 형성된다는 점에서 당사자소송의 제1심은 시심적 소송❶에 해당한다. 당사자소송은 소송물의 내용에 따라 이행의 소, 확인의 소로 구분될 수 있다.

3. 다른 소송과의 구별

(1) 항고소송과의 구별

① **행위의 성질이 기준이 되는 경우**: 항고소송은 행정주체가 우월한 지위에서 갖는 공권력의 행사·불행사와 관련된 분쟁의 해결을 위한 것인데 반해, 당사자소송은 그러한 공권력의 행사·불행사의 결과로서 생긴 법률관계에 관한 소송, 그 밖에 대등한 당사자 간에 공법상의 권리·의무에 관한 소송이다.❷

당사자소송
▷ 행정청의 처분 등을 원인으로 하는 법률관계에 관한 소송, 그 밖에 공법상의 법률관계에 관한 소송

성질
▷ 주관적 소송
▷ 시심적 소송

❶ **시심적 쟁송**
시심적이라는 말은 역시 말 그대로 처음 심사를 한다는 뜻이다. 당사자쟁송은 처분을 직접 그 대상으로 하는 것이 아니므로 쟁송을 제기하면, 예컨대 위의 부당이득반환청구소송을 제기하면 그때가서 부당이득반환에 대한 심사가 처음 이루어진다는 뜻이다.

항고소송
▷ 행정주체가 우월한 지위에서 갖는 공권력의 행사·불행사와 관련된 분쟁의 해결을 위한 것

당사자소송
▷ 공권력의 행사·불행사의 결과로서 생긴 법률관계에 관한 소송, 그 밖에 대등한 당사자 간에 공법상의 권리·의무에 관한 소송

❷
예컨대, 행정청이 과세처분을 부과한 경우, 과세처분 자체를 다투는 소송은 항고소송에 해당하고, 그 과세처분의 위법을 전제로 이미 납부한 세금의 반환을 요구하는 부당이득반환문제를 다투는 소송은 당사자소송에 해당한다.

② 금전급부에 관한 소송(항고소송과 당사자소송 사이)
  ㉠ **문제의 소재**: 판례상 항고소송과 당사자소송의 구별이 가장 문제되는 것은 국가를 상대로 하는 각종 급부청구의 경우인바, 금전지급신청에 대해 금전지급을 거부하는 행정청의 결정이 있는 경우에 항고소송으로 다투어야 하는지, 당사자소송으로 다투어야 하는지가 문제가 된다.
  ㉡ **판단기준**: 어떤 급부청구권이 행정청의 인용결정에 의하여 구체적 권리가 비로소 발생되는 경우에는 신청에 대한 행정청의 지급결정이나 지급거부결정을 대상으로 항고소송을 제기하여야 하고, 행정청의 1차적 판단 없이 법령에 의하여 곧바로 구체적인 청구권이 발생하는 경우에는 행정청을 상대로 항고소송을 제기함 없이 곧바로 그 법률관계의 한쪽 당사자를 상대로 급부이행을 청구하는 당사자소송을 제기하여야 한다. 따라서 구체적인 권리가 발생하지 않은 상태에서 당사자소송을 제기하여 급부의 이행을 소구하는 것은 허용되지 않는다.

> 행정청의 결정에 의하여 금전지급에 관한 구체적 권리가 비로소 확정되는 경우
> ▷ 항고소송
>
> 금전지급에 관한 구체적 권리가 법령규정에 의해 바로 발생하는 경우
> ▷ 당사자소송

관련판례

구체적인 권리가 발생하지 않은 상태에서 당사자소송을 제기하여 급부의 이행을 소구하는 것은 허용되지 않는다. ★★

[1] 관계 법령의 해석상 급부를 받을 권리가 법령의 규정에 의하여 직접 발생하는 것이 아니라 급부를 받으려고 하는 자의 신청에 따라 관할 행정청이 지급결정을 함으로써 구체적인 권리가 발생하는 경우에는, 급부를 받으려고 하는 자는 우선 관계 법령에 따라 행정청에 급부지급을 신청하여 행정청이 이를 거부하거나 일부 금액만 인정하는 지급결정을 하는 경우 그 결정을 대상으로 항고소송을 제기하고, 취소·무효확인판결의 기속력에 따른 재처분을 통하여 구체적인 권리를 인정받은 다음 비로소 공법상 당사자소송으로 급부의 지급을 구하여야 하고, 구체적인 권리가 발생하지 않은 상태에서 곧바로 행정청이 속한 국가나 지방자치단체 등을 상대로 한 당사자소송이나 민사소송으로 급부의 지급을 소구하는 것은 허용되지 않는다(대판 2020.10.15. 2020다222382).

[2] 공무원연금법령상 급여를 받으려고 하는 자는 우선 관계 법령에 따라 공단에 급여지급을 신청하여 공무원연금관리공단(현 공무원연금공단)이 이를 거부하거나 일부 금액만 인정하는 급여지급결정을 하는 경우 그 결정을 대상으로 항고소송을 제기하는 등으로 구체적 권리를 인정받은 다음 비로소 당사자소송으로 그 급여의 지급을 구하여야 하고, 구체적인 권리가 발생하지 않은 상태에서 곧바로 공무원연금관리공단등을 상대로 한 당사자소송으로 급여의 지급을 소구하는 것은 허용되지 않는다(대판 2010.5.27. 2008두5636). 이러한 법리는 구체적인 급여를 받을 권리의 확인을 구하기 위하여 소를 제기하는 경우뿐만 아니라, 구체적인 급여수급권의 전제가 되는 지위의 확인을 구하는 경우에도 마찬가지로 적용된다(대판 2017.2.9. 2014두43264).

> 급부를 받을 구체적 권리가 행정청이 지급결정을 함으로써 발생하는 경우
> ▷ 항고소송 ○
> ▷ 곧바로 당사자소송 ×, 민사소송 ×
>
> 「공무원연금법」상 퇴직급여결정
> ▷ 처분 ○
> ▷ 항고소송
>
> 지급결정된 연금의 지급청구소송
> ▷ 당사자소송
>
> 구체적 권리 미발생
> ▷ 당사자소송 불가
>
> ❶ 따라서 공무원연금관리공단의 급여지급결정은 행정처분으로서 급여지급결정에 의해 발생된 권리는 공권이므로 지급결정된 대로 지급이 이루어지지 않을 경우에는 당사자소송으로 그 급여의 지급을 구하여야 한다.

ⓒ 구체적인 사례
  ⓐ 항고소송을 제기하여야 하는 경우

> **관련판례**
>
> **1** '민주화운동관련자 명예회복 및 보상 심의위원회'의 보상금 등의 지급대상자에 관한 결정은 행정처분이고, 민주화운동관련자 명예회복 및 보상 등에 관한 법률에 따른 보상심의위원회의 보상금지급신청의 기각결정에 대한 불복을 구하는 소송은 취소소송에 의한다. ★★★
>
> [1] '민주화운동관련자 명예회복 및 보상 등에 관한 법률' 제2조 제1호·제2호 본문, 제4조, 제10조, 제11조, 제13조 규정들의 취지와 내용에 비추어 보면, 같은 법 제2조 제2호 각 목은 민주화운동과 관련한 피해유형을 추상적으로 규정한 것에 불과하여 법 제2조 제1호에서 정의하고 있는 민주화운동의 내용을 함께 고려하더라도 그 규정들만으로는 바로 법상의 보상금 등의 지급 대상자가 확정된다고 볼 수 없고, 위원회에서 심의·결정을 받아야만 비로소 보상금 등의 지급 대상자로 확정될 수 있다고 할 것이다. 따라서 그와 같은 위원회의 결정은 국민의 권리의무에 직접 영향을 미치는 행정처분에 해당한다고 할 것이므로, 관련자 등으로서 보상금 등을 지급받고자 하는 신청에 대하여 위원회가 관련자 해당 요건의 전부 또는 일부를 인정하지 아니하여 보상금 등의 지급을 기각하는 결정을 한 경우에는 신청인은 위원회를 상대로 그 결정의 취소를 구하는 소송을 제기하여 보상금 등의 지급대상자가 될 수 있다고 할 것이다. ❶
>
> [2] '민주화운동관련자 명예회복 및 보상 등에 관한 법률' 제17조는 보상금 등의 지급에 관한 소송의 형태를 규정하고 있지 않지만, 위 규정 전단에서 말하는 보상금 등의 지급에 관한 소송은 '민주화운동관련자 명예회복 및 보상 심의위원회'의 보상금 등의 지급신청에 관하여 전부 또는 일부를 기각하는 결정에 대한 불복을 구하는 소송이므로 취소소송을 의미한다고 보아야 한다(대판 2008.4.17. 2005두16185).
>
> **2** 공무원연금관리공단의 급여결정에 대한 소송은 항고소송에 해당한다. ★★
>
> 구 공무원연금법 소정의 급여는 급여를 받을 권리를 가진 자가 당해 공무원이 소속하였던 기관장의 확인을 얻어 신청하는 바에 따라 공무원연금관리공단이 그 지급결정을 함으로써 그 구체적인 권리가 발생하는 것이므로, 공무원연금관리공단의 급여에 관한 결정은 국민의 권리에 직접 영향을 미치는 것이어서 행정처분에 해당하고, 공무원연금관리공단의 급여결정에 불복하는 자는 공무원연금급여재심위원회의 심사결정을 거쳐 공무원연금관리공단의 급여결정을 대상으로 행정소송을 제기하여야 한다(대판 1996.12.6. 96누6417).
>
> **3** 국방부장관 등의 급여지급결정에 대한 소송은 항고소송에 해당한다. ★★
>
> 구 군인연금법에 의한 사망보상금 등의 급여를 받을 권리는 법령의 규정에 따라 직접 발생하는 것이 아니라 급여를 받으려고 하는 사람이 소속하였던 군의 참모총장의 확인을 얻어 청구함에 따라 국방부장관 등이 지급결정을 함으로써 구체적인 권리가 발생한다. 국방부장관 등이 하는 급여지급결정은 단순히 급여수급 대상자를 확인·결정하는 것에 그치는 것이 아니라 구체적인 급여수급액을 확인·결정하는 것까지 포함한다. 구 군인연금법령상 급여를 받으려고 하는 사람은 우선 관계 법령에 따라 국방부장관 등에게 급여지급을 청구하여 국방부장관 등이 이를 거부하거나 일부 금액만 인정하는 급여지급결정을 하는 경우 그 결정을 대상으로 항고소송을 제기하는 등으로 구체적 권리를 인정받은 다음 비로소 당사자소송으로 그 급여의 지급을 구해야 한다. 이러한 구체적인 권리가 발생하지 않은 상태에서 곧바로 국가를 상대로 한 당사자소송으로 급여의 지급을 소구하는 것은 허용되지 않는다(대판 2021.12.16. 2019두45944).

'민주화운동관련자 명예회복 및 보상 심의위원회'의 보상금 등의 지급대상자에 관한 결정
▷ 행정처분○

「민주화운동관련자 명예회복 및 보상 등에 관한 법률」에 따른 보상심의위원회의 보상금지급신청의 기각결정에 대해 불복을 구하는 소송
▷ 항고소송

❶ 민주화운동 보상대상자는 법률에 의해 직접 결정되는 것이 아니고 위원회의 결정에 의해 비로소 확정된다. 따라서 위원회의 결정은 처분이고, 보상대상자에서 제외된 자는 위원회의 결정에 대해 항고소송을 제기해야 한다.

「공무원연금법」상 급여결정
▷ 행정처분○

공무원연금관리공단의 급여결정에 대한 소송
▷ 항고소송

구 「군인연금법」상 사망보상금 등 급여지급결정
▷ 행정처분

국방부장관 등의 급여지급결정에 대한 소송
▷ 항고소송

4 육아휴직급여 지급거부결정에 대한 소송은 항고소송에 해당한다. ★★★

사회보장수급권은 법령에서 실체적 요건을 규정하면서 수급권자 여부, 급여액 범위 등에 관하여 행정청이 1차적으로 심사하여 결정하도록 정하고 있는 경우가 일반적이다. 이 사건 육아휴직급여 청구권도 관할 행정청인 직업안정기관의 장이 심사하여 지급결정을 함으로써 비로소 구체적인 수급청구권이 발생하는 경우인 유형에 해당한다(대판 2021.3.18. 2018두47264 전합).

ⓑ 당사자소송을 제기하여야 하는 경우

관련판례

1 광주민주화운동관련자보상에 관한 법률에 따른 보상금지급 청구소송은 당사자소송에 해당한다. ★★

[1] 광주민주화운동관련자보상 등에 관한 법률 제15조 본문의 규정에서 말하는 광주민주화운동관련자 보상심의위원회의 결정을 거치는 것은 보상금 지급에 관한 소송을 제기하기 위한 전치요건에 불과하다고 할 것이므로 위 보상심의위원회의 결정은 취소소송의 대상이 되는 행정처분이라고 할 수 없다.

[2] 같은 법에 의거하여 관련자 및 유족들이 갖게 되는 보상 등에 관한 권리는 헌법 제23조 제3항에 따른 재산권침해에 대한 손실보상청구나 국가배상법에 따른 손해배상청구와는 그 성질을 달리하는 것으로서 법률이 특별히 인정하고 있는 공법상의 권리라고 하여야 할 것이므로 그에 관한 소송은 행정소송법 제3조 제2호 소정의 당사자 소송에 의하여야 할 것이며 보상금 등의 지급에 관한 법률관계의 주체는 대한민국이다(대판 1992.12.24. 92누3335). ❶

2 법령의 개정으로 인한 퇴직연금 일부 금액지급 정지시 미지급퇴직연금 지급을 구하는 소송은 당사자소송에 해당한다. ★★

공무원연금관리공단의 인정에 의하여 퇴직연금을 지급받아 오던 중 구 공무원연금법령의 개정 등으로 퇴직연금 중 일부 금액의 지급이 정지된 경우에는 당연히 개정된 법령에 따라 퇴직연금이 확정되는 것이지 같은 법 제26조 제1항에 정해진 공무원연금관리공단의 퇴직연금 결정과 통지에 의하여 비로소 그 금액이 확정되는 것이 아니므로, 공무원연금관리공단이 퇴직연금 중 일부 금액에 대하여 지급거부의 의사표시를 하였다고 하더라도 그 의사표시는 퇴직연금 청구권을 형성·확정하는 행정처분이 아니라 공법상의 법률관계의 한쪽 당사자로서 그 지급의무의 존부 및 범위에 관하여 나름대로의 사실상·법률상 의견을 밝힌 것일 뿐이어서, 이를 행정처분이라고 볼 수는 없고, 이 경우 미지급퇴직연금에 대한 지급청구권은 공법상 권리로서 그의 지급을 구하는 소송은 공법상의 법률관계에 관한 소송인 공법상 당사자소송에 해당한다(대판 2004.7.8. 2004두244).

3 법관의 미지급 명예퇴직수당지급청구는 당사자소송에 의하여야 한다. ★★★

명예퇴직수당은 명예퇴직수당 지급신청자 중에서 일정한 심사를 거쳐 피고가 명예퇴직수당 지급대상자로 결정한 경우에 비로소 지급될 수 있지만, 명예퇴직수당 지급대상자로 결정된 법관에 대하여 지급할 수당액은 명예퇴직수당규칙 제4조 [별표 1]에 산정 기준이 정해져 있으므로, 위 법관은 위 규정에서 정한 정당한 산정 기준에 따라 산정된 명예퇴직수당액을 수령할 구체적인 권리를 가진다. 따라서 법관이 이미 수령한 수당액이 위 규정에서 정한 정당한 명예퇴직수당액에 미치지 못한다고 주장하며 차액의 지급을 신청함에 대하여 법원행정처장이 거부하는 의사를 표시했더라도, 그 의사표시는 명예퇴직수당액을 형성·확정하는 행정처분이 아니라 공법상의 법률관계의 한쪽 당사자로서 지급의무의 존부 및 범위에 관하여 자신의 의견을 밝힌 것에 불과하므로 행정처분으로 볼 수 없다. 결국 명예퇴직한 법관이 미지급 명예퇴직수당액에 대하여 가지는

함께 정리하기

육아휴직급여 지급거부결정
▷ 행정처분 ○

육아휴직급여 지급거부결정에 대한 소송
▷ 항고소송

광주민주화운동관련자 보상심의위원회의 결정
▷ 행정처분 ✕

광주민주화운동관련자 보상금지급청구
▷ 당사자소송

❶ 광주민주화운동 보상대상자는 법률에 의해 직접 결정되어 보상심의위원회의 결정은 처분이 아니므로 항고소송으로 다툴 수 없고 당사자소송으로 다투어야 한다.

공무원연금관리공단의 퇴직연금 중 일부 금액에 대한 지급거부의 의사표시
▷ 행정처분 ✕

미지급퇴직연금의 지급을 구하는 소송
▷ 당사자소송

명예퇴직한 법관의 미지급 명예퇴직수당액 지급청구
▷ 당사자소송

권리는 명예퇴직수당 지급대상자 결정절차를 거쳐 명예퇴직수당규칙에 의하여 확정된 공법상 법률관계에 관한 권리로서, 그 지급을 구하는 소송은 행정소송법의 당사자소송에 해당하며, 그 법률관계의 당사자인 국가를 상대로 제기하여야 한다(대판 2016.5.24. 2013두14863).

4 군인의 미지급 퇴역연금차액지급청구는 당사자소송에 해당한다. ★★

국방부장관의 인정에 의하여 퇴역연금을 지급받아 오던 중 군인보수법 및 공무원보수규정에 의한 호봉이나 봉급액의 개정 등으로 퇴역연금액이 변경된 경우에는 법령의 개정에 따라 당연히 개정규정에 따른 퇴역연금액이 확정되는 것이지 구 군인연금법 제18조 제1항 및 제2항에 정해진 국방부장관의 퇴역연금액 결정과 통지에 의하여 비로소 그 금액이 확정되는 것이 아니므로, 법령의 개정에 따른 국방부장관의 퇴역연금액 감액조치에 대하여 이의가 있는 퇴역 연금수급권자는 직접 국가를 상대로 정당한 퇴역연금액과 결정, 통지된 퇴역연금액과의 차액의 지급을 구하는 공법상 당사자소송을 제기하는 방법으로 다툴 수 있다(대판 2003.9.5. 2002두3522).

법령의 개정에 따른 국방부장관의 퇴역연금액감액조치에 대한 퇴역연금수급권자의 차액지급청구
▷ 당사자소송

핵심정리 판례에 따른 항고소송의 대상과 당사자소송의 대상

항고소송	• 「민주화운동관련자 명예회복 및 보상 등에 관한 법률」에 따른 보상심의위원회의 보상금지급신청의 기각결정에 대한 불복을 구하는 소송(2005두16185) • 공무원연금관리공단의 급여결정에 대한 소송(96누6417 ; 2004두244) • 공무원연금 수령에 있어 지급결정(2014두43264) • 공무원연금법상 유족부조금 청구에 대한 결정(70다833) • 특수임무수행자보상심의위원회의 특수임무수행자 결정(2008두6554) • 지방계약직공무원에 대한 보수삭감조치(2006두16328) • 진료기관의 보호비용청구에 대하여 보호기관의 지급을 거부한 결정(97다42250)
당사자소송	• 광주민주화운동관련자보상에 관한 법률에 따른 보상금지급 청구소송(92누3335) • 법령의 개정으로 인한 퇴직연금 일부금액지급정지시 퇴직연금지급을 구하는 소송(2004두244) • 법관의 미지급 명예퇴직수당지급청구(2013두14863) • 법령의 개정에 따른 국방부장관의 퇴역연금액감액조치에 대한 퇴역연금수급권자의 차액지급청구소송(2002두3522)

(2) 민사소송과의 구별

① 당사자소송은 대등한 당사자 간의 권리관계를 다투는 소송이라는 점에서 민사소송과는 본질적인 차이는 없으나, 관할이라든가 취소소송과 관련된 규정의 준용여부 등에서 양자의 구별실익이 존재한다.

민사소송과의 구별(판례)
▷ '소송물'이 공법상의 권리: 당사자소송
▷ 사법상의 권리: 민사소송

민사소송과의 구별(통설)
▷ 소송물의 전제가 되는 '법률관계'가 공법상 법률관계: 당사자소송
▷ 사법상 법률관계: 민사소송

구분	당사자소송	민사소송
관련소송 병합	관련 민사소송 병합○	관련 당사자소송의 병합×
행정청의 참가	○	×
직권탐지	○	×
판결의 효력 범위	판결의 기속력이 당해 행정주체 산하 행정청에도 미침	판결의 효력은 소송당사자에게만 미침

② 당사자소송과 민사소송을 어떻게 구별할 것인가에 대하여, 통설은 소송물의 전제되는 '법률관계'의 내용에 의하여 구별하고 있으나, 판례는 '소송물'의 차이를 기준으로 양자를 구별하고 있다. 즉, 판례는 '소송물'이 공법상의 권리이면 당사자소송이고, 사법상의 권리이면 민사소송이라고 보는 반면, 통설은 소송물의 전제가 되는 '법률관계'가 공법상 법률관계이면 당사자소송이고, 사법상 법률관계이면 민사소송이라고 한다.

4. 당사자소송과 항고소송의 관계

(1) 취소소송과 당사자소송의 관계

단순 위법의 하자가 있는 행정행위는 공정력 때문에 유효하다고 통용되므로 취소소송 이외의 방법으로 그 효력을 부인할 수 없다. 그러므로 단순 위법의 하자 있는 파면처분을 받은 공무원은 전심절차(소청심사)를 거쳐 파면처분취소소송을 제기하여야 하고, 바로 당사자소송으로 공무원지위확인소송을 제기할 수는 없다.

(2) 무효등 확인소송과 당사자소송의 관계

처분이 무효인 경우에는 공정력이 없어 누구나 어떠한 방법으로나 그 효력을 부인할 수 있다. 그러므로 공무원 파면처분이 무효인 경우 항고소송으로 파면처분 무효등 확인소송을 제기할 수도 있고, 당사자소송으로 그 파면처분이 무효임을 전제로 공무원지위확인소송을 제기할 수도 있다.

2 당사자소송의 종류

1. 실질적 당사자소송

(1) 의의

실질적 당사자소송이란 행정청의 처분 등의 효력 그 자체에 관한 다툼이 아니라 '공법상의 법률관계에 관한 소송으로서 그 법률관계의 한쪽 당사자를 피고로 하는 소송'을 말한다. 통설은 당사자소송을 실질적 당사자소송과 형식적 당사자소송으로, 실질적 당사자소송을 다시, ① 처분 등을 원인으로 하는 법률관계에 관한 소송과, ② 그 밖에 공법상의 법률관계에 관한 소송으로 구분하고 있다. 통상 당사자소송이라 함은 실질적 당사자소송을 말한다.

(2) 실질적 당사자소송의 예

① 처분 등을 원인으로 하는 법률관계에 관한 소송: 처분 등의 취소나 무효를 전제로 하는 공법상의 부당이득반환청구소송, 공무원의 불법행위로 인한 국가배상청구소송 등이 이에 해당한다. 이들 소송은 성질상 당연히 당사자소송에 속한 것으로 보아야 할 것이나(공권설: 다수설), 판례는 사권설의 입장에서 민사소송절차에 의하여 처리하고 있다(제1편 부당이득반환청구권의 성질, 제6편 「국가배상법」의 법적 성격 참조).

② 그 밖에 공법상의 법률관계에 관한 소송: 공법상의 신분·지위 등의 확인소송, 공법상 금전지급청구소송, 공법상 계약에 관한 소송, 공법상 결과제거청구소송 등이 이에 해당한다.

공무원 파면처분에 취소사유 있는 경우
▷ 파면처분 취소소송 제기 가
▷ 곧바로 공무원지위확인소송(당사자소송) 제기 불가

❶ 다만, 결격사유에 해당한다는 이유로 당연퇴직을 당한 공무원은 취소소송을 제기할 수 없으므로 공무원지위확인소송을 당사자소송으로 제기하여 다툴 수 있다.

공무원 파면처분이 무효인 경우
▷ 파면처분 무효확인소송, 공무원지위확인소송(당사자소송) 제기 가

❷ 무효등 확인소송은 전심절차의 제한이 없으므로 소청을 거칠 것 없이 바로 무효확인소송을 제기할 수 있다.

실질적 당사자소송
▷ 공법상의 권리관계에 관한 소송(통상의 당사자소송이 이에 해당)

함께 정리하기

공법상의 신분·지위·기타 법률관계의 효력 등의 확인소송
▷ 당사자소송

당사자소송으로 확인소송 제기시
▷ 확인소송의 보충성 要(항고소송으로서의 무효등 확인소송과 차이)

공무원(국공립학교 학생, 국가유공자)의 지위확인소송
▷ 당사자소송

도시재개발조합을 상대로 한 조합원 자격유무에 관한 확인을 구하는 소송
▷ 당사자소송

KBS에게 위탁받은 한국전력공사가 수신료를 징수할 권한이 있는지 여부를 다투는 소송
▷ 당사자소송

주택재건축정비사업조합을 상대로 관리처분계획안(사업시행계획안)에 대한 조합총회결의 효력을 다투는 소송
▷ 당사자소송

조합이 수립한 관리처분계획에 대해 인가·고시가 있은 후에 관리처분계획에 관한 조합 총회결의의 하자를 이유로 그 효력을 다투는 경우
▷ 조합을 상대로 항고소송의 방법으로 관리처분계획의 취소 또는 무효확인을 구하여야 함

관리처분계획에 대한 소송
▷ 항고소송

㉠ 공법상의 신분·지위·기타 법률관계의 효력 등의 확인소송

ⓐ 당사자소송은 이행소송뿐만 아니라 확인소송의 형태로도 제기가 가능하므로, 각종 공법상의 권리 및 의무, 지위 및 신분, 권한 등에 대한 확인을 당사자소송으로 제기할 수 있다. 다만, 확인소송의 보충성이 요구된다는 점에서 항고소송으로서의 무효등 확인소송과 차이가 난다.

ⓑ 공무원, 국·공립학생, 국가유공자, 공공조합의 조합원 등의 신분이나 지위·자격 등의 확인을 구하는 소송, 기타 법률관계의 확인을 구하는 소송이 이에 해당한다. 그러나 재개발조합의 조합장 또는 조합임원의 지위를 다투는 소송은 민사소송에 의하여야 한다.

관련판례

1 공무원(국공립학교 학생, 국가유공자)의 지위확인소송은 공법상 당사자소송이다(대판 1998.10.23. 98두12932). ★

2 도시재개발조합을 상대로 한 조합원 자격유무에 관한 확인을 구하는 소송은 당사자소송의 대상이다. ★★

구 도시재개발법에 의한 재개발조합은 조합원에 대한 법률관계에서 적어도 특수한 존립목적을 부여받은 특수한 행정주체로서 국가의 감독하에 그 존립 목적인 특정한 공공사무를 행하고 있다고 볼 수 있는 범위 내에서는 공법상의 권리의무관계에 서있다. 따라서 조합을 상대로 한 쟁송에 있어서 강제가입제를 특색으로 한 조합원의 자격 인정 여부에 관하여 다툼이 있는 경우에는 그 단계에서는 아직 조합의 어떠한 처분 등이 개입될 여지는 없으므로 공법상의 당사자소송에 의하여 그 조합원 자격의 확인을 구할 수 있다(대판 1996.2.15. 94다31235).

3 KBS에게 위탁받은 한국전력공사가 수신료를 징수할 권한이 있는지 여부를 다투는 소송(방송수신료통합징수권한부존재확인소송)은 당사자소송에 의하여야 한다(대판 2008.7.24. 2007다25261). ★★

4 주택재건축정비사업조합을 상대로 관리처분계획안에 대한 조합총회결의의 효력을 다투는 소송은 당사자소송에 해당한다. ★★★

도시 및 주거환경정비법상 행정주체인 재건축조합을 상대로 관리처분계획안에 대한 조합 총회결의의 효력 등을 다투는 소송은 행정처분에 이르는 절차적 요건의 존부나 효력 유무에 관한 소송으로서 그 소송결과에 따라 행정처분의 위법 여부에 직접 영향을 미치는 공법상 법률관계에 관한 것이므로, 이는 행정소송법상의 당사자소송에 해당한다(대판 2009.9.17. 2007다2428).

> **비교** 관리처분계획에 대해서는 항고소송으로 다투어야 한다. ★★★
> 도시 및 주거환경정비법상 주택재건축정비사업조합이 같은 법 제48조에 따라 수립한 관리처분계획에 대한 관할 행정청의 인가·고시까지 있게 되면 관리처분계획은 행정처분으로서 효력이 발생하게 되므로, 총회결의의 하자를 이유로 하여 행정처분의 효력을 다투는 항고소송의 방법으로 관리처분계획의 취소 또는 무효확인을 구하여야 하고, 그와 별도로 행정처분에 이르는 절차적 요건 중 하나에 불과한 총회결의 부분만을 따로 떼어내어 효력 유무를 다투는 확인의 소를 제기하는 것은 특별한 사정이 없는 한 허용되지 않는다고 보아야 한다(대판 2009.9.17. 2007다2428).

5 도시정비법에 따른 정비기반시설의 소유권 귀속에 관한 소송은 당사자소송에 해당한다. ★

구 도시정비법 제65조 제2항의 입법 취지와 구 도시정비법(제1조)의 입법 목적을 고려하면, 위 후단 규정에 따른 정비기반시설의 소유권 귀속에 관한 국가 또는 지방자치단체와 정비사업시행자 사이의 법률관계는 공법상의 법률관계로 보아야 한다. 따라서 위 후단 규정에 따른 정비기반 시설의 소유권 귀속에 관한 소송은 공법상의 법률관계에 관한 소송으로서 행정소송법 제3조 제2호에서 규정하는 당사자소송에 해당한다(대판 2018.7.26. 2015다221569).

6 사업시행자가 토지소유자를 상대로 토지의 일시 사용에 대한 동의의 의사표시를 할 의무의 존부를 다투는 소송은 당사자소송이다. ★★★

국토의 계획 및 이용에 관한 법률 제130조 제3항에서 정한 토지의 소유자·점유자 또는 관리인(이하 '소유자 등'이라 한다)이 사업시행자의 일시 사용에 대하여 정당한 사유 없이 동의를 거부하는 경우, 사업시행자는 해당 토지의 소유자 등을 상대로 동의의 의사표시를 구하는 소를 제기할 수 있다. 이와 같은 토지의 일시 사용에 대한 동의의 의사표시를 할 의무는 '국토의 계획 및 이용에 관한 법률'에서 특별히 인정한 공법상의 의무이므로, 그 의무의 존부를 다투는 소송은 '공법상의 법률관계에 관한 소송으로서 그 법률관계의 한쪽 당사자를 피고로 하는 소송', 즉 행정소송법 제3조 제2호에서 규정한 당사자소송이라고 보아야 한다(대판 2019.9.9. 2016다262550).

7 재개발조합과 조합장 또는 조합 임원 사이의 선임·해임 등을 둘러싼 법률관계는 사법상의 법률관계로서 그 조합장 또는 조합 임원의 지위를 다투는 소송은 민사소송에 의하여야 한다. ★★★

구 도시 및 주거환경정비법상 재개발조합이 공법인이라는 사정만으로 재개발조합과 조합장 또는 조합임원 사이의 선임·해임 등을 둘러싼 법률관계가 공법상의 법률관계에 해당한다거나 그 조합장 또는 조합임원의 지위를 다투는 소송이 당연히 공법상 당사자소송에 해당한다고 볼 수는 없고, 구 도시 및 주거환경정비법의 규정들이 재개발조합과 조합장 및 조합임원과의 관계를 특별히 공법상의 근무관계로 설정하고 있다고 볼 수도 없으므로, 재개발조합과 조합장 또는 조합임원 사이의 선임·해임 등을 둘러싼 법률관계는 사법상의 법률관계로서 그 조합장 또는 조합 임원의 지위를 다투는 소송은 민사소송에 의하여야 할 것이다(대결 2009.9.24. 2009마168).

함께 정리하기

도시정비법에 따른 정비기반시설의 소유권 귀속에 관한 소송
▷ 당사자소송

사업시행자가 토지소유자를 상대로 토지의 일시 사용에 대한 동의의 의사표시를 구하는 소송
▷ 당사자소송

재개발조합 조합장·조합임원 선임·해임 등에 관한 법률관계
▷ 사법상의 법률관계

재개발조합의 조합장 또는 조합임원의 지위를 다투는 소송
▷ 민사소송

핵심정리 공법상의 신분·지위·기타 법률관계의 효력 등의 확인소송 – 당사자소송·민사소송

당사자소송	• 공무원(국공립학교 학생, 국가유공자)의 지위확인소송(98두12932) • 도시재개발조합을 상대로 한 조합원 자격유무에 관한 확인을 구하는 소송(94다31235) • KBS에게 위탁받은 한국전력공사가 수신료를 징수할 권한이 있는지 여부를 다투는 소송(2007다25261) • 주택재건축정비사업조합을 상대로 관리처분계획안(사업시행계획안)에 대한 조합총회결의의 효력을 다투는 소송(2007다2428 ; 2008다6328) 　비교 관리처분계획은 항고소송의 대상이 되는 행정처분임(2001두6333) • 도시정비법에 따른 정비기반시설의 소유권 귀속에 관한 소송(2015다221569) • 「국토의 계획 및 이용에 관한 법률」상 토지소유자 등이 도시·군계획시설 사업시행자의 토지의 일시 사용에 대하여 정당한 사유 없이 동의를 거부한 경우, 사업시행자가 토지소유자를 상대로 동의의 의사표시를 구하는 소송(2016다262550) • 농지개량조합에 대한 직원지위확인소송(76다3022) • 태극무공훈장을 수여받은 자임의 확인을 구하는 소송(90누4440) • 지방자치단체가 토지구획정리조합을 상대로 환지처분의 공고 다음 날에 토지의 소유권을 원시취득할 지위에 있음의 확인을 구한 소송(2016다221566) • 도시개발사업조합의 「도시개발법」에 따른 청산금지급청구소송(2013다1211) • 납세의무부존재확인소송(99두2765) • 고용·산재보험료 납부의무 부존재확인의 소(2016다221658) • 영관생계보조기금권리자확인 등 공법상의 권리관계확인소송(90누3041)
민사소송	• 재개발조합의 조합장 또는 조합임원의 지위를 다투는 소송(2009마168·169) • 주택재건축정비사업조합과 조합설립 미동의자 사이의 매도청구에 관한 소송(2009다93923)

ⓒ 공법상 금전급부소송
　ⓐ 손실보상청구권, 공무원의 수당 및 연금청구권, 보조금지급청구권, 환급세액지급청구권 및 각종 사회보장급부청구권에 관한 소송 등이 이에 해당한다.
　ⓑ 판례는 금전지급을 받을 권리가 행정청의 지급결정의 매개 없이 법령에 의하여 직접 발생하는 경우(법령에 이미 구체적으로 명확하게 확정되어 있는 경우), 그 권리가 공권으로 해석되면 당사자소송, 사권으로 해석되면 민사소송의 영역이라는 입장이다.❶
　ⓒ 구체적인 사례
　　㉮ 당사자소송을 제기하여야 하는 경우

관련판례

1 하천구역 편입토지에 대한 손실보상청구권에 관한 소송은 당사자소송에 의하여야 한다.
★★★

하천법 부칙(1984.12.31.) 제2조와 '법률 제3782호 하천법 중 개정법률 부칙 제2조의 규정에 의한 보상청구권의 소멸시효가 만료된 하천구역 편입토지 보상에 관한 특별조치법' 제2조, 제6조의 각 규정들을 종합하면, <u>위 규정들에 의한 손실보상청구권은 1984.12.31.전에 토지가 하천구역으로 된 경우에는 당연히 발생되는 것이지, 관리청의 보상금지급결정에 의하여 비로소 발생하는 것은 아니므로, 위 규정들에 의한 손실보상금의 지급을 구하거나 손실보상청구권의 확인을 구하는 소송은 행정소송법 제3조 제2호 소정의 당사자소송에 의하여야 한다</u>(대판 2006.5.18. 2004다6207).

이미 확정된 금전지급 청구
▷ 공권에 관한 권리인 경우: 당사자소송
▷ 사권에 관한 권리인 경우: 민사소송

❶ 최근 금전급부청구에 관한 소송에 있어서 금전급부가 사회보장적 성격이나 정책지원금의 성격을 가지고 있는 경우 민사소송이 아닌 당사자소송의 대상이 되는 것으로 보는 판례가 늘고 있다.

하천구역편입토지 손실보상청구소송
▷ 당사자소송

2 구 공익사업을 위한 토지 등의 취득 및 보상에 관한 법률에 의한 주거이전비보상청구소송은 당사자소송에 의하여야 한다. ★★★

[1] 주거이전비는 당해 공익사업 시행지구 안에 거주하는 세입자들의 조기이주를 장려하여 사업추진을 원활하게 하려는 정책적인 목적과 주거이전으로 인하여 특별한 어려움을 겪게 될 세입자들을 대상으로 하는 사회보장적인 차원에서 지급되는 금원의 성격을 가지므로, 적법하게 시행된 공익사업으로 인하여 이주하게 된 주거용 건축물 세입자의 주거이전비 보상청구권은 공법상의 권리이고, 따라서 그 보상을 둘러싼 쟁송은 민사소송이 아니라 공법상의 법률관계를 대상으로 하는 행정소송에 의하여야 한다.

[2] 세입자의 주거이전비 보상청구소송의 형태에 관하여 보건대, 공익사업법 제78조 제5항, 제7항, 공익사업법 시행규칙 제54조 제2항 본문, 제3항의 각 조문을 종합하여 보면 위 주거이전비 보상청구권은 그 요건을 충족하는 경우에 당연히 발생되는 것이므로, 주거이전비 보상청구소송은 행정소송법 제3조 제2호에 규정된 당사자소송에 의하여야 할 것이다(대판 2008.5.29. 2007다8129).

3 지방소방공무원의 초과근무수당의 지급을 청구하는 소송은 당사자소송의 절차에 따라야 한다. ★★★

지방자치단체와 그 소속 경력직 공무원인 지방소방공무원 사이의 관계, 즉 지방소방공무원의 근무관계는 사법상의 근로계약관계가 아닌 공법상의 근무관계에 해당하고, 그 근무관계의 주요한 내용 중 하나인 지방소방공무원의 보수에 관한 법률관계는 공법상의 법률관계라고 보아야 한다. 나아가 관련규정 등을 종합하여 보면, 지방소방공무원의 초과근무수당 지급청구권은 법령의 규정에 의하여 직접 그 존부나 범위가 정하여지고 법령에 규정된 수당의 지급요건에 해당하는 경우에는 곧바로 발생한다고 할 것이므로, 지방소방공무원이 자신이 소속된 지방자치단체를 상대로 초과근무수당의 지급을 구하는 청구에 관한 소송은 행정소송법 제3조 제2호에 규정된 당사자소송의 절차에 따라야 한다(대판 2013.3.28. 2012다102629).

4 공무원의 연가보상비 지급 청구는 당사자소송에 의하여야 한다. ★★

국가공무원법 제67조, 구 공무원복무규정등의 각 규정에 비추어 보면, 공무원의 연가보상비청구권은 공무원이 연가를 실시하지 아니하는 등 법령상 정해진 요건이 충족되면 그 자체만으로 지급기준일 또는 보수지급기관의 장이 정한 지급일에 구체적으로 발생하고 행정청의 지급결정에 의하여 비로소 발생하는 것은 아니라고 할 것이므로, 행정청이 공무원에게 연가보상비를 지급하지 아니한 행위로 인하여 공무원의 연가보상비청구권 등 법률상 지위에 아무런 영향을 미친다고 할 수는 없으므로 행정청의 연가보상비 부지급 행위는 항고소송의 대상이 되는 처분이라고 볼 수 없다(대판 1999.7.23. 97누10857).

5 (지방자치단체가 보조금 지급결정을 하면서 일정 기한 내에 보조금을 반환하도록 하는 교부조건을 부가한 사안에서) 보조금을 교부받은 사업자에 대한 지방자치단체의 보조금반환청구는 당사자소송의 대상이다. ★

보조사업자의 지방자치단체에 대한 보조금 반환의무는 행정처분인 위 보조금 지급결정에 부가된 부관상 의무이고, 이러한 부관상 의무는 보조사업자가 지방자치단체에 부담하는 공법상 의무이므로, 보조사업자에 대한 지방자치단체의 보조금반환청구는 공법상 권리관계의 일방 당사자를 상대로 하여 공법상 의무이행을 구하는 청구로서 행정소송법 제3조 제2호에 규정한 당사자소송의 대상이다(대판 2011.6.9. 2011다2951).

 함께 정리하기

구 「공익사업을 위한 토지 등의 취득 및 보상에 관한 법률」상 세입자의 주거이전비 보상청구소송
▷ 당사자소송

지방소방공무원의 초과근무수당 지급청구소송
▷ 당사자소송

행정청의 연가보상비 부지급 행위
▷ 행정처분×

공무원의 연가보상비 지급청구소송
▷ 당사자소송

지방자치단체가 보조금 지급결정을 하면서 일정 기한 내에 보조금을 반환하도록 하는 교부조건을 부가한 경우, 지방자치단체의 보조사업자에 대한 보조금반환청구소송
▷ 당사자소송

함께 정리하기

강제징수
▷ 중앙서의 장 반환하여야 할 보조금에 대하여 국세징수의 예에 따라 강제징수 가
▷ 민사소송으로 반환청구 불가

> **비교** 중앙관서의 장은 반환하여야 할 보조금에 대하여 국세징수의 예에 따라 강제징수할 수 있다. ★★
>
> 보조금의 예산 및 관리에 관한 법률은 제30조 제1항에서 중앙관서의 장은 보조사업자가 허위의 신청이나 기타 부정한 방법으로 보조금의 교부를 받은 때 등의 경우 보조금 교부결정의 전부 또는 일부를 취소할 수 있도록 규정하고, 제31조 제1항에서 중앙관서의 장은 보조금의 교부결정을 취소한 경우에 취소된 부분의 보조사업에 대하여 이미 교부된 보조금의 반환을 명하여야 한다고 규정하고 있으며, 제33조 제1항에서 위와 같이 반환하여야 할 보조금에 대하여는 국세징수의 예에 따라 이를 징수할 수 있도록 규정하고 있으므로, 중앙관서의 장으로서는 반환하여야 할 보조금을 국세체납처분의 예에 의하여 강제징수 할 수 있고, 위와 같은 중앙관서의 장이 가지는 반환하여야 할 보조금에 대한 징수권은 공법상 권리로서 사법상 채권과는 성질을 달리하므로, 중앙관서의 장으로서는 보조금을 반환하여야 할 자에 대하여 민사소송의 방법으로는 반환청구를 할 수 없다고 보아야 한다(대판 2012.3.15. 2011다17328).

구「석탄산업법」상의 석탄가격안정지원금 지급청구소송
▷ 당사자소송

6 석탄가격안정지원금 지급청구권은 석탄산업법령에 의하여 정책적으로 당연히 부여되는 공법상 권리이므로, 지원금의 지급을 구하는 소송은 공법상 당사자소송의 대상이 된다(대판 1997.5.30. 95다28960). ★★

「석탄사업법」등에 의한 재해위로금의 지급청구소송
▷ 당사자소송

7 석탄산업법령상 폐광된 광산에서 업무상 재해를 입은 근로자에게 지급하는 재해위로금의 지급 청구는 당사자소송에 의하여야 한다. ★★

석탄산업법 제39조의3 제1항 제4호, 제4항 및 같은 법 시행령 제41조 제4항 제5호의 각 규정에 의하여 폐광대책비의 일종으로 폐광된 광산에서 업무상 재해를 입은 근로자에게 지급하는 재해위로금은, 국내의 석탄수급상황을 감안하여 채탄을 계속하는 것이 국민경제의 균형발전을 위하여 바람직하지 못하다고 판단되는 경제성이 없는 석탄광산을 폐광함에 있어서 그 광산에서 입은 재해로 인하여 전업 등에 특별한 어려움을 겪게 될 퇴직근로자를 대상으로 사회보장적인 차원에서 통상적인 재해보상금에 추가하여 지급하는 위로금의 성격을 갖는 것이고, 이러한 재해위로금에 대한 지급청구권은 공법상의 권리로서 그 지급을 구하는 소송은 공법상의 법률관계에 관한 소송인 공법상 당사자소송에 해당한다(대판 1999.1.26. 98두12598).

공립유치원 전임강사에 대한 해임처분의 시정 및 수령지체된 보수의 지급을 구하는 소송
▷ 행정소송의 대상

8 공립유치원 전임강사에 대한 해임처분의 시정 및 수령지체된 보수의 지급을 구하는 소송은 당사자소송에 의하여야 한다. ★★

교육부장관(당시 문교부장관)의 권한을 재위임 받은 공립교육기관의 장에 의하여 공립유치원의 임용기간을 정한 전임강사로 임용되어 지방자치단체로부터 보수를 지급받으면서 공무원복무규정을 적용받고 사실상 유치원 교사의 업무를 담당하여 온 유치원 교사의 자격이 있는 자는 교육공무원에 준하여 신분보장을 받는 정원 외의 임시직 공무원으로 봄이 상당하므로 그에 대한 해임처분의 시정 및 수령지체된 보수의 지급을 구하는 소송은 행정소송의 대상이지 민사소송의 대상이 아니다(대판 1991.5.10. 90다10766).

부가가치세 환급세액지급청구
▷ 당사자소송

9 납세의무자의 부가가치세 환급세액 지급청구는 당사자소송의 대상이다. ★★★

납세의무자에 대한 국가의 부가가치세 환급세액 지급의무는 부가가치세법령의 규정에 의하여 직접 발생하는 것으로서, 그 법적 성질은 정의와 공평의 관념에서 수익자와 손실자 사이의 재산상태 조정을 위해 인정되는 부당이득반환의무가 아니라 부가가치세법령에 의하여 그 존부나 범위가 구체적으로 확정되고 조세 정책적 관점에서 특별히 인정되는 공법상 의무라고 봄이 타당하다. 그렇다면 납세의무자에 대한 국가의 부가가치세 환급세액 지급의무에 대응하는 국가에 대한 납세의무자의 부가가치세 환급세액 지급청구는 민사소송이 아니라 「행정소송법」 제3조 제2호에 규정된 당사자소송의 절차에 따라야 한다(대판 2013.3.21. 2011다95564).

㉯ 민사소송을 제기하여야 하는 경우

> **관련판례**
>
> **1** (국세환급금에 관한 국세기본법 및 구 국세기본법 제51조 제1항은 이미 부당이득으로서 존재와 범위가 확정되어 있는 과오납부액이 있는 때에는 국가가 납세자의 환급신청을 기다리지 않고 즉시 반환하는 것이 정의와 공평에 합당하다는 법리를 선언하고 있는 것이므로) 이미 존재와 범위가 확정되어 있는 과오납부액은 납세자가 부당이득의 반환을 구하는 민사소송으로 환급을 청구할 수 있다(대판 2015.8.27. 2013다212639). ★★
>
> **2** 환매권의 존부에 관한 확인 및 환매금액의 증감을 구하는 소송은 민사소송에 해당한다. ★★★
>
> 구 공익사업을 위한 토지 등의 취득 및 보상에 관한 법률(이하 '구 공익사업법'이라 한다) 제91조에 규정된 환매권은 상대방에 대한 의사표시를 요하는 형성권의 일종으로서 재판상이든 재판 외이든 위 규정에 따른 기간 내에 행사하면 매매의 효력이 생기는 바, 이러한 환매권의 존부에 관한 확인을 구하는 소송 및 구 공익사업법 제91조 제4항에 따라 환매금액의 증감을 구하는 소송 역시 민사소송에 해당한다(대판 2013.2.28. 2010두22368).

확정된 과오납부액·환급세액 환급청구
▷ 민사소송

환매권의 존부에 관한 확인·환매금액의 증감을 구하는 소송
▷ 민사소송

핵심정리 | 공법상 금전지급청구소송 중 당사자소송인 경우와 민사소송인 경우

당사자소송	• 구「하천법」상 하천구역 편입토지에 대한 손실보상청구권(2004다6207) • 구「공익사업을 위한 토지 등의 취득 및 보상에 관한 법률」상 세입자의 주거이전비 보상청구소송(2007다8129) • 지방소방공무원의 초과근무수당 지급청구소송(2012다102629) • 공무원의 연가보상비 지급 청구소송(97누10857) • 지방자치단체가 보조금 지급결정을 하면서 일정 기한 내에 보조금을 반환하도록 하는 교부조건을 부가한 경우, 지방자치단체의 보조사업자에 대한 보조금반환청구소송(2011다2951) •「석탄사업법」에 의한 석탄가격안정지원금청구소송(95다28960) •「석탄사업법」등에 의한 재해위로금의 지급을 구하는 소송(98두12598) • 공립유치원 교사의 수령지체된 보수지급청구소송(90다10766) • 부가가치세 환급세액 지급청구(2011다95564) • 토지보상법 제85조 제2항의 보상금증감청구소송(91누285) • 수도료부과처분의 무효로 인한 채무부존재확인소송(76다2517) • 무상 사용기간에 영향 주는 총사업비를 관리청이 부당산정한 경우, 비관리청의 권리범위확인소송(99두10148) • 공유수면매립사업으로 인한 관행어업권을 상실한 자의 보상금증감청구소송(99다56468 ; 2002다73807) • 국책사업인 '한국형 헬기 개발사업'에 개발주관사업자 중 하나로 참여하여 국가 산하 중앙행정기관인 방위사업청과 '한국형헬기 민군겸용 핵심구성품 개발협약'을 체결한 회사의 협약금액을 초과하는 비용에 대한 지급청구소송(2015다215526)
민사소송	• 법령상 이미 존재와 범위가 확정되어 있는 조세과오납부액의 반환을 구하는 소송(2013다212639 ; 97다26432) • 환매권의 존부에 관한 확인 및 환매금액의 증감을 구하는 소송(2010두22368) • 국·공유 일반재산(구 잡종재산)의 대부료납부에 관한 소송(99다61675 ; 2010다59646) • 토지의 협의취득시 보상금청구소송(98다48866) • 국세환급금결정이나 거부결정(2007두18284) • 토지의 협의취득시 보상금청구소송(98다48866) • 종합유선방송위원회 사무국 직원들의 임금·퇴직금 지급청구(2001다54038)

함께 정리하기

공법상 계약에 관한 소송
▷ 당사자소송

공법상 계약의 한쪽 당사자가 다른 당사자를 상대로 효력을 다투거나 이행을 청구하는 소송
▷ 당사자소송

❶ 서울 강남·서초 보금자리주택지구 개발사업을 시행하면서 구 「학교용지 확보 등에 관한 특례법」(이하 '구 학교용지법'이라고 한다) 제4조의2에 따라 사업지구 내에 신설 초·중등학교의 시설을 설치하여 무상공급하고 그 설치비용을 원고(한국토지주택공사)와 서울특별시 교육감이 분담한다는 내용의 이 사건 협약은 공법인인 원고가 보금자리주택지구 개발사업 시행이라는 공행정활동을 수행하는 과정에서 구 학교용지법 제4조의2에 따른 '학교시설 무상공급 의무'의 이행과 관련하여 관할 교육감과 구체적인 이행방법, 시기, 비용 분담 등을 약정한 것이므로 공법상 계약에 해당하고, 그에 따른 계약상 의무의 존부·범위에 관한 분쟁은 공법상 당사자소송의 대상이라고 보아야 한다(학교시설사업비, 대판 2021.2.4. 2019다277133).

공법상 결과제거청구소송
▷ 당사자소송

❷ 판례는 공법상 위법상태의 제거를 구하는 당사자소송은 인정되지 않으므로, 「민법」 제213조(소유물반환청구권), 제214조(소유물방해제거청구권), 제764조(명예회복에 적당한 처분)에 근거하여 민사소송으로 물건의 반환, 방해의 제거, 정정보도 등을 청구하도록 하고 있다.

ⓒ **공법상 계약에 관한 소송**: 판례에 의하면 행정주체 상호 간 또는 행정주체와 사인 간의 공법상 계약에 관한 법적 분쟁은 공법상의 법률관계에 관한 소송인 당사자소송에 의하여야 한다(제2편 공법상 계약의 관련판례 참조). 판례는 계약직 공무원의 임면에 관한 소송과 공중보건의사 채용계약해지와 관련된 소송, 서울시립무용단원의 해촉에 관한 소송을 당사자소송으로 다룬바 있다.

> **관련판례**
>
> 공법상 계약의 한쪽 당사자가 다른 당사자를 상대로 효력을 다투거나 이행을 청구하는 소송은 공법상 법률관계에 관한 분쟁이므로 특별한 사정이 없는 한 공법상 당사자소송으로 제기하여야 한다. ★★
>
> [1] 공법상 당사자소송이란 행정청의 처분 등을 원인으로 하는 법률관계에 관한 소송 그 밖에 공법상의 법률관계에 관한 소송으로서 그 법률관계의 한쪽 당사자를 피고로 하는 소송을 말한다(행정소송법 제3조 제2호). 공법상 계약이란 공법적 효과의 발생을 목적으로 하여 대등한 당사자 사이의 의사표시의 합치로 성립하는 공법행위를 말한다. 공법상 계약의 한쪽 당사자가 다른 당사자를 상대로 효력을 다투거나 이행을 청구하는 소송은 공법상의 법률관계에 관한 분쟁이므로 분쟁의 실질이 공법상 권리·의무의 존부·범위에 관한 다툼이 아니라 손해배상액의 구체적인 산정방법·금액에 국한되는 등의 특별한 사정이 없는 한 공법상 당사자소송으로 제기하여야 한다(학교시설사업비, 대판 2021.2.4. 2019다277133). ❶
>
> [2] 어떠한 계약이 공법상 계약에 해당하는지는 계약이 공행정 활동의 수행 과정에서 체결된 것인지, 계약이 관계 법령에서 규정하고 있는 공법상 의무 등의 이행을 위해 체결된 것인지, 계약 체결에 계약 당사자의 이익만이 아니라 공공의 이익 또한 고려된 것인지 또는 계약 체결의 효과가 공공의 이익에도 미치는지, 관계 법령에서의 규정 내지 그 해석 등을 통해 공공의 이익을 이유로 한 계약의 변경이 가능한지, 계약이 당사자들에게 부여한 권리와 의무 및 그 밖의 계약 내용 등을 종합적으로 고려하여 판단하여야 한다(산업기술혁신 촉진법상 산업기술개발사업에 관하여 체결된 협약에 따라 집행된 사업비 정산금 반환채무의 존부에 대한 분쟁이 공법상 당사자소송의 대상인지 문제된 사건, 채무부존재확인의소, 甲 주식회사 등으로 구성된 컨소시엄과 한국에너지기술평가원은 산업기술혁신 촉진법 제11조 제4항에 따라 산업기술개발사업에 관한 협약을 체결하고, 위 협약에 따라 정부출연금이 지급되었는데, 한국에너지기술평가원이 甲 회사가 외부 인력에 대한 인건비를 위 협약에 위반하여 집행하였다며 甲 회사에 정산금 납부 통보를 하자, 甲 회사는 한국에너지기술평가원 등을 상대로 정산금 반환채무가 존재하지 아니한다는 확인을 구하는 소를 민사소송으로 제기한 사안에서, 위 협약은 공법상 계약에 해당하고 그에 따른 계약상 정산의무의 존부·범위에 관한 갑 회사와 한국에너지기술평가원의 분쟁은 공법상 당사자소송의 대상이라고 한 사례, 대판 2023.6.29. 2021다250025).

ⓔ **공법상 결과제거청구소송**: 결과제거청구소송은 위법한 처분으로 생긴 외형적 결과를 제거하기 위한 제도이므로 처분 등을 원인으로 하는 법률관계에 관한 소송으로서 당사자소송에 해당한다. 그러나 소송실무에서는 민사소송으로 처리하고 있다. ❷

2. 형식적 당사자소송

(1) 의의

형식적 당사자소송은 실질적으로 행정청의 처분 등의 효력을 다투는 항고소송의 성질을 가지고 있지만, 형식적으로는 (소송형태상) 처분 등의 효력을 다투지 않고, 또한 처분청을 피고로 하지도 않고, 그 대신 처분 등으로 인해 형성된 법률관계를 다투기 위해 그 법률관계의 일방 당사자를 피고로 하여 제기하는 소송을 말한다. 즉, 소송의 실질적 내용은 처분 등에 대한 불복이지만 소송형식은 항고소송이 아닌 당사자소송을 취하는 것이 형식적 당사자소송이다.

(2) 형식적 당사자소송의 일반적 인정여부(허용성)

① **문제점**: 일반적으로 형식적 당사자소송의 근거로 「행정소송법」 제3조 제2호(당사자소송의 정의)를 들고 있는데, 개별법에 근거가 없는 경우에도 이 규정만으로 형식적 당사자소송을 인정할 수 있는지에 관하여 견해의 대립이 있다.

② **학설**: 개별법에 근거가 없는 경우에도 「행정소송법」 제3조 제2호를 근거로 형식적 당사자소송을 인정할 수 있다는 견해(긍정설)도 있으나, 「행정소송법」 제3조 제2호가 형식적 당사자소송의 일반적인 근거가 될 수 없으므로 형식적 당사자소송을 인정하는 명문의 규정이 없는 한 형식적 당사자소송을 인정할 수 없다는 견해(부정설)가 다수설이다.❶

(3) 개별법상의 근거규정

현행법상 인정되는 형식적 당사자소송의 예로는 「공익사업을 위한 토지 등의 취득 및 보상에 관한 법률」(제85조 제2항), 「특허법」(제191조) 등이 있다.

① **「공익사업을 위한 토지 등의 취득 및 보상에 관한 법률」(약칭: 토지보상법)**: 토지보상법 제85조 제2항에서는 보상금의 증감에 관한 소송을 제기하는 경우 그 소송을 제기하려는 자가 ㉠ 토지소유자 또는 관계인인 때에는 사업시행자를, ㉡ 사업시행자인 때에는 토지소유자 또는 관계인을 각각 피고로 한다고 규정하고 있다. 이는 구 토지수용법과는 달리 재결청(토지수용위원회)을 피고에서 배제하여 당해 소송이 형식적 당사자소송임을 명확히 한 것으로 평가된다.

> **관련판례**
>
> **구 토지수용법상 토지수용보상금 증감청구소송은 당사자소송에 의하여야 한다.** ★★
> 구 토지수용법 제75조의2 제2항의 규정(현행 토지보상법 제85조 제2항)은 그 제1항에 의하여 이의재결에 대하여 불복하는 행정소송을 제기하는 경우, 이것이 보상금의 증감에 관한 소송인 때에는 이의재결에서 정한 보상금이 증액 변경될 것을 전제로 하여 기업자(현 사업시행자)를 상대로 보상금의 지급을 구하는 공법상의 당사자소송을 규정한 것으로 볼 것이다(대판 1991.11.26. 91누285).

② **「특허법」**: 「특허법」 제187조에 의하면 항고심판의 심결을 받은 자가 제소할 때에는 특허청장을 피고로 하여야 한다. 그러나 제191조에 의하면 보상금 또는 대가에 관한 불복소송은 보상금을 지급할 관서 또는 출원인·특허권자 등을 피고로 하여야 하는데 이는 형식적 당사자소송임을 명확히 밝힌 것이다.

함께 정리하기

형식적 당사자소송
▷ 실질적으로 행정청의 처분 등의 효력을 다투는 항고소송의 성질을 가지고 있지만, 형식적으로는 당사자소송의 형식을 취하는 소송

소송의 실질
▷ 처분 등에 대한 불복

소송의 형식
▷ 당사자소송

다수설
▷ 형식적 당사자소송을 인정하는 명문의 규정이 없는 한 형식적 당사자소송을 인정할 수 없다는 견해(부정설)

❶
부정설은 공정력을 갖는 처분을 그대로 둔 채 당해 처분을 원인으로 한 법률관계에 관한 소송을 제기하여 법원이 이를 심리하고 판단하는 것은 공정력 혹은 구성요건적 효력에 반하고, 개별법의 규정이 없다면 당사자적격과 소송제기기간 등 소송요건이 불명확하여 현실적으로 소송을 진행하기가 어렵다는 점 등을 논거로 든다.

토지보상법상 보상금증감소송
▷ 형식적 당사자소송(토지수용위원회를 피고에서 배제)

구 토지수용법상 토지수용보상금 증감청구소송(현행 토지보상법 제85조 제2항)
▷ 당사자소송

「특허법」상 보상금소송
▷ 형식적 당사자소송(특허청장 피고에서 배제)

3 당사자소송의 소송요건 및 절차

1. 소송요건

(1) 소의 대상

당사자소송의 대상은 처분 등을 원인으로 하는 법률관계와 그밖에 공법상의 법률관계이다(동법 제3조 제2호). 이 점에서 처분 등을 대상으로 하는 항고소송과 구별된다.

(2) 원고적격 및 협의의 소의 이익

① 「행정소송법」은 항고소송과 달리 당사자소송의 원고적격에 관하여 별도의 규정을 두고 있지 않다. 당사자소송도 민사소송과 유사하므로, 「행정소송법」 제8조 제2항의 규정에 의해 「민사소송법」상의 원고적격에 관한 규정이 준용된다. 그에 따라 당사자소송의 성질이 이행소송인 경우에는 이행청구권이 자신에게 있음을 주장하는 자에게 원고적격이 있고, 확인소송인 경우에는 확인의 이익을 가지는 자에게 원고적격이 있다.

② 「민사소송법」이 준용됨에 따라 공법상 법률관계의 확인을 구하는 당사자소송의 경우 즉, 공법상 당사자소송인 확인소송의 경우에는 항고소송인 무효확인소송에서와 달리 확인의 이익(즉시확정이익)이 요구된다.

> **관련판례**
>
> **1 확인의 소에서 확인의 이익** ★★
>
> [1] 확인의 소의 대상인 법률관계의 확인이 그 이익이 인정되기 위해서는 법률관계에 따라 제소자의 권리 또는 법적 지위에 현존하는 위험·불안이 야기되어야 하고, 그 위험·불안을 제거하기 위하여 법률관계를 확인의 대상으로 한 확인판결에 따라 즉시 확정할 필요가 있으며, 그것이 가장 유효적절한 수단이어야 한다(대판 2021.12.30. 2018다241458).
>
> [2] 원래 확인의 소는 현재의 권리 또는 법률상 지위에 관한 위험이나 불안을 제거하기 위하여 허용되는 것이고, 다만 과거의 법률관계라 할지라도 현재의 권리 또는 법률상 지위에 영향을 미치고 있고 현재의 권리 또는 법률상 지위에 대한 위험이나 불안을 제거하기 위하여 그 법률관계에 관한 확인판결을 받는 것이 유효적절한 수단이라고 인정될 때에는 확인의 이익이 있다(대판 2021.4.29. 2016두39856).
>
> **2 채용기간이 만료된 계약직공무원의 경우, 당사자소송으로 채용계약해지 무효확인소송을 제기할 확인의 이익은 없다.** ★★★
>
> [1] 과거의 법률관계라 할지라도 현재의 권리 또는 법률상 지위에 영향을 미치고 있고 현재의 권리 또는 법률상 지위에 대한 위험이나 불안을 제거하기 위하여 그 법률관계에 관한 확인판결을 받는 것이 유효 적절한 수단이라고 인정될 때에는 그 법률관계의 확인소송은 즉시확정의 이익이 있다고 보아야 할 것이나, 계약직공무원에 대한 채용계약이 해지된 경우에는 공무원 등으로 임용되는 데에 있어서 법령상의 아무런 제약사유가 되지 않을 뿐만 아니라, 계약기간 만료 전에 채용계약이 해지된 전력이 있는 사람이 공무원 등으로 임용되는 데에 있어서 그러한 전력이 없는 사람보다 사실상 불이익한 장애사유로 작용한다고 하더라도 그것만으로는 법률상의 이익이 침해되었다고 볼 수는 없으므로 그 무효확인을 구할 이익이 없다.

「행정소송법」에 당사자소송의 원고적격·협의의 소의 이익에 관한 규정 ×
▷ 「민사소송법」이 준용됨

원고적격자
▷ 이행소송: 이행청구권이 자기에게 있음을 주장하는 자
▷ 확인소송: 확인의 이익을 가지는 자

공법상 법률관계의 확인을 구하는 당사자소송
▷ 확인의 이익 要
▷ 항고소송으로서 무효확인소송은 보충성 不要

확인의 이익
▷ 현존하는 법률상 지위에 위험·불안, 법률관계 즉시 확정 필요, 확인의 소가 가장 유효적절한 수단

과거의 법률관계에 관한 확인의 소
▷ 예외적으로 확인의 이익 ○

채용기간 만료된 계약직공무원
▷ 채용계약해지 확인의 이익 ×

[2] 이미 채용기간이 만료되어 소송 결과에 의해 법률상 그 직위가 회복되지 않는 이상 채용계약 해지의 의사표시의 무효확인만으로는 당해 소송에서 추구하는 권리구제의 기능이 있다고 할 수 없고, 침해된 급료지급청구권이나 사실상의 명예를 회복하는 수단은 바로 급료의 지급을 구하거나 명예훼손을 전제로 한 손해배상을 구하는 등의 이행청구소송으로 직접적인 권리구제방법이 있는 이상 무효확인소송은 적절한 권리구제수단이라 할 수 없어 확인소송의 또 다른 소송요건을 구비하지 못하고 있다할 것이며, 위와 같이 직접적인 권리구제의 방법이 있는 이상 무효확인소송을 허용하지 않는다고 해서 당사자의 권리구제를 봉쇄하는 것도 아니다. 따라서 원심이 같은 취지에서 이 사건 소 중 채용계약 해지의사표시의 무효확인청구부분은 확인의 이익이 없어 부적법하다고 판단한 조치는 수긍이 간다(대판 2008.6.12. 2006두16328 ; 대판 2002.11.26. 2002두1496).

3 위탁운영기간 만료일까지 공립어린이집 원장 지위에 있음의 확인을 구하는 소송 계속 중 공립어린이집 위탁운영기간이 만료된 경우 해당 소송은 소의 이익이 없어 부적법하다. ★

관할 지방자치단체로부터 위탁을 받아 공립어린이집을 운영하는 공립어린이집 원장이, 구 영유아보육법 제24조 제2항에 근거하여 그 정년을 만 60세로 정한 조례 규정에 따라 원장의 지위를 더 이상 유지할 수 없게 되자, 관할 지방자치단체를 상대로 하여 위탁운영기간이 만료하는 때까지 각 해당 공립어린이집 원장 지위에 있다는 확인을 구하는 행정소송을 제기한 후 소송계속 중 그 공립어린이집의 위탁운영기간까지 만료된 경우에는, 설령 원장 지위에 관한 원고들의 주장이 받아들여진다고 하여도 공립어린이집 원장으로서의 지위를 회복하는 것은 불가능하고, 특별한 사정이 없는 한 그에 관한 행정소송은 소의 이익이 없어 부적법하다(대판 2019.2.14. 2016두49501).

4 도시 및 주거환경정비법상 시장·군수 아닌 사업시행자가 분양받은 자를 상대로 원칙적으로 당사자소송의 방법으로 청산금 청구를 할 수 없다. ★

도시 및 주거환경정비법 제57조 제1항에 규정된 청산금의 징수에 관하여는 지방세체납처분의 예에 의한 징수 또는 징수 위탁과 같은 간이하고 경제적인 특별구제절차가 마련되어 있으므로, 시장·군수가 사업시행자의 청산금 징수 위탁에 응하지 아니하였다는 등의 특별한 사정이 없는 한 시장·군수가 아닌 사업시행자가 이와 별개로 공법상 당사자소송의 방법으로 청산금 청구를 할 수는 없다(대판 2017.4.28. 2016두39498).

5 과거의 법률관계에 관하여 확인의 소가 허용되는 경우 ★★

과거의 법률관계라 할지라도 현재의 권리 또는 법률상 지위에 영향을 미치고 있고 현재의 권리 또는 법률상 지위에 대한 위험이나 불안을 제거하기 위하여 그 법률관계에 관한 확인판결을 받는 것이 유효적절한 수단이라고 인정될 때에는 확인의 이익이 있다(대판 2021.4.29. 2016두39856).

(3) 피고적격

① 권리주체

㉠ 당사자소송은 행정청을 피고로 하는 항고소송과 달리 국가·공공단체 그 밖에 권리주체를 피고로 한다(동법 제39조). 따라서 당사자소송은 취소소송의 피고적격에 관한 규정(동법 제13조)이 준용되지 않는다.

㉡ 여기에서 '그 밖의 권리주체'라 함은 공권력을 수여 받은 행정주체인 사인, 즉 공무수탁사인을 의미한다. 따라서 사인(私人)을 피고로 하는 당사자소송도 허용된다.

함께 정리하기

공립어린이집 원장 지위에 있음의 확인을 구하는 소송(당사자소송) 계속 중 공립어린이집 위탁운영기간이 만료된 경우
▷ 소의 이익 ✕

시장·군수 아닌 사업시행자가 분양받은 자를 상대로 당사자소송의 방법으로 청산금지급청구
▷ 권리보호이익 ✕(∵징수위탁과 같은 특별구제절차 有)

과거의 법률관계에 관한 확인의 소
▷ 예외적으로 확인의 이익 ○

당사자소송 피고적격
▷ 국가·공공단체 그 밖의 권리주체
▷ 행정청 ✕, 행정주체 ○

'그 밖의 권리주체'의 의미
▷ 공무수탁사인

사인을 피고로 하는 당사자소송
▷ 허용

함께 정리하기

납세의무부존재확인의 소 피고적격
▷ 국가·공공단체·그 밖의 권리주체

사인을 피고로 하는 당사자소송
▷ 허용

❶ 국토의 계획 및 이용에 관한 법률 제130조 제3항에서 정한 토지 소유자 등이 사업시행자의 일시 사용에 대하여 정당한 사유 없이 동의를 거부하는 경우, 사업시행자가 토지 소유자 등을 상대로 동의의 의사표시를 구하는 소를 제기할 수 있다고 본 사례

국가가 피고
▷ 법무부장관이 대표

지방자치단체가 피고
▷ 지방자치단체장이 대표

당사자소송에 있어서 원고가 피고를 잘못 지정한 경우
▷ 법원은 원고의 신청에 의하여 결정으로써 피고의 경정을 허가 可

관할
▷ 원칙: 피고 소재지
▷ 국가 또는 공공단체가 피고인 경우: 관계행정청 소재지

당사자소송에 관하여 법령에 제소기간
▷ 불변기간
▷ 취소소송의 제소기간 준용×(∵ 공법상 권리가 소멸되지 않는 한 당사자소송 제기 可)

행정심판전치주의
▷ 적용×

당사자소송
▷ 집행정지 준용×
▷ 「민사집행법」상 가처분 규정 준용○

당사자소송
▷ 「민사집행법」상 가처분 규정 준용○

> **관련판례**
>
> **1** 납세의무부존재확인의 소는 공법상의 법률관계 그 자체를 다투는 소송으로서 당사자소송이라 할 것이므로 행정소송법 제3조 제2호, 제39조에 의하여 그 법률관계의 한쪽 당사자인 국가·공공단체 그 밖의 권리주체가 피고적격을 가진다(대판 2000.9.8. 99두2765). ★★★
>
> **2** 행정소송법 제39조는, "당사자소송은 국가·공공단체 그 밖의 권리주체를 피고로 한다."라고 규정하고 있다. 이것은 당사자소송의 경우 항고소송과 달리 '행정청'이 아닌 '권리주체'에게 피고적격이 있음을 규정하는 것일 뿐, 피고적격이 인정되는 권리주체를 행정주체로 한정한다는 취지가 아니므로, 이 규정을 들어 사인을 피고로 하는 당사자소송을 제기할 수 없다고 볼 것은 아니다(대판 2019.9.9. 2016다262550).❶ ★★★

② **대표**: 국가가 피고가 되는 때에는 법무부장관이 대표하며(「국가를 당사자로 하는 소송에 관한 법률」 제2조), 지방자치단체가 피고가 되는 때에는 당해 지방자치단체의 장이 대표한다(「지방자치법」 제101조).

③ **피고경정**: 당사자소송에도 피고경정에 관한 「행정소송법」 제14조의 규정이 준용되므로 당사자소송에 있어서 원고가 피고를 잘못 지정한 경우 법원은 원고의 신청에 의하여 결정으로써 피고의 경정을 허가할 수 있다.

(4) 재판관할

당사자소송에도 취소소송의 재판관할에 관한 규정이 준용된다. 따라서 피고의 소재지를 관할하는 행정법원이 제1심 관할법원이 된다. 다만, 국가 또는 공공단체가 피고인 경우에는 관계행정청의 소재지를 피고의 소재지로 본다(동법 제40조, 제9조).

(5) 제소기간

당사자소송에는 취소소송의 제소기간에 관한 규정(동법 제20조)이 준용되지 않는다. 당사자소송은 민사소송과 같이 특별한 제소기간이 없으나 법령에 제소기간이 정하여져 있는 때에는 그 기간은 불변기간으로 한다(동법 제41조).

(6) 행정심판

당사자소송에는 취소소송의 행정심판에 관한 「행정소송법」 제18조의 규정이 준용되지 않는다.

2. 집행정지와 가처분, 관련청구의 이송과 병합, 소의 변경, 소송참가

(1) 집행정지와 가처분

당사자소송에는 취소소송의 집행정지에 관한 규정(동법 제23조)이 준용되지 않는다. 다만, 당사자소송은 민사소송과 유사하므로 「민사집행법」상 가처분이 준용된다는 것이 다수설과 판례의 견해이다.

> **관련판례**
>
> **당사자소송에 민사집행법상 가처분에 관한 규정이 준용된다.** ★★★
> 당사자소송에 대하여는 행정소송법 제23조 제2항의 집행정지에 관한 규정이 준용되지 아니하므로, 이를 본안으로 하는 가처분에 대하여는 행정소송법 제8조 제2항에 따라 민사집행법상 가처분에 관한 규정이 준용되어야 한다(대결 2015.8.21. 2015무26).

(2) 관련청구의 이송과 병합

① 당사자소송과 관련청구소송이 각각 다른 법원에 계속되고 있는 경우 취소소송의 이송과 병합에 관한 규정은 당사자소송에도 준용된다(동법 제44조 제2항, 제10조).

② 관련청구의 병합은 본래의 당사자소송이 적법할 것을 요건으로 한다. 따라서 관련청구의 병합이 있은 후 본래의 당사자소송이 부적법하여 각하되면 그에 병합된 관련청구도 부적법하여 각하된다(대판 2011.9.29. 2009두10963).

(3) 소의 변경

① 법원은 항고소송을 당사자소송으로 또는 당사자소송을 항고소송으로 변경하는 것이 상당하다고 인정할 때에는 청구의 기초가 변경이 없는 한 사실심 변론종결시까지 원고의 신청에 의하여 결정으로써 소의 변경을 허용할 수 있다(동법 제21조, 제42조).

> **관련판례**
>
> **당사자소송을 항고소송으로 잘못 제기한 경우 당사자소송의 요건을 결여하지 않은 이상 소 변경이 가능하다.** ★★★
>
> 원고가 고의 또는 중대한 과실 없이 당사자소송으로 제기하여야 할 것을 항고소송으로 잘못 제기한 경우에, 당사자소송으로서의 소송요건을 결하고 있음이 명백하여 당사자소송으로 제기되었더라도 어차피 부적법하게 되는 경우가 아닌 이상, 법원으로서는 원고가 당사자소송으로 소 변경을 하도록 하여 심리·판단하여야 한다(대판 2016.5.24. 2013두14863).

② 처분변경으로 인한 소의 변경도 인정된다(동법 제44조, 제22조).

(4) 소송참가

취소소송의 규정이 준용되어 당사자소송에도 제3자의 소송참가, 행정청의 소송참가가 허용된다(동법 제16조, 제17조, 제44조).

4 심리 및 판결

1. 심리절차

당사자소송은 항고소송보다 민사소송에 가깝기에 당사자주의와 변론주의가 강조된다. 다만, 당사자소송도 행정소송이라는 점을 감안하여 「행정소송법」은 행정심판기록의 제출명령과 직권심리주의에 관한 규정을 준용하여 직권주의를 가미하고 있다(동법 44조 제1항, 제25조, 제26조). 따라서 당사자소송의 경우 법원은 필요하다고 인정할 때에는 직권으로 증거조사를 할 수 있고, 당사자가 주장하지 아니한 사실에 대하여도 판단할 수 있다.

2. 판결

(1) 판결의 종류

판결의 종류는 기본적으로 취소소송의 경우와 같다. 다만, 당사자소송은 처분을 대상으로 하는 소송이 아니므로 취소소송과 달리 사정판결이 인정되지 않는다.

함께 정리하기

관련청구의 이송·병합
▷ 취소소송 준용○

❶ 따라서 당사자소송과 관련청구소송이 각각 다른 법원에 계속되고 있는 경우에는 법원은 당사자의 신청 또는 직권에 의하여 관련청구소송을 당사자소송이 계속된 법원으로 이송할 수 있고, 사실심 변론종결시까지 관련청구소송을 병합하거나 피고 외의 자를 상대로 한 관련청구소송을 당사자소송이 계속된 법원에 병합하여 제기할 수 있다.

고의 또는 중과실 없이 당사자소송으로 제기해야 할 사건을 항고소송으로 잘못 제기
▷ 법원 소 변경하도록 하여 심리·판단해야 함

처분변경으로 인한 소 변경
▷ 인정○

제3자의 소송참가, 행정청의 소송참가
▷ 인정○

당사자소송
▷ 당사자주의와 변론주의 강조
▷ 행정심판기록제출명령(제25조), 직권심리(제26조) 규정 준용○

당사자소송
▷ 사정판결✕

함께 정리하기

당사자소송의 확정판결
▷ 자박력(불가변력), 확정력, 기속력 인정○

제3자효(대세효), 재처분의무, 간접강제
▷ 인정×

(2) 판결의 효력

당사자소송의 확정판결도 자박력(불가변력), 확정력, 기판력을 갖는다. 또한 당사자소송에도 취소소송의 기속력에 관한 규정이 준용되므로 당사자소송의 확정판결은 그 사건에 관하여 당사자인 행정청과 관계 행정청을 기속한다(동법 제44조 제1항, 제30조 제1항). 다만, 취소판결의 제3자효(동법 제29조 제1항), 재처분의무(동법 제30조 제2항), 간접강제(동법 제34조) 등은 당사자소송에서는 준용되지 않는다.

3. 가집행선고의 허용여부

(1) 가집행선고의 의의

가집행선고란 「민사소송법」상의 제도로서 미확정의 종국판결에 대해 확정판결과 동일한 집행력을 인정하는 재판을 말한다.

국가 상대 당사자소송
▷ 가집행선고 불가

(2) 「행정소송법」 제43조

「행정소송법」은 국가를 상대로 하는 당사자소송의 경우에는 가집행선고를 할 수 없다고 규정하고 있다(동법 제43조). 이 규정은 종전의 소송 촉진 등에 관한 특례법 제6조 제1항 단서의 "국가를 상대로 하는 재산권의 청구에 관하여는 가집행의 선고를 할 수 없다."는 것과 보조를 맞추기 위한 것으로 이해되었다.

(3) 헌법재판소의 입장

최근 헌법재판소는 국가에 대한 가집행을 금지한 「행정소송법」 제43조는 평등의 원칙에 위배되어 위헌이라고 선고한 바 있다. 따라서 이제는 국가를 포함한 모든 행정주체에 대하여, 당사자소송에서 인용판결선고시 가집행이 가능하다.

「행정소송법」 제43조
▷ 평등원칙 위배, 위헌

> **관련판례**
>
> **국가를 상대로 하는 당사자소송의 경우에는 가집행선고를 할 수 없다고 규정한 행정소송법 제43조는 평등원칙에 위배된다. ★★★**
>
> 동일한 성격인 공법상 금전지급 청구소송임에도 피고가 누구인지에 따라 가집행선고를 할 수 있는지 여부가 달라진다면 상대방 소송 당사자인 원고로 하여금 불합리한 차별을 받도록 하는 결과가 된다. 재산권의 청구가 공법상 법률관계를 전제로 한다는 점만으로 국가를 상대로 하는 당사자소송에서 국가를 우대할 합리적인 이유가 있다고 할 수 없고, 집행가능성 여부에 있어서도 국가와 지방자치단체 등이 실질적인 차이가 있다고 보기 어렵다는 점에서, 심판대상조항은 국가가 당사자소송의 피고인 경우 가집행의 선고를 제한하여, 국가가 아닌 공공단체 그 밖의 권리주체가 피고인 경우에 비하여 합리적인 이유 없이 차별하고 있으므로 평등원칙에 반한다(헌재 2022.2.24. 2020헌가12).

당사자소송 재산권청구 인용판결시
▷ 가집행 선고 가

(4) 대법원의 입장

대법원도 "「행정소송법」 제8조 제2항에 의하면 행정소송에도 「민사소송법」의 규정이 일반적으로 준용되므로 법원으로서는 공법상 당사자소송에서 재산권의 청구를 인용하는 판결을 하는 경우 가집행선고를 할 수 있다."라고 판시한 바 있다(대판 2000.11.28. 99두3416).

핵심정리 취소소송 규정 준용 여부에 관한 각 소송의 비교

구분	취소소송	무효등 확인소송	부작위위법 확인소송	당사자소송
재판관할(제9조)	○	○	○	○
관련청구이송과 병합(제10조)	○	○	○	○
선결문제(제11조)	○	×	×	×
원고적격(제12조)	○	×	×	×
피고적격(제13조)	○	○	○	×
피고경정(제14조)	○	○	○	○
공동소송(제15조)	○	○	○	○
행정심판과의 관계(제16조)	○	×	○	×
취소소송의 대상(제19조)	○	○	○	×
제소기간(제20조)	○	×	○(행정심판 거친 경우)	×
소의 변경(제21조)	○	○	○	○
처분변경에 의한 소 변경(제22조)	○	○	×	○
집행정지(제23조)	○	○	×	×
행정심판기록의 제출명령(제25조)	○	○	○	○
직권심리(제26조)	○	○	○	○
재량처분의 취소(제27조)	○	×	○	×
사정판결(제28조)	○	×	×	×
취소판결등의 효력(제3자효)(제29조)	○	○	○	×
취소판결 등의 기속력(제30조)	○	○	○	• 제30조 제1항: ○ • 제30조 제2항·제3항: ×
제3자의 재심청구(제31조)	○	○	○	×
소송비용에 관한 재판의 효력(제33조)	○	○	○	○
판결의 간접강제(제34조)	○	×	○	×

제9장 객관소송

 함께 정리하기

「행정소송법」 제3조 【행정소송의 종류】 행정소송은 다음의 네가지로 구분한다.
  3. 민중소송: 국가 또는 공공단체의 기관이 법률에 위반되는 행위를 한 때에 직접 자기의 법률상 이익과 관계없이 그 시정을 구하기 위하여 제기하는 소송
  4. 기관소송: 국가 또는 공공단체의 기관상호간에 있어서의 권한의 존부 또는 그 행사에 관한 다툼이 있을 때에 이에 대하여 제기하는 소송. 다만, 「헌법재판소법」 제2조의 규정에 의하여 헌법재판소의 관장사항으로 되는 소송은 제외한다.

제45조 【소의 제기】 민중소송 및 기관소송은 법률이 정한 경우에 법률에 정한 자에 한하여 제기할 수 있다.

헌법 제111조 ① 헌법재판소는 다음 사항을 관장한다.
  4. 국가기관 상호간, 국가기관과 지방자치단체간 및 지방자치단체 상호간의 권한쟁의에 관한 심판

1 객관소송의 개념

1. 의의

행정소송은 개인의 권리(법률상의 이익)구제를 직접 목적으로 하므로 주관적 소송을 원칙으로 한다. 따라서 개인의 권익보호와 관계없이 행정의 적법성 보장을 위한 소송은 허용되지 않는다. 그러나 때로는 공익보호를 위하여 행정법규의 적정한 적용, 즉 행정작용의 적법성 보장을 목적으로 하는 소송이 허용되는 경우가 있는데, 이를 객관소송이라 한다. 「행정소송법」(이하 '동법'이라 함)은 객관소송의 유형으로 민중소송(공익소송)과 기관소송을 규정하고 있다.

객관소송
▷ 행정법규의 적정한 적용, 즉 행정작용의 적법성 보장을 목적으로 하는 소송

종류
▷ 민중소송, 기관소송

2. 객관소송 법정주의

현행 「행정소송법」상 객관소송은 특별히 법률이 정하는 경우에(열기주의) 그 법률이 정하는 자만이 제기할 수 있는 것으로 규정하여 객관소송 법정주의를 채택하고 있다(동법 제45조).

객관소송 법정주의(열기주의)
▷ 법률이 정하는 경우에, 법률이 정하는 자만이 제기 可

2 객관소송의 종류

1. 민중소송

(1) 의의

① 민중소송이란 국가 또는 공공단체의 기관이 법률에 위반되는 행위를 한 때에 직접 자기의 법률상 이익과 관계없이 그 시정을 구하기 위하여 제기하는 소송을 말한다(「행정소송법」 제3조 제3호).

② 민중소송은 행정작용에 의하여 침해된 특정인의 법률상 이익을 구제해 주는 소송이 아니라 행정주체가 행한 위법행위를 시정하거나 법집행의 공정성을 담보하기 위한 소송으로서 객관소송으로써의 성질을 갖는다.

(2) 민중소송의 예

민중소송의 예로는 ①「공직선거법」상 선거소송(제222조)과 당선소송(제223조), ②「국민투표법」상 국민투표무효소송(제92조), ③「지방자치법」상 주민소송(제17조), ④「주민투표법」상 주민투표소송(제25조 제2항) 등을 들 수 있다.

핵심정리 | 대통령·국회의원 선거에 대한 민중소송

구분	선거소송 (「공직선거법」 제222조 제1항)	당선소송(동법 제223조 제1항)
원고	선거인·정당·후보자	정당·후보자
제소기간	선거일로부터 30일	당선결정일로부터 30일
피고	당해 선관위 위원장	• 대통령선거-당선인(당선인의 결정·공고·통지의 하자를 이유로 하는 때에는 중앙선관위 위원장, 국회의장) • 국회의원선거-당선인(당선인의 결정·공고·통지의 하자를 이유로 하는 때에는 당해 선관위 위원장)
관할법원	대법원	

핵심정리 | 지방의회의원 및 지방자치단체장 선거에 대한 민중소송

구분	선거소송 (「공직선거법」 제222조 제2항)	당선소송 (동법 제223조 제2항)
원고	선거무효소청의 결정에 불복이 있는 소청인, 당선인	당선무효소청의 결정에 불복이 있는 소청인, 당선인
제소기간	소청결정서를 받은 날로부터 10일 이내	소청결정서를 받은 날로부터 10일 이내
피고	• 해당 소청에 대하여 기각 또는 각하 결정이 있는 경우(기간 내에 결정하지 아니한 때를 포함)에는 해당 선거구선거관리위원회 위원장 • 인용결정이 있는 경우에는 그 인용결정을 한 선거관리위원회 위원장	• 해당 소청에 대하여 기각 또는 각하 결정이 있는 경우(기간 내에 결정하지 아니한 때를 포함)에는 당선인(당선인의 결정·공고·통지의 하자를 이유로 하는 때에는 관할 선거구선거관리위원회 위원장) • 인용결정이 있는 경우에는 그 인용결정을 한 선거관리위원회 위원장
관할법원	• 비례대표시·도의원선거 및 시·도지사선거 → 대법원 • 지역구시·도의원선거, 자치구·시·군의원선거, 자치구·시·군의 장 선거 → 그 선거구를 관할하는 고등법원	

기관소송
▷ 국가 또는 공공단체의 기관 상호간에 있어서의 권한의 존부 또는 그 행사에 대한 다툼이 있을 때 제기하는 소송
▷ 단, 헌법재판소의 관장사항으로 되는 소송(권한쟁의심판)은 제외

❶ 권한쟁의심판이란 국가기관 상호간, 국가기관과 지방자치단체 간 및 지방자치단체 상호 간의 권한의 존부 또는 범위에 관하여 다툼이 있을 때 헌법재판소에 제기하는 심판이다(헌법 제111조 제1항 제4호,「헌법재판소법」제2조).

「지방자치법」상의 기관소송의 예
▷ 지방의회의 재의결에 대해 지방자치단체장의 소송(제120조 제3항)
▷ 감독청의 재의요구에 따른 지방의회의 재의결에 대한 지방자치단체장의 소송(제192조 제4항) 등

❷ 「지방자치법」제120조(지방의회의 의결에 대한 재의 요구와 제소)
③ 지방자치단체의 장은 지방의회가 재의결된 사항이 법령에 위반된다고 인정되면 대법원에 소(訴)를 제기할 수 있다.

「교육자치법」상의 기관소송의 예
▷ 지방의회 재의결에 따른 교육감이 하는 소송(제28조 제3항)
▷ 교육부장관의 재소지시에 따라 교육감이 하는 소송(제28조 제4항·제5항) 등

기관소송의 원고적격, 피고적격
▷ 법률이 특별히 규정한 자

기관소송의 재판관할
▷ 대법원

2. 기관소송

(1) 의의

① 기관소송은 국가 또는 공공단체의 기관 상호간에 있어서의 권한의 존부 또는 그 행사에 대한 다툼이 있을 때에 이에 대하여 **제기하는 소송**을 말한다(동법 제3조 제4호). 다만,「헌법재판소법」제2조의 규정에 의하여 **헌법재판소의 관장사항으로 되는 소송(권한쟁의심판)은 기관소송에서 제외**된다(동법 제3조 제4호).
② 기관소송은 개인의 권리구제를 목적으로 하는 소송이 아니라 법령에 의하여 부여된 행정기관의 권한을 다투는 소송이므로 객관소송으로써의 성질을 갖는다.

(2) 헌법재판소의 권한쟁의심판과의 관계

「행정소송법」은 기관소송과 관련하여 헌법재판소의 권장사항으로 되어 있는 소송은 기관소송에서 제외한다고 규정하고 있으므로(동법 제3조 제4호 단서), 국가기관 상호간, 국가기관과 지방자치단체 간 및 지방자치단체 상호간의 권한쟁의심판은 실질적으로는 기관소송이라고 볼 수 있지만, 헌법재판소의 권장사항이므로 기관소송에서 제외된다.❶

(3) 기관소송의 예

기관소송의 예로는 ①「지방자치법」상의 기관소송, ②「지방교육자치에 관한 법률」상의 기관소송을 들 수 있다.
① **「지방자치법」상의 기관소송**:「지방자치법」상의 기관소송의 예로 ㉠ **지방의회의 재의결에 대한 지방자치단체장의 소송**(제120조 제3항)❷, ㉡ 감독청의 재의요구에 따른 지방의회의 재의결에 대한 지방자치단체장의 소송(제192조 제4항), ㉢ 감독청의 제소지시에 따른 지방자치단체장의 소송(제192조 제5항·제6항), ㉣ 감독청이 직접 제기하는 소송(제192조 제5항·제7항) 등이 있다.
② **「지방교육자치에 관한 법률」(약칭: 교육자치법)상의 기관소송**: 교육자치법상의 기관소송의 예로 ㉠ 지방의회 재의결에 대한 교육감의 소송(제28조 제3항), ㉡ 교육부장관의 재소지시에 따라 교육감이 하는 소송(제28조 제4항·제5항) 등이 있다.

3 객관소송의 법적 규율

1. 당사자적격

민중소송이나 기관소송은 **법률에 정한 자에 한하여 제기할 수 있으며**(원고적격)(동법 제45조), 피고적격 역시 법률에서 피고로 정한 자가 된다.

2. 재판관할

민중소송과 기관소송의 재판관할에 관하여도 개별법이 정한 바에 따른다. 현행법상으로는 대법원이 제1심이며 최종심이 된다.

3. 적용법규

(1) 민중소송이나 기관소송에 적용될 법규는 민중소송 또는 기관소송을 규정하는 각 개별 법률이 정하는 것이 일반적이다.

(2) 각 개별법규에 특별히 정함이 없는 경우에는 ① 처분 등의 취소를 구하는 소송에는 그 성질에 반하지 아니하는 한 취소소송에 관한 규정을 준용하고(동법 제46조 제1항), ② 처분 등의 효력 유무 또는 존재여부나 부작위의 위법의 확인을 구하는 소송에는 그 성질에 반하지 아니하는 한 각각 무효등 확인소송 또는 부작위위법확인소송에 관한 규정을 준용하고(동법 제46조 제2항), ③ 위의 ①과 ②의 경우에 해당하지 않는 소송에는 그 성질에 반하지 아니하는 한 당사자소송에 관한 규정을 각각 준용한다(동법 제46조 제3항).

적용법규
▷ 각 개별법률에서 정함

개별법규에 정함이 없는 경우
▷ 취소소송, 무효등 확인소송, 부작위위법확인소송, 당사자소송에 관한 「행정소송법」 규정 준용

제10장 헌법소원

헌법 제111조 ① 헌법재판소는 다음 사항을 관장한다.
1. 법원의 제청에 의한 법률의 위헌여부 심판
2. 탄핵의 심판
3. 정당의 해산 심판
4. 국가기관 상호간, 국가기관과 지방자치단체간 및 지방자치단체 상호간의 권한쟁의에 관한 심판
5. 법률이 정하는 헌법소원에 관한 심판

「**헌법재판소법」제68조 【청구 사유】** ① 공권력의 행사 또는 불행사(不行使)로 인하여 헌법상 보장된 기본권을 침해받은 자는 법원의 재판을 제외하고는 헌법재판소에 헌법소원심판을 청구할 수 있다. 다만, 다른 법률에 구제절차가 있는 경우에는 그 절차를 모두 거친 후에 청구할 수 있다.

1 권리구제형 헌법소원과 행정소송의 관계

(1) 공권력의 행사 또는 불행사로 인하여 기본권이 침해된 경우에 기본권을 침해받은 자는 헌법재판소에 권리구제형 헌법소원을 제기할 수 있다(「헌법재판소법」 제68조 제1항). 헌법소원에서는 공권력의 행사 또는 불행사가 다투어지는데, 여기에서의 공권력에는 행정권도 포함된다. 권리구제형 헌법소원의 소송요건은 다음과 같다. ① 공권력의 행사 또는 불행사로 자신의 기본권이 침해된 자가 제기할 것. 따라서 기본권의 주체만이 헌법소원을 제기할 수 있다. ② 공권력 작용에 의해 자신의 기본권이 현재 그리고 직접 침해를 당했어야 한다. 즉, 자기관련성, 현재성 및 직접성이 있어야 한다. ③ 헌법소원은 다른 법률에 구제절차가 있는 경우에는 그 절차를 모두 거친 후에 심판청구를 하여야 한다(「헌법재판소법」 제68조 제1항 단서). 이를 헌법소원의 보충성 내지 보충성의 원칙이라 한다. ④ 헌법소원심판은 법이 정한 청구기간 내에 제기하여야 한다(「헌법재판소법」 제69조). ⑤ 권리보호이익 내지 심판의 이익이 있어야 한다. ⑥ 법원의 재판은 대상으로 할 수 없다(「헌법재판소법」 제68조 제1항 본문).

(2) 여기에서 '다른 법률에 의한 구제절차'라 함은 공권력의 행사 또는 불행사를 직접 대상으로 하여 그 효력을 다툴 수 있는 권리구제절차(예 항고소송)를 의미하고, 사후적·보충적 구제수단(예 손해배상, 국가배상)을 뜻하는 것은 아니다. 따라서 항고소송이 가능한 경우에는 원칙적으로 헌법소원이 인정되지 않는다(헌재 2009.2.26. 2008헌마370).❶

---

❶ 공권력의 행사 중 처분에 해당하는 것에 대해서는 먼저 항고소송을 제기하여야 하고, 그 확정판결뿐만 아니라 원처분에 대하여도 헌법소원심판을 제기할 수 없다. 그 결과 우리나라는 공권력의 행사 중 처분에 해당하는 것은 항고소송으로, 처분에 해당하지 않는 것은 헌법소원심판으로 다투게 되는 이원적(二元的) 구조를 갖게 되었다.

(3) 다만, 헌법재판소는 이 보충성 요건을 완화하여 해석하면서 헌법소원을 널리 인정하고 있다. 즉, 헌법소원은 기존의 구제절차가 없는 경우뿐만 아니라 '헌법소원심판청구인이 그의 불이익으로 돌릴 수 없는 정당한 이유 있는 착오로 전심절차를 밟지 않은 경우 또는 전심절차로 권리가 구제될 가능성이 거의 없거나 권리구제절차가 허용되는지의 여부가 객관적으로 불확실하여 전심절차 이행의 기대가능성이 없을 때'에도 예외적으로 헌법재판소법 제68조 제1항 단서 소정의 전심절차 이행요건은 배제된다(헌재 1989.9.4. 88헌마22).

항고소송 가능한 경우
▷ 원칙: 헌법소원 不可(∵ 보충성의 원칙)
▷ 예외: 보충성 요건 완화하여 헌법소원 인정

2 행정권 행사 또는 불행사에 대한 헌법소원 인정 여부

1. 행정입법

(1) 법규명령

법규명령은 원칙상 항고소송의 대상이 되지 않고, 예외적으로 처분성을 갖는 경우는 항고소송의 대상이 된다. 따라서 처분적 법규명령에 대한 헌법소원은 원칙상 인정될 수 없다. 법규명령이 처분이 아니고 별도의 집행행위를 기다리지 않고 직접 국민의 기본권을 침해하는 경우에는 헌법소원의 대상이 된다.

법령 또는 법령조항 자체가 헌법소원의 대상이 될 수 있으려면, 청구인의 기본권이 구체적인 집행행위를 기다리지 아니하고 그 법령 또는 법령조항에 의하여 직접 침해받아야 한다.

법규명령
▷ 처분이 아니고 별도의 집행행위를 기다리지 않고 직접 국민의 기본권을 침해시 헌법소원 可

법령헌법소원
▷ 기본권 침해의 직접성 要

> **관련판례**
>
> **법령헌법소원에서 기본권 침해의 직접성**
> 1-1. 여기서 말하는 기본권침해의 직접성이란 집행행위에 의하지 아니하고 법령 그 자체에 의하여 자유의 제한, 의무의 부과, 법적 지위의 박탈이 발생하는 경우를 말하므로, 당해 법령에 근거한 구체적인 집행행위를 통하여 비로소 기본권 침해의 법률효과가 발생하는 경우에는 직접성의 요건이 결여된다(헌재 1998.5.28. 96헌마151).
> 1-2. 법규범이 집행행위(예 취소처분)를 예정하고 있더라도 법규범의 내용이 집행행위 이전에 이미 국민의 권리관계를 직접 변동시키거나 국민의 법적 지위를 결정적으로 정하는 것이어서 국민의 권리관계가 집행행위의 유무나 내용에 의하여 좌우될 수 없을 정도로 확정된 상태라면 그 법규범의 권리침해의 직접성이 인정된다(헌재 1997.7.16. 97헌마38).

(2) 행정규칙

행정규칙은 항고소송의 대상이 되지 않는다. 따라서, 행정규칙이 그 자체로서 직접 국민의 기본권을 침해하는 경우에는 헌법소원의 대상이 된다. 헌법재판소는 인문계열 대학별고사의 제2외국어에 일본어를 제외한 서울대학교 1994년도 대학입시요강이 헌법소원의 대상이 된다고 보았다(헌재 1992.10.1. 92헌마68).

법규명령의 효력을 갖는 행정규칙은 법규명령과 같은 요건하에 헌법소원의 대상이 될 수 있다.

행정규칙
▷ 행정규칙이 그 자체로서 직접 국민의 기본권을 침해하는 경우 헌법소원 可

서울대학교 1994년도 대학입시요강
▷ 헌법소원 대상O

(3) 조례

대법원은 조례가 집행행위의 개입 없이도 그 자체로서 직접 국민의 구체적인 권리의무나 법적 이익에 영향을 미치는 등의 법률상 효과를 발생하는 경우 그 조례는 항고소송의 대상이 되는 행정처분에 해당한다고 보았다.❶

그러나, 조례의 처분성을 인정한 대법원의 판례는 예외적이므로 조례에 대한 헌법소원을 일반적으로 배제할 이유가 될 수는 없다. 헌법재판소는 "조례 자체로 인하여 직접 그리고 현재 자기의 기본권을 침해받은 자는 그 권리구제의 수단으로서 조례에 대한 헌법소원을 제기할 수 있다."고 본다(헌재 1995.4.20. 92헌마264).

2. 행정입법부작위

대법원은 행정입법부작위는 부작위위법확인소송의 대상이 될 수 없다고 본다(대판 1992.5.8. 91누11261). 따라서 행정입법부작위에 대한 헌법소원에 있어서는 보충성 요건이 충족된다 (헌재 2004.2.26. 2001헌마718, 군법무관보수시행령 부작위사건).

3. 권력적 사실행위

헌법재판소는 권력적 사실행위도 행정심판이나 행정소송의 대상이 되는 처분으로 볼 수 있다고 보고 있다. 즉, 헌법재판소는 "수형자의 서신을 교도소장이 검열하는 행위는 이른바 권력적 사실행위로서 행정심판이나 행정소송의 대상이 되는 행정처분으로 볼 수 있다."고 판시하였다(헌재 1998.8.27. 96헌마398).

그러나 헌법재판소는 권력적 사실행위가 항고소송의 대상이 된다고 단정하기 어려운 경우 또는 그 대상이 된다고 하더라도 이미 종료된 행위로서 소의 이익이 부정될 가능성이 많은 경우에는 헌법소원심판을 청구하는 외에 달리 효과적인 구제방법이 있다고 보기 어려우므로 보충성 원칙에 대한 예외에 해당하여 헌법소원의 제기가 가능하다고 보고 있다(헌재 1995.7.21. 92헌마144).

4. 행정청의 부작위

(1) 행정청의 부작위는 「행정소송법」상 부작위(처분의 부작위)가 아니고 '공권력의 불행사'에 해당되면 헌법소원의 대상이 된다. 처분의 부작위는 행정소송(부작위위법확인소송)의 대상이 되므로 보충성의 원칙에 의해 헌법소원의 대상이 되지 못한다. 그러나 '공권력의 불행사'가 처분의 부작위가 아니거나 처분의 부작위라도 항고소송의 대상이 되는지 불분명한 경우에는 헌법소원의 대상이 될 수 있다.

(2) 공권력의 불행사라 함은 공권력의 행사의무가 있음에도 공권력을 행사하지 않는 것을 말하며 공권력 행사의 의무가 없는 경우의 단순한 공권력의 불행사는 헌법소원의 대상이 되는 '공권력의 불행사'가 아니다.

(3) 헌법재판소는 "행정권력의 부작위에 대한 헌법소원은 공권력의 주체에게 헌법에서 유래하는 작위행위가 특별히 구체적으로 규정되어 이에 의거하여 기본권의 주체가 행정행위를 청구할 수 있음에도 공권력의 주체가 그 의무를 해태하는 경우에 허용된다."라고 판시하고 있다(헌재 1996.11.28. 92헌마237).

조례
▷ 조례 자체로 인하여 직접 그리고 현재 자기의 기본권을 침해받은 자 헌법소원 可

❶
두밀분교를 폐교하는 경기도의 조례를 항고소송의 대상이 되는 처분으로 보았다(대판 1996.9.20. 95누8003).

행정입법부작위
▷ 보충성 요건 충족O(헌법소원 可)

권력적 사실행위
▷ 항고소송의 대상이 된다고 단정하기 어려운 경우 또는 대상이 된다고 하더라도 이미 종료된 행위로서 소의 이익이 부정될 가능성이 많은 경우: 보충성 원칙의 예외(헌법소원 可)

공권력의 불행사
▷ 처분의 부작위가 아니거나 처분의 부작위라도 항고소송의 대상이 되는지 불분명한 경우 헌법소원 可

행정청의 부작위
▷ 헌법에서 유래하는 작위행위 要

관련판례

국가보훈처장의 서훈추천 부작위에 대한 헌법소원은 부적법하다. ★★

국가는 독립유공자를 제대로 가려내어 마땅히 그들과 유족 또는 가족들에게 그 공헌도에 상응하는 예우를 하여야 할 의무가 있으나, 독립유공자의 구체적 인정절차는 입법자가 헌법의 취지에 반하지 않는 한 입법재량을 가지는 영역에 해당된다고 볼 것이다. 독립유공자 인정의 전 단계로서 상훈법에 따른 서훈추천은 해당 후보자에 대한 공적심사를 거쳐서 이루어지며, 그러한 공적심사의 통과 여부는 해당 후보자가 독립유공자로서 인정될만한 사정이 있는지에 달려 있다. 이에 관한 판단에 있어서 국가는 나름대로의 재량을 지니는 것이다. 그러므로 당사자가 독립유공자 등록을 위한 서훈추천 신청을 했다고 해서 자동적으로 서훈추천이 이루어질 수는 없다. 그렇다면 결국 이 사건에서 국가보훈처장이 청구인들의 망부 혹은 친족에 대한 서훈추천을 하여 주어야 할 헌법적 작위의무가 있다고 할 수는 없으므로, 서훈추천을 거부한 것에 대하여 행정권력의 부작위에 대한 헌법소원으로서 다툴 수 없는 것이다(헌재 2005.6.30. 2004헌마859).

함께 정리하기

국가보훈처장의 서훈추천 부작위
▷ 헌법소원 불가(∵헌법적 작위의무 無)

해커스공무원 학원·인강 **gosi.Hackers.com**

제 6 편

행정상 손해전보

- **제1장** 개설
- **제2장** 행정상 손해배상(국가배상)
- **제3장** 행정상 손실보상
- **제4장** 손해전보를 위한 그 밖의 제도

제1장 개설

 함께 정리하기

1 행정구제의 종류

행정구제는 사전적 구제제도와 사후적 구제제도로 나누어 볼 수 있다. 사전적 구제제도란 행정작용으로 인하여 개인의 권리나 이익의 침해가 발생되기 전에 이를 예방하는 권익구제절차를 의미하며, 행정절차제도, 민원처리제도, 청원제도 등이 사전적 구제제도에 해당한다. 이에 대하여 사후적 구제제도란 행정작용으로 인하여 개인의 권리나 이익이 침해된 경우에 이를 시정하거나 그로 인한 손해나 손실을 보전해 주는 제도를 의미하며, 이에는 행정상 손해전보제도와 행정쟁송제도가 있다.

2 손해전보의 의의

1. 개념

행정상 손해전보란 국가작용으로 인하여 발생한 손해나 손실을 보전하여 주는 것으로, 일반적으로 행정상 손해배상과 행정상 손실보상을 통칭하는 개념으로 사용된다. 행정상 손해배상은 국가 또는 공공단체의 위법한 직무행위에 의하여 발생한 손해를 배상해 주는 제도이고, 행정상 손실보상은 공공필요에 의한 적법한 공권력행사로 인하여 발생한 손실을 보상해 주는 제도이다.

2. 행정상 손해배상 및 행정상 손실보상의 특징

양자는 국가작용에 의한 손해·손실을 사후적, 금전적으로 보전하는 제도인 점에서는 공통되나, 그 연혁과 성질 등을 달리하는 것으로 법적으로 별개의 제도로 발전되어 왔다. 행정상 손해배상은 법치주의의 관점에서 국가 또는 공공단체의 불법행위로 인하여 발생한 개인의 피해를 구제해 주는 제도로서 여기에는 행위자의 고의·과실과 같은 주관적 책임과 행위의 위법성이 그 요건으로 요구되는 데 반하여, 행정상 손실보상은 사회국가의 관점에서 공공의 필요에 의한 공익사업 등으로 인하여 개인의 재산권을 침해하고 이로 인하여 발생한 개인의 희생을 공평부담의 관점에서 갚아주는 제도로서 여기에는 행위자의 주관적 책임이나 행위의 위법성은 문제되지 않고, 다만 공공의 이익을 위하여 불평등하게 부과된 개인의 희생을 전보하여 주는 제도라는 점에서 성질을 달리한다.

행정상 손해전보(손해배상·손실보상)
▷ 국가작용으로 인하여 발생한 손해나 손실을 사후적·금전적으로 보전해 주는 것

손해배상
▷ 국가 또는 공공단체의 위법한 직무행위에 의하여 발생한 손해를 배상

손실보상
▷ 공공필요에 의한 적법한 공권력행사로 인하여 발생한 손실을 보상

3 손해배상과 손실보상의 구분

구분	행정상 손해배상	행정상 손실보상
개념	위법한 행정작용에 대한 손해전보	적법한 행정작용에 대한 손실전보
실정법적 근거	• 헌법 제29조 • 「국가배상법」	• 헌법 제23조 제3항 • 토지보상법 및 개별법
이념적 기초	개인주의적 · 도의적 책임주의	단체주의적 · 사회적 공평부담
성립요건	위법성과 고의 · 과실(또는 영조물의 설치 · 관리의 하자) + 손해발생	공공의 필요 + 적법한 공용침해 + 특별한 희생
전보의 대상	재산적 · 비재산(생명 · 신체)적 손해	재산적 손실
성질	과실책임주의	무과실책임주의
책임자	국가 · 지방자치단체	사업시행자
양도 · 압류 가능 여부	생명 · 신체의 침해로 인한 국가배상을 받을 권리는 양도 및 압류 금지	양도 및 압류 가능

제2장 행정상 손해배상(국가배상)

함께 정리하기

제1절 개관

국가배상
▷ 위법한 국가작용으로 인하여 개인에게 가해진 손해를 국가 등이 보전해 주는 제도

1 국가배상의 의의

국가배상이란 위법한 국가작용으로 인하여 개인에게 발생한 손해를 국가 등이 보전하여 주는 제도를 의미한다. 국가배상은 행위의 위법성과 행위자의 과실을 요건으로 하고 있는 점에서 민사상 불법행위책임과 같다. 그러나 배상주체가 공무원 개인이 아닌 국가 또는 공공단체(지방자치단체)이고 손해의 발생이 공행정작용에 의한 것이라는 점에서 민사상 불법행위책임과 구별된다.

2 국가배상책임의 근거

헌법적 근거
▷ 헌법 제29조
▷ 국가배상청구권을 국민의 기본권으로 보장

1. 헌법상 근거

헌법 제29조 제1항은 공무원의 불법행위로 인한 국가배상책임을 헌법에 명시하여 국가배상청구권을 국민의 기본권의 하나로 보장하고 있으며, 이러한 국가배상청구권을 구체화하기 위해 「국가배상법」이 제정되어 시행되고 있다.

> **헌법 제29조** ① 공무원의 직무상 불법행위로 손해를 받은 국민은 법률이 정하는 바에 의하여 국가 또는 공공단체에 정당한 배상을 청구할 수 있다. 이 경우 공무원 자신의 책임은 면제되지 아니한다.
> ② 군인·군무원·경찰공무원 기타 법률이 정하는 자가 전투·훈련 등 직무집행과 관련하여 받은 손해에 대하여는 법률이 정하는 보상 외에 국가 또는 공공단체에 공무원의 직무상 불법행위로 인한 배상은 청구할 수 없다.
>
> **「국가배상법」제2조【배상책임】** ① 국가나 지방자치단체는 공무원 또는 공무를 위탁받은 사인(이하 "공무원"이라 한다)이 직무를 집행하면서 고의 또는 과실로 법령을 위반하여 타인에게 손해를 입히거나, 「자동차손해배상 보장법」에 따라 손해배상의 책임이 있을 때에는 이 법에 따라 그 손해를 배상하여야 한다. 다만, 군인·군무원·경찰공무원 또는 예비군대원이 전투·훈련 등 직무 집행과 관련하여 전사(戰死)·순직(殉職)하거나 공상(公傷)을 입은 경우에 본인이나 그 유족이 다른 법령에 따라 재해보상금·유족연금·상이연금 등의 보상을 지급받을 수 있을 때에는 이 법 및 「민법」에 따른 손해배상을 청구할 수 없다.
>
> **제5조【공공시설 등의 하자로 인한 책임】** ① 도로·하천, 그 밖의 공공의 영조물(營造物)의 설치나 관리에 하자(瑕疵)가 있기 때문에 타인에게 손해를 발생하게 하였을 때에는 국가나 지방자치단체는 그 손해를 배상하여야 한다. 이 경우 제2조 제1항 단서, 제3조 및 제3조의2를 준용한다.
> ② 제1항을 적용할 때 손해의 원인에 대하여 책임을 질 자가 따로 있으면 국가나 지방자치단체는 그 자에게 구상할 수 있다.

제8조 【다른 법률과의 관계】 국가나 지방자치단체의 손해배상 책임에 관하여는 이 법에 규정된 사항 외에는 「민법」에 따른다. 다만, 「민법」 외의 법률에 다른 규정이 있을 때에는 그 규정에 따른다.

2. 「국가배상법」

(1) 「국가배상법」의 법적 지위

① 「국가배상법」(이하 '동법'이라 함)은 헌법 제29조의 손해배상청구권에 근거하여 제정된 법률이다. 「국가배상법」 제8조는 "국가나 지방자치단체의 손해배상책임에 관하여는 이 법에 규정된 사항 외에는 「민법」에 따른다. 다만, 「민법」 이외의 법률에 다른 규정이 있을 때에는 그 규정에 따른다."라고 규정하고 있는데, 이는 「국가배상법」이 국가나 지방자치단체의 손해배상책임에 관한 일반법임을 명시한 것이라 할 수 있다.

② 따라서 국가배상에 관하여 ㉠ 특별법(「원자력 손해배상법」 제3조, 「공무원연금법」 제35조, 「우편법」 제38조 등)❶이 있으면 그것이 우선하여 적용되고, ㉡ 그러한 특별법이 없으면 「국가배상법」이 적용되며, ㉢ 「국가배상법」에 규정이 없는 사항에 대해서는 「민법」이 적용된다.

(2) 「국가배상법」의 법적 성격

① 문제점: 「국가배상법」의 법적 성격에 대해서는 공법설과 사법설의 대립이 있다. 이는 동법에 근거한 국가배상청구권이 공권인지 사권인지의 대립이기도 하며, 결국 국가배상청구소송이 공법상 당사자소송으로서 행정법원의 관할이 되는지 아니면 민사소송으로서 민사법원의 관할이 되는지의 문제이기도 하다.

② 학설
  ㉠ 사법설: 이 견해는 국가배상책임을 민사상 일반불법행위책임의 한 유형으로 보아 「국가배상법」을 손해배상에 관한 「민법」의 특별법으로서 사법이라고 본다. 이 견해에 따르면 국가배상청구소송은 민사소송절차에 의하여야 한다.
  ㉡ 공법설: 다수설인 공법설은 「국가배상법」은 공법적 원인에 의하여 발생하는 국가의 배상책임을 규율하고 있으므로 공법이라고 본다. 이 견해에 따르면 국가배상청구소송은 공법상 당사자소송에 의하여야 한다.

③ 판례: 판례는 사법설에 입각하여 「국가배상법」을 「민법」의 특별법으로 보고, 국가배상소송을 민사소송으로 취급하고 있다.

> **관련판례**
>
> **국가배상청구소송은 민사소송으로 처리한다.** ★★★
> 공무원의 직무상 불법행위로 손해를 받은 국민이 국가 또는 공공단체에 배상을 청구하는 경우 국가 또는 공공단체에 대하여 그의 불법행위를 이유로 손해배상을 구함은 국가배상법이 정한 바에 따른다 하여도 이 역시 민사상의 손해배상책임을 특별법인 국가배상법이 정한데 불과하다(대판 1972.10.10. 69다701).

함께 정리하기

배상책임의 주체
▷ 헌법: 국가, 공공단체
▷ 「국가배상법」: 국가, 지방자치단체(합헌)

지방자치단체 이외의 공공단체(공공조합, 공공재단, 영조물법인)
▷ 「민법」상 손해배상책임(국가배상×)

외국인이 피해자
▷ 상호주의 적용

❶ 중화민국인이 피해자인 경우 「국가배상법」 제7조에 이른바 '상호의 보증이 있는 때에' 해당한다(대판 1968.12.3. 68다1929).

우리나라와 외국에서 정한 국가배상청구권의 발생요건이 실질적 차이×
▷ 상호보증의 요건구비

상호보증
▷ 당사국과 조약 체결 不要
▷ 실제 인정될 것이라고 기대할 수 있는 상태면 충분

일본·대한민국 사이
▷ 상호보증○

(3) 국가배상의 당사자

① 배상책임의 주체

㉠ 배상책임의 주체에 관하여 헌법 제29조는 '국가 또는 공공단체'로 규정하고 있으나, 「국가배상법」 제2조와 제5조는 '국가나 지방자치단체'로 한정하고 있다. 따라서 지방자치단체 이외의 공공단체(공공조합, 공공재단, 영조물법인)는 자신의 불법행위 등으로 인하여 국민에게 손해를 가한 경우에는 「민법」상 손해배상책임을 지게 된다.

㉡ 「국가배상법」이 배상주체를 공공단체 중 지방자치단체로 한정한 것과 관련하여 ⓐ 공공조합이나 영조물법인에 대한 배상책임은 「민법」의 불법행위책임에 의한다는 견해, 「국가배상법」상 지방자치단체 안에 공공조합이나 영조물법인이 포함된다고 해석하여 「국가배상법」을 적용하자는 견해, 헌법 제29조 제1항을 직접 적용하여 공공조합이나 영조물법인에 대하여 「국가배상법」을 유추적용하자는 견해 등이 제기되고 있다. ⓑ 그러나 우리나라에서는 공공단체의 직원이 공무원의 신분을 가지지 않으므로, 「국가배상법」이 지방자치단체 이외의 공공단체를 제외하더라도 「국가배상법」의 관련규정이 위헌이라고 보기는 어렵다.

② 국가배상의 상대방

㉠ 국민: 헌법은 국가배상 청구권의 주체를 '국민'으로 규정하고 있다. 따라서 대한민국의 국민이 아닌 자에 대해서는 기본권으로서의 배상청구권은 보장되지 않는다.

㉡ 외국인: 「국가배상법」은 외국인이 피해자인 경우에는 해당 국가와 상호 보증이 있을 때에만 적용한다고 하여 상호주의를 채택하고 있다(동법 제7조).❶

> **관련판례**
>
> 상호보증은 당사국과의 조약이 체결되어 있을 필요는 없으며, 인정된 사례가 없더라도 실제로 인정될 것이라고 기대할 수 있는 상태이면 충분하며 일본과 우리나라 사이에는 상호보증이 있다. ★★★
>
> [1] 우리나라와 외국 사이에 국가배상청구권의 발생요건이 현저히 균형을 상실하지 아니하고 외국에서 정한 요건이 우리나라에서 정한 그것보다 전체로서 과중하지 아니하여 <u>중요한 점에서 실질적으로 거의 차이가 없는 정도라면 국가배상법 제7조가 정하는 상호보증의 요건을 구비하였다고 봄이 타당하다.</u>
>
> [2] 상호보증은 외국의 법령, 판례 및 관례 등에 의하여 발생요건을 비교하여 인정되면 충분하고 반드시 당사국과의 조약이 체결되어 있을 필요는 없으며, 당해 외국에서 구체적으로 우리나라 국민에게 국가배상청구를 <u>인정한 사례가 없더라도 실제로 인정될 것이라고 기대할 수 있는 상태이면 충분하다.</u>
>
> [3] (일본인 甲이 대한민국 소속 공무원의 위법한 직무집행에 따른 피해에 대하여 국가배상청구를 한 사안에서) 일본 국가배상법 제1조 제1항, 제6조가 국가배상청구권의 발생요건 및 상호보증에 관하여 우리나라 국가배상법과 동일한 내용을 규정하고 있는 점 등에 비추어 <u>우리나라와 일본 사이에 국가배상법 제7조가 정하는 상호보증이 있다</u>(대판 2015.6.11. 2013다208388).

(4) 국가배상책임의 유형

헌법 제29조는 공무원의 직무상 불법행위로 인한 배상책임만을 규정하고 있으나, 「국가배상법」은 공무원의 직무상 불법행위로 인한 배상책임(제2조)과 영조물의 설치·관리의 하자로 인한 배상책임(제5조)으로 나누어 규정하고 있다. 이에 대한 상세한 설명은 후술한다.

제2절 공무원의 직무상 불법행위로 인한 손해배상

> 「**국가배상법**」 **제2조 【배상책임】** ① 국가나 지방자치단체는 공무원 또는 공무를 위탁받은 사인(이하 "공무원"이라 한다)이 직무를 집행하면서 고의 또는 과실로 법령을 위반하여 타인에게 손해를 입히거나, 「자동차손해배상 보장법」에 따라 손해배상의 책임이 있을 때에는 이 법에 따라 그 손해를 배상하여야 한다. 다만, 군인·군무원·경찰공무원 또는 예비군대원이 전투·훈련 등 직무 집행과 관련하여 전사(戰死)·순직(殉職)하거나 공상(公傷)을 입은 경우에 본인이나 그 유족이 다른 법령에 따라 재해보상금·유족연금·상이연금 등의 보상을 지급받을 수 있을 때에는 이 법 및 「민법」에 따른 손해배상을 청구할 수 없다.
> ② 제1항 본문의 경우에 공무원에게 고의 또는 중대한 과실이 있으면 국가나 지방자치단체는 그 공무원에게 구상(求償)할 수 있다.

1 개설

「국가배상법」 제2조 제1항은 "국가나 지방자치단체는 공무원 또는 공무를 위탁받은 사인(이하 "공무원"이라 한다)이 직무를 집행하면서 고의 또는 과실로 법령을 위반하여 타인에게 손해를 입히거나, 「자동차손해배상 보장법」에 따라 손해배상의 책임이 있을 때에는 이 법에 따라 그 손해를 배상하여야 한다."라고 규정하고, 동조 제2항에서는 "공무원에게 고의 또는 중대한 과실이 있으면 국가나 지방자치단체는 그 공무원에게 구상할 수 있다."라고 규정하여 공무원의 직무상 불법행위에 대한 국가 및 지방자치단체의 손해배상책임을 명시하고 있다.

2 배상책임의 성립요건

공무원의 직무상 불법행위로 인한 손해배상책임이 성립하기 위해서는 ① 공무원이, ② 그 직무를 집행하면서, ③ 고의 또는 과실로, ④ 법령을 위반하여, ⑤ 타인에게 손해를 발생케 하고, ⑥ 직무행위와 손해발생 사이에 상당인과관계가 있을 것을 요구한다.

1. 공무원

(1) 「국가배상법」상의 공무원(공무원 또는 공무를 위탁받은 사인)

① 국가배상책임이 성립하기 위해서는 '공무원'이 손해를 가한 경우이어야 한다. 여기서 '공무원은 조직법상의 의미뿐만 아니라 기능적 의미의 공무원을 포함하는 넓은 의미의 공무원을 의미한다. 따라서 「국가공무원법」 및 「지방공무원법」상의 공무원뿐 아니라 널리 공무를 위탁받아 실질적으로 공무에 종사하는 모든 사람을 총칭한다.

② 행정부 및 지방자치단체소속의 공무원은 물론 입법부 및 사법부 소속의 공무원도 포함되며, 사인이라 할지라도 공무를 위탁받아 수행하면, 위탁받은 공무가 비록 일시적이고 한정적인 사무에 해당한다고 할지라도 여기에서의 공무원에 해당한다.

「국가배상법」 제2조상 배상책임의 요건
▷ 공무원 또는 공무를 위탁받은 사인이
▷ 직무를 집행하면서
▷ 고의 또는 과실로
▷ 법령을 위반하여
▷ 타인에게 손해를 발생케 하고
▷ 손해와 직무행위 사이에 상당인과관계가 있어야 함

제2조의 공무원
▷ 기능적 의미의 공무원 포함

국가기관의 구성원
▷ 입법부, 사법부 소속의 공무원도 포함
▷ 국회의원, 지방의회 의원, 검사, 법관, 헌법재판소 재판관 등

 **함께 정리하기**

「국가배상법」 제2조의 공무원
▷ 「국가공무원법」, 「지방공무원법」상의 공무원뿐만 아니라 널리 공무를 위탁받아 실질적으로 공무에 종사하고 있는 일체의 자를 포함(일시적·한정적 사항에 관한 위탁이어도 무관)
▷ 공무원신분 가진 자에 국한× (공무수탁사인도 포함○)

법관·헌법재판소 재판관
▷ 「국가배상법」 제2조의 공무원○

🔨 관련판례

1 국가배상법 제2조의 "공무원"이란 널리 공무를 위탁받아 실질적으로 공무에 종사하고 있는 일체의 자를 가리킨다. ★★★

국가배상법 제2조 소정의 '공무원'이라 함은 국가공무원법이나 지방공무원법에 의하여 공무원으로서의 신분을 가진 자에 국한하지 않고, 널리 공무를 위탁받아 실질적으로 공무에 종사하고 있는 일체의 자를 가리키는 것으로서, 공무의 위탁이 일시적이고 한정적인 사항에 관한 활동을 위한 것이어도 달리 볼 것은 아니다(대판 2001.1.5. 98다39060).

2 법관이나 헌법재판소 재판관도 특정직 공무원으로서 국가배상법상의 공무원에 해당한다(대판 2001.10.12. 2001다47290). ★★

③ 국회, 지방의회, 선거관리위원회 등 국가기관 자체가 「국가배상법」 제2조 소정의 공무원에 포함되는지에 대해서 견해의 대립이 있으나, 사인의 권리구제의 범위를 넓힌다는 의미에서 이를 긍정하는 견해가 다수설과 판례의 입장이다.

④ 판례의 의하면, 교통할아버지 봉사원, 소집 중인 향토예비군(대판 1970.5.26. 70다471), 시(자치구) 청소차운전수(운전원)(대판 1980.9.24. 80다1051), 재판의 집행을 행하는 집행관(대판 1968.5.7. 68다326), 미군부대 카투사(대판 1969.2.18. 68다2346), 국가나 지방자치단체에 소속된 청원경찰, 전입신고에 확인인을 찍는 통장 등도 여기서 말하는 공무원에 포함되지만, 의용소방대원, 시영버스 운전자(대판 1974.10.2. 73나1434)는 여기에 포함되지 않는다.

ⓐ 「국가배상법」상 '공무원'에 해당한다고 본 예

지방자치단체로부터 공무위탁을 받은 교통할아버지
▷ 「국가배상법」 제2조의 공무원○

🔨 관련판례

1 교통할아버지 봉사원 ★★★

피고가 '교통할아버지 봉사활동' 계획을 수립한 다음 관할 동장으로 하여금 '교통할아버지' 봉사원을 선정하게 하여 그들에게 활동시간과 장소까지 지정해 주면서 그 활동시간에 비례한 수당을 지급하고 그 활동에 필요한 모자, 완장 등 물품을 공급함으로써, 피고의 복지행정업무에 해당하는 어린이 보호, 교통안내, 거리질서 확립 등의 공무를 위탁하여 이를 집행하게 하였다고 보아, 소외인은 '교통할아버지' 활동을 하는 범위 내에서는 국가배상법 제2조에 규정된 지방자치단체의 '공무원'이라고 봄이 상당하다(대판 2001.1.5. 98다39060).

국가·지방자치단체에 근무하는 청원경찰의 직무상 불법행위
▷ 「국가배상법」 제2조의 공무원○

2 국가나 지방자치단체에 소속된 청원경찰 ★★

국가나 지방자치단체에 근무하는 청원경찰은 국가공무원법이나 지방공무원법상의 공무원은 아니지만, … 직무상의 불법행위에 대하여도 민법이 아닌 국가배상법이 적용되는 등의 특질이 있으며 그 외 임용자격·직무·복무의무 내용 등을 종합하여 볼 때, 그 근무관계를 사법상의 고용계약관계로 보기는 어려우므로 그에 대한 징계처분의 시정을 구하는 소는 행정소송의 대상이지 민사소송의 대상이 아니다(대판 1993.7.13. 92다47564).

전입신고서에 확인인 찍는 통장
▷ 「국가배상법」 제2조의 공무원○

3 전입신고에 확인인을 찍는 통장 ★★

통장이 전입신고서에 확인인을 찍는 행위는 공무를 위탁받아 실질적으로 공무를 수행하는 것이라고 보아야 하므로, 통장은 그 업무범위 내에서는 국가배상법 제2조 소정의 공무원에 해당한다(대판 1991.7.9. 91다5570).

4 시 청소차 운전수 ★★
피고 박영규는 원고 산하 관악구청 소속 청소차량 운전원으로 … 피고 박영규가 원고시의 업무인 청소작업을 하기 위하여 원고 소유 청소차량을 운행하다가 본건 사고를 일으킨 것을 국가배상법 제2조 소정의 공무원의 직무수행상의 행위라고 단정하였음은 정당하다(대판 1980.9.24. 80다1051).

5 소집 중인 향토예비군 ★★
향토예비군도 그 동원기간 중에는 국가배상법 제2조 소정의 공무원 중에 포함된다고 보는 것이 상당하다(대판 1970.5.26. 70다471).

ⓑ 「국가배상법」상 '공무원'에 해당하지 않는다고 본 예

관련판례

1 의용소방대원❶ ★★★
소방법 제63조의 규정에 의하여 시, 읍, 면이 소방서장의 소방업무를 보조하게 하기 위하여 설치한 의용소방대를 국가기관이라고 할 수 없음은 물론 또 그것이 이를 설치한 시, 읍, 면에 예속된 기관이라고도 할 수 없다(대판 1978.7.11. 78다584).

2 순전히 대등한 사경제의 주체 ★
국가 또는 지방자치단체라도 공권력의 행사가 아니고 순전히 대등한 지위에 있어서의 사경제의 주체로 활동하였을 경우에는 국가배상법의 규정이 적용될 수 없다(대판 1970.11.24. 70다1148).

(2) 공무를 위탁받은 '공법인'이 「국가배상법」상 공무원에 해당하는지 여부

① 「국가배상법」 제2조는 공무를 위탁받은 '사인'도 「국가배상법」상의 공무원이라고 명시적으로 규정하고 있다. 따라서 자연인이나 사법인(私法人)이 국가나 지방자치단체로부터 공무를 위탁받은 경우에는 「국가배상법」 제2조에서 말하는 공무를 위탁받은 사인으로서 「국가배상법」상의 공무원에 해당한다는 점에는 이견이 없다.

② 문제는 공법인이 공무를 위탁받은 경우에도 「국가배상법」 제2조의 공무를 위탁받은 사인에 포함되는 것인지 아니면 당해 공법인은 행정주체로서 「민법」상의 손해배상책임을 부담하게 되는 것인지 여부이다.

③ 판례는 공무를 위탁받은 '공법인'은 행정주체이지 「국가배상법」 제2조의 공무원은 아니라는 취지에서 공법인에게 경과실이 있는 경우에도 그 공법인은 면책되지 않으며 피해자에게 「민법」상의 손해배상책임을 진다고 판시하였다.

관련판례

1 한국토지공사는 국가배상법 제2조의 공무원에 해당하지 않는다. ★★★
[1] 한국토지공사는 이러한 법령의 위탁에 의하여 대집행을 수권 받은 자로서 공무인 대집행을 실시함에 따르는 권리·의무 및 책임이 귀속되는 행정주체의 지위에 있다고 볼 것이지 지방자치단체 등의 기관으로서 국가배상법 제2조 소정의 공무원에 해당한다고 볼 것은 아니다.

함께 정리하기

시 청소차 운전수
▷ 「국가배상법」 제2조의 공무원 ○

동원 중인 향토예비군
▷ 「국가배상법」 제2조의 공무원 ○

❶ 의용소방대(義勇消防隊)
소방관이 아닌 일반인으로 하여금 화재 진압, 구조, 구급 등의 소방 업무를 보조하도록 하는 기관이다(민간봉사단체). 화재 등 재난상황시 소집되어 복무하는 경우가 대부분이고 평소에는 생업에 종사한다. 의용소방대의 운영예산과 경비는 지자체가 부담한다.

의용소방대원
▷ 「국가배상법」 제2조의 공무원 ×

순전히 대등한 사경제 주체
▷ 「국가배상법」 제2조의 공무원 ×

공무를 위탁받은 '공법인'
▷ 「민법」상의 손해배상책임 ○
▷ 국가배상 ×

대집행권한 위탁받은 한국토지공사
▷ 행정주체 ○
▷ 「국가배상법」 제2조의 공무원 ×

실질적으로 공무를 수행하는 공공단체의 직원 등(대집행을 실제 수행한 업무담당자)
▷ 「국가배상법」제2조의 공무원 ○

공법인인 대한변호사협회
▷ 행정주체 ○

공법인의 임직원 또는 피용인(실질적으로 공무를 수행한 사람)
▷ 「국가배상법」제2조의 공무원 ○
▷ 고의 또는 중과실: 배상책임 ○ /
경과실: 배상책임 ×

[2] 피고 2, 피고 3 주식회사, 피고 4(한국토지공사의 업무 담당자이거나 그와 용역계약을 체결한 법인 또는 그 대표자)는 이 사건 대집행을 실제 수행한 자들로서 공무인 이 사건 대집행에 실질적으로 종사한 자라고 할 것이므로 국가배상법 제2조 소정의 공무원에 해당한다고 볼 것이고, 따라서 위 법리에 따라 고의 또는 중과실이 있는 경우에 한하여 불법행위로 인한 손해배상책임을 진다(대판 2010.1.28. 2007다82950).

2 공법인의 임직원이나 피용인은 실질적인 의미에서 공무를 수행한 사람으로서 국가배상법 제2조의 공무원에 해당한다. ★★

[1] 공법인이 국가로부터 위탁받은 공행정사무를 집행하는 과정에서 공법인의 임직원이나 피용인이 고의 또는 과실로 법령을 위반하여 타인에게 손해를 입힌 경우에는, 공법인은 위탁받은 공행정사무에 관한 행정주체의 지위에서 배상책임을 부담하여야 하지만, 공법인의 임직원이나 피용인은 실질적인 의미에서 공무를 수행한 사람으로서 국가배상법 제2조에서 정한 공무원에 해당하므로 고의 또는 중과실이 있는 경우에만 배상책임을 부담하고 경과실이 있는 경우에는 배상책임을 면한다.

[2] 甲이 선고유예 판결의 확정으로 변호사등록이 취소되었다가 선고유예기간이 경과한 후 대한변호사협회에 변호사 등록신청을 하였는데, 협회장 乙이 등록심사위원회에 甲에 대한 변호사등록 거부 안건을 회부하여 소정의 심사과정을 거쳐 대한변호사협회가 甲의 변호사등록을 마쳤고, 이에 甲이 대한변호사협회 및 협회장 乙을 상대로 변호사 등록거부사유가 없음에도 위법하게 등록심사위원회에 회부되어 변호사등록이 2개월간 지연되었음을 이유로 손해배상을 구한 사안에서, 대한변호사협회는 乙 및 등록심사위원회 위원들이 속한 행정주체의 지위에서 甲에게 변호사등록이 위법하게 지연됨으로 인하여 얻지 못한 수입 상당액의 손해를 배상할 의무가 있는 반면, 乙은 경과실 공무원의 면책 법리에 따라 甲에 대한 배상책임을 부담하지 않는다고 한 사례(대판 2021.1.28. 2019다260197)

2. 직무행위

(1) 직무행위의 범위

① 학설: 「국가배상법」제2조에서 말하는 "직무행위"의 범위에 관하여는 ㉠ 권력적 작용만 해당한다는 협의설, ㉡ 권력적 작용뿐만 아니라 행정지도와 같은 비권력적 작용(관리작용)까지도 포함한다는 광의설, ㉢ 광의설에 더하여 사경제작용(국고작용)까지 포함한다는 최광의설이 있으나, 광의설이 다수설이다.

② 판례: 판례는 "국가배상청구의 요건인 '공무원의 직무'에는 권력적 작용뿐만 아니라 비권력적 작용도 포함되지만 단순한 사경제주체로서 하는 작용은 포함되지 않는다."라고 하여 광의설의 입장을 취하고 있다. 따라서 국가나 지방자치단체의 사경제작용으로 인해 발생한 손해에 대해서는 「국가배상법」이 적용되지 않고 「민법」이 적용된다.

협의설
▷ 권력적 작용만

광의설(통설·판례)
▷ 권력적 작용뿐만 아니라 비권력적 작용도 포함

최광의설
▷ 사경제 작용까지 포함

함께 정리하기

관련판례

1 "직무행위"에는 행정지도와 같은 비권력적 작용도 포함되나 사경제작용은 제외된다. ★★★

국가배상법이 정한 배상청구의 요건인 '공무원의 직무'에는 권력적 작용만이 아니라 행정지도와 같은 비권력적 작용도 포함되며 단지 행정주체가 사경제주체로서 하는 활동만 제외된다(대판 1998.7.10. 96다38971 ; 대판 1999.11.26. 98다47245 ; 대판 2004.4.9. 2002다10691).

2 국가의 철도운행사업은 사경제적 작용이므로 이와 관련한 손해의 배상에는 국가배상법이 적용되지 않는다. ★★★

국가 또는 지방자치단체라 할지라도 공권력의 행사가 아니고 단순한 사경제의 주체로 활동하였을 경우에는 그 손해배상책임에 국가배상법이 적용될 수 없고 민법상의 사용자책임 등이 인정되는 것이고 국가의 철도운행사업은 국가가 공권력의 행사로서 하는 것이 아니고 사경제적 작용이라 할 것이므로, 이로 인한 사고에 공무원이 간여하였다고 하더라도 국가배상법을 적용할 것이 아니고 일반 민법의 규정에 따라야 하나, 공공의 영조물인 철도시설물의 설치 또는 관리의 하자로 인한 불법행위를 원인으로 하여 국가에 대하여 손해배상청구를 하는 경우에는 국가배상법이 적용된다(대판 1999.6.22. 99다7008).

3 공용사업용지의 협의취득은 사법상 매매이므로 이와 관련한 손해의 배상에는 국가배상법이 적용되지 않는다. ★★

서울특별시장의 대행자인 도봉구청장이 원고와 사이에 체결한 이 사건 매매계약은 공공기관이 사경제주체로서 행한 사법상 매매이므로, 이에 대하여는 국가배상법을 적용하기는 어렵고 일반 민법의 규정을 적용할 수 있을 뿐이다(대판 1999.11.26. 98다47245).

「국가배상법」 제2조상 직무행위
▷ 비권력작용(행정지도)○
▷ 사경제작용×

국가 철도운행사업
▷ 사경제적 작용
▷ 「민법」 적용○(「국가배상법」×)

공공용지의 협의취득
▷ 사법상 매매
▷ 「민법」 적용○(「국가배상법」×)

(2) 직무행위의 내용

「국가배상법」 제2조상의 '직무행위'에는 입법·사법·행정의 모든 작용이 포함되며, 특히 행정작용에는 법률행위적 행정행위, 준법률행위적 행정행위와 같은 법적 행위뿐만 아니라 사실행위, 부작위 등도 포함된다. 이를 구체적으로 살펴보면 다음과 같다.

① 입법작용
  ㉠ 국회의 입법작용은 "직무행위"에 포함된다. 그러나 국회의원의 입법행위는 '그 입법 내용이 헌법의 문언에 객관적으로 명백히 위반됨에도 불구하고 국회가 굳이 당해 입법을 한 것'과 같은 특수한 경우가 아닌 한, 법률제정의 위법성을 이유로 국가의 배상책임을 인정하는 것은 쉽지 않다. 왜냐하면 국회의원은 입법에 관하여 국민 전체에 대한 관계에서 정치적 책임을 질 뿐 국민 개개인의 권리에 대응하여 법적 의무를 지는 것은 아니기 때문이다.
  ㉡ 다만, 그 입법 내용이 ⓐ 헌법의 문언에 명백히 위배됨에도 불구하고 국회가 굳이 당해 입법을 하였다거나 국가가 일정한 사항에 관하여, ⓑ 헌법에 의하여 부과되는 구체적인 입법의무를 부담하고 있음에도 불구하고 그 입법에 필요한 상당한 기간이 경과하도록 고의 또는 과실로 이러한 입법의무를 이행하지 아니하는 등 극히 예외적인 사정이 인정되는 사안에서는 국가배상책임이 인정될 수 있다.❶

입법작용
▷ 직무행위에 포함○
▷ 위법성·과실 입증곤란

❶ 대법원은 공비토벌 등을 이유로 국군병력이 작전수행을 하던 중에 거창군민이 희생된 이른바 '거창사건'으로 인한 희생자와 그 유족들이 국가를 상대로 배상청구 소송에서 국회의 입법부작위로 인한 불법행위를 부인하였다(대판 2008.5.29. 2004다33469 등). 한편 대법원은 군법무관의 보수와 관련하여 대통령령의 입법부작위에 대해서는 국가배상책임을 인정한 바 있다(대판 2007.11.29. 2006다3561).

국회의원 입법행위
▷ 헌법을 명백히 위반하는 경우 등 예외적으로 위법성 인정

> ⚖️ **관련판례**
>
> 국회의원의 입법행위는 헌법의 문언에 명백히 위반됨에도 굳이 당해 입법을 한 경우나 헌법에 의하여 부과되는 구체적인 입법의무를 부담하고 있음에도 불구하고 그 입법에 필요한 상당한 기간이 경과하도록 고의 또는 과실로 이러한 입법의무를 이행하지 아니하는 등 극히 예외적인 사안에 한정하여 위법성이 인정된다. ★★★
>
> 국회의원은 입법에 관하여 원칙적으로 국민 전체에 대한 관계에서 정치적 책임을 질 뿐 국민 개개인의 권리에 대응하여 법적 의무를 지는 것은 아니므로 국회의원의 입법행위는 그 입법 내용이 헌법의 문언에 명백히 위반됨에도 불구하고 국회가 굳이 당해 입법을 한 것과 같은 특수한 경우가 아닌 한 국가배상법 제2조 제1항 소정의 위법행위에 해당된다고 볼 수 없고, 같은 맥락에서 국가가 일정한 사항에 관하여 헌법에 의하여 부과되는 구체적인 입법의무를 부담하고 있음에도 불구하고 그 입법에 필요한 상당한 기간이 경과하도록 고의 또는 과실로 이러한 입법의무를 이행하지 아니하는 등 극히 예외적인 사정이 인정되는 사안에 한정하여 국가배상법 소정의 배상책임이 인정될 수 있으며, 위와 같은 구체적인 입법의무 자체가 인정되지 않는 경우에는 애당초 부작위로 인한 불법행위가 성립될 여지가 없다(대판 2008.5.29. 2004다33469 등).

② **사법작용(재판행위)**

사법작용(재판행위)
▷ 직무행위에 포함 O

ⓐ 법관도 「국가배상법」 제2조 제1항의 공무원에 해당하고, 재판행위도 직무에 해당한다. 하지만 법관의 재판행위의 결과인 확정판결에 대해 국가배상청구를 인정한다는 것은 직접적이지는 않으나 실질적으로 확정판결의 기판력을 부정하는 것이기에 재판행위에 대한 국가배상청구가 가능한지가 문제된다.

ⓑ 이와 관련하여 종래 대법원은 법관의 재판을 원인으로 하는 국가배상책임을 주로 부정해 왔으나, 근래에 들어 제한적 조건에서나마 법관의 재판에 대한 배상책임을 인정하는 판례가 나타나고 있다. 즉, 판례는 법관의 재판이 법령의 규정을 따르지 않은 잘못이 있다 하더라도 곧바로 위법한 행위로서 국가배상책임이 발생하는 것이 아니고, 당해 법관이 위법 또는 부당한 목적을 가지고 재판을 하였다거나, 법관의 직무수행상 준수해야 하는 기준을 현저하게 위반하는 등 특별한 사정이 있는 경우에 한하여 재판에 대한 국가배상을 허용하고 있다(대판 2001.4.24. 2000다16114 등). 이 때 재판작용의 위법이라는 것은 판결 자체의 위법을 의미하는 것이 아니라 법관의 공정한 재판을 위한 직무수행상의 의무를 위반하는 것을 의미한다.

재판작용의 위법의 의미
▷ 판결 자체의 위법이 아니라 법관의 직무상의 의무위반

ⓒ 대법원은 재판에 대하여 따로 불복절차 또는 시정절차가 마련되어 있음에도 불구하고 스스로 그와 같은 시정을 구하지 아니한 결과 권리 내지 이익을 회복하지 못한 사람은 원칙적으로 국가배상에 의한 권리구제를 받을 수 없다고 판시하여 법관의 재판작용에 있어서 국가배상책임의 보충성을 인정하고 있다(대판 2016.10.13. 2014다215499). 다만, 대법원은 적법한 헌법소원심판청구임에도 불구하고 헌법재판소 재판관이 청구기간을 오인하여 각하결정을 한 경우, 이에 대한 불복절차 내지 시정절차가 없으므로 국가배상책임을 인정할 수 있다고 판시한 바 있다(대판 2003.7.11. 99다24218).

관련판례

1. 법관이 재판에서 법령규정을 따르지 아니한 잘못이 있는 경우 그것만으로 국가배상책임이 발생하는 것은 아니고 법관이 위법·부당한 목적을 가지고 재판을 하는 등 특별한 사정이 있어야 한다. ★★★

법관의 재판에 법령의 규정을 따르지 아니한 잘못이 있다 하더라도 이로써 바로 그 재판상 직무행위가 국가배상법 제2조 제1항에서 말하는 위법한 행위로 되어 국가의 손해배상책임이 발생하는 것은 아니고, 그 국가배상책임이 인정되려면 당해 법관이 위법 또는 부당한 목적을 가지고 재판을 하는 등 법관이 그에게 부여된 권한의 취지에 명백히 어긋나게 이를 행사하였다고 인정할 만한 특별한 사정이 있어야 한다(대판 2001.4.24. 2000다16114 ; 대판 2003.7.11. 99다24218 등).

2. 헌법재판소 재판관이 청구기간 내에 제기된 헌법소원심판청구 사건에서 청구기간을 오인하여 각하결정을 한 경우, 이에 대한 불복절차 내지 시정절차가 없는 때에는 국가배상책임(위법성)을 인정할 수 있다. ★★★

재판에 대하여 따로 불복절차 또는 시정절차가 마련되어 있는 경우에는 재판의 결과로 불이익 내지 손해를 입었다고 여기는 사람은 그 절차에 따라 자신의 권리 내지 이익을 회복하도록 함이 법이 예정하는 바이므로, 불복에 의한 시정을 구할 수 없었던 것 자체가 법관이나 다른 공무원의 귀책사유로 인한 것이라거나 그와 같은 시정을 구할 수 없었던 부득이한 사정이 있었다는 등의 특별한 사정이 없는 한, 스스로 그와 같은 시정을 구하지 아니한 결과 권리 내지 이익을 회복하지 못한 사람은 원칙적으로 국가배상에 의한 권리구제를 받을 수 없다고 봄이 상당하다고 하겠으나, 재판에 대하여 불복절차 내지 시정절차 자체가 없는 경우에는 부당한 재판으로 인하여 불이익 내지 손해를 입은 사람은 국가배상 이외의 방법으로는 자신의 권리 내지 이익을 회복할 방법이 없으므로, 이와 같은 경우에는 배상책임의 요건이 충족되는 한 국가배상책임을 인정하지 않을 수 없다. 헌법소원심판을 청구한 자로서는 헌법재판소 재판관이 일자 계산을 정확하게 하여 본안판단을 할 것으로 기대하는 것이 당연하고, 따라서 헌법재판소 재판관의 위법한 직무집행의 결과 잘못된 각하결정을 함으로써 청구인으로 하여금 본안판단을 받을 기회를 상실하게 한 이상, 설령 본안판단을 하였더라도 어차피 청구가 기각되었을 것이라는 사정이 있다고 하더라도 잘못된 판단으로 인하여 헌법소원심판 청구인의 위와 같은 합리적인 기대를 침해한 것이고 이러한 기대는 인격적 이익으로서 보호할 가치가 있다고 할 것이므로 그 침해로 인한 정신상 고통에 대하여는 위자료를 지급할 의무가 있다(대판 2003.7.11. 99다24218).

③ **행정작용**

   ⊙ **준법률행위적 행정행위**: 준법률행위적 행정행위는 행정주체의 효과의사와 관계없이 직접 법규가 정하는 법률효과가 발생하므로 손해발생의 원인행위가 되는 경우가 많지 않을 것이다. 그러나 직무상 과실로 위조의 의심이 있는 서류를 기초로 허위의 인감증명서를 발급해준 경우와 같이 손해발생의 원인행위가 된 경우에는 '직무행위'에 포함된다(대판 1991.7.9. 91다5570).

   ⓒ **사실행위**: 권력적 사실행위뿐 아니라 행정지도와 같은 비권력적 사실행위도 '직무행위'에 포함된다(대판 1998.7.10. 96다38971).

   ⓒ **부작위**: 공무원의 직무행위에는 적극적인 작위의무뿐 아니라 소극적인 부작위도 포함된다. 그런데 이러한 부작위로 손해가 발생한 경우 국가가 배상책임을 지는지가 문제된다. 이에 관하여는 후술하는 '부작위의 위법'에서 논하기로 한다.

 함께 정리하기

재판에 대한 국가배상
▷ 위법·부당한 목적 등 특별한 사정 要

재판에 대한 불복·시정절차 구하지 않은 자
▷ 국가배상청구×(국가배상책임의 보충성)

헌법재판소 재판관의 위법한 각하결정
▷ 국가배상책임

공증인 인감증명서 발급행위
▷ 「국가배상법」 소정의 손해배상책임이 인정됨

사실행위(행정지도)
▷ 「국가배상법」 제2조상 직무행위에 포함○

함께 정리하기

검사의 수사·공소제기
▷ 직무행위에 포함 ○
▷ 위법성·과실 입증곤란

특정인을 감독하는 직무를 수행하는 자의 감독행위
▷ 직무행위에 포함 ○

경찰서 대용감방에 배치된 경찰관의 감독행위
▷ 직무행위에 포함 ○

위헌 선언된 긴급조치 제9호
▷ 국가배상책임 ○

❶ 과거 판례는 통치행위는 고도의 정치성을 띤 국가행위로서 원칙적으로 국민 전체에 대한 관계에서 정치적 책임을 질 뿐 국민 개개인의 권리에 대응하여 법적의무를 지는 것은 아니므로 국민 개개인에 대한 관계에서 민사상 불법행위를 구성한다고는 볼 수 없다고 하여 대통령의 긴급조치 제9호 발령 및 적용·집행행위에 대하여 국가배상책임을 부정하였다(대판 2015.3.26. 2012다48824). 그러나 최근 판례는 긴급조치 제9호 위반 혐의로 수사 및 유죄판결을 받은 사람들 또는 그 유족들이 대통령과 수사기관, 법원의 불법행위를 이유로 국가배상을 청구한 사안에서, 긴급조치 제9호의 발령·적용·집행으로 강제수사를 받거나 유죄판결을 선고받고 복역함으로써 개별 국민이 입은 손해에 대하여 국가배상책임을 인정하여 기존 입장을 변경한 바 있다.

ⓔ **수사기관의 행위**: 수사기관인 검사의 행위도 '직무행위'에 포함된다. 그러나 검사가 공소제기한 사건에 대하여 형사재판 과정에서 무죄판결이 확정되었다는 사실만으로는 곧바로 국가배상책임이 인정되지 않는다(대판 2002.2.22. 2001다23447).

ⓜ **감독행위**: 일반적으로 '직무행위'의 기준이 되는 것은 사인에게 손해를 발생시킨 당해 공무원의 행위이다. 그러나 예외적으로 특정인을 감독하는 직무를 수행하는 자의 감독행위도 '직무행위'에 포함될 수 있다.

> **관련판례**
>
> 경찰서 대용감방에 배치된 경찰관이 수감자 사이의 폭력행위 제지의무를 게을리 하였다면 손해를 배상할 책임이 있다. ★
>
> 경찰서 대용감방에 배치된 경찰관 등으로서는 감방 내의 상황을 잘 살펴 수감자들 사이에서 폭력행위 등이 일어나지 않도록 예방하고 나아가 폭력행위 등이 일어난 경우에는 이를 제지하여야 할 의무가 있음에도 불구하고 이러한 주의의무를 게을리 하였다면 국가는 감방 내의 폭력행위로 인한 손해를 배상할 책임이 있다(대판 1993.9.28. 93다17546).

④ 통치행위

> **관련판례**
>
> 대통령 긴급조치 제9호의 발령·적용·집행으로 강제수사를 받거나 유죄판결을 선고받고 복역함으로써 개별 국민이 입은 손해에 대하여 국가배상책임이 인정된다. ★★★
>
> 구 국가안전과 공공질서의 수호를 위한 대통령긴급조치(1975.5.13. 대통령긴급조치 제9호, 이하 '긴급조치 제9호'라고 한다)는 위헌·무효임이 명백하고 긴급조치 제9호 발령으로 인한 국민의 기본권 침해는 그에 따른 강제수사와 공소제기, 유죄판결의 선고를 통하여 현실화되었다. 이러한 경우 긴급조치 제9호의 발령부터 적용·집행에 이르는 일련의 국가작용은, 전체적으로 보아 공무원이 직무를 집행하면서 객관적 주의의무를 소홀히 하여 그 직무행위가 객관적 정당성을 상실한 것으로서 위법하다고 평가되고, 긴급조치 제9호의 적용·집행으로 강제수사를 받거나 유죄판결을 선고받고 복역함으로써 개별 국민이 입은 손해에 대해서는 국가배상책임이 인정될 수 있다(대판 2022.8.30. 2018다212610 전합). ❶

3. 직무를 집행하면서 행한 행위(직무관련성)

(1) 직무집행행위의 판단기준

① 「국가배상법」 제2조 제1항 소정의 '직무를 집행하면서'라 함은 직무행위 자체는 물론이고, 객관적으로 직무범위에 속한다고 판단되는 행위 및 직무와 밀접한 관련에 있는 행위를 포함한다.

② 이 경우 직무행위인지 여부는 당해 행위가 현실적으로 정당한 권한 내의 것인지 또는 행위자인 공무원이 주관적으로 직무집행의 의사를 갖추고 있는지와 관계없이, 객관적으로 직무집행의 외관을 갖추고 있는지에 여부에 따라 판단하여야 한다(외형설).

③ 그리고 행위의 외관상 공무원의 직무행위로 보여질 때에는 실질적으로 공무집행행위가 아니라는 사실을 피해자가 알았다 하더라도 직무행위로 인정된다(대판 1966.6.28. 66다781).

관련판례

국가배상법 제2조 제1항에 정한 '직무를 집행함에 당하여'의 의미 ★★★

국가배상법 제2조 제1항의 '직무를 집행함에 당하여'라 함은 직접 공무원의 직무집행행위이거나 그와 밀접한 관련이 있는 행위를 포함하고, 이를 판단함에 있어서는 행위 자체의 외관을 객관적으로 관찰하여 공무원의 직무행위로 보여질 때에는 비록 그것이 실질적으로 직무행위가 아니거나 또는 행위자로서는 주관적으로 공무집행의사가 없었다고 하더라도 그 행위는 공무원이 '직무를 집행함에 당하여' 한 것으로 보아야 한다(대판 2008.6.12. 2007다64365 ; 대판 2005.1.14. 2004다26805 등).

(2) 구체적인 사례

① 직무집행행위로 인정된 예

관련판례

1. 운전병이 아닌 군인이 군복을 입고 군용차량을 불법운전한 경우(대판 1967.11.21. 67도1304)

2. 경찰관이 수사 도중 고문한 행위(대판 1981.10.13. 81다625)

3. 경찰감방 내 폭력을 예방하지 못한 행위(대판 1993.9.28. 93다17546)

4. 육군중사가 훈련에 대비하여 개인 소유의 오토바이를 운전하여 사전정찰차 훈련지역 일대를 돌아보고 귀대하다가 교통사고를 일으킨 경우(대판 1994.5.27. 94다6741)

5. 상급자가 전입사병인 하급자에게 암기사항에 관하여 교육하던 중 훈계하다가 도가 지나쳐 폭행한 경우(대판 1995.4.21. 93다14240)

6. 미군부대 소속 선임하사관이 공무차 개인소유차를 운전하고 출장을 갔다가 퇴근하기 위하여 집으로 운행하던 중 사고가 발생한 경우(대판 1988.3.22. 87다카1163)

7. 공무원증 및 재직증명서 발급업무를 하는 인사공무원이 다른 공무원의 공무원증 등을 위조한 행위 ★★★

    울산세관의 통관지원과에서 인사업무를 담당하면서 공무원증 및 재직증명서 발급업무를 하는 공무원이 울산세관의 다른 공무원의 공무원증 등을 위조하는 행위는 비록 그것이 실질적으로는 직무행위에 속하지 아니한다 할지라도 적어도 외관상으로는 공무원증과 재직증명서를 발급하는 행위로서 직무집행으로 보여지므로 결국 그 공무원증 등 위조행위는 국가배상법 제2조 제1항 소정의 공무원이 직무를 집행하면서 한 행위로 인정된다(대판 2005.1.14. 2004다26805).

② 직무집행행위로 부정된 예

관련판례

1. 구청 세무과 소속 공무원이 편취 목적으로 입주권이 부여되지 않는 무허가 건물 세입자들에 대한 시영아파트 입주권 매매행위를 한 경우(대판 1993.1.15. 92다8514)

2. 공무원이 통상의 근무지로 자기 소유 차량을 운전하여 출근하던 중 교통사고를 일으킨 경우(대판 1996.5.31. 94다15271)

3. 군인이 부대 이탈 후 민간인을 사살한 행위(대판 1969.6.24. 69다464)

인사담당 공무원이 다른 공무원의 공무원증 위조
▷ 실질적으로 직무행위에 해당하지 않더라도 직무행위 O

4. 고의 또는 과실로 인한 행위

(1) 과실책임주의

① 의의

ⓐ 「국가배상법」제2조에 의한 배상책임은 고의·과실을 요건으로 한다는 점에서 과실책임주의에 입각하고 있다. 여기에서 고의란 일정한 결과가 발생하리라는 것을 알면서 그 행위를 행하는 심리상태를 말하고, 과실이란 자신의 행위로 일정한 결과가 발생할 수 있음에도 통상 갖추어야 할 주의의무를 게을리하여 그 결과의 발생을 인지하지 못하고 그 행위를 하는 심리상태를 의미한다. 과실에는 중과실과 경과실이 모두 포함된다.

관련판례

공무원의 중과실의 의미 ★★

공무원의 중과실이란 공무원에게 통상 요구되는 정도의 상당한 주의를 하지 않더라도 약간의 주의를 한다면 손쉽게 위법·유해한 결과를 예견할 수 있는 경우임에도 만연히 이를 간과한 경우와 같이, 거의 고의에 가까운 현저한 주의를 결여한 상태를 의미한다(대판 2021.1.28. 2019다260197).

ⓑ 과실은 다시 추상적 과실과 구체적 과실로 구분할 수 있는바, 구체적 과실은 주의의무의 위반의 판단에 있어서 '행위자'의 주관적 인식능력에 초점을 맞추는 반면, 추상적 과실은 그 직업에 종사하는 '평균인'에게 요구되는 주의의무를 게을리 하는 경우에 인정된다. 일반적으로 추상적 과실에서 요구되는 주의의무의 정도가 구체적 과실보다 높으며, 판례는 「국가배상법」상의 과실을 「민법」상의 불법행위와 마찬가지로 추상적 과실의 의미로 이해하고 있다.

② **판단기준**: 고의·과실은 직무를 행하는 당해 공무원을 기준으로 판단한다. 즉, 「국가배상법」상의 고의·과실은 국가 등의 공무원에 대한 선임·감독상의 고의·과실을 말하는 것이 아니므로, 「민법」상의 사용자책임(「민법」제756조)과 구별된다. 따라서 「민법」상의 사용자 면책사유는 「국가배상법」상의 고의·과실의 판단에는 적용되지 않는다.

「민법」제756조 【사용자의 배상책임】 ① 타인을 사용하여 어느 사무에 종사하게 한 자는 피용자가 그 사무집행에 관하여 제삼자에게 가한 손해를 배상할 책임이 있다. 그러나 사용자가 피용자의 선임 및 그 사무감독에 상당한 주의를 한 때 또는 상당한 주의를 하여도 손해가 있을 경우에는 그러하지 아니하다.

관련판례

국가배상법상의 배상책임과 민법상의 사용자 책임과의 관계 ★★

공무원이 그 직무를 행함에 당하여 고의 또는 과실로 법령에 위반하여 타인에게 손해를 가한 경우에 국가나 지방자치단체가 그 손해를 배상하는 것은 민법상의 사용자로서 그 배상책임을 부담하는 것이 아니므로 민법상 사용자의 면책사유인 피용자의 선임감독에 과실이 없었다는 것으로서는 본법상의 손해배상 책임을 면할 수 없다(대판 1970.6.30. 70다727).

함께 정리하기

고의
▷ 일정한 결과가 발생하리라는 것을 알면서 이를 행하는 심리상태

과실
▷ 일정한 결과가 발생한다는 것을 알고 있어야 함에도 불구하고 부주의로 그것을 알지 못한 것

공무원의 중과실
▷ 공무원에게 통상 요구되는 정도의 상당한 주의를 하지 않더라도 약간의 주의를 한다면 손쉽게 위법·유해한 결과를 예견할 수 있는 경우임에도 만연히 이를 간과한 경우와 같이, 거의 고의에 가까운 현저한 주의를 결여한 상태

과실 판단기준
▷ 직무 수행하는 당해 공무원을 기준

「민법」상 사용자 면책사유
▷ 「국가배상법」상 고의·과실의 판단에는 적용×

(2) 과실의 객관화 경향

「국가배상법」은 과실책임주의를 취하고 있으나, 현대행정은 그 익명성·다단계성·복잡성으로 인하여 개인이 공무원의 과실을 입증하기가 매우 어렵다. 이에 따라 최근에는 「국가배상법」상의 주관적인 과실관념을 객관화하여 되도록 피해자에 대한 구제의 폭을 넓히려는 경향이 나타나고 있다.

① **「국가배상법」상의 과실을 추상적 과실로 이해**: 「국가배상법」상 과실을 행위자의 주관적인 심리상태(구체적 과실)로 보는 것이 아니라 '당해 직무를 담당하는 평균적 공무원'의 주의의무를 기준으로 과실을 판단한다(추상적 과실). 즉, 주의의무의 내용은 공무원의 직종과 직위에 의하여 객관적으로 정하여야 하며, 특정 공무원 개인의 지식·능력·경험의 여하로 좌우되지 않는다.

> **관련판례**
>
> 1 공무원의 직무집행상의 과실이라 함은 공무원이 그 직무를 수행함에 있어 <u>당해 직무를 담당하는 평균인이 보통 갖추어야 할 주의의무를 게을리 한 것을 말하는 것이다</u>(대판 1987.9.22. 87다카1164). ★★
>
> 2 <u>그 행정처분의 담당공무원이 보통 일반의 공무원을 표준으로 하여 볼 때 객관적 주의의무를 결하여 그 행정처분이 객관적 정당성을 상실하였다고 인정될 정도에 이른 경우에</u> 국가배상법 제2조 소정의 국가배상책임의 요건을 충족하였다고 봄이 상당하다(대판 2003.12.11. 2001다65236 ; 대판 2007.5.10. 2005다31828). ★★

② **가해공무원의 특정 포기**: 과실의 인정단위는 가해행위에 대한 법률상 권한이 있는 행정기관인 공무원에 한하지 않고, 그 보조기관인 공무원이나 직접 가해공무원에 대해 지휘·감독권한이 있는 상급기관의 직원도 포함하여 해당 권한행사에 관한 직무집행의 체제 전체를 포함한다. 따라서 가해공무원의 특정이 필수적인 것은 아니다. 누구의 행위인지가 판명되지 않더라도 공무원의 행위에 의한 것인 이상 국가는 배상책임을 지게 된다. 판례도 시위진압 과정에서 가해공무원(전투경찰)이 특정되지 않더라도 손해배상책임을 인정한 바 있다(대판 1995.11.10. 95다238971).

③ **과실의 입증책임 완화**: 국가배상책임에서 고의·과실의 입증책임은 피해자인 원고에게 있다. 그런데 공무원의 직무행위를 알 수 없는 피해자의 입장에서 공무원의 과실을 입증한다는 것은 쉬운 일이 아니므로, 피해자가 손해배상을 용이하게 받을 수 있도록 「민사소송법」상의 일응추정의 법리를 원용하려는 시도가 있다. 즉, 피해자측에서 공무원의 직무행위의 위법성을 입증하면, 공무원에게 과실이 있는 것으로 일응 추정되어 피고인 국가는 입증을 통하여 그 추정을 전복시키지 않는 한 배상책임을 져야 한다는 것이다. 그러나 이러한 과실의 입증책임의 완화에 관한 시도는 아직 이론적으로만 논의되고 있고 판례에 의해 일반적으로 받아들여지지는 않고 있다. 다만, 판례는 규제권한을 행사하지 아니한 것이 직무상 의무를 위반하여 위법한 것으로 되는 경우에는 특별한 사정이 없는 한 과실도 인정된다고 보기도 하였다(대판 2010.9.9. 2008다77795).

함께 정리하기

과실의 객관화 경향
▷ 국가배상책임의 성립을 용이하게 하기 위함

추상적 과실
▷ 당해 직무 담당하는 평균인 기준

객관적 정당성 상실
▷ 보통 일반의 공무원 기준

가해공무원의 특정의 포기
▷ 공무원의 직무행위에 의한 것이라고 인정된다면 가해공무원이 특정되지 않았더라도 과실 여부를 판단 可

고의과실 입증책임(추정×)
▷ 피해자

함께 정리하기

위법한 부동산 등기
▷ 곧바로 과실✕
▷ 원고가 과실 증명

관련판례

1 직무행위가 위법하다고 판단되더라도 과실의 존재가 추정되는 것은 아니며 여전히 과실에 대한 증명책임은 원고에게 있다. ★★

보존등기의 근거가 되는 국유화 사유가 결과적으로 인정되지 않아서 그 부동산에 관한 등기행위가 위법하게 되었다고 하더라도 그것만으로 곧바로 담당공무원에게 과실이 있다고 할 수는 없고, 이에 대한 증명책임은 불법행위로 인한 손해배상을 구하는 원고에게 있다(대판 2014.10.15. 2012다100395).

규제권한 불행사로 위법성 인정
▷ 특별한 사정 없는 한 과실 인정

2 규제권한을 행사하지 않은 것에 대해 위법성이 인정될 경우 과실이 추정된다. ★★

구체적인 상황 아래에서 식품의약품안전청장 등이 그 권한을 행사하지 아니한 것이 현저하게 합리성을 잃어 사회적 타당성이 없는 경우에는 직무상 의무를 위반한 것이 되어 위법하게 된다. 그리고 위와 같이 식약청장 등이 그 권한을 행사하지 아니한 것이 직무상 의무를 위반하여 위법한 것으로 되는 경우에는 특별한 사정이 없는 한 과실도 인정된다(대판 2010.9.9. 2008다77795).

(3) 구체적인 검토

① 공무원의 법령 해석상의 잘못과 과실인정

공무원이 관계법규를 알지 못하거나 필요한 지식을 갖추지 못하여 법령해석을 그르친 경우
▷ 과실○

대법원에 의해 확립된 법령의 해석에 어긋나는 견해를 고집하여 위법한 행정처분을 한 경우
▷ 과실○

㉠ **원칙적으로 과실 인정**: 공무원은 자신의 사무영역과 관련해서는 법령에 대한 지식을 숙지하고 있어야 할 의무가 있다. 따라서 판례는 일반적으로 ⓐ 공무원이 관계법규를 알지 못하거나 필요한 지식을 갖추지 못하여 법령해석을 그르쳐 위법한 행정처분을 한 경우, ⓑ 행정청이 대법원에 의해 확립된 법령 해석기준이 있음에도 이에 어긋나는 견해를 고집하여 위법한 행정처분을 하는 등으로 처분 상대방에게 불이익을 주는 경우에는 공무원의 과실을 인정한다.

관련판례

1 일반적으로 공무원이 관계법규를 알지 못하거나 필요한 지식을 갖추지 못하고 법규의 해석을 그르쳐 행정처분을 하였다면 그가 법률전문가 아닌 행정직 공무원이라고 하여 과실이 없다고는 할 수 없다(대판 1981.8.25. 80다1598 ; 대판 2001.2.9. 98다52988). ★★★

특별한 사정이 없는 한 관계법령을 알지 못하거나 해석을 그르쳐 위법한 처분을 한 경우
▷ 과실○

2 행정청이 대법원에 의해 확립된 법령의 해석에 어긋나는 견해를 고집하여 계속하여 위법한 행정처분을 하거나 이에 준하는 행위로 평가될 수 있는 불이익을 처분상대방에게 계속 주는 경우, 그 손해를 배상할 책임이 있다(대판 2007.5.10. 2005다31828). ★

대법원에 의해 확립된 법령의 해석에 어긋나는 견해를 고집하여 위법한 행정처분을 한 경우
▷ 과실○

㉡ **예외적 과실 부정**: 예외적으로 법령에 대한 해석이 복잡, 미묘하여 워낙 어렵고 이에 대한 학설, 판례조차 없는 등 특별한 사정이 있다면 공무원의 과실은 인정되지 않는다.

관련판례

1 법령의 해석이 복잡·미묘하여 어렵고 학설, 판례가 통일되지 않을 때에 공무원이 신중을 기해 그 중 어느 한 설을 취하여 처리한 경우에는 그 해석이 결과적으로 위법한 것이었다 하더라도 국가배상법상 공무원의 과실을 인정할 수 없다(대판 1973.10.10. 72다2583). ★★

2 공무원이 관계 법령의 해석이 확립되기 전에 어느 한 설을 취하여 업무를 처리한 것이 결과적으로 위법하더라도 처분 당시 그 이상의 업무처리를 성실한 평균적 공무원에게 기대하기 어려웠던 경우라면 원칙적으로 공무원의 과실을 인정할 수 없다. ★★

어떠한 행정처분이 위법하다고 할지라도 그 자체만으로 곧바로 그 행정처분이 공무원의 고의 또는 과실로 인한 불법행위를 구성한다고 단정할 수는 없고, 공무원의 고의 또는 과실의 유무에 대하여는 별도의 판단을 요한다고 할 것인바, 그 이유는 행정청이 관계 법령의 해석이 확립되기 전에 어느 한 설을 취하여 업무를 처리한 것이 결과적으로 위법하게 되어 그 법령의 부당집행이라는 결과를 빚었다고 하더라도 처분 당시 그와 같은 처리방법 이상의 것을 성실한 평균적 공무원에게 기대하기 어려웠던 경우라면 특별한 사정이 없는 한 이를 두고 공무원의 과실로 인한 것이라고 볼 수는 없기 때문이다(대판 2004.6.11. 2002다31018 ; 대판 1997.7.11. 97다7608).

3 행정입법에 관여한 공무원이 입법 당시의 상황에서 다양한 요소를 고려하여 나름대로 합리적인 근거를 찾아 어느 하나의 견해에 따라 경과규정을 두는 등의 조치 없이 새 법령을 그대로 시행하거나 적용하였다면, 공무원의 과실이 있다고 할 수는 없다(대판 2013.4.26. 2011다14428). ★★

> 행정입법에 관여한 공무원이 합리적 근거에 따른 판단을 한 경우
> ▷ 과실 인정×

② **항고소송에서 처분의 취소와 공무원의 과실**: 어떠한 행정처분이 후에 항고소송에서 취소되었다고 할지라도 그 기판력에 의하여 당해 행정처분이 곧바로 공무원의 고의 또는 과실로 인한 것으로서 불법행위를 구성한다고 단정할 수 없다(대판 1999.9.17. 96다53413 ; 대판 2000.5.12. 99다70600 ; 대판 2007.5.10. 2005다31828 등).

> 처분이 항고소송에서 취소된 경우
> ▷ 곧바로 고의·과실 인정×

③ **처분의 근거 법률의 위헌선언과 공무원의 과실**: 처분의 근거가 된 법률이 나중에 위헌 또는 위법으로 된 경우에는 공무원에게 일반적으로 과실이 있다고 보기 어렵다. 왜냐하면 공무원에게는 법률의 위헌 여부를 심사할 권한이 없어서 명백한 무효가 아니라면 공무원으로서는 법률을 적용할 수밖에 없기 때문이다.

관련판례

1 법률이 헌법에 위반되는지 여부는 헌법재판소의 위헌결정이 있기 전까지는 객관적으로 명백한 것이라 할 수 없어, 그 법률을 적용한 공무원에게 고의 또는 과실이 있다고 단정할 수 없다. ★★

법률이 헌법에 위반되는지 여부는 헌법재판소의 위헌결정이 있기 전까지는 객관적으로 명백한 것이라 할 수 없어, 이를 심사할 권한이 없는 공무원으로서는 그 법률을 적용할 수밖에 없고, 따라서 법률에 근거한 행정처분이 사후에 그 처분의 근거가 되는 법률이 헌법에 위반된다고 선언되어 결과적으로 위법하게 집행된 처분이 된다 할지라도, 이에 이르는 과정에 있어 공무원에게 고의 또는 과실이 있다고 단정할 수 없는 것이므로, 그 법률이 헌법에 위반되는지 여부는 공무원의 손해배상책임이 성립할 여부에 아무런 영향을 미치지 못한다(헌재 2011.3.31. 2009헌바286).

> 위헌결정 전 위헌여부 명백×
> ▷ 고의·과실 단정×

2 형벌에 관한 법령이 헌법재판소의 위헌결정으로 소급하여 효력을 상실하거나 법원에서 위헌·무효로 선언된 경우, 위헌 선언 전 그 법령에 기초하여 수사가 개시되어 공소가 제기되고 유죄판결이 선고되었더라도, 그러한 사정만으로 국가의 손해배상책임이 발생한다고 볼 수는 없다(대판 2014.10.27. 2013다217962). ★★

> 형벌에 관한 법령의 위헌선언
> ▷ 수사 및 재판행위
> ▷ 고의·과실×(국가배상책임×)

④ **행정규칙에 따른 처분과 공무원의 과실**: 행정규칙에 정해진 기준에 따른 처분이 나중에 위법한 처분임이 판명되어 취소되었다고 하더라도, 당해 공무원에게 직무상의 과실이 있다고 할 수 없다.

> **관련판례**
>
> **행정규칙의 기준에 따른 영업허가취소처분이 행정심판에 의하여 재량권 일탈로 취소된 경우, 그 처분을 한 행정청 공무원에게 직무집행상 과실이 있다고 할 수는 없다.** ★★
> 영업허가 취소처분이 나중에 행정심판에 의하여 재량권을 일탈한 위법한 처분임이 판명되어 취소되었다고 하더라도 그 처분이 당시 시행되던 구 공중위생법 시행규칙에 정하여진 행정처분의 기준에 따른 것인 이상 그 영업허가 취소처분을 한 행정청 공무원에게 그와 같은 위법한 처분을 한 데 있어 어떤 직무집행상의 과실이 있다고 할 수는 없다(대판 1994.11.8. 94다26141).

행정규칙(제재적 처분기준)따른 처분
▷ 직무집행상 과실 無

핵심정리 — 공무원의 '과실' 인정 여부에 관한 판례

공무원의 과실이 인정된 경우	공무원의 과실이 부정된 경우
• 관계법규를 알지 못하여 법규의 해석을 그르쳐 위법한 행정처분을 한 공무원(80다1598) • 대법원에 의해 확립된 법령의 해석에 어긋나는 견해를 고집하여 행정처분을 행한 경우(2006다31828) • 대법원예규에 의해 해석이 분명해졌음에도 다른 해석을 들어 공탁사무를 처리한 공무원(2001다73107) • 범인 검거를 위해 가스총을 발사할 때 거리 미확보로 인해 상대방이 실명한 경우 경찰관(2002다57218) • 경매담당 공무원의 매각물건명세서 작성시 최우선순위 전세권 인수사실 불기재(2009다40790) • 문제사병이 위병근무 중 탈영해 총기난사한 사건에서 의무해태한 위병소근무자와 병력관리 소홀한 지휘관(84다카1115) • 경찰관들이 총기를 사용하여 피의자를 제압한 후 바로 119에 신고하고 그로부터 5분 후 119구급대가 사고현장에 도착하여 총상을 입은 피의자를 병원으로 후송하였으나 과다출혈로 사망한 사안에서, 경찰관들이 119에 신고를 마친 때로부터 119구급대가 사고현장에 도착할 때까지 지혈 등 기본적인 응급조치를 하지 않았다면 부상을 당한 피의자에 대한 구호 기타 필요한 긴급조치의무를 다하지 않은 과실이 있다고 볼 여지가 한 사례(2009다84424) • 등기공무원이 통상의 주의 의무만 기울여도 발견할 수 있을 정도의 위조를 간과한 경우(93다11937)	• 법령에 대한 해석이 객관적으로 명백하지 않고 그에 대한 선례·학설·판례도 통일되지 않은 경우(2009다97925) • 행정입법에 관하여 나름의 합리적 근거를 찾아 판단을 내린 공무원(2011다14428) • 「형사소송법」 및 관계법령의 해석이 확립되지 않아 합리적인 판단 하에 구속피의자 심문시 변호인의 참여를 불허한 수사검사(2006다58738) • 관계법령의 해석이 확립되기 전에 한 처분이 항고소송에서 취소된 경우(96다53413) • 법률이 헌법에 위반되는지 여부가 헌법재판소의 위헌결정이 있기 전까지는 명백하지 않아 그 법률을 적용한 공무원(2009헌바286) • 처분의 근거법률이 사후적으로 위헌으로 선언된 경우(2008헌바23) • 처분당시 시행규칙에 정해진 제재적 처분기준(재량준칙)에 따라 처분한 공무원(94다26141) • 신청에 대해 처분 여부 결정이 상당기간 지체된 공무원(2013다6759) • 등기신청에 필요한 서면이 모두 제출되었는지, 서면의 형식적 사항이 구비되었는지를 심사한 등기관(2003다13048)

5. 법령을 위반한 행위

(1) 「국가배상법」상 법령위반의 개념

① **문제의 소재**: 국가배상책임은 공무원의 직무집행이 법령에 위반한 것임을 요건으로 하고 있는데, 국가배상책임의 요건이 되는 「국가배상법」상 '법령위반'을 어떻게 이해할 것인지에 관하여 견해의 대립이 있다.

② **학설**

㉠ **결과불법설**: 「국가배상법」상 위법성을 취소소송에서의 위법성 판단과 달리 피해의 결과(손해의 불법)에 따라 위법성을 판단하는 견해이다. 이에 따라 공무원의 행위의 결과인 손해가 수인한도를 넘으면 위법행위가 된다.

㉡ **행위위법설**

ⓐ **협의의 행위위법설**: 「국가배상법」상 법령의 위법을 취소소송에서의 위법과 동일하게 보아 행위 자체의 법령위반으로 파악하여, 「국가배상법」상의 위법을 엄격한 의미의 법령위반으로 보는 견해이다. 이에 따라 공무원의 행위가 법에 위반한 경우 위법행위가 된다.

ⓑ **광의의 행위위법설**: 「국가배상법」상의 위법성을 취소소송에서의 위법성보다 넓게 파악하여 협의설이 말하는 엄격한 의미의 법령의 위반뿐 아니라 널리 인권의 존중, 신의성실, 공서양속, 권리남용 등의 위반도 위법으로 보는 견해이다.

㉢ **상대적 위법성설**: 「국가배상법」상 위법성을 취소소송에서의 위법성과 달리 행위 자체의 위법뿐만 아니라 피침해 이익의 성격과 침해의 정도 및 가해행위의 태양 등을 종합적으로 고려하여 행위가 객관적으로 정당성을 결여하였는지 여부로 판단하자는 견해이다.

③ **판례**: 판례 중에는 협의의 행위위법설을 취하고 있는 판례도 간혹 보이나, 판례의 주류적인 입장은 광의의 행위위법설이다. 상대적 위법성설을 취하는 판례도 존재한다.

㉠ 협의의 행위위법설을 취하고 있는 판례

> **🔨 관련판례**
>
> **법령상의 요건·절차에 의한 직무집행은 특별한 사정이 없는 한 법령위반으로 볼 수 없다.**
> ★★★
> 국가배상책임은 공무원의 직무집행이 법령에 위반한 것임을 요건으로 하는 것으로서, 공무원의 직무집행이 법령이 정한 요건과 절차에 따라 이루어진 것이라면 특별한 사정이 없는 한 이는 법령에 적합한 것이고 그 과정에서 개인의 권리가 침해되는 일이 생긴다고 하여 그 법령적합성이 곧바로 부정되는 것은 아니다(대판 2000.11.10. 2000다26807 ; 대판 1997.7.25. 94다2480).

결과불법설
▷ 피해의 결과에 따라 위법성을 판단하는 견해
▷ 이 견해에 따르면 행위의 결과로 발생한 손해를 기준으로 위법 여부를 판단하게 되므로 위법의 개념이 확장될 가능성이 큼

협의의 행위위법설
▷ 엄격한 의미의 법령위반을 위법으로 보는 견해

광의의 행위위법설
▷ 엄격한 의미의 법령의 위반뿐 아니라 널리 인권의 존중, 신의성실, 공서양속, 권리남용 등의 위반도 위법으로 보는 견해

상대적 위법성설
▷ 행위 자체의 위법뿐만 아니라 피침해 이익의 성격과 침해의 정도 및 가해행위의 태양 등을 종합적으로 고려하여 행위가 객관적으로 정당성을 결여하였는지 여부로 판단하자는 견해

판례
▷ 종래: 협의의 행위위법성설
▷ 최근: 광의의 행위위법설 취한 판례도 등장

법령에 따른 직무집행에 의한 권리침해
▷ 법령적합성 곧바로 부정×

 함께 정리하기

ⓒ 광의의 행위위법설을 취하고 있는 판례

법령위반
▷ 엄격한 의미의 법령위반뿐만 아니라 인권존중, 권력남용금지, 신의성실, 공서양속 등의 위반도 포함해 널리 객관적 정당성의 결여하고 있는 경우도 포함

도라산역사(공공장소) 벽화 철거·소각
▷ 객관적 정당성 결여 O

성폭력범죄 수사경찰관의 피해자 정보공개
▷ 객관적 정당성 결여 O

관련판례

1 국가배상책임에서의 법령위반에는 널리 그 행위가 객관적인 정당성을 결여하고 있는 경우도 포함된다. Ⅰ ★★★

[1] 공무원의 행위를 원인으로 한 국가배상책임을 인정하기 위하여는 '공무원이 직무를 집행하면서 고의 또는 과실로 법령을 위반하여 타인에게 손해를 입힌 때'라고 하는 국가배상법 제2조 제1항의 요건이 충족되어야 한다. 여기서 '법령을 위반하여'라고 함은 엄격하게 형식적 의미의 법령에 명시적으로 공무원의 행위의무가 정하여져 있음에도 이를 위반하는 경우만을 의미하는 것은 아니고, 인권존중·권력남용금지·신의성실과 같이 공무원으로서 마땅히 지켜야 할 준칙이나 규범을 지키지 아니하고 위반한 경우를 비롯하여 널리 그 행위가 객관적인 정당성을 결여하고 있는 경우도 포함한다.

[2] 甲이 국가의 의뢰로 도라산역사 내 벽면 및 기둥들에 벽화를 제작·설치하였는데, 국가가 작품 설치일로부터 약 3년 만에 벽화를 철거하여 소각한 사안에서, 甲은 특별한 역사적, 시대적 의미를 가지고 있는 도라산역이라는 공공장소에 국가의 의뢰로 설치된 벽화가 상당 기간 전시되고 보존되리라고 기대하였고, 국가도 단기간에 이를 철거할 경우 甲이 예술창작자로서 갖는 명예감정 및 사회적 신용이나 명성 등이 침해될 것을 예상할 수 있었음에도, 국가가 벽화 설치 이전에 이미 알고 있었던 사유를 들어 적법한 절차를 거치지 아니한 채 철거를 결정하고 원형을 크게 손상시키는 방법으로 철거 후 소각한 행위는 현저하게 합리성을 잃은 행위로서 객관적 정당성을 결여하여 위법하므로, 국가는 국가배상법 제2조 제1항에 따라 甲에게 위자료를 지급할 의무가 있다(대판 2015.8.27. 2012다204587).

2 국가배상책임에서의 법령위반에는 널리 그 행위가 객관적인 정당성을 결여하고 있는 경우도 포함된다. Ⅱ ★★★

[1] 국가배상책임에 있어 공무원의 가해행위는 법령을 위반한 것이어야 하고, 법령을 위반하였다 함은 엄격한 의미의 법령 위반뿐 아니라 인권존중, 권력남용금지, 신의성실과 같이 공무원으로서 마땅히 지켜야 할 준칙이나 규범을 지키지 아니하고 위반한 경우를 포함하여 널리 그 행위가 객관적인 정당성을 결여하고 있음을 뜻하는 것이므로, 경찰관이 범죄수사를 함에 있어 경찰관으로서 의당 지켜야 할 법규상 또는 조리상의 한계를 위반하였다면 이는 법령을 위반한 경우에 해당한다.

[2] 성폭력범죄의 처벌 및 피해자보호 등에 관한 법률 제21조는 성폭력범죄의 수사 또는 재판을 담당하거나 이에 관여하는 공무원에 대하여 피해자의 인적사항과 사생활의 비밀을 엄수 할 직무상 의무를 부과하고 있고, 이는 주로 성폭력범죄 피해자의 명예와 사생활의 평온을 보호하기 위한 것이므로, 성폭력범죄의 수사를 담당하거나 수사에 관여하는 경찰관이 위와 같은 직무상 의무에 반하여 피해자의 인적사항 등을 공개 또는 누설하였다면 국가는 그로 인하여 피해자가 입은 손해를 배상하여야 한다(대판 2008.6.12. 2007다64365).

ⓒ 상대적 위법성설을 취하고 있는 판례

 함께 정리하기

> **관련판례**
>
> **1** 피침해이익의 종류 및 성질, 처분의 태양 등을 고려하여 객관적 정당성 상실여부를 판단해야 한다. ★
>
> 행정처분의 담당공무원이 보통 일반의 공무원을 표준으로 하여 볼 때 객관적 주의의무를 결하여 그 행정처분이 객관적 정당성을 상실하였다고 인정될 정도에 이른 경우에 국가배상법 제2조 소정의 국가배상책임의 요건을 충족하였다고 봄이 상당할 것이며, 이 때에 객관적 정당성을 상실하였는지 여부는 피침해이익의 종류 및 성질, 침해행위가 되는 행정처분의 태양 및 그 원인, 행정처분의 발동에 대한 피해자측의 관여의 유무, 정도 및 손해의 정도 등 제반 사정을 종합하여 손해의 전보책임을 국가 또는 지방자치단체에게 부담시켜야 할 실질적인 이유가 있는지 여부에 의하여 판단하여야 한다(대판 2000.5.12. 99다70600 ; 대판 2007.5.10. 2005다31828).
>
> **2** 서울시장을 부패혐의로 고발한 공무원을 동사무소로 전보한 것은 불법행위가 아니다. ★★
>
> 시청 소속 공무원이 시장을 구 부패방지위원회에 부패혐의자로 신고한 후 동사무소로 하향 전보된 경우, 그 전보인사 조치는 해당 공무원에 대한 다면평가 결과, 원활한 업무수행의 필요성 등을 고려하여 이루어진 것으로 볼 여지도 있으므로, 사회통념상 용인될 수 없을 정도로 객관적 상당성을 결여하였다고 단정할 수 없어 불법행위를 구성하지 않는다고 할 것이다(대판 2009.5.28. 2006다16215).

객관적 정당성
▷ 제반 사정 종합하여 판단

부패혐의신고 후 하향전보
▷ 객관적 정당성 결여×

(2) 법령의 범위

① **법령**

㉠ 「국가배상법」 제2조의 '법령'의 범위에 대해서는, 성문법과 불문법을 포함하는 모든 법규, 즉 엄격한 의미의 법령만을 의미한다고 보는 견해(협의설)도 있지만, 학설의 일반적인 견해는 협의설이 말하는 법령뿐 아니라 인권존중, 권리남용금지, 신의성실, 공서양속 등도 법의 일반원칙으로서 법령에 포함된다고 본다(광의설). 판례도 같은 입장이다(위 광의의 행위위법설을 취하고 있는 판례 참조).

㉡ 그러나 행정규칙이 대외적 구속력을 가지는 경우(예 법령보충규칙)에는 여기서 말하는 법령에 포함되지만, 그렇지 않은 경우에는 포함되지 않는다는 것이 일반적 견해이다.

② **위법**: 위법이란 법령에 위배됨을 의미한다. 이와 관련하여 몇 가지 관련사항을 검토해 보면 다음과 같다.

(3) 「국가배상법」상 위법의 유형

① **행정규칙 위반**

㉠ 행정규칙이 대외적인 구속력을 가지는 예외적인 경우(예 법령보충규칙)를 제외하고는, 원칙적으로 행정규칙 위반만으로 위법성이 인정되지 않는다.

행정규칙 위반
▷ 위법성이 인정×

> **관련판례**
>
> **1** 행정규칙을 위반한 공무원의 조치가 있다고 해서 그러한 사정만으로 곧바로 위법성이 인정되는 것은 아니다. ★
>
> 상급행정기관이 소속 공무원이나 하급행정기관에 대하여 업무처리지침이나 법령의 해석·적용 기준을 정해 주는 '행정규칙'은 일반적으로 행정조직 내부에서만 효력을 가질 뿐 대외적으로 국민이나 법원을 구속하는 효력이 없다. 공무원의 조치가 행정규칙을 위반하였다고 해서 그러한 사정만으로 곧바로 위법하게 되는 것은 아니고, 공무원의 조치가 행정규칙을 따른 것이라고 해서 적법성이 보장되는 것도 아니다. 공무원의 조치가 적법한지는 행정규칙에 적합한지 여부가 아니라 상위법령의 규정과 입법 목적 등에 적합한지 여부에 따라 판단해야 한다(대판 2020.5.28. 2017다211559).
>
> **2** 국가배상법 제2조에 이른바 법령에 위반하여라 함은 일반적으로 위법행위를 함을 말하는 것이고, 단순한 행정적인 내부규칙에 위배하는 것을 포함하지 아니한다(대판 1973.1.30. 72다2062). ★

　　ⓒ 다만, 총기사용의 안전수칙, 인권보호를 위한 경찰관 직무규칙과 같이 모든 사람의 기본적 인권을 보장하기 위하여 정한 직무기준을 위반한 가해행위는 위법성이 인정된다(서울고법 2007.8.16. 2006나108918).

　　ⓒ 재량준칙을 위반한 경우에도 평등의 원칙 위반으로 위법성이 인정될 수 있다. 그러나 재량준칙을 집행한 담당 공무원에게 과실이 있다고 하기 어려우므로 국가배상청구소송이 실제로 인용되기는 어려울 것이다.

② **재량행위의 위법**

　ⓐ **일반론**: 공무원의 재량권행사가 객관적 정당성을 상실하는 등 일탈·남용이 있는 경우에는 법령위법에 해당하지만, 단순히 부당에 그치는 재량권 행사의 과오는 국가배상책임의 위법을 구성하지 않는 것으로 보아야 한다.

단순히 부당에 그치는 재량행위
▷ 위법 ✕

운전자 요구에도 곧바로 채혈 실시하지 않은 것
▷ 위법 ✕

추적 중 도주차량에 의해 사고
▷ 추적행위 위법 ✕

> **관련판례**
>
> **1** 운전자의 요구에도 경찰관이 음주운전 단속과정상 곧바로 채혈을 실시하지 않은 행위는 위법하지 않다. ★★
>
> 경찰관이 구체적 상황하에서 그 인적·물적 능력의 범위 내에서의 적절한 조치라는 판단에 따라 범죄의 진압 및 수사에 관한 직무를 수행한 경우 객관적 정당성을 상실하여 현저하게 불합리하다고 인정되지 않는다면 그와 다른 조치를 취하지 아니한 부작위를 내세워 국가배상책임의 요건인 법령 위반에 해당한다고 할 수 없다. 경찰관이 음주운전 단속시 운전자의 요구에 따라 곧바로 채혈을 실시하지 않은 채 호흡측정기에 의한 음주측정을 하고 1시간 12분이 경과한 후에야 채혈을 하였다는 사정만으로는 위 행위가 법령에 위배된다거나 객관적 정당성을 상실하여 운전자가 음주운전 단속과정에서 받을 수 있는 권익이 현저하게 침해되었다고 단정하기 어렵다(대판 2008.4.24. 2006다32132).
>
> **2** 경찰관의 도주차량 추적 중 도주차량에 의해 제3자가 손해를 입은 경우, 그 추적행위는 위법하다고 볼 수 없다. ★★
>
> 경찰관이 교통법규 등을 위반하고 도주하는 차량을 순찰차로 추적하는 직무를 집행하는 중에 그 도주차량의 주행에 의하여 제3자가 손해를 입었다고 하더라도 그 추적이 당해 직무 목적을 수행하는 데에 불필요하다거나 또는 도주차량의 도주의 태양 및 도로교통 상황 등으로부터 예측되는 피해발생의 구체적 위험성의 유무 및 내용에 비추어 추적의 개시·계속 혹은 추적의 방법이 상당하지 않다는 등의 특별한 사정이 없는 한 그 추적행위를 위법하다고 할 수는 없다(대판 2000.11.10. 2000다26807).

ⓒ 재량이 '영'으로 수축된 경우: 행정권의 발동여부가 원칙적으로 재량사항이라 할지라도 국민의 생명·신체·재산 등의 중대한 법익이 위험에 처해 있을 때에는 그 재량권이 '영'으로 수축되어 작위의무가 인정되므로 당해 행정권을 발동하지 않을 경우(부작위) 위법하다. 특히 「경찰관 직무집행법」의 법규 형식이 대부분 재량성이 인정된다는 점에서 당해 경찰권을 발동하지 않은 행정권에게 그 위법성을 인정할 수 있는지의 문제와 관련이 있다.

재량이 0으로 수축
▷ 부작위는 위법

관련판례

행정권의 발동 여부가 형식상 재량사항이라 할지라도 그 권한을 행사하여 필요한 조치를 취하지 않는 것이 현저하게 불합리하다고 인정되는 경우에는 권한의 불행사는 위법하다. ★★

1-1. (부랑인선도시설 및 정신질환자요양시설에 대한 지도·감독권한을 기관위임받은 지방자치단체장과 그 지도·감독업무를 담당하는 공무원의 직무상 의무 위반이 위법한 것으로 인정되기 위한 요건) 시장·군수·구청장이 부랑인선도시설 및 정신질환자요양시설의 업무에 관하여 지도·감독을 하고, 필요한 경우 그 시설에 대하여 그 업무의 내용에 관하여 보고하게 하거나 관계 서류의 제출을 명하거나 소속공무원으로 하여금 시설에 출입하여 검사 또는 질문하게 할 수 있는 등 형식상 시장·군수·구청장에게 재량에 의한 직무수행권한을 부여한 것처럼 되어 있더라도 시장·군수·구청장에게 그러한 권한을 부여한 취지와 목적에 비추어 볼 때 구체적인 사정에 따라 시장·군수·구청장이 그 권한을 행사하여 필요한 조치를 취하지 아니하는 것이 현저하게 불합리하다고 인정되는 경우에는 그러한 권한의 불행사는 직무상의 의무를 위반하는 것이 되어 위법하게 된다(대판 2006.7.28. 2004다759).

현저히 불합리한 재량 불행사
▷ 위법

1-2. (경찰관의 경찰관 직무집행법 제5조에 규정된 권한의 불행사가 직무상의 의무를 위반한 것이 되어 위법한 것으로 되기 위한 요건) 경찰관 직무집행법 제5조는 경찰관은 인명 또는 신체에 위해를 미치거나 재산에 중대한 손해를 끼칠 우려가 있는 위험한 사태가 있을 때에는 그 각 호의 조치를 취할 수 있다고 규정하여 형식상 경찰관에게 재량에 의한 직무수행 권한을 부여한 것처럼 되어 있으나, 경찰관에게 그러한 권한을 부여한 취지와 목적에 비추어 볼 때 구체적인 사정에 따라 경찰관이 그 권한을 행사하여 필요한 조치를 취하지 아니하는 것이 현저하게 불합리하다고 인정되는 경우에는 그러한 권한의 불행사는 직무상의 의무를 위반한 것이 되어 위법하게 된다(대판 1998.8.25. 98다16890 ; 대판 2010.8.26. 2010다37479 ; 대판 2016.4.15. 2013다20427).

경찰관의 「경찰관 직무집행법」 제5조에 규정된 권한의 불행사
▷ 위법

ⓒ 구체적 판례
  ⓐ 재량이 '영'으로 수축되어 작위의무를 인정한 예

관련판례

1 인질납치범 의심차량 검문과정상 도주위험에 대해 최소한의 조치를 취하지 않은 행위 ★
피고 소속 경찰관들이 인질납치범인 소외인이 운전하는 것으로 의심되는 승용차를 발견하고 검문하려는 과정에서 용의자의 도주위험에 대하여 최소한의 조치를 취하지 않은 것은, … 현저하게 불합리한 것으로서 위법하므로, 피고는 소외인과 연대하여 경찰관들의 위와 같은 직무집행상 과실로 말미암아 피해자 및 그 유족인 원고 들이 입은 손해를 배상할 책임이 있다(대판 2016.4.15. 2013다20427).

검문 시 용의자 도주위험에 대하여 최소한의 조치×
▷ 위법

소방공무원의 피난계단·비상구폐쇄방지 부작위
▷ 위법

뇌물수수 후 윤락행위방치
▷ 위법

시위과정에 도로상에 방치된 트랙터 1대를 그대로 방치하고 철수
▷ 위법

주취운전의 계속을 막기 위한 권한 불행사
▷ 위법

2 소방공무원이 옥외 피난계단이나 비상구의 폐쇄·차단을 방지하지 않은 행위 ★★

소방공무원의 행정권한 행사가 관계 법률의 규정 형식상 소방공무원의 재량에 맡겨져 있더라도 소방공무원에게 그러한 권한을 부여한 취지와 목적에 비추어 볼 때 구체적인 상황 아래에서 소방공무원이 권한을 행사하지 아니한 것이 현저하게 합리성을 잃어 사회적 타당성이 없는 경우에는 소방공무원의 직무상 의무를 위반한 것으로서 위법하게 된다(대판 2016.8.25. 2014다225083).

3 쉽게 알 수 있는 상황임에도 경찰관이 윤락업주들을 체포·수사하지 아니한 것 ★

(군산 윤락업소 화재 사건으로 사망한 윤락녀의 유족들이 국가를 상대로 제기한 손해배상청구 사건에서, 경찰관의 직무상 의무위반행위를 이유로 국가에게 위자료의 지급책임을 인정한 사례에서) 윤락녀들이 윤락업소에 감금된 채로 윤락을 강요받으면서 생활하고 있음을 쉽게 알 수 있는 상황이었음에도, 경찰관이 이러한 감금 및 윤락 강요행위를 제지하거나 윤락업주들을 체포·수사하는 등 필요한 조치를 취하지 아니하고 오히려 업주들로부터 뇌물을 수수하며 그와 같은 행위를 방치한 것은 경찰관의 직무상 의무에 위반하여 위법하므로 국가는 이로 인한 정신적 고통에 대하여 위자료를 지급할 의무가 있다(대판 2004.9.23. 2003다49009).

4 경찰관이 시위과정에 도로상에 방치된 트랙터 1대를 그대로 방치하고 철수한 행위 ★★★

경찰관이 농민들의 시위를 진압하고 시위과정에 도로상에 방치된 트랙터 1대에 대하여 이를 도로 밖으로 옮기거나 후방에 안전표지판을 설치하는 것과 같은 위험발생방지조치를 취하지 아니한 채 그대로 방치하고 철수하여 버린 결과, 야간에 그 도로를 진행하던 운전자가 위 방치된 트랙터를 피하려다가 다른 트랙터에 부딪혀 상해를 입은 사안에서 국가배상책임을 인정한 사례(대판 1998.8.25. 98다16890)

5 주취운전을 적발한 경찰관이 주취운전의 계속을 막기 위한 조치를 취하지 않은 행위 ★★

5-1. 경찰관의 주취운전자에 대한 권한 행사가 관계 법률의 규정 형식상 경찰관의 재량에 맡겨져 있다고 하더라도, 그러한 권한을 행사하지 아니한 것이 구체적인 상황하에서 현저하게 합리성을 잃어 사회적 타당성이 없는 경우에는 경찰관의 직무상 의무를 위배한 것으로서 위법하게 된다고 할 것이다.

5-2. 음주운전으로 적발된 주취운전자가 도로 밖으로 차량을 이동하겠다며 단속경찰관으로부터 보관중이던 차량열쇠를 반환받아 몰래 차량을 운전하여 가던 중 사고를 일으킨 경우, 국가배상책임을 인정한 사례(대판 1998.5.8. 97다54482)

ⓑ 재량이 '영'으로 수축되지 않아 작위의무를 부정한 예

식품의약청장의 미니컵 젤리 규제조치 부작위
▷ 위법 ✕

> **관련판례**
>
> **식품의약품안전청장이 강화된 규제조치를 취하지 않은 것** ★★★
>
> (어린이가 미니컵 젤리를 섭취하던 중 미니컵 젤리가 목에 걸려 질식사한 두 건의 사고가 연달아 발생한 뒤 약 8개월 20일 이후 다시 어린이가 미니컵 젤리를 먹다가 질식사한 사안에서) 식품의약품안전청장 등이 미니컵 젤리의 유통을 금지하거나 물성실험 등을 통하여 미니컵 젤리의 위험성을 확인하고 기존의 규제조치보다 강화된 미니컵 젤리의 기준 및 규격 등을 마련하지 아니하였다고 하더라도, 그러한 규제권한을 행사하지 아니한 것이 현저하게 합리성을 잃어 사회적 타당성이 없다고 볼 수 있는 정도에 이른 것이라고 보기 어렵다(대판 2010.11.25. 2008다67828).

③ 부작위에 의한 손해배상책임
  ㉠ 개설
    ⓐ 부작위에 의한 국가배상에서의 부작위는 신청을 전제로 하지 않는다. 따라서, 「국가배상법」상 부작위는 행정권의 불행사를 의미한다.
    ⓑ 부작위는 작위의무를 전제로 하므로 조리상 작위의무를 인정할 수 있는지의 문제, 부작위에 의한 손해배상책임에 있어서 작위의무의 사익❶보호성이 요구되는가 하는 문제와 부작위(행정권 불행사)의 위법성의 문제가 논의의 대상이 되고 있다.
  ㉡ 조리에 의한 작위의무 인정 여부
    ⓐ **문제점**: 작위의무가 법령에서 명문으로 규정되어 있지 않은 경우(관련규정이 없거나 재량규정일 때)에도 조리상 작위의무를 인정할 수 있는지에 대해서 견해의 대립이 있다.❷
    ⓑ **학설**: 법률에 의한 행정의 원칙에 비추어 법률상의 근거가 없는 경우에는 작위의무를 인정할 수 없다는 부정설과 국민의 생명과 재산을 보호하여야 한다는 국가의 임무에 비추어 위험방지 의무를 인정하는 긍정설이 대립하고 있다.
    ⓒ **판례**: 공무원의 부작위로 인한 국가배상책임과 관련하여, "국민의 생명·신체·재산 등을 보호하는 것을 본래적 사명으로 하는 국가가 초법규적, 일차적으로 그 위험 배제에 나서지 아니하면 국민의 생명·신체·재산 등을 보호할 수 없는 경우에는 형식적 의미의 법령에 근거가 없더라도 국가나 관련 공무원에 대하여 그러한 위험을 배제할 작위의무를 인정할 수 있다."고 판시하여 긍정설의 입장이다. 또한 판례는 명문의 작위의무를 명하는 법령의 규정이 없는 때라면 공무원의 부작위로 인하여 침해되는 국민의 법익 또는 국민에게 발생하는 손해가 어느 정도 심각하고 절박한 것인지, 관련 공무원이 그와 같은 결과를 예견하여 고 결과를 회피하기 위한 조치를 취할 수 있는 가능성이 있는지 등을 종합적으로 고려하여 판단하여야 한다고 한다.

 함께 정리하기

❶ 개인적인 이익을 말한다.

❷ 만일, 법령에 작위의무를 명하는 규정이 있는 경우에는 공무원의 부작위는 직무상 의무를 위반한 위법한 행위가 되며, 그로 인한 손해에 대하여 배상책임을 인정할 수 있을 것이다.

판례
▷ 형식적 의미의 법령의 근거가 없더라도 조리상 위험방지 작위의무를 인정

> **관련판례**
>
> **1** 법령에 명시적으로 공무원의 작위의무가 규정되어 있지 않은 경우에도 공무원의 부작위로 인한 국가배상책임을 인정할 수 있다. ★★★
>
> [1] 공무원의 부작위로 인한 국가배상책임을 인정하기 위하여는 공무원의 작위로 인한 국가배상책임을 인정하는 경우와 마찬가지로 '공무원이 그 직무를 집행함에 당하여 고의 또는 과실로 법령에 위반하여 타인에게 손해를 가한 때'라고 하는 국가배상법 제2조 제1항의 요건이 충족되어야 할 것인바, 여기서 '법령 위반'이란 엄격하게 형식적 의미의 법령에 명시적으로 공무원의 작위의무가 규정되어 있는데도 이를 위반하는 경우만을 의미하는 것은 아니고, 인권존중·권력남용금지·신의성실과 같이 공무원으로서 마땅히 지켜야 할 준칙이나 규범을 지키지 않고 위반한 경우를 포함하여 널리 객관적인 정당성이 없는 행위를 한 경우를 포함한다. 국민의 생명, 신체, 재산 등에 대하여 절박하고 중대한 위험상태가 발생하였거나 발생할 우려가 있어서 국민의 생명, 신체, 재산 등을 보호하는 것을 본래적 사명으로 하는 국가가 초법규적, 일차적으로 그 위험 배제에 나서지 아니하면 국민의 생명, 신체, 재산 등을 보호할 수 없는 경우에는 형식적 의미의 법령에 근거가 없더라도 국가나 관련 공무원에 대하여 그러한 위험을 배제할 작위의무를 인정할 수 있다.

그러나 그와 같은 절박하고 중대한 위험상태가 발생하였거나 발생할 우려가 있는 경우가 아닌 한, 원칙적으로 공무원이 관련 법령대로만 직무를 수행하였다면 그와 같은 공무원의 부작위를 가지고 '고의 또는 과실로 법령에 위반'하였다고 할 수는 없다. 따라서 공무원의 부작위로 인한 국가배상책임을 인정할 것인지 여부가 문제되는 경우에 관련 공무원에 대하여 작위의무를 명하는 법령의 규정이 없다면 공무원의 부작위로 인하여 침해된 국민의 법익 또는 국민에게 발생한 손해가 어느 정도 심각하고 절박한 것인지, 관련 공무원이 그와 같은 결과를 예견하여 그 결과를 회피하기 위한 조치를 취할 수 있는 가능성이 있는지 등을 종합적으로 고려하여 판단하여야 한다(대판 2001.4.24. 2000다57856 ; 대판 2004.6.25. 2003다69652 ; 대판 2021.7.21. 2021두33838 ; 대판 2020.5.28. 2017다211559 등).

[2] 해군 기초군사교육단에 입소하여 교육을 받은 후 하사로 임관한 갑이 해군교육사령부에서 받은 인성검사에서 '부적응, 관심, 자살예측'이라는 결과가 나왔으나, 갑의 소속 부대 당직소대장 을은 위 검사 결과를 교관 등에게 보고하지 않았고, 갑은 그 후 실시된 면담 및 검사에서 특이사항이 없다는 판정을 받고 신상등급 C급(신상에 문제점이 없는 자)으로 분류되었는데 함선 근무 중 자살한 사안에서, 갑이 해군교육사령부에서 받은 인성검사에서 자살이 예측되는 결과가 나타난 이상 당시 갑에게 자살 가능성이 있음을 충분히 예견할 수 있는 사정이 있었는데도 위 인성검사 결과를 제대로 반영하지 아니한 것은 자살우려자 식별과 신상파악·관리·처리의 책임이 있는 교관, 지휘관 등 관계자가 자살예방 및 생명존중문화 조성을 위한 법률 및 장병의 자살을 예방하기 위해 마련된 관련 규정들에 따른 조치 등 갑의 자살을 방지하기 위해 필요한 조치를 할 직무상 의무를 과실로 위반한 것이고, 그와 같은 직무상 의무 위반과 위 자살 사고 사이에 상당인과관계가 있다고 보아 국가의 배상책임을 인정한 사례(대판 2020.5.28. 2017다211559)

2 시장 등은 토지형질변경허가를 함에 있어 사업자로 하여금 토석채취공사 중 위해방지시설을 설치하게 할 의무를 부과하거나 직접 필요한 조치를 취할 의무가 있다. ★★

(토석채취공사 도중 경사지를 굴러 내린 암석이 가스저장시설을 충격하여 화재가 발생한 사안에서) 시장 등은 토지형질변경허가를 함에 있어 허가지의 인근 지역에 토사붕괴나 낙석 등으로 인한 피해가 발생하지 않도록 허가를 받은 자에게 옹벽이나 방책을 설치하게 하거나 그가 이를 이행하지 아니할 때에는 스스로 필요한 조치를 취하는 직무상 의무를 진다고 해석되고 … 토지형질변경허가권자에게 허가 당시 사업자로 하여금 위해방지시설을 설치하게 할 의무를 다하지 아니한 위법과 작업 도중 구체적인 위험이 발생하였음에도 작업을 중지시키는 등의 사고예방조치를 취하지 아니한 위법이 있다(대판 2001.3.9. 99다64278).

3 증인으로부터 신변보호요청을 받은 검사는 조치를 취할 작위의무가 있다. ★

형사재판의 공판검사가 증인으로 소환된 자로부터 신변보호요청을 받았음에도 아무런 조치를 취하지 않아 그 증인이 공판기일에 법정에서 공판 개정을 기다리던 중 피고인의 칼에 찔려 상해를 입은 사안에서, 검사의 부작위로 인한 국가배상책임을 인정한 사례(대판 2009.9.24. 2006다82649)

4 원고 무죄를 입증할 수 있는 증거를 입수한 검사는 법원에 제출할 작위의무가 있다. ★★

강도강간의 피해자가 제출한 팬티에 대한 국립과학수사연구소의 유전자검사 결과 그 팬티에서 범인으로 지목되어 기소된 원고나 피해자의 남편과 다른 남자의 유전자형이 검출되었다는 감정 결과를 검사가 공판과정에서 입수한 경우, 그 감정서는 원고의 무죄를 입증할 수 있는 결정적인 증거에 해당하는데도 검사가 그 감정서를 법원에 제출하지 아니하고 은폐하였다면 검사의 그와 같은 행위는 위법하므로 국가배상책임이 인정된다(대판 2002.2.22. 2001다23447).

시장 등이 토석채취공사 중 위해방지시설 설치하게 할 의무
▷ 부작위는 위법

신변보호요청에 대한 검사의 부작위
▷ 국가배상책임 ○

무죄를 입증할 결정적 증거를 은폐한 검사
▷ 국가배상책임 ○

5 등기관은 형식적 심사의무에 의하여 위조 여부가 판별된 경우에는 등기신청을 각하하여야 할 작위의무가 있다. ★★

등기관은 등기신청에 대하여 부동산등기법상 그 등기신청에 필요한 서면이 제출되었는지 여부 및 제출된 서면이 형식적으로 진정한 것인지 여부를 심사할 권한을 갖고 있으나 그 등기신청이 실체법상의 권리관계와 일치하는지 여부를 심사할 실질적인 심사권한은 없으므로 등기관으로서는 오직 제출된 서면 자체를 검토하거나 이를 등기부와 대조하는 등의 방법으로 등기신청의 적법 여부를 심사하여야 할 것이고, 이러한 방법에 의한 심사 결과 형식적으로 부진정한, 즉 위조된 서면에 의한 등기신청이라고 인정될 경우 이를 각하하여야 할 직무상의 의무가 있다고 할 것이지만, 등기관은 다른 한편으로 대량의 등기신청사건을 신속하고 적정 하게 처리할 것을 요구받기도 하므로 제출된 서면이 위조된 것임을 간과하고 등기신청을 수리한 모든 경우에 등기관의 과실이 있다고는 할 수 없고, 위와 같은 방법의 심사 과정에서 등기업무를 담당하는 평균적 등기관이 보통 갖추어야 할 통상의 주의의무만 기울였어도 제출 서면이 위조되었다는 것을 쉽게 알 수 있었음에도 이를 간과한 채 적법한 것으로 심사하여 등 신청을 각하하지 못한 경우에 그 과실을 인정할 수 있다(대판 2005.2.25. 2003다13048).

6 인감증명사무를 처리하는 공무원의 인감증명으로 인한 부정행위의 발생을 방지할 직무상의 의무가 있다. ★★★

인감증명은 인감 자체의 동일성을 증명함과 동시에 거래행위자의 동일성과 거래행위가 행위자의 의사에 의한 것임을 확인하는 자료로서 일반인의 거래상 극히 중요한 기능을 갖고 있는 것이므로, 인감증명사무를 처리하는 공무원으로서는 그것이 타인과의 권리·의무에 관계되는 일에 사용되는 것을 예상하여 그 발급된 인감증명으로 인한 부정행위의 발생을 방지할 직무상의 의무가 있다(대판 1996.5.10. 95다34477).

7 (甲이 경주보훈지청에 국가유공자에 대한 주택구입대부제도에 관하여 전화로 문의하고 대부신청서까지 제출하였으나, 담당 공무원에게서 주택구입대부금 지급을 보증하는 지급보증서제도에 관한 안내를 받지 못하여 대부제도 이용을 포기하고 시중은행에서 대출을 받아 주택을 구입함으로써 결과적으로 더 많은 이자를 부담하게 되었다고 주장하며 국가를 상대로 정신적 손해의 배상을 구한 사안에서, 주택구입대부제도에 있어서 지급보증서를 교부하는 취지와 성격, 관련 법령 등의 규정 내용, 지급보증서제도를 안내받지 못함으로 인하여 침해된 甲의 법익 내지 甲이 입은 손해의 내용과 정도, 관련 공무원이 甲이 입은 손해를 예견하거나 그 결과를 회피하기 위한 조치를 취할 수 있는 가능성의 정도 등 여러 사정을 종합하여 볼 때), 담당 공무원이 甲에게 주택구입대부제도에 관한 전화상 문의에 응답하거나 대부신청서의 제출에 따른 대부금지급신청안내문을 통지하면서 지급보증서제도에 관하여 알려주지 아니한 조치가 객관적 정당성을 결여하여 현저하게 불합리한 것으로서 고의 또는 과실로 법령을 위반하였다고 볼 수 없다(대판 2012.7.26. 2010다95666). ★★

함께 정리하기

평균적 등기관의 주의의무 해태
▷ 과실 인정○

인감증명관련 공무원
▷ 부정행위를 방지할 직무상 의무 有

주택구입대부제도 관련 지급보증서제도 관해 알려주지 않은 부작위
▷ 법령위반✕

함께 정리하기

❶
단순한 반사적 이익의 침해는 위법이 아니라고 하여 위법성의 문제로 보는 위법성설, 「국가배상법」상의 손해란 법익침해에 대한 불이익을 말하고 법익은 법적으로 보호되는 이익이라 할 것이므로 반사적 이익의 침해는 손해에 해당하지 않는다고 보는 손해설, 「국가배상법」상 직무에 공공일반의 이익에만 관련된 직무는 제외되는 것으로 보아 직무관련성의 문제로 보는 직무관련성설, 상당인과관계에서 상당성의 판단요소로 보아 가해자가 부담해야 할 손해의 범위에 반사적 이익은 포함될 수 없다는 상당인과관계설 등이 주장되고 있다.

❷
행정권의 발동이 기속행위인 경우에는 부작위가 곧 위법이 된다.

❸
이에 대하여 판례가 재량행위인 행정권한의 불행사의 위법을 현저한 합리성의 결여라는 추상적인 기준에 의해 판단하는 것은 문제가 있으며, 재량행위인 행정권한의 불행사의 위법은 법이론상 재량권의 영으로의 수축 이론 등에 의해 판단하여야 한다는 견해가 있다.

법령위반
▷ 절차상 위법 포함

주민들의 의견제출 등 행정절차 참여권 일시적 침해
▷ 곧바로 국가나 지자체가 정신적 손해배상의무 부담 ✕

ⓒ 직무상 작위의무의 사익보호성
  ⓐ **문제점**: 행정기관의 권한행사에 의해 받게 되는 이익이 사익보호성이 인정되지 않아 반사적 이익에 불과한 경우에는 당해 권한의 불행사로 인해 그 이익을 향유할 수 없어도 그 불이익에 대하여는 국가배상책임을 지지 않는다는 것이 통설(반사적 이익론)과 판례의 입장이다. 다만, 이러한 반사적 이익론이 국가배상책임의 성립요건 중에 어디에 속하는지에 대하여 견해가 대립한다. ❶
  ⓑ **판례**: 직무상 의무의 사익보호성을 상당인과관계의 요소로서 요구한다. 즉, 공무원에게 부과된 직무상 작위의무의 내용이 단순히 공공 일반의 이익을 위한 것이거나 행정기관 내부의 질서를 규율하기 위한 것이라면 공무원의 직무상 의무를 위반한 행위와 제3자가 입은 손해 사이에 상당인과관계를 인정할 수 없고, 전적으로 또는 부수적으로 사회구성원 개인의 안전과 이익을 보호하기 위하여 설정된 것이어야 국가배상책임이 인정된다고 한다. 이에 관한 자세한 내용은 인과관계 부분에서 후술한다.
  ⓓ **행정권 불행사의 위법성**: 행정권의 행사 또는 불행사는 재량행위인 경우가 많다. ❷ 이 경우 앞서 살펴본 바와 같이 이론상 재량권이 영으로 수축하는 경우 및 비례원칙에 반하는 경우 등 재량권의 일탈·남용의 경우에 행정기관의 부작위가 위법하게 된다. 판례는 재량행위인 행정권의 불행사(부작위 또는 거부)가 현저하게 불합리하다고 인정되는 경우에는 직무상의 의무를 위반한 것이 되어 위법하게 된다고 한다. ❸

④ **절차상 위법**: 절차상의 위법도 법령위반에 해당한다. 따라서 절차상 위법한 가해행위로 손해가 발생한 경우에 있어서 절차상 위법과 손해 사이에 상당인과관계가 있는 경우 국가배상책임이 인정된다. 그러나 절차상 위법하지만 실체상 적법하여 실제에 있어서 손해가 발생하였다고 볼 수 없는 경우에는 국가배상책임이 인정될 수 없다.

> **관련판례**
>
> **1** 주민들이 일시적으로 행정절차에 참여할 권리를 침해받았다는 사정만으로 관련 행정처분의 성립이나 무효·취소 여부 등을 따지지 않은 채 곧바로 국가나 지방자치단체가 주민들에게 정신적 손해에 대한 배상의무를 부담한다고 단정할 수 없다. ★
>
> 국가나 지방자치단체가 공익사업을 시행하는 과정에서 해당 사업부지 인근 주민들은 의견제출을 통한 행정절차 참여 등 법령에서 정하는 절차적 권리를 행사하여 환경권이나 재산권 등 사적 이익을 보호할 기회를 가질 수 있다. 그러나 법령에서 주민들의 행정절차 참여에 관하여 정하는 것은 어디까지나 주민들에게 자신의 의사와 이익을 반영할 기회를 보장하고 행정의 공정성, 투명성과 신뢰성을 확보하며 국민의 권익을 보호하기 위한 것일 뿐, 행정절차에 참여할 권리 그 자체가 사적 권리로서의 성질을 가지는 것은 아니다. 이와 같이 행정절차는 그 자체가 독립적으로 의미를 가지는 것이라기보다는 행정의 공정성과 적정성을 보장하는 공법적 수단으로서의 의미가 크므로, 관련 행정처분의 성립이나 무효·취소 여부 등을 따지지 않은 채 주민들이 일시적으로 행정절차에 참여할 권리를 침해받았다는 사정만으로 곧바로 국가나 지방자치단체가 주민들에게 정신적 손해에 대한 배상의무를 부담한다고 단정할 수 없다. 이와 같은 행정절차상 권리의 성격이나 내용 등에 비추어 볼 때, 국가나 지방자치단체가 행정절차를 진행하는 과정에서 주민들의 의견제출 등 절차적 권리를 보장하지 않은 위법이 있다고 하더라도 그 후 이를 시정하여 절차를 다시 진행한 경우, 종국적으로 행정처분 단계까지 이르지 않거나 처분을 직권으로 취소하거나 철회한 경우, 행정소송을 통하여 처분이 취소되거나 처분의 무효를 확인하는 판결이 확정된 경우 등에는 주민들이 절차적 권리의 행사를 통하여 환경권이나 재산권 등 사적 이익을 보호하려던 목적이 실질적으로 달성된

것이므로 특별한 사정이 없는 한 절차적 권리 침해로 인한 정신적 고통에 대한 배상은 인정되지 않는다. 다만 이러한 조치로도 주민들의 절차적 권리 침해로 인한 정신적 고통이 여전히 남아 있다고 볼 특별한 사정이 있는 경우에 국가나 지방자치단체는 그 정신적 고통으로 인한 손해를 배상할 책임이 있다. 이때 특별한 사정이 있다는 사실에 대한 주장·증명책임은 이를 청구하는 주민들에게 있고, 특별한 사정이 있는지는 주민들에게 행정절차 참여권을 보장하는 취지, 행정절차 참여권이 침해된 경위와 정도, 해당 행정절차 대상사업의 시행경과 등을 종합적으로 고려해서 판단해야 한다(대판 2021.7.29. 2015다221668).

> **비교**
> [1] 공법인이 국가나 지방자치단체의 행정작용을 대신하여 공익사업을 시행하면서 행정절차를 진행하는 과정에서 주민들의 절차적 권리를 보장하지 않은 위법이 있더라도 곧바로 정신적 손해를 배상할 책임이 인정되는 것은 아니지만, 절차상 위법의 시정으로도 주민들에게 정신적 고통이 남아 있다고 볼 특별한 사정이 있는 경우에는 정신적 손해의 배상을 구하는 것이 가능하다.
> [2] 한국전력공사가 송전선로 예정경과지를 선정하면서 당초 예정경과지의 주민들의 반대로 갑 지역을 예정경과지로 변경하면서 갑 지역 주민들을 상대로 구 환경·교통·재해 등에 관한 영향평가법상 주민의견수렴절차를 거치지 않았는데, 사업관할청으로부터 갑 지역을 사업부지로 포함하는 송전선로 건설사업 승인을 받은 사안에서, 사업부지가 변경된 후 한국전력공사가 갑 지역에 대한 환경영향평가서 초안을 재작성하고 갑 지역 주민들의 의견을 수렴하는 절차를 거치지 않은 채 사업을 진행함으로써, 갑 지역 주민들이 환경상 이익의 침해를 최소화할 수 있는 의견을 제출할 수 있는 기회를 박탈하여 갑 지역 주민들에게 상당한 정신적 고통을 가하였다고 보아 한국전력공사에 갑 지역 주민들이 입은 정신적 손해를 배상할 의무가 있다고 한 사례(대판 2021.8.12. 2015다208320).

2 경매 담당 공무원이 이해관계인에 대해 기일통지를 잘못한 것이 원인이 되어 경락허가결정이 취소되었다면 국가배상책임은 인정된다. ★★

경매 담당 공무원이 이해관계인에 대한 기일통지를 잘못한 것이 원인이 되어 경락허가결정이 취소된 사안에서, 그 사이 경락대금을 완납하고 소유권이전등기를 마친 경락인에 대하여 국가배상책임이 인정된다(대판 2008.7.10. 2006다23664).

⑤ **수익적 행정처분의 위법**: 원칙적으로 수익적 행정처분은 신청인의 이익에 부합하므로 국가배상책임이 인정되지 않으나, 수익적 행정처분이 신청인에 대한 관계에서 위법성이 있는 것으로 평가되기 위하여는 객관적으로 보아 그 행위로 인하여 신청인이 손해를 입게 될 것임이 분명하다고 할 수 있어 신청인을 위하여도 당해 행정처분을 거부할 것이 요구되는 경우이어야 한다.

> **관련판례**
>
> **1** 수익적 행정처분은 특별한 사정이 없는 한 그 처분이 이루어지는 것이 신청인의 이익에 부합하나 그 행위로 인하여 신청인이 손해를 입게 될 것이 분명할 때에는 위법성이 인정될 수 있다. ★★
>
> 수익적 행정처분은 그 성질상 특별한 사정이 없는 한 그 처분이 이루어지는 것이 신청인의 이익에 부합하고, 이에 대한 법규상의 제한은 공공의 이익을 위한 것이어서 그러한 법규상의 제한 사유가 없는 한 원칙적으로 이를 허용할 것이 요청된다고 할 것이므로, 수익적 행정처분이 신청인에 대한 관계에서 국가배상법 제2조 제1항의 위법성이 있는 것으로 평가되기 위하여는 당해 행정처분에 관한 법령의 내용, 그 성질과 법률적 효과, 그로 인하여 신청인이 무익한 비용을 지출할 개연성에 관한 구체적 사정 등을 종합적으로 고려하여 객관적으로 보아 그 행위로 인하여 신청인이 손해를 입게 될 것임이 분명하다고 할 수 있어 신청인을 위하여도 당해 행정처분을 거부할 것이 요구되는 경우이어야 할 것이다(대판 2001.5.29. 99다37047).

함께 정리하기

공익사업시행 시 주민의견수렴절차×
▷ 절차위법 시정으로도 정신적 고통이 남아있다는 특별한 사정 有 → 위자료 배상 可

경매공무원이 기일통지 잘못해 경락취소
▷ 국가배상책임○

수익적 행정처분
▷ 손해가 분명한 경우 위법성 인정 可

수익적 행정처분
▷ 손해가 분명한 경우 위법성 인정 可

함께 정리하기

하천점용허가 하면서 컨테이너설치에 개발행위허가 요하는 것 불고지
▷ 위법행위 ×

2 수익적 행정처분인 허가 등을 신청한 사안에서 행정처분을 통하여 달성하고자 하는 신청인의 목적 등을 자세하게 살펴 목적 달성에 필요한 안내나 배려 등을 하지 않았다는 사정만으로 직무집행에 있어 위법한 행위를 한 것이라고 보아서는 아니 된다. ★★

乙 지방자치단체 소속 담당 공무원이 甲 회사의 허가신청에 따라 하천점용허가를 하면서 하천점용허가의 요건이 갖추어졌는지만을 살펴보고 나아가 하천부지가 개발제한구역에 속하는지 등을 미리 파악하여 관련 부서와 협의를 거친 다음 하천점용허가 여부를 결정하거나 하천부지가 개발제한구역으로서 시설물(컨테이너) 설치에 개발행위허가가 필요하다는 점 등을 甲 회사에 따로 알려주지 않은 채 하천점용허가를 하였더라도, 이러한 乙 지방자치단체 소속 담당 공무원의 행위를 위법한 행위라고 볼 수는 없다 (대판 2017.6.29. 2017다211726).

(4) 선결문제로서 위법 여부의 판단

① 민사법원이 국가배상 청구사건을 심리할 때 행정행위의 위법여부가 재판의 전제가 되는 경우 그 배당사건의 수소법원이 행정행위의 위법 여부를 스스로 심리·판단할 수 있는가에 대한 문제가 행정행위의 공정력 또는 구성요건의 효력과 관련하여 문제된다. 이는 취소소송을 제기하여 각하판결이 나온 이후에 국가배상청구소송을 제기하거나 취소소송을 제기함이 없이 국가배상청구소송만을 제기하였을 때 발생하는 문제이다.

국가배상청구소송에서
▷ 민사법원의 행정행위의 위법성 판단 可

② 일부의 견해는 행정행위의 공정력 또는 구성요건적 효력을 이유로 민사법원은 행정행위의 위법여부를 스스로 판단할 수 없다고 하나, 국가배상청구소송에서 선결문제로서 행정행위의 위법성 판단은 행정행위의 효력을 부인하는 것이 아니라 단순한 위법성 확인에 그치는 것이므로 민사법원은 행정행위의 위법성을 심사할 수 있다(제2편 구성요건적 효력과 선결문제 참조). 한편, 상대적 위법성설을 취하는 판례에 따르면 행정행위의 위법성과 국가배상의 법령위반은 서로 다른 개념이므로 위법한 행정행위에 대한 취소판결이 선행되지 않더라도 국가배상청구소송의 수소법원이 그 행정행위의 법령위반 여부를 스스로 판단할 수 있다.

(5) 취소소송의 기판력이 국가배상청구소송에 미치는지 여부 – 취소소송의 위법과 「국가배상법」상의 위법이 동일한 개념인지 여부

취소소송의 기판력이 국가배상청구소송에 미치는지 여부
▷ 광의의 행위위법설: 인용판결-미침, 기각판결-미치지 않음
▷ 상대적 위법성설: 미치지 않음

① 취소소송의 확정판결이 난 후, 국가배상청구소송을 제기했을 때 취소소송에서의 기판력이 후소인 국가배상청구소송에 미치는지에 대한 문제는 '취소소송에서의 위법과 「국가배상법」상의 위법이 동일한가'하는 문제와 관련되어 있다.

② 결과위법설과 상대적 위법성설에 따르면 취소소송의 위법성과 국가배상에서의 법령위반은 서로 다른 개념이므로 취소소송의 본안판결의 기판력이 국가배상청구소송에 미치지 않는다. 한편, 행위위법설 중 협의설에 따르면 취소소송의 위법성과 국가배상에서의 법령위반은 서로 같은 개념이므로 취소소송의 본안판결의 기판력이 국가배상청구소송에 미치게 된다. 광의의 행위위법설에 의하면 국가배상에서의 법령위반이 취소소송의 위법성 보다 넓은 개념이므로 취소소송의 인용판결(사정판결 포함)의 기판력은 국가배상청구소송에 미치게 되나, 기각판결은 미치지 않게 된다(제5편 기판력과 국가배상청구소송과의 관계 참조).

③ 판례는 "어떠한 행정처분이 후에 항고소송에서 취소되었다고 할지라도 그 기판력에 의하여 당해 행정처분이 곧바로 공무원의 고의 또는 과실로 인한 것으로서 불법행위를 구성한다고 단정할 수 없다."고 판시하였는바, 이에 대하여 판례가 국가배상의 위법과 관련하여 상대적 위법성설의 입장에서 전부 기판력 부정설의 입장을 취했다고 보는 견해도 있고, 입장이 분명하지 않다고 보는 견해도 있다.

(6) 형사책임과 국가배상

형사책임과 국가배상책임은 각각 지도원리가 다르므로 형사상 범죄를 구성하지 아니하는 침해행위가 민사상 불법행위(국가배상책임을 말함)를 구성하는지 여부는 형사책임과 별개의 관점에서 검토하여야 한다. 따라서 공무원의 가해행위에 대해 형사상 무죄판결이 있었더라도 그 가해행위를 이유로 국가배상책임이 인정될 수 있다.❶

> **관련판례**
> 경찰관이 범인을 제압하는 과정에서 총기를 사용하여 범인을 사망에 이르게 한 사안에서, 총기사용행위에 대한 무죄판결이 확정된 것과 무관하게 민사상 불법행위책임을 인정한 사례(대판 2008.2.1. 2006다6713) ★★

6. 타인에게 손해 발생

(1) 타인

① 타인이란 가해행위를 한 공무원과 이에 가담한 자 이외의 모든 자를 말한다. 따라서 공무원 역시 다른 공무원의 가해행위로 인하여 손해가 발생하게 되면 여기에서의 타인에 해당한다(대판 1998.11.19. 97다36873 참조).
② 다만, 피해자가 군인, 군무원 또는 경찰공무원 등의 경우에는 일정한 요건 하에 특례가 인정되고 있는데, 이에 관해서는 이중배상금지원칙에서 후술한다.

(2) 손해

손해란 법익침해의 결과로 발생한 모든 불이익을 말하며, 적극적 손해, 소극적 손해, 재산적 손해, 신체적 손해, 정신적 손해가 모두 포함된다. 다만, 반사적 이익의 침해에 의한 불이익이나 사회공공 일반의 이익침해는 이에 포함되지 않는다.

> **관련판례**
> **1** 국가배상법 소정의 "손해"에는 재산권 침해로 인한 위자료의 지급의무 또한 포함된다. ★★
> 국가배상법 제3조 제5항에 생명, 신체에 대한 침해로 인한 위자료의 지급을 규정하였을 뿐이고 재산권 침해에 대한 위자료의 지급에 관하여 명시한 규정을 두지 아니하였으나 같은 법조 제4항의 규정이 재산권 침해로 인한 위자료의 지급의무를 배제하는 것이라고 볼 수는 없다(대판 1990.12.21. 90다6033).
>
> **2** 재산상의 손해로 인하여 받는 정신적 고통은 특별한 사정이 없는 한 재산상 손해배상으로써 위자된다. ★★
> 재산상의 손해로 인하여 받는 정신적 고통은 그로 인하여 재산상 손해의 배상만으로는 전보될 수 없을 정도의 심대한 것이라고 볼 만한 특별한 사정이 없는 한 재산상 손해배상으로써 위자된다(대판 1998.7.10. 96다38971).

함께 정리하기

타인의 권리·이익이 침해되어 구체적 손해가 발생
▷「국가배상법」상 손해

3 국가배상에서 말하는 손해는 구체적 손해를 말한다. ★★
(도지사가 도에서 설치·운영하는 乙 지방의료원을 폐업하겠다는 결정을 발표하고 그에 따라 폐업을 위한 일련의 조치가 이루어진 후 乙 지방의료원을 해산한다는 내용의 조례를 공포하고 乙 지방의료원의 청산절차가 마쳐진 사안에서) 국가배상책임이 성립하기 위해서는 <u>공무원의 직무집행이 위법하다는 점만으로는 부족하고, 그로 인해 타인의 권리·이익이 침해되어 구체적 손해가 발생</u>하여야 한다(대판 2016.8.30. 2015두60617).

7. 직무행위(가해행위)와 손해발생 사이의 인과관계

(1) 상당인과관계의 의미

위법한 직무행위·손해발생
▷ 인과관계

국가배상청구권이 성립하기 위해서는 공무원의 가해행위와 손해의 발생 사이에 상당인과관계가 있어야 한다(대판 2010.9.9. 2008다77795). 여기서 상당인과관계란 어떤 원인이 있으면 그러한 결과가 발생하리라고 보통 인정되는 관계를 말한다.

(2) 상당인과관계 판단기준

상당인과관계 판단기준
▷ 결과발생 개연성·규범목적·태양·피해정도 종합적으로 고려

상당인과관계의 유무를 판단함에 있어서는 일반적인 결과 발생의 개연성은 물론 직무상 의무를 부과하는 법령 기타 행동규범의 목적이나 가해행위의 태양 및 피해의 정도 등을 종합적으로 고려하여야 한다(대판 2007.12.27. 2005다62747).

(3) 구체적인 사례

① 상당인과관계를 인정한 예

> **관련판례**
>
> 1 (유흥주점에 감금된 채 윤락을 강요받으며 생활하던 여종업원들이 유흥주점에 화재가 났을 때 미처 피신하지 못하고 유독가스에 질식해 사망한 사안에서) ⓐ 소방공무원이 유흥주점에 대하여 구 소방법상 방염규정의 위반 등에 대한 시정조치를 명하지 않는 직무상 의무위반과, ⓑ 여종업원들의 사망 사이(대판 2008.4.10. 2005다48994) ★★
>
> 2 (주점에서 발생한 화재로 사망자의 유족들이 지방자치단체를 상대로 손해배상을 청구한 사안에서) ⓐ 소방공무원들이 다중이용업소인 주점의 비상구와 피난시설 등에 대한 점검을 소홀히 함으로써 주점의 피난통로 등에 중대한 피난 장애요인이 있음을 발견 하지 못하여 업주들에 대한 적절한 지도·감독을 하지 아니한 경우 직무상 의무위반과, ⓑ 주점 손님들의 사망 사이(대판 2016.8.25. 2014다225083) ★★
>
> 3 ⓐ 허위의 인감증명발급과 그 인감명의인과, ⓑ 계약을 체결한 자의 손해 사이(대판 2008.7.24. 2006다63273) ★
>
> 4 ⓐ 탄약고 관리 및 병력관리를 소홀히 한 상관의 과실과, ⓑ 폭발사고의 발생 사이(대판 1981.7.28. 80다3201) ★
>
> 5 ⓐ 군부대에서 유출된 폭음탄이 범죄행위에 사용되는 경우, 총기·탄약·폭발물 등의 관리를 소홀히 한 책임자의 과실과, ⓑ 그 범죄행위로 인해 피해자가 입은 손해 사이(대판 1998.2.10. 97다49534) ★

6. ⓐ 우편집배원이 압류 및 전부명령 결정 정본을 특별송달하는 과정에서 민사소송법을 위반하여 부적법한 송달을 하고도 적법한 송달을 한 것처럼 우편송달보고서를 작성하여 압류 및 전부의 효력이 발생하지 않아 집행채권자 피압류채권을 전부받지 못한 경우 우편집배원의 직무상 의무 위반과, ⓑ 집행채권자의 손해 사이(대판 2009.7.23. 2006다87798) ★★

7. ⓐ 현저히 불합리한 개별공시지가 결정과, ⓑ 국민의 재산권 침해 ★★

   개별공시지가 산정업무 담당 공무원 등이 그 직무상 의무에 위반하여 현저하게 불합리한 개별공시지가가 결정되도록 함으로써 국민 개개인의 재산권을 침해한 경우에는 그 손해에 대하여 상당인과관계 있는 범위 내에서 그 담당 공무원 등이 소속된 지방자치단체가 배상책임을 지게 된다(대판 2010.7.22. 2010다13527).

② 상당인과관계를 부정한 예

관련판례

1. (유흥주점에 감금된 채 윤락을 강요받으며 생활하던 여종업원들이 유흥주점에 화재가 났을 때 미처 피신하지 못하고 유독가스에 질식해 사망한 사안에서) ⓐ 지방자치단체의 담당공무원이 유흥주점 용도변경, 무허가영업 및 시설기준 위배된 개축에 대한 시정명령 등 식품위생법상 취하여야 할 조치를 게을리 한 직무상 의무위반과, ⓑ 여종업원들의 사망 사이(대판 2008.4.10. 2005다48994) ★★

2. ⓐ 우편역무종사자의 직무상 의무 위반으로 내용증명우편물이 수취인에게 도달하지 않거나 그 도달에 대한 증명 기능이 발휘되지 못하게 된 경우, 그 직무상 의무 위반과, ⓑ 발송인 등이 제3자와 맺은 거래관계의 성립·이행·소멸 등과 관련하여 입은 손해 사이(대판 2009.7.23. 2006다81325) ★

3. ⓐ 서초구청 소속 공무원들의 직무의무 위반행위와, ⓑ 삼풍백화점 붕괴사고 사이(대판 1999.12.21. 98다29797) ★

4. ⓐ 경찰서장이 전 영업주의 영업신고서를 잘못 수리한 행위나 이를 즉시 시정하지 않은 행위와, ⓑ 영업변경신고서가 반려됨으로써 양수인이 입은 영업상 손해 사이(대판 2001.4.13. 2000다34891) ★

5. ⓐ 당직군의관의 당직의무 해태와, ⓑ 군병원 입원중인 사병들이 탈영하여 저지른 강도살인행위(대판 1988.12.27. 87다카2293) ★

6. ⓐ 금융감독원의 검사·감독의무 해태와, ⓑ 부산2저축은행 투자자의 손해 사이 ★

   금융위원회의 설치 등에 관한 법률의 입법 취지 등에 비추어 볼 때, 피고 금융감독원에 금융기관에 대한 검사·감독의무를 부과한 법령의 목적이 금융상품에 투자한 투자자 개인의 이익을 직접 보호하기 위한 것이라고 할 수 없으므로, 피고 금융감독원 및 그 직원들의 위법한 직무집행과 부산2저축은행의 후순위사채에 투자한 원고들이 입은 손해 사이에 상당인과관계가 있다고 보기 어렵다(대판 2015.12.23. 2015다210194).

7. ⓐ 개별공시지가 결정과, ⓑ 근저당권자의 손해 ★

   피고 소속 담당공무원 등의 이 사건 토지에 관한 개별공시지가 산정에 관한 직무상 위반행위와 원고가 이 사건 토지의 담보가치가 충분하다고 믿고 추가로 물품을 공급하였다가 입은 손해 사이에 상당인과관계가 있다고 보기 어렵다(대판 2010.7.22. 2010다13527).

함께 정리하기

우편집배원의 부적법한 송달 과실·집행채권자의 전부 효력 불발생 손해
▷ 인과관계 ○

금융감독원의 금융기관에 대한 검사·감독의무
▷ 투자자 개인의 이익 직접 보호 ✕
(상당인과관계 無)

금융감독원의 검사·감독의무 해태 → 부산2저축은행의 후순위사채에 투자
▷ 인과관계 ✕

개별공시지가결정과, 근저당권자의 손해
▷ 인과관계 ✕

함께 정리하기

직무상 의무의 내용이 행정기관 내부를 규율을 위한 것이거나 전체적으로 공공 일반의 이익을 도모하기 위한 것인 경우
▷ 상당인과관계성립×
▷ 국가배상책임 부정

직무의 사익보호성의 문제를 '직무'의 문제로 볼 것인지, '위법성'의 문제로 볼 것인지, '손해'의 문제로 볼 것인지, '인과관계'의 문제로 볼 것인지에 대해서는 견해의 대립이 있으나, 최근 판례는 직무상 의무의 사익보호성을 상당인과관계의 판단요소의 하나로 보는 경향이 있다.

직무상 의무의 내용이 행정기관 내부를 규율을 위한 것이거나 전체적으로 공공 일반의 이익을 도모하기 위한 것인 경우
▷ 상당인과관계×
▷ 국가배상책임×

직무상 의무의 내용이 전적으로 또는 부수적으로 사회구성원 개인의 안전과 이익을 보호하기 위한 경우
▷ 상당인과관계 성립○
▷ 국가배상책임 긍정

(4) 사익보호성의 문제

① **일반론**: 판례는 국가배상책임 성립요건으로서 상당인과관계를 판단할 때 직무상 의무의 사익보호성을 요구한다. 즉, 판례는 위반이 문제되는 직무상 의무의 내용이 ⊙ 단순히 공공 일반의 이익이나 행정기관 내부 규율을 위한 것이 아니라, ⊙ 전적으로 또는 부수적으로 사회구성원 개인의 안전과 이익을 보호하기 위한 것이어야 위법행위와 손해발생 사이에 상당인과관계가 성립한다고 한다.❶

> **관련판례**
>
> **1** 직무상 의무가 순전히 행정기관 내부의 질서를 유지하기 위한 것이거나 전체적으로 공공 일반의 이익을 도모하기 위한 것이라면 상당인과관계를 인정할 수 없다. - **국가배상책임 부정** ★★★
>
> 공무원이 직무를 수행하면서 그 근거되는 법령의 규정에 따라 구체적으로 의무를 부여받았어도 그것이 국민의 이익과는 관계없이 순전히 행정기관 내부의 질서를 유지하기 위한 것이거나, 또는 국민의 이익과 관련된 것이라도 직접 국민 개개인의 이익을 위한 것이 아니라 전체적으로 공공 일반의 이익을 도모하기 위한 것이라면 그 의무에 위반하여 국민에게 손해를 가하여도 국가 또는 지방자치단체는 배상책임을 부담하지 아니한다(대판 2001.10.23. 99다36280 ; 대판 2006.4.14. 2003다41746).
>
> **2** 직무상 의무가 전적으로 또는 부수적으로 사회구성원 개인의 안전과 이익을 보호하기 위하여 설정된 것이라면 상당인과관계가 인정된다. - **국가배상책임 긍정** ★★★
>
> [1] 공무원에게 부과된 직무상 의무의 내용이 단순히 공공일반의 이익을 위한 것이거나 행정기관 내부의 질서를 규율하기 위한 것이 아니고, 전적으로 또는 부수적으로 사회구성원 개인의 안전과 이익을 보호하기 위하여 설정된 것이라면 공무원이 그와 같은 직무상 의무를 위반함으로 인하여 피해자가 입은 손해에 대하여는 상당인과관계가 인정되는 범위 내에서 국가 또는 지방자치단체가 배상책임을 지는 것이다(대판 2003.4.25. 2001다59842 ; 대판 2021.6.10. 2017다286874).
>
> [2] 공무원이 고의 또는 과실로 그에게 부과된 직무상 의무를 위반하였을 경우라고 하더라도 국가는 그러한 직무상의 의무 위반과 피해자가 입은 손해 사이에 상당인과관계가 인정되는 범위 내에서만 배상책임을 지는 것이고, 이 경우 상당인과관계가 인정되기 위하여는 공무원에게 부과된 직무상 의무의 내용이 단순히 공공 일반의 이익을 위한 것이거나 행정기관 내부의 질서를 규율하기 위한 것이 아니고 전적으로 또는 부수적으로 사회구성원 개인의 안전과 이익을 보호하기 위하여 설정된 것이어야 한다(대판 2010.9.9. 2008다77795).

② **구체적인 사례**

⊙ 사익보호성을 인정한 예

> **관련판례**
>
> **1** 주민등록상 성명을 정정한 경우에 본적지의 관할관청에 통보할 의무 ★★
>
> 주민등록사무를 담당하는 공무원으로서는 만일 개명과 같은 사유로 주민등록상의 성명을 정정한 경우에는 위에서 본 바와 같은 법령의 규정에 따라 반드시 본적지의 관할관청에 대하여 그 변경사항을 통보하여 본적지의 호적관서로 하여금 그 정정사항의 진위를 재확인할 수 있도록 할 직무상의 의무가 있다고 할 것이고, 이러한 직무상 의무는 단순히 공공 일반의 이익을 위한 것이거나 행정기관 내부의 질서를 규율하기 위한 것이 아니고 전적으로 또는 부수적으로 사회구성원 개인의 안전과 이익을 보호하기 위하여 설정된 것이다(대판 2003.4.25. 2001다59842).

주민등록사무를 담당하는 공무원의 성명 정정시 본적지 통보의무
▷ 사익보호성○

성명정정시 본적지 미통보 → 근저당권등기 불법경료
▷ 인과관계○

2 군교도소 등 관련 공무원의 경계 감호 의무 ★

군행형법과 군행형법 시행령이 군교도소나 미결수용실에 대한 경계 감호를 위하여 관련 공무원에게 각종 직무상의 의무를 부과하고 있는 것은, 일차적으로는 그 수용자들을 격리보호하고 교정교화함으로써 공공 일반의 이익을 도모하고 교도소 등의 내부 질서를 유지하기 위한 것이라 할 것이지만, 부수적으로는 그 수용자들이 탈주한 경우에 그 도주과정에서 일어날 수 있는 2차적 범죄행위로부터 일반 국민의 인명과 재화를 보호하고자 하는 목적도 있다고 할 것이므로, 국가공무원들이 위와 같은 직무상의 의무를 위반한 결과 수용자들이 탈주함으로써 일반 국민에게 손해를 입히는 사건이 발생하였다면, 국가는 그로 인하여 피해자들이 입은 손해를 배상할 책임이 있다(대판 2003.2.14. 2002다62678).

3 후보자가 되고자 하는 자 및 소속정당의 전과기록 회보의무 ★★

공직선거법이 위와 같이 후보자가 되고자 하는 자와 그 소속 정당에게 전과기록을 조회할 권리를 부여하고 수사기관에 회보의무를 부과한 것은 단순히 유권자의 알 권리 보호 등 공공 일반의 이익만을 위한 것이 아니라, 그와 함께 후보자가 되고자 하는 자가 자신의 피선거권 유무를 정확하게 확인할 수 있게 하고, 정당이 후보자가 되고자 하는 자의 범죄경력을 파악함으로써 부적격자를 공천함으로 인하여 생길 수 있는 정당의 신뢰도 하락을 방지할 수 있게 하는 등 개별적인 이익도 보호하기 위한 것이다(대판 2011. 9.8. 2011다34521).

4 선박안전법, 유선 및 도선업법의 각 규정 ★

선박안전법이나 유선 및 도선업법의 각 규정은 공공의 안전 외에 일반인의 인명과 재화의 안전보장도 그 목적으로 하는 것이라고 할 것이므로 국가소속 선박검사관이나 시 소속 공무원들이 직무상 의무를 위반하여 시설이 불량한 선박에 대하여 선박중간검사에 합격하였다 하여 선박검사증서를 발급하고, 해당 법규에 규정된 조치를 취함이 없이 계속 운항하게 함으로써 화재사고가 발생한 것이라면, 화재사고와 공무원들의 직무상 의무위반행위와의 사이에는 상당인과관계가 있다(대판 1993.2.19. 91다43466).

ⓒ 사익보호성을 부정한 예

관련판례

1 상수원수의 수질기준 유지의무 및 3급 이하 하천수에 대한 고도의 정수처리의무 ★★★

국가 등에게 일정한 기준에 따라 상수원수의 수질을 유지하여야 할 의무를 부과하고 있는 법령의 규정은 국민에게 양질의 수돗물이 공급되게 함으로써 국민 일반의 건강을 보호하여 공공 일반의 전체적인 이익을 도모하기 위한 것이지, 국민 개개인의 안전과 이익을 직접적으로 보호하기 위한 규정이 아니므로, 국민에게 공급된 수돗물의 상수원의 수질이 수질기준에 미달한 경우가 있고, 이로 말미암아 국민이 법령에 정하여진 수질기준에 미달한 상수원수로 생산된 수돗물을 마심으로써 건강상의 위해 발생에 대한 염려 등에 따른 정신적 고통을 받았다고 하더라도, 이러한 사정만으로는 국가 또는 지방자치단체가 국민에게 손해배상책임을 부담하지 아니한다(대판 2001.10.23. 99다36280).

2 구 산업기술혁신촉진법상 인증신제품 구매의무 ★★

구 산업기술혁신 촉진법 및 그 시행령의 목적과 내용 등을 종합하여 보면, 위 법령이 공공기관에 부과한 인증신제품 구매의무는 공공 일반의 이익을 도모하기 위한 것으로 봄이 타당하고, 공공기관이 구매의무를 이행한 결과 신제품 인증을 받은 자가 재산상 이익을 얻게 되더라도 이는 반사적 이익에 불과할 뿐 위 법령이 보호하고자 하는 이익으로 보기는 어렵다.

 **함께 정리하기**

군교도소 등 공무원의 군교도소나 미결수용실에 대한 경계·감호의무
▷ 사익보호성○

경계감호의무 위반 → 수용자 탈주
▷ 인과관계○

수사기관의 후보자가 되고자 하는 자와 그 소속 정당에 대한 전과기록 회보의무
▷ 사익보호성○

「선박안전법」,「유선 및 도선업법」의 각 규정
▷ 사익보호성○

국가 등의 상수원수 수질유지 의무
▷ 사익보호성✕

상수원수의 수질기준 유지의무 및 3급 이하 하천수에 대한 고도의 정수처리의무
▷ 사익보호성✕

구「산업기술혁신 촉진법」상 인증신제품 구매의무
▷ 사익보호성✕

 함께 정리하기

따라서 공공기관이 위 법령에서 정한 인증신제품 구매의무를 위반하였다고 하더라도, 이를 이유로 신제품 인증을 받은 자에 대하여 국가배상법 제2조가 정한 배상책임이나 불법행위를 이유로 한 손해배상책임을 지는 것은 아니다(대판 2015.5.28, 2013다41431).

3 국가배상책임의 성질 및 공무원의 배상책임과 구상관계

1. 국가배상책임의 성질

「국가배상법」제2조 제1항은 "국가 또는 지방자치단체는 공무원 또는 공무를 위탁받은 사인이 고의 또는 과실로 법령에 위반하여 타인에게 손해를 가한 경우 그 손해를 배상하여야 한다."고 규정하고 있으며 제2항에서는 그런 경우에 "공무원에게 고의 또는 중대한 과실이 있으면 국가나 지방자치단체는 그 공무원에게 구상할 수 있다."고 하여 그 배상책임에 대해 언급하고 있다. 즉, 직접적 가해자는 공무원임에도 불구하고 피해자에 대한 배상책임은 국가 또는 지방자치단체가 부담하도록 규정하고 있는바, 이러한 국가 등의 배상책임의 성질, 즉 국가와 지방자치단체가 배상책임을 지는 이유에 관하여 다음과 같은 견해의 대립이 있다.

(1) 학설

대위책임설 (간접책임설)	• 국가 등의 배상책임은 <u>원래 가해공무원 자신이 부담해야 할 책임이나 국가 등이 가해자인 공무원을 대신하여 지는 대위책임이라고 보는 견해</u>로, 종래의 다수설이다(논리적으로 공무원 개인의 대외적 책임 부정). • 그 논거로서, ①「국가배상법」이 과실주의에 입각하고 있다는 점, ② 공무원의 위법행위는 국가의 행위로 볼 수 없는 공무원 자신의 행위이므로 행위의 효과도 국가에 귀속시킬 수 없다는 점 등을 들고 있다.
자기책임설 (직접책임설)	• 국가 등의 배상책임은 비록 <u>형식적으로는 국가 등의 기관인 공무원의 행위이기는 하나 실질적으로는 국가 등의 자신의 행위이므로 자기책임이라는 견해</u>이다(논리적으로 공무원 개인의 대외적 책임 긍정). • 국가 등은 그의 기관인 공무원을 통하여 행위하기 때문에 공무원의 직무행위는 그 위법여부와 관계없이 국가에 귀속되어야 한다는 점을 그 논거로 한다.
중간설	• 공무원의 <u>고의·중과실에 의한 행위에 대한 국가 등의 배상책임은 대위책임</u>이나, <u>경과실에 의한 행위에 대한 국가 등의 배상책임은 자기책임</u>이라는 견해이다. •「국가배상법」제2조 제2항이 고의·중과실의 경우에만 공무원에 대한 구상권을 인정하고 있다는 점을 그 논거로 한다.
절충설	• 공무원의 <u>고의·중과실에 의한 행위에 대한 국가 등의 배상책임은 대위책임과 자기책임의 양면성을 갖지만, 경과실에 의한 국가 등의 배상책임은 자기책임</u>이라는 견해이다. • 공무원의 위법행위가 경과실에 의한 경우 국가 등의 책임은 자기책임이지만, 공무원의 고의·중과실에 의한 위법행위는 원칙적으로 기관행위로서의 품위를 상실하여 국가 등의 행위로 볼 수 없지만, 직무행위로서 <u>외형</u>을 갖추고 있는 이상 피해자를 두텁게 보호하기 위하여 국가 등도 피해자에 대한 자기책임을 지는 것으로 본다.

대위책임설
▷ 국가 등이 가해자인 공무원을 대신하여 지는 대위책임이라고 보는 견해

❶ 국가배상책임을 대위책임으로 보는 견해에 의하면 공무원의 책임을 국가가 갈음하여 지는 것이므로 공무원의 피해자에 대한 직접책임을 인정하지 않는 것이 논리적이다.

자기책임설
▷ 형식적으로는 국가 등의 기관인 공무원의 행위이기는 하나 실질적으로는 국가 등의 자신의 행위이므로 자기책임이라는 견해

❷ 국가배상책임을 국가의 자기책임으로 본다면, 국가의 책임과 공무원 개인의 책임은 독립하여 성립되는 것이므로 국가의 책임과 별도로 공무원의 책임을 인정하는 것이 논리적이다.

중간설
▷ 고의·중과실: 대위책임
▷ 경과실: 자기책임

절충설
▷ 경과실: 자기책임
▷ 고의·중과실: 원칙은 대위책임, 직무행위로서 외형 갖추면 자기책임

(2) 판례

판례는 국가배상책임의 성질에 관하여 중간설 또는 절충설과 유사한 입장을 취하고 있다.

> **관련판례**
>
> 공무원이 경과실로 타인에게 손해를 입힌 경우에는 여전히 기관행위의 품격을 갖기 때문에 배상책임도 전적으로 국가에 귀속시키나, 고의·중과실로 인한 위법행위는 기관행위로서의 품격을 상실하여 공무원 개인에게 손해배상책임을 부담시키되 그 외관이 직무행위인 경우에는 국가가 중첩적으로 배상책임을 부담한다. ★★★
>
> 국가배상법 제2조 제1항 본문 및 제2항의 입법 취지는 공무원의 직무상 위법행위로 타인에게 손해를 끼친 경우에는 변제자력이 충분한 국가 등에게 선임감독상 과실 여부에 불구하고 손해배상책임을 부담시켜 국민의 재산권을 보장하되, 공무원이 직무를 수행함에 있어 경과실로 타인에게 손해를 입힌 경우에는 그 직무수행상 통상 예기할 수 있는 흠이 있는 것에 불과하므로, 이러한 공무원의 행위는 여전히 국가 등의 기관의 행위로 보아 그로 인하여 발생한 손해에 대한 배상책임도 전적으로 국가 등에만 귀속시키고 공무원 개인에게는 그로 인한 책임을 부담시키지 아니하여 공무원의 공무집행의 안정성을 확보하고, 반면에 공무원의 위법행위가 고의·중과실에 기한 경우에는 비록 그 행위가 그 직무와 관련된 것이라고 하더라도 그와 같은 행위는 그 본질에 있어서 기관행위로서의 품격을 상실하여 국가 등에게 그 책임을 귀속시킬 수 없으므로 공무원 개인에게 불법행위로 인한 손해배상책임을 부담시키되, 다만 이러한 경우에도 그 행위의 외관을 객관적으로 관찰하여 공무원의 직무집행으로 보여질 때에는 피해자인 국민을 두텁게 보호하기 위하여 국가 등이 공무원 개인과 중첩적으로 배상책임을 부담하되 국가 등이 배상책임을 지는 경우에는 공무원 개인에게 구상할 수 있도록 함으로써 궁극적으로 그 책임이 공무원 개인에게 귀속되도록 하려는 것이라고 봄이 합당하다(대판 1996.2.15. 95다38677 전합).

2. 공무원의 배상책임과 구상관계

(1) 공무원의 대외적 책임

① 문제의 소재

「국가배상법」은 국가배상책임이 인정되는 경우 국가의 공무원에 대한 구상권에 관한 규정은 두고 있지만(「국가배상법」 제2조 제2항), 피해자가 공무원 개인에 대하여도 직접 손해배상을 청구할 수 있는지에 대해서는 규정을 두고 있지 않다. 헌법 제29조 제1항 단서에는 공무원의 책임은 면제되지 않는다고 규정하고 있을 뿐❶ 그 조항 자체로 공무원 개인의 구체적인 손해배상책임의 범위까지 규정한 것으로 보기 어렵다. 따라서 「국가배상법」 제2조의 요건이 충족하여 국가 또는 지방자치단체의 배상책임이 인정되는 경우에 ㉠ 가해자인 공무원이 피해자에게 직접적인 배상책임을 부담하는지, ㉡ 즉 피해자가 국가 등 이외에 가해자인 공무원에게도 선택적으로 손해배상을 청구할 수 있는지가 문제된다.❷

공무원이 경과실
▷ 배상책임은 전적으로 국가·지방자치단체에 귀속

공무원이 고의·중과실
▷ 외관상 직무행위인 경우에는 국가도 부담 & 공무원에게 구상

공무원의 대외적 배상책임
▷ 명시적인 규정이 없어서 문제됨

❶ **헌법 제29조**
① 공무원의 직무상 불법행위로 손해를 받은 국민은 법률이 정하는 바에 의하여 국가 또는 공공단체에 정당한 배상을 청구할 수 있다. 이 경우 공무원 자신의 책임은 면제되지 아니한다.

❷
이와 관련하여 국가배상책임의 성질에 관한 논의가 문제되나, 국가배상책임의 성질과 피해자의 선택적 청구권 인정여부는 논리적 연관성이 없다는 것이 일반적인 견해이다. 즉, 대위책임설 내에서도 선택적 청구권을 긍정하는 입장과 부정하는 입장이 있으며, 자기책임설 내에서도 선택적 청구권을 긍정하는 입장과 부정하는 입장이 있다. 따라서 피해자의 선택적 청구권 인정여부는 입법정책적 문제라고 할 수 있으나 「국가배상법」이 이에 대해서 직접적으로 규정하고 있지 않으므로 헌법 제29조 제1한 단서나 「국가배상법」 제2조 제2항의 입법취지, 그 밖에 피해자의 권리보호, 공무원의 위법행위 방지기능 등을 고려하여 선택적 청구권 인정여부를 결정하여야 할 것이다.

함께 정리하기

긍정설
▷ 공무원 개인의 배상책임 인정
논거
▷ 헌법 제29조 제1항 단서에서 면제되지 않는 공무원의 책임은 민사상 책임포함
▷ 공무원의 위법행위 방지기능
▷ 피해자의 권리구제에 만전

부정설
▷ 공무원 개인의 배상책임 부정
논거
▷ 헌법 제29조 제1항 단서에서 면제되지 않는 공무원의 책임은 민사상 책임을 불포함
▷ 국가의 배상으로 피해자의 권리구제는 충분
▷ 공무수행 지장초래

절충설(제한적 긍정설)
▷ 경과실: 공무원 개인의 배상책임 부정
▷ 고의·중과실: 공무원 개인의 배상책임 인정
논거
▷ 경과실: 공무원의 행위는 기관행위로서 국가에 귀속되는 것
▷ 고의·중과실: 공무원의 행위는 더 이상 행정기관의 행위로 볼 수 없으므로 공무원 개인이 책임져야 함, 공무원의 책임의식 확보와 공무의 원활한 수행의 조화

판례
▷ 절충설(제한적 긍정설)

판례
▷ 공무원의 경과실: 피해자의 선택적 청구권 부정(공무원 개인의 손배책임×)
▷ 공무원의 고의·중과실: 피해자의 선택적 청구권 인정(공무원 개인의 손배책임○)

② **학설**
㉠ **긍정설**: ⓐ 헌법 제29조 제1항 단서에서 면제되지 않는 공무원의 책임은 민사상 책임을 포함하며, ⓑ 공무원에 대하여 선택적 청구권을 인정할 경우에는 공무원 개인의 직권남용과 위법행위를 방지하여 개인의 권리보호를 도모할 수 있다고 하며, ⓒ 피해자의 입장에서도 국가와 공무원에게 선택적으로 배상을 청구할 수 있기 때문에 피해자의 권리구제에도 만전을 기할 수 있다고 한다.

㉡ **부정설**: ⓐ 헌법 제29조 제1항 단서에서 면제되지 않는 공무원의 책임은 내부적인 구상책임과 징계책임 또는 형사책임을 의미하는 것으로 해석해야 하며(즉, 민사상 책임은 면제), ⓑ 공무원에 대한 위법방지기능은 구상권과 징계책임을 통하여 충분히 담보할 수 있으며, ⓒ 경제적 부담능력이 있는 국가가 손해배상책임을 부담하면 피해자의 구제는 완전히 이루어진다고 한다.

㉢ **절충설(제한적 긍정설)**: 경과실의 경우에는 공무원의 행위는 공무원 개인의 행위가 아니고 기관행위로서 국가에 귀속되는 것이므로 공무원은 일체의 책임을 지지 않고, 고의 또는 중과실의 경우에는 공무원의 행위는 더 이상 행정기관의 행위로 볼 수 없으므로 이에 대하여는 공무원 개인이 책임을 져야 한다고 본다. 또한, 절충설(제한적 긍정설)은 정책적 견지에서 공무원의 책임의식의 확보와 공무의 원활한 수행을 조화시킬 수 있다고 주장한다.

③ **판례**: 판례는 절충설(제한적 긍정설)을 취하고 있다. 국가 등이 국가배상책임을 부담하는 외에 공무원 개인도 고의 또는 중과실이 있는 경우에는 피해자에 대하여 그로 인한 손해배상책임을 부담하고, 가해공무원 개인에게 경과실만이 인정되는 경우에는 공무원 개인은 손해배상책임을 부담하지 아니한다고 보고 있다(대판 1996.2.15. 95다38677 전합).

> **관련판례**
>
> **1** 공무원의 직무상 불법행위로 손해를 받은 국민은 공무원 자신에 대하여도 직접 그의 불법행위를 이유로 민사상의 손해배상을 청구할 수 있다(대판 1972.10.10. 69다70). ★
>
> **2** 공무원의 직무상 불법행위로 인하여 손해를 받은 사람은 국가 또는 공공단체를 상대로 손해배상을 청구할 수 있고, 이 경우에 공무원에게 고의 또는 중대한 과실이 있는 때에는 국가 또는 공공단체는 그 공무원에게 구상할 수 있을 뿐, 피해자가 공무원 개인을 상대로 손해배상을 청구할 수 없다(대판 1994.4.12. 93다11807). ★
>
> **3** 공무원 개인도 고의 또는 중과실이 있는 경우에는 불법행위로 인한 손해배상책임을 진다고 할 것이지만, 공무원에게 경과실뿐인 경우에는 공무원 개인은 손해배상책임을 부담하지 아니한다. ★★★
>
> 헌법 제29조 제1항 단서는 공무원이 한 직무상 불법행위로 인하여 국가 등이 배상책임을 진다고 할지라도 그 때문에 공무원 자신의 민·형사책임이나 징계책임이 면제되지 아니한다는 원칙을 규정한 것이나, 그 조항 자체로 공무원 개인의 구체적인 손해배상책임의 범위까지 규정한 것으로 보기는 어렵다. … 공무원이 직무수행 중 불법행위로 타인에게 손해를 입힌 경우에 국가 등이 국가배상책임을 부담하는 외에 공무원 개인도 고의 또는 중과실이 있는 경우에는 불법행위로 인한 손해배상책임을 진다고 할 것이지만, 공무원에게 경과실뿐인 경우에는 공무원 개인은 손해배상책임을 부담하지 아니한다고 해석하는 것이 헌법 제29조 제1항 본문과 단서 및 국가배상법 제2조의 입법취지에 조화되는 올바른 해석이다(대판 1996.2.15. 95다38677 전합).

(2) 공무원의 내부적 책임(구상관계)

① 공무원의 국가에 대한 구상책임

> 「국가배상법」 제2조 【배상책임】 ② 제1항 본문의 경우에 공무원에게 고의 또는 중대한 과실이 있으면 국가나 지방자치단체는 그 공무원에게 구상(求償)할 수 있다.

○ 구상권의 의의: 구상권이란 타인에 갈음하여 채무를 변제한 사람이 그 타인에 대하여 가지는 상환청구권을 말한다. 국가배상법 제2조 제2항은 국가나 지방자치단체가 공무원에 갈음하여 피해자에게 손해배상을 이행한 경우 공무원에 대한 구상권 행사는 그 공무원에게 고의 또는 중과실이 있는 경우에 한하는 것으로 규정하고 있다. 따라서 공무원에게 경과실이 있음에 그치는 경우에는 공무원에 대한 구상권 행사가 불가능하다. 이와 같이 고의 또는 중과실의 경우에 한하여 공무원에 대한 구상권을 인정한 것은 경과실의 경우까지 공무원의 책임을 인정하는 것이 공무원에게 가혹할 뿐만 아니라 공무원의 소신 있는 직무집행을 위축시킬 우려가 있기 때문이다.

공무원에게 고의 또는 중대한 과실이 있는 경우
▷ 구상○

공무원에게 경과실이 있는 경우
▷ 구상×

ⓒ 구상권 행사의 요건: 국가나 지방자치단체의 구상권행사의 요건은 ⓐ 국가 등이 피해자에 대하여 현실로 손해배상금을 지불했을 것, ⓑ 가해공무원에게 고의 또는 중대한 과실이 있을 것의 두 가지이다.

구상권 행사의 요건
▷ 국가 등이 피해자에 대하여 현실로 손해배상금을 지불했을 것
▷ 가해공무원에게 고의 또는 중대한 과실이 있을 것

ⓒ 구상권의 행사의 범위: 국가 등의 구상권 행사는 의무적인 것이 아니다. 판례는 기본적으로 손해의 발생에 기여한 정도에 따라 국가와 공무원 사이에 손해의 공평한 분담이라는 견지에서 신의칙상 상당하다고 인정되는 한도 내에서 국가의 공무원에 대한 구상권을 인정하고 있다.

구상권 행사의 범위
▷ 제반사정 참작하여 신의칙상 상당한 범위 내

> **관련판례**
>
> 국가는 당해 공무원의 직무내용, 불법행위의 상황, 손해에 대한 기여정도 등 제반사정을 참작하여 신의칙상 상당하다고 인정되는 한도 내에서만 **구상권을 행사할 수 있다.** ★★
>
> 국가 또는 지방자치단체의 산하 공무원이 그 직무를 집행함에 당하여 중대한 과실로 인하여 법령에 위반하여 타인에게 손해를 가함으로써 국가 또는 지방자치단체가 손해배상책임을 부담하고, 그 결과로 손해를 입게 된 경우에는 국가 등은 당해 공무원의 직무내용, 당해 불법행위의 상황, 손해발생에 대한 당해 공무원의 기여정도, 당해 공무원의 평소 근무태도, 불법행위의 예방이나 손실분산에 관한 국가 또는 지방자치단체의 배려의 정도 등 제반사정을 참작하여 손해의 공평한 분담이라는 견지에서 신의칙상 상당하다고 인정되는 한도 내에서만 당해 공무원에 대하여 구상권을 행사할 수 있다(대판 1991.5.10. 91다6764).

② 경과실 공무원의 국가에 대한 구상권: 판례는 경과실이 있는 공무원의 행위는 여전히 국가 등의 기관행위로 보아 그로 인하여 발생한 손해에 대한 배상책임도 전적으로 국가 등에 귀속된다고 본다. 이에 따르면 경과실이 있는 가해공무원이 피해자의 손해를 직접 배상한 경우, 그 공무원은 국가에 대하여 구상권을 취득한다.

경과실 공무원이 손해배상
▷ 피해자는 반환의무 無
▷ 공무원은 국가에 대해 구상권 취득

> 🔍 **관련판례**
>
> 경과실로 피해자에게 손해를 입힌 공무원이 피해자에게 손해를 배상하였다면, 공무원은 국가가 피해자에 대하여 부담하는 손해배상책임의 범위 내에서 자신이 변제한 금액에 관하여 구상권을 취득한다. ★★★
>
> 경과실이 있는 공무원이 피해자에 대하여 손해배상책임을 부담하지 아니함에도 피해자에게 손해를 배상하였다면 그것은 채무자 아닌 사람이 타인의 채무를 변제한 경우에 해당하고, 이는 민법 제469조의 '제3자의 변제' 또는 민법 제744조의 '도의관념에 적합한 비채변제'에 해당하여 피해자는 공무원에 대하여 이를 반환할 의무가 없고, 그에 따라 피해자의 국가에 대한 손해배상청구권이 소멸하여 국가는 자신의 출연 없이 채무를 면하게 되므로, 피해자에게 손해를 직접 배상한 경과실이 있는 공무원은 특별한 사정이 없는 한 국가에 대하여 국가의 피해자에 대한 손해배상책임의 범위 내에서 공무원이 변제한 금액에 관하여 구상권을 취득한다고 봄이 타당하다(대판 2014.8.20. 2012다54478).

4 관용차 운행으로 인한 손해배상책임

「국가배상법」제2조【배상책임】① 국가나 지방자치단체,「자동차손해배상 보장법」에 따라 손해배상의 책임이 있을 때에는 이 법에 따라 그 손해를 배상하여야 한다.

제8조【다른 법률과의 관계】국가나 지방자치단체의 손해배상 책임에 관하여는 이 법에 규정된 사항 외에는「민법」에 따른다. 다만,「민법」외의 법률에 다른 규정이 있을 때에는 그 규정에 따른다.

「자동차손해배상 보장법」제3조【자동차손해배상책임】자기를 위하여 자동차를 운행하는 자는 그 운행으로 다른 사람을 사망하게 하거나 부상하게 한 경우에는 그 손해를 배상할 책임을 진다. 다만, 다음 각 호의 어느 하나에 해당하면 그러하지 아니하다.
1. 승객이 아닌 자가 사망하거나 부상한 경우에 자기와 운전자가 자동차의 운행에 주의를 게을리 하지 아니하였고, 피해자 또는 자기 및 운전자 외의 제3자에게 고의 또는 과실이 있으며, 자동차의 구조상의 결함이나 기능상의 장해가 없었다는 것을 증명한 경우
2. 승객이 고의나 자살행위로 사망하거나 부상한 경우

1. 의의

(1)「국가배상법」제2조 제1항 본문 후단의 해석

① 국가나 지방자치단체는「자동차손해배상 보장법」(약칭: 자배법)에 따라 손해배상의 책임이 있을 때에는「국가배상법」에 따라 그 손해를 배상하여야 한다(「국가배상법」제2조 제1항 본문 후단).
위 규정의 입법취지는 자배법에 의하여 국가 등에게 손해배상책임이 있을 때에도「국가배상법」의 적용을 받도록 하게 함에 있다(「국가배상법」상 배상책임요건의 특례). 즉, 국가 또는 지방자치단체가 자배법상 책임의 주체일 때, 그 배상책임의 절차나 손해배상액은「국가배상법」이 정한 바에 따른다.

자배법상 책임은 무과실책임
▷ 일반적인 국가배상책임보다 성립이 용이하므로 피해자 구제에 유리

②「자동차손해배상 보장법」상 배상책임은 승객의 고의나 자살행위 등으로 인한 것이 아닌 한, 운행자의 과실 여부를 불문하고 손해배상책임을 묻는 무과실책임이다. 따라서 일반적인 국가배상책임보다 성립이 용이하고, 그 배상책임의 내용은「국가배상법」에 의하므로 자동차사고로 인한 피해자의 구제의 측면에서 더욱 효과적이다.

(2) 규정의 적용

「국가배상법」제2조 제1항과「자동차손해배상 보장법」제3조의 규정을 종합해 보면,「자동차손해배상 보장법」은 배상책임의 성립요건에 관하여는「국가배상법」에 우선하여 적용된다. 따라서 공무원이 자동차를 운행하다가 인적 피해를 일으킨 경우에는「자동차손해배상 보장법」제3조가 우선 적용되고, 이에 따라 자동차손해배상책임이 있으면 그 손해배상은「국가배상법」에 따르게 된다.

> **관련판례**
>
> **손해배상책임 성립요건에 있어 자동차손해배상 보장법이 국가배상법보다 우선 적용된다.** ★★
> 자동차손해배상 보장법의 여러 규정의 취지를 종합하면 국가와 지방자치단체가 보유하는 자동차에 의하여 타인을 사상하게 한 경우에 일어나는 손해배상책임을 묻는 요건에 관하여는 그것이 국가배상법과 저촉되는 범위에서는 자동차손해배상 보장법 제3조가 국가배상법의 관계 규정보다 우선 적용된다고 보는 것이 상당하다(대판 1970.3.24. 70다135).

2. 자배법에 의한 손해배상책임의 성립요건

(1) 「자동차손해배상 보장법」에 따라 배상책임이 성립하기 위해서는 ① 자기를 위하여 자동차를 운행하는 자가, ② 그 운행으로 인하여, ③ 다른 사람을 사망 또는 부상하게 하는 인적 손해가 발생하여야 하고, ④ 자살 및 고의에 의한 부상 등 면책사유(자배법 제3조 제1호·제2호)가 존재하지 않아야 한다.

(2) 여기서 '자기를 위하여 자동차를 운행하는 자(운행자성)'란 자동차에 대한 운행을 지배하여 그 이익을 향수하는 책임의 주체로서의 지위에 있는 자를 의미한다(대판 1994.12.27. 94다31860). 이 때 운행자성이 있는지의 판단은 객관적이고 외형적인 여러 사정을 종합적으로 평가하여 판단하여야 한다(대판 1993.7.13. 92다41733).

(3) 공무원이 그 직무를 집행하기 위하여 국가 또는 지방자치단체 소유의 공용차를 운행하는 경우 그 자동차에 대한 운행지배나 운행이익은 그 공무원이 소속한 국가 또는 지방자치단체에 귀속된다.

3. 자배법에 의하여 성립된 책임의 범위와 절차

국가 또는 지방자치단체가 자배법의 규정에 의하여 손해배상책임이 있는 때에는「국가배상법」에 의하여 그 손해를 배상하여야 한다(「국가배상법」제2조 제1항 본문). 따라서 이때에도 이중배상금지규정이 적용되며, 피해자는 배상심의회에 배상신청을 할 수 있다.

4. 구체적 검토

(1) 운전차량이 관용차인 경우

① 공무원이 공무를 위해 관용차를 운행한 경우에는 국가 등이「자동차손해배상 보장법」상 운행자성을 가지므로, 국가 등이「자동차손해배상 보장법」상의 배상책임을 진다.

함께 정리하기

국가·지방자치단체 공무 위한 공용차량 운행
▷ 국가·지방자치단체에 운행자성 ○

관련판례

공무원이 직무집행을 위해 국가 또는 지방자치단체 소유의 공용차를 운행하는 경우, 국가 또는 지방자치단체가 운행자성을 가진다. ★★

자동차손해배상 보장법 제3조 소정의 '자기를 위하여 자동차를 운행하는 자'라고 함은 자동차에 대한 운행을 지배하여 그 이익을 향수하는 책임주체로서의 지위에 있는 자를 뜻하는 것인바, 공무원이 그 직무를 집행하기 위하여 국가 또는 지방자치단체 소유의 공용차(관용차)를 운행하는 경우, 그 <u>자동차에 대한 운행지배나 운행이익은 그 공무원이 소속한 국가 또는 지방자치단체에 귀속된다</u>고 할 것이고 그 공무원 자신이 개인적으로 그 자동차에 대한 운행지배나 운행이익을 가지는 것이라고는 볼 수 없으므로, 그 공무원이 자기를 위하여 공용차를 운행하는 자로서 같은 법조 소정의 <u>손해배상책임의 주체가 될 수는 없다</u>(대판 1994.12.27. 94다31860).

② 반면, 공무원이 개인적 용무를 위해 무단으로 관용차를 운행한 경우에는 국가의 운행자성이 부정되어 국가 등이 손해배상책임을 지지 않으나, 이러한 경우에도 국가 등에게 운행지배나 운행이익을 인정할 사정이 있는 경우라면 국가 등이 「자동차손해배상 보장법」상의 배상책임을 지게 된다.

관련판례

군차량을 일과시간 후에 개인적인 용무를 위하여 무단운행 중 사고
▷ 국가배상책임 ×

1 **군소속 차량의 운전수가 상사의 허락 없이 무단으로 차를 운행하다가 사고가 일어났다면 군에 대해 국가배상법상의 책임을 물을 수 없다.** ★

군소속 차량의 운전수가 일과시간 후에 피해자의 적극적인 요청에 따라 동인의 <u>개인적인 용무를 위하여 상사의 허락 없이 무단으로 위 차를 운행하다가 사고가 일어났다면</u> 군은 자동차손해배상 보장법 제3조 소정의 자기를 위하여 자동차를 운행하는 자에 해당되지도 아니하며 위 사고가 위 운전수의 직무집행 중의 과실에 기인된 것도 아니므로 군에 대하여 국가배상법상의 책임도 물을 수 없다(대판 1981.2.10. 80다2720).

국가소유의 오토바이를 무단으로 운행하다 사고가 난 경우
▷ 국가배상책임 ○(국가에게 운행자성 있는 경우)

2 **공무원이 개인적 용무를 위하여 국가소유 오토바이를 무단사용해도 국가의 운행자성이 상황에 따라 인정될 수 있다.** ★

국가소속 공무원이 관리권자의 허락을 받지 아니한 채 국가소유의 오토바이를 무단으로 사용하다가 교통사고가 발생한 경우에 있어 국가가 그 <u>오토바이와 시동열쇠를 무단운전이 가능한 상태로 잘못 보관하였고</u> 위 공무원으로서도 국가와의 고용관계에 비추어 위 오토바이를 잠시 운전하다가 본래의 위치에 갖다 놓았을 것이 예상되는 한편 피해자들로 위 무단운전의 점을 알지 못하고 또한 알 수도 없었던 일반 제3자인 점에 비추어 보면 국가가 위 공무원의 무단운전에도 불구하고 위 <u>오토바이에 대한 객관적, 외형적인 운행지배 및 운행이익을 계속 가지고 있었다고 봄이 상당하다</u>(대판 1988.1.19. 87다카2202).

③ 일반적으로 관용차를 운행한 공무원은 관용차에 대한 운행자성이 인정되지 않으므로 「자동차손해배상 보장법」상의 손해배상책임을 지지 않으나, 고의·중과실이 있는 경우 「민법」 제750조에 의한 불법행위책임은 인정될 수 있다. 따라서 사고로 인한 피해자는 공무원에게는 「민법」상의 손해배상책임을 주장할 수 있고, 국가에 대해서는 「자동차손해배상 보장법」상의 배상책임을 주장할 수 있다.

(2) 운전차량이 공무원 개인차량인 경우

① 공무원이 자기 소유의 차량으로 공무를 수행하다가 사고를 일으킨 경우, 그 공무원이 「자동차손해배상 보장법」 제3조상의 '자기를 위하여 자동차를 운전한 자'에 해당한다. 따라서 고의·중과실·경과실을 불문하고 공무원 개인은 「자동차손해배상 보장법」상의 손해배상책임을 부담한다.

> **관련판례**
>
> 공무원이 자기 소유 차량으로 공무수행 중 사고를 일으킨 경우에는 경과실, 고의·중과실 여부를 따지지 않고 공무원이 손해배상책임을 부담한다. ★★
>
> 공무원이 자기 소유의 자동차로 공무수행 중 사고를 일으킨 경우에는 그 손해배상책임은 자동차손해배상 보장법이 정한 바에 의하게 되어, 그 사고가 자동차를 운전한 공무원의 경과실에 의한 것인지 중과실 또는 고의에 의한 것인지를 가리지 않고 그 공무원이 자동차손해배상 보장법 제3조 소정의 '자기를 위하여 자동차를 운행하는 자'에 해당하는 한 손해배상책임을 부담한다(대판 1996.5.31. 94다15271).

공무수행 중 자기 소유 차량 사고
▷ 공무원 개인이 자배법상 책임부담

② 이 경우 국가나 지방자치단체는 사고 자동차의 운행자가 아니므로 국가 등에 대해서는 「자동차손해배상 보장법」이 적용되지 않고 「국가배상법」이 적용된다. 즉, 피해자는 공무원에 대하여 「자동차손해배상 보장법」상의 배상책임을 묻는 것과는 별개로, 국가에 대하여 공무원의 고의·과실을 입증하여 「국가배상법」상의 배상책임을 주장할 수 있다.

③ 공무원이 사적 용무를 위하여 자신 소유의 자동차를 이용한 경우는 당연히 공무원 개인이 「자동차손해배상 보장법」상의 배상책임을 부담한다.

핵심정리 국가와 공무원(개인)의 자동차손해배상책임 인정 여부

구분		국가	공무원
관용차	공무사용	인정	공무원에게 귀책사유가 있는 경우에는 민사상 책임이 성립한다.
	사적사용	국가 등의 운행자성이 유지되면 인정, 유지되지 않으면 부정	
개인차	공무사용	부정	그 사고가 자동차를 운전한 공무원의 경과실에 의한 것인지 중과실 또는 고의에 의한 것인지를 가리지 않고, 공무사용이든 사적사용이든 「자동차손해배상 보장법」상의 손해배상책임을 부담한다.
	사적사용	부정	

제3절 영조물의 설치·관리의 하자로 인한 손해배상

> 「국가배상법」 제5조 【공공시설 등의 하자로 인한 책임】 ① 도로·하천, 그 밖의 공공의 영조물(營造物)의 설치나 관리에 하자(瑕疵)가 있기 때문에 타인에게 손해를 발생하게 하였을 때에는 국가나 지방자치단체는 그 손해를 배상하여야 한다. 이 경우 제2조 제1항 단서, 제3조 및 제3조의2를 준용한다.
> ② 제1항을 적용할 때 손해의 원인에 대하여 책임을 질 자가 따로 있으면 국가나 지방자치단체는 그 자에게 구상할 수 있다.

1 개설

1. 근거규정

영조물하자 손해배상 규정
▷ 헌법상 명문규정 無
▷ 「국가배상법」 제5조

(1) 「국가배상법」 제5조

「국가배상법」 제5조는 "도로·하천, 그 밖의 공공의 영조물의 설치나 관리에 하자가 있기 때문에 타인에게 손해를 발생하게 하였을 때에는 국가나 지방자치단체는 그 손해를 배상하여야 한다."라고 하여 영조물의 설치·관리의 하자로 인한 국가의 배상책임을 인정하고 있다.

(2) 헌법상 근거

헌법 제29조에는 「국가배상법」 제2조의 공무원의 직무상 불법행위로 인한 손해배상에 관해서는 명문규정을 두고 있으나, 「국가배상법」 제5조의 영조물의 설치·관리상 하자로 인한 손해배상에 관해서는 명문규정을 두고 있지 않다.

영조물책임
▷ 무과실책임(cf. 제2조는 과실책임)

2. 무과실책임

「국가배상법」 제5조의 배상책임은 문언상 고의·과실을 요구하지 않고 있으므로 동법 제2조의 과실책임과는 달리 무과실책임이다. 즉, 이 규정은 국가 또는 지방자치단체가 제공한 도로나 하천, 신호기 또는 관공서, 공항 등의 설치나 관리가 잘못되어 손해가 발생한 경우, 이런 시설물을 관리하는 공무원의 고의나 과실에 대한 입증이 없어도 바로 국가 등을 상대로 국가배상을 청구할 수 있도록 하기 위한 조문이다.

점유자의 면책규정
▷ 「민법」 O, 「국가배상법」 X

공작물 개념
▷ 「국가배상법」: 「민법」상의 공작물보다 넓은 개념

3. 「민법」 제758조와 「국가배상법」 제5조의 관계

> 「민법」 제758조 【공작물등의 점유자, 소유자의 책임】 ① 공작물의 설치 또는 보존의 하자로 인하여 타인에게 손해를 가한 때에는 공작물점유자가 손해를 배상할 책임이 있다. 그러나 점유자가 손해의 방지에 필요한 주의를 해태하지 아니한 때에는 그 소유자가 손해를 배상할 책임이 있다.

「국가배상법」 제5조는 공작물 등의 점유자의 배상책임에 관하여 규정하고 있는 「민법」 제758조와 대응된다. 그러나 「국가배상법」 제5조는 ① 점유자의 면책규정이 없다는 점, ② 그 대상인 영조물은 「민법」상의 공작물보다 넓은 개념이라는 점에서 「민법」 제758조와 차이가 있다.

> **관련판례**
>
> 국가 또는 지방자치단체가 영조물의 설치·관리상의 하자로 인하여 타인에게 손해를 가한 경우, 그 손해의 방지에 필요한 주의를 해태하지 아니하였다 하여 면책을 주장할 수 있는지 여부 ★★
>
> 국가배상법 제5조 소정의 영조물의 설치·관리상의 하자로 인한 책임은 무과실책임이고 나아가 민법 제758조 소정의 공작물의 점유자의 책임과는 달리 면책사유도 규정되어 있지 않으므로 국가 또는 지방자치단체는 영조물의 설치·관리상의 하자로 인하여 타인에게 손해를 가한 경우에 그 손해의 방지에 필요한 주의를 해태하지 아니하였다 하여 면책을 주장할 수 없다(대판 1994.11.22. 94다32924).

영조물하자○
▷ 손해방지에 필요한 주의를 해태하지 않았다하여 면책주장 불가

2 배상책임의 성립요건

「국가배상법」 제5조에 의한 손해배상이 성립하기 위하여서는 ① '공공의 영조물'이, ② 설치·관리상의 '하자'로, ③ 타인에게 손해가 발생하여야 한다.

1. 공공의 영조물(도로·하천, 그 밖의 공공의 영조물)

(1) 「국가배상법」 제5조상 영조물의 의의

「국가배상법」 제5조상의 영조물은 본래의 의미의 영조물❶이 아니라, 국·공유나 사유임을 불문하고 행정주체에 의하여 특정 공공의 목적에 공여된 유체물 또는 물적 설비, 즉 강학상 공물을 의미한다. 따라서 국·공유재산일지라도 공적 목적에 제공된 공물이 아닌 국·공유의 일반재산[구 잡종재산, 사물(私物)]은 여기의 영조물에 포함되지 않는다. 이에 따라 국유림과 같은 일반재산의 설치·관리상 하자로 발생한 손해에 대해서는 「민법」 제758조에 의한 공작물책임이 적용된다.

(2) 영조물(공물)에의 포함 여부

① 이러한 공물에는 인공공물(도로, 관공서 등)과 자연공물(하천 등),❷ 일반공중의 자유로운 사용에 직접적으로 제공되는 공공용물(도로나 하천 등)과 행정주체 자신의 사용에 제공되는 공용물(청사 등), 동산(관용차 등)과 부동산(청사 등), 동물(경찰견 등) 등이 포함된다.

② 판례에 의하면 「국가배상법」 제5조상의 영조물(공물)은 국가 또는 지방자치단체가 관리주체인 경우에 한한다.❸ 이에는 국가 또는 지방자치단체가 소유권, 임차권 그 밖의 권원에 의하여 관리하고 있는 경우뿐만 아니라 '사실상 관리'를 하고 있는 경우도 포함된다. 또한 개인 소유물이라도 국가 또는 지방자치단체가 관리하는 공물인 한(사유공물), 「국가배상법」 제5조의 영조물에 해당한다.

「국가배상법」 제5조상 영조물
▷ 강학상 공물(강학상 영조물×)

일반재산(사물)
▷ 공물 아니므로 「국가배상법」 적용×

❶ **본래의 의미의 영조물**
공적 목적을 위하여 제공된 인적·물적 시설의 결합체(예 국립도서관 등)를 의미한다.

영조물(공물)
▷ 자연공물, 인공공물, 공공용물, 공용물, 동산, 부동산, 동물 등 포함

❷
자연공물은 동조의 영조물에 포함되지 않는다는 반대견해도 있다.

관리
▷ 국가 또는 지방자치단체가 관리주체인 경우에 한함
▷ 소유권 등에 기하여 관리하고 있는 경우뿐만 아니라 사실상 관리를 하고 있는 경우도 포함

❸
이에 대하여 공공단체 또는 사인이 관리주체인 경우에도 「국가배상법」 제5조를 유추적용하여 국가배상책임을 인정하는 것이 타당하다는 견해가 있다.

함께 정리하기

공공의 영조물
▷ 국가 또는 지방자치단체에 의하여 특정 공공의 목적에 공여된 유체물 내지 물적 설비

공공의 목적에 공여된 물(物)
▷ 일반 공중의 자유로운 사용에 직접적으로 제공되는 공공용물에 한하지 아니하고, 행정주체 자신의 사용에 제공되는 공용물도 포함

국가·지방자치단체의 관리
▷ 소유권, 임차권 그 밖의 권한에 기하여 관리뿐만 아니라 사실상 관리도 포함

관련판례

'공공의 영조물'에는 사실상 관리를 하는 경우도 포함된다. ★★★

국가배상법 제5조 제1항 소정의 "공공의 영조물"이라 함은 공유나 사유임을 불문하고 국가 또는 지방자치단체에 의하여 특정 공공의 목적에 공여된 유체물 내지 물적 설비를 지칭하며, 특정 공공의 목적에 공여된 물이라 함은 일반공중의 자유로운 사용에 직접적으로 제공되는 공공용물에 한하지 아니하고, 행정주체 자신의 사용에 제공되는 공용물도 포함하며 국가 또는 지방자치단체가 소유권, 임차권 그 밖의 권한에 기하여 관리하고 있는 경우뿐만 아니라 사실상의 관리를 하고 있는 경우도 포함된다(대판 1995.1.24. 94다45302 ; 대판 1998.10.23. 98다17381).

(3) 구체적인 사례

① **영조물에 해당한다고 본 예**: 판례상 배상의 원인이 되었던 영조물에는 ㉠ 맨홀(대판 1971.11.15. 71다1952), ㉡ 여의도 광장(대판 1995.2.24. 94다57671), ㉢ 태종대 유원지(대판 1995.9.15. 94다31662), ㉣ 철도대합실과 승강장(대판 1996.6.22. 99다7008), ㉤ 교통신호기(대판 1999.6.25. 99다11120), ㉥ 매향리 사격장(대판 2004.3.12. 2002다14242), ㉦ 가로수(대판 1993.7.27. 93다20702), ㉧ 도로(대판 2011.3.10. 2010다85942), ㉨ 공중변소(대판 1971.8.31. 71다1331) 등이 있다.

② **영조물에 해당하지 않는다고 본 예**: 그러나 ㉠ 노선인정 기타 공용개시가 없었던 도로, ㉡ 아직 완성되지 않아 일반 공중의 이용에 제공되지 않은 공사 중인 옹벽, ㉢ 공용개시된 바 없는 시 명의의 종합운동장 예정부지, 그 지상의 자동차경주를 위한 안전시설(대판 1995.1.24. 94다45302)에 대해서는 영조물로 인정하지 않았다.

관련판례

1 사실상 군민의 통행에 제공되고 있던 도로 옆의 암벽으로부터 떨어진 낙석에 맞아 소외인이 사망하는 사고가 발생하였다고 하여도 동 사고지점 도로가 피고 군에 의하여 노선인정 기타 공용개시가 없었으면 이를 영조물이라 할 수 없다(대판 1981.7.7. 80다2478). ★★

2 사고 당시 설치하고 있던 옹벽은 소외 회사가 공사를 도급받아 공사 중에 있었을 뿐만 아니라 아직 완성도 되지 아니하여 일반 공중의 이용에 제공되지 않고 있었던 이상 국가배상법 제5조 제1항 소정의 영조물에 해당한다고 할 수 없다(대판 1998.10.23. 98다17381). ★★

사실상 군민의 통행에 제공되고 있었으나 노선인정 기타 공용개시가 없었던 도로
▷ 영조물 ✕

아직 완성되지 않아 일반 공중의 이용에 제공되지 않은 공사 중인 옹벽
▷ 영조물 ✕

핵심정리 '공공의 영조물' 해당 여부에 관한 판례

	공공의 영조물 ○	공공의 영조물 ×
자연공물	하천, 호수	• 「국유재산법」상 일반재산(국유림, 국유임야, 공용폐지된 도로 등) • 아직 완성되지 않아 일반 공중의 이용에 제공되지 않은 공사 중인 옹벽(98다17381) • 노선인정 기타 공용개시가 없었던 도로(80다2478) • 공용개시 없는 종합운동장예정부지, 그 위에 설치한 자동차경주 대회용 방호벽(94다45302)
인공공물	• 도로(99다54998) • 여의도광장(94다57671) • 저수지, 제방과 하천부지 • 김포공항(2003다49566) • 공중화장실 • 맨홀(71다1952) • 공군사격장(2008다57975) • 교통신호기(2000다56822) • 철도건널목자동경보기 • 철도시설물(99다7008)	
동산	경찰관의 권총	
부동산	「국유재산법」상 행정재산	
동물	경찰견, 경찰마, 군견	

2. 설치 또는 관리의 하자

(1) 설치·관리의 의의

영조물의 설치·관리란 「민법」 제758조의 '설치 또는 보전'과 동일한 것으로 영조물의 설치·축조와 그 후의 유지·수선 및 보관작용을 말한다. 여기서 설치란 영조물의 설계에서 축조까지를 말하고, 관리란 설계·축조 후의 유지·수선 및 보관작용을 말한다.

(2) 하자의 의의

① **전통적인 개념**: 일반적으로 하자란 '공물이 통상적으로 갖추어야 할 안전성을 결여한 상태'를 말한다. 즉, 물적시설 그 자체에 있는 물리적·외형적 흠결로 인하여 그 이용자에게 위해를 끼칠 위험성이 있는 경우를 의미한다.

② **기능적 하자(이용상 하자)**
   ㉠ 영조물이 그 용도에 따라 통상 갖추어야 할 안전성을 결여한 상태를 하자로 이해하는 전통적인 개념으로는 공해를 야기하는 도로나 소음을 일으키는 공항 등에 어떤 하자가 있다고 설명하기 어렵다(도로나 공항 자체는 하자가 없기 때문). 따라서 공해나 소음으로 인한 손해를 구제하기 위한 이론으로 고안된 개념이 '기능적 의미의 하자'이다.
   ㉡ 판례 역시 "영조물이 안전성을 갖추지 못한 상태라 함은 당해 영조물을 구성하는 물적 시설 그 자체에 있는 물리적·외형적 흠결이나 불비로 인하여 그 이용자에게 위해를 끼칠 우려가 있는 경우뿐만 아니라, 그 영조물이 공공의 목적에 이용됨에 있어 그 이용상태 및 정도가 일정한 한도를 초과하여 제3자에게 사회통념상 수인할 것이 기대되는 한도를 넘는 피해를 입히는 경우까지 포함된다고 보아야 한다."라고 판시하여 기능적 하자의 개념을 인정하고 있다.

설치
▷ 영조물의 설계에서 축조까지

관리
▷ 설계·축조 후의 유지·수선 및 보관작용

전통적인 개념
▷ 공물이 통상적으로 갖추어야 할 안전성을 결여한 상태

기능적 하자
▷ 공해나 소음으로 인한 손해를 구제하기 위해 등장

판례
▷ 기능적 하자 개념 인정

함께 정리하기

기능적 하자 판단
▷ 수인한도(또는 참을 한도) 기준

ⓒ '영조물의 설치 또는 하자'에 관한 제3자의 수인한도(또는 참을 한도)의 기준을 결정함에 있어서는 일반적으로 침해되는 권리나 이익의 성질과 침해의 정도뿐만 아니라 침해행위가 갖는 공공성의 내용과 정도, 그 지역환경의 특수성, 공법적인 규제에 의하여 확보하려는 환경기준, 침해를 방지 또는 경감시키거나 손해를 회피할 방안의 유무 및 그 난이 정도 등 여러 사정을 종합적으로 고려하여 구체적 사건에 따라 개별적으로 결정하여야 한다(대판 2005.1.27. 2003다49566).

> **관련판례**
>
> 영조물의 설치 또는 관리의 하자에는 영조물이 공공의 목적에 이용됨에 있어 그 이용상태 및 정도가 일정한 한도를 초과하여 제3자에게 사회통념상 참을 수 없는 피해를 입히는 경우(기능상 하자)까지 포함된다. ★
>
> 국가배상법 제5조 제1항에 정하여진 '영조물의 설치 또는 관리의 하자'라 함은 공공의 목적에 공여된 영조물이 그 용도에 따라 갖추어야 할 안전성을 갖추지 못한 상태에 있음을 말하고, 여기서 안전성을 갖추지 못한 상태, 즉 타인에게 위해를 끼칠 위험성이 있는 상태라 함은 ① 당해 영조물을 구성하는 물적 시설 그 자체에 있는 물리적·외형적 흠결이나 불비로 인하여 그 이용자에게 위해를 끼칠 위험성이 있는 경우(물적 하자)뿐만 아니라, ② <u>그 영조물이 공공의 목적에 이용됨에 있어 그 이용상태 및 정도가 일정한 한도를 초과하여 제3자에게 사회통념상 참을 수 없는 피해를 입히는 경우(기능상 하자)까지 포함</u>된다고 보아야 할 것이고, 사회통념상 참을 수 있는 피해인지의 여부는 그 영조물의 공공성, 피해의 내용과 정도, 이를 방지하기 위하여 노력한 정도 등을 종합적으로 고려하여 판단하여야 한다(대판 2004.3.12. 2002다14242).

(3) 하자의 판단기준에 관한 학설(「국가배상법」 제5조 책임의 성격)

① **문제점**: 설치 또는 관리상의 하자는 공물이 통상 갖추어야 할 안정성을 결여한 경우를 의미한다. 문제는 안정성 결여 여부를 판단할 때 '관리자의 주의의무위반이라는 주관적인 귀책사유'도 아울러 고려하여야 하는지 여부에 관하여 견해가 대립한다. 이는 「국가배상법」 제5조에 의한 책임의 성격과 결부되는 문제이기도 하다.

② **학설**

문제점
▷ 안전성의 결여를 판단하는데 관리자의 주의의무위반이라는 주관적인 귀책사유도 고려하여야 하는가의 문제

객관설
▷ 영조물의 설치 또는 관리상 하자 유무를 객관적으로 판단하자는 견해
▷ 관리자의 주관적인 귀책사유 不要
▷ 무과실책임

㉠ **객관설(객관적 물적 결함설)**: 영조물의 설치·관리상의 하자를 객관적으로 판단하는 견해로, 영조물의 설치와 그 후의 유지·수선에 불안전함이 있어서 사회통념상 일반적으로 갖추어야 할 물적 안전성을 결여한 것으로 보는 견해이다(종래의 통설). 이 견해에 의하면, 영조물의 설치 또는 관리에 불안전성이 있으면 하자가 있는 것이고, 그 하자의 발생에 있어 관리자의 주의의무 위반이라는 과실유무는 문제 삼지 않는다. 객관설은 「국가배상법」 제5조의 배상책임을 상태책임이면서 순수한 무과실책임으로 이해한다(상태책임설).

주관설
▷ 영조물의 설치·관리상의 하자를 영조물을 안전하고 양호한 상태로 보전해야 할 안전관리의무를 위반으로 보는 견해
▷ 관리자의 주관적인 귀책사유 要
▷ 과실책임

㉡ **주관설(주의의무위반설, 안전관리의무위반설)**: 영조물의 설치·관리상의 하자란 '관리자가 영조물을 안전하고 양호한 상태로 유지해야 할 작위 또는 부작위의무(관리의무)를 위반한 것으로 보는 견해이다. 이 견해에 의하면, 하자의 발생에는 관리자의 주관적 귀책사유가 있어야 하는 것으로 보기 때문에 「국가배상법」 제5조의 배상책임을 행위책임이면서 과실책임으로 이해한다.

ⓒ **위법·무과실책임설(절충설, 안전의무위반설)**: 행정주체가 일정한 물건에 대한 공용지정을 통하여 공중의 사용에 제공한 경우에는 타인에게 위험이 발생하지 않도록 할 안전조치를 취해야 할 법적 의무를 부담하는데, 이러한 의무를 위반하여 타인에게 손해가 발생한다면 행정주체가 이에 대한 책임을 부담하여야 한다고 한다. 다만, 담당공무원의 고의·과실을 요구하지 않기 때문에 「국가배상법」 제5조의 배상책임을 행위책임이자 무과실책임으로 보고 있다. 이 견해에 의하면, 하자판단에 있어서 영조물 자체의 객관적 하자뿐만 아니라 관리의무위반이라는 주관적인 요소(관리자의 과오)도 고려하여 관리자의 주의의무위반에 기인하든 물적 결함에 기인하든 모두 하자가 인정된다. 이 견해가 하자의 범위를 가장 넓게 인정한다.

③ **판례**: 판례는 영조물의 설치 또는 관리상의 하자를 '공공의 목적에 제공된 영조물이 그 용도에 따라 통상적으로 갖추어야 할 안전성을 결여한 상태'로 정의하여 기본적으로 객관설의 입장을 취하여 왔으나, 근래에는 주관적 요소를 고려하여 하자유무를 판단하는 판례도 나타나고 있다. 이러한 판례의 입장을 변형(수정)된 객관설이라고 부르기도 한다.

함께 정리하기

위법·무과실책임설
▷ 영조물의 설치·관리상의 하자는 영조물 자체의 객관적 하자뿐만 아니라 관리의무위반이라는 주관적인 요소(관리자의 과오)도 고려하여야 한다는 견해
▷ 관리자는 안전조치를 취해야 할 법적 의무를 짐
▷ 행위책임이자 무과실책임

판례
▷ 수정된 객관설: 하자란 통상적으로 갖추어야 할 안전성을 결여한 상태, 방호조치의무를 다하였는지 여부를 기준으로 판단

예견·회피가능성 없는 경우
▷ 영조물하자×

관련판례

국가배상법 제5조 제1항에 정해진 영조물의 설치 또는 관리의 하자의 의미 ★★

1-1. 국가배상법 제5조 제1항에 정해진 영조물의 설치 또는 관리의 하자라 함은 영조물이 그 용도에 따라 통상 갖추어야 할 안전성을 갖추지 못한 상태에 있음을 말하는 것이며, 다만 영조물이 완전무결한 상태에 있지 아니하고 그 기능상 어떠한 결함이 있다는 것만으로 영조물의 설치 또는 관리에 하자가 있다고 할 수 없는 것이고, 위와 같은 안전성의 구비 여부를 판단함에 있어서는 당해 영조물의 용도, 그 설치장소의 현황 및 이용 상황 등 제반 사정을 종합적으로 고려하여 설치·관리자가 그 영조물의 위험성에 비례하여 사회통념상 일반적으로 요구되는 정도의 방호조치의무를 다하였는지 여부를 그 기준으로 삼아야 할 것이며, 만일 객관적으로 보아 시간적·장소적으로 영조물의 기능상 결함으로 인한 손해발생의 예견가능성과 회피가능성이 없는 경우, 즉 그 영조물의 결함이 영조물의 설치·관리자의 관리행위가 미칠 수 없는 상황 아래에 있는 경우임이 입증되는 경우라면 영조물의 설치·관리상의 하자를 인정할 수 없다(대판 2001.7.27. 2000다56822 ; 대판 2007.10.26. 2005다51235 ; 대판 2010.7.22. 2010다33354).❶

1-2. 국가배상법 제5조 제1항에 규정된 '영조물 설치·관리상의 하자'는 공공의 목적에 공여된 영조물이 그 용도에 따라 통상 갖추어야 할 안전성을 갖추지 못한 상태에 있음을 말한다. 그리고 위와 같은 안전성의 구비 여부는 영조물의 설치자 또는 관리자가 그 영조물의 위험성에 비례하여 사회통념상 일반적으로 요구되는 정도의 방호조치의무를 다하였는지를 기준으로 판단하여야 하고, 아울러 그 설치자 또는 관리자의 재정적·인적·물적 제약 등도 고려하여야 한다. 따라서 영조물인 도로의 경우도 그 설치 및 관리에 있어 완전무결한 상태를 유지할 정도의 고도의 안전성을 갖추지 아니하였다고 하여 하자가 있다고 단정할 수는 없고, 그것을 이용하는 자의 상식적이고 질서 있는 이용 방법을 기대한 상대적인 안전성을 갖추는 것으로 족하다(대판 2013.10.24. 2013다208074 ; 대판 2022.7.28. 2022다225910❷).

❶ 판례에 의한 영조물 설치·관리상의 하자의 정의(영조물의 설치 또는 관리의 하자라 함은 영조물이 그 용도에 따라 통상 갖추어야 할 안전성을 갖추지 못한 상태에 있음)만을 보면 객관설의 입장을 취하고 있다고 할 수 있지만, 판례가 제시하고 있는 영조물 설치·관리상의 하자의 구체적인 판단기준(그 영조물의 위험성에 비례하여 사회통념상 일반적으로 요구되는 정도의 방호조치의무를 다하였는지 여부를 그 기준으로 삼아야 할 것)을 보면 주관설을 취하고 있다고 해석할 여지도 있다.

❷ 甲 등이 원동기장치자전거를 운전하던 중 'ㅏ' 형태의 교차로에서 유턴하기 위해 신호를 기다리게 되었고, 위 교차로 신호등에는 유턴 지시표지 및 그에 관한 보조표지로서 '좌회전 시, 보행신호 시 / 소형 승용, 이륜에 한함'이라는 표지가 설치되어 있었으나, 실제 좌회전 신호 및 좌회전할 수 있는 길은 없었는데, 甲이 위 신호등이 녹색에서 적색으로 변경되어 유턴을 하다가 맞은편 도로에서 직진 및 좌회전 신호에 따라 직진 중이던 차량과 충돌하는 사고가 발생하자, 甲 등이 위 교차로의 도로관리청이자 보조표지의 설치·관리주체인 지방자치단체를 상대로 손해배상을 구한 사안에서, 위 표지에 위 신호등의 신호체계 및 위 교차로의 도로구조와 맞지 않는 부분이 있더라도 거기에 통상 갖추어야 할 안전성이 결여된 설치·관리상의 하자가 있다고 보기 어렵다고 한 사례

통상 갖추어야 할 안정성
▷ 고도의 안정성✗
▷ 상대적 안정성○

고속도로의 관리의 하자
▷ 「국가배상법」 제5조 책임○

(4) 일반적 판단기준

① 안정성

㉠ 안전성의 정도

ⓐ 하자의 구체적인 판단기준은 영조물의 '통상 갖추어야 할 물적 안정성' 여부라 할 것인바, 설치·관리의 하자의 기준인 '통상 갖추어야 할 물적 안정성'은 완전무결한 상태를 유지할 정도의 고도의 안전성을 말하는 것이 아니라 영조물의 위험성에 비례하여 사회통념상 일반적으로 요구되는 정도의 상대적 안정성을 말한다(대판 2000.4.25. 99다54998).

ⓑ 따라서 영조물의 설치 및 관리에 있어서 항상 완전무결한 상태를 유지할 정도의 고도의 안전성을 갖추지 아니하였다고 하여 영조물의 설치 또는 관리에 하자가 있다고 단정할 수 없다(대판 2000.4.25. 99다54998 ; 대판 2002.8.23. 2002다9158).

> **관련판례**
>
> **설치 또는 관리의 하자를 부정한 사례** ★
>
> 1-1. 고속도로가 사고지점에 이르러 다소 굽어져 있으나, 사고 지점의 차선 밖에 폭 3m의 갓길이 있을 뿐 아니라, 사고 지점 도로변에 야간에 도로의 형태를 식별할 수 있게 하는 시설물들이 기준에 따라 설치되어 있는 경우 <u>도로의 관리자로서는 야간에 차량의 운전자가 사고 지점의 도로에 이르러 차선을 따라 회전하지 못하고 차선을 벗어난 후 갓길마저 지나쳐 도로변에 설치되어 있는 방음벽을 들이받은 사고를 일으킨다고 하는 것은 통상 예측하기 어려우므로</u> 도로의 관리자가 그러한 사고에 대비하여 도로변에 야간에 도로의 형태를 식별할 수 있는 시설물들을 더 많이 설치하지 않고, 방음벽에 충격방지시설을 갖추지 아니하였다고 하여 사고 지점 <u>도로의 설치 또는 관리에 하자가 있다고 볼 수 없다</u>(대판 2002.8.23. 2002다9158).
>
> 1-2. (甲이 차량을 운전하여 지방도 편도 1차로를 진행하던 중 커브길에서 중앙선을 침범하여 반대편 도로를 벗어나 도로 옆 계곡으로 떨어져 동승자인 乙이 사망한 사안에서) 좌로 굽은 도로에서 운전자가 <u>무리하게 앞지르기를 시도</u>하여 중앙선을 침범하여 반대편 도로로 미끄러질 경우까지 대비하여 <u>도로 관리자인 지방자치단체가 차량용 방호울타리를 설치하지 않았다고 하여 도로에 통상 갖추어야 할 안전성이 결여된 설치·관리상의 하자가 있다고 보기 어려운데도</u>, 이와 달리 본 원심판결에 법리오해의 위법이 있다(대판 2013.10.24. 2013다208074).

㉡ **안전성 구비여부의 판단기준**: 안전성의 구비 여부는 당해 영조물의 구조, 본래의 용법, 장소적 환경 및 이용 상황 등의 여러 사정을 종합적으로 고려하여 구체적·개별적으로 판단하여야 한다(대판 2000.1.14. 99다24201).

② **물적하자의 판단기준**: 물적 하자는 당해 영조물을 구성하는 물적 시설 그 자체에 있는 물리적·외형적 흠결이나 불비로 인하여 그 이용자에게 위해를 끼칠 위험성이 있는 경우를 의미한다(대판 2004.3.12. 2002다14242). 판례는 물적하자 여부를 판단할 때 방호조치의 위반 여부와 손해발생의 예견가능성과 회피가능성을 고려한다.

㉠ 방호조치의무의 위반 여부

ⓐ 영조물의 물적 하자가 있는지 여부는 당해 영조물의 용도, 그 설치장소의 현황 및 이용 상황 등 제반 사정을 종합적으로 고려하여 설치·관리자가 그 영조물의 위험성에 비례하여 사회통념상 일반적으로 요구되는 정도의 방호조치의무를 다하였는지 여부를 그 기준으로 판단한다(대판 2001.7.27. 2000다56822 등).

ⓑ 판례는 폭설로 인한 도로상 사고의 경우 고속도로의 경우에는 관리자는 즉시 제설작업을 하여 도로의 안전성을 확보할 의무가 있다고 보지만, 일반도로의 경우에는 그러한 의무를 부과하는 것은 적당하지 않다고 본다.

> **관련판례**
>
> **1 폭설로 차량운전자 등이 고속도로에서 장시간 고립된 경우 ★★**
> [1] 강설에 대처하기 위하여 완벽한 방법으로 도로 자체에 융설 설비를 갖추는 것이 현대의 과학기술 수준이나 재정사정에 비추어 사실상 불가능하다고 하더라도, 최저속도의 제한이 있는 고속도로의 경우에 있어서는 도로관리자가 도로의 구조, 기상예보 등을 고려하여 사전에 충분한 인적·물적 설비를 갖추어 강설시 신속한 제설작업을 하고 나아가 필요한 경우 제때에 교통통제 조치를 취함으로써 고속도로로서의 기본적인 기능을 유지하거나 신속히 회복할 수 있도록 하는 관리의무가 있다.
> [2] 고속도로의 관리자가 고립구간의 교통정체를 충분히 예견할 수 있었음에도 교통제한 및 운행정지 등 필요한 조치를 충실히 이행하지 아니하였으므로 고속도로의 관리상 하자가 있다(대판 2008.3.13. 2007다29287).
>
> **2 일반 보통 도로에 강설로 생긴 빙판을 그대로 방치한 경우 ★★**
> [1] 적설지대에 속하는 지역의 도로라든가 최저속도의 제한이 있는 고속도로 등 특수목적을 갖고 있는 도로가 아닌 일반 보통의 도로까지도 도로관리자에게 완전한 인적, 물적 설비를 갖추고 제설작업을 하여 도로통행상의 위험을 즉시 배제하여 그 안전성을 확보하도록 하는 관리의무를 부과하는 것은 도로의 안전성의 성질에 비추어 적당하지 않고, 오히려 그러한 경우의 도로통행의 안전성은 그와 같은 위험에 대면하여 도로를 이용하는 통행자 개개인의 책임으로 확보하여야 한다.
> [2] 강설의 특성, 기상적 요인과 지리적 요인, 이에 따른 도로의 상대적 안전성을 고려하면, 겨울철 산간지역에 위치한 도로에 강설로 생긴 빙판을 그대로 방치하고 도로상황에 대한 경고나 위험표지판을 설치하지 않았다는 사정만으로 도로관리상의 하자가 있다고 볼 수 없다(대판 2000.4.25. 99다54998).

ⓒ 손해발생의 예견가능성과 회피가능성이 있는지 여부
  ⓐ 객관적으로 보아 시간적·장소적으로 영조물의 기능상 결함으로 인한 손해발생의 예견가능성과 회피가능성이 없는 경우, 즉 그 영조물의 결함이 영조물의 설치·관리자의 관리행위가 미칠 수 없는 상황 아래에 있는 경우임이 입증되는 경우라면 영조물의 설치·관리상의 하자를 인정할 수 없다(대판 2001.7.27. 2000다56822 ; 대판 2000.2.25. 99다54004 등)
  ⓑ 관리가능성(예견가능성과 회피가능성)은 영조물의 위험성에 비례하여 요구되는 영조물 관리자의 안전관리시스템이 제대로 작동하는 것을 전제로 판단되어야 한다. 현재의 기술수준 및 예산상 부득이 하다는 사정만으로는 관리가능성이 없다고 할 수 없다(대판 2001.7.27. 2000다56822).

 **함께 정리하기**

폭설로 고속도로에 고립
▷ 교통제한·운전정지 조치할 관리의무 有

강설 시 제설작업, 제때에 교통통제 조치 이행×
▷ 도로관리상 하자○

일반 도로 빙판방치·위험표지판 미설치
▷ 도로관리상 하자×

손해발생의 예견가능성과 회피가능성이 없는 경우, 즉 관리자의 관리행위가 미칠 수 없는 상황
▷ 하자×

함께 정리하기

ⓒ 구체적인 사례

㉮ 손해발생의 예견가능성·회피가능성이 없어 설치·관리상 하자가 인정되지 않은 경우

> **관련판례**
>
> **1** 10분 전 도로에 떨어진 쇠파이프로 인하여 차량사고가 발생한 경우 ★★
>
> 소외 김○○이 1995.11.21. 10:30경 피고가 점유 관리하는 편도 2차선의 국도를 프라이드 승용차를 운전하여 가다가 반대방향 도로 파선에 떨어져 있던 길이 120m, 직경 2cm 크기의 U자형 쇠파이프가 번호미상 갤로퍼 승용차 뒷타이어에 튕기어 김○○의 승용차 앞유리창을 뚫고 들어오는 바람에 쇠파이프에 목부분이 찔려 개방성 두개골 골절 등으로 사망한 사실을 인정하고, 그와 같은 쇠파이프가 위 도로에 떨어져 있었다면 일단 도로의 관리에 하자가 있는 것으로 볼 수 있으나 … 피고가 관리하는 넓은 국도상을 더 짧은 간격으로 일일이 순찰하면서 낙하물을 제거하는 것은 현실적으로 불가능하다 하여 피고에게 국가배상법 제5조 제1항이 정하는 손해배상 책임이 없다(대판 1997.4.22. 97다3194).

- 10분 전 도로에 떨어진 쇠파이프
  ▷ 하자×

> **2** 트럭 앞바퀴가 고속도로상에 떨어져 있는 자동차의 타이어에 걸려 중앙분리대를 넘어가 사고가 발생한 경우 ★★
>
> 트럭 앞바퀴가 고속도로상에 떨어져 있는 자동차 타이어에 걸려 중앙분리대를 넘어가 사고가 발생한 경우에 있어서 타이어가 사고지점 고속도로 상에 떨어진 것은 사고가 발생하기 10분 내지 15분 전이었다면 손해배상책임을 물을 수는 없다(대판 1992.9.14. 92다3243).

- 10분 내지 15분 전 고속도로에 떨어진 타이어
  ▷ 하자×

> **3** 흡연 위해 건물 화장실 밖 난간을 지나가다가 실족한 경우 ★★
>
> 고등학교 3학년 학생이 교사의 단속을 피해 담배를 피우기 위하여 3층 건물 화장실 밖의 난간을 지나다가 실족하여 사망한 경우, 학교 관리자에게 그와 같은 이례적인 사고가 있을 것을 예상하여 복도나 화장실 창문에 난간으로의 출입을 막기 위하여 출입금지장치나 추락위험을 알리는 경고표지판을 설치할 의무가 있다고 볼 수는 없으므로 학교시설의 설치·관리상의 하자를 인정할 수 없다(대판 1997.5.16. 96다54102).

- 흡연 위해 화장실 밖 난간에서 실족사한 고등학생
  ▷ 하자×

> **4** 교차로의 진행방향 신호기의 정지신호가 단선으로 소등되어 교통사고가 발생한 경우 ★★
>
> 교차로의 진행방향 신호기의 정지신호가 단선으로 소등되어 있는 상태에서 그대로 진행하다가 다른 방향의 진행신호에 따라 교차로에 진입한 차량과 충돌한 경우, 신호기의 적색신호가 소등된 기능상 결함이 있었다는 사정만으로 신호기의 설치 또는 관리상의 하자를 인정할 수 없다(대판 2000.2.25. 99다54004).

- 신호기 적색소등 기능상결함
  ▷ 하자 인정 불가

㉯ 손해발생의 예견가능성·회피가능성 있어 설치·관리상 하자가 인정된 경우

> **관련판례**
>
> **1** 두 개의 신호기에서 서로 모순되는 신호가 들어오는 고장으로 인하여 교통사고가 발생한 경우 ★★★
>
> 가변차로에 설치된 신호등의 용도와 오작동시에 발생하는 사고의 위험성과 심각성을 감안할 때, 만일 가변차로에 설치된 두 개의 신호기에서 서로 모순되는 신호가 들어오는 고장을 예방할 방법이 없음에도 그와 같은 신호기를 설치하여 그와 같은 고장을 발생하게 한 것이라면, 그 고장이 자연재해 등 외부요인에 의한 불가항력에 기인한 것이 아닌 한 그 자체로 설치·관리자의 방호조치의무를 다하지 못한 것으로서 신호등이 그 용도에 따라 통상 갖추어야 할 안전성을 갖추지 못한 상태에 있었다고 할 것이고, 따라서 설령 적정전압보다 낮은 저전압이 원인이 되어 위와 같은 오작동이 발생하였고 그 고장은 현재의 기술 수준상 부득이 한 것이라고 가정하더라도 그와 같은 사정만으로 손해발생의 예견가능성이나 회피가능성이 없어 영조물의 하자를 인정할 수 없는 경우라고 단정할 수 없다(대판 2001.7.27. 2000다56822).

- 현 기술수준상 불가피한 저전압 모순된 신호
  ▷ 하자○(면책×)

> **비교**
> (보행자 신호기가 고장난 횡단보도 상에서 교통사고가 발생한 사안에서) 적색등의 전구가 단선되어 있었던 위 보행자 신호기는 그 용도에 따라 통상 갖추어야 할 안전성을 갖추지 못한 관리상의 하자가 있어 지방자치단체의 배상책임이 인정된다(대판 2007.10.26. 2005다51235).

② **천재지변(낙뢰)으로 인하여 보행자·차량신호가 동시에 녹색등 표시가 된 경우** ★★

보행자 신호와 차량 신호에 동시에 녹색등이 표시되는 사고의 위험성이 높은 고장이 발생하였는데도 이를 관리하는 경찰관들이 즉시 그 신호기의 작동을 중지하거나 교통경찰관을 배치하여 수신호를 하는 등의 안전조치를 취하지 않은 채 장시간 고장상태를 방치한 것을 그 공무집행상의 과실로 인정하기에 충분하고, 위 신호기의 고장이 천재지변인 낙뢰로 인한 것이고 신호기를 찾지 못하여 고장 수리가 지연되었을 뿐 임의로 방치한 것이 아니라고 하여 과실이 없다고 할 수는 없다(대판 1999.6.25. 99다11120).

낙뢰로 인한 모순된 신호
▷ 과실○

③ **기능적 하자(이용상 하자)의 판단기준**: 판례는 기능적 하자를 수인가능성을 기준으로 판단한다. 사회통념상 참을 수 있는 피해인지의 여부는 그 영조물의 공공성, 피해의 내용과 정도, 이를 방지하기 위하여 노력한 정도 등을 종합적으로 고려하여 판단한다(대판 2004.3.12. 2002다14242).

> **관련판례**
>
> **1 김포공항에서 발생한 소음** ★★
> 김포공항이 항공기 운항이라는 공공의 목적에 이용됨에 있어 그와 관련하여 배출하는 소음 등의 침해가 인근 주민인 선정자들에게 통상의 수인한도를 넘는 피해를 발생하게 하였다면 김포공항의 설치·관리상에 하자가 있다고 보아야 할 것이다(대판 2005.1.27. 2003다49566).
>
> **2 매향리 사격장에서 발생한 소음** ★★
> 매향리 사격장에서 발생할 소음으로 지역주민들 입는 피해가 사회통념상 참을 수 있는 정도를 넘는 경우에는 사격장의 설치 또는 관리에 하자가 있다고 할 것이다(대판 2004.3.12. 2002다14242).

김포공항
▷ 소음이 수인한도 넘는 경우 하자○

공군사격장
▷ 소음 수인한도 넘는 경우 하자○

④ **하천 등 자연공물의 설치·관리상 하자의 판단기준**: 하천 등 자연공물도 공물이 통상 갖추어야 할 안정성을 결여한 경우에는 하자가 인정된다. 그러나 자연공물로서 하천은 원래 이를 설치할 것인지 여부에 대한 선택의 여지가 없다는 점, 위험을 내포한 상태에서 자연적으로 존재한다는 점, 간단한 방법으로 위험상태를 제거할 수 없다는 점 등의 특수성 때문에 계획홍수량 기준으로 하자 여부를 판단한다. 따라서 판례는 하천범람으로 인한 수해의 경우 하천제방이 계획홍수량 등을 충족하고 있다면 하천의 설치·관리에 하자가 없다고 한다.

> **관련판례**
>
> **1 하천정비기본계획 등에서 정한 계획홍수량·홍수위를 충족하여 관리되는 하천은 통상 갖추어야 할 안전성을 갖추고 있다.** ★★
> 하천정비기본계획 등에서 정한 계획홍수량 및 계획홍수위를 충족하여 하천이 관리되고 있다면 당초부터 계획홍수량 및 계획홍수위를 잘못 책정하였다거나 그 후 이를 시급히 변경해야 할 사정이 생겼음에도 불구하고 이를 해태하였다는 등의 특별한 사정이 없는 한, 그 하천은 용도에 따라 통상 갖추어야 할 안전성을 갖추고 있다고 봄이 상당하다(대판 2007.9.21. 2005다65678).

하천정비기본계획 등에서 정한 계획홍수량·홍수위 충족
▷ 안정성○

2 계획홍수위를 넘고 있는 하천의 제방이 그 후 새로운 하천시설을 설치할 때 기준으로 삼기 위하여 제정한 '하천시설기준'이 정한 여유고를 확보하지 못하고 있다는 사정만으로 하자가 있다고 볼 수 없다. ★★

관리상의 특질과 특수성을 감안한다면, 하천의 관리청이 관계 규정에 따라 설정한 계획홍수위를 변경시켜야 할 사정이 생기는 등 특별한 사정이 없는 한, 이미 존재하는 하천의 제방이 계획홍수위를 넘고 있다면 그 하천은 용도에 따라 통상 갖추어야 할 안전성을 갖추고 있다고 보아야 하고, 그와 같은 하천이 그 후 새로운 하천시설을 설치할 때 기준으로 삼기 위하여 제정한 '하천시설기준'이 정한 여유고를 확보하지 못하고 있다는 사정만으로 바로 안전성이 결여된 하자가 있다고 볼 수는 없다(대판 2003.10.23. 2001다48057).

3. 타인에게 손해가 발생할 것

(1) 타인에게 손해

영조물의 설치·관리상의 하자로 인하여 타인에게 손해가 발생하여야 하는바, 여기서 손해라 함은 공무원의 직무행위로 인한 손해와 마찬가지로 적극적 손해와 소극적 손해❶가 모두 포함되며, 재산상 손해는 물론 정신적 손해(위자료)도 포함된다.

> **관련판례**
> 국가배상법 제5조 제1항의 영조물의 설치·관리상의 하자로 인한 손해가 발생한 경우 같은 법 제3조 제1항 내지 제5항의 해석상 피해자의 위자료 청구권이 반드시 배제되지 아니한다(대판 1990.11.13. 90다카25604). ★★

(2) 상당인과관계

영조물의 하자와 손해사이에 상당인과관계가 있어야 한다. 하자와 손해발생 사이에 상당한 인과관계가 있는 한 자연현상 또는 제3자나 피해자의 행위가 그 손해의 원인으로서 가세하였더라도 손해배상책임은 성립한다.

> **관련판례**
> 다른 자연적 사실이나 제3자 또는 피해자의 행위와 경합하여 발생한 손해도 영조물의 설치·관리상의 하자에 의해 발생한 것으로 보아야 한다. ★★
> 영조물의 설치 또는 관리상의 하자로 인한 사고라 함은 영조물의 설치 또는 관리상의 하자만이 손해발생의 원인이 되는 경우만을 말하는 것이 아니고, 다른 자연적 사실이나 제3자의 행위 또는 피해자의 행위와 경합하여 손해가 발생하더라도 영조물의 설치 또는 관리상의 하자가 공동원인의 하나가 되는 이상 그 손해는 영조물의 설치 또는 관리상의 하자에 의하여 발생한 것이라고 해석함이 상당하다(대판 1994.11.22. 94다32924).

4. 하자의 입증책임

하자(안정성의 결여 또는 관리의무 위반)의 입증책임은 원고인 피해자에게 있다. 다만, 관리주체에게 손해발생의 예견가능성과 회피가능성이 없었다는 점(면책사유)의 입증책임은 피고인 관리주체에게 있다.

타인에게 손해
▷ 「국가배상법」제2조의 손해의 개념과 동일
▷ 적극적 손해, 소극적 손해, 재산상 손해, 정신적 손해도 포함

❶ 적극적 손해
사고로 인하여 비용이 지출되거나 이익이 감소된 경우의 손해(예 병원치료비, 개호비, 물건파손으로 인한 손해 등)를 의미하고 소극적 손해(일실이익)란 장래 얻을 수 있었던 이익을 얻지 못한 손해(예 입원기간 동안 일을 할 수 없어 상실 또는 감소된 일용노임임금의 손해)를 의미한다.

판례
▷ 위자료 청구권 인정

자연적 사실·제3자 행위·피해자 행위 경합해도
▷ 인과관계 有

하자 입증책임
▷ 피해자인 원고부담
면책사유 입증책임
▷ 관리주체인 피고

관련판례

면책사유에 대한 입증책임은 피고에 있다. ★★

편도 2차선 도로의 1차선 상에 교통사고의 원인이 될 수 있는 크기의 돌멩이가 방치되어 있었고, 도로의 점유·관리자인 피고가 그것에 대한 관리 가능성이 없다는 입증을 하지 못하고 있는 이 사건에서 이는 도로 관리·보존상의 하자에 해당한다(대판 2008.3.13. 2007다29287 ; 대판 1998.2.10. 97다32536).

함께 정리하기

고속도로하자 면책사유 입증책임
▷ 관리자가 부담

5. 면책사유 또는 책임액의 감면

(1) 불가항력

① 영조물의 설치·관리의 하자로 인한 배상책임은 영조물의 안전성의 결여의 원인이 인위적인 것인지 자연력에 의한 것인지를 불문하고 인정되는 것이 원칙이다.

② 그러나 영조물이 통상 갖추어야 할 안정성을 구비하고 있음에도 불구하고 천재지변과 같이 인간의 능력으로 예견할 수 없거나 예견하였더라도 회피할 수 없는 힘에 의해 손해가 발생한 경우 불가항력으로서 면책된다. 다만, 이 경우에도 영조물의 설치·관리의 하자로 손해가 확대된 경우 그 한도 내에서 국가 등이 배상책임을 져야 한다.

예견가능성 넘는 자연재해
▷ 불가항력으로 면책

관련판례

1 불가항력과 영조물의 하자가 손해발생에 있어서 경합된 경우 영조물의 하자로 인하여 손해가 확대된 한도 내에서 국가배상책임을 진다. ★

불법행위에 기한 손해배상 사건에 있어서 피해자가 입은 손해가 자연력과 가해자의 과실행위가 경합되어 발생된 경우 가해자의 배상 범위는 손해의 공평한 부담이라는 견지에서 손해 발생에 대하여 자연력이 기여하였다고 인정되는 부분을 공제한 나머지 부분으로 제한하여야 함이 상당한 것이지만, 다른 한편, 피해자가 입은 손해가 통상의 손해와는 달리 특수한 자연적 조건 아래 발생한 것이라 하더라도, 가해자가 그와 같은 자연적 조건이나 그에 따른 위험의 정도를 미리 예상할 수 있었고 또 과도한 노력이나 비용을 들이지 아니하고도 적절한 조치를 취하여 자연적 조건에 따른 위험의 발생을 사전에 예방할 수 있었다면, 그러한 사고방지 조치를 소홀히 하여 발생한 사고로 인한 손해배상의 범위를 정함에 있어서 자연력의 기여분을 인정하여 가해자의 배상 범위를 제한할 것은 아니다(대판 2001.2.23. 99다61316). ❶

2 장마철 집중호우가 전혀 예측할 수 없는 천재지변이라고 볼 수 없다. ★

산비탈부분이 1991.7.25. 내린 약 308.5㎜의 집중호우에 견디지 못하고 위 도로 위로 무너져 내려 차량의 통행을 방해함으로써 이 사건 사고가 일어난 사실을 인정할 수 있으므로, 이 사건 사고는 피고의 위 도로의 설치 또는 관리상의 하자로 인하여 일어난 것이라고 보아야 한다. 매년 비가 많이 오는 장마철을 겪고 있는 우리나라와 같은 기후의 여건 하에서 위와 같은 집중호우가 내렸다고 하여 전혀 예측할 수 없는 천재지변이라고 보기는 어렵다(대판 1993.6.8. 93다11678).

3 50년만의 최대강우량에 해당한다는 사실만으로는 불가항력에 기인한 것으로 볼 수 없다. ★★★

집중호우로 제방도로가 유실되면서 그 곳을 걸어가던 보행자가 강물에 휩쓸려 익사한 경우, 사고 당일의 집중호우가 50년 빈도의 최대강우량에 해당한다는 사실만으로 불가항력에 기인한 것으로 볼 수 없다는 이유로 제방도로의 설치·관리상의 하자를 인정하였다(대판 2000.5.26. 99다53247).

불가항력으로 손해가 발생하였어도 영조물의 설치관리의 하자로 손해가 확대된 경우
▷ 그 한도 내에서 「국가배상법」 제5조의 배상책임이 인정

❶ 임도 개설공사 이후 집중호우로 인한 산사태로 말미암아 발생한 손해의 배상범위를 정함에 있어서 자연력의 기여분을 인정하지 아니한 사례이다.

장마철 집중호우
▷ 천재지변 ✕

50년만의 최대강우량
▷ 불가항력 ✕

6백년·1천년 발생빈도의 강우
▷ 불가항력○, 면책○

4 600년 또는 1,000년 발생빈도에 의한 하천범람은 불가항력적 재해이다. ★★★

100년 발생빈도의 강우량을 기준으로 책정된 계획홍수위를 초과하여 600년 또는 1,000년 발생빈도의 강우량에 의한 하천의 범람은 예측가능성 및 회피가능성이 없는 불가항력적인 재해로서 그 영조물의 관리청에게 책임을 물을 수 없다(대판 2003.10.23. 2001다48057).

(2) 예산부족

예산부족 등 재정적 사유는 배상액 산정의 참작사유에 해당할 뿐 안전성을 결정지을 절대적 요건은 아니다.

설치자의 예산부족
▷ 면책사유×(참작사유○)

🔨 **관련판례**

예산부족은 면책사유에 해당하지 않는다. ★★★

설치자의 재정사정은 안전성을 요구하는데 대한 정도 문제로서 참작사유에는 해당할지언정 안전성을 결정지을 절대적 요건에는 해당하지 아니한다(대판 1967.2.21. 66다1723).

(3) 피해자의 과실

① **과실상계❶**: 피해자에게 과실이 있었던 경우에는 피해자의 과실에 의하여 확대된 손해의 한도 내에서 국가 등의 책임이 부분적으로 감면된다.
② **후입자이론(위험에로의 접근 이론)**: 기능적 하자에 대하여 위험의 존재를 인식하고 위험원에 접근이 이루어진 경우 손해배상액의 감경사유로 삼을 수 있다는 이론이 이른바 후입자이론이다. 판례는 소음 등을 포함한 공해 등의 위험지역으로 이주하여 거주하는 경우 피해자가 위험의 존재를 인식하면서도 위험으로 인한 피해를 용인하면서 접근하였다고 볼 수 있는지 여부를 가해자의 손해배상액 산정에 있어 과실상계에 준하여 감경 또는 면제사유로 고려하고 있다.

❶ **과실상계**
해당 사건으로 인한 피해의 발생 및 피해확대에 피해자의 부주의가 있는 경우, 가해자의 손해배상책임을 감경하는 것을 의미한다. 예컨대, 교통사고의 경우 피해자에게도 교통법규 위반이 있었거나, 사고로 입은 상해 치료행위를 소홀히 하여 손해가 확대된 경우 등을 들 수 있다.

피해자의 과실
▷ 감경·면제사유로 고려

🔨 **관련판례**

1 소음 등을 포함한 공해 등의 위험지역으로 이주하여 들어가 거주하는 경우와 같이 위험의 존재를 인식하거나 과실로 인식하지 못하고 이주한 경우에는 손해배상액의 산정에 있어 형평의 원칙상 과실상계에 준하여 감경 또는 면제사유로 고려하여야 한다(대판 2010.11.11. 2008다57975). ★★

위험존재인식·피해용인하며 접근
▷ 가해자 면책 인정 可

2 소음 등을 포함한 공해 등의 위험지역으로 이주하여 거주하는 것이 피해자가 위험의 존재를 인식하고 그로 인한 피해를 용인하면서 접근한 것이라고 볼 수 있는 경우 가해자의 면책이 인정될 수 있다. ★★★

[1] 위험의 존재를 인식하면서 그로 인한 피해를 용인하며 접근한 것으로 볼 수 있는 경우에, 그 피해가 직접 생명이나 신체에 관련된 것이 아니라 정신적 고통이나 생활방해의 정도에 그치고 그 침해행위에 고도의 공공성이 인정되는 때에는, 위험에 접근한 후 실제로 입은 피해 정도가 위험에 접근할 당시에 인식하고 있었던 위험의 정도를 초과하는 것이거나 위험에 접근한 후 그 위험이 특별히 중대하였다는 등의 특별한 사정이 없는 한 가해자의 면책을 인정하여야 하는 경우도 있다. 그러나 소음 등의 공해로 인한 법적 쟁송이 제기되거나 그 피해에 대한 보상이 실시되는 등 피해지역임이 구체적으로 드러나고 또한 이러한 사실이 그 지역에 널리 알려진 이후에 이주하여 오는 경우에는 위와 같은 위험에의 접근에 따른 가해자의 면책 여부를 보다 적극적으로 인정할 여지가 있다.

[2] 다만, 일반인이 공해 등의 위험지역으로 이주하여 거주하는 경우라고 하더라도 위험에 접근할 당시에 그러한 위험이 존재하는 사실을 정확하게 알 수 없는 경우가 많고, 그밖에 위험에 접근하게 된 경위와 동기 등의 여러 가지 사정을 종합하여 그와 같은 위험의 존재를 인식하면서도 위험으로 인한 피해를 용인하면서 접근하였다고 볼 수 없는 경우에는 손해배상액의 산정에 있어 형평의 원칙상 과실상계에 준하여 감액사유로 고려하여야 한다(대판 2010.11.25. 2007다74560 ; 대판 2015.10.15. 2013다23914 등).

3 「국가배상법」 제2조 책임과 제5조 책임의 경합

「국가배상법」 제2조는 과실책임이고, 제5조는 무과실책임이라는 점 등을 감안하면, 양자의 책임은 경합할 수 있다. 양자의 책임이 중복하여 발생한 경우 피해자는 양자 중 어느 것에 의해서도 배상을 청구할 수 있다.❶ 이 경우 피해자의 입장에서 볼 때 무과실책임인 제5조의 배상책임을 청구하는 것이 요건 입증에 유리할 것이다.

4 영조물의 감면사유와 공무원의 과실의 경합

불가항력 등 영조물책임의 감면사유가 있는 경우에도 공무원의 과실로 피해가 확대된 경우(예 불가항력의 자연재해 시 관계 행정기관이 과실로 피난명령을 발하지 않은 경우)에는 그 한도 내에서 「국가배상법」 제2조의 배상책임이 인정된다.

제4절 배상책임자

1 국가와 지방자치단체

배상책임자는 국가 또는 지방자치단체이다(「국가배상법」 제2조 제1항). 헌법은 배상책임의 주체를 '국가 또는 공공단체'로 하고 있으나, 「국가배상법」은 '국가 또는 지방자치단체'로 규정하고 있으므로, 지방자치단체 외의 공공단체의 경우에는 「국가배상법」이 아닌 「민법」의 적용을 받는다.

함께 정리하기

「국가배상법」 제2조, 제5조 책임
▷ 경합하여 발생 可

❶ 예를 들면, 국도에서의 소음 공해로 인한 인근주민의 피해(예 정신적 고통, 양돈돼지폐사 등)에 대해 그 피해자가 공무원의 직무상 손해방지의무 위반을 피해의 원인으로 주장하는 경우 「국가배상법」 제2조의 국가배상을 청구하고, 도로의 설치·관리상 하자(이용상 하자)를 피해의 원인으로 주장하는 경우 「국가배상법」 제5조의 국가배상을 청구할 수 있다.

영조물의 감면사유와 공무원의 과실의 경합
▷ 공무원의 과실로 피해가 확대된 한도 내에서 「국가배상법」 제2조 배상책임 인정 可

2 피해자에 대한 배상책임자(「국가배상법」 제6조 제1항)

> 「국가배상법」 제6조 【비용부담자 등의 책임】 ① 제2조·제3조 및 제5조에 따라 국가나 지방자치단체가 손해를 배상할 책임이 있는 경우에 공무원의 선임·감독 또는 영조물의 설치·관리를 맡은 자와 공무원의 봉급·급여, 그 밖의 비용 또는 영조물의 설치·관리 비용을 부담하는 자가 동일하지 아니하면 그 비용을 부담하는 자도 손해를 배상하여야 한다.
> ② 제1항의 경우에 손해를 배상한 자는 내부관계에서 그 손해를 배상할 책임이 있는 자에게 구상할 수 있다.

1. 「국가배상법」 제6조 제1항의 입법취지

국가 또는 지방자치단체가 「국가배상법」 제2조 또는 제5조에 의한 손해배상책임을 지는 경우에 있어서 '공무원의 선임·감독자 또는 영조물의 설치·관리를 맡은 자(=사무귀속주체 또는 관리주체)'와 '공무원의 봉급·급여 기타의 비용을 부담하는 자 또는 영조물의 설치·관리의 비용을 부담하는 자(=비용부담주체)'가 동일하지 아니한 경우에는 피해자는 어느 쪽에 대하여도 선택적으로 손해배상을 청구할 수 있도록 규정하고 있다. 이와 같이 사무귀속주체(관리주체)와 함께 '비용부담주체'도 손해배상책임을 지도록 한 입법취지는 피해자가 손해배상청구의 피고를 잘못 지정함으로 인한 불이익을 피해자가 부담하지 않도록 하기 위한 것이다. 판례는 이들 양자(사무귀속주체와 비용부담주체)를 부진정연대채무의 관계❶로 보고 있다(대판 1998.9.22. 97다42502·42519).

2. 사무귀속주체 또는 관리주체의 의의와 범위

(1) 「국가배상법」 제6조 제1항의 배상책임의 주체로서 규정된 '공무원의 선임·감독 또는 영조물의 설치·관리를 맡은 자'란 사무의 귀속주체 또는 영조물의 관리주체(관리자)를 의미한다. 관리주체란 당해 사무의 관리기관 또는 영조물의 관리기관이 속해 있는 법인격 있는 조직체를 의미한다.

(2) 따라서 해당 공무원의 직무가 국가사무인 경우에는 국가가, 지방자치단체의 자치사무인 경우에는 지방자치단체가 각각 사무의 귀속주체로서 배상책임을 진다.

(3) 기관위임사무❷의 귀속주체는 위임기관이 속한 행정주체이다. 따라서 국가사무가 기관위임된 경우에는 국가가,❸ 상급지방자치단체사무가 기관위임된 경우에는 상급지방자치단체가 각각 사무의 귀속주체로서 배상책임을 진다.❹

영조물의 설치·관리를 맡은 자와 그 비용을 부담하는 자가 다른 경우
▷ 비용부담자도 손해배상책임○
▷ 선택적 청구 可

❶ 부진정연대채무의 관계
우연히 발생한 서로 독립된 책임관계를 말한다.

사무의 귀속주체로서의 배상책임자
▷ 국가사무: 국가
▷ 자치사무: 지방자치단체

사무의 귀속주체로서의 배상책임자
▷ 기관위임사무: 위임기관이 속한 행정주체
▷ 국가사무가 기관위임된 경우: 국가
▷ 상급지방자치단체사무가 기관위임된 경우: 상급지방자치단체

❷ 기관위임사무
기관위임사무란 법령에 의하여 국가 또는 상급지방자치단체로부터 지방자치단체의 집행기관인 지방자치단체의 장에게 처리가 위임된 사무를 말한다. 기관위임사무는 비록 지방자치단체의 장이 사무를 집행하여도 법적 성질은 본질적으로 국가사무 또는 상급지방자치단체의 사무이다.

❸
국가기관에 지방자치단체의 장에게 위임된 기관위임사무에 있어서 기관위임사무를 집행하는 지방자치단체의 기관은 국가기관의 지위를 갖으므로 국가가 관리주체가 된다(대판 1993.1.26. 92다2684, 「도로법」 제23조 제2항에 의해 시장이 국도의 관리청이 된 경우 국가도 배상책임을 진다고 본 사례).

❹
한편, 단체위임사무란 지방자치단체가 법령에 의해 국가 또는 다른 지방자치단체로부터 위임받은 사무를 말하는바, 단체위임사무의 관리주체로서의 배상책임의 주체를 위임자인 국가라고 보는 견해도 있으나, 단체위임사무는 지방자치단체의 사무이므로 단체위임사무의 관리주체는 지방자치단체라고 보는 견해가 타당하다.

관련판례

1 군수에게 재위임된 국가사무(기관위임사무)인 개간허가 및 그 취소사무의 처리에 있어서 손해가 발생한 경우 원칙적으로 군에는 국가배상책임이 없고 그 사무의 귀속 주체인 국가가 손해배상책임을 지는 것이며, 다만 국가배상법 제6조에 의하여 비용을 부담한다고 볼 수 있는 경우에 한하여 국가와 함께 손해배상책임을 부담한다. ★★

구 농지확대개발촉진법 제24조와 제27조에 의하여 농수산부장관 소관의 국가사무로 규정되어 있는 개간허가와 개간허가의 취소사무는 같은 법 제61조 제1항, 같은 법 시행령 제37조 제1항에 의하여 도지사에게 위임되고, 같은 법 제61조 제2항에 근거하여 도지사로부터 하위 지방자치단체장인 군수에게 재위임되었으므로 이른바 기관위임사무라 할 것이고, 이러한 경우 군수는 그 사무의 귀속 주체인 국가 산하 행정기관의 지위에서 그 사무를 처리하는 것에 불과하므로, 군수 또는 군수를 보조하는 공무원이 위임사무처리에 있어 고의 또는 과실로 타인에게 손해를 가하였다 하더라도 원칙적으로 군에는 국가배상책임이 없고 그 사무의 귀속 주체인 국가가 손해배상책임을 지는 것이며, 다만 국가배상법 제6조에 의하여 군이 비용을 부담한다고 볼 수 있는 경우에 한하여 국가와 함께 손해배상책임을 부담한다(대판 2000.5.12. 99다70600).

2 지방자치단체장 간의 기관위임의 경우, 위임받은 하위 지방자치단체장은 상위 지방자치단체 산하 행정기관의 지위에서 그 사무를 처리하는 것이므로 상위 지방자치단체는 여전히 그 사무 귀속주체로서 손해배상책임을 진다. ★★

지방자치단체장 간의 기관위임의 경우에 위임받은 하위 지방자치단체장은 상위 지방자치단체 산하 행정기관의 지위에서 그 사무를 처리하는 것이므로 사무귀속의 주체가 달라진다고 할 수 없고, 따라서 하위 지방자치단체장을 보조하는 하위 지방자치단체 소속 공무원이 위임사무처리에 있어 고의 또는 과실로 타인에게 손해를 가하였더라도 상위 지방자치단체는 여전히 그 사무 귀속주체로서 손해배상책임을 진다(대판 1996.11.8. 96다21331).

3 자동차운전면허시험 관리업무는 국가행정사무이고 지방자치단체의 장인 서울특별시장은 국가로부터 그 관리업무를 기관위임 받아 국가행정기관의 지위에서 그 업무를 집행하므로, 국가는 면허시험장의 설치 및 보존의 하자로 인한 손해배상책임을 부담한다(대판 1991.12.24. 91다34097). ★★

함께 정리하기

국가의 기관위임사무인 개간허가 및 그 취소사무
▷ 국가가 사무 귀속주체로서 배상책임을 짐

상위 지방자치단체의 기관위임사무
▷ 상위 지방자치단체가 사무 귀속주체로서 배상책임을 짐

서울특별시장이 국가로부터 기관위임 받아 업무를 집행하는 자동차운전면허시험장의 설치 및 보존의 하자로 인한 손해배상책임의 주체
▷ 국가

3. 비용부담자(비용부담주체)의 의의와 범위

(1) 문제점

'공무원의 봉급·급여 그 밖의 비용을 부담하는 자 또는 영조물의 설치·관리의 비용을 부담하는 자'는 사무 또는 영조물의 비용부담주체를 의미한다. 만약 내부적으로 비용을 부담하는 자와 외부적으로 비용을 지출하는 자가 서로 다른 경우 피해자에게 배상책임을 지는 비용부담자가 누구인지에 대해서는 견해의 대립이 있다.

(2) 학설

① **형식적 비용부담자설**: 대외적으로 당해 사무의 비용 또는 당해 영조물의 설치·관리비용을 지출하여야 하는 것으로 되어 있는 자(대외적 비용부담자)를 의미한다는 견해이다.

② **실질적 비용부담자설**: 내부적으로 사무에 소요된 비용을 부담하는 자(궁극적인 비용부담자)를 의미한다는 견해이다.

형식적 비용부담자설
▷ 대외적 비용 부담자 의미

실질적 비용부담자설
▷ 궁극적으로 비용을 부담하는 자

③ **병합설(병존설)**: 피해자 보호의 견지에서 형식적 비용부담자뿐만 아니라 실질적 비용부담자가 모두 비용부담자에 포함된다는 견해이다. 권리구제의 확대측면에서 병합설이 다수설이다.

(3) 판례

판례는 ① 지방자치단체장이 국가의 기관위임사무를 처리한 사안에서, 비록 비용의 실질적·궁극적 부담자는 국가라고 할지라도 지방자치단체가 국가로부터 내부적으로 교부받은 금원으로 사무에 필요한 경비를 대외적으로 지출한 이상 형식적인 기준에 초점을 두어 지방자치단체에게「국가배상법」제6조 제1항에 의한 배상책임을 인정하였고, ② 국가기관인 지방경찰청장이 지방자치단체장으로부터 교통신호기의 관리권한을 위임받은 사안에서, 교통신호기를 관리하는 지방경찰청장 산하 경찰관들에 대한 봉급을 부담하는 국가에게「국가배상법」제6조 제1항에 의한 배상책임을 인정하여 역시 형식적인 기준에 초점을 두고 있다. 이와 같은 판례의 입장에 대해서는 판례가 병합설을 취하고 있다고 보는 견해도 있고, 형식적 비용부담자설을 취하고 있다고 보는 견해도 있다.❶

관련판례

1 지방자치단체의 장이 기관위임된 국가행정사무를 처리하는 경우 공무원의 불법행위에 대해 지방자치단체도 비용부담자로서 손해배상책임이 있다. ★★

[1] 국가배상법 제6조 제1항 소정의 '공무원의 봉급급여, 그 밖의 비용'이란 공무원의 인건비만을 가리키는 것이 아니라 해당 사무에 필요한 일체의 경비를 의미한다고 할 것이고, 적어도 대외적으로 그러한 경비를 지출하는 자는 경비의 실질적·궁극적 부담자가 아니더라도 그러한 경비를 부담하는 자에 포함된다.

[2] 지방자치단체의 장이 기관위임된 국가행정사무를 처리하는 경우 그에 소요되는 경비의 실질적, 궁극적 부담자는 국가라고 하더라도 당해 지방자치단체는 국가로부터 내부적으로 교부된 금원으로 그 사무에 필요한 경비를 대외적으로 지출하는 자이므로, 이러한 경우 지방자치단체는 국가배상법 제6조 제1항 소정의 비용부담자로서 공무원의 불법행위로 인한 위 법에 의한 손해를 배상할 책임이 있다(대판 1994.12.9. 94다38137).

2 지방자치단체장이 설치하여 관할 지방경찰청장에게 관리권한이 위임된 교통신호기의 고장으로 인하여 교통사고가 발생한 경우, 지방자치단체뿐만 아니라 국가도 손해배상책임을 부담한다. ★★★

지방자치단체장이 교통신호기를 설치하여 그 관리권한이 도로교통법 제71조의2 제1항의 규정에 의하여 관할 지방경찰청장에게 위임되어 지방경찰청 소속 공무원이 그 관리업무를 담당하던 중 위 신호기가 고장난 채 방치되어 교통사고가 발생한 경우, 국가배상법 제2조 또는 제5조에 의한 배상책임을 부담하는 것은 지방경찰청장이 소속된 국가가 아니라, 그 권한을 위임한 지방자치단체장이 소속된 지방자치단체라고 할 것이나, 한편 국가배상법 제6조 제1항은 공무원의 선임·감독 또는 영조물의 설치·관리를 맡은 자와 공무원의 봉급·급여 기타의 비용 또는 영조물의 설치·관리의 비용을 부담하는 자가 동일하지 아니한 경우에는 그 비용을 부담하는 자도 손해를 배상하여야 한다고 규정하고 있으므로 교통신호기를 관리하는 지방경찰청장 산하 경찰관들에 대한 봉급을 부담하는 국가도 국가배상법 제6조 제1항에 의한 배상책임을 부담한다(대판 1999.6.25. 99다11120).

함께 정리하기

병합설
▷ 둘 다 비용부담자

판례
▷ 병합설 또는 형식적 비용부담자설의 입장

❶ 단체위임사무의 경우에는 법적 효과가 수임주체에게 이전되므로 수임주체가 사무귀속주체이면서 동시에 형식적 비용부담자가 되고, 위임주체는 실질적 비용부담자가 된다. 따라서 이 경우에는 형식적 비용부담자설을 취할 경우 위임주체에게 배상책임을 추궁할 수 없게 되어 피해자 보호에 문제가 생길 수 있어 병합설을 취할 필요가 있다.

국가위임사무
▷ 국가: 실질적 비용부담자
▷ 지방자치단체: 형식적 비용부담자

교통신호기 고장
▷ 지방자치단체: 실질적 비용부담자
▷ 국가: 형식적 비용부담자

3. 여의도 광장 관리청인 영등포구청장이 속한 영등포구는 국가배상법 제6조 제1항 소정의 비용부담자이다. ★

서울특별시는 여의도광장 … 관리사무 중 일부를 영등포구청장에게 위임하고 있어, … 여의도광장의 관리비용부담자는 그 위임된 관리사무에 관한 한 관리를 위임받은 영등포구청장이 속한 영등포구가 되므로, 영등포구는 여의도광장에서 차량진입으로 일어난 인신사고에 관하여 국가배상법 제6조 소정의 비용부담자로서의 손해배상책임이 있다(대판 1995.2.24. 94다57671).

영등포구청
▷ 비용부담자로서 배상책임

서울시
▷ 선임·감독자로서 배상책임

4. 도로 및 하천의 경우

(1) 도로의 경우

「도로법」 제10조 【도로의 종류와 등급】 도로의 종류는 다음 각 호와 같고, 그 등급은 다음 각 호에 열거한 순서와 같다.
1. 고속국도(고속국도의 지선 포함)
2. 일반국도(일반국도의 지선 포함)
3. 특별시도(特別市道)·광역시도(廣域市道)
4. 지방도
5. 시도
6. 군도
7. 구도

제23조 【도로관리청】 ① 도로관리청은 다음 각 호의 구분에 따른다.
1. 제11조 및 제12조에 따른 고속국도와 일반국도: 국토교통부장관
2. 제15조 제2항에 따른 국가지원지방도(이하 "국가지원지방도"라 한다): 도지사·특별자치도지사(특별시, 광역시 또는 특별자치시 관할구역에 있는 구간은 해당 특별시장, 광역시장 또는 특별자치시장)
3. 그 밖의 도로: 해당 도로 노선을 지정한 행정청
② 제1항에도 불구하고 특별시·광역시·특별자치시·특별자치도 또는 시의 관할구역에 있는 일반국도(우회국도 및 지정국도는 제외한다. 이하 이 조에서 같다)와 지방도는 각각 다음 각 호의 구분에 따라 해당 시·도지사 또는 시장이 도로관리청이 된다.
1. 특별시·광역시·특별자치시·특별자치도 관할구역의 동(洞) 지역에 있는 일반국도: 해당 특별시장·광역시장·특별자치시장·특별자치도지사
2. 특별자치시 관할구역의 동 지역에 있는 지방도: 해당 특별자치시장
3. 시 관할구역의 동 지역에 있는 일반국도 및 지방도: 해당 시장

제85조 【비용부담의 원칙】 ① 도로에 관한 비용은 이 법 또는 다른 법률에 특별한 규정이 있는 경우 외에는 도로관리청이 국토교통부장관인 도로에 관한 것은 국가가 부담하고, 그 밖의 도로에 관한 것은 해당 도로의 도로관리청이 속해 있는 지방자치단체가 부담한다. 이 경우 제31조 제2항에 따라 국토교통부장관이 도지사 또는 특별자치도지사에게 일반국도의 일부 구간에 대한 도로공사와 도로의 유지·관리에 관한 업무를 수행하게 한 경우에 그 비용은 국가가 부담한다.

제112조 【고속국도에 관한 도로관리청의 업무 대행】 ① 국토교통부장관은 이 법과 그 밖에 도로에 관한 법률에 규정된 고속국도에 관한 권한의 일부를 대통령령으로 정하는 바에 따라 한국도로공사로 하여금 대행하게 할 수 있다.
② 한국도로공사는 제1항에 따라 고속국도에 관한 국토교통부장관의 권한을 대행하는 경우에 그 대행하는 범위에서 이 법과 그 밖에 도로에 관한 법률을 적용할 때에는 해당 고속국도의 도로관리청으로 본다.

함께 정리하기

고속국도의 설치·관리자가 한국도로공사인지 아니면 국가인지 불분명
▷ 판례: 「민법」 제758조를 적용한 사례도 있고, 「국가배상법」 제5조를 적용한 사례도 있어 입장 불분명

① 고속국도에 대하여 한국도로공사가 관리하는 경우

㉠ 고속국도의 설치·관리상의 하자로 인하여 발생된 손해에 대하여 「민법」 제758조를 적용하여야 하는지 또는 「국가배상법」 제5조를 적용하여야 하는지 문제된다. 그 이유는 「도로법」은 고속국도의 관리청을 국토교통부장관으로 하되(「도로법」 제23조 제1항 제1호), 국토교통부장관의 권한을 대행하는 범위 내에서 한국도로공사를 고속국도의 관리청으로 보고 있기 때문에(「도로법」 제112조 제1항·제2항), 고속국도의 설치·관리자가 한국도로공사인지 아니면 국가인지 불분명하기 때문이다.

㉡ 국가를 고속국도의 설치·관리자로 보고, 한국도로공사는 영조물법인으로서 단지 국가의 권한을 대행하는 것으로 본다면 고속국도의 설치·관리상의 하자로 피해를 입은 자는 국가를 피고로 하여 「국가배상법」 제5조에 따라 국가배상을 청구할 수 있다. 그런데 판례는 고속도로의 하자로 인한 손해에 대하여 한국도로공사를 피고로 한 사안에서 「민법」 제758조를 적용한 사례도 있고(대판 1992.9.14. 92다3243), 「국가배상법」 제5조를 적용한 사례(대판 2002.8.23. 2002다9158)도 있어 그 입장이 불분명하다.

> **관련판례**
>
> **1** 민법 제758조를 적용한 사례 ★
>
> 트럭 앞바퀴가 고속도로상에 떨어져 있는 자동차 타이어에 걸려 중앙분리대를 넘어가 사고가 발생한 경우에 있어서 한국도로공사에게 도로의 보존상하자로 인한 손해배상책임(민법 제758조)를 인정하기 위하여는 도로에 타이어가 떨어져 있어 고속으로 주행하는 차량의 통행에 안전상의 결함이 있다는 것만으로 족하지 않고, 위 공사의 고속도로 안전성에 대한 순찰 등 감시체제, 타이어의 낙하시점, 위 공사가 타이어의 낙하사실을 신고받거나 직접 이를 발견하여 그로 인한 고속도로상의 안전성 결함을 알았음에도 사고방지조치를 취하지 아니하고 방치하였는지 여부, 혹은 이를 발견할 수 있었음에도 발견하지 못하였는지 여부 등 제반 사정을 심리하여 고속도로의 하자 유무를 판단하여야 할 것이다(대판 1992.9.14. 92다3243).
>
> **2** 국가배상법 제5조를 적용한 사례 ★
>
> 국가배상법 제5조 제1항에 정하여진 '영조물 설치·관리상의 하자'라 함은 공공의 목적에 공여된 영조물이 그 용도에 따라 통상 갖추어야 할 안전성을 갖추지 못한 상태에 있음을 말하는바, … 도로의 관리자로서는 야간에 차량의 운전자가 사고 지점의 도로에 이르러 차선을 따라 회전하지 못하고 차선을 벗어난 후 갓길마저 지나쳐 도로변에 설치되어 있는 방음벽을 들이받은 사고를 일으킨다고 하는 것은 통상 예측하기 어려우므로 도로의 관리자가 그러한 사고에 대비하여 도로변에 야간에 도로의 형태를 식별할 수 있는 시설물들을 더 많이 설치하지 않고, 방음벽에 충격방지시설을 갖추지 아니하였다고 하여 사고 지점 도로의 설치 또는 관리에 하자가 있다고 볼 수 없다(대판 2002.8.23. 2002다9158).

② 일반국도에 대하여 특별시장 등이 관리하는 경우

    ㉠ 일반국도의 관리청을 국토교통부장관으로 규정하고 있는 반면(「도로법」 제23조 제1항 제1호), 특별시·광역시·특별자치시·특별자치도 또는 시 관할구역의 경우 일반국도의 관리청을 특별시장·광역시장·특별자치시장·특별자치도지사 또는 시장으로 규정하고 있다(「도로법」 제23조 제2항). 한편, 도로에 관한 비용은 국토교통부장관이 관리하는 도로의 경우에는 국고의, 기타의 도로에 관한 것은 관리청이 속하는 지방자치단체의 부담으로 하고 있다(「도로법」 제85조 제1항).

    ㉡ 「도로법」 제23조 제2항을 권한의 위임규정이 아니라 국가와 지방자치단체 사이의 권한배분에 관한 규정으로 보아 특별시장 등의 일반국도의 유지·관리사무를 자치사무로 보아야 한다는 견해가 있으나, 판례는 위 규정을 기관위임사무에 관한 규정으로 본다.

    ㉢ 따라서 특별시장 등이 관리하는 국도의 안전상의 하자로 인하여 손해가 발생한 경우, 특별시장 등은 국가기관의 지위를 갖기 때문에 국가는 사무귀속주체로서 손해배상책임(「국가배상법」 제5조)을 지며, 특별시 등은 형식적 비용부담자 및 실질적 비용부담자의 지위에서 손해배상책임(「도로법」 제85조 제1항)을 부담한다.

> **관련판례**
>
> 도로의 관리에 관한 사무의 위임은 국가와 지방자치단체 사이의 기관위임으로 국가는 사무의 귀속주체로서, 국도의 관리청인 시는 형식적·실질적 비용부담자로서 배상책임을 진다. ★★★
>
> 도로법 제22조 제2항에 의하여 지방자치단체의 장인 시장이 국도의 관리청이 되었다 하더라도 이는 시장이 국가로부터 관리업무를 위임받아 국가행정기관의 지위에서 집행하는 것으로 국가는 도로관리상 하자로 인한 손해배상책임을 면할 수 없다. 반면 시가 국도의 관리상 비용부담자로서 책임을 지는 것은 국가배상법 제6조 제1항에서 정한 자신의 고유한 배상책임이므로 도로의 하자로 인한 손해에 대하여 시는 부진정연대채무자인 공동불법행위자와의 내부관계에서 배상 책임을 분담하는 관계에 있으며, 국가배상법 제6조 제2항의 규정은 도로의 관리주체인 국가와 그 비용을 부담하는 경제주체인 시 상호간에 내부적으로 구상의 범위를 정하는 데 적용된다(대판 1993.1.26. 92다2684).

(2) 하천의 경우

「하천법」 제7조 【하천의 구분 및 지정】 ① 하천은 국가하천과 지방하천으로 구분한다.

제8조 【하천관리청】 ① 국가하천은 환경부장관이 관리한다.
  ② 지방하천은 그 관할 구역의 시·도지사가 관리한다.

제27조 【하천관리청의 하천공사 및 유지·보수】 ⑤ 하천공사와 하천의 유지·보수는 이 법에 특별한 규정이 있는 경우를 제외하고는 하천관리청이 시행한다. 다만, 국가하천의 유지·보수는 홍수로 인한 재해의 방지와 수자원의 효율적인 운영을 위하여 다음 각 호의 어느 하나에 해당하는 경우로서 환경부장관이 고시하는 국가하천의 시설 및 구간을 제외하고 시·도지사가 시행한다.

제59조 【비용부담의 원칙】 하천에 관한 비용은 이 법 또는 다른 법률에 특별한 규정이 있는 경우를 제외하고는 국가하천에 관한 것은 국고의 부담으로 하고, 지방하천에 관한 것은 해당 시·도의 부담으로 한다. 다만, 제27조 제5항 단서에 따라 시·도지사가 국가하천의 유지·보수를 하는 경우에 필요한 비용은 해당 시·도의 부담으로 한다.

일반국도 관리사무
▷ 기관위임사무
▷ 국가: 사무귀속주체로서 배상책임
▷ 지방자치단체: 형식적·실질적 비용부담자로서 배상책임

함께 정리하기

국가하천 관리사무
▷ 기관위임사무
▷ 국가: 설치·관리자로서 배상책임
▷ 지방자치단체: 실질적 비용부담자 및 형식적 비용부담자로서 배상책임

지방하천 관리사무
▷ 자치사무

국토교통부장관이 지방하천공사 대행시
▷ 국가: 비용부담자로서 배상책임
▷ 지방자치단체: 관리주체로서 배상책임

국토부장관의 지방하천 공사대행
▷ 지방자치단체 사무귀속주체로서 배상책임○

손해배상한 국가·지방자치단체
▷ 책임질 자에게 구상 可

과실 없는 자가 피해자에게 전액 배상
▷ 책임자에게 전액 구상 可

① **국가하천**: 「하천법」은 국가하천의 관리청을 환경부장관으로 규정하고 있으나(「하천법」 제8조 제1항) 그 유지·보수는 시·도지사가 시행하도록 하고 있고(「하천법」 제27조 제5항 단서), 그 비용도 해당 시·도가 부담하도록 하고 규정하고 있다(「하천법」 제59조 단서). 이 경우에 국가하천의 안전상의 하자로 손해가 발생한 경우에는 시·도지사는 국가기관의 지위를 갖기 때문에(국가하천의 유지보수사무는 기관위임사무) 국가는 설치·관리자로서 손해배상책임(「국가배상법」 제5조)을 지며, 시·도는 실질적 비용부담자 및 형식적 비용부담자로서 손해배상책임(「하천법」 제59조 단서)을 부담한다고 볼 것이다.

② **지방하천**: 지방하천의 관리사무는 지방자치단체의 자치사무인바, 국토교통부장관이 지방하천공사를 대행하던 중 관리상 하자로 인하여 손해가 발생한 경우 국가는 비용부담자로서(「국가배상법」 제6조 제1항), 하천관리청이 속한 지방자치단체는 지방하천의 관리주체로서 손해배상책임(「국가배상법」 제5조)을 부담한다.

> **관련판례**
>
> 국토부 장관이 지방하천의 공사를 대행하던 중 손해가 발생한 경우 하천관리청이 속한 지방자치단체는 사무의 귀속주체로서 손해배상책임을 부담한다. ★★
>
> 구 하천법 제28조 제1항에 따라 국토해양부장관이 하천공사를 대행하더라도 이는 국토해양부 장관이 하천 관리에 관한 일부 권한을 일시적으로 행사하는 것으로 볼 수 있을 뿐 하천관리청이 국토해양부장관으로 변경되는 것은 아니므로, 국토해양부장관이 하천공사를 대행하던 중 지방 하천의 관리상 하자로 인하여 손해가 발생하였다면 하천관리청이 속한 지방자치단체는 국가와 함께 국가배상법 제5조 제1항에 따라 지방 하천의 관리자로서 손해배상책임을 부담한다(대판 2014.6.26. 2011다85413).

3 최종적 배상책임자(구상권)

1. 원인책임자에 대한 구상권

영조물의 설치·관리상의 하자로 인한 손해배상에 있어서 국가 또는 지방자치단체가 「국가배상법」 제5조 제1항에 의하여 손해를 배상한 경우 손해의 원인에 대하여 책임을 질 자(예 영조물의 시공자, 영조물의 파손자 등)가 따로 있으면 국가나 지방자치단체는 그 자에게 구상할 수 있다(동법 제5조 제2항).

> **관련판례**
>
> 사고발생에 과실이 없는 국가는 책임이 있는 자에게 배상액의 구상을 할 수 있다. ★
>
> 甲 주식회사 등이 시공한 도로공사구간에서 침수사고가 발생하자, 국가가 이로 인해 피해를 입은 피해자 乙에게 손해를 배상한 사안에서, 제반 사정에 비추어 국가와 甲 회사 등은 乙에게 공동불법행위 책임을 부담하고, 내부 구상관계에서 사고발생에 과실이 없는 국가는 甲 회사 등에 배상액 전액을 구상할 수 있다(대판 2012.3.15. 2011다52727).

2. 사무귀속주체와 비용부담주체(비용부담자) 사이의 최종적 책임의 분담

(1) 문제점

「국가배상법」 제6조 제2항은 "영조물의 설치·관리자와 비용부담자가 다른 경우에 손해를 배상한 자는 '내부관계에서 그 손해를 배상할 책임이 있는 자'에게 구상권을 행사할 수 있다."라고 규정하고 있다. 위 규정의 해석과 관련하여 '내부관계에서 그 손해를 배상할 책임이 있는 자', 즉 최종적 배상책임자가 누구인지가 문제된다.

(2) 학설

이에는 ① 사무의 귀속주체(공무원의 선임·감독을 맡은 자 또는 영조물의 설치·관리를 맡은 자)가 최종적인 배상책임자라는 **사무귀속주체설**(관리주체설), ② 당해 사무의 비용을 실질적으로 부담하는 자(실질적 비용부담자)가 최종적인 배상책임자라는 **비용부담자설**, ③ 손해발생에 기여한 정도에 따라 관리주체뿐만 아니라 실질적 비용부담주체에게도 최종적인 배상책임을 지워야 한다는 **기여도설** 등이 있다.

사무귀속주체설
▷ 사무귀속주체가 최종적 배상책임자

비용부담자설
▷ 비용부담자가 최종적 배상책임자

기여도설
▷ 손해발생에 기여한 정도로 정함

(3) 판례

① 판례의 입장은 명확하지 않은데, **사무귀속주체설**을 취한 판례도 있고, **기여도설**을 취한 판례도 있다.

판례
▷ 사무귀속주체설, 기여도설

> **관련판례**
>
> **1** 교통신호기(자치사무) 관리소홀로 인한 사고 시 최종적인 배상책임자는 사무의 귀속주체인 안산시이다. ★
>
> 교통신고기의 관리사무는 원고(안산시)가 안산경찰서장에게 그 권한을 위임한 사무로서 피고 (대한민국) 소속 경찰공무원 등은 원고의 사무를 처리하는 지위에 있으므로, 원고가 그 사무에 관하여 선임·감독자에 해당하고, 그 교통신호기 시설은 지방자치법 제132조 단서의 규정에 따라 원고의 비용으로 설치·관리되고 있으므로, 그 신호기의 설치·관리비용을 실질적으로 부담하는 비용부담자의 지위도 아울러 지니는 반면, 피고는 단지 그 소속 경찰공무원에게 봉급만 지급하고 있을 뿐이므로 원고(안산시장)와 피고(대한민국) 사이에서 이 사건 손해배상의 궁극적인 책임은 전적으로 원고에게 있다고 봄이 상당하다(대판 2001.9.25. 2001다41865).
>
> **2** 광역시와 국가 모두가 점유자 및 관리자, 비용부담자로서의 책임을 중첩적으로 지는 경우 광역시와 국가 모두가 국가배상법에 따라 궁극적으로 손해를 배상할 책임이 있는 자가 된다. ★★
>
> 원래 광역시가 점유·관리하던 일반국도 중 일부 구간의 포장공사를 국가가 대행하여 광역시에 도로의 관리를 이관하기 전에 교통사고가 발생한 경우, 광역시는 그 도로의 점유자 및 관리자, 도로법 제56조, 제55조, 도로법 시행령 제30조에 의한 도로관리비용 등의 부담자로서의 책임이 있고, 국가는 그 도로의 점유자 및 관리자, 관리사무귀속자, 포장공사비용 부담자로서의 책임이 있다고 할 것이며, 이와 같이 광역시와 국가 모두가 도로의 점유자 및 관리자, 비용부담자로서의 책임을 중첩적으로 지는 경우에는, 광역시와 국가 모두가 국가배상법 제6조 제2항 소정의 궁극적으로 손해를 배상할 책임이 있는 자라고 할 것이고, 결국 광역시와 국가의 내부적인 부담 부분은, 그 도로의 인계·인수 경위, 사고의 발생 경위, 광역시와 국가의 그 도로에 관한 분담비용 등 제반사정을 종합하여 결정함이 상당하다(대판 1998.7.10. 96다42819).

교통신호기(자치사무) 하자로 사고
▷ 사무의 귀속주체인 지방자치단체가 최종책임자

광역시와 국가 모두가 점유자 및 관리자, 비용부담자로서의 책임을 중첩적으로 지는 경우
▷ 국가·광역시 모두 배상책임자

함께 정리하기

판례
▶ 비용부담자가 「국가배상법」 제6조 제2항을 들어 관리주체가 아닌 구상권자(공동불법행위자)에게 대항 불가

「국가배상법」 제6조 제2항
▶ 내부관계에 적용(외부관계×)
▶ 부진정연대책임

② 한편, 판례는 「국가배상법」 제6조 제2항의 규정은 관리주체와 비용부담주체 상호간에 내부적으로 구상의 범위를 정하는데 적용될 뿐이므로 이를 들어 구상권자인 공동불법행위자에게 대항할 수 없다고 본다.

> **관련판례**
>
> 시가 국도의 관리상 비용부담자로서 책임을 지는 경우 국가배상법 제6조 제2항의 규정을 들어 구상권자인 공동불법행위자에게 대항할 수 없다. ★★
>
> 시가 국도의 관리상 비용부담자로서 책임을 지는 것은 국가배상법이 정한 자신의 고유한 배상책임이므로 도로의 하자로 인한 손해에 대하여 시는 부진정연대채무자인 공동불법행위자와의 내부관계에서 배상책임을 분담하는 관계에 있으며 국가배상법 제6조 제2항의 규정은 도로의 관리주체인 국가와 그 비용을 부담하는 경제주체인 시 상호간에 내부적으로 구상의 범위를 정하는데 적용될 뿐 이를 들어 구상권자인 공동불법행위자에게 대항할 수 없다(대판 1993.1.26. 92다2684).

제5절 손해배상액

1 배상의 기준

손해배상의 범위와 관련하여 헌법 제29조 제1항은 '정당한 배상'을 규정하고 있다. 이때 '정당한 배상'이란 가해행위와 상당인과관계가 인정되는 일체의 손해에 대한 완전한 배상을 의미한다. 이와 관련하여 「국가배상법」은 제3조❶에서 구체적인 배상의 기준들을 규정하고 있다(동법 제3조).

❶ 「국가배상법」 제3조(배상기준)
① 제2조 제1항을 적용할 때 타인을 사망하게 한 경우(타인의 신체에 해를 입혀 그로 인하여 사망하게 한 경우를 포함한다) 피해자의 상속인(이하 "유족"이라 한다)에게 다음 각 호의 기준에 따라 배상한다.
1. 사망 당시(신체에 해를 입고 그로 인하여 사망한 경우에는 신체에 해를 입은 당시를 말한다)의 월급액이나 월실수입액(月實收入額) 또는 평균임금에 장래의 취업가능기간을 곱한 금액의 유족배상(遺族賠償) (이하 생략)
② 제2조 제1항을 적용할 때 타인의 신체에 해를 입힌 경우에는 피해자에게 다음 각 호의 기준에 따라 배상한다.
1. 필요한 요양을 하거나 이를 대신할 요양비 (이하 생략)

「국가배상법」상 배상기준
▶ 한정액설
▶ 기준액설(통설)

2 배상기준의 성질

1. 학설의 대립

「국가배상법」 제3조는 「민법」과 별도로 손해배상금액의 기준을 규정하고 있는데, 이러한 기준과 관련하여 ① 단순한 기준에 불과하다는 기준액설과, ② 손해배상액의 상한을 정한 제한 규정으로 보는 한정액설이 대립하고 있다.

2. 통설, 판례

손해배상기준을 한정액으로 볼 경우 「민법」에 의한 배상보다 피해자에게 불리하게 되어 헌법 제29조상의 정당한 배상에 반할 수 있으므로 기준액설이 타당하다는 것이 통설과 판례의 입장이다.

📌 **관련판례**

국가배상법 제3조 제1항 및 제3항은 기준액설을 따른다. ★★

국가배상법 제3조 제1항 과 제3항의 손해배상 기준은 배상심의회의 배상금 지급기준을 정함에 있어서의 하나의 기준을 정한 것에 지나지 아니하는 것이고 이로써 배상액의 상한을 제한한 것으로 볼 수는 없다 할 것이며 따라서 법원이 국가배상법에 의한 손해배상액을 산정함에 있어서는 같은 법 제3조 소정의 기준에 구애되는 것이 아니라 할 것이니 이 규정은 국가 또는 공공단체에 대한 손해배상청구권을 규정한 헌법 제26조에 위배된다고는 볼 수 없다(대판 1970.1.29. 69다1203).

대법원
▷ 기준액설의 입장(배상기준보다 초과배상 인정)

3 이익의 공제

국가배상의무가 인정될 때 피해자가 손해를 입은 동시에 이익을 얻은 경우에는 손해배상액에서 그 이익에 상당하는 금액을 빼야 한다(동법 제3조의2 제1항).

📌 **관련판례**

위법한 행정지도로 행사하지 못한 어업권을 매도하여 얻은 이득은 손익상계❶가 불가능하다. ★★

행정기관의 위법한 행정지도로 일정기간 어업권을 행사하지 못하는 손해를 입은 자가 그 어업권을 타인에게 매도하여 매매대금 상당의 이득을 얻었더라도 그 이득은 손해배상책임의 원인이 되는 행위인 위법한 행정지도와 상당인과관계에 있다고 볼 수 없고, 매매대금 상당의 이득을 행정기관이 배상하여야 할 손해액에서 공제할 수 없다(대판 2008.9.25. 2006다18228).

어업권 매도한 이득
▷ 손익상계 不可

❶ 손익상계
해당 사건으로 인하여 피해뿐만 아니라 이득을 얻은 경우, 손해배상액에서 그 이득을 차감하는 것을 의미한다. 예컨대, 피해자가 가해자나 가해자가 가입한 보험회사로부터 이미 지급받은 손해배상금이 있다면 이를 손익상계로 공제하여야 한다.

제6절 국가배상청구권 행사의 제한

1 군인·군무원 등에 대한 특례 – 이중배상금지의 원칙

헌법 제29조 ② 군인·군무원·경찰공무원 기타 법률이 정하는 자가 전투·훈련등 직무집행과 관련하여 받은 손해에 대하여는 법률이 정하는 보상 외에 국가 또는 공공단체에 공무원의 직무상 불법행위로 인한 배상은 청구할 수 없다.

「국가배상법」제2조【배상책임】① … 다만, 군인·군무원·경찰공무원 또는 예비군대원이 전투·훈련 등 직무 집행과 관련하여 전사(戰死)·순직(殉職)하거나 공상(公傷)을 입은 경우에 본인이나 그 유족이 다른 법령에 따라 재해보상금·유족연금·상이연금 등의 보상을 지급받을 수 있을 때에는 이 법 및 「민법」에 따른 손해배상을 청구할 수 없다.

 **함께 정리하기**

이중배상금지
▷ 군인·경찰 등이 전투·훈련 등 직무집행과 관련하여 손해를 입은 경우, 본인이나 유족이 보상을 지급받을 수 있을 때에는 국가배상청구 제한

취지
▷ 별도의 보상제도 마련되어 있으므로 이중배상 제한

이중배상금지
▷ 과다 재정지출·피해자 불균형 방지

이중배상금지 대상
▷ 향토예비군, 의무경찰대원, 전투경찰순경 ○
▷ 경비교도, 공익근무요원 ×

손해
▷ 전투·훈련 등 직무집행과 관련성 있어야 함

1. 의의 및 입법취지

(1) 군인·경찰 등이 전투·훈련 등 직무집행과 관련하여 손해를 입은 경우에 본인이나 유족이 보상을 지급받을 수 있을 때에는 국가에 대하여 손해배상을 청구할 수 없다(「국가배상법」 제2조 제1항 단서). 「국가배상법」 제2조 제1항 단서는 헌법 제29조 제2항에 근거한 규정으로 군인 등에 대해 재해보상금 등이 지급되는 경우 국가배상청구를 제한하는 것으로 '이중배상금지'의 규정이라고도 한다.

(2) 이중배상금지 규정의 입법취지는 위험성이 높은 직무에 종사하는 자에 대하여는 재해보상금, 유족연금, 상이연금 등 별도의 국가보상제도가 마련되어 있으므로, 그것과 경합하는 국가배상청구를 배제하고자 함에 있다.

> **🔨 관련판례**
>
> **국가배상법 제2조 제1항 단서상의 이중배상금지원칙의 입법취지** ★
> 헌법 제29조 제2항 및 이를 근거로 한 국가배상법 제2조 제1항 단서 규정의 입법 취지는, 피해 군인 등이 국가 등에 대하여 공무원의 직무상 불법행위로 인한 손해배상을 청구할 수 없게 함으로써, 군인 등의 동일한 피해에 대하여 국가 등의 보상과 배상이 모두 이루어짐으로 인하여 발생할 수 있는 과다한 재정지출과 피해 군인 등 사이의 불균형을 방지하고, 또한 가해자인 군인 등과 피해자인 군인 등의 직무상 잘못을 따지는 쟁송이 가져올 폐해를 예방하려는 데에 있다(대판 2002.5.10. 2000다39735 ; 대판 2001.2.15. 96다42420).

2. 「국가배상법」 제2조 제1항 단서의 위헌여부

(1) 헌법재판소는 「국가배상법」 제2조 제1항 단서는 헌법 제29조 제2항에 직접 근거하고, 실질적으로 그 내용을 같이하는 것이므로 헌법에 위반되지 아니한다고 하였다(헌재 2001.2.22. 2000헌바38).

(2) 「국가배상법」 제2조 제1항의 단서와 관련하여 특히 문제가 되는 부분은 예비군대원에 관한 것이다. 예비군대원은 헌법 제29조에는 규정되어 있지 않고 「국가배상법」에만 규정되어 위헌성이 문제되었으나, 헌법재판소는 이를 합헌으로 판단하였다(헌재 1996.6.13. 94헌바20).

3. 이중배상금지의 적용요건

(1) **군인·군무원·경찰공무원 또는 예비군대원일 것**

대법원은 공익근무요원(대판 1997.3.28. 97다4036)이나 현역병으로 입대하였으나 경비교도대원이 된 자(대판 1997.2.10. 97다45919)는 이중배상금지가 적용되는 군인 등에 해당하지 않는다고 본 반면, 의무경찰대원(대판 2001.2.15. 96다42420)은 군인 등에 해당한다고 보았다. 그리고 헌법재판소는 전투경찰순경(헌재 1996.6.13. 94헌마118)은 이중배상금지가 적용되는 경찰공무원에 해당한다고 보았다.

(2) **전투·훈련 등 직무 집행과 관련하여 전사·순직하거나 공상을 입은 경우일 것**

① 「국가배상법」 제2조 제1항 단서는 전투·훈련 등 직무 집행과 관련하여 전사·순직하거나 공상을 입은 경우에 이중배상을 금지하고 있다. 따라서 전투·훈련 등 직무집행과 관련된 손해가 아닌 경우에는 「국가배상법」상 손해배상청구권을 행사할 수 있다.

🔨 관련판례

경찰서 숙직실에서 순직한 경찰공무원의 유족은 국가배상을 청구할 권리가 있다. ★★

경찰서지서의 숙직실은 국가배상법 제2조 제1항 단서에서 말하는 '전투·훈련'에 관련된 시설이라고 볼 수 없으므로, 위 숙직실에서 순직한 경찰공무원의 유족들은 국가배상법 제2조 제1항 본문에 의하여 국가배상법 및 민법의 규정에 의한 손해배상을 청구할 권리가 있다(대판 1979.1.30. 77다2389).

② 그런데 최근 판례는 경찰공무원이 낙석사고 현장으로 이동하던 중 대형 낙석이 순찰차를 덮쳐 사망한 사안에서, '전투·훈련 또는 이에 준하는 직무집행'뿐만 아니라 '일반 직무집행'에 관하여도 국가나 지방자치단체의 배상책임이 제한된다고 보았다.

🔨 관련판례

경찰공무원이 교통정리를 위해 낙석사고 현장으로 이동하던 중 사망한 것은 국가배상책임이 배제되는 '일반 직무집행'에 속한다. ★★

경찰공무원이 낙석사고 현장 주변 교통정리를 위하여 사고현장 부근으로 이동하던 중 대형 낙석이 순찰차를 덮쳐 사망하자, 도로를 관리하는 지방자치단체가 국가배상법 제2조 제1항 단서에 따른 면책을 주장한 사안에서, 경찰공무원 등이 '전투·훈련 등 직무집행과 관련하여' 순직 등을 한 경우 같은 법 및 민법에 의한 손해배상책임을 청구할 수 없다고 정한 국가배상법 제2조 제1항 단서의 면책조항은 구 국가배상법 제2조 제1항 단서의 면책조항과 마찬가지로 전투·훈련 또는 이에 준하는 직무집행뿐만 아니라 '일반 직무집행'에 관하여도 국가나 지방자치단체의 배상책임을 제한하는 것이다(대판 2011.3.11. 2010다85942).

(3) 본인이나 그 유족이 다른 법령에 따라 보상을 지급받을 수 있을 것

① 다른 법령의 규정에 의해 보상금을 지급받을 수 없을 때에는 「국가배상법」에 따라 배상을 청구할 수 있다. 그러나 보상에 대한 권리가 발생한 이상 그 권리를 행사하였는지 여부에 관계없이 보상청구권이 시효로 소멸된 경우에는 국가배상을 청구할 수 없다. 또한 최근 판례는 경찰공무원인 피해자가 구 「공무원연금법」에 따라 공무상 요양비를 지급받은 것은 다른 법령의 규정에 따라 보상을 지급받는 것에 해당하지 않는다고 판시하였다.

🔨 관련판례

1 **군인연금법 또는 국가유공자법상 별도의 보상을 받을 수 없는 경우에는 국가배상법 제2조 제1항 단서가 적용되지 않으므로 국가배상청구가 가능하다.** ★★

군인·군무원 등 국가배상법 제2조 제1항에 열거된 자가 전투, 훈련 기타 직무집행과 관련하는 등으로 공상을 입은 경우라고 하더라도 군인연금법 또는 국가유공자 예우 등에 관한 법률에 의하여 재해보상금·유족연금·상이연금 등 별도의 보상을 받을 수 없는 경우에는 국가배상법 제2조 제1항 단서의 적용대상에서 제외하여야 한다(대판 1997.2.14. 96다28066).

 **함께 정리하기**

경찰서 숙직실에서 순직
▷ 「국가배상법」상 손해배상청구 可

최근 판례
▷ 일반 직무집행의 경우도 이중배상금지 규정이 적용되는 직무집행에 포함

교통정리 위해 이동 중 사망
▷ 국가배상책임 배제

다른 법령 따라 보상 可
▷ 국가배상청구 不可

다른 법령에 의하여 별도 보상받을 수 없는 경우
▷ 국가배상청구 可

경찰공무원이 「공무원연금법」에 따라 공무상 요양비 수령
▷ 다른 법령에 따른 보상 ✕

② 경찰공무원인 피해자가 구 공무원연금법에 따라 공무상 요양비를 지급받는 것은 국가배상법 제2조 제1항 단서에서 정한 '다른 법령의 규정'에 따라 보상을 지급받는 것에 해당하지 않는다. ★★

구 공무원연금법에 따라 각종 급여를 지급하는 제도는 공무원의 생활안정과 복리향상에 이바지하기 위한 것이라는 점에서 국가배상법 제2조 제1항 단서에 따라 손해배상금을 지급하는 제도와 그 취지 및 목적을 달리하므로, 경찰공무원인 피해자가 구 공무원연금법의 규정에 따라 공무상 요양비를 지급받는 것은 국가배상법 제2조 제1항 단서에서 정한 '다른 법령의 규정'에 따라 보상을 지급받는 것에 해당하지 않는다(대판 2019.5.30. 2017다16174).

다른 법령에 따른 보상청구권의 시효완성
▷ 국가배상청구 불가

③ 보상에 대한 권리가 발생한 이상 실제로 그 권리를 행사하였는지 여부에 관계없이 그 권리가 시효로 소멸된 경우에는 국가배상을 청구할 수 없다. ★★

국가배상법 제2조 제1항 단서 규정은 다른 법령에 보상제도가 규정되어 있고, 그 법령에 규정된 상이등급 또는 장애등급 등의 요건에 해당되어 그 권리가 발생한 이상, 실제로 그 권리를 행사하였는지 또는 그 권리를 행사하고 있는지 여부에 관계없이 적용된다고 보아야 하고, 그 각 법률에 의한 보상금청구권이 시효로 소멸되었다 하여 적용되지 않는다고 할 수는 없다(대판 2002.5.10. 2000다39735).

② 한편, 판례는 직무집행과 관련하여 공상을 입은 군인 등이 먼저 「국가배상법」에 따라 손해배상금을 지급받은 다음 「보훈보상대상자 지원에 관한 법률」이 정한 보훈급여금의 지급을 청구한 경우, 국가는 「국가배상법」에 따라 손해배상을 받았다는 이유로 그 지급을 거부할 수 없다고 본 반면, 「군인연금법」상 사망보상금은 다른 법령에 따라 지급받은 급여와의 조정에 관한 조항을 두고 있으므로, 군 복무 중 사망한 군인 등의 유족이 「국가배상법」에 따른 손해배상금을 지급받았다면 그 손해배상금 상당 금액에 대해서는 「군인연금법」에서 정한 사망보상금을 지급받을 수 없다고 본다.

국가배상 받은 후
▷ 보훈보상자법상 보훈급여금 지급 ○

🔍 **관련판례**

① **국가배상법에 따라 손해배상을 받았다는 사정을 들어 보훈급여금의 지급을 거부할 수 없다.** ★★★

1-1. 전투·훈련 등 직무집행과 관련하여 공상을 입은 군인·군무원·경찰공무원 또는 향토예비군 대원이 먼저 국가배상법에 따라 손해배상금을 지급받은 다음 보훈보상대상자 지원에 관한 법률(이하 '보훈보상자법'이라 한다)이 정한 보상금 등 보훈급여금의 지급을 청구하는 경우, 국가보훈처장은 국가배상법에 따라 손해배상을 받았다는 사정을 들어 보상금 등 보훈급여금의 지급을 거부할 수 없다(대판 2017.2.3. 2015두60075 ; 대판 2017.2.13. 2014두40012).

1-2. 국가배상법 제2조 제1항 단서의 입법취지, 구 국가유공자법이 정한 보상과 국가배상법이 정한 손해배상의 목적과 산정방식의 차이 등을 고려하면, 구 국가배상법 제2조 제1항 단서가 구 국가유공자법 등에 의한 보상을 받을 수 있는 경우 추가로 국가배상법에 따른 손해배상청구를 하지 못한다는 것을 넘어 국가배상법상 손해배상금을 받은 경우 일률적으로 구 국가유공자법상 보상금 등 보훈급여금의 지급을 금지하는 취지로까지 해석하기는 어렵다(대판 2017.2.13. 2014두40012).

2. 국가배상법에 따른 손해배상금을 지급받은 경우 그 손해배상금 상당 금액에 대해서는 군인연금법에서 정한 사망보상금을 지급받을 수 없다. ★★

> 다른 법령에 따라 지급받은 급여와의 조정에 관한 조항을 두고 있지 아니한 보훈보상대상자 지원에 관한 법률과 달리, 군인연금법 제41조 제1항은 "다른 법령에 따라 국가나 지방자치단체의 부담으로 이 법에 따른 급여와 같은 종류의 급여를 받은 사람에게는 그 급여금에 상당하는 금액에 대하여는 이 법에 따른 급여를 지급하지 아니한다."라고 명시적으로 규정하고 있다. 나아가 군인연금법이 정하고 있는 급여 중 사망보상금(군인연금법 제31조)은 일실손해의 보전을 위한 것으로 불법행위로 인한 소극적 손해배상과 같은 종류의 급여라고 봄이 타당하다. 따라서 피고에게 군인연금법 제41조 제1항에 따라 원고가 받은 손해배상금 상당 금액에 대하여는 사망보상금을 지급할 의무가 존재하지 아니한다(대판 2018.7.20. 2018두36691).

함께 정리하기

군 복무 중 사망한 군인 등 유족이 국가배상금 지급받은 경우
▷「군인연금법」상 사망보상금 지급×

4. 공동불법행위와 구상의 문제

(1) 문제의 소재

민간인이 직무집행 중인 군인과의 공동불법행위로 인하여 직무집행 중인 다른 군인이 피해를 입은 경우에 민간인이 피해 군인에게 자신의 귀책부분을 넘어서 배상한 경우, 공동불법행위자인 군인 등의 부담부분에 관하여 국가에게 구상권을 행사할 수 있는지에 관하여 견해의 대립이 있다.

(2) 종전 대법원의 입장 – 구상권 행사 부정

이와 관련하여 종래 대법원은 「국가배상법」상의 이중배상금지를 이유로 구상권을 행사할 수 없다고 보았다.

전액 배상한 민간인
▷ 국가에 구상권을 행사할 수 있는지에 관한 문제

> **관련판례**
>
> 공동불법행위자인 민간인의 국가에 대한 구상권행사에도 국가배상법 제2조 제1항 단서가 적용된다. ★
>
> [한국전력공사(원고)와 대한민국(피고)의 과실이 경합하여 발생한 사고인, 육군부대에 설치된 조립식철제막사에 고압전류가 흘러 군인들이 감전사한 사고에서, 이 사건의 공동불법행위책임자인 원고가 피해자인 군인 등에게 손해를 배상한 후 국가의 부담부분 상당액의 구상금을 청구한 사건에서] 헌법 제28조 제2항에 근거를 둔 국가배상법 제2조 제1항 단서의 규정은 군인, 군무원등 위 규정에 열거된 자에 대하여 재해보상금, 유족연금, 상여금 등 별도의 보상제도가 마련되어 있는 경우에는 2중배상금지를 위하여 이들의 국가에 대한 국가배상법상 또는 민법상의 손해배상청구권을 배제한 규정이므로, 국가와 공동불법행위책임이 있는 자가 피해자에게 그 배상채무를 변제하였음을 이유로 국가에 대하여 구상권을 행사하는 것도 허용되지 않는다(대판 1983.6.28. 83다카500).

종래 대법원
▷ 국가에 대해 구상권 행사 부정

(3) 헌법재판소의 입장 – 구상권 행사 긍정

이에 대하여 헌법재판소는 「국가배상법」 제2조 제1항 단서에 대하여 국가에 대한 구상권을 행사하는 것을 허용하지 않는다고 해석한다면 이는 합리적인 이유 없이 일반국민을 국가에 대하여 지나치게 차별하는 경우에 해당하여 헌법 제11조에 위반되며 또한 일반국민의 재산권을 과잉제한하는 경우에 해당하여 헌법 제23조 제1항 및 제37조 제2항에도 위반된다는 이유로 「국가배상법」 제2조 제1항 단서에 대하여 한정위헌결정을 하였다.

헌법재판소
▷ 민간인의 국가에 대한 구상권 행사하는 것을 허용하지 않는 것은 헌법에 위반(한정위헌결정)

「국가배상법」제2조 제1항 단서를 국가와 공동불법행위책임이 있는 자의 국가에 대한 구상권을 부정하는 취지로 해석하는 것
▷ 헌법에 위반

관련판례

국가배상법 제2조 제1항 단서를 민간인의 국가에 대한 구상권을 부정하는 취지로 해석하는 것은 헌법에 위반된다. ★★

(승용차와 공무중인 육군중사가 운전하는 오토바이의 쌍방과실에 의한 충돌사고로, 뒷자석에 타고 있던 군인이 상해를 당하여 손해보험회사가 피해자인 군인에게 손해배상을 한 후 국가부담금 상당액의 구상금을 청구한 사건에서) 국가배상법 제2조 제1항 단서 중 군인에 관련되는 부분을, 일반국민이 직무집행 중인 군인과의 공동불법행위로 직무집행 중인 다른 군인에게 공상을 입혀 그 피해자에게 공동의 불법행위로 인한 손해를 배상한 다음 공동불법행위자인 군인의 부담부분에 관하여 국가에 대하여 구상권을 행사하는 것을 허용하지 않는다고 해석한다면, 이는 위 단서 규정의 헌법상 근거규정인 헌법 제29조가 구상권의 행사를 배제하지 아니하는데도 이를 배제하는 것으로 해석하는 것으로서 합리적인 이유 없이 일반국민을 국가에 대하여 지나치게 차별하는 경우에 해당하므로 헌법 제11조, 제29조에 위반되며, 또한 국가에 대한 구상권은 헌법 제23조 제1항에 의하여 보장되는 재산권이고 위와 같은 해석은 그러한 재산권의 제한에 해당하며 재산권의 제한은 헌법 제37조 제2항에 의한 기본권제한의 한계 내에서만 가능한데, 위와 같은 해석은 헌법 제37조 제2항에 의하여 기본권을 제한할 때 요구되는 비례의 원칙에 위배하여 일반국민의 재산권을 과잉 제한하는 경우에 해당하여 헌법 제23조 제1항 및 제37조 제2항에도 위반된다(헌재 1994.12.29. 93헌바21).

(4) 현재 대법원의 입장 - 구상권 행사 부정

그러나 대법원은 헌법재판소의 한정위헌결정은 헌법재판소의 법률해석에 대한 견해일 뿐 기속력이 인정되지 않는다는 취지에서, 공동불법행위의 일반적인 경우와는 달리, 민간인은 자신의 부담부분에 한하여 손해배상의무를 부담하고, 그 이상의 부담부분에 대해서는 국가 등에 대하여 구상을 청구할 수 없다고 해석하여 여전히 구상권을 행사할 수 없다고 보는 종래의 입장을 고수하고 있다.

현재 대법원
▷ 국가에 대해 구상권 행사 부정(민간인은 모든 손해에 대한 것이 아니라 자신의 귀책부분에 한하여 손해배상책임)

관련판례

국가와 공동불법행위책임이 있는 민간인의 피해 군인 등에 대한 손해배상의 범위 및 민간인이 피해 군인 등에게 자신의 귀책부분을 넘어서 배상한 경우 국가 등에게 구상권을 행사할 수 있는지 여부 ★★

(의무경찰대원 오토바이 충돌사건에서, 피해 군인 등은 위 헌법 및 국가배상법 규정에 의하여 국가 등에 대한 배상청구권을 상실한 대신에 자신의 과실 유무나 그 정도와 관계없이 무자력의 위험부담이 없는 확실한 국가보상의 혜택을 받을 수 있는 지위에 있게 되는 특별한 이익을 누리고 있음에 반하여 민간인으로서는 손해 전부를 배상할 의무를 부담하면서도 국가 등에 대한 구상권을 행사할 수 없다고 한다면 부당하게 권리침해를 당하게 되는 결과가 되는 것과 같은 각 당사자의 이해관계의 실질을 고려하여) 위와 같은 경우에는 공동불법행위자 등이 부진정연대채무자로서 각자 피해자의 손해 전부를 배상할 의무를 부담하는 공동불법행위의 일반적인 경우와 달리 예외적으로 민간인은 피해 군인 등에 대하여 그 손해 중 국가 등이 민간인에 대한 구상의무를 부담한다면 그 내부적인 관계에서 부담하여야 할 부분을 제외한 나머지 자신의 부담부분에 한하여 손해배상의무를 부담하고, 한편 국가 등에 대하여는 그 귀책부분의 구상을 청구할 수 없다고 해석함이 상당하다 할 것이고, 이러한 해석이 손해의 공평·타당한 부담을 그 지도원리로 하는 손해배상제도의 이상에도 맞는다 할 것이다(대판 2001.2.15. 96다42420).

2 국가배상청구권의 양도·압류의 금지와 소멸시효

1. 양도·압류의 금지
생명·신체의 침해로 인한 국가배상을 받을 권리는 이를 양도하거나 압류하지 못한다(동법 제4조). 이는 사회보장적 관점에서 생명이나 신체에 대한 침해를 받는 자나 그의 유족을 보호하기 위한 것이다.

2. 소멸시효

(1) 시효기간
① 「국가배상법」에는 배상청구권의 소멸시효에 관하여 특별한 규정이 없으므로, 「국가배상법」 제8조❶에 따라 「민법」 제766조 제1항이 적용된다.❷ 따라서 손해배상청구권은 피해자나 그 법정대리인이 손해 및 그 가해자를 안 날로부터 3년간 이를 행사하지 않으면 시효로 인하여 소멸한다.
② 손해와 그 가해자를 알지 못한 경우에는 「국가배상법」 제8조의 단서 및 「국가재정법」 제96조 제2항에 따라 불법행위를 한 날부터 10년(「민법」 제766조 제2항)이 아니라 5년간 행사하지 않으면 시효로 인하여 소멸한다(대판 2001.4.24. 2000다57856).❸

(2) 손해 및 가해자를 안 날의 의미
여기서 '손해 및 가해자를 안 날'이란 직무행위 등 불법행위의 요건을 구비하였음을 인식한 날을 의미한다.

> **관련판례**
> '손해 및 가해자를 안 날'이란 불법행위의 요건을 구비하였음을 인식한 날을 의미한다. ★
> 국가배상법 제2조 제1항 본문 전단 규정에 따른 배상책임을 묻는 사건이며 이와 같은 사건에 대하여는 같은 법 제8조의 규정에 의하여 민법 제766조 소정의 단기소멸시효제도가 적용되는 것인바, 여기서 가해자를 안다는 것은 피해자가 가해 공무원이 국가 또는 지방자치단체와의 간에 공법상의 근무관계가 있다는 사실을 알고, 또한 일반인이 당해 공무원의 불법행위가 국가 또는 지방자치단체의 직무를 집행함에 있어서 행해진 것이라고 판단하기에 족한 사실까지도 인식하는 것을 의미한다(대판 1989.11.14. 88다카32500).

(3) 시효주장의 제한 - 권리남용
소멸시효의 주장이 신의성실의 원칙에 반하는 권리남용에 해당되는 경우에는 국가배상청구권은 시효로 소멸하지 않는다.

> **관련판례**
> **1** 국가의 소멸시효 완성 항변이 신의성실의 원칙에 반하는 권리남용으로서 허용될 수 없는 경우 ★
> 1-1. 불법구금 상태에서 고문을 당한 후 간첩방조 등의 범죄사실로 유죄판결을 받고 형집행을 당한 사람에 대하여 국가배상책임을 인정하면서, 국가가 소멸시효 완성 항변을 하는 것은 신의성실의 원칙에 반하는 권리남용으로서 허용될 수 없다(대판 2011.1.13. 2009다103950).

 함께 정리하기

국가배상청구권 소멸시효
▷ 손해 및 가해자를 안 날로부터 3년
▷ 불법행위가 있은 날로부터 5년

❶ 「국가배상법」 제8조(다른 법률과의 관계)
국가나 지방자치단체의 손해배상 책임에 관하여는 이 법에 규정된 사항 외에는 「민법」에 따른다. 다만, 「민법」 외의 법률에 다른 규정이 있을 때에는 그 규정에 따른다.

❷ 「민법」 제766조(손해배상청구권의 소멸시효)
① 불법행위로 인한 손해배상의 청구권은 피해자나 그 법정대리인이 그 손해 및 가해자를 안 날로부터 3년간 이를 행사하지 아니하면 시효로 인하여 소멸한다.
② 불법행위를 한 날로부터 10년을 경과한 때에도 전항과 같다.

❸ 「국가재정법」 제96조 제1항에서 '다른 법률의 규정'이라 함은 다른 법률에 「국가재정법」 제96조에서 규정한 5년의 소멸시효기간보다 짧은 기간의 소멸시효의 규정이 있는 경우를 가리키는 것이고, 이보다 긴 10년의 소멸시효를 규정한 「민법」 제766조 제2항은 「국가재정법」 제96조에서 말하는 '다른 법률의 규정'에 해당하지 아니한다(대판 2001.4.24. 2000다57856).

'손해 및 가해자를 안 날'
▷ 불법행위 요건 구비 인식한 날

신의칙에 반하는 국가배상청구권의 소멸시효 완성 항변
▷ 권리남용으로 불허

1-2. 신병훈련을 마치고 부대에 배치된 군인이 선임병들에게서 온갖 구타와 가혹행위 및 끊임없는 욕설과 폭언에 시달리다가 전입한 지 채 열흘도 지나지 않은 1991.2.3. 부대 철조망 인근 소나무에 목을 매어 자살을 하였는데, 유족들이 망인이 사망한 날로부터 5년의 소멸시효 기간이 훨씬 경과한 2009.12.10.에야 국가를 상대로 손해배상을 구하는 소를 제기하자 국가가 소멸시효 완성의 항변을 한 사안에서, 군의 특성상 군 외부에 있는 민간인이 군 내부에서 이루어진 불법행위에 관하여 그 존재 사실을 인식하는 것은 원칙적으로 불가능에 가까운 데다가, 위 사고 직후 부대 지휘관들이 부대원들에게 일상적으로 자행되고 있던 구타 및 가혹행위에 대하여 함구명령을 내린 사실, 사고 직후 사건을 조사한 헌병수사관들조차 위 사고를 망인의 복무부적응으로 인한 비관에 의한 자살로 결론을 내리고 사건을 종결한 사실 등에 비추어 보면, 비록 군 당국이 유족들의 국가배상청구권 행사를 직접적으로 방해하는 행위를 한 적은 없다고 하더라도, 유족들은 위 자살사고가 선임병들의 심한 폭행·가혹행위 및 이에 대하여 적절한 조치를 취하지 않은 부대관계자들의 관리·감독 소홀 등의 불법행위로 인하여 발생한 것이라는 점을 군의문사진상규명위원회의 2009.3.16.자 진상규명결정이 내려짐으로써 비로소 알았거나 알 수 있었다고 할 것이므로, 2009.3.16. 전까지의 기간 동안에는 유족들이 국가를 상대로 손해배상청구를 할 수 없는 객관적 장애가 있었다고 보아야 하고, 또한 병영문화의 선진화에 힘써야 할 책임을 지고 있는 국가가 후진적 형태의 군대 내 사고의 발생을 막지 못하고서도 망인이나 유족에 대하여 아무런 보상도 하지 않은 채 자신의 책임으로 빚어진 권리행사의 장애 상태 때문에 소멸시효 기간이 경과하였다는 점을 이유로 들어 망인이나 유족에 대한 손해배상책임을 면하는 결과를 인정한다면 이는 현저히 정의와 공평의 관념에 반하는 것이므로, 국가의 소멸시효 완성 항변은 신의성실의 원칙에 반하는 권리남용으로서 허용될 수 없다고 한 사례(대판 2011.10.13. 2011다36091)

국가배상청구권의 소멸시효 기간이 지났으나 국가가 소멸시효 완성을 주장하는 것이 신의성실의 원칙에 반하는 권리남용으로 허용될 수 없어 배상책임을 이행한 경우
▷ 국가는 원칙적으로 해당 공무원에게 구상권 행사 ×

2 국가배상청구권의 소멸시효 기간이 지났으나 국가가 소멸시효 완성을 주장하는 것이 신의성실의 원칙에 반하는 권리남용으로 허용될 수 없어 배상책임을 이행한 경우, 국가는 원칙적으로 해당 공무원에게 구상권을 행사할 수 없다. ★★

공무원의 불법행위로 손해를 입은 피해자의 국가배상청구권의 소멸시효 기간이 지났으나 국가가 소멸시효 완성을 주장하는 것이 신의성실의 원칙에 반하는 권리남용으로 허용될 수 없어 배상책임을 이행한 경우에는, 소멸시효 완성 주장이 권리남용에 해당하게 된 원인행위와 관련하여 공무원이 원인이 되는 행위를 적극적으로 주도하였다는 등의 특별한 사정이 없는 한, 국가가 공무원에게 구상권을 행사하는 것은 신의칙상 허용되지 않는다(대판 2016.6.9. 2015다200258).

(4) 국가배상청구권과 다른 채권의 소멸시효

국가배상청구소송을 제기한 경우 국가배상청구권의 소멸시효는 중단되나, 다른 채권의 소멸시효는 중단되지 않는다.

> **관련판례**
>
> **국가배상청구소송의 제기로 다른 채권의 소멸시효는 중단되지 아니한다. ★**
> 국가배상청구에 있어서 채권자가 동일한 목적을 달성하기 위하여 복수의 채권을 갖고 있는 경우, 어느 하나의 청구권을 행사하는 것이 다른 채권에 대한 소멸시효 중단의 효력이 있다고 할 수 없으므로, 이 사건 소의 제기에 의하여 그 각 법률(국가유공자법 및 군인연금법)에 의한 보상금청구권의 시효가 중단되었다고 볼 수도 없다(대판 2002.5.10. 2000다39735).

제7절 국가배상의 청구절차

국가배상책임자인 국가 또는 지방자치단체가 배상청구를 거부한 경우 불복제기방법으로는 행정절차인 배상심의회에 청구하는 방법과 사법절차인 국가배상청구소송을 제기하는 방법이 있다. 따라서 손해배상의 청구절차는 행정절차에 의한 것과 사법절차에 의한 것으로 나눌 수 있다.

배상청구절차
▷ 배상심의회(행정절차)
▷ 국가배상청구소송(사법절차)

1 행정절차에 의한 청구

1. 결정전치주의 폐지 – 임의적 결정전치주의

「국가배상법」 제9조는 손해배상의 소송은 배상심의회에 배상신청을 하지 아니하고도 제기할 수 있다고 하여 종래의 결정전치주의 대신, 배상심의회의 배상신청절차를 임의적 전심절차로 규정하고 있다.

임의적 결정전치주의
▷ 손해배상의 소송은 배상심의회에 배상신청을 하지 아니하고도 제기 可

❶ 구 「국가배상법」 제9조 "이 법에 의한 손해배상의 소송은 배상심의회의 배상금 지급결정을 거친 후가 아니면 제기할 수 없다."라고 규정하여 '결정전치주의'를 택하고 있었다. 그러나 이러한 결정전치가 오히려 권리구제를 지연시키는 문제가 있어 2000년 법개정을 통해 배상심의회의 결정을 임의적 결정주의로 변경하였다.

2. 배상심의회

(1) 의의
배상심의회는 행정상 손해배상에 관하여 심의·결정하고 그 결정된 내용을 신청인에게 통지하는 권한을 가진 합의제행정기관(행정위원회)이다.

배상심의회
▷ 합의제 행정기관

(2) 종류
배상심의회는 법무부에 설치되는 본부심의회, 군인이나 군무원이 타인에게 입힌 손해에 대한 배상신청사건을 심의하기 위하여 국방부에 설치되는 특별심의회가 있으며, 본부심의회와 특별심의회 밑에 지구심의회가 있다(「국가배상법」 제10조 제1항·제2항). 본부심의회와 특별심의회와 지구심의회는 법무부장관의 지휘를 받아야 한다(「국가배상법」 제10조 제3항).

(3) 결정절차
① 배상금 지급신청을 받은 지구심의회는 지체 없이 증인신문·감정·검증 등 증거조사를 한 후 그 심의를 거쳐 4주일 이내에 배상금 지급, 기각결정 또는 각하결정을 하여야 하고(「국가배상법」 제13조 제1항), 결정 후 1주일 이내에 그 결정정본을 신청인에게 송달하여야 한다(「국가배상법」 제14조 제1항).
② 판례는 배상심의회의 결정은 행정처분이 아니므로 항고소송의 대상이 아니라고 하였다.

> **관련판례**
>
> **배상심의회 결정은 행정처분이라고 할 수 없다.** ★
> 배상심의회의 결정을 거치는 것은 위 민사상의 손해배상청구를 하기 전의 전치요건에 불과하다고 할 것이므로 위 배상심의회의 결정은 이를 행정처분이라고 할 수 없다(대판 1981.2.10. 80누317).

배상심의회 결정
▷ 행정처분 ✕

재판 상화해 성립의제규정
▷ 위헌결정 후 삭제

동의하여 수령 후에도 손해배상청구 可
▷ 기각·각하시 재심신청 可

❶ 「국가배상법」 제15조의2(재심신청)
① 지구심의회에서 배상신청이 기각 또는 각하된 신청인은 결정정본이 송달된 날부터 2주일 이내에 그 심의회를 거쳐 본부심의회나 특별심의회에 재심을 신청할 수 있다.

사법절차
▷ 학설: 당사자소송
▷ 판례: 민사소송

(4) 결정의 효력

① 구 「국가배상법」 제16조는 "심의회의 배상결정은 신청인이 동의한 때 「민사소송법」의 규정에 의한 재판상의 화해가 성립된 것으로 본다."라고 규정하고 있었으나, 이 조항은 국민의 재판청구권을 과도하게 제한한다는 이유로 헌법재판소의 위헌결정(헌재 1995.5.25. 91헌가7)에 의하여 삭제되었다.

② 따라서 현행법상으로는 신청인은 배상결정에 동의하거나 배상금을 수령한 경우에도 법원에 손해배상청구소송을 제기할 수 있고, 배상금지급신청이 기각 또는 각하된 경우 재심신청을 할 수도 있다(「국가배상법」 제15조의2 제1항❶). 즉, 배상심의회의 결정에는 대외적인 법적 구속력이 인정되지 않는다.

2 사법절차에 의한 배상청구

(1) 다수설은 「국가배상법」을 공법으로 보고 국가배상청구권을 공권으로 보기 때문에 국가배상청구소송을 공법상 당사자소송에 의한다고 본다. 그러나 판례는 「국가배상법」을 사법으로 보고 국가배상청구권을 사권으로 보기 때문에 국가배상청구소송을 민사소송에 의한다.

(2) 행정처분이 원인이 되어 손해가 발생하여 행정소송과 병합하여 국가배상청구소송을 제기하는 경우에는 취소소송의 관할법원에 제기한다(「행정소송법」 제10조).

제3장 행정상 손실보상

제1절 개설

1 행정상 손실보상의 의의

(1) 행정상 손실보상이란 공공필요에 의한 적법한 공권력행사로 인하여 개인의 재산권에 가해진 특별한 희생에 대하여, 사유재산권 보장과 공평부담의 차원에서 행정주체가 행하는 조절적인 재산적 보상을 말한다.

(2) 손실보상은 '적법한' 공행정작용에 의한 재산권의 침해로 발생된 특별한 희생에 대한 보상이라는 점에서, 위법한 국가작용에 의하여 발생된 손해에 대한 배상인 국가배상과 다르다.

(3) 손실보상은 '재산권'의 침해로 인한 손실을 보상한다는 점에서, 사람의 신체·생명·자유의 침해로 인하여 발생된 특별한 희생에 대한 보상을 의미하지 않는다.❶

(4) 손실보상은 개인의 재산권이 '침해'당한 경우에 주어지는데, 침해란 재산권의 가치를 감소시키는 일체의 작용으로서, 헌법 제23조 제3항은 재산권 침해의 형태로써 재산권의 수용·사용·제한을 규정하고 있다. 수용은 재산권의 강제적인 박탈을 의미하며, 사용이란 재산권의 강제적이고 일시적인 사용을 의미하고, 제한이란 재산권에 가하여지는 일체의 공법상의 제한을 의미한다.

(5) 손실보상은 '특별한 희생'에 대한 조절적 보상이라는 점에서, 납세의무와 같은 일반적인 부담이나 또는 재산권 자체에 내재하는 사회적 기속과 구별된다. 재산권의 사회적 제약 또는 사회적 기속이란 재산권의 행사는 공공복리에 적합해야 한다는 헌법 제23조 제2항에 따른 것인데, 이렇게 재산권의 사회적 제약에 해당하는 경우에는 개인은 재산적 피해를 감수해야 하며 보상을 요구할 수 없다.

2 손실보상청구권과 손해배상청구권의 관계

(1) 손실보상은 적법성과 특별희생을 요구하는데 반해, 손해배상은 위법성과 유책성을 요구한다는 점에서 양자는 차이가 있다. 다만, 손실보상청구권에는 이미 '손해전보'라는 요소가 포함되어 있어 실질적으로 같은 내용의 손해에 관하여 양자의 청구권을 동시에 행사할 수 있다고 본다면 이중배상의 문제가 발생한다.

따라서 같은 내용의 손해에 관하여 양자의 청구권이 동시에 성립하더라도 어느 하나만을 선택적으로 행사할 수 있을 뿐이고, 양자의 청구권을 동시에 행사할 수는 없다.

손실보상
▷ 적법한 공행정작용으로 인하여 재산권에 특별희생 발생 시 보상

❶ 한편 독일에서는 신체·생명자유에 대한 특별한 희생을 희생보상제도라는 관습법에 의하여 보상하여 오고 있다.

함께 정리하기

(2) 한편, 손실보상을 해야 할 사업시행자가 손실보상을 하지 않고 공사에 착수함으로써 토지소유자 등이 손해를 입은 경우, 불법행위가 성립할 수 있고, 사업시행자는 그로 인한 손해를 배상해야 한다. 즉, 손실보상을 해야 할 의무를 이행하지 않는 행위 자체가 불법행위를 구성할 수 있다.

> **관련판례**
>
> **1** 같은 내용의 손해에 대하여 손해배상청구권과 손실보상청구권이 동시에 성립하더라도 어느 하나만을 선택적으로 행사할 수 있을 뿐이고, 양자의 청구권을 동시에 행사할 수 없다. ★
>
> 공익사업을 위한 토지 등의 취득 및 보상에 관한 법률(이하 '토지보상법'이라 한다) 제79조 제2항(그 밖의 토지에 관한 비용보상 등)에 따른 손실보상과 환경정책기본법 제44조 제1항(환경오염의 피해에 대한 무과실책임)에 따른 손해배상은 근거 규정과 요건·효과를 달리하는 것으로서, 각 요건이 충족되면 성립하는 별개의 청구권이다. 다만, 손실보상청구권에는 이미 '손해전보'라는 요소가 포함되어 있어 실질적으로 같은 내용의 손해에 관하여 양자의 청구권을 동시에 행사할 수 있다고 본다면 이중배상의 문제가 발생하므로, 실질적으로 같은 내용의 손해에 관하여 양자의 청구권이 동시에 성립하더라도 영업자는 어느 하나만을 선택적으로 행사할 수 있을 뿐이고, 양자의 청구권을 동시에 행사할 수는 없다(대판 2019.11.28. 2018두227).
>
> **2** 사업시행자가 토지소유자 등에게 보상액을 지급하지 않고 승낙도 받지 않은 채 공사에 착수함으로써 토지소유자 등이 손해를 입은 경우 불법행위가 성립한다. ★
>
> [1] 공익사업의 시행자는 해당 공익사업을 위한 공사에 착수하기 이전에 토지소유자와 관계인에게 보상액 전액을 지급하여야 한다(공익사업을 위한 토지 등의 취득 및 보상에 관한 법률 제62조 본문). 공익사업의 시행자가 토지소유자와 관계인에게 보상액을 지급하지 않고 승낙도 받지 않은 채 공사에 착수함으로써 토지소유자와 관계인이 손해를 입은 경우, 토지소유자와 관계인에 대하여 불법행위가 성립할 수 있고, 사업시행자는 그로 인한 손해를 배상할 책임을 진다.
>
> [2] 공익사업의 시행자가 사전보상을 하지 않은 채 공사에 착수함으로써 토지소유자와 관계인이 손해를 입은 경우, 토지소유자와 관계인이 입은 손해는 손실보상청구권이 침해된 데에 따른 손해이므로, 사업시행자가 배상해야 할 손해액은 원칙적으로 손실보상금이다. 다만, 그 과정에서 토지소유자와 관계인에게 손실보상금에 해당하는 손해 외에 별도의 손해가 발생하였다면, 사업시행자는 그 손해를 배상할 책임이 있으나, 이와 같은 손해배상책임의 발생과 범위는 이를 주장하는 사람에게 증명책임이 있다(대판 2021.11.11. 2018다204022). ❶

손해배상과 손실보상의 경합 시
▷ 선택적 행사 ○
▷ 동시에 행사 ✕

사업시행자가 보상액을 지급하지 않고 승낙도 받지 않은 채 공사에 착수하여 손해발생
▷ 불법행위 성립 ○

❶ (전통시장 공영주차장 설치사업의 시행자인 甲 지방자치단체가 공익사업을 위한 토지 등의 취득 및 보상에 관한 법률에 따른 사업인정 절차를 거치지 않고 위 사업부지의 소유자들로부터 토지와 건물을 매수하여 협의취득하였고, 위 토지상의 건물을 임차하여 영업한 乙 등이 甲 지방자치단체에 영업손실 보상금을 지급해달라고 요청하였으나, 甲 지방자치단체가 아무런 보상 없이 위 사업을 시행하자, 乙 등이 甲 지방자치단체를 상대로 영업손실 보상액 상당의 손해배상금과 정신적 손해에 대한 위자료 지급을 구한 사안에서) 공익사업의 시행자인 甲 지방자치단체는 사업부지의 소유자들로부터 토지와 건물을 매수하여 협의취득하였기 때문에 이를 수용하기 위해 사업인정을 받을 필요가 없었고, 사업인정 절차를 거치지 않았기 때문에 임차인인 乙 등에게 영업손실을 보상할 필요가 없다고 주장하였다. 그러나 사업인정고시가 없더라도 영업손실 보상금을 지급할 의무가 있고 보상액을 지급하지 않고 공사에 착수한 경우 甲 지방자치단체에게 손해배상책임이 있다고 한 사례

3 손실보상청구권의 법적 성질

1. 학설

(1) 공권설

손실보상은 그 원인행위가 공법적인 것이므로 그 효과로서의 손실보상청구권은 공권이라는 견해로, 종래의 다수설이다. 공권설에 따르게 되면 손실보상청구에 관한 소송은 행정소송인 당사자소송에 의하게 된다.

(2) 사권설

손실보상의 원인행위가 공법적인 것이라 할지라도, 손실의 내용은 사법상의 채권·채무관계(금전지급청구권)로 보아야 하므로 손실보상청구권은 사권이라는 견해이다. 사권설에 따르게 되면 손실보상청구에 관한 소송은 민사소송에 의하게 된다.

2. 판례

(1) 손실보상청구권의 성질에 관하여 대법원은 전통적으로 사권설의 입장에서 민사소송으로 다루어 왔으나, 최근 대법원은 「하천법」상 하천구역에 편입된 토지에 대한 손실보상청구를 민사소송의 대상이라고 하던 종전의 입장(대판 1990.12.21. 90누5689)을, '대판 2006.5.18. 2004다6207 전합' 판결을 통하여 변경하여 공법상 권리로 보아 당사자소송으로 다루었다. 또한 대법원은 구 토지보상법 제77조 제2항의 농업손실에 대한 보상청구권 및 제79조 제2항의 사업폐지에 대한 보상청구권을 공법상 권리로서 행정소송절차(당사자소송)에 의하여야 한다고 판시하였다.

(2) 그러나 판례는 아직도 「수산업법」 제81조의 규정에 의한 손실보상청구권이나 손실보상 관련 법령의 유추적용에 의한 손실보상청구권은 사권으로 보고 사업시행자를 상대로 한 민사소송의 방법에 의하여 행사하여야 한다고 하고 있다(대판 2001.6.29. 99다56468 ; 대판 2014.5.29. 2013두12478 ; 대판 2019.11.28. 2018두227).

관련판례

1 구 수산업법 규정에 의한 손실보상청구권 ★
구 수산업법 제81조의 규정에 의한 손실보상청구권이나 손실보상 관련 법령의 유추적용에 의한 손실보상청구권은 사업시행자를 상대로 한 민사소송의 방법에 의하여 행사하여야 한다(대판 2001.6.29. 99다56468).

2 하천법 부칙 규정에 의한 손실보상청구권 ★★★
[1] 개정 하천법은 그 부칙 제2조 제1항, 하천구역 편입토지 보상에 관한 특별조치법 제2조에 의한 손실보상청구권은 모두 종전의 하천법 규정 자체에 의하여 하천구역으로 편입되어 국유로 되었으나 그에 대한 보상규정이 없었거나 보상청구권이 시효로 소멸되어 보상을 받지 못한 토지들에 대하여, 국가가 반성적 고려와 국민의 권리구제 차원에서 그 손실을 보상하기 위하여 규정한 것으로서, 그 법적 성질은 하천법 본칙이 원래부터 규정하고 있던 하천구역에의 편입에 의한 손실보상청구권과 하등 다를 바가 없는 것이어서 공법상의 권리임이 분명하므로 그에 관한 쟁송도 행정소송절차(당사자소송)에 의하여야 할 것이다.

함께 정리하기

손실보상청구권의 법적 성질(학설)
▷ 공권설(多): 원인행위가 공법적, 당사자소송
▷ 사권설: 손실내용이 사법적, 민사소송

판례
▷ 종래 사권설의 입장
▷ 최근 공권으로 보아 당사자소송으로 다룬 판례 등장

구 「수산업법」에 의한 손실보상청구
▷ 민사소송

「하천법」 부칙 규정의 손실보상청구
▷ 당사자소송

「하천법」상 하천구역편입토지 손실보상청구
▷ 당사자소송

구 토지보상법에서 정한 농업손실보상청구권
▷ 공법상 권리로 행정소송

구 공익사업법상 사업폐지 등에 대한 보상청구권
▷ 공법상 권리로 행정소송

[2] 개정 하천법 부칙 제2조와 하천구역 편입토지 보상에 관한 특별조치법 제2조, 제6조의 각 규정들을 종합하면, 위 규정들에 의한 손실보상금의 지급을 구하거나 손실보상청구권의 확인을 구하는 소송은 행정소송법 제3조 제2호 소정의 당사자소송에 의하여야 한다(대판 2006.5.18. 2004다6207 전합 ; 대판 2016.8.24. 2014두46966).

3 구 토지보상법에서 정한 농업손실보상청구권 ★★

구 공익사업을 위한 토지 등의 취득 및 보상에 관한 법률 제77조 제2항의 농업손실에 대한 보상 청구권은 공익사업의 시행 등 적법한 공권력의 행사에 의한 재산상의 특별한 희생에 대하여 전체적인 공평부담의 견지에서 공익사업의 주체가 그 손해를 보상하여 주는 손실보상의 일종으로 공법상의 권리임이 분명하므로 그에 관한 쟁송은 민사소송이 아닌 행정소송절차(당사자소송)에 의하여야 할 것이다(대판 2011.10.13. 2009다43461).

4 구 공익사업법에 따른 사업폐지 등에 대한 보상청구권 ★★

구 공익사업법에 따른 사업폐지 등에 대한 보상청구권은 공익사업의 시행 등 적법한 공권력의 행사에 의한 재산상의 특별한 희생에 대하여 전체적인 공평부담의 견지에서 공익사업의 주체가 그 손해를 보상하여 주는 손실보상의 일종으로 공법상의 권리임이 분명하므로 그에 관한 쟁송은 민사소송이 아닌 행정소송절차에 의하여야 할 것이다(대판 2012.10.11. 2010다23210).

제2절 행정상 손실보상의 근거

1 이론적 근거

행정상 손실보상의 이론적 근거에 대해서는 과거에는 기득권설, 은혜설 등이 주장된 바 있으나, 현재의 통설은 특별희생설이다. 특별희생설은 공공복지와 개인의 재산권 사이에 충돌이 있는 경우 공공복지가 우선하지만, 공익을 위해 특정 개인에게 가해진 특별한 희생에 대해서는 사회 전체의 공평부담으로 하여 조절적 보상하는 것이 재산권 보장과 공적 부담 앞의 평등의 원칙에 부합한다고 보는 견해이다.

특별희생설
▷ 공익을 위해 특정 개인에게 가해진 특별한 희생에 대해서는 사회 전체의 공평부담으로 하여 조절적 보상하는 것이 정의와 평등의 원칙에 합당하다는 견해

2 실정법적 근거

1. 헌법적 근거

헌법 제23조 ① 모든 국민의 재산권은 보장된다. 그 내용과 한계는 법률로 정한다.
② 재산권의 행사는 공공복리에 적합하도록 하여야 한다.
③ 공공필요에 의한 재산권의 수용·사용 또는 제한 및 그에 대한 보상은 법률로써 하되, 정당한 보상을 지급하여야 한다.

(1) 행정상 손실보상에 대한 헌법적 근거는 헌법 제23조 제3항이다. 동조는 "공공필요에 의한 재산권의 수용·사용 또는 제한 및 그에 대한 보상은 법률로써 하되, 정당한 보상을 지급하여야 한다."고 규정하고 있다.

(2) 이 헌법규정은 보상청구권의 근거에 관하여서 뿐만 아니라 보상의 기준과 방법에 관하여서도 법률의 규정에 유보하고 있는 것으로 보아야 한다는 것이 판례의 입장이다.

> **관련판례**
> 헌법 제23조 제3항은 "공공필요에 의한 재산권의 수용·사용 또는 제한 및 그에 대한 보상은 법률로써 하되, 정당한 보상을 지급하여야 한다."라고 규정하고 있는 바, <u>이 헌법의 규정은 보상청구권의 근거에 관하여서 뿐만 아니라 보상의 기준과 방법에 관하여서도 법률의 규정에 유보하고 있는 것으로 보아야 한다</u>(대판 1993.7.13. 93누2131 ; 대판 2004.10.27. 2003두1349). ★

2. 법률적 근거

행정상 손실보상에 관한 일반법은 없다. 그러나 공익사업에 필요한 토지 등 수용 및 손실보상에 관한 일반법적 지위를 가진 「공익사업을 위한 토지 등의 취득 및 보상에 관한 법률」과 「하천법」, 「행정조사기본법」, 「도로법」 등에서 손실보상에 관한 규정을 두고 있다.

3. 경계이론과 분리이론

(1) 문제점

행정상 손실보상의 이론적 근거에 대하여 경계이론과 분리이론의 대립이 있다. 이는 헌법 제23조 제1항·제2항(재산권의 내용과 한계, 사회적 제약의 문제)과 제3항(공용침해, 공용수용, 공익사업을 위한 재산권의 제한)의 해석과 관련하여, 손실보상의 헌법적 근거가 제23조 제3항에만 근거하는지 아니면 제23조 제1항도 근거가 될 수 있는지에 관한 견해의 대립이다.

(2) 학설

① 경계이론

㉠ 경계이론은 재산권의 사회적 제약과 공용침해는 서로 분리된 별개의 제도가 아니라 '재산권의 침해의 정도'에 따라 경계 지어진 것에 불과하다고 보는 견해이다. 따라서 보상이 필요하지 않은 사회적 제약에 해당하는 재산권의 침해의 경우에도 재산권의 제한이 일정한 강도(경계)를 넘어서게 되면 특별한 희생이 되어 보상이 필요한 공용침해로 전환된다.

㉡ 경계이론에 따르면 사회적 제약은 공용침해보다 재산권에 대한 침해가 적은 경우로서 개인은 보상이 없어도 수인해야 하는 것에 반하여, 공용침해는 사회적 제약을 넘어서는 재산권에 대한 침해이므로 '보상규정의 유무와 관계없이' 보상이 있어야 한다(재산권의 가치보장에 중점). 만약, 보상규정이 없는 경우 헌법 제23조 제3항에 의해 손실보상이 가능한지에 대해서는 보상이 가능하다고 보는 견해(직접효력설과 유추적용설)와 취소소송이나 손해배상만이 가능하다고 보는 견해(위헌무효설)가 대립하고 있다.

분리이론
▷ 헌법 제23조 제1항·제2항과 제3항을 별개의 제도로 파악(입법의 형식·목적에 따라 구분)
▷ 재산권의 존속보장에 중점
▷ 독일의 연방헌법재판소, 우리 헌법재판소의 입장

❶ 분리이론은 헌법 제23조 제1항과 제2항의 재산권의 내용규정(사회적 제약)은 입법자가 장래에 있어서 추상적이고 일반적인 형식으로 재산권의 내용, 즉 재산권자의 권리와 의무를 형성하고 확정하는 것이고, 제3항의 공용침해규정은 국가가 구체적인 공적 과제를 이행하기 위하여 이미 형성된 구체적인 재산권적 지위를 의도적으로 박탈하는 것이므로 서로 별개의 제도라고 본다.

❷ 존속보장이란 재산권의 보유 자체를 보장하는 것을 말한다(예 ~ 방어하라, 그리고 청산하라).

ⓒ 경계이론은 후술하는 수용유사침해이론과 연결되며, 독일 연방최고법원과 우리 대법원이 취하는 입장이다.

② 분리이론
㉠ 분리이론은 재산권에 대한 사회적 제약과 공용침해를 완전히 서로 독립된 제도로 본다. 즉, 헌법 제23조 제1항과 제2항의 재산권의 내용규정(사회적 제약)과 제3항의 공용침해규정을 분리하여 별개로 보고, 이 양 규정은 재산권 제한의 정도에 의해서가 아니라 '입법의 형식과 목적'에 의해 구분한다.❶

㉡ 위헌심사의 기준도 재산권의 내용규정(사회적 제약)은 일반적인 기본권제한 법률과 마찬가지로 비례의 원칙, 평등의 원칙 등을 기준으로 위헌여부를 판단하지만, 공용침해규정은 공공필요·정당한 보상 등 헌법 제23조 제3항이 정하고 있는 요건만을 기준으로 판단한다.

㉢ 분리이론에 따르면 재산권의 내용규정(사회적 제약)이 경우에 따라 과도한 침해(수용적 효과)를 가져오더라도 이로 인하여 그것이 공용침해로 전환되어 개인에게 보상이 필요한 것이 아니고, 그러한 규정이 비례의 원칙, 평등의 원칙 등을 위반한 경우에 위헌·위법이 되는 것이다(재산권의 존속보장에 중점).❷ 따라서 입법자는 그러한 재산권제한이 비례의 원칙에 위반되지 않도록 합헌적으로 조정하여야 의무를 지는데, 이 의무를 조정조치의무라고 한다. 그러나 공용침해의 경우 당연히 손실보상을 하여야 한다.

㉣ 분리이론은 독일 연방헌법재판소가 자갈채취판결에서 제시한 이론으로, 우리 헌법재판소도 분리이론을 취하고 있다.

> **참고** 독일 연방헌법재판소의 자갈채취결정과 분리이론 및 불가분조항이론
>
> 자갈채취사건은 구 물관리법에 의하여 자기 토지에서 골재채취업을 하던 자가 자기 토지가 수도보호구역에 위치함으로 인하여 관할행정청에 신법의 규정에 따라 다시 골재채취허가를 신청하였다가 거부되자 법원에 손실보상을 청구한 사건이다. 연방대법원은 이 사건의 물관리법 규정의 합헌성 여부가 문제되므로 당해 조항의 위헌여부심사를 연방헌법재판소에 제청하였다.
> 이에 대하여 연방헌법재판소는 '수용을 규정하는 법률에 보상규정이 없는 경우 당해 법률은 위헌이고 이에 근거한 처분은 위법한 처분'이라고 하였다. 그러나 '보상규정이 없으므로 관계인은 이 경우 보상을 청구할 수 없고, 다만 당해 처분의 취소만을 구할 수 있을 뿐'이라고 하였다. 즉, 연방대법원이 제14조 제1항에 의한 재산권에 대한 침해가 내재적 제약을 벗어나 특별한 희생에 해당하는 경우에는 제14조 제3항을 근거로 손실보상을 인정해온 데 대하여(경계이론) 연방헌법재판소는 제14조 제3항에 의한 손실보상은 수용법률에
> 규정된 보상규정에 의하여 보상이 되는 경우만을 의미한다고 보아 제14조 제1항과 동조 제3항은 서로 관련이 없다고 본 것이다(분리이론). 나아가 연방헌법재판소는 '수용을 규정하는 법률'에는 '보상규정'이 반드시 있어야 한다고 보았다. 즉, 수용규정과 보상규정은 불가분의 관계에 있다는 불가분조항(부대조항)이론에 따라 보상규정이 없는 수용처분은 위법한 처분으로서 이에 대해서는 제14조 제3항에 의한 보상이 아니므로 이를 근거로 보상할 수는 없고, 따라서 1차적 권리구제수단인 취소소송으로 이를 다투어야 하고, 그 다음 (제14조 제3항이 아닌) 다른 법원칙이나 근거규정을 통하여 손실보상을 청구하여야 한다고 하였다.

헌법재판소
▷ 분리이론
'개발제한구역 사건'에서 사회적제약의 한계를 넘는 재산권제한
▷ 헌법 제23조 제1항·제2항의 '재산권의 내용 및 한계규정'으로 봄(헌법 제23조 제3항×)

(3) 헌법재판소 판례 - 분리이론

헌법재판소는 분리이론에 입각하여 '개발제한구역 사건'에서 사회적 제약의 한계를 넘는 재산권의 제한을 헌법 제23조 제3항의 의미에서의 공용침해로 보지 아니하고 비례의 원칙에 위반되는 '재산권의 내용 및 한계규정'으로 이해하여 헌법 제23조 제1항 및 제2항에 근거하여 그 위헌성을 판단하고 있다(헌재 1998.12.24. 89헌마214 등).

4. 헌법 제23조 제3항이 불가분조항인지 여부

(1) 문제점

불가분조항(결부조항)이란 동일한 법률에 재산권의 제한과 보상의 방법 및 기준에 관한 사항을 함께 규정하는 것을 말한다. 헌법 제23조 제3항이 불가분조항인지 여부에 관해 견해의 대립이 있다.

(2) 학설

헌법 제23조 제3항은 불가분조항이 아니라는 부정설도 있으나, 공용침해 규정과 이에 대한 손실보상에 관한 규정을 함께 두어 불가분적으로 결합하는 입법형식을 취하고 있다는 점을 들어 불가분조항으로 보는 긍정설이 다수설이다. 이 견해에 따르면 보상규정을 두지 아니한 수용법률은 위헌이 된다.

> **불가분조항**
> ▷ 동일 법률에 재산권제한·보상방법 함께 규정되어야 함

5. 헌법 제23조 제3항의 효력(보상규정이 없는 공용침해에 대한 권리구제)

(1) 문제의 소재

공용침해가 보상을 필요로 하는 '특별한 희생'임에도 불구하고 그것을 허용하는 근거법률이 공용침해를 규정하면서 손실보상규정을 두지 않는 경우, 헌법 제23조 제3항의 규정만으로 손실보상을 청구할 수 있는지가 문제된다.

(2) 학설

방침규정설 (입법지침설)	헌법 제23조 제3항은 규범적 효력은 없고 단지 입법자에 대한 입법방침규정에 불과하므로 보상규정을 둘 것인가 하는 문제는 입법자의 재량판단의 문제라고 본다. 따라서 보상규정이 없으면 손실보상을 청구할 수 없다고 한다.
위헌무효설 (입법자에 대한 직접효력설)	헌법 제23조 제3항을 불가분조항으로 보아 공용침해를 규정하면서 보상규정을 두지 않은 법률은 위헌으로 무효이고, 그에 근거한 공용침해행위는 위법한 직무행위가 되므로, 그 경우 「국가배상법」에 의거한 손해배상청구만 가능하고 직접 헌법규정에 근거하여 손실보상을 청구할 수는 없다고 한다.
직접효력설 (국민에 대한 직접효력설)	헌법 제23조 제3항이 직접 국민에 대하여 효력을 가진다고 보아, 개별규정에 보상규정이 없는 경우에도 헌법 제23조 제3항을 직접 근거로하여 손실보상을 청구할 수 있다고 한다. 따라서 이 견해는 헌법 제23조 제3항을 불가분조항으로 보지 않는다.
유추적용설 (간접효력설)	공용침해에 따르는 보상규정이 없는 경우에는 헌법 제23조 제1항(재산권 보장규정) 및 제11조(평등원칙)를 근거하여 헌법 제23조 제3항 및 관계규정을 유추적용하여 손실보상을 청구할 수 있다고 한다.
보상입법 부작위위헌설	공공필요를 위하여 공용침해를 규정하면서 손실보상규정을 두지 않은 경우 그 공용침해규정 자체는 헌법에 위반되는 것은 아니고, 손실보상을 규정하지 않은 입법부작위가 위헌이라고 한다. 따라서 이 견해는 헌법 제23조 제3항을 불가분조항으로 보지 않는다.

(3) 판례

① **대법원**: 종래 대법원은 개별법률에 손실보상규정이 없는 경우에도 손실보상을 인정하거나(대판 1972.11.28. 72다1597)❶, 법적 근거 없이 행한 징발에 대하여는 불법행위 문제로 처리해 왔다(대판 1966.10.18. 66다1715). 그러나 최근 대법원은 유추적용설 입장에서 공용침해로 인한 특별한 손해에 대해 보상규정이 없는 경우 관련 보상규정을 유추적용하여 손실보상을 하여야 한다고 판시하고 있다.

> **대법원**
> ▷ 유추적용설 입장
>
> ❶ 토지구획정리사업으로 말미암아 본건 토지에 대한 환지를 교부하지 않고 그 소유권을 상실케 한데 대한 본건과 같은 경우에 손실보상을 하여야 한다는 규정이 본법에 없다 할지라도 이는 법리상 그 손실을 보상하여야 할 것이다(대판 1972.11.28. 72다1597).

간접손실보상
▷ 토지보상법 시행규칙 유추 적용

관련판례

1 공공사업시행지구 밖에서 발생한 간접손실은 공공용지의 취득 및 손실보상에 관한 특례법 시행규칙을 유추적용 할 수 있다. ★★

공공사업의 시행 결과 공공사업시행지구 밖에서 발생한 간접손실에 관하여 그 피해자와 사업시행자 사이에 협의가 이루어지지 아니하고, 그 보상에 관한 명문의 근거 법령이 없는 경우라고 하더라도, 공공사업의 시행으로 인하여 그러한 손실이 발생하리라는 것을 쉽게 예견할 수 있고, 그 손실의 범위도 구체적으로 이를 특정할 수 있는 경우에는 그 손실의 보상에 관하여 구 공공용지의 취득 및 손실보상에 관한 특례법 시행규칙의 관련 규정 등을 유추적용할 수 있다(대판 2004.9.23. 2004다25581 ; 대판 2002.11.26. 2001다44352).

2 도시환경정비사업의 사업시행자는 구 도시 및 주거환경정비법에 따라 사용·수익권을 제한받는 임차인의 손실을 구 토지보상법을 유추적용하여 해당 요건이 충족되는 경우에 보상할 의무가 있다. ★★

구 도시 및 주거환경정비법 규정에 따라 관리처분계획의 인가·고시가 있으면 목적물에 대한 종전 소유자 등의 사용·수익이 정지되므로 사업시행자는 목적물에 대한 별도의 수용 또는 사용의 절차 없이 이를 사용·수익할 수 있게 되는 반면, 임차인은 도시정비법 제49조 제6항 본문에 의하여 자신의 의사에 의하지 아니하고 임차물을 사용·수익할 권능을 제한받게 되는 손실을 입는다. 그렇다면 사업시행자는 도시정비법 제49조 제6항 본문에 의하여 사용·수익권을 제한받는 임차인에게 구 공익사업을 위한 토지 등의 취득 및 보상에 관한 법률을 유추적용하여 그 해당 요건이 충족되는 경우라면 손실을 보상할 의무가 있다고 봄이 타당하다(대판 2011.11.24. 2009다28394).

② **헌법재판소**: 헌법재판소는 헌법 제23조 제3항은 재산의 수용 등에 대한 보상규정을 법률로 정하도록 국가에 명시적으로 입법의무를 부과하고 있다고 본다. 따라서 헌법재판소는 위헌무효설의 입장에서 이러한 입법의무를 불이행한 것에 대하여 보상입법 부작위에 대해 위헌결정을 내리거나, 헌법불합치결정을 통하여 보상입법을 촉구하고 있다.

헌법재판소
▷ 위헌무효설
▷ 보상규정 두지 않은 것 헌법 위반
▷ 보상입법 기다려 권리행사(헌법불합치 결정)

관련판례

개발제한구역 지정은 원칙적 합헌이나 사회적 제약을 넘는 가혹한 부담이나 보상규정 두지 않은 것은 위헌이다. ★★★

[1] 도시계획법 제21조에 의한 재산권의 제한은 개발제한구역으로 지정된 토지를 원칙적으로 지정 당시의 지목과 토지현황에 의한 이용방법에 따라 사용할 수 있는 한, 재산권에 내재하는 사회적 제약을 비례의 원칙에 합치하게 합헌적으로 구체화한 것이라고 할 것이나, 종래의 지목과 토지현황에 의한 이용방법에 따른 토지의 사용도 할 수 없거나 실질적으로 사용·수익을 전혀 할 수 없는 예외적인 경우에도 아무런 보상없이 이를 감수하도록 하고 있는 한, 비례의 원칙에 위반되어 당해 토지소유자의 재산권을 과도하게 침해하는 것으로서 헌법에 위반된다.

[2] 도시계획법 제21조에 규정된 개발제한구역제도 그 자체는 원칙적으로 합헌적인 규정인데, 다만 개발제한구역의 지정으로 말미암아 일부 토지소유자에게 사회적 제약의 범위를 넘는 가혹한 부담이 발생하는 예외적인 경우에 대하여 보상규정을 두지 않은 것에 위헌성이 있는 것이고, 보상의 구체적 기준과 방법은 헌법재판소가 결정할 성질의 것이 아니라 광범위한 입법형성권을 가진 입법자가 입법정책적으로 정할 사항이므로, 입법자가 보상입법을 마련함으로써 위헌적인 상태를 제거할 때까지 위 조항을 형식적으로 존속케 하기 위하여 헌법불합치결정을 하는 것인바, 입법자는 되도록 빠른 시일내에 보상입법을 하여 위헌적 상태를 제거할 의무가 있고, 행정청은 보상입법이 마련되기 전에는

사회적 제약을 넘는 경우 보상규정 無
▷ 헌법 위반

새로 개발제한구역을 지정하여서는 아니되며, 토지소유자는 보상입법을 기다려 그에 따른 권리행사를 할 수 있을 뿐 개발제한구역의 지정이나 그에 따른 토지재산권의 제한 그 자체의 효력을 다투거나 위 조항에 위반하여 행한 자신들의 행위의 정당성을 주장할 수는 없다(헌재 1998.12.24. 89헌마214).

제3절 행정상 손실보상의 요건

1 공공의 필요

1. 공공의 필요의 개념

(1) 손실보상의 원인이 되는 재산권의 공용침해는 공공의 필요를 위하여만 가능하다. 공공의 필요는 전형적인 불확정개념으로서 명확한 개념정의는 불가능하지만, 헌법재판소는 여기에의 '공공의 필요'를 '국민의 재산권을 그 의사에 반하여 강제적으로라도 취득해야 할 공익적 필요성'을 의미하는 것으로 이해하여 왔다(헌재 2014.10.30. 2011헌바172).

(2) 헌법재판소는 헌법 제37조 제2항의 공공복리와 헌법 제23조 제3항의 공공필요의 관계에 대하여 공공필요를 기본권 일반의 제한사유인 공공복리보다 좁게 보고 있다.

공공필요
▷ 강제취득의 공익적 필요성

> **관련판례**
> 헌법재판소는 헌법 제23조 제3항의 '공공필요'를 기본권 일반의 제한사유인 '공공복리'보다 좁은 개념으로 보고 있다. ★★
> 오늘날 공익사업의 범위가 확대되는 경향에 대응하여 재산권의 존속보장과의 조화를 위해서는, '공공필요'의 요건에 관하여, 공익성은 추상적인 공익 일반 또는 국가의 이익 이상의 중대한 공익을 요구하므로 기본권 일반의 제한사유인 '공공복리'보다 좁게 보는 것이 타당하다(헌재 2014.10.30. 2011헌바172).

헌법재판소
▷ 공공필요는 공공복리보다 좁은 개념

2. 공공의 필요의 판단

구체적인 사안에서 당해 공용침해가 공공필요의 요건을 충족하고 있는지 여부는 공용침해를 통해 얻게 되는 공익과 재산권을 침해당하는 사인의 이익을 비례의 원칙에 따라 비교형량하여 판단하여야 한다.

> **관련판례**
> 공공의 '필요성'이 인정되기 위해서는 공용수용을 통하여 달성하려는 공익과 그로 인하여 재산권을 침해당하는 사인의 이익 사이의 형량에서 사인의 재산권침해를 정당화할 정도의 공익의 우월성이 인정되어야 한다(헌재 2014.10.30. 2001헌바129).

3. 필요성의 입증책임

공용수용에 있어서 공익사업의 필요에 대한 입증책임은 사업시행자에게 있다.

공공필요의 입증책임
▷ 사업시행자

> **관련판례**
>
> **공익사업을 위한 필요성에 대한 입증책임은 사업시행자에게 있다. ★**
>
> 공용수용은 공익사업을 위하여 특정의 재산권을 법률에 의하여 강제적으로 취득하는 것을 내용으로 하므로 그 공익사업을 위한 필요가 있어야 하고, 그 필요가 있는지에 대하여는 수용에 따른 상대방의 재산권침해를 정당화할 만한 공익의 존재가 쌍방의 이익의 비교형량의 결과로 입증되어야 하며, 그 입증책임은 사업시행자에게 있다(대판 2005.11.10. 2003두7507).

4. 공공필요의 적용범위

순수한 국고목적 작용
▷ 공공필요성 ✕

헌법재판소
▷ 민간기업을 수용의 주체로 규정한 자체는 위헌 ✕

(1) 순수한 국고목적 작용은 공공필요성이 인정되지 않는다. 그러나 사기업이라 하더라도 공공의 이익을 위해 공익사업을 한다면 공공필요성이 인정된다. 헌법재판소도 민간기업을 수용의 주체로 규정한 자체를 두고 위헌이라고 할 수 없다고 판시하였다.

❶ 현재 사인을 위한 공용침해를 허용하고 있는 법률은 민간투자법, 지역개발지원법, 산업입지법, 도시정비법 등이 있다.

> **관련판례**
>
> **1** 민간기업을 수용의 주체로 규정한 산업입지 및 개발에 관한 법률 제22조 제1항의 "사업시행자" 부분 중 "제16조 제1항 제3호"에 관한 부분은 헌법 제23조 제3항에 위반되지 않는다. ★★★
>
> 헌법 제23조 제3항은 정당한 보상을 전제로 하여 재산권의 수용 등에 관한 가능성을 규정하고 있지만, 재산권 수용의 주체를 한정하지 않고 있다. 위 헌법조항의 핵심은 당해 수용이 공공필요에 부합하는가, 정당한 보상이 지급되고 있는가 여부 등에 있는 것이지, 그 수용의 주체가 국가인지 민간기업인지 여부에 달려 있다고 볼 수 없다. 또한 국가 등의 공적 기관이 직접 수용의 주체가 되는 것이든 그러한 공적 기관의 최종적인 허부판단과 승인결정하에 민간기업이 수용의 주체가 되는 것이든, 양자 사이에 공공필요에 대한 판단과 수용의 범위에 있어서 본질적인 차이를 가져올 것으로 보이지 않는다. 따라서 위 수용 등의 주체를 국가 등의 공적 기관에 한정하여 해석할 이유가 없다(헌재 2009.9.24. 2007헌바114).

수용의 주체
▷ 민간기업 포함

> **2** 민간개발자에게 관광단지 조성계획상의 조성 대상 토지면적 중 사유지의 3분의 2 이상을 취득한 경우에 토지 등을 수용할 수 있도록 한 관광진흥법 제54조 제4항 단서 중 제61조 제1항에 관한 부분은 헌법 제23조 제3항의 공공필요에 위반되지 않는다(헌재 2013.2.28. 2011헌바250). ★★

워커힐관광·서비스제공사업 위한 토지수용
▷ 공공필요 ○

> **3** 워커힐관광, 서비스 제공사업을 위한 토지의 수용은 공공필요에 해당한다. ★
>
> 원심이 이 건 워커힐관광, 서비스 제공사업을 한국전쟁에서 전사한 고 워커 장군을 추모하고 외국인을 대상으로 하여 교통부 소관사업으로 행하기로 하는 정부방침 아래 교통부 장관이 토지수용법 제3조 제1항 제3호 소정의 문화 시설에 해당하는 공익사업으로 인정하고 스스로 기업자가 되어 본건토지수용의 재결신청을 하여 중앙토지수용위원회의 재결을 얻어 보상금을 지급한 사실을 인정하였음은 정당하고, 사실관계가 이렇다면 본건 수용재결은 적법·유효한 것이라 할 것이다(대판 1971.10.22. 71다1716).

(2) 다만, 사업시행자가 사인인 경우에는 공익의 우월성이 인정되는 것 외에도 사인은 경제활동의 근본적인 목적이 이윤을 추구하는 일에 있으므로, 그 사업 시행으로 획득할 수 있는 공익이 현저히 해태되지 않도록 보장하는 제도적 규율도 갖추어져 있어야 한다는 입장이다(헌재 2014.10.30. 2011헌바129).

사인의 사업시행자
▷ 그 사업 시행으로 획득할 수 있는 공익이 현저히 해태되지 않도록 보장하는 제도적 규율도 갖추어져 있어야 함

2 재산권에 대한 공권적 침해

1. 재산권

(1) 재산권의 의의

① 공용침해는 재산권에 대한 것이어야 한다. 여기서 재산권이란 소유권뿐만 아니라 법에 의하여 보호되고 있는 재산적 가치가 있는 일체의 권리를 의미한다. 이러한 재산권에는 사법상의 권리(예 물권, 채권, 무체재산권 등)뿐만 아니라 공법상의 권리(예 공유수면매립권 등)도 포함한다.

② 재산적 가치는 현존하는 구체적인 재산가치이어야 하므로 기대이익(예 땅값 상승의 기대 등)이나 문화적·학술적 가치는 재산권에 포함되지 않는다.

재산권
▷ 재산적 가치가 있는 일체의 권리를 의미
▷ 사법상의 권리뿐만 아니라 공법상의 권리도 포함

🔨 관련판례

1 영리획득의 기회나 기업활동의 여건 변화에 따른 영업상 손실이나 주식 등 권리의 가치 하락은 재산권보장의 대상이 아니다. ★★

[1] 청구인들은 이 사건 중단조치가 공공의 필요에 의한 재산권의 공용 제한에 해당함에도 정당한 보상이 지급되지 않았으므로, 헌법 제23조 제3항을 위반하여 재산권을 침해한 것이라는 주장을 한다. 그러나 이 사건 중단조치는 개성공단에서의 영업활동을 중단시키는 것을 목적으로 하고, 개성공단 내에 존재하는 토지나 건물, 설비, 생산물품 등에 직접 공용부담을 가하여 개별적, 구체적으로 이용을 제한하고자 하는 것이 아니다. 개성공단에서의 영업활동을 중단시킴으로써 개성공단 내에 위치한 사업용 토지나 건물 등 재산을 사용할 수 없게 되는 제한이 발생하기는 하였으나 이는 개성공단이라는 특수한 지역에 위치한 사업용 재산이 받는 사회적 제약이 구체화된 것일 뿐이므로, 공익목적을 위해 개별적, 구체적으로 이미 형성된 구체적 재산권을 제한하는 공용 제한과는 구별된다.

[2] 청구인들은 개성공단에서 영업을 계속하지 못하여 발생한 기업들의 영업손실이나 개성공단 자회사나 영업소에 대하여 가지고 있던 주식 등 권리의 가치 하락 등도 재산권 제한으로서 보상이 이루어져야 한다는 취지의 주장도 한다. 그러나 헌법상 보장된 재산권은 사적 유용성 및 그에 대한 원칙적인 처분권을 내포하는 재산가치 있는 구체적인 권리이므로, 구체적 권리가 아닌 영리획득의 단순한 기회나 기업활동의 사실적·법적 여건은 기업에게는 중요한 의미를 갖는다고 하더라도 재산권보장의 대상이 아니다. 이 사건 중단조치에 의한 영업중단으로 영업상 손실이나 주식 등 권리의 가치하락이 발생하였더라도 이는 영리획득의 기회나 기업활동의 여건 변화에 따른 재산적 손실일 뿐이므로, 헌법 제23조의 재산권보장의 범위에 속한다고 보기 어렵다. 따라서 청구인들이 주장하는 재산권 제한이나 재산적 손실에 대해 헌법 제23조 제3항이 규정한 정당한 보상이 지급되지 않았더라도, 이 사건 중단조치가 위 헌법규정을 위반하여 청구인들의 재산권을 침해한 것으로 볼 수 없다(헌재 2022.1.27. 2016헌마364).

영리획득의 기회, 기업활동의 사실적·법적 여건
▷ 손실보상 대상 ×

❶ 개성공단 전면중단 조치가 헌법 제23조 제3항을 위반하여 청구인들의 재산권을 침해하지 않는다고 본 사례

함께 정리하기

자연·문화적 학술가치
▷ 손실보상 대상✗

② 자연·문화적 학술가치를 가진 철새도래지는 손실보상의 대상이 될 수 없다. ★★★
문화적·학술적 가치는 특별한 사정이 없는 한 그 토지의 부동산으로서의 경제적·재산적 가치를 높여 주는 것이 아니므로 토지보상법 제61조 소정의 손실보상의 대상이 될 수 없으니, 토지가 철새도래지로서 자연·문화적인 학술가치를 지녔다 하더라도 손실보상의 대상이 될 수 없다(대판 1989.9.12. 88누11216).

(2) 위법한 건축물이 손실보상의 대상인지 여부

판례는 위법한 건축물도 원칙적으로 손실보상의 대상이 되지만, 예외적으로 위법성의 정도가 크고 객관적으로도 합법화될 가능성이 거의 없어 거래의 객체도 되지 아니하는 경우에는 예외적으로 수용보상 대상이 되지 아니한다고 본다.

사업인정 고시 이전 건축된 지장물
▷ 원칙: 적법여부 불문 보상○
▷ 예외: 위법정도 용인불가시 보상✗

🔨 관련판례

위법의 정도가 사회통념상 용인할 수 없을 정도로 큰 경우 수용보상의 대상이 되지 않는다. ★★

토지수용법상의 사업인정 고시 이전에 건축되고 공공사업용지 내의 토지에 정착한 지장물인 건물은 통상 적법한 건축허가를 받았는지 여부에 관계없이 손실보상의 대상이 되나, 주거용 건물이 아닌 위법 건축물의 경우에는 … 구체적·개별적으로 판단한 결과 그 위법의 정도가 관계 법령의 규정이나 사회통념상 용인할 수 없을 정도로 크고 객관적으로도 합법화될 가능성이 거의 없어 거래의 객체도 되지 아니하는 경우에는 예외적으로 수용보상 대상이 되지 아니한다(대판 2001.4.13. 2000두6411).

비재산적 침해
▷ 희생보상청구권○
▷ 손실보상청구권✗

(3) 비재산적 법익의 침해

재산권이 아닌 생명·신체 등 비재산적 법익의 침해는 희생보상청구권의 문제가 될 뿐 손실보상청구권의 문제가 아니다.

2. 공권적 침해

(1) 침해의 의의

손실보상권이 성립하기 위하여는 재산권에 대한 '공권적 침해'가 있어야 한다. 여기서 '공권적 침해'는 법적행위(예 토지수용 등)뿐만 아니라 사실행위(예 도로공사 등)에 의한 침해까지 포함하는 포괄적 작용을 의미한다. 다만, 행정주체의 사법적 작용은 배제된다.

침해
▷ 재산권의 가치를 감소시키는 일체의 작용

❶ 그러나 공권적 침해의 유형이 그들 3가지에만 국한되는 것은 아니다. 즉, 이들 이외에 환지나 환권 등과 같은 재산적 가치를 박탈·감소시키는 공권력의 발동은 모두 여기에 포함된다.

(2) 침해의 유형

침해란 재산권의 가치를 감소시키는 일체의 작용으로써 헌법 제23조 제3항은 침해의 유형으로 수용·사용 또는 제한을 규정하고 있다. ❶ 여기서 수용이란 재산권의 박탈(예 토지수용 등)을, 사용이란 재산권의 박탈에 이르지 아니하는 일시사용(예 주택의 강제임대 등)을, 제한이란 소유자 기타 사인에 의한 사용수익을 한정하는 것을 말하고, 수용·사용·제한을 묶어서 통상 '공용침해'라고 한다.

침해의 유형
▷ 수용: 재산권박탈
▷ 사용: 점유침해
▷ 제한: 가치침해

침해의 방식
▷ 법률수용·행정수용 포함

(3) 침해의 방식

1침해의 방식에는 침해가 법률의 규정에 의하여 이루어지는 법률수용과 법률에 근거하여 행정작용에 의해 이루어지는 행정수용이 있다. 행정수용이 일반적인 방식이다.

(4) 침해의 의도성·직접성

① 재산권에 대한 공권적 침해는 공권력 주체에 의하여 직접적으로 의도된 것이어야 한다. 따라서 비의도적 침해의 경우에는 수용적 침해의 법리가 적용된다.
② 손실보상이 인정되기 위해서는 재산권에 대한 침해가 현실적으로 발생하고 공익사업과 손실 사이에 상당한 인과관계가 있어야 한다.

> **관련판례**
>
> 간척사업의 시행으로 종래의 관행어업권자에게 구 공유수면매립법에서 정하는 손실보상청구권이 인정되기 위해서는 매립면허고시 후 매립공사가 실행되어 관행어업권자에게 실질적이고 현실적인 피해가 발생해야 하는지 여부 ★★★
>
> 공유수면 매립면허의 고시가 있다고 하여 반드시 그 사업이 시행되고 그로 인하여 손실이 발생한다고 할 수 없으므로, 매립면허 고시 이후 매립공사가 실행되어 관행어업권자에게 실질적이고 현실적인 피해가 발생한 경우에만 공유수면매립법에서 정하는 손실보상청구권이 발생하였다고 할 것이다(대판 2010.12.9. 2007두6571).

재산권 침해
▷ 실질적·현실적 피해 발생해야 함

3 재산권 침해의 적법성

손실보상에서의 공용침해행위는 적법한 것이어야 한다. '적법한 것'이란 법률에 의한 것을 의미하며, 여기에서의 법률은 국회가 제정한 형식적 의미의 법률(예 토지보상법, 국토계획법, 도시개발법 등)을 의미한다. 이 법률에는 법률종속명령(위임명령이나 집행명령)이나 조례는 포함되지 아니한다.

침해의 적법성
▷ 수용 근거는 형식적 의미의 법률

4 특별한 희생

1. 개설

손실보상의 요건이 충족되기 위해서는 재산권에 대한 공권적 침해로 인하여 '특별한 희생'이 발생하여야 한다. 특별희생이란 '사회적 제약을 넘어서는 손실'을 의미한다. 그런데 실제로 어떤 손실이 발생한 경우, 그 손실이 구체적으로 보상이 필요한 '특별한 희생'인지, 보상이 필요 없는 '재산권에 내재하는 사회적 제약'인지가 불분명한 경우가 많다. 따라서 양자의 구별기준이 문제가 되는데, 이에 대해서는 다음과 같이 학설이 대립한다.

특별희생
▷ 재산권의 사회적제약 넘는 손실

2. 학설

(1) 형식적 기준설

형식적 기준설은 재산권의 침해를 받는 자가 특정되어 있는지에 따라 구별하자는 견해로, 재산권의 침해가 특정인이나 한정된 범위의 사람에게 불평등하게 부과된 경우에는 특별한 희생에 해당하고, 동일한 상황에 있는 모든 사람에게 일반적으로 행해지면 사회적 제약에 해당한다고 본다.

형식적 기준설
▷ 침해받는 자 특정되면 특별희생

함께 정리하기

실질적 기준설(재산권 침해의 중대성·강도·수인한도성 등에 따라 구별)
▷ 보호가치성설: 보호가치 있는 재산 침해가 특별희생
▷ 수인한도설: 침해 수인불가능한 경우 특별희생
▷ 목적위배설: 재산권 이용 목적 위배가 특별희생
▷ 사적효용설: 사적효용 본질적 침해 시 특별희생
▷ 중대성설: 재산권제약 중대한 경우 특별 희생
▷ 상황구속성설: 재산권주체 제한 예상불가능한 경우 특별희생

통설(절충설)
▷ 형식적·실질적 기준을 종합하여 판단

(2) 실질적 기준설

① 실질적 기준설은 재산권 침해의 중대성·강도·수인한도성 등의 실질적 기준에 의하여 특별한 희생과 사회적 제약을 구별하자는 견해이다.

② 실질적 기준설에는 ㉠ 보호가치가 있는 재산권에 대한 침해만을 보상을 요하는 특별한 희생으로 보는 보호가치성설, ㉡ 재산권의 본질인 배타적 지배를 침해한 것은 수인 한도를 넘는 것으로 특별한 희생에 해당한다고 보는 수인한도설, ㉢ 재산권의 침해가 종래 재산권의 이용목적을 침해하는 경우에 특별한 희생으로 보는 목적위배설, ㉣ 재산권의 사적 효용을 본질적으로 침해하는 경우에는 특별한 희생에 해당한다고 보는 사적효용설, ㉤ 재산권마다 그 처한 위치나 상황이 다를 수 있으므로 보상 여부 결정에 있어서도 구체적인 상황을 고려하여야 한다는 상황구속성설, ㉥ 재산권 침해의 중대성과 정도를 기준으로 특별희생인지를 판단하는 중대성설 등이 있다.

(3) 결어

특별한 희생의 판단에 대한 각 견해는 나름대로의 타당성을 갖고 있으나 완전한 판단기준은 되지 못하고 있어, 사안의 구체적인 상황에 따라 형식적 기준설과 실질적 기준설을 종합하여 판단하는 절충설이 통설적 견해이다.

3. 판례

(1) 대법원

대법원은 개발제한구역지정에 의한 토지소유자의 재산권행사의 제한, 적법한 개발행위로 인한 공공용물에 대한 일반사용의 제한, 공익사업의 시행으로 토석채취허가를 연장받지 못한 경우 등은 사회적 제약으로서 손실보상을 청구할 수 없다고 판시하였다.

대법원은 개발제한구역 지정으로 인한 재산권 제약
▷ 사회적 제약
▷ 손실보상 대상×

> **관련판례**
>
> **1** 구 도시계획법에 의한 개발제한구역지정에 의한 토지소유자의 재산권행사의 제한은 사회적 제약으로서 손실보상을 청구할 수 없다. ★★
>
> 구 도시계획법 제21조의 규정에 의하여 개발제한구역 안에 있는 토지의 소유자는 재산상의 권리 행사에 많은 제한을 받게 되고 그 한도 내에서 일반 토지소유자에 비하여 불이익을 받게 됨은 명백하지만, 그와 같은 제한으로 인한 토지소유자의 불이익은 공공의 복리를 위하여 감수하지 아니하면 안 될 정도의 것이라고 인정되므로, 그에 대하여 손실보상의 규정을 두지 아니하였다 하여 구 도시계획법 제21조의 규정을 헌법 제23조 제3항, 제11조 제1항 및 제37조 제2항에 위배되는 것으로 볼 수 없다(대판 1996.6.28. 94다54511).

공공용물에 대한 일반사용의 제한
▷ 특별한 희생×

> **2** 공공용물에 관하여 적법한 개발행위 등이 이루어져 일정 범위의 사람들의 일반사용이 종전에 비하여 제한받게 되었다 하더라도 특별한 사정이 없는 한 그로 인한 불이익은 특별한 손실에 해당하지 않는다. ★★★
>
> 일반 공중의 이용에 제공되는 공공용물에 대하여 특허 또는 허가를 받지 않고 하는 일반사용은 다른 개인의 자유이용과 국가 또는 지방자치단체 등의 공공목적을 위한 개발 또는 관리·보존행위를 방해하지 않는 범위 내에서만 허용된다 할 것이므로, 공공용물에 관하여 적법한 개발행위 등이 이루어짐으로 말미암아 이에 대한 일정범위의 사람들의 일반사용이 종전에 비하여 제한받게 되었다 하더라도 특별한 사정이 없는 한 그로 인한 불이익은 손실보상의 대상이 되는 특별한 손실에 해당한다고 할 수 없다(대판 2002.2.26. 99다35300).

3 공익사업의 시행으로 토석채취허가를 연장받지 못하게 되었다고 하더라도 재산상의 특별한 희생으로서 손실보상의 대상이 된다고 볼 수도 없다. ★★

중대한 공익상의 필요가 있는 공익사업이 시행되어 토석채취허가를 연장받지 못하게 되었다고 하더라도 토석채취허가가 연장되지 않게 됨으로 인한 손실과 공익사업 사이에 상당인과관계가 있다고 할 수 없을 뿐 아니라, 특별한 사정이 없는 한 그러한 손실이 적법한 공권력의 행사로 가하여진 재산상의 특별한 희생으로서 손실보상의 대상이 된다고 볼 수도 없다(대판 2009.6.23. 2009두2672).

함께 정리하기

토석채취허가를 연장✕
▷ 실질적·현실적 피해 발생✕
▷ 특별한 희생✕

(2) 헌법재판소

① 헌법재판소는 구「도시계획법」제21조에 규정된 개발제한구역제도 그 자체는 원칙적으로 합헌이지만, 토지를 종래의 목적으로도 사용할 수 없거나(나대지) 실질적으로 토지의 사용·수익의 길이 없는 경우(예 사정변경으로 인한 용도폐지) 등 개발제한구역 지정으로 인하여 토지소유자가 수인해야 하는 사회적 제약의 한계를 넘는 가혹한 부담이 발생하는 예외적인 경우에 보상규정을 두지 않는 것은 위헌이라고 판시하였다.

② 그러나 개발제한구역의 지정으로 인한 개발가능성의 소멸과 그에 따른 지가의 하락이나 지가상승률의 상대적 감소는 토지소유자가 감수해야 하는 사회적 제약이므로 보상규정을 두지 않았더라도 합헌이라고 판시하였다.

관련판례

1 개발제한구역의 지정이 사회적 제약의 한계는 넘는 경우와 사회적 제약의 범주에 속하는 경우 ★★

개발제한구역 지정으로 인하여 토지를 종래의 목적으로도 사용할 수 없거나 또는 더 이상 법적으로 허용된 토지이용의 방법이 없기 때문에 실질적으로 토지의 사용·수익의 길이 없는 경우에는 토지소유자가 수인해야 하는 사회적 제약의 한계를 넘는 것으로 보아야 한다. 그러나 개발제한구역의 지정으로 인한 개발가능성의 소멸과 그에 따른 지가의 하락이나 지가상승률의 상대적 감소는 토지소유자가 감수해야 하는 사회적 제약의 범주에 속하는 것으로 보아야 한다(헌재 1998.12.24. 89헌마214).

2 어떠한 경우라도 토지의 사적 이용권이 배제된 상태에서 토지소유자로 하여금 10년 이상을 아무런 보상 없이 수인하도록 하는 것은 공익실현의 관점에서도 정당화될 수 없는 과도한 제한으로서 헌법상의 재산권보장에 위배된다(헌재 1999.10.21. 97헌바26). ★★★

개발제한구역 지정으로 토지를 종래 목적으로 사용 불가, 실질적 사용·수익 불가
▷ 사회적 제약의 한계를 넘는 것 + 보상규정 두지 않은 것 → 위헌

지가 하락이나 지가상승률 상대적 감소
▷ 사회적 제약의 범주 內 + 보상규정 두지 않아도 → 합헌

사적 이용권 배제 상태로 10년 이상 보상 없이 수인
▷ 재산권보장에 위배

제4절 행정상 손실보상의 기준과 내용

1 개설

헌법 제23조 제3항은 정당보상의 원칙을 제시하고 보상의 기준과 방법을 법률에 유보하고 있다. 이에 따라 「도로법」, 「하천법」, 「산림보호법」, 「수산업법」 등 다수의 개별법에서 보상의 기준이나 방법 등을 규정하고 있다. 이 가운데에 대부분의 개별법들이 손실보상에 관하여 구체적인 사항은 토지보상법의 규정을 준용하도록 규정하고 있어 토지보상법(이하 '동법'이라 함)은 실제로 손실보상에 관한 일반법으로서의 기능을 하고 있다. 이러한 이유에서 이하에서는 토지보상법이 규정하고 있는 손실보상의 기준 및 내용을 살펴보기로 한다.

2 손실보상의 기준

1. 헌법상의 보상기준

(1) 문제의 소재

헌법 제23조 제3항은 "재산권의 수용·사용 또는 제한 및 그에 대한 보상은 법률로써 하되, 정당한 보상을 지급하여야 한다."라고 규정하고 있다. 여기서 '정당한 보상'이 무엇을 의미하는지에 관하여 견해가 대립한다.

(2) 학설

① **완전보상설**: 완전보상설은 '정당한 보상'은 피침해재산의 객관적 재산가치를 충분하고 완전하게 보상하여야 한다는 완전보상을 의미하는 것이라고 본다. 완전보상에는 피침해재산의 객관적 가치(정상적인 시장가격)의 보상과 함께 부대적 손실의 보상도 포함되지만, 정신적 손해와 개발이익은 포함되지 않는다고 본다(다수설).

② **상당보상설**: 상당보상설은 '정당한 보상'은 반드시 피침해재산의 완전한 객관적 가치 보상을 의미한다기보다는 피침해이익의 성질 및 정도와 함께 침해행위의 공공성을 고려하여 보상이 행해질 당시의 사회통념에 비추어 객관적으로 타당한 보상을 의미한다고 본다. 따라서 상당보상설에 의하면 정당한 보상은 완전보상을 하회하거나 상회할 수 있다.

정당한 보상의 의미
▷ 완전보상

(3) 판례

대법원과 헌법재판소는 완전보상설의 입장이다.

정당한 보상
▷ 객관적 재산가치의 완전보상

개발이익
▷ 완전보상의 범위 ✕

> **관련판례**
>
> **1 헌법 제23조 제3항의 정당한 보상의 의미 ★★★**
>
> 헌법 제23조 제3항에서 규정한 "정당한 보상"이란 원칙적으로 피수용재산의 객관적인 재산가치를 완전하게 보상하여야 한다는 완전보상을 뜻하는 것이다. 그러나 공익사업의 시행으로 지가가 상승하여 발생하는 개발이익은 궁극적으로는 국민 모두에게 귀속되어야 할 성질의 것이며, 완전보상의 범위에 포함되는 피수용토지의 객관적 가치 내지 피수용자의 손실이라고는 볼 수 없다(헌재 1991.2.11. 90헌바17 ; 대판 1993.7.13. 93누2131).

2 건물의 일부만 수용되어 잔여부분 건물가격이 하락한 경우 가치하락분에 대해 감가보상을 해야 한다. ★★

건물의 일부만이 수용되고 그 건물의 잔여부분을 보수하여 사용할 수 있는 경우 동일한 토지소유자의 소유에 속하는 일단의 토지 일부가 공공사업용지로 편입됨으로써 잔여지의 가격이 하락한 경우에는 공공사업용지로 편입되는 토지의 가격으로 환산한 잔여지의 가격에서 가격이 하락된 잔여지의 평가액을 차감한 잔액을 손실액으로 평가하도록 되어 있는 공익사업을 위한 토지 등의 취득 및 보상에 관한 법률 시행규칙 제26조 제2항을 유추적용하여 잔여건물의 가치하락분에 대한 감가보상을 인정함이 상당하다 (대판 2001.9.25. 2000두2426).

2. 개발이익의 배제

(1) 개발이익의 의의

개발이익이란 개발사업의 시행 등으로 인해 정상 지가상승분을 초과하는 토지가액의 증가분을 말한다. 토지보상법 제67조 제2항은 "보상액을 산정할 경우에 해당 공익사업으로 인하여 토지 등의 가격이 변동되었을 때에는 이를 고려하지 아니한다."라고 규정하여 개발이익을 보상금산정에서 배제하고 있다.

(2) 개발이익 배제의 정당성과 위헌성

① **대법원**: 대법원은 개발이익은 수용대상 토지의 수용 당시의 객관적 가치에 포함되지 않으므로 공익사업으로 인한 개발이익은 배제하는 것이 타당하다는 입장이다(대판 1993.7.27. 92누11084). 그러나 당해 공공사업과 관계없는 다른 사업이 시행으로 인한 개발이익은 배제해서는 안된다고 한다(개발이익 배제의 한계).

> **관련판례**
> 당해 공공사업과는 관계없는 다른 사업의 시행으로 인한 개발이익은 이를 배제하지 아니한 가격으로 평가하여야 한다(대판 1992.2.11. 91누7774). ★★

다른 사업으로 인한 개발이익
▷ 배제 ✕

② **헌법재판소**: 헌법재판소도 "당해 공익사업으로 시행으로 인한 개발이익을 보상액 산정에서 배제하는 것은 헌법상 정당보상의 원칙에 위배되지 아니한다."라고 보았다.

> **관련판례**
> 공익사업법 제67조 제2항은 보상액을 산정함에 있어 당해 공익사업으로 인한 개발이익을 배제하는 조항인데 … 개발이익은 그 성질상 완전보상의 범위에 포함되는 피수용자의 손실이라고 볼 수 없으므로, 이러한 개발이익을 배제하고 손실보상액을 산정한다 하여 헌법이 규정한 정당보상의 원리에 어긋나는 것이라고 할 수 없다(헌재 2009.9.24. 2008헌바11). ★★

개발이익의 배제
▷ 합헌

(3) 개발이익의 배제 방법

토지보상법은 개발이익을 배제하기 위해 손실보상액을 산정할 때 협의나 재결에 의하여 취득하는 토지에 대하여는 「부동산 가격공시에 관한 법률」에 따른 공시지가를 기준으로 하여 보상하도록 하고 있다(동법 제70조 제1항).

개발이익 배제 방법
▷ 공시지가 기준 보상

3 토지보상법상 보상대상자

토지보상법상 보상의 대상이 되는 자는 공익사업에 필요한 토지의 소유자와 관계인이다. 여기서 '관계인'이란 사업시행자가 취득하거나 사용할 토지에 관하여 지상권·지역권·전세권·저당권·사용대차 또는 임대차에 따른 권리 또는 그 밖에 토지에 관한 소유권 외의 권리를 가진 자 또는 그 토지에 있는 물건에 관하여 소유권이나 그 밖의 권리를 가진 자를 말한다. 다만, 제22조에 따른 사업인정의 고시가 된 후에 권리를 취득한 자는 기존의 권리를 승계한 자를 제외하고는 관계인에 포함되지 아니한다(동법 제2조 제5호).

> **관련판례**
>
> 공익사업을 위한 토지 등의 취득 및 보상에 관한 법률상 보상 대상이 되는 '기타 토지에 정착한 물건에 대한 소유권 그 밖의 권리를 가진 관계인'에는 수거·철거권 등 실질적 처분권을 가진 자도 포함된다(대판 2019.4.11. 2018다277419 ; 대판 2009.2.12. 2008다76112). ★

4 손실보상의 내용

1. 개설

토지보상법에 따라 손실보상의 내용을 살펴보면 ① 공용침해로 발생된 재산상의 손실에 대한 보상인 '재산권 보상'과, ② 공익사업의 사업지 밖의 재산권에 미치는 손해에 대한 보상인 '간접손실(사업손실)보상', ③ 공용침해로 인하여 생활의 근거를 상실한 재산권자에 대한 '생활보상'이 있다.

> 토지보상법상 손실보상의 내용
> ▷ 재산권보상, 간접손실보상, 생활보상

2. 재산권 보상

(1) 토지보상

　① 취득하는 토지의 보상(공용수용으로 인한 손실보상)
　　㉠ 공시지가를 기준으로 한 보상
　　　ⓐ 협의나 재결에 의하여 취득하는 토지에 대하여는 「부동산 가격공시에 관한 법률」에 따른 공시지가❶를 기준으로 하여 보상하되, 그 공시기준일부터 가격시점까지의 관계 법령에 따른 그 토지의 이용계획, 해당 공익사업으로 인한 지가의 영향을 받지 아니하는 지역의 대통령령으로 정하는 지가변동률, 생산자물가상승률과 그 밖에 그 토지의 위치·형상·환경·이용상황 등을 고려하여 평가한 적정가격으로 보상하여야 한다(동법 제70조 제1항).
　　　ⓑ 대법원과 헌법재판소는 공익사업을 위한 토지수용의 경우 공시지가를 기준으로 보상하도록 한 토지보상법 제70조 제1항은 위헌이 아니라고 한다.

> ❶ 여기서 공시지가란 국가가 매년 1월 1일을 기초로 하여 정하는 전 국토 중 일부 표준지의 시가(표준공시지가)를 말한다.

🔍 **관련판례**

1. 공익사업을 위한 토지수용의 경우 '부동산 가격공시 및 감정평가에 관한 법률'이 정한 공시지가를 기준으로 보상하도록 하는 구 '공익사업을 위한 토지 등의 취득 및 보상에 관한 법률' 제70조 제1항은 헌법 제23조 제3항이 규정한 정당보상의 원칙에 위배되지 않는다(헌재 2013.12.26. 2011헌바16). ★

2. 부동산 가격공시 및 감정평가에 관한 법률 제9조 제1항 제1호가 개별공시지가가 아닌 표준지공시지가를 기준으로 보상액을 산정하도록 한 것은 개발이익이 배제된 수용 당시 피수용 재산의 객관적인 재산가치를 가장 정당하게 보상하는 것이라고 할 것이므로, 헌법 제23조 제3항에 위반된다고 할 수 없다(헌재 2011.8.30. 2009헌바245). ★★

3. 수용대상토지의 보상가격을 정함에 있어 표준지공시지가를 기준으로 비교한 금액이 수용대상토지의 수용사업인정 전의 개별공시지가보다 적은 경우가 있다고 하더라도, 이것만으로 정당한 보상원리를 규정한 헌법 제23조 제3항에 위배되어 위헌이라고 할 수는 없다(대판 2001.3.27. 99두7968). ★

 **함께 정리하기**

보상기준이 표준공시지가
▷ 합헌

ⓒ 토지에 대한 보상액은 가격시점에서의 현실적인 이용상황과 일반적인 이용방법에 의한 객관적 상황을 고려하여 산정하되, 일시적인 이용상황과 토지소유자나 관계인이 갖는 주관적 가치 및 특별한 용도에 사용할 것을 전제로 한 경우 등은 고려하지 아니한다(동법 제70조 제2항).

ⓒ 공시지가 기준일

ⓐ 사업인정 전 협의에 의한 취득에 있어서 기준이 되는 공시지가는 해당 토지의 가격시점(협의의 성립) 당시 공시된 공시지가 중 가격시점(협의의 성립시점)과 가장 가까운 시점에 공시된 공시지가로 하고(동법 제70조 제3항), 사업인정 후의 취득에 있어서 기준이 되는 공시지가는 사업인정고시일 전의 시점을 공시기준일로 하는 공시지가로서, 해당 토지에 관한 협의의 성립 또는 재결 당시 공시된 공시지가 중 그 사업인정고시일과 가장 가까운 시점에 공시된 공시지가로 한다(동법 제70조 제4항).

ⓑ 이와 같이 토지의 보상가격을 사업인정고시일 전의 공시지가를 기준으로 하는 것은 당해 공익사업으로 인한 개발이익을 배제하기 위함이다.

② 사용하는 토지의 보상(공용사용으로 인한 손실보상)

㉠ 보상 규정: 협의 또는 재결에 의하여 사용하는 토지에 대하여는 그 토지와 인근 유사토지의 지료(地料), 임대료, 사용방법, 사용기간 및 그 토지의 가격 등을 고려하여 평가한 적정가격으로 보상하여야 한다(동법 제71조 제1항).

㉡ 사용하는 토지의 매수 및 수용청구

토지보상법 제72조【사용하는 토지의 매수청구 등】 사업인정고시가 된 후 다음 각 호의 어느 하나에 해당할 때에는 해당 토지소유자는 사업시행자에게 해당 토지의 매수를 청구하거나 관할 토지수용위원회에 그 토지의 수용을 청구할 수 있다. 이 경우 관계인은 사업시행자나 관할 토지수용위원회에 그 권리의 존속(存續)을 청구할 수 있다.
1. 토지를 사용하는 기간이 3년 이상인 경우
2. 토지의 사용으로 인하여 토지의 형질이 변경되는 경우
3. 사용하려는 토지에 그 토지소유자의 건축물이 있는 경우

ⓐ **의의**: 사업인정고시가 된 후, 토지를 사용하는 기간이 3년 이상인 경우, 토지의 사용으로 인하여 토지의 형질이 변경되는 경우, 사용하려는 토지에 그 토지소유자의 건축물이 있는 경우 중 어느 하나에 해당할 때에는 해당 토지소유자는 사업시행자에게 해당 토지의 매수를 청구하거나 관할 토지수용위원회에 그 토지의 수용을 청구할 수 있다. 이 경우 관계인은 사업시행자나 관할 토지수용위원회에 그 권리의 존속을 청구할 수 있다(동법 제72조).

개발제한구역법상 토지매수청구권등 보상규정
▷ 합헌

> **관련판례**
>
> **개발제한구역법상 토지소유자에게 토지매수청구권을 인정하는 등 보상규정을 둔 것은 적절한 손실보상에 해당한다.** ★★
>
> 헌법재판소는 개발제한구역의 지정에 관하여 규정하고 있던 구 도시계획법 제21조에 대하여 1998.12.24. 89헌마214·90헌바16·97헌바78 사건에서 개발제한구역의 지정이라는 제도 그 자체는 토지재산권에 내재하는 사회적 기속성을 구체화한 것으로서 원칙적으로 합헌적인 규정인데, 다만, 구역지정으로 말미암아 일부 토지소유자에게 사회적 제약의 범위를 넘는 가혹한 부담이 발생하는 경우에도 보상규정을 두지 않은 것에 위헌성이 있다는 취지로 헌법불합치결정을 선고한 바 있다. 위 헌법재판소의 결정 이후 개발제한구역의 지정절차와 개발제한구역의 종합적·체계적인 관리를 위한 법적 기반을 마련함으로써 개발제한구역의 보전과 주민의 생활편익의 조화를 도모하며, 개발제한구역으로 지정된 토지에 대하여 정부에 매수를 청구할 수 있도록 함으로써 국민의 재산권을 보장하는 등 위헌의 소지를 없애기 위하여 2000.1.28. 법률 제6241호로 개발제한구역의 지정 및 관리에 관한 특별조치법이 제정되었다. … 개발제한구역의 구역지정 후 토지를 종래의 목적으로 사용할 수 있는 경우에 있어서 개발제한구역의 지정으로 인한 토지재산권의 제한은 재산권에 내재하는 사회적 제약의 범위 내의 것이라 할 것이다. 한편, 1999.6.16. 구 도시계획법 시행령(대통령령 제16403호)이 개정되어 개발제한구역 지정 당시 지적법상 지목이 대인 토지 중 나대지에서의 주택의 건축이 허용되었으며, 2000.1.28. 제정된 특조법 제16조에서는 <u>개발제한구역의 지정으로 인하여 개발제한구역 안의 토지를 종래의 용도로 사용할 수 없어 그 효용이 현저히 감소한 토지 또는 당해 토지의 사용 및 수익이 사실상 불가능한 토지의 소유자에게 토지매수청구권을 인정하고 있다. 위와 같은 점을 종합할 때, 이 사건 특조법조항에 의한 개발제한구역 내에서의 행위제한은 토지재산권의 사회적 제약의 범주 내에 있는 것으로서 비례의 원칙에 위반하여 당해 토지의 소유자의 재산권을 과도하게 침해한 것으로 보기 어렵다</u>(헌재 2004.11.25. 2003헌바29 등).

ⓑ **불복방법**: 토지소유자의 매수청구에 사업시행자가 불응하는 경우 토지수용위원회에 재결을 신청할 수 있고, 토지소유자가 수용청구를 하였는데도 토지수용위원회가 수용을 거부하는 재결을 하는 경우에는 중앙토지수용위원회에 이의신청을 하거나, 법원에 사업시행자를 피고로 하여 보상금의 증감에 관한 소송을 제기할 수 있다.

관련판례

토지보상법 제72조의 수용청구권은 형성권의 성질을 지니므로 재결불복시 사업시행자를 피고로 보상금증감청구소송을 제기해야 한다. ★★

공익사업을 위한 토지 등의 취득 및 보상에 관한 법률 제72조의 문언, 연혁 및 취지 등에 비추어 보면, 위 규정이 정한 수용청구권은 토지보상법 제74조 제1항이 정한 잔여지 수용청구권과 같이 손실보상의 일환으로 토지소유자에게 부여되는 권리로서 그 청구에 의하여 수용효과가 생기는 형성권의 성질을 지니므로, 토지소유자의 토지수용청구를 받아들이지 아니한 토지수용위원회의 재결에 대하여 토지소유자가 불복하여 제기하는 소송은 토지보상법 제85조 제2항에 규정되어 있는 '보상금의 증감에 관한 소송'에 해당하고, 피고는 토지수용위원회가 아니라 사업시행자로 하여야 한다(대판 2015.4.9. 2014두46669).

③ 제한하는 토지의 보상(공용제한으로 인한 손실보상)
  ㉠ 공용제한의 경우 재산권의 사회적 제약에 해당하는 것으로 보아 공용수용이나 공용사용과 달리 보상 규정이 있는 경우는 거의 없다. 현행 토지보상법도 취득하는 토지 및 사용하는 토지에 대한 보상을 규정하면서 토지에 대한 제한에 관하여는 보상기준에 관한 규정을 두고 있지 않다.
  ㉡ 그러나 토지보상법 시행규칙 제23조 제1항❶은 공법상 제한을 받는 토지에 대하여는 제한받는 상태대로 평가하고, 다만, 그 공법상 제한이 당해 공익사업의 시행을 직접 목적으로 하여 가하여진 경우에는 제한이 없는 상태를 상정하여 평가하도록 하고 있다.

관련판례

1 택지개발사업으로 그 용도지역이 주거지역으로 변경된 경우 용도지역 변경을 고려하지 않고 토지가액을 평가해야 한다. ★★

토지수용 보상액을 산정함에 있어서는 토지수용법 제46조 제1항에 따라 당해 공공사업의 시행을 직접 목적으로 하는 계획의 승인·고시로 인한 가격변동은 이를 고려함이 없이 수용재결 당시의 가격을 기준으로 하여 정하여야 할 것이므로, 당해 사업인 택지개발사업에 대한 실시계획의 승인과 더불어 그 용도지역이 주거지역으로 변경된 토지를 그 사업의 시행을 위하여 후에 수용하였다면 그 재결을 위한 평가를 함에 있어서는 그 용도지역의 변경을 고려함이 없이 평가하여야 할 것이다(대판 1999.3.23. 98두13850).

2 문화재보호구역의 확대 지정이 당해 공공사업인 택지개발사업의 시행을 직접 목적으로 하여 가하여진 것이 아님이 명백하므로 토지의 수용보상액은 그러한 공법상 제한을 받는 상태대로 평가하여야 한다. ★★

공법상의 제한을 받는 토지의 수용보상액을 산정함에 있어서는 그 공법상의 제한이 당해 공공사업의 시행을 직접 목적으로 하여 가하여진 경우에는 그 제한을 받지 아니하는 상태대로 평가하여야 할 것이지만, 공법상 제한이 당해 공공사업의 시행을 직접 목적으로 하여 가하여진 경우가 아니라면 그러한 제한을 받는 상태 그대로 평가하여야 하고, 그와 같은 제한이 당해 공공사업의 시행 이후에 가하여진 경우라고 하여 달리 볼 것은 아니다(대판 2005.2.18. 2003두14222).

3 어느 수용대상 토지에 관하여 특정 시점에서 용도지역·지구·구역(이하 '용도지역 등'이라 함)을 지정 또는 변경하지 않은 것이 특정 공익사업의 시행을 위한 것일 경우 이는 해당 공익사업의 시행을 직접 목적으로 하는 제한이라고 보아 용도지역 등의 지정 또는 변경이 이루어진 상태를 상정하여 토지가격을 평가하여야 한다(대판 2018.1.25. 2017두61799).

함께 정리하기

제72조 수용청구에 대한 재결불복
▷ 사업시행자 상대로 보상금증감청구소송

❶ 토지보상법 시행규칙 제23조(공법상 제한을 받는 토지의 평가)
① 공법상 제한을 받는 토지에 대하여는 제한받는 상태대로 평가한다. 다만, 그 공법상 제한이 당해 공익사업의 시행을 직접 목적으로 하여 가하여진 경우에는 제한이 없는 상태를 상정하여 평가한다.
② 당해 공익사업의 시행을 직접 목적으로 하여 용도지역 또는 용도지구 등이 변경된 토지에 대하여는 변경되기 전의 용도지역 또는 용도지구 등을 기준으로 평가한다.

재결 위한 평가 시
▷ 용도지역 변경 고려×

당해 공공사업의 시행을 직접 목적×
▷ 제한을 받는 상태로 평가(시행 이후 여부 불문)

용도지역 등을 지정·변경하지 않은 것이 공익사업시행을 위한 것
▷ 용도지역 등의 지정·변경이 이루어진 상태를 상정하여 평가

(2) 토지 이외의 손실보상

① 이전료 및 물건의 수용에 대한 보상
  ㉠ 건축물 등: 건축물·입목·공작물과 그 밖에 토지에 정착한 물건(건축물 등)에 대하여는 이전에 필요한 비용으로 보상하여야 한다. 다만, 건축물 등을 이전하기 어렵거나 그 이전으로 인하여 건축물 등을 종래의 목적대로 사용할 수 없게 된 경우, 건축물 등의 이전비가 그 물건의 가격을 넘는 경우, 사업시행자가 공익사업에 직접 사용할 목적으로 취득하는 경우에는 해당 물건의 가격으로 보상하여야 한다(동법 제75조 제1항).
  ㉡ 농작물 등: 농작물에 대한 손실은 그 종류와 성장의 정도 등을 종합적으로 고려하여 보상하여야 하고(동법 제75조 제2항), 토지에 속한 흙·돌·모래 또는 자갈에 대하여는 거래가격 등을 고려하여 평가한 적정가격으로 보상하여야 한다(동법 제75조 제3항).
  ㉢ 분묘: 분묘에 대하여는 이장에 드는 비용 등을 산정하여 보상하여야 한다(동법 제75조 제4항).

② 권리에 대한 보상: 광업권·어업권·양식업권 및 물(용수시설을 포함한다) 등의 사용에 관한 권리에 대하여는 투자비용, 예상 수익 및 거래가격 등을 고려하여 평가한 적정가격으로 보상하여야 한다(동법 제76조 제1항).

> **관련판례**
> 하천법 제50조에 의한 하천수 사용권은 특허에 의한 공물사용권의 일종으로서, 독립된 재산적 가치가 있는 구체적인 권리라고 보아야 한다. 따라서 하천법 제50조에 따른 하천수 사용권이 공익사업을 위한 토지 등의 취득 및 보상에 관한 법률 제76조 제1항에서 손실보상의 대상으로 규정하고 있는 '물의 사용에 관한 권리'에 해당한다(대판 2018.12.27. 2014두11601). ★★

③ 영업손실 등에 대한 보상
  ㉠ 영업의 폐지·휴업
    ⓐ 영업을 폐업하거나 휴업함에 따른 영업손실에 대하여는 영업이익과 시설의 이전비용 등을 고려하여 보상하여야 한다(동법 제77조 제1항).
    ⓑ 여기서 말하는 영업손실이란 수용의 대상이 된 토지·건물 등을 이용하여 영업을 하다가 그 토지·건물 등이 수용됨으로 인하여 영업을 할 수 없거나 제한을 받게 됨으로 인하여 생기는 직접적인 손실을 말하는 것이다. 다만, 후술하는 바와 같이 간접적 영업손실도 토지보상법 시행규칙에 의하여 보상의 대상이 되는 경우가 있다.
    ⓒ 한편, 영업폐지인지 휴업인지는 다른 장소로 이전 가능한지를 기준으로 한다. 인접지역으로 이전이 불가능하면 폐업보상을 해야 한다.

토지보상법 제77조의 영업손실
▷ 직접손실 ○
▷ 간접손실 ×

> **관련판례**
>
> 1. **영업손실에는 영업을 하기 위하여 투자한 비용이나 그 영업을 통하여 얻을 것으로 기대되는 이익은 포함되지 않는다.** ★★
>
>   구 토지수용법 제51조(현 토지보상법 제77조 제1항)가 규정하고 있는 '영업상의 손실'이란 수용의 대상이 된 토지건물 등을 이용하여 영업을 하다가 그 토지건물 등이 수용됨으로 인하여 영업을 할 수 없거나 제한을 받게 됨으로 인하여 생기는 직접적인 손실을 말하는 것이므로 위 규정은 영업을 하기 위하여 투자한 비용이나 그 영업을 통하여 얻을 것으로 기대되는 이익에 대한 손실보상의 근거규정이 될 수 없고, 그 외 구 토지수용법 등 관계 법령에도 영업을 하기 위하여 투자한 비용이나 그 영업을 통하여 얻을 것으로 기대되는 이익에 대한 손실보상의 근거규정이나 그 보상의 기준과 방법 등에 관한 규정이 없으므로, 이러한 손실은 그 보상의 대상이 된다고 할 수 없다(대판 2006.1.27. 2003두13106).
>
> 2. **휴업과 폐지의 구별은 인접 시군 또는 구 지역 안의 다른 장소로 이전하는 것이 가능한지의 여부에 달려있다.** ★★
>
>   영업손실에 관한 보상에 있어서 영업의 휴업과 폐지를 구별하는 기준은 당해 영업을 다른 장소로 실제로 이전하였는지의 여부에 달려있는 것이 아니라, 당해 영업을 그 영업소 소재지나 인접 시군 또는 구 지역 안의 다른 장소로 이전하는 것이 가능한지의 여부에 달려 있다(대판 2006.9.8. 2004두7672).

ⓒ **농업의 손실**: 농업의 손실에 대하여는 농지의 단위면적당 소득 등을 고려하여 실제 경작자에게 보상하여야 한다. 다만, 농지소유자가 해당 지역에 거주하는 농민인 경우에는 농지소유자와 실제 경작자가 협의하는 바에 따라 보상할 수 있다(동법 제77조 제2항).

ⓒ **휴직·실직**: 휴직하거나 실직하는 근로자의 임금손실에 대하여는 「근로기준법」에 따른 평균임금 등을 고려하여 보상하여야 한다(동법 제77조 제3항).

3. 간접손실(사업손실)의 보상

토지보상법 제79조 【그 밖의 토지에 관한 비용보상 등】 ② 공익사업이 시행되는 지역 밖에 있는 토지등이 공익사업의 시행으로 인하여 본래의 기능을 다할 수 없게 되는 경우에는 국토교통부령으로 정하는 바에 따라 그 손실을 보상하여야 한다.

(1) 의의

간접손실은 공익사업의 시행 또는 완성 후의 시설이 간접적으로 사업지 밖의 재산권 등에 가해지는 손실을 말한다. 이러한 간접손실은 그 모습이 비정형적이고 다양하기 때문에 일일이 이를 예측하고 보상규정을 두기에 어려우므로 보상규정이 결여된 간접손실의 문제가 생길 수 있다. 우리 판례는 관련규정의 유추적용을 통하여 보상을 해오고 있다(대판 1999.10.8. 99다27231).❶ 이러한 간접손실에 대한 손실보상이 인정되기 위해서는 간접손실이 발생하여야 하고, 당해 간접손실이 특별한 희생에도 해당하여야 한다.

함께 정리하기

투자비용·기대이익
▷ 영업손실보상 대상×

휴업과 폐지 구별
▷ 실제로 이전하였는지×
▷ 이전이 가능한지○

간접손실보상
▷ 공익사업의 시행 또는 완성 후의 시설이 간접적으로 사업지 밖의 재산권 등에 가해지는 손실

❶ 공공사업의 시행 결과 그 공공사업의 시행이 사업지 밖에 미치는 간접손실에 대하여 공공사업의 시행으로 인하여 그러한 손실이 발생하리라는 것을 쉽게 예견할 수 있고 그 손실의 범위도 구체적으로 이를 특정할 수 있는 경우 그 손실보상에 관하여 「공공용지의 취득 및 손실보상에 관한 특례법 시행규칙」의 관련 규정 등을 유추적용하여 손실보상을 한 사례

함께 정리하기

❶ 동법 시행규칙은 제59조 이하에서 간접보상의 유형으로 ① 공익사업시행지구밖의 대지 등에 대한 보상(동법 시행규칙 제59조), ② 공익사업시행지구밖의 건축물에 대한 보상(동법 시행규칙 제60조), ③ 소수잔존자에 대한 보상(동법 시행규칙 제61조), ④ 공익사업시행지구밖의 공작물 등에 대한 보상(동법 시행규칙 제62조), ⑤ 공익사업시행지구밖의 어업의 피해에 대한 보상(동법 시행규칙 제63조), ⑥ 공익사업시행지구밖의 영업손실에 대한 보상(동법 시행규칙 제64조), ⑦ 공익사업시행지구밖의 농업의 손실에 대한 보상(동법 시행규칙 제65조) 등을 규정하고 있다.

❷ **토지보상법 시행규칙 제64조(공익사업시행지구밖의 영업손실에 대한 보상)**
① 공익사업시행지구밖에서 제45조에 따른 영업손실의 보상대상이 되는 영업을 하고 있는 자가 공익사업의 시행으로 인하여 다음 각 호의 어느 하나에 해당하는 경우에는 그 영업자의 청구에 의하여 당해 영업을 공익사업시행지구에 편입되는 것으로 보아 보상하여야 한다.
2. 진출입로의 단절, 그 밖의 부득이한 사유로 인하여 일정한 기간 동안 휴업하는 것이 불가피한 경우

❸ 철도의 설치 이후 고속기차의 운행으로 인하여 발생한 간접손실에 대한 손실보상청구를 허용한 사건

(2) 근거

① 간접손실에 대해서 보상을 받기 위해서는 근거규정이 필요한바, 토지보상법 제79조 제2항은 간접손실보상의 일반법상 근거가 되고 있으며, 이 토지보상법 제79조 제2항의 위임을 받아 제정된 동법 시행규칙의 각 규정(제59조~제65조)들은 간접손실보상의 직접적인 근거가 되고 있다.❶

② 한편, 최근 공익사업의 시행 그 자체로 인하여 받은 손실에 대한 보상을 청구하는 것이 아니라 공익사업에 따라 설치된 공공시설의 가동·운영으로 발생하는 손실에 대한 보상을 청구하는 경우에도 토지보상법 시행규칙 제64조(공익사업시행지구밖의 영업손실에 대한 보상)❷가 적용되는지가 문제가 되었던 사건에서, 판례는 헌법이 정한 '정당한 보상의 원칙'에 비추어 볼 때, 공익사업시행지구 밖 영업손실보상의 요건인 '공익사업의 시행으로 인한 그 밖의 부득이한 사유로 일정 기간 동안 휴업이 불가피한 경우'란 공익사업의 시행 또는 시행 당시 발생한 사유로 휴업이 불가피한 경우만을 의미하는 것이 아니라 공익사업의 시행 결과, 즉 그 공익사업의 시행으로 설치되는 시설의 형태·구조·사용 등에 기인하여 휴업이 불가피한 경우도 포함된다고 해석하는 것이 타당하다고 판시하였다(대판 2019.11.28. 2018두227).❸

(3) 청구방법

토지보상법의 규정 내용과 입법 취지 등을 종합하면, 간접손실보상을 청구하려는 자는 토지보상법 제34조, 제50조 등에 규정된 재결절차를 거친 다음 그 재결에 대하여 불복이 있는 때에 비로소 토지보상법 제83조 내지 제85조에 따라 권리구제를 받을 수 있을 뿐이다. 이러한 재결절차를 거치지 않은 채 곧바로 사업시행자를 상대로 손실보상을 청구하는 것은 허용되지 않는다(대판 2019.11.28. 2018두227).

4. 잔여지·잔여건축물의 손실보상, 잔여지·잔여건축물의 매수 및 수용청구

> **토지보상법 제73조【잔여지의 손실과 공사비 보상】** ① 사업시행자는 동일한 소유자에게 속하는 일단의 토지의 일부가 취득되거나 사용됨으로 인하여 잔여지의 가격이 감소하거나 그 밖의 손실이 있을 때 또는 잔여지에 통로·도랑·담장 등의 신설이나 그 밖의 공사가 필요할 때에는 국토교통부령으로 정하는 바에 따라 그 손실이나 공사의 비용을 보상하여야 한다. 다만, 잔여지의 가격 감소분과 잔여지에 대한 공사의 비용을 합한 금액이 잔여지의 가격보다 큰 경우에는 사업시행자는 그 잔여지를 매수할 수 있다.
>
> **제74조【잔여지 등의 매수 및 수용 청구】** ① 동일한 소유자에게 속하는 일단의 토지의 일부가 협의에 의하여 매수되거나 수용됨으로 인하여 잔여지를 종래의 목적에 사용하는 것이 현저히 곤란할 때에는 해당 토지소유자는 사업시행자에게 잔여지를 매수하여 줄 것을 청구할 수 있으며, 사업인정 이후에는 관할 토지수용위원회에 수용을 청구할 수 있다. 이 경우 수용의 청구는 매수에 관한 협의가 성립되지 아니한 경우에만 할 수 있으며, 사업완료일까지 하여야 한다.
> ② 제1항에 따라 매수 또는 수용의 청구가 있는 잔여지 및 잔여지에 있는 물건에 관하여 권리를 가진 자는 사업시행자나 관할 토지수용위원회에 그 권리의 존속을 청구할 수 있다.
>
> **제75조의2【잔여 건축물의 손실에 대한 보상 등】** ① 사업시행자는 동일한 소유자에게 속하는 일단의 건축물의 일부가 취득되거나 사용됨으로 인하여 잔여 건축물의 가격이 감소하거나 그 밖의 손실이 있을 때에는 국토교통부령으로 정하는 바에 따라 그 손실을 보상하여야 한다.

다만, 잔여 건축물의 가격 감소분과 보수비(건축물의 나머지 부분을 종래의 목적대로 사용할 수 있도록 그 유용성을 동일하게 유지하는 데에 일반적으로 필요하다고 볼 수 있는 공사에 사용되는 비용을 말한다. 다만, 「건축법」 등 관계 법령에 따라 요구되는 시설 개선에 필요한 비용은 포함하지 아니한다)를 합한 금액이 잔여 건축물의 가격보다 큰 경우에는 사업시행자는 그 잔여 건축물을 매수할 수 있다.

② 동일한 소유자에게 속하는 일단의 건축물의 일부가 협의에 의하여 매수되거나 수용됨으로 인하여 잔여 건축물을 종래의 목적에 사용하는 것이 현저히 곤란할 때에는 그 건축물소유자는 사업시행자에게 잔여 건축물을 매수하여 줄 것을 청구할 수 있으며, 사업인정 이후에는 관할 토지수용위원회에 수용을 청구할 수 있다. 이 경우 수용 청구는 매수에 관한 협의가 성립되지 아니한 경우에만 하되, 사업완료일까지 하여야 한다.

(1) 잔여지 등의 손실보상(제73조 제1항, 제75조의2 제1항에 따른 보상청구)

① 규정: 사업시행자는 동일한 소유자에게 속하는 일단의 토지(또는 건축물)의 일부가 취득되거나 사용됨으로 인하여, 잔여지(또는 잔여 건축물)의 가격이 감소하거나 그 밖의 손실이 있을 때 또는 잔여지에 통로·도랑·담장 등의 신설이나 그 밖의 공사가 필요할 때에는 국토교통부령으로 정하는 바에 따라 그 손실이나 공사의 비용을 보상하여야 한다. 다만, 잔여지의 가격 감소분과 잔여지에 대한 공사의 비용을 합한 금액(또는 잔여 건축물의 가격 감소분과 보수비를 합한 금액)이 잔여지의 가격(또는 잔여 건축물의 가격)보다 큰 경우에는 사업시행자는 그 잔여지(또는 잔여 건축물)를 매수할 수 있다(동법 제73조 제1항, 제75조의2 제1항).

② 성립요건
  ㉠ 동일한 소유자에게 속하는 일단의 토지(건축물)의 일부가 공익사업으로 취득되거나 사용될 것
  ㉡ 잔여지(잔여 건축물)의 가격이 감소하거나 그 밖의 손실이 있을 것
  ㉢ 잔여지의 가격 감소분과 잔여지에 대한 공사의 비용을 합한 금액(잔여 건축물의 가격 감소분과 보수비를 합한 금액)이 잔여지(잔여 건축물)의 가격보다 크지 않을 것

관련판례

1 손실이 토지 일부가 공익사업에 취득·사용됨으로 인해 발생해야 잔여지 손실보상의 대상이다. ★★

잔여지에 대하여 현실적 이용상황 변경 또는 사용 가치 및 교환가치의 하락 등이 발생하였더라도, 그 손실이 토지의 일부가 공익사업에 취득되거나 사용됨으로 인하여 발생하는 것이 아니라면 특별한 사정이 없는 한 토지보상법 제73조 제1항 본문에 따른 잔여지 손실보상 대상에 해당한다고 볼 수 없다(대판 2017.7.11. 2017두40860).

잔여지 손실보상
▷ 손실이 공익사업에 토지 일부가 취득·사용됨으로 인해 발생해야 함

2 동일 토지소유자에 속하는 토지의 일부가 취득됨으로써 잔여지의 가격이 감소한 경우에는 그 잔여지를 종래의 목적에 사용하는 것이 가능한 경우라도 손실보상의 대상이 된다. ★★

[1] 사업시행자가 동일한 토지소유자에 속하는 일단의 토지 일부를 취득함으로 인하여 잔여지의 가격이 감소하거나 그 밖의 손실이 있을 때 등에는 잔여지를 종래의 목적으로 사용하는 것이 가능한 경우라도 잔여지 손실보상의 대상이 되며, 잔여지를 종래의 목적에 사용하는 것이 불가능하거나 현저히 곤란한 경우이어야만 잔여지 손실보상청구를 할 수 있는 것이 아니다.

동일 토지소유자에 속하는 토지의 일부가 취득되어 잔여지 가격 감소
▷ 잔여지를 종래의 목적에 사용하는 것이 가능한 경우라도 손실보상의 대상○

잔여 영업시설 손실보상의 요건
▷ 공익사업에 영업시설 일부가 편입됨으로써 잔여 영업시설의 운영에 일정한 지장이 초래되고, 이에 따라 종전처럼 정상적인 영업을 계속하기 위해서는 잔여 영업시설에 시설을 새로 설치하거나 잔여 영업시설을 보수할 필요가 있는 경우도 포함

[2] (잔여 영업시설 손실보상의 요건) 마찬가지로 잔여 영업시설 손실보상의 요건인 "공익사업에 영업시설의 일부가 편입됨으로 인하여 잔여시설에 그 시설을 새로이 설치하거나 잔여시설을 보수하지 아니하고는 그 영업을 계속할 수 없는 경우"란 잔여 영업시설에 시설을 새로이 설치하거나 잔여 영업시설을 보수하지 아니하고는 그 영업이 전부 불가능하거나 곤란하게 되는 경우만을 의미하는 것이 아니라, 공익사업에 영업시설 일부가 편입됨으로써 잔여 영업시설의 운영에 일정한 지장이 초래되고, 이에 따라 종전처럼 정상적인 영업을 계속하기 위해서는 잔여 영업시설에 시설을 새로 설치하거나 잔여 영업시설을 보수할 필요가 있는 경우도 포함된다고 해석함이 타당하다(대판 2018.7.20. 2015두4044).

③ **잔여지 등 손실보상 청구방법**: 잔여지 등의 손실보상금의 경우 잔여지 등의 소유자가 사업시행자를 상대로 보상금 지급을 청구해야 하고, 사업시행자와 잔여지 등의 소유자 사이에 보상에 관한 협의가 성립되지 않으면 잔여지 등의 소유자도 관할 토지수용위원회에 재결을 신청할 수 있다(동법 제73조 제4항, 제75조의2 제3항).

④ **제척기간**: 잔여지 등의 손실 또는 비용의 보상은 해당 사업의 공사완료일부터 1년이 지난 후에는 청구할 수 없다(동법 제73조 제2항, 제75조의2 제4항).

⑤ **불복방법**: 토지(또는 건축물)소유자가 사업시행자로부터 잔여지 등의 가격감소 등으로 인한 손실보상을 받고자 하는 경우 토지수용위원회의 재결절차를 거치지 않은 채 곧바로 사업시행자를 상대로 손실보상을 청구하는 것은 허용되지 않는다.

잔여지 등의 가격감소 등으로 인한 손실보상
▷ 재결 거친 후 보상금증감청구소송

> **관련판례**
>
> 토지(또는 건축물)소유자는 잔여지 또는 잔여 건축물의 가격감소 등으로 인한 손실보상을 받기 위해서 재결절차를 거쳐야 하고, 이는 잔여지 또는 잔여 건축물 수용청구에 대한 재결절차를 거친 경우라도 마찬가지이다. ★★
>
> 토지(또는 건축물)소유자가 사업시행자로부터 구 토지보상법 제73조, 제75조의2에 따른 잔여지 또는 잔여건축물 가격감소 등으로 인한 손실보상을 받기 위해서는 같은 법 제34조, 제50조 등에 규정된 재결절차를 거친 다음 그 재결에 대하여 불복할 때 비로소 같은 법 제83조 내지 제85조에 따라 권리구제를 받을 수 있을 뿐이며, 특별한 사정이 없는 한 이러한 재결절차를 거치지 않은 채 곧바로 사업시행자를 상대로 손실보상을 청구하는 것은 허용되지 않는다 할 것이고, 이는 잔여지 또는 잔여건축물 수용청구에 대한 재결절차를 거친 경우라고 하여 달리 볼 것은 아니다(대판 2014.9.25. 2012두24092 ; 대판 2015.11.12. 2015두2963).

(2) 잔여지 등의 매수 및 수용청구(제74조 제1항, 제75조의2 제2항에 따른 보상청구)

① **규정**

㉠ 동일한 소유자에게 속하는 일단의 토지(또는 건축물)의 일부가 협의에 의하여 매수되거나 수용됨으로 인하여 잔여지(또는 잔여 건축물)를 종래의 목적에 사용하는 것이 현저히 곤란할 때에는 해당 토지(또는 건축물)소유자는 사업시행자에게 잔여지를 매수하여 줄 것을 청구할 수 있으며, 사업인정 이후에는 관할 토지수용위원회에 수용을 청구할 수 있다. 이 경우 수용의 청구는 매수에 관한 협의가 성립되지 아니한 경우에만 할 수 있으며, 그 사업의 공사완료일까지 하여야 한다(동법 제74조 제1항, 제75조의2 제2항).

> 🔨 **관련판례**
>
> **매수청구는 사업시행자에게, 수용청구는 토지수용위원회에 해야 한다.** ★★
>
> 관할 토지수용위원회가 사업시행자에게 잔여지 수용청구의 의사표시를 수령할 권한을 부여하였다고 인정할 만한 사정이 없는 한, 사업시행자에게 한 잔여지 매수청구의 의사표시를 관할 토지수용위원회에 한 잔여지 수용청구의 의사표시로 볼 수는 없다(대판 2010.8.19. 2008두822).

사업시행자에게 한 잔여지 매수청구 의사표시
▷ 관할 토지수용위원회에 한 잔여지 수용청구의 의사표시 ✕

ⓒ 한편 매수 또는 수용의 청구가 있는 잔여지 및 잔여지에 있는 물건에 관하여 권리를 가진 자는 사업시행자나 관할 토지수용위원회에 그 권리의 존속을 청구할 수 있다(동법 제74조 제2항).

② 성립요건
  ㉠ 동일한 소유자에게 속하는 일단의 토지(건축물)의 일부가 협의에 의하여 매수되거나 수용될 것
  ㉡ 잔여지(잔여 건축물)를 종래의 목적에 사용하는 것이 현저히 곤란할 것

> 🔨 **관련판례**
>
> **구 토지수용법 제48조 제1항에서 정한 '종래의 목적'과 '사용하는 것이 현저히 곤란한 때'의 의미** ★★
>
> 구 토지수용법 제48조 제1항에서 규정한 '종래의 목적'이라 함은 수용재결 당시에 당해 잔여지가 현실적으로 사용되고 있는 구체적인 용도를 의미하고, '사용하는 것이 현저히 곤란한 때'라고 함은 물리적으로 사용하는 것이 곤란하게 된 경우는 물론 사회적, 경제적으로 사용하는 것이 곤란하게 된 경우, 즉 절대적으로 이용 불가능한 경우만이 아니라 이용은 가능하나 많은 비용이 소요되는 경우를 포함한다(대판 2005.1.28. 2002두4679).

잔여지 재결당시 용도사용 현저히 곤란
▷ 잔여지수용청구 可

③ **성질**: 잔여지 등의 매수 및 수용청구권은 그 요건을 구비한 때에는 토지수용위원회의 특별한 조치를 기다릴 것 없이 청구에 의하여 매수 및 수용의 효과가 발생하므로 형성권적 성질을 가진다(대판 2010.8.19. 2008두822 ; 대판 2015.4.9. 2014두46669).

잔여지 매수 및 수용청구권의 성질
▷ 형성권

④ **잔여지 등의 수용청구권의 행사기간**: 잔여지 등의 수용청구권의 행사기간은 제척기간에 해당한다. 따라서 잔여지 등의 수용청구는 매수에 관한 협의가 성립되지 아니한 경우에만 할 수 있으며, 해당 사업의 공사완료일까지 하여야 한다(동법 제74조 제1항, 제75조의2 제2항).

잔여지수용청구권의 행사기간
▷ 제척기간

> 🔨 **관련판례**
>
> **잔여지수용청구권의 행사기간은 제척기간이다.** ★★
>
> 구 토지보상법 제74조 제1항에 의하면, 잔여지 수용청구는 사업시행자와 사이에 매수에 관한 협의가 성립되지 아니한 경우 일단의 토지의 일부에 대한 관할 토지수용위원회의 수용재결이 있기 전까지 관할 토지수용위원회에 하여야 하고, 잔여지 수용청구권의 행사기간은 제척기간으로서, 토지소유자가 그 행사기간 내에 잔여지 수용청구권을 행사하지 아니하면 그 권리가 소멸한다(대판 2010.8.19. 2008두822).

잔여지수용청구권
▷ 형성권
▷ 행사기간: 제척기간

⑤ 불복방법
  ㉠ **잔여지 수용 자체를 다투는 경우**: 잔여지수용재결에 대해 사업시행자가 행정소송을 제기하는 경우, 잔여지수용 그 자체를 다투는 경우에는 토지수용위원회를 피고로 하여 취소소송을 제기하여야 한다.

잔여지 수용 자체를 다투는 경우
▷ 토지수용위원회를 피고로 한 취소소송

함께 정리하기

잔여지수용재결에 대해 보상금만을 다투는 경우
▷ 보상금증감소송

잔여지수용거부재결에 대한 불복
▷ 보상금증감청구소송

ⓒ **보상금을 다투는 경우**: 사업시행자나 토지소유자가 잔여지수용재결에 대해 보상금만을 다투는 경우에는 보상금증감소송을 제기하여야 한다.

ⓒ **잔여지수용거부재결에 대해 소송을 제기하는 경우**: 토지수용위원회의 잔여지수용거부재결이 있는 경우 토지소유자가 불복하여 제기하는 소송은 토지보상법 제85조 제2항의 '보상금증감청구소송'이다.

> **관련판례**
>
> **잔여지수용청구 거부재결에 대한 소송은 보상금증감청구소송에 의한다. ★★★**
> 구 '공익사업을 위한 토지 등의 취득 및 보상에 관한 법률' 제4조의7 제1항에 규정되어 있는 잔여지 수용청구권은 손실보상의 일환으로 토지소유자에게 부여되는 권리로서 그 요건을 구비한 때에는 잔여지를 수용하는 토지수용위원회의 재결이 없더라도 그 청구에 의하여 수용의 효과가 발생하는 형성권적 성질을 가지므로, 잔여지 수용청구를 받아들이지 않은 토지수용위원회의 재결에 대하여 토지 소유자가 불복하여 제기하는 소송은 위 법 제85조 제2항에 규정되어 있는 '보상금의 증감에 관한 소송'에 해당하여 사업시행자를 피고로 하여야 한다(대판 2010.8.19. 2008두822 ; 대판 2015.4.9. 2014두46669).

5. 생활보상

헌법 제23조 ③ 공공필요에 의한 재산권의 수용·사용 또는 제한 및 그에 대한 보상은 법률로써 하되, 정당한 보상을 지급하여야 한다.

제34조 ① 모든 국민은 인간다운 생활을 할 권리를 가진다.

토지보상법 제78조【이주대책의 수립 등】 ① 사업시행자는 공익사업의 시행으로 인하여 주거용 건축물을 제공함에 따라 생활의 근거를 상실하게 되는 자(이하 "이주대책대상자"라 한다)를 위하여 대통령령으로 정하는 바에 따라 이주대책을 수립·실시하거나 이주정착금을 지급하여야 한다.
② 사업시행자는 제1항에 따라 이주대책을 수립하려면 미리 관할 지방자치단체의 장과 협의하여야 한다.
③ 국가나 지방자치단체는 이주대책의 실시에 따른 주택지의 조성 및 주택의 건설에 대하여는 「주택도시기금법」에 따른 주택도시기금을 우선적으로 지원하여야 한다.
④ 이주대책의 내용에는 이주정착지(이주대책의 실시로 건설하는 주택단지를 포함한다)에 대한 도로, 급수시설, 배수시설, 그 밖의 공공시설 등 통상적인 수준의 생활기본시설이 포함되어야 하며, 이에 필요한 비용은 사업시행자가 부담한다. 다만, 행정청이 아닌 사업시행자가 이주대책을 수립·실시하는 경우에 지방자치단체는 비용의 일부를 보조할 수 있다.

토지보상법 시행령 제40조【이주대책의 수립·실시】 ① 사업시행자가 법 제78조 제1항에 따른 이주대책(이하 "이주대책"이라 한다)을 수립하려는 경우에는 미리 그 내용을 같은 항에 따른 이주대책대상자(이하 "이주대책대상자"라 한다)에게 통지하여야 한다.
② 이주대책은 국토교통부령으로 정하는 부득이한 사유가 있는 경우를 제외하고는 이주대책대상자 중 이주정착지에 이주를 희망하는 자의 가구 수가 10호(戸) 이상인 경우에 수립·실시한다. 다만, 사업시행자가 「택지개발촉진법」 또는 「주택법」 등 관계 법령에 따라 이주대책대상자에게 택지 또는 주택을 공급한 경우(사업시행자의 알선에 의하여 공급한 경우를 포함한다)에는 이주대책을 수립·실시한 것으로 본다.

제41조【이주정착금의 지급】 사업시행자는 법 제78조 제1항에 따라 다음 각 호의 어느 하나에 해당하는 경우에는 이주대책대상자에게 국토교통부령으로 정하는 바에 따라 이주정착금을 지급해야 한다.
1. 이주대책을 수립·실시하지 아니하는 경우
2. 이주대책대상자가 이주정착지가 아닌 다른 지역으로 이주하려는 경우
3. 이주대책대상자가 공익사업을 위한 관계 법령에 따른 고시 등이 있는 날의 1년 전부터 계약체결일 또는 수용재결일까지 계속하여 해당 건축물에 거주하지 않은 경우
4. 이주대책대상자가 공익사업을 위한 관계 법령에 따른 고시 등이 있은 날 당시 다음 각 목의 어느 하나에 해당하는 기관·업체에 소속(다른 기관·업체에 소속된 사람이 파견 등으로 각 목의 기관·업체에서 근무하는 경우를 포함한다)되어 있거나 퇴직한 날부터 3년이 경과하지 않은 경우
  가. 국토교통부
  나. 사업시행자
  다. 법 제21조 제2항에 따라 협의하거나 의견을 들어야 하는 공익사업의 허가·인가·승인 등 기관
  라. 공익사업을 위한 관계 법령에 따른 고시 등이 있기 전에 관계 법령에 따라 실시한 협의, 의견청취 등의 대상자였던 중앙행정기관, 지방자치단체, 「공공기관의 운영에 관한 법률」 제4조에 따른 공공기관 및 「지방공기업법」에 따른 지방공기업

(1) 개설

① **손실보상의 새로운 국면**: 종래의 대물적 보상을 중심으로 한 손실보상은 토지 등의 재산을 보상의 직접적인 대상으로 하면서 그 재산과 인과관계에 있는 통상적인 손실을 부가적으로 보상하였으나, 오늘날에는 댐·항만·산업단지·대규모 택지 등과 같이 공공사업이 규모가 대형화 되면서 수용도 대규모화 됨에 따라 종래의 전형적인 재산권 보장만으로는 전보되지 않는 생활근거 자체가 상실되는 문제가 생겼다. 이에 따라 논의 되는 것이 생활보상의 문제이다. ❶

② **생활보상의 개념**: 생활보상이란 공익사업으로 인하여 생활의 근거가 변경되는 사람들이 종래와 같이 사회의 구성원으로 정상적인 생활을 영위할 수 있도록 실질적 물질적 보상 혹은 지원을 하는 것을 뜻한다. 생활보상은 침해가 없었던 것과 동일한 '생활상태'의 실현을 목적으로 한다는 점에서 침해가 없었던 것과 동일한 '재산상태'의 실현을 목적으로 하는 재산권 보상과 구별된다. 이러한 생활보상의 대표적 내용으로 이주대책(주거대책)과 생활대책(생계대책)이 있다.

③ 법적 근거
  ㉠ 헌법적 근거
    ⓐ 학설

헌법 제34조설 (생존권설)	생활보상은 헌법 제23조 제3항이 정하고 있는 정당한 보상을 넘어서는 것으로 보아 생활보상의 헌법적 근거를 <u>헌법 제34조의 인간다운 생활에서 찾는 견해</u>이다.
헌법 제34조· 제23조 결합설	생활보상도 헌법 제23조 제2항의 정당보상에 포함되는 것으로 보면서도, 생활보상이 경제적 약자에 대한 생활배려의 관점에서 행해지는 것이므로 생활보상은 헌법 제34조 제3항과 제23조 제3항을 동시에 근거하는 것으로 보는 견해이다(다수설).

    ⓑ **판례**: 헌법재판소와 대법원은 **헌법 제34조설**을 취하고 있는 것으로 보인다.

---

❶ **손실보상 대상의 변천**

손실보상은 피수용자의 수용목적물에 대한 주관적 이용 가치를 기준으로 행해지는 대인적 보상에서 수용목적물의 객관적 교환가치를 보상액으로 하는 대물적 보상으로, 피수용자의 생활안정을 보상의 대상으로 하는 생활보상으로 변천해 왔다.

생활보상
▷ 침해가 없던 종전 생활상태 회복 목적

이주대책
▷ 정책적 배려에 의해 마련

> **관련판례**
>
> **1** 이주대책은 생활보상의 일환으로 국가의 정책적인 배려에 의하여 마련된 제도이다. ★★★
>
> **1-1.** 이주대책은 헌법 제23조 제3항에 규정된 정당한 보상에 포함되는 것이라기보다는 이에 부가하여 이주자들에게 종전의 생활상태를 회복시키기 위한 생활보상의 일환으로서 국가의 정책적인 배려에 의하여 마련된 제도라고 볼 것이다. 따라서 이주대책의 실시 여부는 입법자의 입법정책적 재량의 영역에 속하므로 공익사업을 위한 토지 등의 취득 및 보상에 관한 법률 시행령 제40조 제3항 제3호가 이주대책의 대상자에서 세입자를 제외하고 있는 것이 세입자의 재산권을 침해하는 것이라 볼 수 없다(헌재 2006.2.23. 2004헌마19).
>
> **1-2.** 구 공공용지의 취득 및 손실보상에 관한 특례법상의 이주대책은 공공사업의 시행에 필요한 토지 등을 제공함으로 인하여 생활의 근거를 상실하게 되는 이주자들을 위하여 사업시행자가 '기본적인 생활시설이 포함된' 택지를 조성하거나 그 지상에 주택을 건설하여 이주자들에게 이를 '그 투입비용 원가만의 부담하에' 개별 공급하는 것으로서, 그 본래의 취지에 있어 이주자들에 대하여 종전의 생활상태를 원상으로 회복시키면서 동시에 인간다운 생활을 보장하여 주기 위한 이른바 생활보상의 일환으로 국가의 적극적이고 정책적인 배려에 의하여 마련된 제도라 할 것이다(대판 2003.7.25. 2001다57778).
>
> **2** 생활대책은 생활보상의 일환으로 국가의 정책적인 배려에 의하여 마련된 제도이다. ★★
>
> '생업의 근거를 상실하게 된 자에 대하여 일정 규모의 상업용지 또는 상가분양권 등을 공급하는' 생활대책은 헌법 제23조 제3항에 규정된 정당한 보상에 포함되는 것이라기보다는 생활보상의 일환으로서 국가의 정책적인 배려에 의하여 마련된 제도이므로, 그 실시 여부는 입법자의 입법 정책적 재량의 영역에 속한다. 구 토지보상법 제78조 제6항이 공익사업의 시행으로 인하여 농업 등을 계속할 수 없게 되어 이주하는 농민 등에 대한 생활대책 수립의무를 규정하고 있지 않다는 것만으로 재산권을 침해한다고 볼 수 없다(헌재 2013.7.25. 2012헌바71).

생활대책
▷ 헌법상 정당한 보상 ✕
정책적 배려
▷ 실시여부는 입법재량

ⓒ 개별법상의 근거
ⓐ 생활보상에 관한 일반법은 없다. 토지에 대한 손실보상을 일반적으로 규율하고 있는 토지보상법 역시 생활보상을 명문으로 규정하고 있지 않고 생활보상의 주요 내용인 이주대책의 수립에 대해서만 규정하고 있을 뿐이다(동법 제76조 등).
ⓑ 그 밖에 「산업입지 및 개발에 관한 법률」(약칭: 산업입지법)과 「댐건설 및 주변지역지원 등에 관한 법률」(약칭: 댐건설법) 등이 이주대책에 관하여 규정하고 있다.

(2) 생활보상의 내용

① 이주대책 ❶

❶ **이주대책**
이주대책은 공익사업의 시행에 필요한 토지 등을 제공함으로 인하여 생활의 근거를 상실하게 되는 이주대책대상자들에게 종전 생활상태를 원상으로 회복시키면서 동시에 인간다운 생활을 보장하여 주기 위하여 마련된 제도이다(대판 2011.6.23. 2007다63089).

㉠ 의의: 이주대책이란 공익사업의 시행으로 인하여 주거용 건축물을 제공함에 따라 생활근거를 상실한 자(이주대상자)를 종전과 같은 생활상태를 유지할 수 있도록 다른 지역으로 이전시켜주는 것을 말한다. 이러한 이주대책은 생활보상의 일환으로 국가의 정책적인 배려에 의하여 마련된 제도이다(헌재 2006.2.23. 2004헌마19).

ⓒ 이주대책 수립·실시의무 및 수립자

ⓐ 토지보상법 제78조에 따른 이주대책의 수립·실시의무는 이주대책의 수입자인 사업시행자가 필수적으로 준수하여야 할 법적의무이다. 이는 당사자의 합의 또는 사업시행자의 재량에 의하여 적용을 배제할 수 없는 강행법규이다.

ⓑ 따라서 이주대책의 수입자인 사업시행자는 공익사업의 시행으로 인하여 주거용 건축물을 제공함에 따라 생활의 근거를 상실하게 되는 자를 위하여 이주대책을 수립·실시하거나 이주정착금을 지급하여야 하며(동법 제78조 제1항), 미리 관할 지방자치단체의 장과 협의하여야 하고(동법 제78조 제2항), 미리 이주대책대상자에게 통지하여야 한다(동법 시행령 제40조 제1항). 이주대책은 국토교통부령으로 정하는 부득이한 사유가 있는 경우를 제외하고는 이주대책대상자 중 이주정착지에 이주를 희망하는 자의 가구 수가 10호 이상인 경우에 수립·실시한다.

다만, 사업시행자가 「택지개발촉진법」 또는 「주택법」 등 관계 법령에 따라 이주대책대상자에게 택지 또는 주택을 공급한 경우에는 이주대책을 수립·실시한 것으로 본다(동법 시행령 제40조 제1항).

> **관련판례**
>
> 사업시행자의 이주대책 수립·실시의무를 정하고 있는 구 공익사업법 제78조 제1항은 물론 이주대책의 내용에 관하여 규정하고 있는 같은 조 제4항 본문 역시 당사자의 합의 또는 사업시행자의 재량에 의하여 적용을 배제할 수 없는 강행법규이다(대판 2011.6.23. 2007다63089).

ⓒ 이주대책의 실시 여부: 이주대책은 이주자들에게 종전의 생활상태를 회복시키기 위한 생활보상의 일환으로서 국가의 정책적인 배려에 의하여 마련된 제도이므로, 이주대책의 실시 여부는 입법자의 입법정책적 재량의 영역에 속한다(헌재 2006.2.23. 2004헌마19).

ⓓ 이주대책대상자

ⓐ 토지보상법상 이주대책대상자는 '공익사업의 시행으로 인하여 주거용 건축물을 제공함에 따라 생활의 근거를 상실하게 되는 자' 및 '대통령령으로 정하는 공익사업의 시행으로 공장을 이전하는 자'이다(동법 제78조 제1항, 제78조의2).

ⓑ 다만, 허가를 받거나 신고를 하고 건축 또는 용도변경을 하여야 하는 건축물을 허가를 받지 아니하거나 신고를 하지 아니하고 건축 또는 용도변경을 한 건축물의 소유자, 해당 건축물에 공익사업을 위한 관계 법령에 따른 고시 등이 있은 날부터 계약체결일 또는 수용재결일까지 계속하여 거주하고 있지 아니한 건축물의 소유자, 타인이 소유하고 있는 건축물에 거주하는 세입자(다만, 해당 공익사업지구에 주거용 건축물을 소유한 자로서 타인이 소유하고 있는 건축물에 거주하는 세입자는 제외한다)는 이주대책대상자에서 제외한다(동법 시행령 제40조 제5항).

ⓒ '공익사업을 위한 관계 법령에 의한 고시 등이 있은 날' 당시 건축물의 용도가 주거용인 건물이 아니었던 건물이 그 이후에 주거용으로 불법 용도변경된 경우 이주대책대상이 되는 주거용 건축물에 해당하지 않는다.

함께 정리하기

이주대책 수립 시
▷ 미리 관할 지방자치단체장과 협의하고, 미리 이주대책대상자에게 통지하여야 함

사업시행자의 이주대책실시 및 이주정착금지급
▷ 법적 의무

이주대책수립 실시 내용
▷ 강행규정

이주대책의 실시 여부
▷ 입법자의 입법정책적 재량의 영역

이주대책대상자
▷ 공익사업의 시행으로 인하여 주거용 건축물을 제공함에 따라 생활의 근거를 상실하게 되는 자 등

함께 정리하기

이주대책대상자 해당 여부
▷ 주거용 건축물 제공으로 생활의 근거 상실해야 함

이주대책대상
▷ 고시 당시 용도가 주거용인 건물

토지보상법상 규정된 이주대책대상자 외의 이해관계인
▷ 사업시행자는 이들을 포함하여 이주대책 수립 가

이주대책대상자
▷ 법정 이주대책대상자 + 그 밖의 이해관계인

이주대책대상자의 이주대책 청구에 대한 거부
▷ 거부처분

이주대책의 내용
▷ 공공시설 등 통상적인 수준 생활기본시설 포함

사업시행자가 이주대책을 수립·실시
▷ 지방자치단체는 비용의 일부를 보조

관련판례

1 이주대책대상자에 해당하기 위하여는 공익사업의 시행으로 인하여 주거용 건축물을 제공함에 따라 생활의 근거를 상실하게 되어야 한다(대판 2015.6.11. 2012다58920). ★

2 이주대책의 실시여부는 입법자의 입법정책적 재량의 영역에 속하므로 토지취득보상법 시행령 제40조 제3항 제3호가 이주대책의 대상자에서 세입자를 제외하고 있는 것이 세입자의 재산권을 침해하는 것이라 볼 수 없다(헌재 2006.2.23. 2004헌마19).

3 군인아파트의 관리실 용도로 신축되어 택지개발예정지구지정 공람공고일 당시까지도 관리실로 사용하다가 그 후에 주거용으로 개조한 건물은 이주대책대상이 되는 주거용 건축물에 해당하지 않는다. ★★

토지보상법 제78조 제1항에 정한 이주대책의 대상이 되는 주거용 건축물이란 같은 법 시행령 제40조 제3항 제2호의 '공익사업을 위한 관계 법령에 의한 고시 등이 있은 날' 당시 건축물의 용도가 주거용인 건물을 의미한다고 해석되므로, 그 당시 주거용 건물이 아니었던 건물이 그 이후에 주거용으로 용도변경된 경우에는 건축허가를 받았는지 여부에 상관없이 수용재결 내지 협의계약체결 당시 주거용으로 사용된 건물이라 할지라도 이주대책 대상이 되는 주거용 건축물이 될 수 없다(대판 2009.2.26. 2007두13340).

ⓓ 사업시행자는 토지보상법상 이주대책대상자가 아닌 자(예 타인이 소유하고 있는 건축물에 거주하는 세입자)도 임의로 이주대책대상자에 포함시킬 수 있지만, 법상 이주대책대상자로 규정된 자를 임의로 제외할 수는 없다.

관련판례

1 시행자는 법정 이주대책대상자를 포함하여 그 밖의 이해관계인에게까지 대상자를 넓혀 이주대책 수립 등을 시행할 수 있다. ★★★

공익사업법령이 이주대책대상자에게 시행할 이주대책 수립 등의 내용에 관하여 구체적으로 규정하고 있으므로, 사업시행자는 법이 정한 이주대책대상자를 법령이 예정하고 있는 이주대책 수립 등의 대상에서 임의로 제외해서는 아니 된다. 그렇지만 규정 취지가 사업시행자가 시행하는 이주대책 수립 등의 대상자를 법이 정한 이주대책대상자로 한정하는 것은 아니므로, 사업시행자는 해당 공익사업의 성격, 구체적인 경우나 내용, 원만한 시행을 위한 필요 등 제반 사정을 고려하여 법이 정한 이주대책대상자를 포함하여 그 밖의 이해관계인에게까지 넓혀 이주대책 수립 등을 시행할 수 있다(대판 2015.7.23. 2012두22911).

2 법상 대상자가 아닌 자도 임의로 이주대책대상자에 포함 가능하다. ★★

사업시행자는 법상 이주대책대상자가 아닌 자도 임의로 이주대책대상자에 포함시킬 수 있다. 이주대책의 수립에 의해 이주대책대상자에 포함된 세입자 등은 영구임대주택 입주권 등 이주대책을 청구할 권리를 가지며 이를 거부한 것은 거부처분이 된다(대판 1994.2.22. 93누15120).

ⓔ **이주대책의 내용**

ⓐ 이주주택 내용에는 이주정착지(이주대책의 실시로 건설하는 주택단지를 포함한다)에 대한 도로, 급수시설, 배수시설, 그 밖의 공공시설 등 통상적인 수준의 생활기본시설이 포함되어야 하며, 이에 필요한 비용은 사업시행자가 부담한다. 다만, 행정청이 아닌 사업시행자가 이주대책을 수립·실시하는 경우에 지방자치단체는 비용의 일부를 보조할 수 있다(동법 제78조 제4항).

ⓑ 사업시행자는 이주대책을 수립할 의무를 지지만(동법 제78조 제1항), 이주대책의 내용결정에 있어서는 법령에 의한 것을 제외하고는 재량권을 가진다.

관련판례

사업시행자는 이주대책기준을 정하여 이주대책대상자 가운데 이주대책을 수립·실시하여야 할 자를 선정하여 그들에게 공급할 택지 등을 정하는데 재량을 가진다. ★★

도시개발사업의 <u>사업시행자는 이주대책기준을 정하여 이주대책대상자 중에서 이주대책을 수립·실시하여야 할 자를 선정하여 그들에게 공급할 택지 또는 주택의 내용이나 수량을 정할 수 있고, 이를 정하는 데 재량을 가지므로,</u> 이를 위해 사업시행자가 설정한 기준은 그것이 객관적으로 합리적이 아니라거나 타당하지 않다고 볼 만한 다른 특별한 사정이 없는 한 존중되어야 한다(대판 2009.3.12. 2008두12610).

ⓑ 이주정착금 지급

사업시행자는 ⓐ 이주대책을 수립·실시하지 아니하는 경우, ⓑ 이주대책대상자가 이주정착지가 아닌 다른 지역으로 이주하려는 경우, ⓒ 이주대책대상자가 공익사업을 위한 관계 법령에 따른 고시 등이 있은 날의 1년 전부터 계약체결일 또는 수용재결일까지 계속하여 해당 건축물에 거주하지 않은 경우, ⓓ 이주대책대상자가 공익사업을 위한 관계법령에 따른 고시 등이 있은 날 당시 일정한 기관(국토교통부, 사업시행자 등)·업체에 소속되어 있거나 퇴직한 날부터 3년이 경과하지 않은 경우에는 이주대책대상자에게 국토교통부령이 정하는 바에 따라 이주정착금을 지급하여야 한다(동법 시행령 제41조).

ⓐ 주거이전비 지급
ⓐ 주거용 건물의 거주자에 대하여는 주거 이전에 필요한 비용과 가재도구 등 동산의 운반에 필요한 비용을 산정하여 보상하여야 한다(동법 제78조 제6항).
ⓑ 주거이전비 보상청구권은 토지보상법상의 요건을 충족하는 경우에 당연히 발생하는 공법상의 권리이므로, 주거이전비 보상청구소송은 당사자소송에 의하여야 한다.

관련판례

주거이전비 보상청구소송은 당사자소송에 의하여야 한다. ★★★

[1] <u>주거이전비는 … 사회보장적인 차원에서 지급되는 금원의 성격을 가지므로,</u> 적법하게 시행된 공익사업으로 인하여 이주하게 된 <u>주거용 건축물 세입자의 주거이전비 보상청구권은 공법상의 권리이고,</u> 따라서 <u>그 보상을 둘러싼 쟁송은 민사소송이 아니라 공법상의 법률관계를 대상으로 하는 행정소송에 의하여야 한다.</u>
[2] 구 공익사업을 위한 토지 등의 취득 및 보상에 관한 법률 제78조 제5항·제7항, 같은 법 시행규칙 제54조 제2항 본문, 제3항의 각 조문을 종합하여 보면, <u>세입자의 주거이전비 보상청구권은 그 요건을 충족하는 경우에 당연히 발생하는 것이므로, 주거이전비 보상청구소송은 행정소송법 제3조 제2호에 규정된 당사자소송에 의하여야 한다.</u> 다만, … ① 세입자의 주거이전비보상에 관하여 재결이 이루어진 다음 세입자가 보상금의 증감 부분을 다투는 경우에는 같은 법 제85조 제2항에 규정된 행정소송에 따라, ② 보상금의 증감 이외의 부분을 다투는 경우에는 같은 조 제1항에 규정된 행정소송에 따라 권리구제를 받을 수 있다(대판 2008.5.29. 2007다8129 ; 대판 2006.4.27. 2006두2435).

함께 정리하기

사업시행자의 이주대책실시
▷ 법적 의무

내용·수량결정
▷ 재량행위

사업시행자
▷ 이주대책기준·공급택지결정 재량○

이주대책 수립·실시×, 이주대책대상자 타 지역으로 이주
▷ 이주정착금 지급

주거이전비·이사비
▷ 사회보장적 차원의 지급금원

❶ **토지보상법 시행규칙 제54조(주거이전비의 보상)** ① 공익사업시행지구에 편입되는 <u>주거용 건축물의 소유자</u>에 대하여는 해당 건축물에 대한 보상을 하는 때에 가구원수에 따라 <u>2개월분의 주거이전비를 보상</u>하여야 한다. 다만, 건축물의 소유자가 해당 건축물 또는 공익사업시행지구 내 타인의 건축물에 실제 거주하고 있지 아니하거나 해당 건축물이 무허가건축물등인 경우에는 그러하지 아니하다.
② 공익사업의 시행으로 인하여 이주하게 되는 <u>주거용 건축물의 세입자(</u>무상으로 사용하는 거주자를 포함하되, 법 제78조 제1항에 따른 이주대책대상자인 세입자는 제외한다)로서 사업인정고시일등 당시 또는 공익사업을 위한 관계 법령에 따른 고시 등이 있은 당시 해당 공익사업시행지구 안에서 3개월 이상 거주한 자에 대해서는 가구원수에 따라 <u>4개월분의 주거이전비를 보상</u>해야 한다. 다만, 무허가건축물등에 입주한 세입자로서 사업인정고시일등 당시 또는 공익사업을 위한 관계 법령에 따른 고시 등이 있은 당시 그 공익사업지구 안에서 1년 이상 거주한 세입자에 대해서는 본문에 따라 주거이전비를 보상해야 한다.

아파트 수분양권 발생
▷ 법령규정 그 자체 ✕
▷ 사업시행자가 이주대책자로 확인·결정함으로써 ○

◎ 수분양권

ⓐ **발생시기**: 이주자가 사업시행자에게 이주대책대상자 선정신청을 하고 사업시행자가 이를 받아들여 이주대책 대상자로 확인·결정하여야만 비로소 구체적인 수분양권이 발생한다.

> **관련판례**
>
> **이주대책대상자로 확인·결정이 되어야 이주대책대상자가 비로소 수분양권을 취득한다.** ★★
> 공익사업을 위한 토지 등의 취득 및 보상에 관한 법률 제78조 제1항이 사업시행자에게 이주대책의 수립·실시의무를 부과하고 있다고 하더라도 그 규정 자체만에 의하여 이주자에게 사업시행자가 수립한 이주대책상의 택지분양권이나 아파트 입주권 등을 받을 수 있는 구체적인 권리(수분양권)가 직접 발생하는 것이라고는 볼 수 없고, 사업시행자가 이주대책에 관한 구체적인 계획을 수립하여 이를 해당자에게 통지 내지 공고한 후, 이주자가 수분양권을 취득하기를 희망하여 이주대책에 정한 절차에 따라 사업시행자에게 이주대책대상자 선정신청을 하고 사업시행자가 이를 받아들여 이주대책대상자로 확인·결정하여야만 비로소 구체적인 수분양권이 발생하게 된다(대판 1995.10.12. 94누11279 ; 대판 1994.5.24. 92다35783).

ⓑ **법적 성질**: 사업시행자의 이주대책대상자 확인·결정에 의하여 발생하는 수분양권은 공법상 권리이며 이에 관한 다툼은 항고소송으로 해결하여야 한다. 따라서 사업시행자의 이주대책대상자 제외 조치는 이주대책대상자 확인·결정 거부처분의 성질을 가지며 이에 대하여 다투고자 하는 자는 그 거부처분에 대하여 취소소송을 제기할 수 있다.

이주대책에 따른 수분양권
▷ 공법상 권리
수분양권 미취득
▷ 수분양권 확인 구할 수 없음

> **관련판례**
>
> ① **이주대책에 의한 수분양권은 공법상의 권리이고, 이주대책대상자 선정에서 배제되어 구체적인 수분양권을 취득하지도 못한 경우 수분양권의 확인을 구할 수 없다.** ★★
> 이러한 수분양권은 위와 같이 이주자가 이주대책을 수립·실시하는 사업시행자로부터 이주대책대상자로 확인·결정을 받음으로써 취득하게 되는 택지나 아파트 등을 분양받을 수 있는 공법상의 권리라고 할 것이므로, 이주자가 사업시행자에 대한 이주대책대상자 선정신청 및 이에 따른 확인·결정 등 절차를 밟지 아니하여 구체적인 수분양권을 아직 취득하지도 못한 상태에서 곧바로 분양의무의 주체를 상대방으로 하여 민사소송이나 공법상 당사자소송으로 이주대책상의 수분양권의 확인 등을 구하는 것은 허용될 수 없다(대판 1994.5.24. 92다35783).

이주대책대상자 확인·결정
▷ 행정처분 ○

> ② **사업시행자의 이주대책대상자 확인·결정은 단순 사실행위가 아닌 처분에 해당한다.** ★★
> 공익사업을 위한 토지 등의 취득 및 보상에 관한 법률상의 공익사업시행자가 하는 이주대책대상자 확인·결정은 구체적인 이주대책상의 수분양권을 부여하는 요건이 되는 행정작용으로서의 처분이지 이를 단순히 절차상의 필요에 따른 사실행위에 불과한 것으로 평가할 수는 없다. 따라서 수분양권의 취득을 희망하는 이주자가 소정의 절차에 따라 이주대책대상자 선정신청을 한데 대하여 사업시행자가 이주대책대상자가 아니라고 하여 위 확인·결정 등의 처분을 하지 않고 이를 제외시키거나 거부조치한 경우에는, 이주자로서는 사업시행자를 상대로 항고소송에 의하여 제외처분이나 거부처분의 취소를 구할 수 있다(대판 2014.2.27. 2013두10885).

② 생활대책(생계대책)
　㉠ 의의: 생활대책(생계대책)이란 종전과 같은 경제수준을 유지할 수 있도록 하는 조치를 말한다. 생활대책으로는 생활비보상(이농비·이어비 보상), 상업용지·농업용지의 공급, 직업훈련, 고용 또는 알선 등이 있다.
　㉡ 생활대책대상자 제외 및 거부의 처분성: 헌법이나 토지보상법에서는 생활대책에 관한 명문의 근거 규정이 두고 있지 않으나(입법정책적 제도) 사업시행자가 스스로 내부규정을 두어 생활대책을 수립·실시하는 경우, 생활대책은 헌법 제23조 제3항에 따른 정당한 보상에 포함되는 것이므로 내부규정에 의하여 생활 대책대상자 선정기준에 해당하는 자는 사업시행자에게 생활대책대상자 선정 여부의 확인·결정을 신청할 권리를 갖는다. 따라서 사업시행자의 생활대책대상자 제외 및 선정거부는 취소소송의 대상인 처분에 해당한다.

 함께 정리하기

생활대책
▷ 종전과 같은 경제수준유지조치

생활대책대상자 선정기준 해당자
▷ 사업시행자에게 확인·결정신청 可

생활대책대상자 제외·선정거부
▷ 행정처분○
▷ 신청권 有

> **관련판례**
>
> 사업시행자 스스로 공익사업의 원활한 시행을 위하여 생활대책을 수립·실시할 수 있도록 하는 내부규정을 두고 이에 따라 생활대책대상자 선정기준을 마련하여 생활대책을 수립·실시하는 경우, 생활대책대상자 선정기준에 해당하는 자는 자신을 생활대책대상자에서 제외하거나 선정을 거부한 사업시행자를 상대로 항고소송을 제기할 수 있다. ★★★
>
> [1] 토지보상법은 … 생활대책용지의 공급과 같이 공익사업 시행 이전과 같은 경제수준을 유지할 수 있도록 하는 내용의 생활대책에 관한 분명한 근거 규정을 두고 있지는 않으나, 사업시행자 스스로 공익사업의 원활한 시행을 위하여 필요하다고 인정함으로써 생활대책을 수립·실시할 수 있도록 하는 내부규정을 두고 내부규정에 따라 생활대책대상자 선정기준을 마련하여 생활대책을 수립·실시하는 경우에는, 이러한 생활대책 역시 "공공필요에 의한 재산권의 수용·사용 또는 제한 및 그에 대한 보상은 법률로써 하되, 정당한 보상을 지급하여야 한다."고 규정하고 있는 헌법 제23조 제3항에 따른 정당한 보상에 포함되는 것으로 보아야 한다.
>
> [2] 따라서 이러한 생활대책대상자 선정기준에 해당하는 자는 사업시행자에 대하여 생활대책대상자 선정 여부의 확인·결정을 신청할 수 있는 권리를 가지는 것이어서, 만일 사업시행자가 그러한 자를 생활대책대상자에서 제외하거나 그 선정을 거부하면, 이러한 생활대책대상자 선정기준에 해당하는 자는 사업시행자를 상대로 항고소송을 제기할 수 있다고 봄이 타당하다(대판 2011.10.13. 2008두17905).

(관련규정이 없더라도) 사업시행자가 스스로 생활대책 수립·시행
▷ 헌법상 정당한 보상에 해당

선정기준 해당자에 대한 생활대책대상자 제외·선정거부
▷ 행정처분○

손실보상
▷ 원칙: 현금보상
▷ 예외: 현물보상, 매수보상, 채권보상 등

제5절 행정상 손실보상의 방법 및 지급원칙

1 손실보상의 방법

행정상 손실보상은 현금(금전)으로 지급하는 것이 원칙이나, 일정한 경우 현물보상, 매수보상, 채권보상 등 다른 보상으로 하는 것도 가능하다.

1. 현금(금전)보상의 원칙

손실보상은 현금으로 지급하는 것이 원칙이다(동법 제63조 제1항). 이는 현금이 자유로운 유통이 보장되고 객관적인 가치의 변동이 적어 재산권의 가치보장의 수단으로 가장 안정적이기 때문이다.

2. 현물보상

토지보상법은 현금보상에 대한 예외로서 일정한 기준과 절차에 따라 공익사업의 시행으로 조성한 토지를 보상할 수 있게 하여 현물보상을 인정하고 있다(동법 제63조 제1항 단서·제2항). 도시개발사업의 경우에 환지계획에서 정한 대지 등에 대하여 환지처분을 행하는 경우(도시개발법 제40조 참조) 등이 현물보상의 대표적인 예이다.

3. 매수보상

매수보상이란 물건에 대한 이용제한으로 인하여 종래의 이용목적에 따라 물건을 사용하기가 곤란하게 된 경우에 상대방에게 그 물건의 매수청구권을 인정하고, 그에 따라 그 물건을 매수함으로써 실질적으로 보상을 행하는 방법을 말한다(동법 제74조). 이러한 매수보상은 금전보상의 변형으로 볼 수 있다는 견해도 있다.

4. 채권보상

(1) 채권보상의 개념

채권보상이란 일정한 경우 채권으로 보상금을 지급하는 것을 말한다.

(2) 채권보상의 유형

① 채권보상을 할 수 있는 경우: 사업시행자가 국가, 지방자치단체, 그 밖에 대통령령으로 정하는 「공공기관의 운영에 관한 법률」에 따라 지정·고시된 공공기관 및 공공단체인 경우에, ㉠ 토지소유자나 관계인이 원하는 경우, ㉡ 사업인정을 받은 사업에 있어서 대통령령으로 정하는 부재부동산 소유자의 토지에 대한 보상금이 1억원을 초과하는 경우로서 그 초과하는 금액에 대하여 보상하는 경우에는 해당 사업시행자가 발행하는 채권으로 지급할 수 있다(동법 제63조 제7항, 동법 시행령 제27조 제1항).

② **채권보상을 하여야 하는 경우**: 토지투기가 우려되는 지역으로서 대통령령으로 정하는 지역 안에서, ㉠「택지개발촉진법」에 따른 택지개발사업, ㉡「산업입지 및 개발에 관한 법률」에 따른 산업단지개발사업, ㉢ 그 밖에 대규모 개발사업으로서 대통령령으로 정하는 사업을 시행하는 자 중 대통령령으로 정하는 「공공기관의 운영에 관한 법률」에 따라 지정·고시된 공공기관 및 공공단체는 부재부동산 소유자의 토지에 대한 보상금 중 대통령령으로 정하는 **1억원 이상의 일정 금액을 초과하는 부분**에 대하여는 해당 사업시행자가 발행하는 채권으로 지급하여야 한다(동법 제63조 제8항).

(3) 상환기간 등

채권보상을 행하는 경우 그 상환기간은 5년을 넘지 아니하는 범위 안에서 정하여야 하며, 그 이자율은 채권발행 당시 3년 만기 정기예금 이자율 내지 5년 만기 국고채금리를 적용하도록 하였다(동법 제63조 제9항).

2 손실보상의 지급원칙

1. 사업시행자보상의 원칙

공익사업에 필요한 토지 등의 취득 또는 사용으로 인하여 토지소유자나 관계인이 입은 손실은 수용 또는 사용을 통해 직접 수익한 자, 즉 **사업시행자가 보상**하여야 한다(동법 제61조).

2. 사전보상의 원칙

(1) 사업시행자는 해당 공익사업을 위한 공사에 착수하기 이전에 토지소유자와 관계인에게 보상액 전액을 지급하여야 한다(동법 제62조 본문). 사전보상은 선급이라고도 한다.

(2) 그러나 천재지변 시의 토지 사용과 시급한 토지 사용의 경우 또는 토지소유자 및 관계인의 승낙이 있는 경우에는 그러하지 아니하다(동법 제62조 단서). **후급의 경우에 이자와 물가변동에 따른 불이익은 보상책임자가 부담**하여야 한다(대판 1991.12.24. 91누308).

3. 개인별 보상의 원칙

손실보상은 **토지소유자나 관계인에게 개인별로 하여야** 한다. 다만, 개인별로 보상액을 산정할 수 없을 때에는 피보상자에게 일괄적으로 지급할 수도 있다(동법 제64조). 여기에서 '개인별'이란 수용 또는 사용의 대상이 되는 물건별로 보상을 하는 것이 아니라 **피보상자 개인별로 보상을 한다는** 의미이다.

> **관련판례**
>
> **토지수용법(현 토지보상법)에 의한 보상은 피보상자 개인별로 하여야 한다.** ★★
> 토지수용법 제45조 제2항은 수용 또는 사용함으로 인한 보상은 피보상자의 개인별로 산정할 수 없을 때를 제외하고는 피보상자에게 개인별로 하여야 한다고 규정하고 있으므로, 보상은 수용 또는 사용의 대상이 되는 물건별로 하는 것이 아니라 피보상자 개인별로 행하여지는 것이라고 할 것이어서 피보상자는 수용 대상물건 중 전부 또는 일부에 관하여 불복이 있는 경우 그 불복의 사유를 주장하여 행정소송을 제기할 수 있다(대판 2000.1.28. 97누11720).

보상의무자
▷ 수용으로 직접 수익한 자(사업시행자)

사전보상
▷ 공익사업 공사 착수 전 보상액 전액 지급해야 함

천재지변 시 or 시급한 경우 or 토지소유자 등의 승낙이 있는 경우
▷ 예외적으로 후급○
▷ 이자 + 물가변동에 따른 불이익: 보상책임자가 부담

4. 전액보상의 원칙

사업시행자는 해당 공익사업을 위한 공사를 착수하기 이전에 토지소유자와 관계인에게 보상액 전액을 지급하여야 한다(동법 제62조). 이때 말하는 전액지급은 통상 일시금 지급으로 이루어진다.

5. 일괄보상의 원칙

사업시행자는 동일한 사업지역에 보상시기를 달리하는 동일인 소유의 토지 등이 여러 개 있는 경우 토지소유자나 관계인이 요구할 때에는 한꺼번에 보상금을 지급하도록 하여야 한다(동법 제65조).

6. 시가보상의 원칙(조정액 산정의 가격시점)

토지보상법 제67조는 보상액 산정은 협의 성립 또는 재결 당시의 가격을 기준으로 한다고 하여 '시가보상의 원칙'을 채택하고 있다. 즉, 토지보상법은 보상액산정의 기준이 되는 시점을 '가격시점'이라 하면서(동법 제2조 제6호), 보상액의 가격시점은 ① 협의에 의한 경우에는 협의 성립 당시의 가격을, ② 재결에 의한 경우에는 수용 또는 사용의 재결 당시의 가격을 기준으로 하고 있다(동법 제67조 제1항). ③ 다만, 공익사업으로 인하여 토지 등의 가격이 변동되었을 때에는 이를 고려하지 아니한다(동법 제67조 제2항).

손실보상액 산정
▷ 수용재결당시 가격기준(해당 사업으로 인한 가격변동 고려✕)

> **관련판례**
>
> 손실보상액의 산정은 수용재결 당시의 가격이 기준이며 해당 공공사업으로 인한 가격변동은 고려하지 않는다. ★★
> 토지수용으로 인한 손실보상액을 산정함에 있어서 당해 공공사업의 시행을 직접 목적으로 하는 계획의 승인고시로 인한 가격변동은 이를 고려함이 없이 수용재결 당시의 가격을 기준으로 하여 적정가격을 정하여야 한다(대판 1999.1.15. 98두8896).

7. 사업시행의 이익과 상계금지

사업시행자는 동일한 소유자에게 속하는 일단의 토지의 일부를 취득하거나 사용하는 경우 해당 공익사업의 시행으로 인하여 잔여지의 가격이 증가하거나 그 밖의 이익이 발생한 경우에도 그 이익을 그 취득 또는 사용으로 인한 손실과 상계할 수 없다(동법 제66조).

제6절 공용수용의 절차

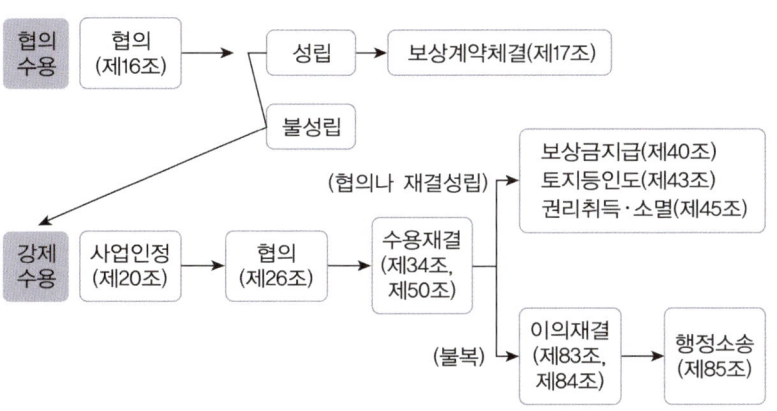

1 공용수용의 의의

공용수용이란 특정한 공익사업을 위하여 법률에 근거하여 토지 등 타인의 재산권을 강제적으로 취득하는 것을 말한다. 도로·철도·항만·주택건설 등 공익사업을 위하여 타인의 토지 등이 필요한 경우에는 「민법」상의 매매계약을 통하여 이를 취득하는 것이 원칙이나, 소유자가 매도를 원하지 않는 경우가 빈번히 발생한다. 여기서 당해 사업이 공익상 반드시 실현되어야 할 필요가 있는 경우에는 강제적으로 취득할 수밖에 없는바, 이를 위하여 발전된 제도가 공용수용제도이다.

공용수용
▷ 특정한 공익사업을 위하여 토지 등 타인의 재산권을 강제적으로 취득하는 것

2 공용수용의 절차

「공익사업을 위한 토지 등의 취득 및 보상에 관한 법률」(약칭: 토지보상법)❶이 정한 공용수용의 절차는 ① 사업인정, ② 토지조서·물건조서의 작성, ③ 협의, ④ 재결의 4단계로 나누어진다.

공용수용 절차 4단계
▷ 사업인정 → 토지조서·물건조서의 작성 → 협의 → 재결

❶ 과거 토지수용법과 「공공용지의 취득 및 손실보상에 관한 특례법」으로 이원화되었던 토지수용 및 보상절차가 「공익사업을 위한 토지 등의 취득 및 보상에 관한 법률」로 통합되어 2003.1.1. 시행되어 오고 있으며, 이 법의 공식 약칭은 '토지보상법'이다.

> **토지보상법 제2조【정의】** 이 법에서 사용하는 용어의 뜻은 다음과 같다.
> 3. "사업시행자"란 공익사업을 수행하는 자를 말한다.
> 4. "토지소유자"란 공익사업에 필요한 토지의 소유자를 말한다.
> 7. "사업인정"이란 공익사업을 토지등을 수용하거나 사용할 사업으로 결정하는 것을 말한다.
>
> **제14조【토지조서 및 물건조서의 작성】** ① 사업시행자는 공익사업의 수행을 위하여 제20조에 따른 사업인정 전에 협의에 의한 토지등의 취득 또는 사용이 필요할 때에는 토지조서와 물건조서를 작성하여 서명 또는 날인을 하고 토지소유자와 관계인의 서명 또는 날인을 받아야 한다. 다만, 다음 각 호의 어느 하나에 해당하는 경우에는 그러하지 아니하다. 이 경우 사업시행자는 해당 토지조서와 물건조서에 그 사유를 적어야 한다.
> 1. 토지소유자 및 관계인이 정당한 사유 없이 서명 또는 날인을 거부하는 경우
> 2. 토지소유자 및 관계인을 알 수 없거나 그 주소·거소를 알 수 없는 등의 사유로 서명 또는 날인을 받을 수 없는 경우

제16조【협의】 사업시행자는 토지등에 대한 보상에 관하여 토지소유자 및 관계인과 성실하게 협의하여야 하며, 협의의 절차 및 방법 등 협의에 필요한 사항은 대통령령으로 정한다.

제17조【계약의 체결】 사업시행자는 제16조에 따른 협의가 성립되었을 때에는 토지소유자 및 관계인과 계약을 체결하여야 한다.

제20조【사업인정】 ① 사업시행자는 제19조에 따라 토지등을 수용하거나 사용하려면 대통령령으로 정하는 바에 따라 국토교통부장관의 사업인정을 받아야 한다.

제22조【사업인정의 고시】 ① 국토교통부장관은 제20조에 따른 사업인정을 하였을 때에는 지체 없이 그 뜻을 사업시행자, 토지소유자 및 관계인, 관계 시·도지사에게 통지하고 사업시행자의 성명이나 명칭, 사업의 종류, 사업지역 및 수용하거나 사용할 토지의 세목을 관보에 고시하여야 한다.
② 제1항에 따라 사업인정의 사실을 통지받은 시·도지사(특별자치도지사는 제외한다)는 관계 시장·군수 및 구청장에게 이를 통지하여야 한다.
③ 사업인정은 제1항에 따라 고시한 날부터 그 효력이 발생한다.

제23조【사업인정의 실효】 ① 사업시행자가 제22조 제1항에 따른 사업인정의 고시(이하 "사업인정고시"라 한다)가 된 날부터 1년 이내에 제28조 제1항에 따른 재결신청을 하지 아니한 경우에는 사업인정고시가 된 날부터 1년이 되는 날의 다음 날에 사업인정은 그 효력을 상실한다.
② 사업시행자는 제1항에 따라 사업인정이 실효됨으로 인하여 토지소유자나 관계인이 입은 손실을 보상하여야 한다.

제25조【토지등의 보전】 ① 사업인정고시가 된 후에는 누구든지 고시된 토지에 대하여 사업에 지장을 줄 우려가 있는 형질의 변경이나 제3조 제2호 또는 제4호에 규정된 물건을 손괴하거나 수거하는 행위를 하지 못한다.
② 사업인정고시가 된 후에 고시된 토지에 건축물의 건축·대수선, 공작물(工作物)의 설치 또는 물건의 부가(附加)·증치(增置)를 하려는 자는 특별자치도지사, 시장·군수 또는 구청장의 허가를 받아야 한다. 이 경우 특별자치도지사, 시장·군수 또는 구청장은 미리 사업시행자의 의견을 들어야 한다.

제26조【협의 등 절차의 준용】 ① 제20조에 따른 사업인정을 받은 사업시행자는 토지조서 및 물건조서의 작성, 보상계획의 공고·통지 및 열람, 보상액의 산정과 토지소유자 및 관계인과의 협의 절차를 거쳐야 한다. 이 경우 제14조부터 제16조까지 및 제68조를 준용한다.

제27조【토지 및 물건에 관한 조사권 등】 ① 사업인정의 고시가 된 후에는 사업시행자 또는 제68조에 따라 감정평가를 의뢰받은 감정평가법인등(「감정평가 및 감정평가사에 관한 법률」에 따른 감정평가사 또는 감정평가법인을 말한다. 이하 "감정평가법인등"이라 한다)은 다음 각 호에 해당하는 경우에는 제9조에도 불구하고 해당 토지나 물건에 출입하여 측량하거나 조사할 수 있다. 이 경우 사업시행자는 해당 토지나 물건에 출입하려는 날의 5일 전까지 그 일시 및 장소를 토지점유자에게 통지하여야 한다.
1. 사업시행자가 사업의 준비나 토지조서 및 물건조서를 작성하기 위하여 필요한 경우
2. 감정평가법인등이 감정평가를 의뢰받은 토지등의 감정평가를 위하여 필요한 경우

제28조【재결의 신청】 ① 제26조에 따른 협의가 성립되지 아니하거나 협의를 할 수 없을 때(제26조 제2항 단서에 따른 협의 요구가 없을 때를 포함한다)에는 사업시행자는 사업인정고시가 된 날부터 1년 이내에 대통령령으로 정하는 바에 따라 관할 토지수용위원회에 재결을 신청할 수 있다.

제29조【협의 성립의 확인】 ① 사업시행자와 토지소유자 및 관계인 간에 제26조에 따른 절차를 거쳐 협의가 성립되었을 때에는 사업시행자는 제28조 제1항에 따른 재결 신청기간 이내에 해당 토지소유자 및 관계인의 동의를 받아 대통령령으로 정하는 바에 따라 관할 토지수용위원회에 협의 성립의 확인을 신청할 수 있다.

④ 제1항 및 제3항에 따른 확인은 이 법에 따른 재결로 보며, 사업시행자, 토지소유자 및 관계인은 그 확인된 협의의 성립이나 내용을 다툴 수 없다.

제30조【재결 신청의 청구】 ① 사업인정고시가 된 후 협의가 성립되지 아니하였을 때에는 토지소유자와 관계인은 대통령령으로 정하는 바에 따라 서면으로 사업시행자에게 재결을 신청할 것을 청구할 수 있다.
② 사업시행자는 제1항에 따른 청구를 받았을 때에는 그 청구를 받은 날부터 60일 이내에 대통령령으로 정하는 바에 따라 관할 토지수용위원회에 재결을 신청하여야 한다. 이 경우 수수료에 관하여는 제28조 제2항을 준용한다.

제34조【재결】 ① 토지수용위원회의 재결은 서면으로 한다.

제40조【보상금의 지급 또는 공탁】 ① 사업시행자는 제38조 또는 제39조에 따른 사용의 경우를 제외하고는 수용 또는 사용의 개시일(토지수용위원회가 재결로써 결정한 수용 또는 사용을 시작하는 날을 말한다. 이하 같다)까지 관할 토지수용위원회가 재결한 보상금을 지급하여야 한다.
② 사업시행자는 다음 각 호의 어느 하나에 해당할 때에는 수용 또는 사용의 개시일까지 수용하거나 사용하려는 토지등의 소재지의 공탁소에 보상금을 공탁(供託)할 수 있다.
1. 보상금을 받을 자가 그 수령을 거부하거나 보상금을 수령할 수 없을 때
2. 사업시행자의 과실 없이 보상금을 받을 자를 알 수 없을 때
3. 관할 토지수용위원회가 재결한 보상금에 대하여 사업시행자가 불복할 때
4. 압류나 가압류에 의하여 보상금의 지급이 금지되었을 때

제43조【토지 또는 물건의 인도 등】 토지소유자 및 관계인과 그 밖에 토지소유자나 관계인에 포함되지 아니하는 자로서 수용하거나 사용할 토지나 그 토지에 있는 물건에 관한 권리를 가진 자는 수용 또는 사용의 개시일까지 그 토지나 물건을 사업시행자에게 인도하거나 이전하여야 한다.

제45조【권리의 취득·소멸 및 제한】 ① 사업시행자는 수용의 개시일에 토지나 물건의 소유권을 취득하며, 그 토지나 물건에 관한 다른 권리는 이와 동시에 소멸한다.

제49조【설치】 토지등의 수용과 사용에 관한 재결을 하기 위하여 국토교통부에 중앙토지수용위원회를 두고, 특별시·광역시·도·특별자치도(이하 "시·도"라 한다)에 지방토지수용위원회를 둔다.

제50조【재결사항】 ① 토지수용위원회의 재결사항은 다음 각 호와 같다.
1. 수용하거나 사용할 토지의 구역 및 사용방법
2. 손실보상
3. 수용 또는 사용의 개시일과 기간
4. 그 밖에 이 법 및 다른 법률에서 규정한 사항

제51조【관할】 ① 제49조에 따른 중앙토지수용위원회(이하 "중앙토지수용위원회"라 한다)는 다음 각 호의 사업의 재결에 관한 사항을 관장한다.
1. 국가 또는 시·도가 사업시행자인 사업
2. 수용하거나 사용할 토지가 둘 이상의 시·도에 걸쳐 있는 사업
② 제49조에 따른 지방토지수용위원회(이하 "지방토지수용위원회"라 한다)는 제1항 각 호 외의 사업의 재결에 관한 사항을 관장한다.

제91조【환매권】 ① 공익사업의 폐지·변경 또는 그 밖의 사유로 취득한 토지의 전부 또는 일부가 필요 없게 된 경우 토지의 협의취득일 또는 수용의 개시일(이하 이 조에서 "취득일"이라 한다) 당시의 토지소유자 또는 그 포괄승계인(이하 "환매권자"라 한다)은 다음 각 호의 구분에 따른 날부터 10년 이내에 그 토지에 대하여 받은 보상금에 상당하는 금액을 사업시행자에게 지급하고 그 토지를 환매할 수 있다.

1. 사업의 폐지·변경으로 취득한 토지의 전부 또는 일부가 필요 없게 된 경우: 관계 법률에 따라 사업이 폐지·변경된 날 또는 제24조에 따른 사업의 폐지·변경 고시가 있는 날
2. 그 밖의 사유로 취득한 토지의 전부 또는 일부가 필요 없게 된 경우: 사업완료일
② 취득일부터 5년 이내에 취득한 토지의 전부를 해당 사업에 이용하지 아니하였을 때에는 제1항을 준용한다. 이 경우 환매권은 취득일부터 6년 이내에 행사하여야 한다.

사업인정
▷ 토지보상법 제4조에 열거되어 있는 공익사업에 해당함을 인정하여 사업시행자에게 특정한 재산권에 대한 수용권을 설정하여 주는 형성적 행위
▷ 재량행위

1. 사업인정

(1) 의의 및 성질

① 사업인정이란 특정사업이 토지보상법 제4조에 열거되어 있는 공익사업에 해당함을 인정하여(토지보상법 제2조 제7호) 사업시행자에게 특정한 재산권에 대한 수용권을 설정하여 주는 행위이다.
② 사업인정은 사업시행자에게 일정한 절차를 거칠 것을 조건으로 일정한 내용의 수용권을 설정하여 주는 형성적 행정행위이다. 또한 당해 사업이 외형상 토지 등을 수용하거나 사용할 수 있는 사업에 해당된다 하더라도 행정청으로서는 그 사업이 공용수용을 할 만한 공익성이 있는지 여부를 모든 사정을 참작하여 구체적으로 판단하여야 하는 것이므로 사업인정 여부는 행정청의 재량에 속한다.

사업인정의 요건
▷ 사업시행자에게 공익사업을 수행할 의사와 능력이 있을 것

> **관련판례**
>
> **1 사업인정의 요건** ★★
> 공익사업을 수행하여 공익을 실현할 의사나 능력이 없는 자에게 타인의 재산권을 공권력적·강제적으로 박탈할 수 있는 수용권을 설정하여 줄 수는 없으므로, 사업시행자에게 해당 공익사업을 수행할 의사와 능력이 있어야 한다는 것도 사업인정의 한 요건이라고 보아야 한다(대판 2019.2.28. 2017두71031).
>
> **2 사업인정의 법적 성격** ★★
> 사업인정이란 공익사업을 토지 등을 수용 또는 사용할 사업으로 결정하는 것으로서 공익사업의 시행자에게 그 후 일정한 절차를 거칠 것을 조건으로 일정한 내용의 수용권을 설정하여 주는 형성행위이다. 그러므로 해당 사업이 외형상 토지 등을 수용 또는 사용할 수 있는 사업에 해당하더라도 사업인정기관으로서는 그 사업이 공용수용을 할 만한 공익성이 있는지 여부와 공익성이 있는 경우에도 그 사업의 내용과 방법에 관하여 사업인정에 관련된 자들의 이익을 공익과 사익 사이에서는 물론, 공익 상호 간 및 사익 상호 간에도 정당하게 비교·교량하여야 하고, 비교·교량은 비례의 원칙에 적합하도록 하여야 한다(대판 2019.2.28. 2017두71031).

사업인정의 고시
▷ 사업인정의 효력발생요건이면서 동시에 독자적인 행정처분(준법률행위적 행정행위로서의 통지)

사업인정의 효력발생시기
▷ 고시일부터 효력 발생

고시에 있어 일부절차 누락한 사업인정의 효력
▷ 취소사유

(2) 사업인정의 고시

국토교통부장관이 사업인정을 할 때에는 지체 없이 그 뜻을 사업시행자, 토지소유자 및 관계인, 관계 시·도지사에게 통지하고, 사업시행자의 성명·명칭, 사업의 종류, 사업지역 및 수용 또는 사용할 토지의 세목을 관보에 고시하여야 한다. 사업인정의 고시는 사업인정의 효력발생요건에 해당할 뿐 아니라, 그 자체로 이해관계인에게 각종 의무를 부과하므로 독자적인 행정처분(준법률행위적 행정행위로서의 통지)의 성격을 갖는다. 사업인정은 고시일로부터 효력을 발생한다(동법 제22조). 판례는 이러한 고시에 있어서 일부 절차를 누락한 사업인정의 효력을 무효사유가 아닌 취소사유로 보고 있다.

(3) 사업인정의 효과

① 사업인정의 고시가 있게 되면 수용의 목적물이 확정되며, 수용의 목적달성을 쉽게 하기 위하여 수용자에게 그 목적물에 관한 현재 및 장래의 권리자에게 대항할 수 있는 일종의 공법상의 물권을 발생시킨다. 즉, ㉠ 사업인정의 고시 후 그 토지 등에 관하여 새로운 권리를 취득한 사람에 대하여는, 기존의 권리를 승계한 자를 제외하고는, 피수용자로서의 권리를 인정하지 않으며(동법 제2조 제5호 단서), ㉡ 사업시행자는 당해 토지에 출입할 수 있는 등의 권리를 가지며, ㉢ 토지 등의 보전을 위하여 피수용자뿐만 아니라, 누구든지 그 토지 등에 대하여 사업에 장해가 될 형질의 변경이나 토지정착물 등의 손괴·수거 등의 행위가 금지되고(동법 제25조 제1항), 그 토지 등에 공작물을 신축·증축·대수선 등을 할 때에는 시장·군수·자치구청장의 허가를 받아야 한다(동법 제25조 제2항).

또한 수용에 따른 보상액은 사업인정 당시의 공시지가를 기준으로 하여, 그에 재결 시까지의 통상적인 지가상승분을 더하여 산정하게 되어 있으므로, 사업인정의 고시는 보상액을 고정하는 효과를 갖는다.

② 한편, 사업인정이 불가쟁력이 발생된 경우에, 사업인정의 흠을 이유로 후행행위인 재결처분을 다툴 수 있는지 여부에 대하여 판례는 부정적인 입장을 취하고 있다.

2. 토지조서·물건조서의 작성

사업인정을 받은 사업시행자는 토지조서 및 물건조서를 작성하여 서명 또는 날인을 하고 토지소유자 및 관계인의 서명 또는 날인을 받아야 한다(동법 제26조 제1항, 제14조 제1항). 이러한 조서를 작성하는 이유는 미리 사업시행자에게 토지·물건의 필요사항을 확인시키고 토지소유자 및 관계인에게도 이를 확인시킴으로써, 이후 토지수용위원회의 재결절차에 있어서 심리의 전제사실을 명확히 하고 심리를 신속하고 원활하게 하려는데 있다. 조서작성을 위하여 필요한 경우 사업시행자는 해당 토지 또는 물건에 출입하여 이를 측량하거나 조사할 수 있다(법 제27조). 공용수용의 절차로서 협의절차와 재결절차에 관해서는 이하 제7절 보상액의 결정방법 및 불복절차에서 상술한다.

사업인정의 효과
▷ 수용목적물 확정
▷ 토지 등의 형질변경이나 토지정착물 등의 손괴·수거 등 행위금지
▷ 공작물의 신축·증축·대수선 시 지방자치단체장 허가 要
▷ 보상액 고정 효과 有

사업인정과 수용재결
▷ 하자승계 ✕

❶ 판례는 토지조서 작성상의 하자만으로는 수용재결이나 이의재결의 효력에 영향을 미치지 않는다는 입장을 취하고 있다(대판 1993.9.10. 93누5543).

제7절 보상액의 결정방법 및 불복절차

1 보상액의 결정방법

보상액의 결정에 관해서는 일반법이 없고 각 개별법에서 다양하게 규정하고 있으나, 토지보상법이 손실보상과 관련하여 일반법으로서의 역할을 하고 있으므로, 이하에서는 토지보상법상의 절차를 중심으로 살펴보기로 한다.

1. 당사자 간의 협의에 의한 경우

(1) 협의의 의의

① 토지보상법상 협의로는 사업인정 전의 협의(동법 제16조)와 사업인정 후의 협의(동법 제26조)가 있다. 수용절차로서의 협의는 통상적으로 사업인정 후의 협의를 의미한다.

② 토지보상법은 사업인정을 받은 사업시행자는 토지 등에 대한 보상에 관하여 토지소유자 및 관계인과의 협의 절차를 거쳐야 한다(동법 제16조, 제26조 제1항)고 규정하여 **협의전치주의**를 취하고 있다. 따라서 협의를 거치지 않고 재결을 신청하는 것은 위법하다.

(2) 협의의 법적 성질

① 사업인정 전의 협의는 협의성립의 확인에 관한 규정이 적용되지 아니하므로 사법상의 계약이며, 이에 따른 소유권의 취득은 승계취득으로 보는데 이견이 없다. 문제는 협의성립의 확인에 관한 규정이 적용될 수 있는 **사업인정 후의 협의에 대해서 이를 사법상의 계약으로 볼 것인지 아니면 공법상의 계약으로 볼 것인지**에 대해 견해의 대립이 있다.

② 사법상 계약설은 협의는 사업시행자가 토지소유자 및 관계인과 법적으로 대등한 지위에서 행하는 임의적 합의이므로, 수용권의 행사가 아닌 사법상의 매매계약의 성격을 갖는다고 한다. 이에 반하여 **공법상 계약설**(통설)은 협의는 수용권의 주체인 사업시행자가 그 토지 등의 권리를 취득하기 위하여 이미 가지고 있는 수용권을 실행하는 방법에 불과한 것이므로 공법상 계약이라고 한다.

③ **판례**는 **협의취득**(법 제26조)을 사업시행자가 사경제주체로서 행하는 **사법상 계약**으로 보는 것을 전제로 협의에 의한 소유권 취득의 성질을 승계취득으로 이해하고 있다.❶ 이에 따라 협의취득시 미지급 보상금의 지급청구소송은 **민사소송절차**에 의한다. 또한 판례는 협의 과정에서 건물소유자가 건물에 대한 철거의무를 부담하겠다는 취지의 약정을 하였다고 하더라도 이에 따른 철거의무는 공법상의 의무가 아니므로 건물소유자의 의무불이행시 행정대집행법에 따른 대집행이 허용되지 않는다고 판시한 바 있다(대판 2006.10.13. 2006두7096).

> **관련판례**
>
> **1** 도시계획사업의 시행자가 그 사업에 필요한 토지를 협의취득하는 행위는 행정처분이 아니다. ★★
> 도시계획사업의 시행자가 그 사업에 필요한 토지를 협의취득하는 행위는 사경제주체로서 행하는 사법상의 법률행위에 지나지 않으며 공권력의 주체로서 우월한 지위에서 행하는 공법상의 행정처분이 아니므로 행정소송의 대상이 되지 않는다(대판 1992.10.27. 91누3871).
>
> **2** 협의취득은 사법상의 법률행위이므로 당사자의 자유로운 의사에 따라야 한다. ★★★
> 공익사업을 위한 토지 등의 취득 및 보상에 관한 법령에 의한 협의취득은 사법상의 법률행위이므로 당사자 사이의 자유로운 의사에 따라 채무불이행책임이나 매매대금 과부족금에 대한 지급 의무를 약정할 수 있다(대판 2012.2.23. 2010다91206).

수용절차로서 협의
▷ 사업인정 후 협의

협의
▷ 필요적 절차
▷ 누락 시 위법(원칙)

협의의 법적 성질
▷ 판례: 사법상 계약
▷ 통설: 공법상 계약

판례
▷ 민사소송으로 다투어야 함

❶ 기업자와 토지 소유자 사이에 토지수용법 제25조가 정하는 협의가 성립하였으나 기업자가 같은 법 제25조의2가 정하는 바에 따라 협의성립에 관하여 관할 토지수용위원회의 확인을 받지 아니한 경우에 기업자가 토지소유권을 취득하기 위하여는 법률행위로 인한 부동산물권변동의 일반원칙에 따라 소유권이전등기를 마쳐야 하고, 소유권이전등기를 마치지 아니하고도 토지소유권을 원시취득하는 것은 아니다(대판 1997.7.8. 96다53826).

협의취득은 사법상 법률행위
▷ 자유로운 의사에 따름

3 손실보상금에 관한 당사자 간의 합의가 성립한 경우 손실보상의 기준에 의하지 않을 수 있고, 합의 내용이 공익사업법에서 정하는 손실보상 기준에 맞지 않는다고 하더라도 합의가 적법하게 취소되는 등의 특별한 사정이 없는 한 추가로 공익사업법상 기준에 따른 손실보상금 청구를 할 수는 없다. ★★★

[1] 공익사업을 위한 토지 등의 취득 및 보상에 관한 법률에 의한 보상합의는 공공기관이 사경제주체로서 행하는 사법상 계약의 실질을 가지는 것으로서, 당사자 간의 합의로 같은 법 소정의 손실보상의 기준에 의하지 아니한 손실보상금을 정할 수 있으며, 이와 같이 같은 법이 정하는 기준에 따르지 아니하고 손실보상액에 관한 합의를 하였다고 하더라도 그 합의가 착오 등을 이유로 적법하게 취소되지 않는 한 유효하다.

[2] 따라서 공익사업법에 의한 보상을 하면서 손실보상금에 관한 당사자 간의 합의가 성립하면 그 합의 내용대로 구속력이 있고, 손실보상금에 관한 합의 내용이 공익사업법에서 정하는 손실보상 기준에 맞지 않는다고 하더라도 합의가 적법하게 취소되는 등의 특별한 사정이 없는 한 추가로 공익사업법상 기준에 따른 손실보상금 청구를 할 수는 없다(대판 2013.8.22. 2012다3517).

(3) 협의의 효과

① 협의가 성립되면, 그것으로 **공용수용절차는 종결**되고, 협의의 내용에 따라 **수용의 효과가 발생**한다. 즉, 사업시행자는 수용의 개시일까지 보상금을 지급 또는 공탁하고(토지보상법 제40조), 피수용자는 그 개시일까지 토지·물건을 사업시행자에게 인도 또는 이전함으로써(동법 제43조), 사업시행자는 목적물에 대한 권리를 취득하고 피수용자는 그 권리를 상실한다(동법 제45조).

② 이 경우 사업시행자가 토지·물건을 취득하는 것은 **승계취득**으로서 사업시행자가 토지소유권을 취득하기 위해서는 **소유권이전등기를 별도로 마쳐야** 하며(대판 1997.7.8. 96다53826), 사업시행자는 이전 소유자의 권리 위에 존재하던 부담과 제한을 그대로 승계하게 된다.

(4) 협의성립의 확인

① **사업시행자**는 협의가 성립된 경우에는 **사업인정고시가 있은 날로부터 1년 이내**에 당해 **토지소유자 및 관계인의 동의**를 얻어 관할 토지수용위원회에 협의 성립의 확인을 신청할 수 있다(법 제29조 제1항). 협의의 확인은 **재결로 간주**되어 사업시행자는 토지·물건을 **원시취득**하게 된다(법 제29조 제4항).

② 이와 같이 간이한 절차만을 거치는 협의성립의 확인에 원시취득의 강력한 효력을 부여하는 이유는 사업시행자와 토지소유자가 진정한 합의를 하였다는 데에 있으므로 **협의성립의 확인 신청에 필요한 동의의 주체인 토지소유자는 '토지의 진정한 소유자'를 의미한다는 것이 판례의 입장**이다. 따라서 사업시행자가 진정한 토지소유자의 동의를 받지 못한 채 단순히 등기부상 소유명의자의 동의만을 얻어 협의성립의 확인을 신청하였음에도 토지수용위원회가 신청을 수리하였다면, 이러한 수리 행위는 토지보상법이 정한 소유자의 동의 요건을 갖추지 못한 것으로서 위법하므로 진정한 토지소유자는 수리 행위가 위법함을 주장하면서 항고소송으로 그 취소를 구할 수 있다(대판 2018.12.13. 2016두51719).

함께 정리하기

손실보상금
▷ 법정기준 따르지 않고 합의로 정할 수 있음

협의의 효과
▷ 공용수용절차 종결
▷ 협의의 내용에 따라 수용의 효과가 발생(승계취득)

협의성립의 확인
▷ 사업시행자는 사업인정고시가 있은 날로부터 1년 이내 신청 가

효과
▷ 확인은 재결로 간주, 사업시행자는 토지·물건을 원시취득

협의성립 확인신청 시 필요한 동의 주체인 토지소유자
▷ 진정한 소유자(진정한 소유자 아닌 등기부상 소유명의자×)

2. 토지수용위원회의 재결에 의한 경우

(1) 재결의 의의 및 성질

재결은 협의의 불성립 또는 협의 불능의 경우에 행하는 공용수용의 종국적 절차로서, 수용권 자체의 행사가 아니라 사업시행자가 지급하여야 하는 손실보상액을 결정하고, 결정된 보상금의 지급을 조건으로 사업시행자는 토지 등에 대한 권리를 취득하고, 피수용자는 그 권리를 상실하게 하는 형성적 행정행위이다.

(2) 재결전치주의

토지소유자는 특별한 사정이 없는 한 토지보상법 제34조에 규정된 재결절차를 거치지 않은 채 곧바로 사업시행자를 상대로 행정소송을 제기할 수 없다. 즉, 재결절차를 거친 경우에만 행정소송을 제기할 수 있다.

> **관련판례**
>
> **1** 공익사업에 영업시설 일부가 편입됨으로 인하여 잔여 영업시설에 손실을 입은 자는 재결절차를 거치지 않은 채 곧바로 사업시행자를 상대로 손실보상을 청구할 수 없다. ★★
> 공익사업에 영업시설 일부가 편입됨으로 인하여 잔여 영업시설에 손실을 입은 자가 사업시행자로부터 구 공익사업을 위한 토지 등의 취득 및 보상에 관한 법률 시행규칙 제47조 제3항에 따라 잔여 영업시설의 손실에 대한 보상을 받기 위해서는, 토지보상법 제34조, 제50조 등에 규정된 재결절차를 거친 다음 그 재결에 대하여 불복이 있는 때에 비로소 토지보상법 제83조 내지 제85조에 따라 권리구제를 받을 수 있을 뿐이다. 이러한 재결절차를 거치지 않은 채 곧바로 사업시행자를 상대로 손실보상을 청구하는 것은 허용되지 않는다(대판 2018.7.20. 2015두4044).
>
> **2** 공익사업으로 인하여 영업을 폐지하거나 휴업하는 자는 구 공익사업을 위한 토지 등의 취득 및 보상에 관한 법률에 규정된 재결절차를 거치지 않은 채 곧바로 사업시행자를 상대로 영업손실보상을 청구할 수 없다(대판 2011.9.29. 2009두10963).
>
> **3** 공익사업으로 농업의 손실을 입게 된 자는 공익사업을 위한 토지 등의 취득 및 보상에 관한 법률에 규정된 재결절차를 거치지 않은 채 곧바로 사업시행자를 상대로 손실보상을 청구할 수 없다(대판 2019.8.29. 2018두57865 ; 대판 2011.10.13. 2009다43461). ★★
>
> **4** 구 공익사업을 위한 토지 등의 취득 및 보상에 관한 법률의 관련 규정에 의하여 취득하는 어업피해에 관한 손실보상청구권은 민사소송의 방법으로 행사할 수는 없고, 재결절차를 거치지 않은 채 곧바로 사업시행자를 상대로 손실보상을 청구하는 것은 허용되지 않는다(대판 2014.5.29. 2013두12478). ★★

(3) 재결기관

중앙토지수용위원회는 국가 또는 특별시·광역시나 도가 사업시행자인 사업과 수용목적물이 둘 이상의 도 또는 특별시·광역시·도의 구역에 걸친 사업에 관한 것을 관할하고, 그 이외의 사업에 관한 것은 지방토지수용위원회가 관할한다(동법 제51조).

(4) 재결신청과 재결신청의 청구

① 사업시행자의 재결신청

㉠ 토지보상법은 협의가 성립되지 아니하거나 협의를 할 수 없을 때(협의 요구가 없을 때를 포함)에는 사업시행자는 사업인정고시가 된 날부터 1년 이내에 관할 토지수용위원회에 재결을 신청할 수 있다고 하여(동법 제28조 제1항) 재결신청은 사업시행자만이 할 수 있도록 규정하고 있다.

㉡ 사업시행자가 위 기간 이내에 재결신청을 하지 아니한 경우에는 사업인정고시가 된 날부터 1년이 되는 날의 다음 날에 사업인정은 그 효력을 상실한다(동법 제23조 제1항).

② 토지소유자 등의 재결신청 청구

㉠ 사업인정고시가 된 후 협의가 성립되지 아니하였을 때에는 토지소유자와 관계인은 대통령령으로 정하는 바에 따라 서면으로 사업시행자에게 재결을 신청할 것을 청구할 수 있다(토지보상법 제30조 제1항). 이 경우 사업시행자는 재결신청 청구를 받은 날부터 60일 이내에 대통령령으로 정하는 바에 따라 관할 토지수용위원회에 재결을 신청하여야 한다(동법 제30조 제2항).

> **관련판례**
>
> **사업시행자와 협의를 하지 않은 사항에 대하여도 재결신청을 청구할 수 있다. ★★**
> 공익사업을 위한 토지 등의 취득 및 보상에 관한 법률 제30조 제1항에서 정한 '협의가 성립되지 아니한 때'에, 토지소유자 등이 손실보상대상에 해당한다고 주장하며 보상을 요구하는데도 사업시행자가 손실보상대상에 해당하지 않는다며 보상대상에서 이를 제외한 채 협의를 하지 않아 결국 협의가 성립하지 않은 경우도 포함된다(대판 2011.7.14. 2011두2309).

㉡ 따라서 토지소유자와 관계인은 사업시행자에게 재결을 신청할 것을 청구할 수 있을 뿐 토지수용위원회에 재결을 신청할 수 없다.

(5) 재결의 내용

① 토지수용위원회의 재결사항은 ㉠ 수용하거나 사용할 토지의 구역 및 사용방법, ㉡ 손실보상, ㉢ 수용 또는 사용의 개시일과 기간, ㉣ 그 밖에 이 법 및 다른 법률에서 규정한 사항 등이다(동법 제50조 제1항).

② 토지수용위원회는 사업시행자, 토지소유자 또는 관계인이 신청한 범위에서 재결하여야 한다. 다만, 손실보상의 경우에는 증액재결을 할 수 있다(동법 제50조 제2항).

③ 토지수용위원회의 수용재결❶이 있은 후에도 토지소유자 등과 사업시행자가 다시 협의 하여 토지 등의 취득이나 사용 및 그에 대한 보상에 관하여 임의로 계약을 체결할 수 있다(대판 2017.4.13. 2016두64241).

(6) 재결의 효과

① 토지수용위원회의 수용재결이 있으면 공용수용의 절차는 종결되고, 일정한 조건 아래 수용의 효과가 발생한다. 즉, 사업시행자는 수용의 개시일까지 보상금을 지급 또는 공탁하고(법 제40조), 피수용자는 그 개시일까지 토지·물건을 사업시행자에게 인도 또는 이전함으로써(법 제43조), 사업시행자는 목적물에 대한 권리를 원시취득하고 피수용자는 그 권리를 상실한다(법 제45조).

함께 정리하기

협의불성립·불능
▷ 사업시행자만 사업인정 고시가 있는 날부터 1년 내 재결신청 可

토지소유자·관계인
▷ 재결신청청구 可

토지소유자관계인 재결신청청구 可
▷ 사업시행자는 60일 내 재결신청 해야 함

사업시행자가 보상대상에서 제외하고 협의×
▷ 토지소유자 등 재결신청청구 可

재결사항
▷ 토지구역·사용방법
▷ 개시일·기간, 손실보상 등

재결
▷ 신청한 범위 내 要
▷ but 손실보상은 증액재결 可

토지수용위원회의 수용재결 후
▷ 토지 등의 취득·사용, 보상에 관하여 임의로 계약체결 可

❶ **수용재결**
재결신청에 따라 내려지는 최초의 재결을 수용재결이라 한다. 따라서 토지수용위원회의 수용재결은 원처분의 성질을 갖는다.

> **참고** 환매권
>
> 한편, 피수용자는 추후 수용된 토지가 사업에 불필요하게 되었을 때에는 환매권을 갖는다(법 제91조). 환매권이란 공용수용의 목적물인 토지 등이 당해 공익사업에 불필요하게 되었거나 그것이 현실적으로 수용의 전제가 된 공익사업에 사용되지 아니하는 경우에 원래의 피수용자가 일정한 요건하에 다시 매수하여 소유권을 회복할 수 있는 권리를 말한다. 공용수용은 특정한 공익사업을 위하여 개인의 재산을 강제적으로 취득하는 것이므로 수용목적물이 당해 공익사업을 위하여 불필요하게 된 경우에는 원래의 피수용자에게 그 소유권을 회복시켜 주는 것이 당연한 바, 이는 재산권의 존속보호사상에서 도출된다. 판례는 환매권을 사권으로 보는 전제에서 환매권 행사에 따른 매매는 환매권자와 국가 간의 사법상의 매매라고 판시하였다.

재결의 효과
▷ 공용수용절차 종결, 일정한 조건 아래 수용의 효과가 발생

수용의 개시일
▷ 사업시행자: 권리취득(원시취득)
▷ 피수용자: 권리상실

② 사업시행자가 목적물을 원시취득을 하게 되므로 수용의 개시일에 수용의 목적물에 대한 이전의 모든 권리는 소멸함과 동시에 사업시행자에게 새로운 권리가 생긴다. 이처럼 수용에 의한 취득은 「민법」제187조에 따른 법률의 규정에 의한 부동산 물권의 취득에 해당하기 때문에 등기를 요하지 않는다. 다만, 등기를 하지 않으면 이를 처분하지는 못한다.

2 보상액 결정에 대한 불복절차

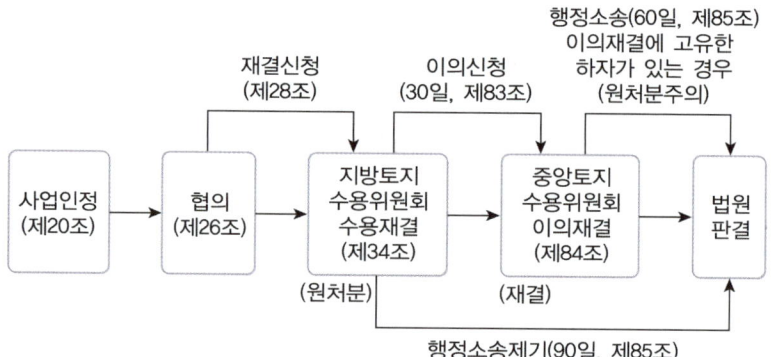

보상액 결정에 대한 불복은 이의신청(동법 제83조 및 제84조)과 행정소송(동법 제85조)을 제기하는 방법이 있다.

> **토지보상법 제83조【이의의 신청】** ① 중앙토지수용위원회의 제34조에 따른 재결에 이의가 있는 자는 중앙토지수용위원회에 이의를 신청할 수 있다.
> ② 지방토지수용위원회의 제34조에 따른 재결에 이의가 있는 자는 해당 지방토지수용위원회를 거쳐 중앙토지수용위원회에 이의를 신청할 수 있다.
> ③ 제1항 및 제2항에 따른 이의의 신청은 재결서의 정본을 받은 날부터 30일 이내에 하여야 한다.
>
> **제84조【이의신청에 대한 재결】** ① 중앙토지수용위원회는 제83조에 따른 이의신청을 받은 경우 제34조에 따른 재결이 위법하거나 부당하다고 인정할 때에는 그 재결의 전부 또는 일부를 취소하거나 보상액을 변경할 수 있다.

제85조【행정소송의 제기】① 사업시행자, 토지소유자 또는 관계인은 제34조에 따른 재결에 불복할 때에는 재결서를 받은 날부터 90일 이내에, 이의신청을 거쳤을 때에는 이의신청에 대한 재결서를 받은 날부터 60일 이내에 각각 행정소송을 제기할 수 있다. 이 경우 사업시행자는 행정소송을 제기하기 전에 제84조에 따라 늘어난 보상금을 공탁하여야 하며, 보상금을 받을 자는 공탁된 보상금을 소송이 종결될 때까지 수령할 수 없다.
② 제1항에 따라 제기하려는 행정소송이 보상금의 증감(增減)에 관한 소송인 경우 그 소송을 제기하는 자가 토지소유자 또는 관계인일 때에는 사업시행자를, 사업시행자일 때에는 토지소유자 또는 관계인을 각각 피고로 한다.

제86조【이의신청에 대한 재결의 효력】① 제85조 제1항에 따른 기간 이내에 소송이 제기되지 아니하거나 그 밖의 사유로 이의신청에 대한 재결이 확정된 때에는 「민사소송법」상의 확정판결이 있은 것으로 보며, 재결서 정본은 집행력 있는 판결의 정본과 동일한 효력을 가진다.

1. 이의신청

(1) 이의의 신청

중앙토지수용위원회의 재결에 대하여 이의가 있는 자는 중앙토지수용위원회에, 지방토지수용위원회의 재결에 이의가 있는 자는 당해 지방토지수용위원회를 거쳐 중앙토지수용위원회에 이의를 신청을 할 수 있다(동법 제83조 제1항, 제2항). 이러한 이의의 신청은 재결서의 정본을 받은 날부터 30일 이내에 하여야 한다(동법 제83조 제3항).

재결에 대한 이의신청
▷ 중앙토지수용위원회에 신청 可

(2) 성질

이의신청은 행정심판(특별행정심판❶)으로서의 성질을 가지며, 토지보상법 제83조의 이의신청에 관한 규정은 「행정심판법」에 대한 특별법으로서의 의미가 있다, 이러한 이의신청은 임의적 절차이므로 토지소유자·관계인 또는 사업시행자는 이의신청을 거치지 아니하고 바로 행정소송을 제기할 수도 있다.

행정심판의 성질
▷ 임의적 절차

❶ **특별행정심판**
특별행정심판이란 특정분야의 행정청의 처분 또는 부작위에 대하여 행정심판법에 의한 일반적인 행정심판절차에 따라 심판하지 아니하고 각 개별법에서 따로 정한 특례 절차에 따라 하는 행정심판을 말한다[예) 국세부과처분에 대한 심사청구·심판청구(「국세기본법」 제62조, 제69조), 토지수용재결에 대한 이의신청(토지보상법 제83조)].

> **관련판례**
>
> **토지보상법상 이의재결은 특별행정심판의 성질을 갖는다. ★★**
>
> 토지수용위원회의 수용재결에 대한 이의절차는 실질적으로 행정심판의 성질을 갖는 것이므로 "공익사업을 위한 토지 등의 취득 및 보상에 관한 법률"에 특별한 규정이 있는 것을 제외하고는 "행정심판법"의 규정이 적용된다고 할 것이고, 토지수용위원회의 수용재결에 대한 이의절차는 토지보상법상 수용재결에 대한 이의신청기간과 이의재결에 대한 제소기간에 관하여 특례규정을 두고 있다(대판 1992.6.9. 92누565).

토지보상법상 이의신청
▷ 특별행정심판

(3) 신청인

토지수용위원회의 재결에 대하여 불복하는 토지소유자, 관계인, 사업시행자가 이의신청을 할 수 있다.

(4) 이의신청에 대한 재결

이의신청을 받은 중앙토지수용위원회는 원재결이 위법 또는 부당한 때, 재결의 전부 또는 일부를 취소하거나 보상액을 변경할 수 있다(제84조 제1항).

재결이 위법부당
▷ 재결의 전부 or 일부 취소·변경 可

재결확정
▷ 확정판결의 효력
▷ 판결 정본과 동일효

재결에 불복할 때
▷ 재결서를 받은 날부터 90일, 이의신청에 대한 재결서를 받은 날부터 60일 이내 행정소송 제기

이의재결 불복시
▷ 원처분주의 적용

이의신청, 행정소송의 제기
▷ 사업의 진행 및 토지의 수용 또는 사용 정지 ×

(5) 이의신청에 대한 재결의 효력

토지보상법 제85조 제1항의 규정에 의한 기간 이내에 소송이 제기되지 아니하거나 그 밖의 사유로 이의신청에 대한 재결이 확정된 때에는 「민사소송법」상의 확정판결이 있은 것으로 보며, 재결서 정본은 집행력 있는 판결의 정본과 동일한 효력을 가진다(동법 제86조 제1항).

(6) 집행부정지

이의신청은 사업의 진행 및 토지의 수용 또는 사용을 정지시키지 아니한다(동법 제88조).

2. 행정소송

(1) 행정소송의 제기

사업시행자, 토지소유자 또는 관계인은 제34조에 따른 재결에 불복할 때에는 재결서를 받은 날부터 90일 이내에, 이의신청을 거쳤을 때에는 이의신청에 대한 재결서를 받은 날부터 60일 이내에 각각 행정소송을 제기할 수 있다(동법 제85조 제1항). 이렇게 제소기간을 짧게 설정한 것은 공공사업을 신속하게 수행하여야 할 필요가 있기 때문이다.

(2) 소의 대상 – 원처분주의

① 지방토지수용위원회 또는 중앙토지수용위원회의 수용재결에 대하여 이의신청을 제기하지 않고 바로 행정소송을 제기하는 경우에 행정소송의 대상은 토지수용위원회의 원처분인 수용재결이 된다는 점은 다툼이 없다.
② 그러나 이의신청을 거쳐 취소소송을 제기하는 경우, 취소소송의 대상이 원처분인 수용재결인지 아니면 이의재결인지가 문제된다. 이에 대하여 다수설과 판례는 토지보상법 제85조 제1항의 취지와 「행정소송법」상 원처분주의(「행정소송법」 제19조)에 비추어 취소소송의 대상은 이의재결을 거친 경우에도 수용재결이 된다고 본다. 다만, 이의재결 자체에 고유한 위법이 있는 경우에는 이의재결을 대상으로 하여 행정소송을 제기할 수 있다고 본다(「행정소송법」 제19조 단서).

> **관련판례**
>
> 이의신청을 거친 경우에도 원칙적으로 수용재결에 대해 취소소송을 제기해야 한다(원처분주의). ★★★
> 수용재결에 불복하여 취소소송을 제기하는 때에는 이의신청을 거친 경우에도 수용재결을 한 중앙토지수용위원회 또는 지방토지수용위원회를 피고로 하여 수용재결의 취소를 구하여야 하고, 다만 이의신청에 대한 재결 자체에 고유한 위법이 있음을 이유로 하는 경우에는 그 이의재결을 한 중앙토지수용위원회를 피고로 하여 이의재결의 취소를 구할 수 있다고 보아야 한다(대판 2010.1.28. 2008두1504).

(3) 집행부정지

수용재결에 대한 행정소송의 제기는 사업의 진행 및 토지의 수용 또는 사용을 정지시키지 아니한다(동법 제88조).

3. 보상금증감청구소송

(1) 의의

보상금증감청구소송은 토지수용위원회의 수용재결 중 보상금에 대해서만 이의가 있는 경우에 보상금의 증액 또는 감액을 청구하는 소송이다. 토지소유자와 관계인은 보상금의 증액을 청구하는 소송(보상금증액청구소송)을 제기하고, 사업시행자는 보상금의 감액을 청구하는 소송(보상금감액청구소송)을 제기하게 된다(동법 제85조 제2항).

(2) 법적 성질

① **소송의 성질**: 보상금증액청구소송에 대한 인용판결은 재결에서 정한 보상액을 초과하는 부분만의 지급을 명하는 판결인바, 보상금증액청구소송은 이행소송의 성질을 갖는 반면, 보상금감액청구소송에 대한 인용판결은 보상금을 확인하는 판결인바, 보상금감액청구소송은 확인소송의 성질을 갖는다고 보아야 할 것이다(다수설).

② **형식적 당사자소송❶**: 토지보상법은 보상금증감청구소송의 경우에 재결청인 토지 토지수용위원회를 피고로 하지 않고 대등한 당사자인 토지소유자 또는 관계인과 사업시행자를 각각 원고와 피고로 하고 있다는 점에서 형식적 당사자소송에 해당한다.

> **관련판례**
>
> 보상금증감청구소송은 바로 보상금의 증액을 청구하는 소송이므로 형식적 당사자소송에 해당한다. ★★★
> 구 토지수용법 제75조의2 제2항의 규정(현행 토지보상법 제85조 제2항)은 그 제1항에 의하여 이의재결에 대하여 불복하는 행정소송을 제기하는 경우, 이것이 보상금의 증감에 관한 소송인 때에는 이의재결에서 정한 보상금이 증액 변경될 것을 전제로 하여 기업자를 상대로 보상금의 지급을 구하는 공법상의 당사자소송을 규정한 것으로 볼 것이다(대판 1991.11.26. 91누285).

(3) 대상

보상금증감청구소송에서는 수용재결이 소송의 대상이 되는 것이 아니라 보상금에 관한 법률관계가 대상이 된다.

> **관련판례**
>
> 어떤 보상항목이 손실보상대상에 해당함에도 관할 토지수용위원회가 사실이나 법리를 오해하여 손실보상대상에 해당하지 않는다고 잘못된 내용의 재결을 한 경우, 피보상자는 사업시행자를 상대로 보상금증감소송을 제기하여야 한다. ★★
> 어떤 보상항목이 공익사업을 위한 토지 등의 취득 및 보상에 관한 법령상 손실보상대상에 해당함에도 관할 토지수용위원회가 사실을 오인하거나 법리를 오해함으로써 손실보상대상에 해당하지 않는다고 잘못된 내용의 재결을 한 경우에는, 피보상자는 관할 토지수용위원회를 상대로 그 재결에 대한 취소소송을 제기할 것이 아니라, 사업시행자를 상대로 구 공익사업을 위한 토지 등의 취득 및 보상에 관한 법률 제85조 제2항에 따른 보상금증감소송을 제기하여야 한다(대판 2018.7.20. 2015두4044).

(4) 당사자적격

① 보상금증감청구소송은 그 소송을 제기하는 자가 토지소유자 또는 관계인일 때에는 사업시행자를, 사업시행자일 때에는 토지소유자 또는 관계인을 각각 피고로 한다(동법 제85조 제2항).

함께 정리하기

보상재결 이의 있는 경우
▷ 보상금 증액감액청구 可

증액청구소송
▷ 이행소송

감액청구소송
▷ 확인소송

❶ **형식적 당사자소송**
형식적 당사자소송은 실질적으로 행정청의 처분 등의 효력을 다투는 항고소송의 성질을 가지고 있지만, 형식적으로는(소송형태상) 처분 등의 효력을 다투지 않고, 또한 처분청을 피고로 하지도 않고, 그 대신 처분 등으로 인해 형성된 법률관계를 다투기 위해 그 법률관계의 일방 당사자를 피고로 하여 제기하는 소송을 말한다.

바로 보상금의 증액을 청구
▷ 형식적 당사자소송

어떤 보상항목이 손실보상대상에 해당함에도 관할 토지수용위원회가 사실이나 법리를 오해하여 손실보상대상에 해당하지 않는다고 잘못된 내용의 재결을 한 경우
▷ 사업시행자를 상대로 보상금증감소송을 제기

보상금증감청구소송의 피고
▷ 토지소유자 또는 관계인이 소제기시: 사업시행자
▷ 사업시행자가 소제기시: 토지소유자 또는 관계인

보상금증감청구소송의 피고
▷ 토지수용위원회 ✕

② 보상금증감청구소송은 항고소송이 아니라 형식적 당사자소송이므로 재결청인 토지수용위원회는 피고가 될 수 없다. 그리고 사업시행자가 국가 또는 지방자치단체인 경우에는 '국가 또는 지방자치단체'가 피고가 되는 것이지 행정청이 피고가 되는 것은 아니다.

> **관련판례**
> 도시계획법 제23조 등에 의하여 건설부장관이나 시장·군수 등의 행정청이 토지를 수용 또는 사용할 수 있는 공익사업을 시행하는 경우에도 <u>손실보상금의 증감에 관한 행정소송은 행정청이 속하는 권리의무의 주체인 국가나 지방공공단체를 상대로 제기하여야 하고 그 기관에 불과한 행정청을 상대로 제기할 수 없다</u>(대판 1993.5.25. 92누15772).

(5) 제소기간

수용재결에 관한 취소소송에서와 같이 이의신청을 제기함이 없이 보상금증감청구소송을 제기한 경우에는 재결서를 받은 날부터 90일 이내이고, 이의신청을 거친 때에는 이의신청에 대한 재결서를 받은 날부터 60일 이내이다(동법 제85조 제1항).

(6) 입증책임

보상금증액청구소송에서 입증책임은 원고에게 있다.

보상금증액청구소송에서 정당한 손실보상금액에 대한 입증책임의 소재
▷ 원고

> **관련판례**
> 토지수용법 제75조의2 제2항 소정의 손실보상금 증액청구의 소에 있어서 그 이의재결에서 정한 손실보상금액보다 <u>정당한 손실보상금액</u>이 더 많다는 점에 대한 <u>입증책임은 원고에게</u> 있다(대판 1997.11.28. 96누2255). ★

(7) 보상항목의 일부에 대한 불복

토지보상법상 피보상자 또는 사업시행자는 여러 보상항목 중 일부에 대해서만 개별적으로 불복의 사유를 주장하여 행정소송을 제기할 수 있다.

여러 보상항목들 중 일부에 관해서만 불복하는 경우
▷ 일부에 대해서만 보상금증감청구소송 제기 可

> **관련판례**
> **여러 보상항목들 중 일부에 관해서만 개별적으로 불복할 수 있다.** ★★
> 하나의 재결에서 피보상자별로 여러 가지의 토지, 물건, 권리 또는 영업의 손실에 관하여 심리·판단이 이루어졌을 때, 피보상자 또는 사업시행자가 반드시 재결 전부에 관하여 불복하여야 하는 것은 아니며, <u>여러 보상항목들 중 일부에 관해서만 불복하는 경우에는 그 부분에 관해서만 개별적으로 불복의 사유를 주장하여 행정소송을 제기할 수 있다</u>. 이러한 보상금증감소송에서 법원의 심판범위는 하나의 재결 내에서 소송당사자가 구체적으로 불복신청을 한 보상항목들로 제한된다(대판 2018.5.15. 2017두41221).

(8) 집행부정지

보상금증감소송은 사업의 진행 및 토지의 수용 또는 사용을 정지시키지 아니한다(동법 제88조).

제4장 손해전보를 위한 그 밖의 제도

제1절 개설

1 현행 행정상 손해전보제도의 흠결

행정상 손해전보제도는 행정상 손해배상제도와 손실보상제도가 있다. 전자는 위법한 행정작용으로 인한 손해의 전보이고, 후자는 적법한 행정작용으로 인하여 발생한 손실의 전보로서의 성격을 가진다. 그런데 현실에 있어서는 이러한 전통적인 손해전보제도에 의하는 것만으로는 해결되지 아니한 영역이 존재하고 있다.

2 문제의 상황 및 보충방안

행정상 손해배상과 손실보상이란 제도를 통해서는 전보될 수 없는 문제의 유형과 그에 대한 보충 방안은 다음과 같이 정리 할 수 있다.

1. 위법·무책의 공무원의 직무행위로 인한 손해

「국가배상법」 제2조 제1항에 의한 국가배상책임은 공무원의 직무행위의 위법성과 위책성(고의·과실)을 전제로 하기 때문에, 위법·무책의 직무행위로 인하여 발생된 손해에 대하여는 구제를 받을 수 없는 문제가 발생한다. 이러한 경우에 대비하기 위한 것이 '수용유사침해이론'이다.

2. 비의도적 공용침해

행정상 손실보상은 적법한 공권력행사로 의도적 침해에 대해 보상을 하는 것이다. 그러나 행정작용에 수반하여 행정주체가 의도하지 않거나 예상하지 못한 손실이 발생할 수도 있다. 이러한 경우에 대비하기 위한 것이 '수용적 침해이론'이다.

3. 적법한 행정작용으로 인한 비재산적 법익에 대한 침해

행정상 손해배상은 위법·위책한 행위를, 손실보상은 적법한 행위를 통한 '재산권'에 대한 침해를 전제한다. 따라서 적법한 공권력행사로 인한 비재산적 법익이 침해된 경우 기존의 손해배상·손실보상의 제도로는 구제받기가 어렵다. 이러한 경우에 대비하기 위한 것이 '희생보상청구권'이다.

 함께 정리하기

현행 행정상 손해전보제도
▷ 구제받기 어려운 영역이 존재

위법·무책의 공무원의 직무행위로 인한 손해
▷ 수용유사침해이론

비의도적 공용침해의 경우
▷ 수용적 침해이론

적법한 행정작용으로 인한 비재산적 법익에 대한 침해
▷ 희생보상이론

함께 정리하기

금전배상을 내용으로 하는 손해배상제도의 불안전성 극복
▷ 결과제거청구권

4. 금전배상을 내용으로 하는 손해배상제도의 불안전성 극복

행정상 손해배상제도와 손실보상제도는 금전배상 및 보상을 원칙으로 함으로써 피해자가 방해제거나 원상회복을 원하는 경우에는 이를 위한 적합한 구제제도가 존재하지 않는다. 이에 따라 기존의 행정상 손해전보제도나 행정쟁송제도에 의하여 충분한 권리구제를 받지 못하는 경우에 결함을 보완하기 위하여 논의된 이론이 '결과제거청구권'이다.

제2절 수용유사침해와 수용적 침해·희생보상청구권·결과제거청구권

1 수용유사침해와 수용적 침해

1. 수용유사침해이론

수용유사침해이론
▷ 위법한 공용침해로 재산권에 특별한 손해보상

(1) 의의

수용유사침해이론은 위법한 공용침해로 인하여 특별한 희생을 입은 자에 대하여 그 근거법령에 보상규정이 없는 경우에도 헌법상의 재산권 보장과 공적부담 앞에서의 평등이라는 관점에서 수용에 준하여 그 손실을 보상해 주어야 한다는 이론을 말한다.

(2) 타 손해전보와의 구별

수용유사침해는 ① 위법한 공용침해에 대한 보상이라는 점에서, 적법한 공용침해에 대한 본래의미의 손실보상과 구별되며, ② 공용침해로 야기된 손실의 조절적 보상이라는 점에서, 위법·유책의 손해에 대한 배상인 손해배상과 구별된다.

(3) 성립요건

수용유사침해의 요건은 침해의 위법성을 제외하면 공용수용의 경우와 거의 유사하다. 즉, ① 공공의 필요, ② 재산권 침해, ③ 특별한 희생, ④ 침해의 위법성을 그 성립요건으로 한다. 여기서 '위법'의 의미는 공용침해의 근거법률이 헌법상의 '불가분조항의 원칙'에 따라 보상규정을 두어야 함에도 불구하고 그 규정을 두지 않은 경우 그것은 위헌인 법률이 되고, 그러한 법률에 근거한 공용침해 역시 결과적으로 위헌이 된다는 의미이다.

(4) 수용유사침해이론의 성립 및 전개

① **이론의 성립**: 수용유사침해이론은 행정상 손해전보제도인 손해배상제도나 손실보상제도로 전보될 수 없는 영역의 흠결을 보완하기 위하여 독일연방최고법원의 판례를 통하여 형성된 이론이다. 적법한 공용침해로 특별한 희생을 입은 자에게 보상을 한다면 위법한 공용침해로 특별한 희생을 입은 자에게 보상해 주는 것은 너무나 당연하다는 것에 이론의 사상적 기초가 있다.

② 이론의 전개
　㉠ **이론적 근거**: 독일연방최고법원은 적법한 재산권 침해가 보상된다면 위법한 침해로 인한 손해도 당연히 구제되어야 한다는 점을 근거로 보상규정이 없는 침해의 경우에도 독일 기본법 제14조 제3항(손실보상규정)을 유추하여 보상을 인정하여 왔다.
　㉡ **자갈채취판결에 의한 제동**: 그런데 독일연방헌법재판소는 자갈채취사건에서 "손실보상규정이 없는 법률에 근거한 행정처분에 의한 공용침해적 조치는 위헌인 법률에 근거한 것으로 위법하다. 이 경우 상대방은 손실보상규정이 없기 때문에 직접 손실보상청구를 할 수 없으며, 위법한 공용침해적 처분을 취소하는 행정소송을 제기할 수 있을 뿐이다."고 판시하여 수용유사침해보상의 유추적용을 제약하는 판결을 하였다. 즉, 위법한 재산권 침해행위에 대한 권리구제는 보다 본질적인 구제수단인 행정쟁송을 통하도록 하고 수용유사침해이론에 의한 손실보상은 인정하지 않는 것으로 되었다.
　㉢ **자갈채취판결 이후 법리의 변화**: 자갈채취판결 후 독일연방법원은 기본법 제14조 제3항에서 그 근거를 찾기 어렵게 되자 수용유사침해보상의 법적 근거를 기본법 제14조 제3항이 아니라 1974년 프로이센 일반주법 제74조, 제75조에 근거를 둔 관습법으로서의 '희생보상청구권'에서 찾았다.

(5) 우리나라에서의 인정 여부

① **학설**: 수용유사침해이론의 우리나라에 도입가능성에 관하여, ㉠ 독일에서와 같은 '희생보상청구권'이라는 관습법이 존재하지 않는 우리나라에서는 수용유사침해이론에 의한 손실보상을 인정할 수 없다는 부정설과, ㉡ 공용침해행위에 해당하지만 손실보상규정이 없는 경우에 대한 권리구제이론으로 우리에게도 유용하다는 긍정설로 견해가 나뉘고 있으나 아직 통설적인 입장은 없다.
② **판례**: 대법원은 수용유사적 침해의 이론을 언급한 적은 있으나, 아직 수용유사침해보상을 정면으로 인정한 예는 없다.

> **관련판례**
>
> **사인 소유의 방송사 주식을 강압적으로 국가에 증여하게 한 것이 수용유사적 침해에 해당한다고 볼 수는 없다.** ★
>
> 수용유사적 침해의 이론은 국가 기타 공권력의 주체가 위법하게 공권력을 행사하여 국민의 재산권을 침해하였고 그 효과가 실제에 있어서 수용과 다름없을 때에는 적법한 수용이 있는 것과 마찬가지로 국민이 그로 인한 손실의 보상을 청구할 수 있다는 내용으로 이해되는데, 과연 우리 법제 하에서 그와 같은 이론을 채택할 수 있는 것인가는 별론으로 하더라도 위에서 본 바에 의하여 이 사건에서 피고 대한민국의 이 사건 주식취득이 그러한 공권력의 행사에 의한 수용유사적 침해에 해당한다고 볼 수는 없다(대판 1993.10.26. 93다6409).

수용유사적 침해(대법원)
▷ 언급 有
▷ 단, 인정한 바는 없음

2. 수용적 침해이론

(1) 의의

① 수용적 침해이론이란 공공필요에 의한 적법한 행정작용의 부수적 결과로서 의도되지 않은, 비정형적인 재산권 침해를 특별한 희생으로 보아 손실보상을 인정하여야 한다는 이론이다.

② 수용적 침해는 비의도적 비정형적인 재산권침해로서 책임원인은 묻지 않고 결과에 대해 책임을 묻는 것으로 결과책임론에 근거한다. 이러한 수용적 침해의 대표적 예가 간접손실이다(예 장기간 지하철공사로 인하여 인근 상가의 매출이 현저히 감소한 경우, 폐기물처리시설의 운영으로 인근주민에게 예상치 못한 재산상 피해가 발생한 경우, 도시계획결정으로 도로구역으로 고시되었으나 공사를 하지 않고 오랫동안 방치함으로써 고시구역 내의 토지소유자가 큰 재산상의 불이익을 입게 되는 경우 등).

(2) 수용유사침해ㆍ손실보상과의 구별

수용적 침해는 ① 침해 그 자체가 적법한 행정작용이라는 점에서 침해 그 자체가 위법한 수용유사침해와 구별되며, ② 의도하지 않은 재산권의 침해라는 점에서 재산권에 대한 의도적인 침해인 손실보상과 구별된다.

(3) 성립요건

수용적 침해의 요건은 ① 공공의 필요, ② 적법한 공권력의 행사, ③ 비의도적인 결과로 인한 재산권의 침해, ④ 특별한 희생 등이다.

(4) 수용적 침해이론의 성립

수용적 침해이론은 손실보상제도와 손해배상제도로 해결되지 않는 영역에 존재하는 실정법상의 흠결을 메우기 위하여 독일의 연방최고법원의 판례를 통하여 발전된 이론이다.

(5) 우리나라에서의 인정 여부

① 우리나라에서도 수용적 침해의 도입을 주장하는 견해도 있으나, 독일과 같이 희생보상청구권이라는 관습법이 존재하지 않기 때문에 도입을 부정하는 견해도 있다.
② 판례에 의해 수용적 침해이론이 직접적으로 받아들여진 예는 아직 없다.

2 희생보상청구권

1. 의의

희생보상
▷ 비재산적 법익의 손실보상

희생보상청구권은 행정청의 공권력행사에 의하여 발생한 개인의 비재산적 법익(생명, 신체, 자유, 명예 등)이 침해된 경우(예 감염병 환자를 강제치료한 결과로 생긴 장애, 경찰관이 범인을 향해 총을 발사하였으나 총알이 빗나가 지나가던 사인이 다친 경우 등) 그 손실에 대한 보상을 청구할 수 있는 권리를 말한다. 이 제도는 수용유사침해, 수용적 침해와 마찬가지로 독일의 관습법인 '희생보상청구권'에 근거를 두고 있다.

2. 손실보상과의 구별

손실보상이 개인의 재산권에 대한 침해인 것에 반해, 희생보상청구권은 비재산적 법익에 대한 침해로 야기된 손실보상이라는 점에서 양자는 구별된다.

3. 성립요건

희생보상청구권이 성립되기 위해서는 ① 공공의 필요, ② 적법한 공권력의 행사, ③ 생명·신체 등의 비재산적 법익에 대한 침해, ④ 특별한 희생이 있어야 한다.

4. 우리나라에서의 인정 여부

(1) 우리나라의 경우 현행 법률 중 비재산적 법익 침해에 대하여 보상 규정을 둔 경우로는 ①「감염병예방법」제71조❶에 의한 예방접종 등에 따른 피해의 국가보상, ②「소방기본법」제49조의2 제1항 제2호❷에 의한 명령에 따른 소방활동으로 인한 사망·부상에 대한 보상 등이 있다. 그런데 개별법률에 이러한 보상 규정이 없는 경우에도 희생보상청구권의 법리를 받아들일 수 있을 것인지에 관하여 견해의 대립이 있다.

(2) 견해 대립

① **부정설**: 헌법 제23조 제3항에 근거한 손실보상은 재산권 침해에 대한 근거가 될 뿐이므로 근거규정이 없는 한 허용될 수 없다는 견해이다.
② **긍정설**: 헌법상 손실보상규정(헌법 제23조 제3항)과 기본권보장 및 법치국가원리 등에서 희생보장청구권을 유추적용하여 인정하자는 견해이다.
③ **검토**: 희생보상청구권에 관해서는 공용수용에 의한 손실보상과 달리 직접적인 헌법상의 규정은 없다. 그러나 재산권에 대한 침해는 헌법상 명문의 규정이 있다는 이유만으로 보상이 가능하고 생명·신체 등에 대한 비재산적 침해는 헌법상 명문의 규정이 없어 보상할 수 없다는 것은 옳지 않다. 따라서 희생보상청구권에 대한 명문의 규정이 없다고 하더라도 헌법상의 기본권규정, 법치국가원리 등에서 간접적으로 유추적용하여 희생보상청구권을 인정하는 것이 타당하다.

3 결과제거청구권

1. 의의

(1) 결과제거청구권이란 위법한 공행정작용의 결과가 남아 있는 상태로 인하여 자기의 법률상 이익을 침해받고 있는 자가 행정주체에 대하여 그 위법상태를 제거해 줄 것을 청구하는 권리를 말한다(예 토지수용처분이 취소되었음에도 불구하고 사업시행자가 토지를 반환하지 않고 있는 경우 그 토지를 반환청구하는 경우, 국세청장의 위법한 명단공표에 대해 정정보도를 청구하는 경우 등).

(2) 결과제거청구권의 법리는 기존의 행정상 손해배상제도의 결함(금전배상의 원칙) 및 취소소송 제도의 결함(반환 및 원상회복제도의 미비)을 보완하기 위해 독일의 학설과 판례를 통해 성립·발전된 것으로, 「민법」상 소유권에 기한 소유물방해제거청구권(「민법」제214조❸)과 유사하다.

함께 정리하기

❶「감염병예방법」제71조(예방접종 등에 따른 피해의 국가보상)
① 국가는 예방접종을 받은 사람 또는 예방·치료 의약품을 투여받은 사람이 이로 인하여 질병에 걸리거나 장애인이 되거나 사망하였을 때에는 ㉠ 질병으로 진료를 받은 사람에 대하여는 진료비 전액 및 정액 간병비, ㉡ 장애인이 된 사람에 대하여는 일시보상금, ㉢ 사망한 사람에 대하여는 대통령령으로 정하는 유족에 대한 일시보상금 및 장제비를 각각 보상을 하여야 한다.

❷「소방기본법」제49조의2(손실보상)
① 소방청장 또는 시·도지사는 소방활동 종사로 인하여 사망하거나 부상을 입은 자에게 손실보상심의위원회의 심사·의결에 따라 정당한 보상을 하여야 한다.

결과제거청구권
▷ 행정주체에 대하여 그 위법상태를 제거해 줄 것을 청구하는 권리

결과제거청구권
▷ 국가배상과 취소소송 보완하는 제도

❸「민법」제214조(소유물방해제거, 방해예방청구권)
소유자는 소유권을 방해하는 자에 대하여 방해의 제거를 청구할 수 있고 소유권을 방해할 염려있는 행위를 하는 자에 대하여 그 예방이나 손해배상의 담보를 청구할 수 있다.

함께 정리하기

결과제거청구권
▷ 고의·과실 불문
▷ 원상회복

손해배상
▷ 고의·과실 필요
▷ 금전배상

법적 성질
▷ 포괄적인 권리
▷ 공권

법적 근거
▷ 법치행정의 원리, 기본권규정, 「민법」상 방해배제청구권, 판결의 기속력 등

요건
▷ 공행정작용으로 인한 침해
▷ 법률상 이익 침해
▷ 위법상태 존재(계속)
▷ 결과제거 가능성

공행정작용
▷ 권력·비권력작용, 법적·사실행위 불문
▷ 단, 사경제작용으로 인한 침해 제외

결과제거청구권
▷ 개인적 공권(법률상 이익 침해되어야 함)

반사적 이익 침해
▷ 결과제거청구 불가

침해된 이익
▷ 정신적인 것 포함

2. 행정상 손해배상과 구별

결과제거청구권은 원상회복을 목적으로 하고 행정기관의 고의·과실을 요하지 않는다는 점에서, 금전배상을 목적으로 하고, 고의·과실을 요하는 손해배상과 구별된다.

3. 법적 성질

결과제거청구권은 비재산적 침해의 경우도 가능하다는 점에서 「민법」상 물권적 청구권보다 포괄적인 권리이고, 공행정작용으로 발생한 위법상태 제거를 내용으로 한다는 점에서 공권으로 보는 것이 일반적인 견해이다.

4. 법적 근거

결과제거청구권을 인정하는 명문의 법규정은 없으나, 결과제거청구권을 인정하는 학설은 일반적으로 ① 헌법상 법치행정의 원리(헌법 제107조), 기본권의 규정(헌법 제10조 내지 제37조 제1항), ② 「민법」상의 소유물반환청구권(「민법」 제213조), 소유물방해제거청구권(「민법」 제214조), ③ 「행정소송법」상의 관련청구의 이송과 병합에 관한 규정(「행정소송법」 제10조), 판결의 기속력에 관한 규정(「행정소송법」 제30조 제1항), 당사자소송에 관한 규정(「행정소송법」 제4장) 등을 법적 근거로 본다.

5. 요건

행정상 결과제거청구권이 성립하기 위하여는 다음과 같은 요건이 충족되어야 한다.

(1) 행정주체의 공행정작용으로 인한 침해행위

① **공행정작용**: 행정주체의 공행정작용으로 인한 침해가 존재하여야 한다. 공행정작용인한 권력적 작용인지 비권력적 작용인지는 문제되지 않으며, 법적 행위인지 사실행위인지 여부도 불문한다. 그러나 사법적 작용의 경우는 「민법」상 원상회복·방해배제청구권(「민법」 제213조, 제214조)에 의하기 때문에 제외된다.

② **침해**: 여기서의 '침해'는 모든 종류의 침해를 의미하므로 작위 또는 부작위도 포함된다. 즉, 당초에는 적법한 행위가 사후에 발생한 사정으로 위법하게 되었음에도 불구하고 행정청이 그 위법상태를 제거하지 않고 방치하고 있는 경우(예 행정청이 적법하게 압류한 물건이 기간의 경과 등으로 압류해제 되었음에도 불구하고 행정청이 압류한 물건을 반환하지 않은 경우)에도 결과제거청구권의 문제가 발생할 수 있다. 그러나 이에 대해서는 부작위로서는 결과제거청구권을 발생시키지 못한다는 반론도 있다.

(2) 타인의 법률상 이익의 침해

① 행정주체의 공행정작용에 의하여 생긴 결과적 상태가 타인의 권리 또는 법률상 이익을 침해하고 있어야 한다. 따라서 단순한 사실상 이익에 대한 침해가 존재한다는 것을 이유로 공법상 결과제거 청구권을 행사할 수 있는 것은 아니다.

② 여기서의 '권리 또는 이익'에는 재산적 가치가 있는 것은 물론 명예나 신용 등과 같은 비재산적인 것, 정신적인 것까지도 포함된다.

(3) 위법한 상태의 존재

① 행정주체의 공행정작용으로 인하여 야기된 결과적 상태가 위법상태로 존재하고 있어야 한다. 위법상태의 존재여부는 사실심 변론종결시를 기준으로 판단되어야 한다.

② 여기서의 위법성은 처음부터 위법한 것일 수도 있고, 기간의 경과 등으로 인하여 사후적으로 위법하게 된 것일 수도 있다.

③ 위법하지만 무효가 아닌 행정행위, 즉 취소할 수 있는 행정행위는 공정력에 의해 취소되기 전까지는 유효한 것으로 통용되기 때문에 결과제거청구권이 성립되지 않는다. 따라서 압류처분이 있는 경우 압류물건에 대한 반환청구를 하려면, ㉠ 압류처분이 행정쟁송에 의하여 취소된 이후에 하든지, ㉡ 압류처분의 취소청구와 결과제거청구권을 병합하여 제소하는 방식으로 행사하여야 한다.

(4) 위법상태의 계속

공행정작용의 결과로서 관계자에 대한 불이익한 상태가 결과제거청구권의 행사시까지 계속되어야 한다. 따라서 불이익한 상태는 더 이상 존재하지 않고 권리침해로서의 불이익만 남아 있는 경우에는 손해배상이나 손실보상만이 문제될 뿐이다.

(5) 결과제거의 가능성 및 기대가능성

① 결과제거청구권은 침해 이전의 상태로 회복하는 것이므로, 원상태로의 회복이 사실상 가능하고, 법률상 허용되어야 하며, 결과제거가 의무자에게 있어 기대가능한 것이어야 한다.

② 예컨대, 건축물이 철거되어 버린 경우에는 사실상 원상회복이 불가능하고, 결과제거를 통한 원상회복에 지나치게 많은 비용을 요하는 경우에는 기대가능성이 없는 것으로 보아야 한다. 이 경우에는 손해배상이나 손실보상에 의한 구제만 가능하다.

> **관련판례**
>
> **도로부지의 소유자는 소유권에 의해 부지의 인도를 청구할 수 없다. ★**
> 도로를 구성하는 부지에 대하여는 사권을 행사할 수 없으므로 그 부지의 소유자는 불법행위를 원인으로 하여 손해배상을 청구함은 별론으로 하고 그 부지에 관하여 그 소유권을 행사하여 인도를 청구할 수 없다(대판 1968.10.22. 68다1317).

6. 결과제거청구권의 내용

(1) 원상회복청구권

결과제거청구권은 공행정작용으로 인하여 야기된 위법한 상태를 제거하여 그 원상회복을 목적으로 하는 원상회복청구권이다.

(2) 직접적 결과의 제거

결과제거청구권은 위법한 행정작용으로 인하여 직접 야기된 결과만을 제거하는 것을 대상으로 하고, 간접적인 결과의 제거를 목적으로 하지 않는다. 예컨대, 무주택자의 특정 주택에의 입주결정 후에 입주자가 주택을 손상한 경우에 있어서도 주택의 소유자는 행정주체에게 당해 입주자를 퇴거하게 해줄 것을 요구할 수 있을 뿐, 무주택자가 야기한 손해(주택 손상)에 대한 원상회복까지 요구할 수는 없을 것이다.

 **함께 정리하기**

과실상계
▷ 「민법」상의 과실상계 규정 유추적용 可

쟁송절차
▷ 공법상 당사자소송
▷ 단, 실무상 민사소송으로 처리

(3) 과실상계의 문제

「민법」상의 과실상계규정(「민법」 제396조)은 결과제거청구권의 행사에도 유추·적용된다고 볼 것이므로, 피해자의 과실이 위법상태의 발생에 기여한 경우에는 그 과실에 비례하여 결과제거청구권이 제한되거나 상실된다.

7. 결과제거청구권의 실현 수단

결과제거청구권은 공권이므로 그에 관한 쟁송절차는 공법상 당사자소송에 의하여야 할 것이다. 그러나 소송 실무상으로는 「민법」상의 원상회복청구권과 마찬가지로 민사소송의 방식으로 처리하고 있다.

MEMO

해커스공무원 학원·인강 **gosi.Hackers.com**

해커스공무원 **함수민 행정법총론** 기본서

판례색인

- 대법원 판결
- 대법원 결정
- 헌법재판소 결정
- 기타 법원

판례색인

대법원 판결

판례	페이지
대판 1959.5.14. 4290민상834	349
대판 1961.3.13. 59누92	390
대판 1961.12.21. 4293행상31	400
대판 1962.1.25. 61다9	188
대판 1963.2.7. 62누215	400
대판 1963.8.31. 63누101	279, 860
대판 1963.12.5. 63다519	381
대판 1964.6.9. 63누407	430
대판 1966.6.28. 66다781	1048
대판 1966.10.31. 66누25	641
대판 1966.10.18. 66누134	360
대판 1966.10.18. 66다1715	1119
대판 1967.2.21. 66다1723	1092
대판 1967.5.2. 67누24	60
대판 1967.7.4. 67다751	129
대판 1967.10.23. 67누126	424
대판 1967.11.21. 67도1304	1049
대판 1968.2.20. 67도1683	690
대판 1968.4.30. 68누8	147
대판 1968.5.7. 68다326	1042
대판 1968.10.22. 68다1317	1171
대판 1968.12.3. 68다1929	1040
대판 1968.12.6. 68다1753	88
대판 1969.1.21. 68누190	390, 412
대판 1969.1.28. 68다1466	969
대판 1969.2.18. 68다2346	1042
대판 1969.6.24. 69다464	1049
대판 1969.11.25. 69다129	88
대판 1970.1.29. 69다1203	1103
대판 1970.3.24. 69누29	951
대판 1970.3.24. 69도724	389
대판 1970.3.24. 70다135	1077
대판 1970.5.26. 70다471	1042, 1043
대판 1970.6.30. 70다727	1050
대판 1970.7.28. 70도942	695
대판 1970.10.23. 70다1750	384
대판 1970.11.24. 70다1148	1043
대판 1971.2.23. 70누161	664
대판 1971.2.25. 70누125	994
대판 1971.4.6. 71다124	113
대판 1971.5.31. 71도742	366
대판 1971.8.31. 71다1331	1082
대판 1971.10.22. 71다1716	1122
대판 1971.11.15. 71다1952	1082
대판 1972.3.31. 72도64	690
대판 1972.4.28. 72다337	363, 646, 647
대판 1972.10.10. 69다70	1074
대판 1972.10.10. 69다701	30, 1039
대판 1972.11.28. 72다1597	1119
대판 1972.12.26. 72누194	50
대판 1972.12.28. 79다218	811
대판 1973.1.30. 72다2062	1058
대판 1973.7.10. 70다1439	364
대판 1973.10.10. 72다2583	1052
대판 1974.2.26. 73누186	664
대판 1974.4.9. 73누173	859
대판 1974.10.2. 73나1434	1042
대판 1974.10.25. 74누122	640
대판 1974.12.10. 73누129	371
대판 1975.3.11. 74누138	282
대판 1975.5.13. 73누96	864
대판 1975.11.11. 75누97	929
대판 1975.12.9. 75누123	384, 400
대판 1977.2.22. 76다2517	31
대판 1977.5.24. 76누295	317
대판 1977.11.22. 77누195	902
대판 1978.4.25. 78누42	286
대판 1978.4.25. 78다414	29, 100
대판 1978.5.23. 78누72	874
대판 1978.7.11. 78다584	1043
대판 1978.7.25. 76누276	145
대판 1979.1.30. 77다2389	1105
대판 1979.4.10. 79다262	363, 369
대판 1979.4.24. 78누242	193
대판 1979.10.30. 79누190	281
대판 1979.12.28. 79누218	481, 716
대판 1980.6.10. 80누6 전합	39
대판 1980.7.22. 80누33	860
대판 1980.9.9. 80누308	324
대판 1980.9.24. 80다1051	1042, 1043
대판 1980.10.27. 80누395	488
대판 1980.12.23. 79다382	223
대판 1981.1.13. 80다1126	282
대판 1981.1.27. 79누433	278
대판 1981.2.10. 80누317	1111
대판 1981.2.10. 80다2720	1078
대판 1981.7.7. 80다2478	1082
대판 1981.7.14. 80누536	886
대판 1981.7.14. 80누593	435
대판 1981.7.28. 80다3201	1068
대판 1981.8.25. 80다1598	1052
대판 1981.10.13. 81다625	1049
대판 1982.3.9. 80누105	445
대판 1982.3.23. 81누243	878
대판 1982.6.8. 80도2646	367
대판 1982.6.22. 81누375	879
대판 1982.7.13. 81누360	662
대판 1982.7.27. 80누86	120
대판 1982.7.27. 81누174	280, 331
대판 1982.7.27. 81누293	646
대판 1982.7.27. 82다173	991
대판 1982.8.24. 81누162	400
대판 1982.9.28. 82누2	955
대판 1982.11.9. 81누176	950
대판 1982.11.23. 82누221 전합	185
대판 1982.12.28. 80다731 · 732	242, 338
대판 1982.12.28. 82누1	92
대판 1982.12.28. 82누7	913
대판 1983.2.8. 81누121	886
대판 1983.2.8. 81누263	323
대판 1983.4.26. 81누423	89
대판 1983.6.14. 80다3231	37, 38
대판 1983.6.28. 83다카500	1107
대판 1983.7.26. 82누420	409, 411, 541, 542
대판 1983.8.23. 83누179	383
대판 1983.9.13. 83누240	819
대판 1983.10.25. 83누396	965

대판 1983.12.27. 81누366	23, 24	
대판 1983.12.27. 82누491	293	
대판 1984.1.31. 83누451	254	
대판 1984.2.28. 81누275	385	
대판 1984.2.28. 82누154	990	
대판 1984.4.10. 83누393	409	
대판 1984.4.10. 84누91	846	
대판 1984.4.24. 82누308	318	
대판 1984.5.9. 84누116	389, 516	
대판 1984.5.29. 84누175	376	
대판 1984.7.24. 84누124	947	
대판 1984.9.11. 82누166	532	
대판 1984.9.11. 83누658	280	
대판 1984.9.11. 84누191	402, 403	
대판 1984.9.25. 84누201	663	
대판 1984.10.10. 84누463	417	
대판 1984.11.13. 84누269	334, 430	
대판 1985.2.8. 84누369	275	
대판 1985.2.26. 84누380	992	
대판 1985.2.28. 85초13	47	
대판 1985.4.9. 84누431	408	
대판 1985.4.23. 84누446	887	
대판 1985.5.14. 83누655	131	
대판 1985.7.9. 83누412	436	
대판 1985.7.9. 84누604	344	
대판 1985.11.12. 85누303	58	
대판 1985.11.12. 85누549	63	
대판 1985.11.26. 85누382	277	
대판 1985.12.10. 85누186	450	
대판 1986.2.25. 85누664	418	
대판 1986.2.25. 85누712	286	
대판 1986.5.27. 86누127	794	
대판 1986.6.24. 86누171	28	
대판 1986.7.22. 85도108	689	
대판 1986.7.22. 86누203	301	
대판 1986.8.19. 83다카2022	971	
대판 1986.8.19. 86누202	345	
대판 1986.9.23. 85누838	993	
대판 1986.10.28. 86누147	400	
대판 1986.11.11. 85누231	542, 975	
대판 1986.11.11. 86누173	640	
대판 1986.11.11. 86누479	661	
대판 1986.11.25. 84누147	275	
대판 1986.12.9. 86누276	431	
대판 1987.1.20. 86누490	902	
대판 1987.2.10. 86누91	975	
대판 1987.2.24. 86누571	39	
대판 1987.3.10. 84누158	992	
대판 1987.3.24. 86누182	807	
대판 1987.3.24. 86누656	193, 804	
대판 1987.4.14. 86누459	64, 383	
대판 1987.4.28. 86누29	913	
대판 1987.4.28. 86누93	103	
대판 1987.5.26. 86누788	408	
대판 1987.6.9. 86다카2756	966, 967	
대판 1987.6.9. 87누219	914, 989	
대판 1987.7.21. 84누126	123	
대판 1987.8.18. 86누152	292	
대판 1987.8.18. 87누49	408	
대판 1987.9.8. 87누373	73, 432	
대판 1987.9.8. 87누395	402, 405	
대판 1987.9.22. 87누383	385, 396, 402, 660, 666	
대판 1987.9.22. 87다카1164	1051	
대판 1987.9.29. 86누484	201, 219	
대판 1987.11.10. 86누491	941	
대판 1987.11.10. 87도1213	692	
대판 1987.11.24. 87누529	753	
대판 1987.12.8. 87누861	948	
대판 1987.12.8. 87누884	100	
대판 1988.1.19. 87누603	960	
대판 1988.1.19. 87다카2202	1078	
대판 1988.2.9. 83누404	409	
대판 1988.2.9. 87누213	641	
대판 1988.2.23. 87누1046	26, 818	
대판 1988.2.23. 87누704	912, 914	
대판 1988.3.22. 86누269	416	
대판 1988.3.22. 87누1018	131	
대판 1988.3.22. 87다카1163	1049	
대판 1988.4.27. 87누1106	337	
대판 1988.4.27. 87누915	75, 76, 125	
대판 1988.5.10. 87누1028	218, 219	
대판 1988.5.24. 87누388	453	
대판 1988.6.14. 87누873	862	
대판 1988.6.28. 87누1009	403	
대판 1988.11.22. 77누195	772	
대판 1988.12.27. 87다카2293	1069	
대판 1989.1.17. 87누681	74	
대판 1989.1.24. 88누3116	818	
대판 1989.1.24. 88누3314	889	
대판 1989.3.28. 87누930	640	
대판 1989.3.28. 89도149	367	
대판 1989.5.9. 88누4188	285	
대판 1989.5.9. 88누5150	772, 915	
대판 1989.5.9. 88다카16096	970	
대판 1989.5.9. 88다카17174	662	
대판 1989.5.23. 88누8135	1000	
대판 1989.6.13. 88도1983	705	
대판 1989.6.15. 88누6436	817	
대판 1989.6.27. 88누6160	965	
대판 1989.6.27. 88누6283	70, 73	
대판 1989.7.11. 87누1123	89	
대판 1989.7.11. 88누11193	640, 641	
대판 1989.9.12. 87누868	807, 996	
대판 1989.9.12. 88누11216	1124	
대판 1989.9.12. 88누6962	189	
대판 1989.9.12. 88누8883	488	
대판 1989.9.12. 88누9206	284	
대판 1989.9.12. 89누2103	29, 100	
대판 1989.9.12. 89누909	744	
대판 1989.9.12. 89누985	972	
대판 1989.10.24. 89누2431	430	
대판 1989.10.24. 89누725	823	
대판 1989.11.14. 88다카32500	1109	
대판 1989.11.14. 89누4765	892	
대판 1989.12.12. 88누8869	81, 406	
대판 1989.12.12. 89누5348	318	
대판 1990.1.23. 87누947	402, 405, 453	
대판 1990.1.25. 89누3564	215	
대판 1990.1.25. 89누4543	642	
대판 1990.2.13. 89누2851	947	
대판 1990.2.27. 88재누55	192, 210	
대판 1990.3.23. 89누4789	101, 228	
대판 1990.3.23. 89누5386	809, 968	
대판 1990.4.27. 89누6808	339, 346	
대판 1990.4.27. 90누233	890	
대판 1990.5.8. 90누1168	713, 833	
대판 1990.5.22. 90누813	860	
대판 1990.6.8. 90누2420	187	
대판 1990.6.12. 90누2178	452	
대판 1990.7.10. 29누6839	755	
대판 1990.7.10. 89누6839	755	
대판 1990.7.13. 90누2284	906	
대판 1990.8.14. 89누7900	860	
대판 1990.8.14. 89누7900 등	279	
대판 1990.8.28. 89누8255	883	
대판 1990.8.28. 90누1892	914, 989	
대판 1990.9.11. 90누1786	408, 432, 514	

대판 1990.9.14. 90누2048	643	
대판 1990.9.25. 89누4758	1000, 1003	
대판 1990.10.12. 90누2383	911	
대판 1990.10.16. 90누2253	338	
대판 1990.10.26. 90누5528	913	
대판 1990.11.13. 90다카25604	1090	
대판 1990.11.23. 90누3553	805, 807	
대판 1990.11.27. 90다5948	133	
대판 1990.12.11. 90누3560	978	
대판 1990.12.21. 90누5689	1115	
대판 1990.12.21. 90다6033	1067	
대판 1990.12.26. 90누6279	909, 993	
대판 1991.1.25. 90누7791	758	
대판 1991.2.12. 90누5603	400	
대판 1991.2.12. 90누5825	111, 819, 821, 999	
대판 1991.2.22. 90누5641	892	
대판 1991.3.2. 91두1	933	
대판 1991.3.12. 90누10070	640	
대판 1991.4.12. 91도218	279	
대판 1991.4.23. 90누8756	358, 402	
대판 1991.5.10. 90다10766	1016	
대판 1991.5.10. 91다6764	1075	
대판 1991.5.28. 90누1359	407	
대판 1991.6.11. 90누8862	149	
대판 1991.6.25. 90누5184	292	
대판 1991.6.25. 90누8091	911	
대판 1991.6.25. 91다10435	27	
대판 1991.6.28. 90누4402	439	
대판 1991.6.28. 90누6521	902, 906	
대판 1991.7.9. 91누971	541	
대판 1991.7.9. 91다5570	1042, 1047	
대판 1991.7.12. 90누8350	156, 161, 167	
대판 1991.7.23. 90누6651	877	
대판 1991.8.9. 90누7326	977	
대판 1991.8.13. 90누9414	317	
대판 1991.8.27. 90누6613	182	
대판 1991.9.24. 91누1400	319	
대판 1991.10.8. 91누520	892	
대판 1991.10.11. 90누5443	970	
대판 1991.10.11. 90누8688	248	
대판 1991.11.8. 90누9391	998, 999	
대판 1991.11.8. 91누70	965	
대판 1991.11.22. 91누2144	120	
대판 1991.11.26. 91누285	1019, 1163	
대판 1991.11.26. 91누3352	109	
대판 1991.12.13. 90누8503	334, 345	
대판 1991.12.13. 91누1776	485	
대판 1991.12.24. 90다12243 전합	288	
대판 1991.12.24. 91누1974	986	
대판 1991.12.24. 91누308	1149	
대판 1991.12.24. 91다34097	1095	
대판 1992.1.17. 91누3130	429	
대판 1992.1.21. 91누1264	345, 829	
대판 1992.1.21. 91누1684	940	
대판 1992.2.11. 91누7774	1129	
대판 1992.2.11. 91도2797	673	
대판 1992.2.14. 90누9032	951	
대판 1992.2.25. 91누13106	60	
대판 1992.2.25. 91누6108	968	
대판 1992.3.10. 91누12639	804	
대판 1992.3.10. 91누4140	640	
대판 1992.3.10. 91누6030	990	
대판 1992.3.13. 91누4324	402, 405	
대판 1992.3.27. 91누3819	353	
대판 1992.3.31. 91누4911	109, 823	
대판 1992.3.31. 91누6016	755	
대판 1992.3.31. 91누9824	63	
대판 1992.3.31. 91다32053 전합	129, 140	
대판 1992.4.10. 91누5358	316	
대판 1992.4.14. 91다39986	282	
대판 1992.4.24. 91누11131	808, 881	
대판 1992.4.24. 91누6634	266, 315	
대판 1992.4.24. 91도1609	492	
대판 1992.4.24. 92다4673	31	
대판 1992.4.28. 91누10220	260	
대판 1992.4.28. 91누6863	379	
대판 1992.4.28. 91누9848	714	
대판 1992.5.8. 91누11261	197, 998, 1032	
대판 1992.5.8. 91누13274	408, 863	
대판 1992.5.8. 91누7552	855	
대판 1992.5.8. 91부8	108	
대판 1992.5.12. 91누8128	205	
대판 1992.5.22. 91도2525	279	
대판 1992.6.9. 92추565	738, 747, 752, 1161	
대판 1992.6.12. 91누13564	643	
대판 1992.6.23. 92추17	548, 567	
대판 1992.7.10. 91누9107	859	
대판 1992.7.14. 91누4737	886	
대판 1992.7.14. 92누2912	974	
대판 1992.7.28. 91누12844	773, 906	
대판 1992.7.28. 91누7361	996, 1003, 1004	
대판 1992.7.28. 92누4352	987	
대판 1992.8.14. 91누11582	446	
대판 1992.8.18. 90도1709	365	
대판 1992.8.18. 91누3659	959, 964	
대판 1992.9.8. 91누13090	637	
대판 1992.9.14. 92다3243	1088, 1098	
대판 1992.9.22. 91누13212	864	
대판 1992.9.22. 91누8289	84	
대판 1992.9.22. 92누5461	247, 291	
대판 1992.10.9. 92누213	963	
대판 1992.10.13. 92누2325	74, 227, 481	
대판 1992.10.23. 92누2844	407	
대판 1992.10.23. 92누2844 등	542	
대판 1992.10.27. 91누3871	1156	
대판 1992.10.27. 92누1643	827	
대판 1992.11.10. 91누8227	386, 406	
대판 1992.11.10. 92누1162	307, 450, 451	
대판 1992.11.13. 92누596	285	
대판 1992.11.24. 92누3052	964	
대판 1992.11.24. 95누10952	964	
대판 1992.11.27. 92누10364	82	
대판 1992.11.27. 92누3618	812	
대판 1992.12.8. 91누13700	854	
대판 1992.12.8. 92누13813	278	
대판 1992.12.8. 92누6891	968	
대판 1992.12.8. 92누7542	321	
대판 1992.12.11. 92누5584	402	
대판 1992.12.24. 92누3335	1009	
대판 1993.1.15. 92다8514	1049	
대판 1993.1.19. 91누8050	845	
대판 1993.1.26. 92다2684	1094, 1099, 1102	
대판 1993.2.9. 92누4567	400	
대판 1993.2.12. 92누13707	847	
대판 1993.2.19. 91다43466	1071	
대판 1993.2.26. 92누12247	393	
대판 1993.3.12. 92누11039	909, 988, 993	
대판 1993.3.23. 91누8968	321	
대판 1993.4.13. 92누17181	792	
대판 1993.4.27. 92누1211	390	
대판 1993.4.27. 92누12117	661	
대판 1993.4.27. 93누1374	161	
대판 1993.5.11. 91누10787	818	
대판 1993.5.11. 93누2247	824	
대판 1993.5.25. 92누15772	1164	

판례	페이지
대판 1993.5.27. 92누19033	957
대판 1993.5.27. 93누2216	274
대판 1993.5.27. 93누6621	382
대판 1993.6.8. 91누11544	155
대판 1993.6.8. 93누6164	646, 882
대판 1993.6.8. 93다11678	1091
대판 1993.6.25. 93누2346	640
대판 1993.6.25. 93도27	970
대판 1993.6.25. 93도277	416
대판 1993.6.29. 91누2342	386
대판 1993.6.29. 93누5635	214
대판 1993.6.29. 93다10224	351
대판 1993.7.13. 92다41733	1077
대판 1993.7.13. 92다47564	29, 1042
대판 1993.7.13. 93누2131	1117, 1128
대판 1993.7.27. 90누10384	64
대판 1993.7.27. 92누11084	1129
대판 1993.7.27. 93누1077	709, 955
대판 1993.7.27. 93누3899	877
대판 1993.7.27. 93누8139	854
대판 1993.7.27. 93다20702	1082
대판 1993.8.13. 93누2148	386
대판 1993.8.24. 93누5673	844
대판 1993.8.27. 93누3356	817
대판 1993.9.10. 92도1136	689
대판 1993.9.10. 93누5543	1155
대판 1993.9.14. 92누16690	646
대판 1993.9.14. 92누4611	470, 472
대판 1993.9.14. 93누9163	816
대판 1993.9.28. 92누15093	793, 843
대판 1993.9.28. 93누9132	913
대판 1993.9.28. 93다17546	1048, 1049
대판 1993.10.8. 93누2032	334, 345
대판 1993.10.12. 93누883	163, 326
대판 1993.10.26. 93누6331	480
대판 1993.10.26. 93다6409	1167
대판 1993.11.9. 93누13988	882
대판 1993.11.9. 93누14271	399, 400, 646
대판 1993.11.9. 93누6867	885
대판 1993.11.23. 93누15212	100
대판 1993.11.23. 93도662	225
대판 1993.11.26. 93누7341	16, 812, 895
대판 1993.11.26. 93다18389	722
대판 1993.12.7. 91누11612	28
대판 1993.12.24. 92누17204	904
대판 1994.1.11. 93누10057	144
대판 1994.1.25. 93누16901	845
대판 1994.1.25. 93누18655	916
대판 1994.1.25. 93누7365	27
대판 1994.1.25. 93누8542	400, 401
대판 1994.2.8. 93누111	201, 830
대판 1994.2.8. 93누17874	847
대판 1994.2.22. 93누15120	1144
대판 1994.3.1. 93누19719	94
대판 1994.3.8. 92누1728	219, 328
대판 1994.3.22. 93다56220	133
대판 1994.3.25. 93다45701	39
대판 1994.4.11. 96누9096	400
대판 1994.4.12. 93누21088	887
대판 1994.4.12. 93누24247	849, 853, 854
대판 1994.4.12. 93다11807	1074
대판 1994.5.10. 93다23442	132
대판 1994.5.24. 92다35783	1146
대판 1994.5.27. 94다6741	1049
대판 1994.6.14. 93도3247	492
대판 1994.6.14. 94누1197	890
대판 1994.6.24. 94누2497	748
대판 1994.8.12. 94누2190	817
대판 1994.8.12. 94누2763	892
대판 1994.8.12. 94누5489	275
대판 1994.8.23. 94누4882	289
대판 1994.8.26. 94누3223	385
대판 1994.8.26. 94누6949	698
대판 1994.9.9. 93누22234	872
대판 1994.9.9. 94다4592	286
대판 1994.9.10. 94두33	210, 817
대판 1994.9.13. 94다12579 등	132
대판 1994.10.11. 94누4820	944
대판 1994.10.11. 94두23	895
대판 1994.10.25. 93누21231	317
대판 1994.10.28. 92누9463	391, 393
대판 1994.10.28. 94누5144	642
대판 1994.11.8. 94다26141	1054
대판 1994.11.11. 94다28000	364
대판 1994.11.22. 94다32924	1081, 1090
대판 1994.11.25. 94누9672	85
대판 1994.12.9. 94다38137	1096
대판 1994.12.13. 93다49482	491
대판 1994.12.23. 94누477	403, 993
대판 1994.12.27. 94다31860	1077, 1078
대판 1995.1.12. 94누2602	812, 895
대판 1995.1.20. 94누6529	420, 438
대판 1995.1.24. 94다45302	1082
대판 1995.2.24. 94누9146	298
대판 1995.2.24. 94다57671	1082, 1097
대판 1995.3.10. 94누14018	998
대판 1995.3.10. 94누7027	424
대판 1995.4.21. 93다14240	1049
대판 1995.4.25. 93누13728	89
대판 1995.4.28. 94누13527	953
대판 1995.4.28. 94다55019	138
대판 1995.5.12. 94누13794	817
대판 1995.5.12. 94누5281	28
대판 1995.5.26. 94누7324	852
대판 1995.6.9. 94누10870	28, 100, 120
대판 1995.6.13. 94누15592	841
대판 1995.6.13. 94누4660	950
대판 1995.6.13. 94다56883	242, 337
대판 1995.6.16. 94누12159	65
대판 1995.6.29. 95다4674	694
대판 1995.6.30. 93추83	178, 671
대판 1995.7.11. 94누4615	378, 380
대판 1995.7.11. 94누4615 전합	382
대판 1995.7.11. 95누4568	877
대판 1995.7.28. 94누13497	274
대판 1995.7.28. 95누4629	952
대판 1995.8.22. 94누5694 전합	192
대판 1995.8.22. 94누8129	852
대판 1995.8.22. 95누3909	350
대판 1995.9.15. 94누4455	105
대판 1995.9.15. 94다16045	422
대판 1995.9.15. 94다31662	1082
대판 1995.9.15. 95누6311	368
대판 1995.9.15. 95누6724	845, 894
대판 1995.9.15. 95누7345	1000
대판 1995.9.26. 94누14544	865, 866
대판 1995.9.29. 95누5332	744
대판 1995.9.29. 95누7376	70
대판 1995.10.12. 94누11279	1146
대판 1995.10.17. 94누14148 전합	215
대판 1995.11.10. 94누11866	280, 330
대판 1995.11.10. 95누5714	274
대판 1995.11.10. 95다238971	1051
대판 1995.11.14. 95누2036	324
대판 1995.11.16. 95누8850 전합 83, 282, 432	
대판 1995.11.21. 95누10952	964
대판 1995.11.21. 95누9099	716

대판 1995.11.28. 95다18185	492	
대판 1995.12.5. 94누4295	826	
대판 1995.12.8. 93누9927	871	
대판 1995.12.12. 95누11856	853	
대판 1995.12.12. 95누7338	294	
대판 1995.12.22. 94다51253	30	
대판 1995.12.22. 95누14688	892	
대판 1995.12.22. 95누30	531	
대판 1995.12.22. 95누4636	471	
대판 1995.12.26. 95누14114	640	
대판 1996.2.9. 95누12507	399, 400	
대판 1996.2.13. 95누11023	27	
대판 1996.2.13. 95누8027	840	
대판 1996.2.15. 94다31235	1012	
대판 1996.2.15. 95다38677 전합	1073, 1074	
대판 1996.2.23. 95누2685	885	
대판 1996.3.22. 95누5509	992	
대판 1996.3.22. 96누433	228, 488, 716	
대판 1996.4.12. 95누7727	220, 224	
대판 1996.4.12. 96도158	705	
대판 1996.4.26. 94누12708	948	
대판 1996.4.26. 94다34432	491	
대판 1996.4.26. 95누13241	402	
대판 1996.4.26. 95누5820	967	
대판 1996.4.26. 96누1627	947	
대판 1996.5.10. 95다34477	1063	
대판 1996.5.16. 95누4810 전합	288, 293	
대판 1996.5.28. 95다52383	132, 133	
대판 1996.5.31. 94다15271	1049, 1079	
대판 1996.5.31. 95누10617	471	
대판 1996.6.11. 95누12460	820	
대판 1996.6.14. 95누17823	351, 517	
대판 1996.6.14. 96누754	912	
대판 1996.6.22. 99다7008	1082	
대판 1996.6.28. 94다54511	1126	
대판 1996.6.28. 96누4374	381, 638, 723	
대판 1996.6.28. 96누4992	85	
대판 1996.7.30. 95누6328	836	
대판 1996.8.20. 95누10877	71, 278, 440	
대판 1996.8.23. 96누4671	914	
대판 1996.9.6. 95누12026	664, 892	
대판 1996.9.6. 95누16233	773	
대판 1996.9.6. 96누5995	60	
대판 1996.9.6. 96누7045	913	
대판 1996.9.6. 96누7427	964	
대판 1996.9.20. 95누11931	402, 403	
대판 1996.9.20. 95누8003	193, 804, 828, 894, 1032	
대판 1996.9.24. 95누12842	817	
대판 1996.10.11. 96누8086	641, 646	
대판 1996.10.25. 95누14190	70	
대판 1996.10.25. 96다31307	40	
대판 1996.10.29. 96누8253	273	
대판 1996.11.8. 96다20581	342	
대판 1996.11.8. 96다21331	1095	
대판 1996.11.23. 95누13746	66	
대판 1996.11.29. 96누8567	250, 454, 456	
대판 1996.11.29. 96누8567 등	442	
대판 1996.12.6. 95누8409	402, 446	
대판 1996.12.6. 96누6417	1008	
대판 1996.12.20. 96누14708	22	
대판 1997.1.21. 95누12941	208	
대판 1997.1.21. 96누3401	424	
대판 1997.2.10. 97다45919	1104	
대판 1997.2.14. 96누15428	396, 642	
대판 1997.2.14. 96다28066	1105	
대판 1997.2.25. 96추213	50	
대판 1997.2.28. 96누10225	402	
대판 1997.3.11. 96누15176	85	
대판 1997.3.11. 96다49650	83, 337, 340	
대판 1997.3.14. 96누16698	82, 337, 340	
대판 1997.3.28. 95누7055	894	
대판 1997.3.28. 96다10638	279	
대판 1997.3.28. 97다4036	1104	
대판 1997.4.8. 96다52915	664	
대판 1997.4.17. 96도3376 전합	16	
대판 1997.4.22. 97다3194	1088	
대판 1997.5.16. 96다54102	1088	
대판 1997.5.16. 97누2313	85, 381	
대판 1997.5.23. 96누2439	563	
대판 1997.5.30. 95다28960	1016	
대판 1997.5.30. 96누14678	843	
대판 1997.5.30. 96누18632	875	
대판 1997.5.30. 96누5773	214	
대판 1997.5.30. 97누2627	341	
대판 1997.6.13. 96누12269	241	
대판 1997.6.13. 96다56115	671	
대판 1997.6.19. 95누8669	941	
대판 1997.6.19. 95누8669 전합	382	
대판 1997.6.24. 96누1313	454	
대판 1997.6.27. 96누9362	291	
대판 1997.7.8. 96다53826	1156, 1157	
대판 1997.7.11. 97다7608	1053	
대판 1997.7.22. 96누8321	480	
대판 1997.7.25. 94다2480	1055	
대판 1997.8.22. 96누15404	715	
대판 1997.8.29. 96누15213	275	
대판 1997.9.12. 96누14661	840	
대판 1997.9.12. 96누18380	65, 72	
대판 1997.9.12. 96누6219	434	
대판 1997.9.26. 96누10096	456	
대판 1997.9.26. 97누8540	228	
대판 1997.9.26. 97누8878	206	
대판 1997.9.30. 97누3200	807, 953	
대판 1997.11.14. 96다10782	133	
대판 1997.11.14. 97누7325	816	
대판 1997.11.28. 96누2255	1164	
대판 1997.11.28. 97누11911	266	
대판 1997.12.12. 96누4602	858	
대판 1997.12.12. 97누13962	144	
대판 1997.12.23. 96누10911	841, 843	
대판 1997.12.26. 96누10669	877	
대판 1997.12.26. 96누17745	820	
대판 1997.12.26. 97누15418	216, 245	
대판 1998.1.23. 96누12641	999	
대판 1998.2.8. 95다30390	383	
대판 1998.2.10. 97다32536	1091	
대판 1998.2.10. 97다49534	1068	
대판 1998.2.13. 97누8977	353, 948	
대판 1998.2.13. 97다49459	386	
대판 1998.2.27. 97누1105	26, 205, 824	
대판 1998.3.10. 97누4289	274, 860	
대판 1998.3.10. 97누4289 등	279	
대판 1998.3.13. 96누6059	401, 402	
대판 1998.3.24. 98두1031	84	
대판 1998.3.27. 96누19772	91	
대판 1998.3.27. 97누20236	214	
대판 1998.4.10. 96다52359	189	
대판 1998.4.10. 98두1161	353	
대판 1998.4.10. 98두2270	709, 955	
대판 1998.4.24. 97누1501	237	
대판 1998.4.24. 97누17131	793, 842	
대판 1998.4.24. 97누3286	849, 868	
대판 1998.4.24. 97도3121	156, 164	
대판 1998.4.27. 87누915	75	
대판 1998.4.28. 97누21086	236, 237	
대판 1998.5.8. 97누15432	800	

대판 1998.5.8. 97다54482 1060	대판 1999.7.13. 97누119 660	대판 2000.4.25. 99다54998 1086, 1087
대판 1998.5.8. 98두4061 66, 952	대판 1999.7.23. 96다21706 491	대판 2000.5.12. 99다18909 633
대판 1998.6.26. 96누12030 324	대판 1999.7.23. 97누10857 1015	대판 2000.5.12. 99다70600
대판 1998.6.26. 96누12634 516	대판 1999.7.23. 98두14525 36	1053, 1057, 1095
대판 1998.7.10. 96다38971	대판 1999.7.23. 99두3690 258, 274	대판 2000.5.16. 99두7111 888
490, 1045, 1047, 1067	대판 1999.8.20. 97누6889	대판 2000.5.26. 98두5972 699
대판 1998.7.10. 96다42819 1101	386, 447, 453, 994	대판 2000.5.26. 99다37382 154
대판 1998.7.14. 96다17257 721	대판 1999.8.20. 98두17043	대판 2000.5.26. 99다53247 1091
대판 1998.7.24. 96다42789 581	822, 885, 962, 965	대판 2000.5.30. 99추85 561
대판 1998.7.24. 98다10854 967, 968	대판 1999.8.20. 99다20179 364	대판 2000.6.9. 98두2621 775
대판 1998.8.21. 98두8919 338	대판 1999.8.20. 99두2611 52	대판 2000.6.9. 99두5542 956
대판 1998.8.25. 98다16890	대판 1999.9.3. 97누13641 826	대판 2000.6.13. 98두5811 953
112, 1059, 1060	대판 1999.9.17. 96다53413 1053	대판 2000.6.23. 98두3112 640
대판 1998.9.4. 97누19588	대판 1999.9.21. 97누5114 547	대판 2000.7.7. 99두66 240
236, 238, 865, 875	대판 1999.10.8. 99다27231 1135	대판 2000.9.5. 99두1854 295
대판 1998.9.8. 97누20502 402, 403, 646	대판 1999.10.8. 99두6873 876	대판 2000.9.8. 2000다12716 322
대판 1998.9.8. 98두9165 886	대판 1999.10.22. 98두18435 165	대판 2000.9.8. 98두19933 130
대판 1998.9.22. 97다42502 1094	대판 1999.11.26. 97누13474 202, 223	대판 2000.9.8. 98두19933 · 6982 130
대판 1998.9.22. 98두7602 819, 826	대판 1999.11.26. 97다42250 926	대판 2000.9.8. 99두11257 452
대판 1998.9.25. 98두6494 67	대판 1999.11.26. 98다47245 1045	대판 2000.9.8. 99두2765 1022
대판 1998.9.25. 98두7503 219, 241, 276	대판 1999.11.26. 99두9407 912, 926	대판 2000.9.22. 2000두5722 657
대판 1998.10.2. 96누5445 638	대판 1999.12.7. 97누12556 866	대판 2000.9.26. 99두646 300
대판 1998.10.13. 98두12253 261	대판 1999.12.7. 97누17568 113	대판 2000.9.29. 98두12772 219
대판 1998.10.23. 97누157 639	대판 1999.12.21. 98다29797 1069	대판 2000.10.13. 99두2239 516
대판 1998.10.23. 98다17381 1082	대판 1999.12.24. 98다57419 161	대판 2000.10.13. 99두653 384
대판 1998.10.23. 98두12932 1012	대판 1999.12.24. 98다57419 · 57426 153	대판 2000.10.19. 98두6265 전합 177
대판 1998.11.13. 97누2153 407	대판 1999.12.24. 99두5658 179	대판 2000.10.27. 98두8964 234
대판 1998.11.13. 98두7343 73	대판 1999.12.28. 98두1895 976	대판 2000.10.27. 99두264 259
대판 1998.11.19. 97다36873 참조 1067	대판 1999.12.28. 99두9742 903	대판 2000.10.27. 99두561 919
대판 1998.11.27. 96누13927 446	대판 2000.1.14. 99다24201 1086	대판 2000.11.10. 2000다26807
대판 1999.1.15. 98다49548 등 133	대판 2000.1.14. 99두9735 247	1055, 1058
대판 1999.1.15. 98두8896 1150	대판 2000.1.28. 97누11720 1149	대판 2000.11.10. 2000두727 68
대판 1999.1.26. 98두12598 1016	대판 2000.1.28. 98두16996 290	대판 2000.11.14. 99두5481 891
대판 1999.2.5. 98도4239 416, 970, 971	대판 2000.2.11. 99다61675 28	대판 2000.11.14. 99두5870 526
대판 1999.2.9. 98두16675 962	대판 2000.2.11. 99두7210 950	대판 2000.11.16. 98다22253 921
대판 1999.2.23. 98두14471 937	대판 2000.2.25. 99다54004 1088	대판 2000.11.24. 2000다28568 등 26
대판 1999.2.23. 98두17845 276	대판 2000.2.25. 99다54004 등 1087	대판 2000.11.24. 2000추29 182
대판 1999.3.9. 98두18565 964	대판 2000.2.25. 99다55472 967	대판 2000.11.28. 99두3416 1024
대판 1999.3.23. 98두13850 1133	대판 2000.2.25. 99두10520 430	대판 2000.11.28. 99두5443 527
대판 1999.4.9. 98두12437 1003	대판 2000.2.25. 99두11455 996, 997	대판 2000.12.12. 99두12243 954
대판 1999.4.23. 97누14378 963	대판 2000.3.10. 97누13818 89	대판 2000.12.22. 99두455 152
대판 1999.4.27. 97누6780 161, 396, 646	대판 2000.3.23. 98두2768 453, 454, 945	대판 2001.1.5. 98다39060 1042
대판 1999.5.14. 99두35 712	대판 2000.3.24. 97누12532 246, 274	대판 2001.1.16. 99두10988 313
대판 1999.5.25. 98다53134 342	대판 2000.3.28. 99두11264 829	대판 2001.1.16. 99두8107 944
대판 1999.6.22. 99다7008 1045	대판 2000.3.29. 200두6084 908	대판 2001.1.19. 99두3812 248
대판 1999.6.25. 99다11120	대판 2000.4.21. 98두10080 878	대판 2001.2.9. 2000도2050 154, 297
1082, 1089, 1096		

대판 2001.2.9. 98다52988 1052	대판 2001.10.12. 2001다47290 1042	대판 2002.9.6. 2002두554 506
대판 2001.2.9. 98두17593 242, 245, 256, 273	대판 2001.10.12. 2001두4078 637	대판 2002.9.24. 2000두5661 338
대판 2001.2.15. 96다42420 1104, 1108	대판 2001.10.23. 99다36280 1070, 1071	대판 2002.9.24. 99두1519 898
대판 2001.2.23. 2000다68924 661	대판 2001.11.9. 98두892 940	대판 2002.9.27. 2000두7933 220
대판 2001.2.23. 99다61316 1091	대판 2001.11.13. 2000두536 755	대판 2002.10.11. 2000두8226 446
대판 2001.3.9. 99다64278 1062	대판 2001.11.27. 2000두697 921, 922	대판 2002.10.11. 2001두151 307
대판 2001.3.9. 99두5207 217, 256	대판 2001.11.30. 2001두5866 275	대판 2002.10.25. 2001두4450 861
대판 2001.3.23. 99두5238 973, 977	대판 2001.12.11. 2001다33604 22, 23, 477	대판 2002.10.25. 2002두5795 284
대판 2001.3.27. 99두7968 1131	대판 2001.12.11. 2001두7794 28, 471	대판 2002.10.25. 2002두6651 275
대판 2001.3.27. 99두8039 407, 516	대판 2001.12.11. 99두1823 259	대판 2002.11.8. 2001두1512 63, 70, 72
대판 2001.4.10. 99다33960 266	대판 2001.12.24. 2001다54038 29, 100	대판 2002.11.8. 2001두3181 393
대판 2001.4.13. 2000다34891 1069	대판 2002.1.11. 2000두2457 883	대판 2002.11.13. 2001두1543 408
대판 2001.4.13. 2000두3337 525, 528	대판 2002.1.11. 2000두3306 884	대판 2002.11.22. 2001도849 695
대판 2001.4.13. 2000두6411 1124	대판 2002.2.5. 2001두5286 420	대판 2002.11.26. 2001다44352 1120
대판 2001.4.24. 2000다16114 1047	대판 2002.2.5. 2001두7138 502	대판 2002.11.26. 2002두1496 1021
대판 2001.4.24. 2000다16114 등 1046	대판 2002.2.5. 99두10520 71	대판 2002.11.26. 2002두5948 469
대판 2001.4.24. 2000다57856 129, 1109, 1062	대판 2002.2.8. 2000두4057 50	대판 2002.12.10. 2001두3228 91
대판 2001.4.24. 2000두5203 64	대판 2002.2.22. 2001다23447 1048, 1062	대판 2002.12.10. 2001두5422 402, 403
대판 2001.4.27. 2000두9076 181	대판 2002.2.26. 99다35300 1126	대판 2002.12.10. 2001두6333 445
대판 2001.5.8. 2000두10212 507	대판 2002.3.12. 2000다73612 161	대판 2003.2.14. 2001두7015 297, 523
대판 2001.5.8. 2000두6916 754, 905	대판 2002.3.12. 2000두2181 962	대판 2003.2.14. 2002다62678 1071
대판 2001.5.29. 99다37047 1065	대판 2002.3.15. 2001추95 573	대판 2003.2.20. 2001두5347 전합 723
대판 2001.5.29. 99두10292 166, 841, 842	대판 2002.3.29. 2000두6084 827	대판 2003.3.11. 2001두6425 563, 954
대판 2001.6.12. 2000다18547 189	대판 2002.5.10. 2000다39735 131, 1104, 1106, 1110	대판 2003.3.14. 2000두6114 561
대판 2001.6.15. 99두509 27, 344, 345	대판 2002.5.10. 2001두10028 248	대판 2003.3.14. 2002다57218 60
대판 2001.6.15. 99두5566 145, 952	대판 2002.5.17. 2000두8912 514	대판 2003.3.28. 2002두11905 273
대판 2001.6.26. 99두11592 408	대판 2002.5.17. 2001두10578 447	대판 2003.3.28. 2002두12113 275
대판 2001.6.29. 2001두1611 301, 302	대판 2002.5.24. 2000두3641 294, 772	대판 2003.4.25. 2001다59842 1070
대판 2001.6.29. 99다56468 1115	대판 2002.5.28. 2000두6121 708	대판 2003.5.16. 2002두3669 988
대판 2001.7.10. 2000두2136 319, 986, 1000	대판 2002.5.28. 2001두9653 424	대판 2003.5.30. 2003다6422 333, 428
대판 2001.7.27. 2000다56822 1085, 1087, 1088	대판 2002.6.14. 2000두3450 206	대판 2003.6.24. 2001두8865 31
대판 2001.7.27. 2000다56822 등 1086	대판 2002.6.28. 2000두4750 1000	대판 2003.6.27. 2002두6965 67
대판 2001.7.27. 99두2970 256, 840, 851, 868	대판 2002.7.9. 2001두10684 374, 957	대판 2003.7.11. 2001두6289 299, 854
대판 2001.8.21. 2000다12419 131	대판 2002.7.12. 2002두3317 662	대판 2003.7.11. 2002다48023 937
대판 2001.8.24. 2000두2716 33	대판 2002.7.23. 2000두9151 797	대판 2003.7.11. 99다24218 1046, 1047
대판 2001.8.24. 2000두7704 203, 952	대판 2002.7.23. 2000두9946 383	대판 2003.7.11. 99다24218 등 1047
대판 2001.8.24. 99두9971 145, 147	대판 2002.7.26. 2000다25002 353	대판 2003.7.22. 2003두513 351
대판 2001.9.25. 2000두2426 1129	대판 2002.7.26. 2000두7254 877	대판 2003.7.25. 2001다57778 1142
대판 2001.9.25. 2001다41865 1101	대판 2002.7.26. 2001두11168 94	대판 2003.8.22. 2002두12946 560
대판 2001.9.28. 2000두8684 963	대판 2002.7.26. 2001두3532 210, 495	대판 2003.9.2. 2002두5177 710, 727
대판 2001.9.28. 99두8565 850	대판 2002.8.23. 2001두2959 395, 662	대판 2003.9.5. 2001두403 68, 221
대판 2001.10.12. 2000두4279 952	대판 2002.8.23. 2002다9158 1086, 1098	대판 2003.9.5. 2002두3522 1010
	대판 2002.8.23. 2002두820 247	대판 2003.9.23. 2001두10936 460
	대판 2002.8.27. 2002두3850 771	대판 2003.10.10. 2003두5945 876
		대판 2003.10.10. 2003두7767 954
		대판 2003.10.23. 2001다48057 1090, 1092

대판 2003.10.23. 2002두12489 822	대판 2004.6.25. 2003다69652 1062	대판 2005.2.17. 2003두14765 44, 495
대판 2003.10.23. 2003두8005 301, 302	대판 2004.7.8. 2002두7852 896	대판 2005.2.18. 2003두14222 1133
대판 2003.10.24. 2001다82514·82521 27	대판 2004.7.8. 2002두8350 387, 528	대판 2005.2.25. 2003다13048 1063
대판 2003.11.27. 2001다33789 969	대판 2004.7.8. 2004두244 325, 1009	대판 2005.2.25. 2004두4031 152
대판 2003.11.28. 2003두674 523	대판 2004.7.22. 2002두11233 79	대판 2005.3.10. 2002두5474 455
대판 2003.12.11. 2001다65236 1051	대판 2004.7.22. 2002두868 956	대판 2005.3.11. 2003두13489 868
대판 2003.12.11. 2001두8827 555, 948, 964	대판 2004.7.22. 2003두7606 260	대판 2005.3.11. 2004두12452 85
대판 2003.12.11. 2003두8395 556, 963	대판 2004.7.22. 2004다19715 311	대판 2005.3.25. 2004두14106 878
대판 2003.12.11. 2003두8395·2001두8827 959	대판 2004.8.16. 2003두2175 849	대판 2005.4.14. 2003두7590 820, 999
대판 2003.12.12. 2003두8050 552, 563, 570, 573	대판 2004.8.20. 2003두8302 565, 570	대판 2005.4.15. 2004두10883 243, 246
대판 2003.12.26. 2002두1342 557	대판 2004.9.23. 2003다49009 1060	대판 2005.4.28. 2004두8828 66
대판 2003.12.26. 2003두1875 64, 884	대판 2004.9.23. 2003두1370 553	대판 2005.4.29. 2004두11954 430
대판 2004.1.15. 2002두2444 980	대판 2004.9.23. 2004다25581 1120	대판 2005.5.13. 2004다8630 90
대판 2004.2.13. 2001두4030 959	대판 2004.9.24. 2003다13236 519	대판 2005.5.13. 2004두4369 885
대판 2004.2.13. 2002두9971 837	대판 2004.10.14. 2002두424 402	대판 2005.6.10. 2005다15482 713, 833
대판 2004.2.27. 2003도6535 124	대판 2004.10.15. 2002다68485 379	대판 2005.6.10. 2005두1190 937
대판 2004.3.12. 2002다14242 1082, 1084, 1086, 1089	대판 2004.10.15. 2003두6573 150, 228, 312, 520	대판 2005.6.24. 2003두6641 891
대판 2004.3.18. 2001두8254 전합 557	대판 2004.10.27. 2003두1349 1117	대판 2005.6.24. 2004두10968 386
대판 2004.3.25. 2003두12837 250, 273, 330	대판 2004.11.12. 2003두12042 246	대판 2005.7.8. 2005두3165 등 63
대판 2004.3.26. 2002두6583 569	대판 2004.11.25. 2004두7023 332, 908, 926	대판 2005.7.8. 2005두487 488, 811, 831
대판 2004.3.26. 2003도7878 16, 19	대판 2004.11.26. 2003두10251 210, 419, 814	대판 2005.7.14. 2004두6181 277
대판 2004.4.9. 2001두6197 710	대판 2004.11.26. 2003두10251·10268·2014두41190 429	대판 2005.7.21. 2002다1178 전합 38
대판 2004.4.9. 2002다10691 490, 1045	대판 2004.11.26. 2003두2403 382	대판 2005.7.28. 2003두469 518
대판 2004.4.9. 2003두13908 354	대판 2004.11.26. 2003두3123 402	대판 2005.8.19. 2003두9817 115
대판 2004.4.22. 2000두7735 821	대판 2004.11.26. 2004두4482 962	대판 2005.8.19. 2003두9817·9824 281
대판 2004.4.22. 2000두7735 전합 322	대판 2004.12.9. 2003다50184 542	대판 2005.8.19. 2004다2809 639
대판 2004.4.22. 2003두9015 320	대판 2004.12.9. 2003두12707 559, 571, 575	대판 2005.9.9. 2003두5402 883
대판 2004.4.23. 2001두6517 206	대판 2004.12.10. 2003두12257 908	대판 2005.9.9. 2004추10 36
대판 2004.4.23. 2003두13687 494	대판 2004.12.23. 2000두2648 858	대판 2005.9.15. 2005두3257 257
대판 2004.4.27. 2003두8821 460, 822	대판 2004.12.23. 2002다73821 123	대판 2005.9.28. 2004다50044 289, 290
대판 2004.4.28. 2003두1806 109, 460, 823	대판 2004.12.24. 2003두15195 940	대판 2005.9.28. 2005두7464 638
대판 2004.5.14. 2001도2841 365	대판 2005.1.13. 2004두9951 905	대판 2005.10.28. 2005다45827 76
대판 2004.5.28. 2002두4716 220	대판 2005.1.14. 2002두7234 944	대판 2005.11.10. 2003두7507 1122
대판 2004.5.28. 2002두5016 284	대판 2005.1.14. 2003두13045 976	대판 2005.11.10. 2004도2657 691
대판 2004.5.28. 2003두7392 123	대판 2005.1.14. 2004다26805 1049	대판 2005.11.10. 2005두5628 393
대판 2004.5.28. 2004다1254 526	대판 2005.1.14. 2004다26805 등 1049	대판 2005.11.25. 2004두12421 824
대판 2004.5.28. 2004두961 251, 258	대판 2005.1.27. 2002두5313 858	대판 2005.11.25. 2004두3656 372
대판 2004.6.10. 2002두12618 642	대판 2005.1.27. 2003다49566 1084, 1089	대판 2005.11.25. 2004두6822 68
대판 2004.6.11. 2001두7053 822	대판 2005.1.27. 2003두13632 715	대판 2005.12.9. 2003두7705 794, 795
대판 2004.6.11. 2002다31018 1053	대판 2005.1.27. 2004다50143 139	대판 2005.12.9. 2004두6563 886
대판 2004.6.24. 2002두10780 715	대판 2005.1.28. 2002두4679 1139	대판 2005.12.23. 2005두3554 298, 988, 994
	대판 2005.2.17. 2003두10312 494	대판 2005.12.23. 2005두4823 887
		대판 2006.1.13. 2003두9459 565, 575
		대판 2006.1.13. 2003두9459 등 574
		대판 2006.1.27. 2003두13106 1135

대판 2006.2.9. 2005두11982 217	대판 2006.9.28. 2004두7818 74	대판 2007.7.12. 2006두4554 247
대판 2006.2.10. 2003두5686 130, 416	대판 2006.10.12. 2006추38 181	대판 2007.7.12. 2007두6663 246, 338
대판 2006.2.24. 2005도7673 692	대판 2006.10.13. 2006두7096 637, 1156	대판 2007.7.19. 2006두19297 879
대판 2006.3.9. 2004다31074 27, 286	대판 2006.10.26. 2006두11910 557	대판 2007.7.19. 2006두19297 전합 259, 884
대판 2006.3.10. 2005두562 824	대판 2006.11.9. 2006두1227 275	대판 2007.7.26. 2005두15748 348, 382, 982
대판 2006.3.16. 2006두330 379, 388, 541, 851, 867	대판 2006.11.10. 2006두9351 556	대판 2007.7.27. 2006두8464 324, 663
대판 2006.3.16. 2006두330 전합 112, 370, 868	대판 2006.11.16. 2003두12899 전합 62, 77, 92, 93	대판 2007.8.23. 2005두3776 891
대판 2006.3.24. 2004두11275 353	대판 2006.12.7. 2005두241 564	대판 2007.9.20. 2005두6935 848, 856
대판 2006.4.13. 2005두15151 390	대판 2006.12.21. 2005두16161 853	대판 2007.9.20. 2007두6946 215, 216
대판 2006.4.14. 2003다41746 1070	대판 2006.12.21. 2006두16274 261	대판 2007.9.21. 2005다65678 1089
대판 2006.4.14. 2004두14793 184	대판 2006.12.22. 2006두12883 446	대판 2007.9.21. 2005두11937 382
대판 2006.4.14. 2004두3847 904	대판 2006.12.22. 2006두14001 867	대판 2007.9.21. 2006두20631 505, 529
대판 2006.4.14. 2004두3854 60	대판 2007.1.11. 2004두10432 197	대판 2007.9.21. 2007두12057 885
대판 2006.4.20. 2002르1878 전합 323	대판 2007.1.11. 2006두14537 158	대판 2007.10.11. 2005두12404 330
대판 2006.4.27. 2006두2435 1145	대판 2007.1.25. 2006두12289 871	대판 2007.10.11. 2007두1316 810, 819
대판 2006.4.28. 2004다50129 22	대판 2007.2.8. 2006두13886 249	대판 2007.10.11. 2007두1316 등 819
대판 2006.4.28. 2005두14851 905	대판 2007.2.8. 2006두4899 555, 948, 959	대판 2007.10.12. 2006두14476 47, 183
대판 2006.4.28. 2005두9644 67	대판 2007.2.22. 2004두12957 91, 817	대판 2007.10.26. 2005다51235 1085, 1089
대판 2006.5.18. 2004다6207 1014	대판 2007.3.15. 2006두15806 385	대판 2007.11.15. 2007두10198 447
대판 2006.5.18. 2004다6207 전합 31, 1115, 1116	대판 2007.4.12. 2004두7924 848, 874	대판 2007.11.16. 2005두15700 387, 532
대판 2006.5.25. 2003두11988 807, 870	대판 2007.4.12. 2005두15168 814	대판 2007.11.29. 2006다3561 196, 199, 1045
대판 2006.5.25. 2006두3049 206, 554	대판 2007.4.12. 2005두1893 456, 533	대판 2007.11.29. 2006두18928 302
대판 2006.6.2. 2004두12070 683	대판 2007.4.12. 2006두20150 381	대판 2007.11.29. 2006두8495 206
대판 2006.6.9. 2004두46 68	대판 2007.4.26. 2005두11104 370, 414	대판 2007.12.13. 2005두13117 563
대판 2006.6.22. 2003두1684 879	대판 2007.4.26. 2006두18409 881	대판 2007.12.27. 2005다62747 1068
대판 2006.6.22. 2003두1684 전합 203	대판 2007.4.27. 2004두9302 844, 908	대판 2007.12.27. 2005두9651 288, 871
대판 2006.6.27. 2003두4355 216	대판 2007.5.10. 2005다31828 1051, 1052, 1053, 1057	대판 2008.1.31. 2005두8269 100, 812
대판 2006.6.29. 2005다41603 477	대판 2007.5.10. 2005도591 202	대판 2008.1.31. 2007도9220 422
대판 2006.6.30. 2004두701 415	대판 2007.5.10. 2005두13315 246	대판 2008.1.10. 2007두16691 293
대판 2006.6.30. 2005두14363 306, 384, 387	대판 2007.5.11. 2004다11162 849	대판 2008.1.17. 2006두10931 65, 74
대판 2006.6.30. 2005두364 963	대판 2007.5.11. 2006도1993 694	대판 2008.1.17. 2006두10931 등 63
대판 2006.7.28. 2004다759 1059	대판 2007.5.11. 2007두1811 434, 957	대판 2008.1.17. 2007두21563 94
대판 2006.7.28. 2004두13219 816	대판 2007.5.31. 2005두1329 805	대판 2008.2.1. 2006다6713 1067
대판 2006.7.28. 2004두6716 859	대판 2007.6.1. 2005두11500 774	대판 2008.2.1. 2007두20997 730, 908
대판 2006.8.24. 2004두2783 549	대판 2007.6.1. 2006두20587 555, 565	대판 2008.2.14. 2007두13203 481, 880
대판 2006.8.25. 2004두2974 278	대판 2007.6.1. 2007두2555 567	대판 2008.2.15. 2006두3957 835
대판 2006.9.8. 2003두5426 456	대판 2007.6.14. 2004두619 188, 202, 814, 904	대판 2008.2.28. 2007두13791 962
대판 2006.9.8. 2004두7672 1135	대판 2007.6.14. 2005두4397 832	대판 2008.3.13. 2007다29287 1087, 1091
대판 2006.9.8. 2004두947 182, 907, 914	대판 2007.6.15. 2005두9736 865	대판 2008.3.20. 2007두6342 988
대판 2006.9.8. 2005두14394 402	대판 2007.6.15. 2006두15936 560	대판 2008.3.27. 2006두3742 443, 445
대판 2006.9.22. 2005두2506 210, 828, 853, 951	대판 2007.6.24. 2004두619 355	대판 2008.3.27. 2007두23811 861
대판 2006.9.28. 2004두5317 875	대판 2007.6.29. 2006두4097 247	대판 2008.4.10. 2005다48994 1068, 1069
	대판 2007.7.12. 2005두17287 257, 709	

대판 2008.4.10. 2007두18611 822	대판 2009.1.30. 2008두16155 526	대판 2009.10.15. 2008다93001 99
대판 2008.4.10. 2007두22054 709	대판 2009.1.30. 2008두17936 37	대판 2009.10.15. 2009두6513 831
대판 2008.4.10. 2007두4841 208	대판 2009.2.12. 2004다10289 40	대판 2009.10.29. 2007두26285 188
대판 2008.4.10. 2007두6106 276	대판 2009.2.12. 2005다65500	대판 2009.10.29. 2009두11218 954
대판 2008.4.10. 2008두402 861	82, 332, 343	대판 2009.11.12. 2008다98006 341
대판 2008.4.17. 2005두16185 1008	대판 2009.2.12. 2007두17359 320	대판 2009.11.26. 2007두4018 817
대판 2008.4.24. 2006다32132 1058	대판 2009.2.12. 2008다76112 1130	대판 2009.11.26. 2009두12907 125
대판 2008.4.24. 2007두25060 73	대판 2009.2.12. 2008두11716 380	대판 2009.11.26. 2009두15586 959
대판 2008.4.24. 2008두3500 831	대판 2009.2.12. 2008두14999 527	대판 2009.12.10. 2006다19177 133
대판 2008.5.15. 2007두26001 44	대판 2009.2.26. 2006두16243 167, 854	대판 2009.12.10. 2007다63966 340
대판 2008.5.15. 2008두2583 815	대판 2009.2.26. 2007두13340 1144	대판 2009.12.10. 2007두20140 353
대판 2008.5.29. 2004다33469 등	대판 2009.3.12. 2006다28454 279	대판 2009.12.10. 2009두12785
1045, 1046	대판 2009.3.12. 2008두11525 319	547, 559, 571
대판 2008.5.29. 2007다8129 1015, 1145	대판 2009.3.12. 2008두12610 1145	대판 2009.12.10. 2009두14231 816
대판 2008.5.29. 2007두18321 217	대판 2009.3.26. 2008두21300 62, 80	대판 2009.12.10. 2009두8359 863, 952
대판 2008.5.29. 2007두23873 898	대판 2009.4.9. 2008두23153 922	대판 2009.12.24. 2009다51288 43
대판 2008.6.12. 2006두16328 473, 1021	대판 2009.4.23. 2007두13159 473	대판 2009.12.24. 2009두14507 656
대판 2008.6.12. 2007다64365 1049, 1056	대판 2009.4.23. 2008도6829 161	대판 2009.12.24. 2009두7967 53, 55, 204
대판 2008.6.12. 2007두1767 524	대판 2009.5.14. 2006두17390 836	대판 2010.1.14. 2009두11843 957
대판 2008.6.12. 2007두23255 67	대판 2009.5.14. 2007두16202 325	대판 2010.1.28. 2007다82950 636, 1044
대판 2008.6.12. 2007추42 43	대판 2009.5.28. 2006다16215 1057	대판 2010.1.28. 2008두1504 846, 1162
대판 2008.6.12. 2008두1115 65	대판 2009.5.28. 2006두16403 836	대판 2010.1.28. 2008두19987 739
대판 2008.7.10. 2006다23664 1065	대판 2009.6.11. 2008도6530 691	대판 2010.1.28. 2009두4845 295
대판 2008.7.10. 2007두10242 872	대판 2009.6.11. 2008두13637 186	대판 2010.2.11. 2009두18035 518, 944
대판 2008.7.24. 2006다63273 1068	대판 2009.6.11. 2009다1122 633	대판 2010.2.11. 2009두6001 555, 571
대판 2008.7.24. 2007다25261 917, 1012	대판 2009.6.18. 2008두10997 826	대판 2010.2.25. 2007다73598 295
대판 2008.7.24. 2007두3930 957	대판 2009.6.18. 2008두10997 전합 159	대판 2010.2.25. 2007두18284 817
대판 2008.8.21. 2007두13845	대판 2009.6.23. 2006두16786 260	대판 2010.2.25. 2007두9877 561, 582
400, 401, 830	대판 2009.6.23. 2007두18062 242, 955	대판 2010.2.25. 2008두20765 886
대판 2008.9.11. 2006두18362 810, 831	대판 2009.6.23. 2009두2672 1127	대판 2010.2.25. 2009다85717 941
대판 2008.9.18. 2007두2173 전합 80	대판 2009.6.25. 2006다18174 342	대판 2010.2.25. 2009두102 388
대판 2008.9.25. 2006다18228 490, 1103	대판 2009.6.25. 2006도824 365	대판 2010.4.8. 2009다90092 363
대판 2008.9.25. 2008두8680 576	대판 2009.6.25. 2008두13132 55	대판 2010.4.8. 2009두17018 302
대판 2008.10.9. 2008두6127 67	대판 2009.7.9. 2008두11099 260	대판 2010.4.8. 2009두22997 215
대판 2008.10.23. 2006다66272 40	대판 2009.7.23. 2006다81325 1069	대판 2010.4.15. 2007두16127 866, 867
대판 2008.10.23. 2007두1798 564, 565	대판 2009.7.23. 2006다87798 1069	대판 2010.4.29. 2008두5643 550
대판 2008.11.13. 2007도9794 669, 670	대판 2009.7.23. 2008두10560 1001, 1002	대판 2010.4.29. 2009다97925 164
대판 2008.11.13. 2008두13491 315	대판 2009.9.10. 2007두20638 819, 820	대판 2010.4.29. 2009두16879 986
대판 2008.11.13. 2008두8628 70, 261	대판 2009.9.10. 2008두9324 74	대판 2010.4.29. 2009두18547 311
대판 2008.11.20. 2007두18154 전합 664	대판 2009.9.17. 2007다2428	대판 2010.5.13. 2009두3460 990
대판 2008.11.27. 2005두15694 555	445, 918, 1012	대판 2010.5.13. 2010두2296 282
대판 2009.1.15. 2006두14926 967	대판 2009.9.24. 2006다82649 1062	대판 2010.5.27. 2008두22655 321
대판 2009.1.30. 2006다17850 162	대판 2009.9.24. 2008다60568	대판 2010.5.27. 2008두5636 1007
대판 2009.1.30. 2006두9498 683	295, 887, 918	대판 2010.6.10. 2010두2913 556
대판 2009.1.30. 2007두13487 883	대판 2009.9.24. 2009두2825 388, 867, 869	대판 2010.6.24. 2007두16493
대판 2009.1.30. 2007두7277 320	대판 2009.9.24. 2009두8946 275	402, 405, 836

대판 2010.6.24. 2010두3978 653	대판 2011.1.27. 2008두2200 319	대판 2012.3.29. 2008다95885 970
대판 2010.6.25. 2007두12514 909	대판 2011.1.27. 2009두1051 259, 285	대판 2012.3.29. 2008다95885 등 971
대판 2010.7.15. 2009두19069 284	대판 2011.1.27. 2010두23033 246	대판 2012.3.29. 2010두7765 838
대판 2010.7.15. 2010두7031 247, 257, 955	대판 2011.2.10. 2010두20980 944	대판 2012.3.29. 2010두7765 등 445
대판 2010.7.22. 2010다13527 1069	대판 2011.3.10. 2009두23617 684	대판 2012.3.29. 2011다104253 221
대판 2010.7.22. 2010다33354 1085	대판 2011.3.10. 2010다85942 1082, 1105	대판 2012.3.29. 2011두23375 419, 948
대판 2010.7.22. 2010두5745 823	대판 2011.3.24. 2010두25527 663	대판 2012.3.29. 2011두26886 734
대판 2010.7.29. 2007두18406 888	대판 2011.5.13. 2009다26831 93	대판 2012.3.29. 2011두9263 954
대판 2010.7.29. 2008다6328 99	대판 2011.5.26. 2008두18335 302	대판 2012.4.12. 2010두4612 390
대판 2010.8.19. 2008두822 1139, 1140	대판 2011.5.26. 2010두28106 960	대판 2012.4.13. 2009두5510 852
대판 2010.8.26. 2010다37479 1059	대판 2011.6.9. 2011다2951 1015	대판 2012.5.10. 2011두13484 249
대판 2010.8.26. 2010두2579 406, 407, 957	대판 2011.6.10. 2010두7321 167	대판 2012.5.10. 2012두1297 710
대판 2010.9.9. 2008다77795 1051, 1052, 1068, 1070	대판 2011.6.23. 2007다63089 1142, 1143	대판 2012.5.24. 2009두22140 882
대판 2010.9.9. 2008두22631 163, 240	대판 2011.6.30. 2010두23859 474, 813	대판 2012.5.24. 2011두19727 52
대판 2010.9.30. 2009두1020 372	대판 2011.7.14. 2011두2309 1159	대판 2012.5.24. 2012두1891 84, 432
대판 2010.9.30. 2010두12262 104	대판 2011.7.28. 2005두11784 158, 167	대판 2012.6.14. 2010두19720 320, 802
대판 2010.10.14. 2008두23184 323	대판 2011.7.28. 2011두5728 281, 330	대판 2012.6.18. 2011두2361 562, 563
대판 2010.10.14. 2010두13340 657	대판 2011.8.25. 2011두3371 321, 823	대판 2012.6.28. 2010두2005 866
대판 2010.10.28. 2010두6496 250, 284	대판 2011.9.8. 2009두6766 160, 166, 324, 869	대판 2012.6.28. 2011두16735 562
대판 2010.11.11. 2008다57975 1092	대판 2011.9.8. 2010다48240 645	대판 2012.6.28. 2011두358 85
대판 2010.11.11. 2008두20093 723	대판 2011.9.8. 2011다34521 1071	대판 2012.7.5. 2010다72076 223
대판 2010.11.11. 2009두14934 302	대판 2011.9.29. 2009두10963 1023, 1158	대판 2012.7.5. 2011두13187 850
대판 2010.11.11. 2010두14367 467	대판 2011.10.13. 2008두17905 1147	대판 2012.7.26. 2010다50625 664
대판 2010.11.11. 2010두4179 859	대판 2011.10.13. 2009다43461 32, 1116, 1158	대판 2012.7.26. 2010다95666 1063
대판 2010.11.18. 2008두167 810	대판 2011.10.13. 2011다36091 1110	대판 2012.8.23. 2010두13463 379, 402, 404
대판 2010.11.18. 2008두167 전합 167	대판 2011.10.27. 2011두14401 976	대판 2012.8.30. 2010두24951 290, 337
대판 2010.11.25. 2007다74560 1093	대판 2011.11.10. 2011도11109 365, 389, 517	대판 2012.9.13. 2012두3859 737, 739, 784, 962
대판 2010.11.25. 2008다67828 1060	대판 2011.11.10. 2011재두148 354	대판 2012.9.27. 2010두16219 451
대판 2010.11.25. 2010다58957 133	대판 2011.11.24. 2009다28394 1120	대판 2012.9.27. 2010두3541 210, 323
대판 2010.12.9. 2007두6571 1125	대판 2011.11.24. 2009두19021 558, 959, 964	대판 2012.9.27. 2011두27247 835, 907
대판 2010.12.9. 2009두4555 838	대판 2011.11.24. 2011두18786 907	대판 2012.10.11. 2010다23210 32, 1116
대판 2010.12.9. 2010두1248·2009두4913 289	대판 2012.1.12. 2010두12354 319, 824	대판 2012.10.11. 2010다23210 등 31
대판 2010.12.9. 2010두16349 206	대판 2012.1.12. 2010두5806 456	대판 2012.10.11. 2010두18758 559
대판 2010.12.16. 2010도5986 805	대판 2012.1.26. 2009두14439 402, 405	대판 2012.10.11. 2011두19369 702
대판 2010.12.16. 2010도5986 전합 17, 194	대판 2012.2.9. 2009두16305 308, 310	대판 2012.10.11. 2011두8277 957
대판 2010.12.23. 2008두13101 549, 565, 574	대판 2012.2.16. 2010두10907 전합 395	대판 2012.10.11. 2012두13245 258
대판 2010.12.23. 2009다37725 980	대판 2012.2.23. 2010다91206 31, 1156	대판 2012.10.18. 2010두12347 501, 713
대판 2010.12.23. 2010다58889 967	대판 2012.2.23. 2010두17557 93	대판 2012.10.25. 2010두18963 833
대판 2010.12.23. 2010두14800 556	대판 2012.2.23. 2011두5001 505, 526, 883	대판 2012.11.15. 2010두8676 736, 738
대판 2011.1.13. 2009다103950 1109	대판 2012.3.15. 2011다17328 1016	대판 2012.11.22. 2010두22962 전합 240
대판 2011.1.20. 2010두14954 304	대판 2012.3.15. 2011다52727 1100	대판 2012.11.29. 2008두21669 206
대판 2011.1.20. 2010두14954 전합 157, 168, 308	대판 2012.3.22. 2011두6400 838, 882	대판 2012.11.29. 2012도10269 60
		대판 2012.12.13. 2010두20782 839
		대판 2012.12.13. 2011두29144 155, 523, 871

판례	페이지
대판 2012.12.13. 2012도11162	670
대판 2012.12.20. 2011두30878 전합	185
대판 2013.1.31. 2011두11112	289, 882
대판 2013.1.16. 2010두22856	831
대판 2013.1.16. 2011두30687	505
대판 2013.1.16. 2012추84	47
대판 2013.1.24. 2010두18918	556, 574, 888
대판 2013.2.15. 2011두1870	70
대판 2013.2.28. 2010두22368	31, 916, 1017
대판 2013.2.28. 2012두22904	890
대판 2013.3.14. 2010두2623	902
대판 2013.3.14. 2012두6964	400, 402
대판 2013.3.21. 2011다95564	1016
대판 2013.3.21. 2011다95564 전합	30
대판 2013.3.28. 2011두13729	901
대판 2013.3.28. 2012다102629	28, 1015
대판 2013.3.28. 2012도16383	184, 687
대판 2013.4.18. 2010두11733	836
대판 2013.4.26. 2011다14428	1053
대판 2013.4.26. 2012두20663	390
대판 2013.5.9. 2012두22799	241, 275, 285
대판 2013.5.16. 2011도2631 전합	194
대판 2013.6.13. 2011두19994	290, 295
대판 2013.6.28. 2011두18304	664
대판 2013.7.11. 2011두27544	407
대판 2013.7.11. 2013두2402	150
대판 2013.7.25. 2011두1214	857
대판 2013.7.25. 2012두12297	795
대판 2013.8.22. 2011두26589	944, 947, 965
대판 2013.8.22. 2012다3517	1157
대판 2013.9.12. 2011두10584	24, 177, 178
대판 2013.9.12. 2011두31284	436
대판 2013.9.26. 2011두12917	323
대판 2013.9.26. 2013도7718	682
대판 2013.10.31. 2013두9625	277
대판 2013.10.11. 2012두24825	959
대판 2013.10.24. 2011두13286	320
대판 2013.10.24. 2013다208074	1085, 1086
대판 2013.10.24. 2013두963	216, 421
대판 2013.11.14. 2011두18571	515
대판 2013.11.14. 2011두28783	53, 207
대판 2013.11.28. 2011두5049	552
대판 2013.11.28. 2012두16565	34
대판 2013.12.12. 2011두3388	44
대판 2013.12.12. 2012두20397	654
대판 2013.12.26. 2011두4930	495
대판 2013.12.26. 2011두8291	402, 404
대판 2013.12.26. 2012두19571	206
대판 2014.2.13. 2013두20899	481
대판 2014.2.21. 2011두29052	850
대판 2014.2.27. 2011두11570 등	406
대판 2014.2.27. 2011두25173	294
대판 2014.2.27. 2012두22980	856
대판 2014.2.27. 2013두10885	1146
대판 2014.3.13. 2012두1006	411
대판 2014.3.13. 2013두15934	856
대판 2014.3.27. 2011두24057	393
대판 2014.4.10. 2011두6998	159
대판 2014.4.10. 2012두17384	551, 569
대판 2014.4.24. 2013두10809	737, 907, 908
대판 2014.4.24. 2013두26552	89, 90
대판 2014.4.24. 2013두6244	465, 472
대판 2014.4.24. 2013두7834	324
대판 2014.5.15. 2013두26118	737
대판 2014.5.16. 2011두27094	379
대판 2014.5.16. 2012두26180	235, 506, 884
대판 2014.5.16. 2013두26118	783, 962
대판 2014.5.16. 2014두274	267, 889
대판 2014.5.22. 2012도71907 전합	285
대판 2014.5.29. 2013두12478	1115, 1158
대판 2014.6.12. 2012두4852	247
대판 2014.6.26. 2011다85413	1100
대판 2014.6.26. 2012두1525	251
대판 2014.6.26. 2012두911	681, 683
대판 2014.7.10. 2013도11532	289
대판 2014.7.10. 2013두7025	145
대판 2014.7.16. 2011다76402 전합	138
대판 2014.7.24. 2011두14227	423
대판 2014.7.24. 2011두30465	881
대판 2014.7.24. 2013두20301	560
대판 2014.7.24. 2013두27159	426
대판 2014.8.20. 2012다54478	1076
대판 2014.8.20. 2012두19526	186
대판 2014.9.4. 2014다203588	28
대판 2014.9.4. 2014두2164	865
대판 2014.9.25. 2012두24092	1138
대판 2014.9.25. 2014두8254	903
대판 2014.9.26. 2012두5602·5619	286
대판 2014.9.26. 2013두2518	232, 352, 890, 896
대판 2014.10.15. 2012다100395	1052
대판 2014.10.15. 2012두5756	507
대판 2014.10.15. 2013두5005	710
대판 2014.10.15. 2014두37658	162
대판 2014.10.27. 2012두17186	425
대판 2014.10.27. 2012두7745	524
대판 2014.10.27. 2013다217962	1053
대판 2014.11.27. 2013두18964	215
대판 2014.11.27. 2013두8653	217
대판 2014.11.27. 2014두37665	968
대판 2014.11.27. 2014두9226	419, 948
대판 2014.12.11. 2012다15602	136
대판 2014.12.11. 2012두28704	474, 855
대판 2014.12.11. 2013두15750	655
대판 2014.12.12. 2010두6700	23, 477, 727
대판 2014.12.24. 2012두26708	251
대판 2014.12.24. 2014두9349	553
대판 2015.1.15. 2013다215133	43, 476
대판 2015.1.15. 2013두14238	184
대판 2015.1.29. 2012두7387	29
대판 2015.1.29. 2013두24976	881
대판 2015.1.29. 2013두4118	323
대판 2015.2.12. 2013두987	235, 876
대판 2015.2.26. 2014두12062	680
대판 2015.3.20. 2014두44434	514
대판 2015.3.26. 2012다48824	1048
대판 2015.3.26. 2013두9267	323, 872
대판 2015.3.26. 2014두42742	460, 823
대판 2015.4.9. 2014두46669	1133, 1139, 1140
대판 2015.4.23. 2012두26920	16, 833
대판 2015.5.28. 2013다41431	1072
대판 2015.5.28. 2015두36256	957
대판 2015.5.29. 2013두635	289, 290
대판 2015.6.11. 2012다58920	1144
대판 2015.6.11. 2013다208388	1040
대판 2015.6.23. 2012두2986	205
대판 2015.6.24. 2011두2170	648, 653
대판 2015.7.9. 2013도13070	617
대판 2015.7.9. 2015두39590	307

대판 2015.7.23. 2012두19496
          849, 851, 853
대판 2015.7.23. 2012두22911 1144
대판 2015.8.20. 2012두23808 전합
           46, 47, 185
대판 2015.8.27. 2012다204587 1056
대판 2015.8.27. 2013다212639 138, 1017
대판 2015.8.27. 2013두1560 258, 388, 541
대판 2015.8.27. 2015두41449 465, 472
대판 2015.10.15. 2013다23914 등 1093
대판 2015.10.29. 2012두28728 541
대판 2015.10.29. 2013두27517 864, 874
대판 2015.10.29. 2014두2362 320
대판 2015.11.12. 2013다215263 137
대판 2015.11.12. 2015두2963 1138
대판 2015.11.12. 2015두47195 882
대판 2015.11.19. 2015두295 838
대판 2015.11.19. 2015두295 전합
           154, 522
대판 2015.11.27. 2013다6759 791
대판 2015.12.10. 2011두32515 389, 541
대판 2015.12.10. 2013두20585 825
대판 2015.12.10. 2013두35013 723
대판 2015.12.23. 2015다210194 1069
대판 2015.12.24. 2015두264 830
대판 2016.1.28. 2013두21120 266
대판 2016.1.28. 2013두2938 823
대판 2016.1.28. 2015두52432 242, 266
대판 2016.1.28. 2015두53121 220
대판 2016.3.24. 2015두48235 972, 974
대판 2016.4.15. 2013다20427 1059
대판 2016.4.15. 2015두52326 387
대판 2016.5.24. 2013두14863 1010, 1023
대판 2016.6.9. 2015다200258 1110
대판 2016.6.10. 2013두1638 881
대판 2016.6.23. 2015두36454 655
대판 2016.6.28. 2014두2638 256
대판 2016.7.14. 2014두47426 825
대판 2016.7.14. 2015두4167 951, 953
대판 2016.7.14. 2015두46598 648, 654
대판 2016.7.14. 2015두48846 284
대판 2016.7.14. 2015두58645 737, 830
대판 2016.7.27. 2015두45953 737, 833
대판 2016.8.17. 2014다235080 592
대판 2016.8.17. 2015두51132 185
대판 2016.8.24. 2014두46966 1116

대판 2016.8.24. 2016두35762 275, 308
대판 2016.8.25. 2014다225083
           1060, 1068
대판 2016.8.29. 2014두45956 257
대판 2016.8.30. 2014두46034 954
대판 2016.8.30. 2015두60617 880, 1068
대판 2016.9.28. 2014도10748 696
대판 2016.9.28. 2016두39382 787
대판 2016.10.13. 2014다215499 1046
대판 2016.10.13. 2016두43077 64
대판 2016.10.27. 2015두41579 948
대판 2016.10.27. 2015두42817 947
대판 2016.10.27. 2016두41811 525, 675
대판 2016.11.9. 2014두1260 526
대판 2016.11.10. 2016두44674 570
대판 2016.11.24. 2014두47686 311
대판 2016.11.24. 2016두45028 341, 474
대판 2016.12.1. 2014두43288 889
대판 2016.12.15. 2012두11409·11416
             569
대판 2016.12.15. 2013두20882 551
대판 2016.12.15. 2014두40531 311
대판 2016.12.15. 2014두44502 33
대판 2016.12.15. 2016두47659 81, 683
대판 2016.12.27. 2014두46850 683
대판 2016.12.27. 2014두5637 816
대판 2016.12.27. 2016두43282 876
대판 2016.12.27. 2016두49228 387
대판 2016.12.27. 2016두50440 847
대판 2017.1.12. 2015두2352 835, 876
대판 2017.1.12. 2016두35199 258, 876
대판 2017.2.3. 2015두60075 1106
대판 2017.2.9. 2014두43264 1007
대판 2017.2.13. 2014두40012 1106
대판 2017.2.15. 2016두52545 260
대판 2017.2.16. 2015도16014 전합 184
대판 2017.3.9. 2013두16852 848, 871, 941
대판 2017.3.9. 2015다233982 393
대판 2017.3.9. 2016두56790 372
대판 2017.3.9. 2016두60577 351, 352, 353
대판 2017.3.15. 2013두16333 248, 259
대판 2017.3.15. 2014두41190
        282, 430, 431, 434, 820
대판 2017.3.15. 2016두55490 266
대판 2017.3.16. 2013두11536 882
대판 2017.3.16. 2014두8360 681

대판 2017.3.30. 2015두43971 426
대판 2017.3.30. 2016추5087 47
대판 2017.4.7. 2014두37122 957
대판 2017.4.7. 2016도13263 598
대판 2017.4.7. 2016두63224 528
대판 2017.4.13. 2013다207941 633
대판 2017.4.13. 2016두64241 1159
대판 2017.4.20. 2015두45700 전합
           123, 178
대판 2017.4.27. 2016두33360 258
대판 2017.4.28. 2016다213916 644
대판 2017.4.28. 2016두39498 1021
대판 2017.4.28. 2017두30139 284
대판 2017.5.11. 2014두8773 710, 727
대판 2017.5.11. 2015두37549 795
대판 2017.5.17. 2016두53050 944, 965
대판 2017.5.30. 2014다61340 48
대판 2017.5.30. 2017두34087 155, 162
대판 2017.5.31. 2017두30764 219, 220
대판 2017.6.15. 2013두2945 819, 820
대판 2017.6.15. 2014두46843
          419, 813, 948
대판 2017.6.15. 2015두2826 등 참조 726
대판 2017.6.19. 2015두59808 726
대판 2017.6.29. 2017다211726 1066
대판 2017.7.11. 2012두22973 419
대판 2017.7.11. 2013두25498 938
대판 2017.7.11. 2015두2864 206
대판 2017.7.11. 2016두35120
         347, 391, 396, 403
대판 2017.7.11. 2017두40860 1137
대판 2017.7.18. 2014도8719 682
대판 2017.7.18. 2016두49938 403, 405
대판 2017.8.23. 2017두38812 825
대판 2017.8.29. 2016두44186
          460, 821, 960
대판 2017.9.7. 2017두41085 299
대판 2017.9.7. 2017두44558 558, 567
대판 2017.9.12. 2017두45131 313
대판 2017.9.21. 2017도7321 365
대판 2017.10.31. 2015두45045
         796, 842, 886, 887
대판 2017.10.12. 2015두36836 899, 901
대판 2017.10.12. 2015두59907 877
대판 2017.10.12. 2017두48956 277
대판 2017.11.9. 2015다215526
          22, 467, 917

판례	쪽
대판 2017.11.14. 2016다201395	23
대판 2017.12.5. 2016두42913	248
대판 2017.12.13. 2016두55421	683
대판 2017.12.21. 2012다74076 전합	476
대판 2017.12.28. 2015두56540	250, 256
대판 2017.12.28. 2017두30122	379
대판 2018.1.25. 2015두35116	163, 648, 655, 964
대판 2018.1.25. 2017두61799	1133
대판 2018.2.8. 2017두66633	518
대판 2018.2.13. 2014두11328	30, 463, 464
대판 2018.2.28. 2017두51501	249
대판 2018.2.28. 2017두67476	85
대판 2018.3.13. 2016두33339	388, 506, 510
대판 2018.3.27. 2015두47492	818, 852
대판 2018.4.12. 2014두5477	555, 575, 965
대판 2018.4.12. 2017두67834	877
대판 2018.4.12. 2017두7470	947
대판 2018.4.24. 2016두40207	251
대판 2018.4.24. 2017두73310	301, 304
대판 2018.4.26. 2015두53824	859
대판 2018.5.11. 2015다237748	464
대판 2018.5.15. 2014두42506	850, 851
대판 2018.5.15. 2016두57984	216
대판 2018.5.15. 2017두41221	1164
대판 2018.6.12. 2018두33593	165
대판 2018.6.15. 2015두40248	205
대판 2018.6.15. 2016두57564	514, 818
대판 2018.6.15. 2017다249769	68
대판 2018.6.15. 2017두49119	131, 147
대판 2018.6.19. 2016두1240	680
대판 2018.6.21. 2015두48655 전합	163
대판 2018.6.28. 2015두47737	339
대판 2018.6.28. 2015두58195	415, 428, 433, 957
대판 2018.7.12. 2015두3485	884
대판 2018.7.12. 2017두48734	312, 888
대판 2018.7.12. 2017두65821	912
대판 2018.7.20. 2015두4044	1138, 1158, 1163
대판 2018.7.20. 2018두36691	1107
대판 2018.7.26. 2015다221569	1013
대판 2018.7.26. 2017두33978	314
대판 2018.8.1. 2014두35379	857
대판 2018.8.1. 2014두42520	869
대판 2018.8.30. 2016두60591	122
대판 2018.9.28. 2017두47465	829
대판 2018.9.28. 2017두69892	561
대판 2018.10.25. 2016두33537	25, 474
대판 2018.10.25. 2018두43095	309, 893
대판 2018.10.25. 2018두44302	49, 52, 163
대판 2018.11.15. 2016두48737	258, 908
대판 2018.11.29. 2015두52395	24, 813
대판 2018.11.29. 2016두38792	306, 313, 450
대판 2018.11.29. 2017두34940	813
대판 2018.12.13. 2016두31616	243, 507, 960
대판 2018.12.13. 2016두51719	1157
대판 2018.12.27. 2014두11601	1134
대판 2019.1.31. 2013두14726	954
대판 2019.1.31. 2016두52019	80
대판 2019.1.31. 2017두40372	398, 403, 405
대판 2019.1.31. 2017두46455	472
대판 2019.1.10. 2017두43319	252
대판 2019.1.10. 2017두75606	156
대판 2019.1.17. 2014두41114	800
대판 2019.1.17. 2015두46512	560
대판 2019.1.17. 2016두56721	925
대판 2019.1.17. 2016두56721·56738	284, 409, 422
대판 2019.1.17. 2017두59949	60
대판 2019.1.17. 2018두42559	65
대판 2019.2.14. 2016두41729	324, 815
대판 2019.2.14. 2016두49501	1021
대판 2019.2.14. 2017두62587	988
대판 2019.2.14. 2017두63726	67
대판 2019.2.28. 2017두71031	1154
대판 2019.4.3. 2017두52764	827, 891
대판 2019.4.11. 2018다277419	1130
대판 2019.4.11. 2018두42955	656
대판 2019.4.23. 2018다287287	379
대판 2019.5.10. 2015두46987	813
대판 2019.5.30. 2017다16174	1106
대판 2019.5.30. 2018두52204	220
대판 2019.6.13. 2016다239888	833
대판 2019.6.13. 2017두33985	192
대판 2019.6.27. 2018두49130	720, 722, 816, 880
대판 2019.7.4. 2017두38645	515
대판 2019.7.4. 2018두66869	948
대판 2019.7.11. 2017두38874	250, 256, 348, 506, 850
대판 2019.7.11. 2018두47783	452
대판 2019.8.9. 2019두38656	351, 740
대판 2019.8.29. 2018두57865	1158
대판 2019.8.30. 2018두47189	833, 855
대판 2019.9.9. 2016다262550	1013, 1022
대판 2019.9.10. 2019다208953	165
대판 2019.10.31. 2013두20011	203
대판 2019.10.31. 2017다282438	35
대판 2019.10.31. 2017두74320	963
대판 2019.10.17. 2018두104	415, 808
대판 2019.10.17. 2018두60588	30, 464
대판 2019.10.17. 2019두33897	129
대판 2019.11.14. 2015두52531	29
대판 2019.11.28. 2018두227	1114, 1115, 1136
대판 2019.12.12. 2018두63563	655
대판 2019.12.13. 2018두41907	285, 511, 512, 521, 998
대판 2019.12.24. 2019두45579	251
대판 2019.12.27. 2018두46780	824
대판 2020.1.16. 2019다247385	941
대판 2020.1.16. 2019다264700	90, 810, 823
대판 2020.2.20. 2019두52386	885
대판 2020.3.26. 2017두41351	33
대판 2020.4.9. 2015다34444	832, 852, 854, 855
대판 2020.4.9. 2018두57490	947
대판 2020.4.9. 2019두49953	838, 862, 978
대판 2020.4.9. 2019두51499	70
대판 2020.4.9. 2019두61137	399, 402, 811, 830
대판 2020.4.29. 2017두31064	535, 832
대판 2020.4.29. 2019두52799	68
대판 2020.5.14. 2018다298409	22, 464, 476
대판 2020.5.14. 2019두63515	726, 727, 954
대판 2020.5.28. 2017다211559	1058, 1062
대판 2020.5.28. 2017다211559 등	1062
대판 2020.5.28. 2017두66541	26, 178, 203, 811

대판 2020.5.28. 2017두73693	707, 725
대판 2020.6.4. 2015두39996	427
대판 2020.6.11. 2020두34384	249
대판 2020.6.25. 2017두72935	956
대판 2020.6.25. 2018두34732	71, 78
대판 2020.6.25. 2019두56135	978
대판 2020.7.23. 2017두66602	529
대판 2020.7.23. 2019두31839	304, 305, 309
대판 2020.7.23. 2020두33824	74
대판 2020.7.23. 2020두36007	149
대판 2020.8.20. 2017두44084	956
대판 2020.8.20. 2019두34630	351
대판 2020.9.3. 2016두32992 전합	44, 185
대판 2020.9.3. 2020두34070	937, 938
대판 2020.10.15. 2020다222382	917, 1007
대판 2020.10.15. 2020다237438	139
대판 2020.10.29. 2017다269152	327
대판 2020.11.26. 2020두42262	204
대판 2020.12.10. 2019다234617	475
대판 2020.12.24. 2018두45633	331, 512
대판 2020.12.24. 2020두30450	880
대판 2021.1.14. 2020두50324	827
대판 2021.1.28. 2019다260197	1044, 1050
대판 2021.1.28. 2019다260197	99
대판 2021.2.4. 2015추528	388
대판 2021.2.4. 2019다277133	1018
대판 2021.2.4. 2020두48390	711
대판 2021.2.4. 2020두48772	872
대판 2021.2.10. 2020두47564	814
대판 2021.2.25. 2017다51610	160
대판 2021.2.25. 2020두51587	727
대판 2021.3.11. 2019두57831	248
대판 2021.3.11. 2020두42569	151, 310
대판 2021.3.18. 2018두47264 전합	148, 1009
대판 2021.4.29. 2016두39856	1020, 1021
대판 2021.6.10. 2017다286874	1070
대판 2021.6.24. 2021두33883	311
대판 2021.6.30. 2021두35681	251
대판 2021.7.21. 2021두33838	1062
대판 2021.7.29. 2015다221668	1065
대판 2021.7.29. 2016두64876	912
대판 2021.7.29. 2018두55968	301, 303
대판 2021.7.29. 2020두39655	180
대판 2021.7.29. 2021두34756	965
대판 2021.8.12. 2015다208320	1065
대판 2021.9.16. 2019도11826	366, 367
대판 2021.10.28. 2017다219218	668
대판 2021.10.28. 2020도1942	619
대판 2021.11.11. 2015두53770	562, 564
대판 2021.11.11. 2018다204022	1114
대판 2021.11.11. 2021두43491	475
대판 2021.12.16. 2019두45944	347, 1008
대판 2021.12.30. 2018다241458	76, 393, 806, 1020
대판 2022.1.27. 2019다289815	289
대판 2022.2.11. 2021두40720	726, 838
대판 2022.3.17. 2021두53894	827
대판 2022.4.28. 2021두61932	957
대판 2022.5.26. 2022두33439	574
대판 2022.5.26. 2022두33712	953
대판 2022.6.30. 2021두62171	431
대판 2022.6.30. 2022다209383	478
대판 2022.7.14. 2020두54852	885
대판 2022.7.14. 2021두62287	430
대판 2022.7.28. 2021두60748	838
대판 2022.7.28. 2022다225910	1085
대판 2022.8.25. 2020도12944	145
대판 2022.9.7. 2020두40327	305
대판 2022.9.7. 2021두39096	249
대판 2022.9.7. 2022두42365	811
대판 2022.9.16. 2020두47021	711
대판 2022.9.16. 2021두58912	205
대판 2022.10.14. 2021두45008	723, 724
대판 2022.10.27. 2022도9510	593
대판 2022.11.10. 2018도1966	581
대판 2022.11.17. 2021두44425	920
대판 2023.2.2. 2020두48260	832
대판 2023.4.27. 2020두47892	832
대판 2023.6.1. 2019두41324	557
대판 2023.6.15. 2021두55159	303
대판 2023.6.29. 2020두46073	991
대판 2023.6.29. 2021다250025	1018
대판 2023.6.29. 2022두44262	927
대판 2023.7.27. 2022두52980	735
대판 2023.9.21. 2023두39724	522
대판 2023.10.12. 2022다276697	139
대판 2023.10.26. 2018두55272	821
대판 2023.10.26. 2020두50966	48
대판 2024.2.8. 2022두50571	885
대판 2024.3.12. 2022두60011	66
대판 2024.4.16. 2022두57138	880
대판 2024.5.9. 2023도3914	517
대판 2024.5.30. 2022두65559	551
대판 2024.6.27. 2021두39997	837
대판 2024.7.18. 2023두36800 전합	49, 51
대판 2024.9.13. 2024두40493	885
대판 2024.11.28. 2023두61349	960, 961

대법원 결정

대결 1961.11.23. 4294행상3	936
대결 1970.11.20. 70그4	938
대결 1974.12.23. 74그4	931
대결 1986.3.21. 86두5	932
대결 1987.6.23. 86두18	931
대결 1988.6.14. 88두6	929
대결 1989.10.27. 89두1	924
대결 1990.3.14. 90두4	895
대결 1991.5.2. 91두15	931
대결 1992.4.29. 92두7	932
대결 1992.7.6. 92마54	939, 989
대결 1992.8.7. 92두30	481, 932, 934
대결 1993.2.10. 91두47	931
대결 1993.7.6. 93마635	153
대결 1994.1.17. 93두79	933
대결 1994.4.26. 93부32	192
대결 1994.9.30. 94부18	183
대결 1994.10.11. 94두23	812
대결 1996.12.24. 98무37	980
대결 1997.1.10. 96두31	933
대결 1997.4.28. 96두75	934
대결 1998.1.7. 97무22	977
대결 1998.12.24. 98무37	992
대결 1999.11.26. 99부3	24, 929
대결 1999.12.20. 99무42	933, 934
대결 2000.10.10. 2000무17	935
대결 2001.10.10. 2001무29	932
대결 2002.12.11. 2002무22	977, 979
대결 2003.4.25. 2003무2	931, 932
대결 2003.10.9. 2003무23	210, 828, 932
대결 2004.1.15. 2002무30	976, 977
대결 2005.8.19. 2005마30	649
대결 2006.2.23. 2005부4	893, 896
대결 2006.4.28. 2003마715	224

대결 2006.6.2. 2004마1148	848
대결 2006.12.8. 2006마470	115, 650
대결 2007.6.28. 2005무75	929
대결 2007.7.13. 2005무85	934
대결 2007.7.24. 2006마635	289
대결 2008.1.11. 2007마810	703
대결 2009.9.24. 2009마168	1013
대결 2009.9.24. 2009마168·169	295
대결 2009.11.2. 2009마596	446
대결 2010.1.19. 2008마546	551
대결 2010.2.5. 2009무153	1005
대결 2010.4.8. 2009마1026	887
대결 2010.5.14. 2010무48	933
대결 2010.11.26. 2010무137	26, 929, 930
대결 2011.4.21. 2010무111	447, 931, 932, 933, 934
대결 2011.7.14. 2011마364	698
대결 2012.9.20. 2012마1097	476
대결 2012.10.19. 2012마1163	703
대결 2014.10.16. 2014아132	180
대결 2015.8.21. 2015무26	1022
대결 2018.1.19. 2017마1332	918
대결 2018.4.26. 2018아541	49
대결 2018.7.12. 2018무600	931, 933
대결 2018.11.2. 2018마5608	653
대결 2020.11.3. 2020마5594	92
대결 2020.12.18. 2020마6912	698
대결 2022.2.11. 2021모3175	551
대결 2022.9.29. 2022마118	428
대결 2024.8.29. 2024무677	552

헌법재판소 결정

헌재 1989.7.21. 89헌마38	42
헌재 1989.9.4. 88헌마22	547, 1031
헌재 1990.9.3. 90헌마13	54, 207
헌재 1990.10.15. 89헌마178	194
헌재 1991.2.11. 90헌가27	47
헌재 1991.2.11. 90헌바17	1128
헌재 1991.5.13. 89헌가97	133
헌재 1991.5.13. 90헌마133	547
헌재 1992.10.1. 92헌마68	483, 1031
헌재 1992.10.1. 92헌마68 등	211
헌재 1992.12.24. 92헌가8	57, 501
헌재 1993.5.13. 92헌가10 등	393
헌재 1993.7.29. 89헌마31	489
헌재 1993.12.23. 92헌마247	119
헌재 1994.6.30. 92헌바23	392
헌재 1994.6.30. 92헌바38	705
헌재 1994.12.29. 93헌바21	1108
헌재 1995.4.20. 92헌마264	1032
헌재 1995.4.20. 92헌마264 등	182
헌재 1995.5.25. 91헌가7	1112
헌재 1995.5.27. 98헌바70	46
헌재 1995.7.21. 92헌마144	1032
헌재 1995.12.28. 91헌마80	119
헌재 1996.2.29. 93헌마186	17, 19, 805
헌재 1996.2.29. 94헌마213	184, 687
헌재 1996.6.13. 94헌마118	1104
헌재 1996.6.13. 94헌바20	1104
헌재 1996.10.31. 94헌마204	198
헌재 1996.11.28. 92헌마237	1032
헌재 1997.2.20. 95헌바27	181
헌재 1997.7.16. 97헌마38	1031
헌재 1997.12.24. 95헌마390	181
헌재 1998.2.27. 97헌마64	183
헌재 1998.5.28. 96헌마151	1031
헌재 1998.5.28. 96헌바4	694
헌재 1998.5.28. 96헌바83	686, 688
헌재 1998.4.30. 97헌마141	108, 202, 852
헌재 1998.7.16. 96헌마246	196, 197, 198
헌재 1998.8.27. 96헌마398	120, 482, 1032
헌재 1998.9.30. 97헌마38	92
헌재 1998.12.24. 89헌마214	1121, 1127
헌재 1998.12.24. 89헌마214 등	1118
헌재 1999.1.28. 97헌가8	180
헌재 1999.4.29. 97헌마333	108
헌재 1999.5.27. 97헌마137 등	482
헌재 1999.5.27. 98헌바70	46
헌재 1999.6.24. 97헌마315	318
헌재 1999.7.22. 97헌바76·98헌바50·51·52·54·55	92
헌재 1999.7.22. 97헌바76 등	93
헌재 1999.10.21. 97헌바26	1127
헌재 2000.6.1. 97헌바74	19
헌재 2000.6.1. 99헌가11·12	59
헌재 2000.6.1. 99헌마538	447
헌재 2000.6.1. 99헌마538 등	462
헌재 2001.2.22. 2000헌바38	1104
헌재 2001.4.26. 99헌마37	128
헌재 2001.5.31. 99헌마413	54, 211
헌재 2001.6.28. 2000헌바30	731
헌재 2001.7.18. 2001헌마605	211, 212
헌재 2002.3.28. 2001헌마464	30
헌재 2002.5.30. 2000헌바58	459, 872
헌재 2002.7.18. 2000헌마707	197
헌재 2002.7.18. 2001헌마605	212
헌재 2002.10.31. 2000헌가12	670, 672
헌재 2002.11.28. 2002헌바45	78
헌재 2003.5.15. 2000헌마192 등	198
헌재 2003.6.26. 2002헌가14	721
헌재 2003.6.26. 2002헌마337 등	489
헌재 2003.6.26. 2002헌마402	445
헌재 2003.7.24. 2001헌가25	710
헌재 2003.10.30. 2002헌마275	693
헌재 2004.1.29. 2001헌마894	222
헌재 2004.1.29. 2002헌바73	402
헌재 2004.2.26. 2001헌마718	197, 198, 1032
헌재 2004.2.26. 2001헌바80·84·102·103·2002헌바26	649
헌재 2004.2.26. 2001헌바80 등	651
헌재 2004.3.25. 2003헌바22	130
헌재 2004.4.29. 2002헌바58	128
헌재 2004.4.29. 2003헌마814	18, 19
헌재 2004.7.15. 2001헌마646	52
헌재 2004.10.21. 2004헌마554	39
헌재 2004.10.21. 2004헌마554·556	18
헌재 2004.10.28. 99헌바91	176, 221, 222
헌재 2004.10.28. 99헌바91 등	223
헌재 2004.11.25. 2003헌바29 등	1132
헌재 2004.12.16. 2002헌마478	122
헌재 2004.12.16. 2002헌마579	550
헌재 2005.2.24. 2003헌마289	45
헌재 2005.5.26. 2001헌마728	482
헌재 2005.5.26. 2003헌가17	179
헌재 2005.5.26. 2004헌마190	581
헌재 2005.5.26. 99헌마513	582
헌재 2005.5.26. 99헌마513 등	580, 582
헌재 2005.6.30. 2004헌마859	1033
헌재 2005.7.21. 2003헌마282 등	582
헌재 2005.9.29. 2002헌바84 등	462
헌재 2005.11.24. 2004헌가28	59
헌재 2006.2.23. 2004헌마19	1142, 1143, 1144
헌재 2006.2.23. 2004헌마675 등	50
헌재 2006.3.30. 2005헌바31	48, 183
헌재 2006.4.25. 2006헌마409	45

헌재 2006.5.25. 2003헌마715 등　　45
헌재 2006.7.27. 2005헌마277　　482
헌재 2006.11.30. 2005헌마855　　29
헌재 2007.6.28. 2004헌마262　　101
헌재 2007.10.4. 2006헌바91　　454
헌재 2007.11.29. 2005헌가10　　691
헌재 2008.2.28. 2006헌바70　　46
헌재 2008.7.31. 2004헌마1010　　58
헌재 2008.8.19. 2008헌마505　　198
헌재 2008.11.27. 2005헌마161 등　　222
헌재 2008.12.26. 2007헌마862　　446
헌재 2009.2.26. 2008헌마370　　1030
헌재 2009.3.26. 2007헌가22　　58
헌재 2009.5.28. 2007헌마369　　18
헌재 2009.7.14. 2009헌마349　　198
헌재 2009.7.30. 2008헌가14　　691
헌재 2009.9.24. 2007헌바114　　1122
헌재 2009.9.24. 2008헌바11　　1129
헌재 2009.9.24. 2009헌바28　　75
헌재 2010.12.28. 2009헌바429　　402
헌재 2011.3.31. 2009헌바286　　1053
헌재 2011.7.28. 2009헌마408　　108
헌재 2011.8.30. 2009헌바128 등　　47
헌재 2011.8.30. 2009헌바245　　1131
헌재 2011.9.29. 2010헌가93　　180
헌재 2011.10.25. 2009헌바140　　649
헌재 2011.12.29. 2009헌마330·344　　489
헌재 2012.4.3. 2012헌마164　　462
헌재 2012.6.27. 2010헌마508　　495
헌재 2013.2.28. 2011헌바250　　1122
헌재 2013.3.21. 2010헌바70　　194
헌재 2013.3.21. 2010헌바70·132·170　　194
헌재 2013.6.27. 2010헌마535 등　　394
헌재 2013.7.25. 2012헌바71　　1142
헌재 2013.9.26. 2011헌바272　　108
헌재 2013.12.26. 2011헌바16　　1131
헌재 2014.1.28. 2010헌바251　　392
헌재 2014.7.24. 2013헌바183　　221, 223
헌재 2014.10.30. 2001헌바129　　1121, 1123
헌재 2014.10.30. 2011헌바172　　1121
헌재 2015.2.26. 2012헌바355　　714
헌재 2015.3.26. 2013헌마214　　831
헌재 2016.7.28. 2014헌바158 등　　48
헌재 2016.7.28. 2015헌마236 등　　686
헌재 2016.10.27. 2013헌마576　　461

헌재 2017.5.25. 2014헌마844　　181
헌재 2017.9.28. 2016헌바140　　221
헌재 2019.11.28. 2017헌가23　　179
헌재 2019.11.28. 2017헌마759　　99
헌재 2022.2.24. 2020헌가12　　1024
헌재 2022.8.31. 2022헌가14　　59
헌재 2023.5.25. 2021헌마21　　815

기타 법원

서울고법 1998.9.24. 97구12015　　236, 237
서울고법 2004.6.24. 2003누6483　　473
서울고법 2005.12.21. 2005누4412　　370
서울행법 2005.10.12. 2005구합10484　　552
서울행법 2010.3.12. 2009아3749　　931
서울행법 2016.9.8. 2015구합83061　　560
수원지법 2000.11.29. 99구5610　　323

함수민	**약력**		**저서**
	제56회 사법시험 합격		해커스공무원 함수민 행정법총론 기본서
	제32회 법원행정고등고시 합격		해커스공무원 함수민 행정법총론 단원별 기출문제집
			해커스공무원 함수민 행정법총론 진도별 모의고사
	현 ㅣ 해커스공무원 행정법 강의		해커스공무원 함수민 행정법총론 실전동형모의고사
	전 ㅣ 노량진 윌비스고시학원 전임교수		해커스공무원 함수민 행정법총론 단권화 노트

2026 대비 최신개정판

해커스공무원
함수민
행정법총론 기본서 | 2권

개정 3판 1쇄 발행 2025년 6월 27일

지은이	함수민 편저
펴낸곳	해커스패스
펴낸이	해커스공무원 출판팀
주소	서울특별시 강남구 강남대로 428 해커스공무원
고객센터	1588-4055
교재 관련 문의	gosi@hackerspass.com
	해커스공무원 사이트(gosi.Hackers.com) 교재 Q&A 게시판
	카카오톡 플러스 친구 [해커스공무원 노량진캠퍼스]
학원 강의 및 동영상강의	gosi.Hackers.com
ISBN	2권: 979-11-7404-215-6 (14360)
	세트: 979-11-7404-213-2 (14360)
Serial Number	03-01-01

저작권자 ⓒ 2025, 함수민

이 책의 모든 내용, 이미지, 디자인, 편집 형태는 저작권법에 의해 보호받고 있습니다.

서면에 의한 저자와 출판사의 허락 없이 내용의 일부 혹은 전부를 인용, 발췌하거나 복제, 배포할 수 없습니다.

공무원 교육 1위,
해커스공무원 gosi.Hackers.com

해커스공무원

· **해커스공무원 학원 및 인강**(교재 내 인강 할인쿠폰 수록)
· 해커스 스타강사의 **공무원 행정법 무료 특강**
· 정확한 성적 분석으로 약점 극복이 가능한 **합격예측 온라인 모의고사**(교재 내 응시권 및 해설강의 수강권 수록)

한경비즈니스 2024 한국품질만족도 교육(온·오프라인 공무원학원) 1위